Lerwick

Kirkwall

Wick

**LE YORKSHIRE
ET L'HUMBERSIDE**
Pages 366-399

LA NORTHUMBRIA
Pages 400-415

**LE LANCASHIRE
ET LES LACS**
Pages 342-365

Sunderland

York

Kingston
upon Hull

eeds

heffield

ES MIDLANDS

• Nottingham
erby

• Leicester

Coventry

• Northampton

Cambridge

Ipswich

LE SUD-EST

• Luton

Oxford

LONDRES

Dover •

outhampton
Portsmouth   Brighton

**LE CŒUR DE
L'ANGLETERRE**
Pages 294-317

L'EST DES MIDLANDS
Pages 318-331

**LES DOWNS ET LES
CÔTES DE LA MANCHE**
Pages 152-177

**LA VALLÉE
DE LA TAMISE**
Pages 204-225

L'EAST ANGLIA
Pages 178-203

LONDRES
Pages 70-143

0   100 km

GUIDES VOIR

GRANDE-
BRETAGNE

GUIDES ◉ VOIR

GRANDE-
BRETAGNE

HACHETTE

HACHETTE TOURISME
43, quai de Grenelle, 75905 Paris Cedex 15

DIRECTION
Nathalie Pujo

RESPONSABLE DE PÔLE ÉDITORIAL
Amélie Baghdiguian

RESPONSABLE DE COLLECTION
Catherine Laussucq

ÉDITION
Aurélie Pregliasco

TRADUIT ET ADAPTÉ DE L'ANGLAIS PAR
Philippe Rollet, Pierre de Puyberneau, Dominique Brotot
avec la collaboration d'Isabelle de Jaham et Cécile Beaucourt

MISE EN PAGES (PAO)
Maogani

CE GUIDE VOIR A ÉTÉ ÉTABLI PAR
Michael Leapman

Publié pour la première fois en Grande-Bretagne
en 1995 sous le titre :
Eyewitness Travel Guides : Great Britain
© Dorling Kindersley Limited, London 1995, 2006
© Hachette Livre (Hachette Tourisme)
2005 pour la traduction et l'édition française.
Cartographie © Dorling Kindersley 2006

IMPRIMÉ ET RELIÉ PAR SOUTH CHINA PRINTING COMPANY

DÉPÔT LÉGAL : 69527, janvier 2006
ISBN : 2-01-240493-6
ISSN : 1246-8134
Collection 32 – Édition 01
N° DE CODIFICATION : 24-0493-7

Aussi soigneusement qu'il ait été établi, ce guide
n'est pas à l'abri des changements de dernière heure.
Faites-nous part de vos remarques, informez-nous
de vos découvertes personnelles : nous accordons
la plus grande attention au courrier de nos lecteurs.

SOMMAIRE

COMMENT UTILISER CE GUIDE 6

Un tournoi, d'après une
miniature du XIVᵉ siècle

PRÉSENTATION DE LA GRANDE-BRETAGNE

LA GRANDE-BRETAGNE DANS
SON ENVIRONNEMENT 10

UNE IMAGE DE LA
GRANDE-BRETAGNE 16

HISTOIRE DE LA
GRANDE-BRETAGNE 38

LA GRANDE-BRETAGNE
AU JOUR LE JOUR 62

Garde de la Tour de Londres

LONDRES

PRÉSENTATION
DE LONDRES 72

WEST END ET
WESTMINSTER 78

SOUTH KENSINGTON
ET HYDE PARK 96

Le château d'Eilean Donan sur le Loch Duich, Highlands écossaises

REGENT'S PARK ET
BLOOMSBURY *104*

LA CITY ET
SOUTHWARK *110*

EN DEHORS
DU CENTRE *130*

ATLAS DES RUES *135*

LE SUD-EST DE
L'ANGLETERRE

PRÉSENTATION DU SUD-EST
DE L'ANGLETERRE *146*

LES DOWNS ET LES CÔTES
DE LA MANCHE *152*

L'EAST ANGLIA *178*

LA VALLÉE DE LA TAMISE *204*

L'OUEST DE
L'ANGLETERRE

PRÉSENTATION
DE L'OUEST
DE L'ANGLETERRE *228*

LE WESSEX *234*

LE DEVON ET LES
CORNOUAILLES *260*

LES MIDLANDS

PRÉSENTATION DES
MIDLANDS *286*

LE CŒUR DE
L'ANGLETERRE *294*

L'EST DES MIDLANDS *318*

Maison du début
du XVIIe siècle à Hereford

LE NORD DE
L'ANGLETERRE

PRÉSENTATION
DU NORD
DE L'ANGLETERRE *334*

LE LANCASHIRE
ET LES LACS *342*

LE YORKSHIRE ET LA
RÉGION DU HUMBER *366*

LA NORTHUMBRIA *400*

LE PAYS DE GALLES

PRÉSENTATION DU
PAYS DE GALLES *418*

LE NORD DU
PAYS DE GALLES *426*

LE SUD ET LE CENTRE
DU PAYS DE GALLES *442*

L'ÉCOSSE

PRÉSENTATION DE
L'ÉCOSSE *464*

LES LOWLANDS *476*

LES HIGHLANDS
ET LES ÎLES *510*

LES BONNES
ADRESSES

HÉBERGEMENT *538*

RESTAURANTS *574*

RENSEIGNEMENTS
PRATIQUES

LA GRANDE-BRETAGNE
MODE D'EMPLOI *614*

ALLER
EN GRANDE-BRETAGNE
ET S'Y DÉPLACER *632*

INDEX *644*

Vue de la vallée de l'Usk et des
Brecon Beacons, pays de Galles

COMMENT UTILISER CE GUIDE

L e but de ce guide est de vous aider à profiter au mieux de votre séjour en Grande-Bretagne ; il fourmille d'informations pratiques et de conseils. L'introduction, *Présentation de la Grande-Bretagne*, propose une carte du pays et le situe dans son contexte historique et culturel. Six autres chapitres, et un

septième consacré à *Londres*, présentent en détail tous les principaux sites et monuments. Des encadrés abordent les thèmes les plus variés, depuis le sport jusqu'aux jardins. *Les Bonnes adresses* recensent les hôtels, les restaurants et les cafés. Les *Renseignements pratiques* vous apportent tous les conseils utiles.

LONDRES

Le centre de Londres est divisé en quatre quartiers. Chacun fait l'objet d'un chapitre séparé, avec une liste de tous les endroits présentés. La dernière section, *En dehors du centre*, est consacrée aux faubourgs les plus intéressants. Tous les sites sont repérés sur un plan et numérotés ; les numéros correspondent à l'ordre dans lequel les monuments sont décrits dans le corps du chapitre.

Le quartier d'un coup d'œil classe les centres d'intérêt par catégories : quartiers historiques, monuments, musées, églises, boutiques, parcs et jardins.

Un repère rouge signale toutes les pages concernant Londres.

La carte de situation indique où se trouve le quartier dans la ville.

1 Plan général du quartier
Un numéro permet de retrouver les monuments de chaque quartier sur une carte. Les monuments du centre-ville figurent aussi dans l'atlas des rues, p. 135-143.

2 Plan du quartier pas à pas
Il présente une vue aérienne du cœur de chaque quartier.

Des étoiles indiquent les endroits à ne pas manquer.

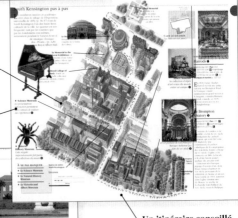

Un itinéraire conseillé est indiqué en rouge.

3 Renseignements détaillés
Les monuments de Londres sont décrits un par un, avec toutes les informations pratiques : adresses, numéros de téléphone, heures d'ouverture, visites guidées, tarifs et accessibilité aux handicapés.

1 Introduction
La présentation des paysages, de l'histoire et de la spécificité des régions montre leur évolution au cours des siècles et ce qu'elles proposent aujourd'hui au visiteur.

LA GRANDE-BRETAGNE RÉGION PAR RÉGION
La Grande-Bretagne a été divisée en quatorze régions traitées chacune dans un chapitre séparé. Londres fait l'objet d'un chapitre à part. Les villes et monuments les plus intéressants sont repérés sur une *Carte touristique*.

Les régions peuvent être repérées rapidement grâce à un code couleur (voir premier rabat de couverture).

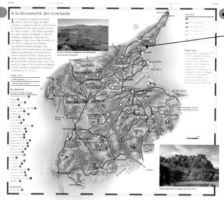

2 La carte touristique
Elle offre une vue d'ensemble de toute la région et de son réseau routier. Les sites et les monuments sont repérés par des numéros. L'accès à la région et les moyens de transport disponibles sont indiqués.

3 Information détaillée
Les localités et sites les plus importants sont décrits un par un dans l'ordre de la numérotation de la Carte touristique. Les textes décrivent en détail tous les sites à voir et les monuments.

Des encadrés sont consacrés aux particularités des sites.

Le mode d'emploi vous aide à organiser votre visite des sites les plus importants.

4 Les principaux monuments
Une ou plusieurs pages leur sont réservées. Des dessins dévoilent l'intérieur des bâtiments historiques. Un plan détaillé du cœur des villes permet de localiser les monuments les plus intéressants.

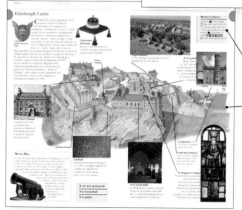

PRÉSENTATION DE LA GRANDE-BRETAGNE

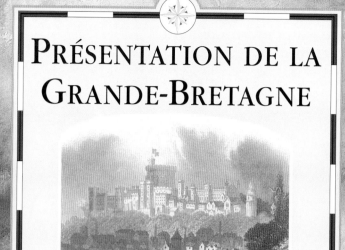

LA GRANDE-BRETAGNE DANS SON ENVIRONNEMENT 10-15

UNE IMAGE DE LA GRANDE-BRETAGNE 16-37

HISTOIRE DE LA GRANDE-BRETAGNE 38-61

LA GRANDE-BRETAGNE AU JOUR LE JOUR 62-69

La Grande-Bretagne dans son environnement

La Grande-Bretagne s'étend au nord-ouest de l'Europe ; elle est bordée par l'océan Atlantique, la mer du Nord et la Manche. Les paysages et les climats de la Grande-Bretagne sont très variés ; ils conditionnent encore partiellement le peuplement de l'île. Les côtes de l'Ouest et les montagnes inhospitalières d'Écosse ou du pays de Galles sont moins peuplées que les Midlands ou le Sud-Est, plus plats et plus fertiles. C'est là que vit la plus grande partie des quelque 58 millions d'habitants que compte le pays. La population y étant beaucoup plus dense, le Sud est aujourd'hui la partie la plus construite de l'île et la mieux desservie.

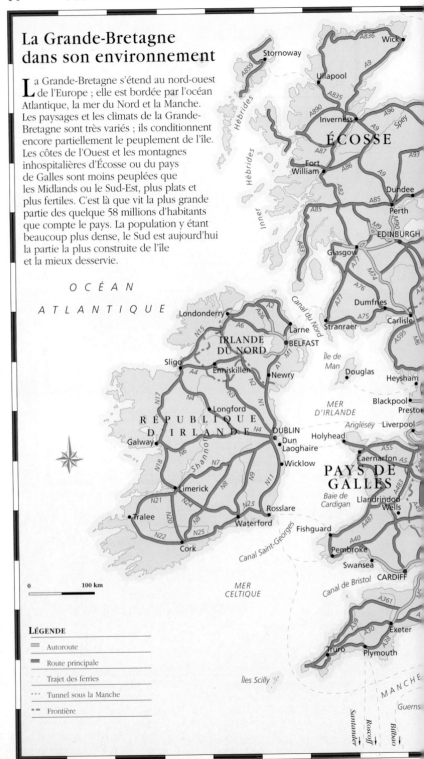

LÉGENDE

Autoroute	
Route principale	
Trajet des ferries	
Tunnel sous la Manche	
Frontière	

◁ *La cathédrale de Salisbuty à travers les prés*, de John Constable (1776-1837)

Îles Shetland
Unst
Yell
Mainland
Foula
Lerwick

La Grande-Bretagne et l'Europe
La Grande-Bretagne est située au nord-ouest de l'Europe. Ses plus proches voisins sont l'Irlande, à l'ouest, les Pays-Bas, la Belgique et la France de l'autre côté de la Manche ; le Danemark, la Norvège et la Suède sont également très proches.

Aberdeen

Westray
Sanday
Mainland
Stronsay
Stromness
Île Fair
Hoy
Kirkwall
Îles Orkney
A836
Wick
A9
Aberdeen

EUROPE
NORVÈGE
FINLANDE
SUÈDE
ESTONIE
RUSSIE
LETTONIE
DANEMARK
LITUANIE
RUSSIE
HIÉLORUSSIE
PAYS-BAS
POLOGNE
Londres
ALLEMAGNE
UKRAINE
BELGIQUE
LUXEMBOURG
RÉP. TCHÈQUE
SLOVAQUIE
FRANCE
AUTRICHE
HONGRIE
SUISSE
SLOVÉNIE
ROUMANIE
ITALIE
CROATIE
BOSNIE
HERZÉGOVINE
SERBIE ET
MONTÉNÉGRO
BULGARIE
ESPAGNE
ALBANIE
MACÉDOINE
PORTUGAL
GRÈCE
ALGÉRIE
TUNISIE

Les îles Shetland et Orkney
Ces territoires sont les plus septentrionaux de la Grande-Bretagne : les îles Shetland ne sont qu'à six degrés au-dessous du cercle polaire arctique.

A98
A96

Newcastle upon Tyne
A69
A1(M)
Sunderland
A66
A1(M)

M E R   D U   N O R D

Göteborg
Esbjerg
Hamburg

Swale
A65
Bradford Leeds
M62
M62
M1
M180
York
A165
Kingston upon Hull
Huddersfield
Manchester
A6
Sheffield
Grimsby
Stoke-on-Trent
ANGLETERRE
A16
Derby
Nottingham

Groningen
A7
A31
A28
N37

Peterborough
A47
A11
Norwich
A12

PAYS-BAS
A7
AMSTERDAM
A6
Zwolle
A1

Birmingham
Warwick
M40
M1
Northampton
Cambridge
A14
A12
La Haye
Utrecht
A50
Arnhem
A31
Stratford-upon-Avon
M5
Ipswich
A12
Rotterdam
A15
Gloucester
Harlow
Felixstowe
A58
A59
A57
Duisburg
Oxford
Harwich
Eindhoven
A67
Essen
Bristol
Windsor
M3
Ramsgate
Duisburg
Bath
LONDRES
M2
Canterbury
Zeebrugge
Anvers
A61
Cologne
Salisbury
M25
Dover
Ostende
Anvers
A2
A3
Aachen
A4
Southampton
Folkestone
Dunkerque
BRUXELLES
Portsmouth
Brighton
Newhaven
Calais
A10
A3
Liège
Bournemouth
Île de Wight
Détroit de Calais
Boulogne
A25
Lille
A16
BELGIQUE
A15
A4
ALLEMAGNE
A2
A26

N1
Dieppe
Amiens
LUXEMBOURG
Cherbourg
Le Havre
N15
N27
A28
D901
FRANCE
A26
Rouen
A1
LUXEMBOURG
A31
Caen
N13
N175
N158
N14
N1
A4
N51
Metz
PARIS
Reims
A4
Saint Malo
A13
sey

La Grande-Bretagne par régions : Londres, le Sud, les Midlands et le pays de Galles

La Grande-Bretagne est reliée par voie aérienne aux plus grandes villes de la planète. Londres compte trois grands aéroports internationaux ; le trafic de celui d'Heathrow est l'un des plus importants du monde. Le sud de l'île, la région la plus peuplée, est divisé dans ce guide en quatre secteurs : le Sud-Est, l'Ouest, le pays de Galles et les Midlands. Un chapitre spécial est réservé à Londres. Les liaisons routières et ferroviaires avec le Nord et l'Écosse *(p. 14-15)* et d'une grande ville à l'autre sont nombreuses.

CODE COULEUR DES RÉGIONS

Londres

Le Sud-Est de l'Angleterre

Les Downs et côtes de la Manche

L'East Anglia

La vallée de la Tamise

L'Ouest

Le Wessex

Le Devon et les Cornouailles

Le pays de Galles

Le nord du pays de Galles

Sud et centre du pays de Galles

Les Midlands

Le cœur de l'Angleterre

L'est des Midlands

LÉGENDE

Embarcadère de ferries

Aéroport

Route principale

Voie ferrée

Tunnel sous la Manche

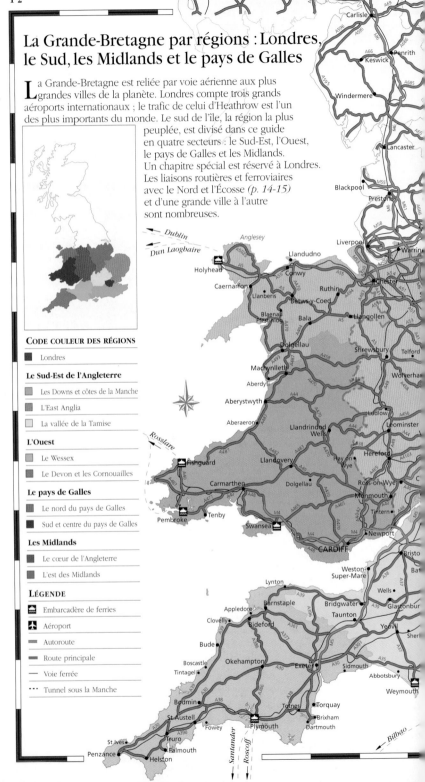

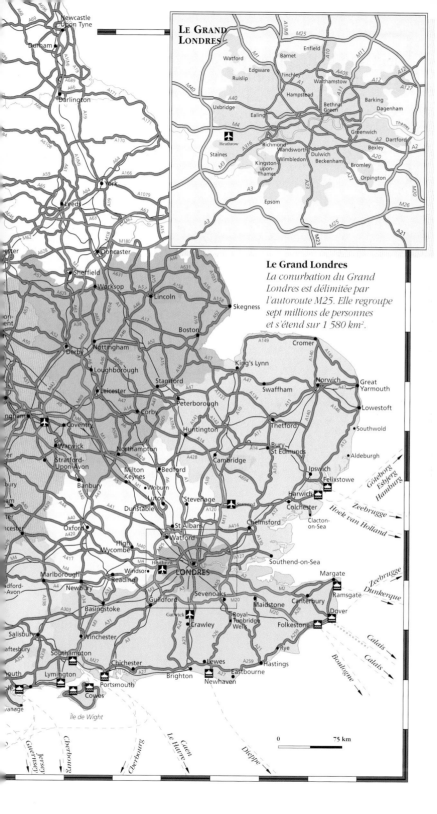

Le Grand Londres

La conurbation du Grand Londres est délimitée par l'autoroute M25. Elle regroupe sept millions de personnes et s'étend sur 1 580 km².

La Grande-Bretagne par régions : le Nord et l'Écosse

Cette partie de la Grande-Bretagne fait l'objet de deux chapitres. Bien que ces régions soient moins peuplées que le Sud, les liaisons routières et ferroviaires y sont excellentes ; un service de ferries permet de gagner les petites îles.

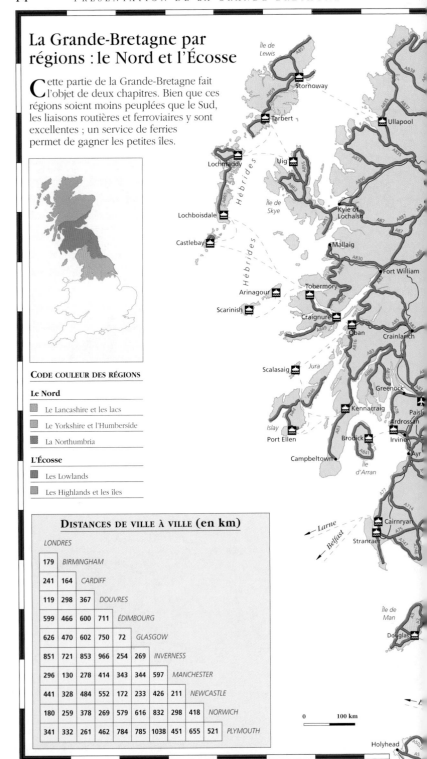

CODE COULEUR DES RÉGIONS

Le Nord

- Le Lancashire et les lacs
- Le Yorkshire et l'Humberside
- La Northumbria

L'Écosse

- Les Lowlands
- Les Highlands et les îles

DISTANCES DE VILLE À VILLE (en km)

LONDRES										
179	*BIRMINGHAM*									
241	164	*CARDIFF*								
119	298	367	*DOUVRES*							
599	466	600	711	*ÉDIMBOURG*						
626	470	602	750	72	*GLASGOW*					
851	721	853	966	254	269	*INVERNESS*				
296	130	278	414	343	344	597	*MANCHESTER*			
441	328	484	552	172	233	426	211	*NEWCASTLE*		
180	259	378	269	579	616	832	298	418	*NORWICH*	
341	332	261	462	784	785	1038	451	655	521	*PLYMOUTH*

0   100 km

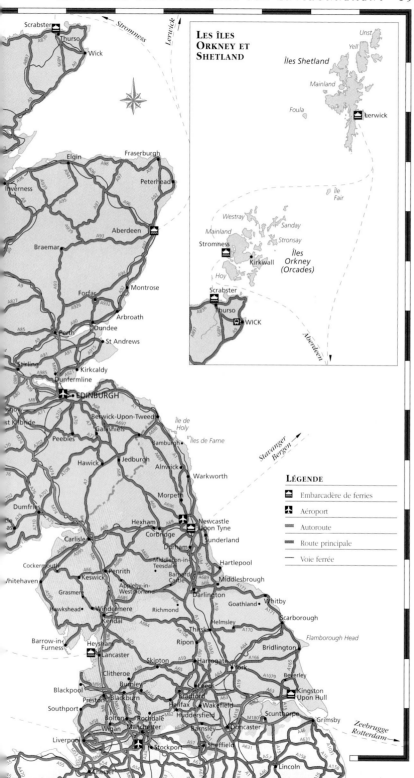

LES ÎLES ORKNEY ET SHETLAND

Îles Shetland

Unst

Yell

Mainland

Foula

Lerwick

Île Fair

Westray

Sanday

Mainland

Stronsay

Stromness

Kirkwall

Îles Orkney (Orcades)

Hoy

Scrabster

Thurso

WICK

Aberdeen

Scrabster
Thurso
Wick

Stromness

Lerwick

Elgin
Fraserburgh
Peterhead

Inverness

Aberdeen

Braemar

Forfar
Montrose

Arbroath

Perth
Dundee
St Andrews

Stirling

Kirkcaldy

Dunfermline

Glasgow

EDINBURGH

st Kilbride

Berwick-Upon-Tweed

Galashiels

Île de Holy

Peebles

Bamburgh

Îles de Farne

Hawick
Jedburgh

Alnwick

Warkworth

Dumfries

Morpeth

Stavanger
Bergen

LÉGENDE

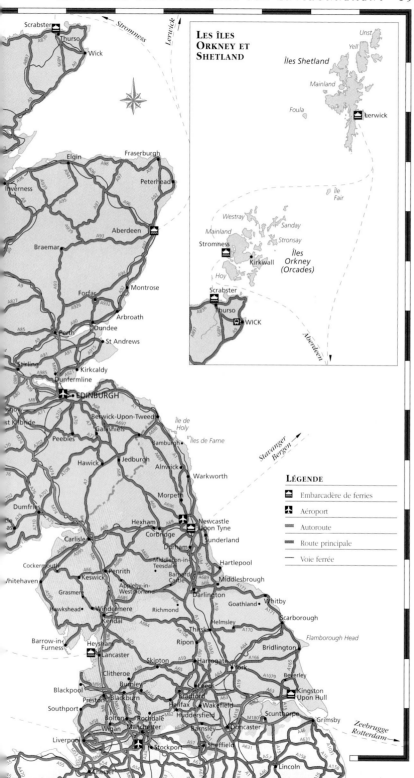 Embarcadère de ferries

Aéroport

Autoroute

Route principale

Voie ferrée

Hexham
Newcastle Upon Tyne

Corbridge

Carlisle

Durham
Sunderland

Cockermouth

Middleton-in-Teesdale

Hartlepool

Keswick
Penrith

Barnard Castle

Middlesbrough

Whitehaven

Appleby-in-Westmorland

Darlington

Goathland
Whitby

Grasmere

Richmond

Hawkshead
Windermere

Helmsley

Scarborough

Kendal

Thirsk

Barrow-in-Furness

Heysham

Ripon

Flamborough Head

Lancaster

Skipton

Bridlington

Clitheroe

Harrogate

Beverley

Blackpool

Burnley

York

Preston
Blackburn

Leeds

Kingston Upon Hull

Southport

Bradford
Halifax
Wakefield

Bolton
Rochdale

Huddersfield

Scunthorpe

Wigan
Manchester

Barnsley
Doncaster

Grimsby

Liverpool

Stockport

Sheffield

Zeebrugge
Rotterdam

Chester

Lincoln

UNE IMAGE DE LA GRANDE-BRETAGNE

Très jalouse de ses traditions, la Grande-Bretagne a bien plus à offrir au visiteur que des châteaux mystérieux ou des villages pittoresques. La littérature, les arts plastiques et l'architecture forment, avec les paysages très divers que l'on y rencontre, le patrimoine d'une nation en équilibre entre les nécessités du monde moderne et ses traditions.

La Grande-Bretagne n'a jamais été envahie depuis 1066, et les habitants ont su conserver leurs traditions. Les Romains qui débarquèrent en 43 restèrent trois cent cinquante ans, mais leur culture et leur langue furent rapidement balayées par les peuples venus du nord de l'Europe qui leur succédèrent. Les liens de l'île avec l'Europe se relâchèrent au XVIᵉ siècle quand l'Église anglicane remplaça la tradition catholique.

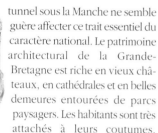

Rose Tudor

La Grande-Bretagne est aujourd'hui membre de la communauté européenne, mais elle cultive jalousement son non-conformisme, même s'il s'applique à de petits détails comme le fait de conduire à gauche ; l'ouverture du tunnel sous la Manche ne semble guère affecter ce trait essentiel du caractère national. Le patrimoine architectural de la Grande-Bretagne est riche en vieux châteaux, en cathédrales et en belles demeures entourées de parcs paysagers. Les habitants sont très attachés à leurs coutumes, depuis les simples danses villageoises jusqu'aux grandes cérémonies monarchiques.

La Grande-Bretagne est une petite île composée d'une mosaïque de régions très variées, dont les habitants ont su conserver leur identité culturelle. L'Écosse et le pays de Galles, par exemple, se distinguent foncièrement de l'Angleterre, puisqu'ils ont leurs

Promenade le long de l'Avon, à Bath

◁ **Les barques à fond plat de la Cam, à Cambridge**

Widecombe-in-the-Moor, un petit village du Devon au milieu des collines

propres assemblées législatives.

Ces deux pays ont des coutumes et des traditions très différentes. L'Écosse a même une législation et un système éducatif particuliers. L'écossais et le gallois sont toujours localement parlés et bénéficient d'un réseau radiophonique et télévisuel. Au Nord et à l'Ouest, des dialectes dérivés de l'anglais avec de forts accents régionaux sont encore courants. Ces régions maintiennent vivantes leurs traditions dans tous les domaines, arts, architecture et cuisine.

Les paysages aussi sont très variés, depuis les montagnes rocailleuses du pays de Galles, de l'Écosse et du Nord, jusqu'aux plaines des Midlands en passant par les collines du Sud et de l'Ouest. L'East Anglia possède de lon-

Les armes de l'Écosse au château d'Édimbourg

gues plages, et la côte ouest de petites criques pittoresques. Malgré une urbanisation croissante depuis plus de deux siècles, l'agriculture garde une place importante : près des trois quarts du sol britannique sont cultivés. On récolte surtout du blé, de l'orge, de la betterave à sucre et des pommes de terre. Au début de l'été, le regard est attiré par de vastes étendues de colza d'un jaune brillant ou par le bleu ardoise des champs de lin.

La campagne regorge de petits hameaux, de cottages pittoresques et de jardins amoureusement entretenus – une véritable passion en Grande-Bretagne. La vie s'écoule paisiblement dans ces villages aux maisons serrées autour d'une église et d'un pub. Boire une bière dans une auberge et se relaxer au coin du feu sont deux vieilles coutumes très britanniques que tous les étrangers sont invités à partager – cordialement mais sans grandes démonstrations, car, s'ils sont moins formalistes qu'autrefois, les Britanniques restent plutôt réservés.

Au XIXe siècle et au début du XXe, le commerce avec l'immense Empire britannique et l'abondance du charbon ont stimulé l'industrie et procuré au pays une certaine prospérité. Des milliers de

Le lac et les jardins de Petworth House, dans le Sussex

gens ont quitté la campagne pour venir s'installer dans les villes à proximité des mines et des manufactures ; en 1850, la Grande-Bretagne était la plus importante nation industrialisée du monde. Aujourd'hui, beaucoup de ces industries ont périclité, et 22 % seulement de la population active travaille dans les usines, contre 66 % dans le secteur tertiaire. En pleine expansion, celui-ci se concentre surtout dans le Sud-Est, près de Londres.

La foule du marché de Petticoat Lane, dans l'East End à Londres

LA SOCIÉTÉ ET LA POLITIQUE

Dans les villes se mêlent des gens venus d'horizons différents. Il y eut d'abord les Irlandais ; depuis les années cinquante sont arrivés des centaines de milliers d'immigrés venus des anciennes colonies d'Afrique, d'Asie ou des Caraïbes, qui font aujourd'hui partie du Commonwealth. Près de 5 % des quelque 58 millions d'habitants de la Grande-Bretagne sont des gens de couleur, et près de la moitié d'entre eux sont nés sur le sol britannique. Le résultat est une société pluri-culturelle où se côtoient des musiques, des traditions artistiques, des religions et des cuisines très différentes. Mais les choses sont loin d'être idylliques, et la tension monte parfois dans les vieux quartiers de certaines villes, où vivent les membres les plus défavorisés des différentes communautés. Bien que la discrimination raciale dans le domaine du logement ou de l'emploi soit illégale, elle est encore parfois de mise.

Sculpture du cloître de la cathédrale de Norwich

Le système de classes britannique désoriente les visiteurs, car il prend en compte à la fois l'origine sociale et la fortune. En Angleterre, il n'y a plus de grandes fortunes aristocratiques, mais certaines vieilles familles vivent encore sur leurs terres, et ouvrent souvent leur domaine à la visite. Le fossé entre les classes sociales est creusé par le système éducatif. Plus de 90 % des enfants suivent l'école d'État gratuite, mais les parents les plus fortunés préfèrent les écoles privées, d'où sortent la plupart de ceux que l'on retrouve aux postes clefs de la politique et des affaires.

Le rôle dévolu à la monarchie illustre bien le dilemme d'un peuple pris entre le désir de préserver le principal symbole de l'unité nationale et le rejet des privilèges liés à la naissance. La reine, chef de l'Église anglicane, n'a pas de pouvoir politique réel ; pourtant les moindres faits et gestes de toute la famille royale sont passés au crible par l'opinion publique. La récente avalanche de scandales a fait pencher une partie

L'enceinte de la cathédrale de Winchester

de l'opinion vers l'abolition de la monarchie.

La démocratie est profondément enracinée : dès le XIIIe siècle, il y avait à Londres l'équivalent d'un Parlement.

Si l'on excepte la parenthèse républicaine du XVIIe siècle, le pouvoir est passé insensiblement de la Couronne aux assemblées représentatives du peuple. Entre 1832 et 1884, une série de mesures a donné le droit de vote à tous les

Le thé de cinq heures sur la pelouse du Thornbury Castle Hotel d'Avon

citoyens ; les femmes n'ont pu voter qu'à partir de 1928. Margaret Thatcher – la première femme Premier ministre en Grande-Bretagne – a dirigé le gouvernement de 1979 à 1990. Les travaillistes (gauche) et les conservateurs (droite) favorisent tour à tour, pendant qu'ils sont au pouvoir, la privatisation ou la nationalisation des industries et travaillent au financement des systèmes d'allocations sociales.

L'Irlande pose un problème politique épineux depuis le XVIIe siècle. Après avoir fait partie du Royaume-Uni pendant huit cents ans, elle fut coupée en deux en 1921 ; depuis, elle a connu la longue lutte entre catholiques et protestants. L'accord de paix du vendredi saint en 1997 a été un grand pas en avant, mais le chemin reste difficile.

La Chambre des lords au Parlement

LA CULTURE ET LES ARTS

En Grande-Bretagne, la tradition du théâtre remonte au XVIe siècle et à William Shakespeare, dont les pièces sont jouées pratiquement sans interruption depuis leur création. Beaucoup d'œuvres plus récentes sont aussi représentées, et les auteurs dramatiques actuels, comme Tom Stoppard, Alan Ayckbourn et David Hare, renouent avec une longue tradition qui use d'un langage très vivant pour traiter les sujets les plus graves sous couvert de comédie. De nombreux acteurs britanniques, comme Vanessa Redgrave, Ian McKellan, Ralph Fiennes ou Anthony Hopkins, ont une réputation internationale.

Londres est une ville phare pour la vie théâtrale du pays, mais d'excellentes pièces sont montées ailleurs. À Édimbourg se tient un festival de théâtre et de musique qui est l'un

Deux élèves du célèbre collège d'Eton

des grands rendez-vous de la vie culturelle britannique. L'été se déroulent de nombreux autres festivals de musique dans tout le pays. À Haye-on-Wye et Cheltenham ont lieu tous les ans des festivals de littérature. La poésie n'est pas oubliée : au pays de Chaucer, des poèmes sont affichés dans le métro, au milieu des panneaux publicitaires.

Dans le domaine des arts plastiques, il y a en Grande-Bretagne une vieille tradition de l'art du portrait, de la caricature, du paysage et de l'aquarelle. Aujourd'hui, des peintres comme David Hockney ou Lucian Freud, des sculpteurs comme Henry Moore et Barbara

Hepworth sont connus dans le monde entier. En architecture, Christopher Wren, Inigo Jones, John Nash ou Robert Adam ont façonné les paysages urbains ; de nos jours, Norman Foster et Richard Rogers se sont faits les cham-

La lecture des journaux dans les jardins de Kensington

pions du post-modernisme. La Grande-Bretagne est aussi une pépinière de stylistes très novateurs.

Les Britanniques sont de grands lecteurs de journaux. Onze journaux nationaux sortent à Londres dans la semaine. Les tirages sont très importants, et des quotidiens comme *The Times* sont lus dans le monde entier. Plus populaire, la presse à scandales, où alternent rumeurs, crimes et comptes rendus sportifs, représente près de 80 % des journaux édités.

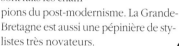

Le top model britannique
Naomi Campbell

L'industrie cinématographique a dû s'incliner devant Hollywood, mais elle a cependant produit quelques succès internationaux comme *The Full Monty* et *Coup de foudre à Notting Hill*. La télévision britannique – notamment la BBC (British Broadcasting Corporation), qui regroupe cinq stations de radio, deux chaînes de télévision terrestre et plusieurs chaînes numériques – est connue pour la qualité de ses programmes, qu'il s'agisse de documentaires, d'émissions d'actualités ou de dramatiques.

Football, rugby, cricket ou golf, les Britanniques sont très sportifs et tous les matchs sont très suivis. L'image d'un match de cricket dans un petit village fait partie des clichés inévitables qui circulent sur l'Angleterre. La pêche est un passe-temps très répandu dans tout le pays et les Britanniques, qui sont d'excellents marcheurs, profitent largement de leurs nombreux parcs nationaux.

On a souvent tendance à ironiser sur la cuisine anglaise, prétendument élaborée à partir de quelques ingrédients de base accommodés sans grande imagination. Mais l'influence des cuisines étrangères a introduit de la diversité et une certaine créativité dans cette alimentation un peu trop sage. Bien sûr, on trouvera toujours le moyen de goûter à toutes les spécialités, cuisine bourgeoise ou plats régionaux, mais il existe aussi une large gamme de mets plus novateurs.

Dans ce domaine comme dans beaucoup d'autres, les Britanniques ont su enrichir leurs traditions des apports d'autres cultures, mais sans rien perdre de leur originalité.

Le port de Whitby et l'église Sainte-Marie, Yorkshire

L'art des jardins

En Grande-Bretagne, l'art des jardins est étroitement lié à l'évolution de l'architecture. Les parterres aux tracés compliqués de la période élisabéthaine ont ainsi fait place à des jardins plus sophistiqués sous les Stuarts avec l'arrivée de nouvelles variétés de plantes. Au XVIIIᵉ siècle, le goût pour d'immenses paysages « naturels » associant lacs, bois et prés a donné naissance au très spécifique jardin à l'anglaise. Si le XIXᵉ siècle a vu l'opposition féroce de ces deux derniers styles, le XXᵉ siècle se caractérise par un éclectisme où tous les styles se retrouvent.

Colonne monumentale

Grotte et cascade apportent une touche romantique.

Capability Brown (1715-1783) *fut le plus grand paysagiste britannique, favorisant le passage du jardin à la française au jardin à l'anglaise, plus bucolique.*

Prunellier

Les temples classiques, fort appréciés au XVIIIᵉ siècle, étaient souvent des copies fidèles de monuments découverts en Grèce par les paysagistes.

Les jardins à la française, *très en vogue en Europe au XVIIᵉ siècle, caractérisaient les jardins de l'aristocratie. Privy Garden, à Hampton Court, restauré en 1995, a retrouvé l'aspect qu'il avait sous Guillaume III.*

LE JARDIN PAYSAGER

Les jardins grandioses du début du XVIIIᵉ siècle étaient inspirés de Rome et de la Grèce antique, tels Stourhead et Stowe. De simples bosquets d'arbres jouaient un rôle central dans un cadre serein et impeccable.

Érable

Des **sentiers sinueux**, dessinés avec soin, permettaient aux visiteurs de découvrir des paysages différents.

CONCEPTION ET FORMALISME

Le jardin d'agrément est une tentative de dompter la nature plutôt que de l'imiter. La rigueur est indispensable pour obtenir des parterres structurés, émaillés de statues. Leur conception évolue avec la mode et l'introduction de nouvelles plantes.

Les jardins médiévaux comportaient un gazon bordé de plantes et une treille, tel Queen Eleanor's Garden, à Winchester.

Les jardins Tudor formaient des parterres bien délimités, parfois des labyrinthes. Tudor House Garden, à Southampton, s'orne de sculptures.

Les massifs de plantes herbacées *et de fleurs luxuriantes sont les joyaux du jardin d'été. Gertrude Jekyll (1843-1932) en fut la célèbre initiatrice grâce à son talent pour le mariage des couleurs.*

Cèdre du Liban   If

Rhododendron

Le pont palladien, plus décoratif qu'utile, était un élément incontournable.

*Les **tracés compliqués** étaient à la mode au XVIe siècle. Des parterres bordés de lavande ou de buis abritaient fleurs, plantes médicinales ou potagers, comme à Pitmedden en Écosse.*

MODE D'EMPLOI

Le « livre jaune » Gardens of England and Wales, le guide annuel du National Gardens Scheme, répertorie les jardins ouverts au public.

DÉVELOPPEMENT DE LA PENSÉE MODERNE

Les plantes de jardins sont toutes issues de fleurs sauvages, sélectionnées pour obtenir des qualités séduisant les paysagistes. L'histoire de la pensée est à cet égard exemplaire.

La pensée sauvage (*Viola tricolor*), aussi appelée petite pensée ou encore herbe de la Trinité, est une petite fleur annuelle aux couleurs très diverses.

La pensée de montagne (*Viola lutea*) est pluriannuelle. Les premières variétés cultivées furent issues du croisement avec la pensée sauvage au début du XIXe siècle.

La pensée « Show » fut cultivée après qu'une tache fut apparue par hasard en 1840. Elle était ronde avec un petite tache symétrique.

La pensée « Fancy », créée dans les années 1860, était plus grande. La tache couvrait trois pétales à l'exception d'une marge colorée.

Les pensées hybrides modernes sont issues de croisements. Elles sont très variées et arborent de nouvelles couleurs éclatantes.

Au XVIIe siècle, le style fut plus recherché. Des pièces d'eau, comme à Blenheim, étaient souvent associées à des parterres de plantes exotiques.

Les jardins victoriens, avec leurs massifs colorés et formels, s'opposent à ceux de Capability Brown. Alton Towers en est un bon exemple.

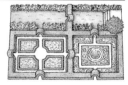

Les jardins contemporains allient histoire et modernité comme à Hidcote Manor, Gloucestershire. Les fleurs sauvages sont très à la mode.

Les grandes demeures

Ces belles résidences datent principalement des XVIIIe et XIXe siècles, époque où les grands propriétaires terriens et les capitaines d'industrie ont décidé de jouir de leur fortune à la campagne. Les premières demeures campagnardes, du XIVe siècle, avaient encore une vocation défensive, mais à partir du XVIe siècle, sous l'influence de la Renaissance européenne en Angleterre, ces maisons sont devenues des résidences d'agrément remplies d'œuvres d'art *(p. 290-291)*. Le XVIIIe siècle a ensuite ressuscité l'architecture classique, et l'ère victorienne le gothique flamboyant. Aujourd'hui, de nombreuses demeures sont ouvertes au public ; quelques-unes sont administrées par le National Trust, l'équivalent anglais de la Caisse des monuments historiques.

Motif décoratif de Robert Adam (vers 1760)

Le salon en rotonde, inspiré du Panthéon de Rome, a été conçu pour accueillir la collection de sculptures classiques des Curzon.

La galerie de peintures, la pièce la plus importante des appartements d'apparat, renferme les œuvres les plus belles.

Le hall de marbre entouré de colonnes corinthiennes en albâtre rose servait de salle de bal.

Cette aile abrite les appartements privés de la famille Curzon, qui y habite encore aujourd'hui. Les chambres des domestiques étaient au-dessus des cuisines.

Le salon de musique, très décoré. La musique jouait un grand rôle dans la vie sociale des classes aisées.

CHRONOLOGIE

1650				1750

Colen Campbell (1676-1729) dessine Burlington House *(p. 83)*

Sir John Vanbrugh *(p. 384)* et **Nicholas Hawksmoor** (1661-1736) construisent Blenheim Palace *(p. 216-217)*

William Kent (1685-1748) construit Holkham Hall *(p. 185)* dans le style de Palladio

Castle Howard (1702) par sir John Vanbrugh

Robert Adam (1728-1792), qui a beaucoup travaillé avec son frère James (1730-1794), est un architecte et décorateur renommé

John Carr (1723-1807) est l'architecte d'Harewood House *(p. 396)*

Henry Holland (1745-1806) a construit l'aile sud, néo-classique, de Woburn Abbey *(p. 218)*

Cheminée néo-classique d'Adam à Kedleston Hall

LE NATIONAL TRUST

À la fin du XIXe siècle, le développement des usines, des mines, des routes et de l'urbanisation a fait craindre qu'une partie du patrimoine de la Grande-Bretagne – paysages ou monuments du passé – ne vienne à disparaître. En 1895, sous l'impulsion notamment d'Octavia Hill, est né le National Trust. En

Le logo à la feuille de chêne du National Trust

1896, il acquérait un premier édifice, la Clergy House d'Alfriston, dans le Sussex *(p. 168)*. Le National Trust compte aujourd'hui plus de deux millions de membres dans le pays ; il gère de nombreuses demeures historiques, des jardins et de vastes domaines à la campagne ou en bord de mer *(p. 617)*.

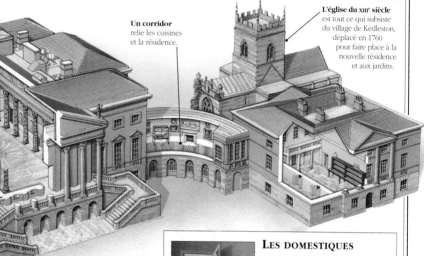

Un corridor relie les cuisines et la résidence.

L'église du XIIIe siècle est tout ce qui subsiste du village de Kedleston, déplacé en 1760 pour faire place à la nouvelle résidence et aux jardins.

KEDLESTON HALL

Cette résidence du Derbyshire *(p. 324)* a été édifiée pour les Curzon dans les années 1760. C'est l'une des premières réalisations d'un architecte très influent du XVIIIe siècle, Robert Adam (1728-1792), pionnier de l'art néo-classique, qui redécouvre l'art gréco-romain.

Scène d'intérieur, **par Charles Hunt (vers 1890)**

LES DOMESTIQUES

Une armée de domestiques était nécessaire pour assurer le train d'une grande demeure. Le maître d'hôtel supervisait toute la domesticité et veillait à ce que les repas soient servis à l'heure. La gouvernante dirigeait les femmes chargées du ménage. Le cuisinier élaborait les repas avec les produits du domaine. Les maîtres de maison avaient aussi des valets ou des femmes de chambre.

1800	1850

Philip Webb (1831-1915) est l'un des principaux architectes du mouvement Arts and Crafts *(p. 316)*, qui entend renoncer au néo-gothique et revenir à une simplicité des formes « Vieille Angleterre »

Sir Edwin Lutyens (1869-1944) a dessiné dans le Devon le Castle Drogo *(p. 283)*, une des dernières grandes demeures campagnardes

Salle à manger à Cragside, Northumberland

Norman Shaw (1831-1912) est un tenant du néo-gothique (comme à Cragside, ci-dessus) et un pionnier du mouvement Arts and Crafts *(p. 316)*

Standen, West Sussex (1891-1894), par Philip Webb

Héraldique et aristocratie

L'aristocratie britannique a été créée il y a neuf cents ans, quand les rois normands offraient des terres et des titres en échange d'un soutien armé. Les rois qui leur ont succédé ont eux aussi distribué des titres et des domaines à leurs alliés, créant ainsi de nouvelles dynasties d'aristocrates. Le titre de « comte » date du XIᵉ siècle, celui de « duc » du XIVᵉ.

L'ordre de la Jarretière

La noblesse s'est rapidement choisi des motifs distinctifs, en grande partie pour pouvoir reconnaître les chevaliers de leur maison cachés sous l'armure : ces motifs étaient le plus souvent peints sur le manteau des chevaliers et leur écu.

Au Collège des Armes, à Londres, sont conservées toutes les armoiries ; on en crée aussi de nouvelles

LES ARMES ROYALES

Les armoiries britanniques les plus connues sont celles des souverains. Elles figurent sur le drapeau, sur les documents officiels et à la devanture des magasins qui bénéficient du patronage royal. Les armes ont été modifiées plusieurs fois. L'écu central en quatre parties porte les armes de l'Angleterre (deux fois), celles de l'Écosse et celles de l'Irlande. Tout autour des devises, le lion et la licorne héraldiques surmontés de la couronne et du heaume.

C'est Édouard III *(1327-1377) qui a fondé le prestigieux ordre chevaleresque de la Jarretière. La jarretière, qui porte la devise « Honni soit qui mal y pense », entoure les armes de l'Angleterre, de l'Écosse et du pays de Galles.*

Le lion est l'animal héraldique le plus répandu.

Le lion rouge est le symbole de l'Écosse.

La licorne est généralement considérée en héraldique comme le symbole de la monarchie écossaise.

Henri II *(1154-1189) avait sur ses armes trois lions, devenus les « trois lions de gueule passant » de son fils Richard Iᵉʳ et qui figurent aujourd'hui sur les armes de la Grande-Bretagne.*

Le heaume royal avec sa grille d'or a été ajouté sur les armes par Élisabeth Iʳᵉ (1558-1603).

« Dieu et mon droit » est la devise des rois depuis le règne d'Henri V (1413-1422).

Henri VII *(1485-1509) a créé la rose Tudor à partir de la rose blanche des York et la rose rouge des Lancastre.*

L'AMIRAL NELSON

Toute personne anoblie par le monarque se doit de composer elle-même ses armoiries. Horatio Nelson (1758-1805) a été fait baron du Nil en 1798 et vicomte en 1801. Ses armoiries sont en relation avec sa carrière d'amiral, mais quelques éléments ont été ajoutés après sa mort à la bataille de Trafalgar.

L'écu est supporté par un marin.

La devise signifie : « Que celui qui la mérite porte la palme ».

Cette scène représente la bataille du Nil (1798).

Le San Joseph était un navire espagnol que Nelson captura au péril de sa vie.

ARBRES GÉNÉALOGIQUES

Vous pouvez retrouver la trace de vos ancêtres britanniques grâce au **Family Records Centre**, 1, Myddelton St, à Londres (020-8392 5300), qui recense les naissances, mariages et décès survenus en Angleterre et au pays de Galles depuis 1837. Pour l'Écosse, la **New Register House**, 3 West Register St, Edinburgh EH13YT (0131-314 4433). Également la **Society of Genealogists**, 14 Charterhouse Buildings, Londres EC1 (020-7251 8799).

Les titres se transmettent à une femme en l'absence d'héritier mâle.

Le duc d'Édimbourg (né en 1921), époux de la reine, est l'un des quelques ducs qui font partie de la famille royale.

Le marquis de Salisbury (1830-1903), qui fut trois fois Premier ministre entre 1885 et 1902, descend de Robert Cecil, un homme d'État du XVIe siècle.

Le comte Mountbatten of Burma (1900-1979) a été anobli en 1947 pour son action militaire et diplomatique.

Le vicomte Montgomery (1887-1976) a accédé à la pairie pour hauts faits militaires pendant la Deuxième Guerre mondiale.

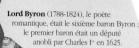

Lord Byron (1788-1824), le poète romantique, était le sixième baron Byron ; le premier baron était un député anobli par Charles Ier en 1625.

LES PAIRS DU ROYAUME

Le royaume compte environ 1 200 pairs. En 1999, la pairie héréditaire a commencé à être abolie au profit de la pairie à vie ; le titre de pair ne peut se transmettre puisqu'il prend fin à la mort du récipendiaire. Tous les pairs peuvent siéger à la Chambre des lords, y compris les archevêques et les hauts dignitaires de l'Église anglicane. À partir de 1958 la reine a étendu la pairie à vie à des personnalités qui ont rendu de grands services à la société. Depuis 1999, les pairs issus du « peuple » commencent à remplacer les pairs héréditaires.

LES PAIRS

- ☐ 25 ducs
- ☐ 35 marquis
- ☐ 175 comtes et comtesses
- ☐ 100 vicomtes
- ☐ + de 800 barons et baronnes

LA LISTE DE LA REINE

Deux fois par an, le Premier ministre et les chefs des partis politiques proposent à la reine une liste d'hommes et de femmes qui se sont distingués et qu'ils jugent dignes d'être décorés. Certains sont faits chevaliers, d'autres reçoivent le prestigieux Ordre du Mérite (OM), mais la plupart sont faits Membres de l'Empire britannique (OBE ou MBE).

Mère Teresa *a reçu l'Ordre du Mérite en 1983 pour son action en Inde.*

Terence Conran, *(Habitat) a été fait chevalier pour services rendus à l'industrie.*

Les Beatles *ont tous les quatre été faits MBE en 1965.*

L'architecture rurale

Pour beaucoup, le véritable art de vivre britannique se rencontre à la campagne. On y trouve en effet une atmosphère sereine, que bien des citadins envient. Les premiers villages ont été construits il y a plus de 1 500 ans, quand les Saxons ont commencé à défricher les forêts et à s'établir auprès d'un point d'eau. La plupart des villages actuels existaient déjà à l'époque du *Domesday Book*, le premier cadastre anglais, qui date de 1086 ; il ne subsiste que bien peu de bâtiments de cette époque. Les maisons se sont construites peu à peu autour d'une église ou d'un château. Les villages typiques sont composés de bâtiments de différentes époques. Le plus ancien est en général l'église ; viennent ensuite les granges dîmières, les cottages et les manoirs.

Abbotsbury, dans le Dorset, un petit village blotti contre son église

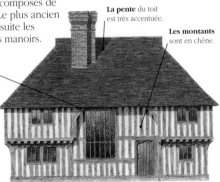

La pente du toit est très accentuée.

Les montants sont en chêne.

L'avant-toit est supporté par des pièces de charpente courbes.

Wealden Hall House, dans le Sussex, est une maison médiévale à colombage typique du sud-ouest de l'Angleterre. L'espace central est flanqué de deux étages de baies. La maison compte deux niveaux ; le dernier vient en encorbellement.

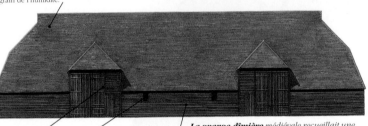

Le toit de tuiles protège le grain de l'humidité.

L'entrée très large est accessible aux chars à bœufs.

Des trous laissent entrer l'air – et les oiseaux.

Les murs et les portes sont à l'abri des intempéries.

La grange dîmière médiévale recueillait une partie des récoltes (la dîme, un dixième de la production) pour le clergé. Le toit est supporté par d'énormes pièces de charpente incurvées qui montent depuis les murs très bas de la grange.

L'ÉGLISE PAROISSIALE

L'église est au cœur de la vie du village. Le clocher, visible de loin, sert aussi de repère. L'église « parle » de son village : par exemple, une grande église dans un petit village est signe d'exode rural. Certaines églises ont été construites en plusieurs étapes, avec des éléments remontant parfois à l'époque saxonne. On peut y voir quelquefois des plaques tombales en cuivre, des peintures, des miséricordes (*p. 329*) ou des sculptures des XVIe et XVIIe siècles. On y vend souvent de petits guides.

Clocher du XVIIIe siècle

Façade ouest

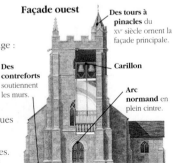

Des tours à pinacles du XVe siècle ornent la façade principale.

Des contreforts soutiennent les murs.

Carillon

Arc normand en plein cintre.

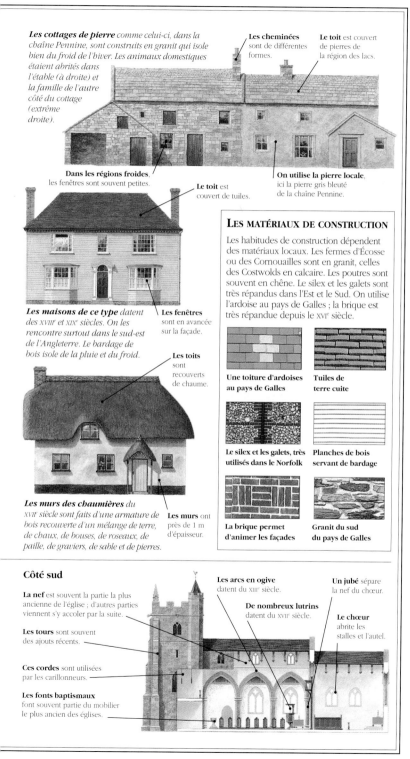

Les cottages de pierre *comme celui-ci, dans la chaîne Pennine, sont construits en granit qui isole bien du froid de l'hiver. Les animaux domestiques étaient abrités dans l'étable (à droite) et la famille de l'autre côté du cottage (extrême droite).*

Les cheminées sont de différentes formes.

Le toit est couvert de pierres de la région des lacs.

Dans les régions froides, les fenêtres sont souvent petites.

Le toit est couvert de tuiles.

On utilise la pierre locale, ici la pierre gris bleuté de la chaîne Pennine.

Les maisons de ce type *datent des XVIIIe et XIXe siècles. On les rencontre surtout dans le sud-est de l'Angleterre. Le bardage de bois isole de la pluie et du froid.*

Les fenêtres sont en avancée sur la façade.

Les toits sont recouverts de chaume.

Les murs des chaumières *du XVIIe siècle sont faits d'une armature de bois recouverte d'un mélange de terre, de chaux, de bouses, de roseaux, de paille, de graviers, de sable et de pierres.*

Les murs ont près de 1 m d'épaisseur.

LES MATÉRIAUX DE CONSTRUCTION

Les habitudes de construction dépendent des matériaux locaux. Les fermes d'Écosse ou des Cornouailles sont en granit, celles des Costwolds en calcaire. Les poutres sont souvent en chêne. Le silex et les galets sont très répandus dans l'Est et le Sud. On utilise l'ardoise au pays de Galles ; la brique est très répandue depuis le XVIe siècle.

Une toiture d'ardoises au pays de Galles

Tuiles de terre cuite

Le silex et les galets, très utilisés dans le Norfolk

Planches de bois servant de bardage

La brique permet d'animer les façades

Granit du sud du pays de Galles

Côté sud

La nef est souvent la partie la plus ancienne de l'église ; d'autres parties viennent s'y accoler par la suite.

Les tours sont souvent des ajouts récents.

Ces cordes sont utilisées par les carillonneurs.

Les fonts baptismaux font souvent partie du mobilier le plus ancien des églises.

Les arcs en ogive datent du XIIIe siècle.

De nombreux lutrins datent du XVIIe siècle.

Un jubé sépare la nef du chœur.

Le chœur abrite les stalles et l'autel.

À la campagne

Papillon bleu commun

Bien que peu étendue, la Grande-Bretagne présente une variété étonnante de climats et de zones géologiques qui ont modelé des paysages très divers : landes battues par les vents, plaines marécageuses ou pâturages. Chaque type de terrain abrite une faune bien spécifique. Aujourd'hui, on travaille de moins en moins aux champs ; la création de réserves naturelles et de sentiers de randonnée a fait de la campagne un vrai lieu de villégiature.

LA FAUNE LOCALE

Pas d'animaux dangereux en Grande-Bretagne, mais dans la campagne et les forêts vivent une grande variété de petits mammifères, de rongeurs et d'insectes. Les fleuves et les rivières abritent de nombreuses espèces de poissons. On peut observer aussi quantité d'oiseaux de toutes sortes, passereaux, rapaces ou oiseaux pêcheurs du littoral.

Les pâturages se trouvent en plaine.

Les arbres abritent toute une faune sauvage.

Les terres les plus hautes ne sont pas cultivées.

Buissons et arbustes poussent entre les rochers.

Les torrents venus de la montagne coulent sur un lit de rochers.

Sur les hauteurs la neige reste jusqu'au printemps.

LES COLLINES BOISÉES

Les collines de craie, comme ici à Ditchling Beacon dans les Downs *(p. 169)*, sont peu fertiles ; on y fait paître les moutons. Les pentes les plus douces sont parfois cultivées. On y trouve des fleurs et des papillons bien spécifiques ; dans les bois prédominent le hêtre et l'if.

À FLANC DE COTEAU

Des zones entières du pays restent sauvages. Rien n'y pousse, ni cultures ni forêts. La bruyère est assez résistante pour survivre dans la lande, où vivent les cerfs et le gibier à plumes. Les plus hautes terres, rocailleuses, comme les Cairngorms *(p. 530-531)* en Écosse, sont le repaire de nombreux rapaces, tel l'aigle royal.

Le chardon aux fleurs roses attire en été de nombreux papillons.

La bruyère aux petites fleurs en forme de clochettes jette une note de couleur sur les landes et les hautes terres.

L'églantine est l'une des fleurs préférées des Britanniques ; on en voit souvent le long des haies.

La berce a des feuilles et des tiges robustes et de grandes fleurs blanches en ombelle.

Le bec-de-grue est un géranium sauvage que l'on reconnaît à ses fleurs violettes.

La tormentille aux petites fleurs jaunes aime l'humidité et les sols acides. On la trouve en été au bord de l'eau et sur les landes.

Les hirondelles *et les martinets sont visibles en été.*

Le faucon crécerelle *se nourrit de petits mammifères et de rongeurs.*

Les lapins *viennent chercher leur nourriture entre champs et forêts.*

Le rouge-gorge *est un hôte familier des jardins et des haies.*

Les renards *vivent cachés dans les bois, à proximité des exploitations.*

Les céréales poussent dans de petits champs clos.

Les haies abritent toute une faune sauvage.

Quelques petits bois rompent la succession des champs.

Les moutons paissent dans les marais salants.

De petits canaux drainent l'eau des champs.

Des bouquets de roseaux croissent sur les berges.

LE BOCAGE

Cette mosaïque de champs, dans les Costwolds *(p. 292)*, est due à l'exploitation de toutes petites surfaces cultivées. La ferme produit du fourrage, des céréales et du foin ; les vaches et les moutons sont élevés en enclos. Depuis des siècles, les haies d'arbres délimitent les parcelles.

LES MARÉCAGES

À Romney Marsh *(p. 170)* et dans une grande partie de l'East Anglia, on trouve des zones humides et plates, creusées de fossés et de canaux de drainage. Certaines zones au sol plus riche sont cultivées, d'autres servent de pâturage aux moutons, mais bien souvent rien n'y pousse que des roseaux.

La grande marguerite des champs *est une variété de la marguerite commune. Elle fleurit du printemps à la fin de l'été.*

Les orchidées, *comme cette variété mouchetée, sont parmi les plus rares des fleurs sauvages.*

Les coucous *appartiennent à la famille des primevères. Au printemps, les champs en sont couverts.*

La lavande de mer *est une variété qui s'accommode bien des sols salins.*

Les coquelicots *émaillent les champs de maïs.*

Les boutons d'or *sont parmi les fleurs des champs les plus répandues.*

La Grande-Bretagne à pied

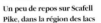

Quel que soit leur niveau, tous les marcheurs trouveront en Grande-Bretagne de quoi satisfaire leur passion. Les chemins de grande randonnée sont très nombreux ; ils proposent des circuits à faire en un jour ou en plusieurs, avec des haltes pour la nuit. Des chemins balisés indiquent des promenades plus courtes, à travers des terrains publics ou des propriétés privées. On trouve sur place des cartes répertoriant toutes les randonnées possibles. Les promenades en plaine sont plus faciles, mais s'attaquer aux collines est peut-être plus gratifiant.

Un peu de repos sur Scafell Pike, dans la région des lacs.

Le West Highlands Way. Une randonnée difficile de 153 km depuis Milngavie, près de Glasgow, jusqu'à Fort William, au nord, à travers un paysage de lochs et de landes *(p. 480)*.

*Le **Pennine Way** est le premier chemin de grande randonnée tracé en Grande-Bretagne. Il couvre 431 km et part d'Edale, dans le Derbyshire, pour rejoindre Kirk Yetholm, à la frontière écossaise. Une belle randonnée, uniquement pour marcheurs chevronnés.*

Fort William

Glasgow

St Bees Head

*L'**Offa's Dyke Footpath** suit la frontière entre l'Angleterre et le pays de Galles. Une marche de 270 km à travers la magnifique Wye Valley (p. 447) et les régions limitrophes.*

Le Dales Way va d'Ilkley, dans le West Yorkshire, à Bowness-on-Windermere dans la région des lacs : 130 km dans un très beau paysage de rivières et de vallées.

Prestaty

*Le **Pembrokeshire Coastal Path** : 299 km de rocailles et de falaises pour aller d'Amroth à Cardigan, la pointe occidentale du pays de Galles.*

St Dogmaels

Amroth

Minehead

LES CARTES DE L'« ORDNANCE SURVEY »

Les meilleures cartes pour la randonnée sont éditées par l'Ordnance Survey (08456 050505), l'équivalent britannique de l'IGN. Les plus utiles aux marcheurs sont les cartes au 1/25 000 de la série *Explorer* et celles de la série *Landranger*, au 1/50 000. La gamme *Explorer* concerne les régions les plus connues et couvre des étendues plus vastes.

Le Southwest Coastal Path traverse des paysages très variés, depuis Minehead, au nord de la côte du Somerset, jusqu'à Poole, dans le Dorset, en passant par le Devon et les Cornouailles. Un marathon de… 1 014 km !

POTEAUX INDICATEURS

Les randonnées sont parfois repérées par un symbole, un gland ou un chardon pour l'Écosse. Les promenades plus courtes sont signalées par des flèches de différentes couleurs mises en place par les autorités locales ou des associations de randonneurs. Sur des poteaux ou sur des arbres, les flèches jaunes indiquent en général les sentiers piétonniers et les flèches bleues les allées que peuvent emprunter aussi bien les marcheurs que les cavaliers.

CARNET DE ROUTE

Soyez prêts à tout : le temps peut changer d'un moment à l'autre. N'oubliez pas d'emporter une boussole et une carte, et demandez l'avis de quelqu'un de la région avant d'entreprendre une randonnée difficile. Pensez à emporter quelques vivres si votre carte n'indique pas de pub sur la route !

En chemin, ne quittez pas les itinéraires balisés et pensez à refermer les portillons quand vous traversez une propriété. Ne cueillez pas de plantes et ne donnez rien aux animaux.

Où dormir : la Youth Hostels Association (☎ 01629 592700, W www.yha.org.uk) gère un réseau d'auberges de jeunesse. La formule bed-and-breakfast est très répandue (p. 539).

Pour en savoir plus, l'Association nationale des randonneurs (Ramblers' Association, ☎ 020-7339 8500, W www.ramblers.org.uk) édite un guide pour l'hébergement.

D'une côte à l'autre, le Coast to Coast Walk traverse toute une série de paysages spectaculaires, la région des lacs, les vallées du Yorkshire et les landes du North York, sur 306 km. C'est une randonnée assez difficile. Il vaut mieux la faire d'ouest en est pour profiter des vents dominants.

Kirk Yetholm

Windermere

Robin Hood's Bay

Ilkley

Edale

Le Ridgeway est une randonnée plutôt facile de 37 km qui suit un chemin emprunté autrefois par les troupeaux. Elle commence près d'Avebury (p. 251) et rallie Ivinghoe Beacon.

Le Peddars Way et le **Norfolk Coast Path** couvrent ensemble 151 km. Une randonnée facile qui part de Thetford, rejoint la côte au nord et oblique ensuite vers l'est jusqu'à Cromer.

Sheringham

L'Icknield Way était déjà connu des hommes préhistoriques. 168 km entre les deux randonnées du Ridgeway et du Peddars Way.

Thetford

Ivinghoe

Kemble
Chepstow
Avebury
Farnham
Winchester
Poole Harbour

Londres

Douvres

Eastbourne

Le Thames Path remonte la Tamise sur 341 km, depuis le cœur de Londres jusqu'à sa source, dans le Gloucestershire.

L'Isle of Wight Coastal Path est une promenade facile de 105 km tout autour de l'île de Wight.

Le North Downs Way est une ancienne route qui circule sur 227 km entre de petites collines, de Farnham dans le Surrey jusqu'à Douvres ou Folkestone dans le Kent.

Le South Downs Way est une randonnée très variée de 162 km entre Eastbourne, sur la côte sud, et Winchester (p. 158-159). Elle peut se faire en une semaine.

Les pubs

Étiquette de bière (v. 1900)

Chaque pays possède un type de café particulier ; en Grande-Bretagne c'est le pub, abréviation de « public house ». On y boit traditionnellement de la bière, déjà connue au temps des Romains. Au Moyen Âge, les aubergistes la brassaient eux-mêmes. Les ancêtres du pub sont les relais de poste, qui se sont multipliés au XVIIIe siècle avec le développement des voyages en diligence, et les auberges du siècle dernier, implantées sur le parcours du chemin de fer. On trouve aujourd'hui des pubs de toutes les tailles, du bar à la brasserie, et de tous les styles *(p. 608-611)*.

Au début du XIXe siècle, les auberges faisaient aussi office de relais de poste

LES PUBS AU SIÈCLE DERNIER

À l'ère victorienne, les pubs étaient beaucoup plus cossus que les logements souvent modestes de leurs clients.

Les panneaux de verre gravé étaient très à la mode au siècle dernier.

Dans les pubs, les habitués jouent volontiers aux cartes, au billard russe ou américain, aux dominos ou, comme ici, aux fléchettes.

Les cafés en plein air sont toujours une halte très appréciée pendant l'été.

Ces larges chopes à bière contiennent juste un demi-litre.

L'enseigne du « Lion rouge » (Red Lion) est une allusion aux armes de l'Écosse *(p. 26)*.

Les vieilles caisses enregistreuses contribuent à créer une atmosphère à la fois désuète et chaleureuse…

… tout comme les chopes d'étain, dont on ne se sert plus guère aujourd'hui.

QUE BOIRE ?

La bière traditionnelle est la bière amère à la pression. Brassée à partir d'orge malté, de houblon, de levure et d'eau, vieillie en fûts, elle diffère suivant les régions. Au nord de l'Angleterre, on préfère les brunes légères et les blondes servies en bouteille ou à la pression. On trouve aussi des bières brunes fortes, brassées à partir de malt noir.

Manette pour la bière pression

La bière pression amère se boit plutôt fraîche.

La bière blonde à la pression a une belle couleur miel.

La Guinness est une bière brune irlandaise crémeuse.

Les terrasses ne désemplissent pas dès que l'été arrive

Le pub d'un petit village, avec sa terrasse au bord de l'eau

Les alcools, le sherry et le porto, très populaires en Grande-Bretagne, sont rangés derrière le bar.

Les lampes en pâte de verre rappellent le style victorien.

Le vin était rare autrefois dans les pubs ; on en boit plus volontiers aujourd'hui.

Le bar d'acajou est un élément essentiel du décor.

La bière à la pression provient de brasseries nationales ou locales.

Les mesures dosent les alcools avec précision.

La bière brune est servie en pintes ou, comme ici, en chopines d'une demi-pinte.

Parmi les cocktails, le Pimm's et le gin-tonic.

LES ENSEIGNES

Au Moyen Âge, elles représentaient souvent des bouteilles ou des feuilles de vigne, l'emblème de Bacchus, le dieu du vin. Plus tard, les pubs ont pris le nom d'un personnage historique ou d'une bataille. Comme la plupart des clients ne savaient pas lire, les enseignes se devaient d'être explicites.

L'enseigne « The George » *peut venir d'un des six rois anglais qui ont porté ce nom ou, comme ici, de saint Georges.*

« The Bat and Ball » *(La Batte et la Balle) : un pub portant ce nom est souvent installé près d'un terrain de cricket.*

Le « Green Man » *(Homme vert) un esprit des bois, réminiscence du paganisme, est peut-être à l'origine de la légende de Robin des Bois (p. 324).*

L'enseigne de la « Magna Carta » *se réfère à la « Grande Charte » signée par le roi Jean en 1215 (p. 48).*

Le « Bird in hand » *(l'Oiseau sur le poing) renvoie au passe-temps aristocratique de la chasse au faucon.*

Saveurs britanniques

On ne retient de la gastronomie britannique que les petits déjeuners, le thé de l'après-midi et le pudding, mais les « fish and chips » et les chaussons à la viande sont les ancêtres du fast-food ! La cuisine actuelle est inventive et les plats traditionnels n'utilisent que des ingrédients de premier choix : bœuf, agneau ou gibier. Les Britanniques, cernés par trois mers et un océan, mangent beaucoup de poisson et de fruits de mer – même si ces derniers coûtent relativement cher aujourd'hui.

Les « fish and chips » *sont des beignets de poisson blanc, de la morue par exemple, accompagnés de pommes de terre frites, de sel et de vinaigre.*

Le petit déjeuner *comprend œuf au bacon, champignons, saucisses, tomates, pain grillé et boudin frit.*

Les coques et les buccins *restent bon marché, contrairement à d'autres fruits de mer. On les vend sur des étals devant les pubs ; ils sont plutôt difficiles à manger.*

Le laverbread *est une spécialité galloise à base d'algues brunes. On le mange froid avec des fruits de mer, ou chaud avec du bacon, des tomates et du pain grillé.*

Les Cornish pasties *sont des chaussons fourrés à la viande et aux légumes. À l'origine, c'était pour les laboureurs un repas facile à emporter aux champs.*

L'HEURE DU THÉ

Le thé de 16 heures est une tradition à laquelle on sacrifie aussi bien chez soi que dans un salon de thé ou un grand hôtel. Au thé d'Inde ou du Sri Lanka, on peut ajouter du lait ou du sucre ; le thé de Chine se sert parfois avec du citron. Avant le thé, on offre de minuscules sandwichs au concombre, puis des scones, de la confiture et de la crème, surtout dans l'ouest de l'Angleterre (*p. 275*). On vous proposera aussi du pain grillé ou de petites crêpes, une tranche de cake aux fruits, du gâteau Victoria à la confiture, un éclair au chocolat ou une spécialité locale comme le sablé écossais.

« Eccles cake »

« Bakewell tart »

« Barra brith » ou pain gallois

Gâteaux gallois

Cake au gingembre

Gâteau Victoria

Sandwichs au concombre

Thé de Ceylan

Lapsang Souchong

On sert le repas du laboureur *(ploughman's lunch) dans de nombreux pubs : pain, pickles, salade et fromage (souvent du cheddar), parfois du jambon ou du pâté.*

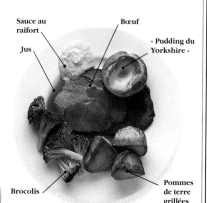

Sauce au raifort

Bœuf

Jus

« Pudding du Yorkshire »

Brocolis

Pommes de terre grillées

La tourte du berger *est à base de viande d'agneau hachée, cuite avec une purée de pommes de terre. Avec de la viande de bœuf, on obtient en fait un hachis Parmentier.*

Le rôti de bœuf, *accompagné d'une sauce au raifort, est le plat traditionnel du dimanche midi. On le sert avec un « pudding du Yorkshire », une pâte à choux cuite avec la viande, des pommes de terre et des légumes de saison.*

La sole de Douvres, *à la chair ferme et délicatement parfumée, est le poisson préféré des Britanniques ; on la sert entière ou en filets.*

La saucisse de Cumberland *se présente en longs rouleaux et se sert le plus souvent accompagnée d'une purée de pommes de terre.*

La tourte à la viande *et aux haricots est un mélange de ces deux ingrédients, liés avec une sauce épaisse et cuits dans une pâte.*

En été, on sert des fraises à la crème *à la moindre occasion. Plus tard vient la saison des framboises, dont on fait aussi d'excellentes confitures.*

Les fromages *sont plus nombreux et variés qu'on ne le croit souvent. Le cheddar est l'un des plus appréciés. Les fromages bleus comme le stilton ont un goût plus particulier.*

Stilton

Cheddar

Le pudding à la mélasse *est une sorte de génoise servie avec de la crème anglaise. C'est un dessert d'hiver très apprécié.*

Cornish Yarg

Sage Derby

Cheshire

Leicester rouge

Le diplomate au sherry *était à l'origine une génoise imbibée de sherry, servie avec de la crème anglaise. Aujourd'hui, on le fait aussi avec des biscuits à la cuiller, des fruits, de la gelée et de la crème ; on le décore avec des cerises et de l'angélique.*

HISTOIRE DE LA
GRANDE-BRETAGNE

La Grande-Bretagne s'est constituée en nation dès le VIIᵉ siècle, quand les tribus anglo-saxonnes ont assuré leur prééminence après avoir absorbé les influences celtique et romaine. Les Vikings envahirent le pays plusieurs fois ; finalement, les Normands, vainqueurs à Hastings en 1066, l'emportèrent. Au cours des siècles, les cultures très différentes des Normands et des Anglo-Saxons se sont mêlées sur l'île et ont donné naissance à la nation anglaise actuelle. Pendant quatre siècles, les rois anglais ont organisé sans grands résultats des expéditions vers l'Europe ; leur domaine s'est en revanche enrichi de l'Écosse et du pays de Galles. Les Tudors ont consolidé ces possessions et jeté les bases de la puissance commerciale de la Grande-Bretagne. Henri VIII s'est rendu compte le premier de l'enjeu capital que représentait la suprématie sur les mers et, sous le règne de sa fille, Élisabeth Iʳᵉ, les marins anglais

Les chevaliers du Moyen Âge, maîtres dans l'art de la guerre

ont commencé à sillonner les océans, entrant souvent en conflit avec les Espagnols. La défaite de l'Invincible Armada en 1588 confirma la puissance maritime de la Grande-Bretagne. Le XVIIᵉ siècle a été une période très troublée, avec notamment la guerre civile de 1641. En 1707, la signature de l'Acte d'union marque l'unification de toute l'île et la création d'un premier gouvernement représentatif. À la fin des guerres napoléoniennes, en 1815, la Grande-Bretagne était la plus grande puissance commerciale du monde. L'industrialisation a permis un véritable bond en avant, et à la fin du XIXᵉ siècle un empire colossal était constitué, face à l'Europe et aux États-Unis fraîchement apparus sur la scène mondiale. La Grande-Bretagne a joué un rôle important pendant les deux guerres mondiales, puis son influence a décliné. Dans les années soixante-dix, presque toutes les colonies sont devenues des États indépendants, membres du Commonwealth.

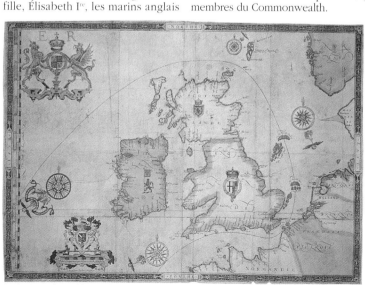

Sa victoire sur l'Invincible Armada (1588) a fait de l'Angleterre une grande puissance mondiale

◁ Henri VIII, qui a développé la flotte britannique, entre ses enfants, Édouard et Marie

Rois et reines

Depuis la conquête normande, tous les monarques anglais sont des descendants de Guillaume le Conquérant. La lignée des dirigeants écossais, jusqu'à Jacques VI et l'Union des couronnes *(p. 468-469)*, n'est pas aussi rigoureuse. On change en général de dynastie dès que la couronne passe à un autre que le fils aîné du monarque. Les règles de succession sont extrêmement précises et privilégient les hommes par rapport aux femmes ; la Grande-Bretagne a cependant connu six reines depuis 1553. À l'époque des Normands, le monarque avait le pouvoir absolu ; son rôle est aujourd'hui quasi symbolique.

1413-1422 Henri V

1399-1413 Henri IV

1509-1547 Henri VIII

1485-1509 Henri VII

1066-1087 Guillaume le Conquérant

1087-1100 Guillaume II

1100-1135 Henri Iᵉʳ

1135-1154 Étienne

1327-1377 Édouard III

1483-1485 Richard III

1050	1100	1150	1200	1250	1300	1350	1400	1450	1500
NORMANDS		PLANTAGENET					LANCASTRE	YORK	TUDOR
1050	1100	1150	1200	1250	1300	1350	1400	1450	1500

1154-1189 Henri II

1189-1199 Richard Iᵉʳ

1199-1216 Jean

1216-1272 Henri III

1307-1327 Édouard II

1272-1307 Édouard Iᵉʳ

1422-1461 et 1470-1471 Henri VI

1461-1470 et 1471-1483 Édouard IV

Sur cette chronique du XIIIᵉ siècle, de haut en bas et de gauche à droite : Richard Iᵉʳ, Henri II, Jean et Henri III

1377-1399 Richard II

1483 Édouard V

1660-1685 Charles II

1685-1688 Jacques II

1689-1702
Guillaume III et
Marie II

1702-1714
Anne

1714-1727
George Ier

1936 Édouard VIII

1553-1558 Marie Ire

1603-1625
Jacques Ier

1837-1901 Victoria

1901-1910
Édouard VII

1727-1760
George II

1952 Élisabeth II

1830-1837
Guillaume IV

1653-1658 Olivier
Cromwell, Protecteur
pendant la République

1820-1830
George IV

1936-1952 George VI,
sur la médaille de l'ordre qui
porte son nom

1910-1936
George V

1625-1649 Charles Ier

1558-1603 Élisabeth Ire

1760-1820 George III

547-1553 Édouard VI

La préhistoire

L a Grande-Bretagne a fait partie du
continent européen jusqu'à la fin de l'ère
glaciaire (environ 6 000 ans avant J.-C.) :
la Manche était alors couverte de glace. Les
premiers habitants vivaient dans des
cavernes ; l'agriculture s'est développée
graduellement pendant l'âge de la pierre. Les
alignements et les cercles de pierres dressées
datent d'environ 3000 avant J.-C. Les carrières
de silex et d'anciens sentiers témoignent
d'échanges commerciaux très précoces ; on
trouve aussi de nombreux tertres funéraires
(tumuli) datant de l'âge de la pierre ou du
bronze.

Hache
*Cette hache de pierre
trouvée à
Stonehenge date
du Néolithique.*

Des marques
étaient gravées sur
des pierres levées,
comme celle-ci, à
Ballymeanoch.

LES VESTIGES SUR LA CARTE

Les monuments et les objets
du Néolithique, de l'âge du bronze ou
de l'âge du fer sont une mine de
renseignements sur les premiers habitants
de la Grande-Bretagne, bien avant les
témoignages écrits de l'époque romaine.

Outils néolithiques
*Des bois de cerf et des os
devenaient des outils
pour travailler le cuir.
Ceux-ci proviennent
d'Avebury (p. 251).*

Gobelet de terre cuite
*De nombreux objets en
terre cuite comme celui-
ci ont été retrouvés dans
les tombes de peuplades
venues d'Europe au
début de l'âge du bronze.*

Pectoral en or
*Cet objet spectaculaire,
dû à des orfèvres du
Wessex, devait appartenir
à un grand chef de clan.*

**La sépulture
néolithique** de Pentre
Ifan, au pays de Galles,
disparaissait autrefois
sous un monticule de
terre, ou tumulus.

Cuirasse
*À l'âge du bronze, il y avait des
mines d'or au pays de Galles et
dans les Cornouailles. Cette
cuirasse très ornée provient de
la tombe d'un guerrier.*

Cette tasse en or,
trouvée dans les
Cornouailles, prouve la
prospérité des hommes
de l'âge du bronze.

CHRONOLOGIE

6000-5000 À la fin de l'ère
glaciaire, le niveau de la
mer s'élève, faisant de
la Grande-Bretagne une île

*Haches néolithiques
en silex*

6000 av. J.-C.	5500	5000	4500	4000

*Breloque et bouton en or
(-1700) trouvés dans
une tombe de
l'âge du bronze*

3500 Début du
Néolithique.
Premiers
cercles de
pierres levées
et tumuli

Skara Brae est un village néolithique datant d'environ 2500 av. J.-C. *(p. 514).*

Ces tours de l'âge du fer, aux épais murs de pierre, ne se rencontrent qu'en Écosse.

Le cercle de pierres de Castlerigg est l'un des premiers monuments néolithiques de l'île *(p. 349).*

Maiden Castle
Les remparts et les fossés concentriques de cette place forte de l'âge du fer, dans le Dorset, épousent les formes de la colline (p. 257).

Hache de l'âge du bronze
Venus d'Europe, les Celtes ont apporté en Grande-Bretagne la technique de la fonte des métaux vers 700 av. J.-C.

Le cheval blanc d'Uffington
Ce dessin, vieux de 3 000 ans, est entretenu avec soin (p. 209).

Cette figure de craie, sans doute une déesse de la fertilité, a été retrouvée à Grimes Graves *(p. 182).*

Ce casque celte en bronze (50 av. J.-C.) a été découvert à Londres, dans la Tamise.

Stonehenge a été élevé il y a 3 500 ans environ *(p. 250-251).*

OÙ VOIR DES VESTIGES PRÉHISTORIQUES

Le Wiltshire, avec Stonehenge *(p. 250)* et Avebury *(p. 251)*, possède les plus importants monuments mégalithiques ; le Cheval blanc d'Uffington est tout près *(p. 209).* Il y a de nombreux sites sur les îles écossaises ; le British Museum *(p. 108-109)* abrite une vaste collection d'objets et d'outils.

Le site néolithique d'Avebury (p. 249) est ceinturé par plus de 180 pierres levées.

Le torque de Snettisham
Les torques étaient des colliers portés par les Celtes. Celui-ci, trouvé dans le Norfolk, date de 50 av. J.-C. ; il est en or et en argent.

2500 On construit des temples ou des alignements de pierre ou de bois	1650-1200 Le Wessex est une plaque tournante pour le commerce entre l'Europe et les mines des Cornouailles, du pays de Galles et d'Irlande		1000 Les premières fermes apparaissent	550 – 350 Migration de Celtes venus du sud de l'Europe	500 Début de l'âge du fer. Premières places fortes
000	**2500**	**2000**	**1500**	**1000**	**500 av. J.-C.**
2100-1650 L'âge du bronze atteint la Grande-Bretagne. Arrivée de nouvelles peuplades qui utilisent des ustensiles de bronze et construisent des temples		*Sceptre de bronze (1700)*	1200 Apparition de petits villages autonomes		150 Des tribus venues de Gaule commencent à arriver en Grande-Bretagne

L'époque romaine

La Grande-Bretagne est restée colonie romaine pendant 350 ans. Après la défaite des tribus indigènes rebelles, comme les Icènes de la reine Boadicée, les Romains ont gouverné sans chercher à s'assimiler. Ils ont laissé des constructions civiles et militaires et de longues routes très droites, conçues pour faciliter le déplacement des troupes.

Camé romain

Casque de parade
Ce casque de cavalier trouvé dans le Lancashire était utilisé lors des tournois et des courses de chevaux qui se déroulaient dans des amphithéâtres.

Salle d'entraînement

Vase d'argent
Ce vase du IIIᵉ siècle est l'objet d'orfèvrerie portant des symboles chrétiens le plus ancien que l'on connaisse. Il a été trouvé près de Peterborough.

Thermes principaux

Fishbourne Palace a été construit sur une petite crique formant un port naturel.

Portique d'entrée

Le mur d'Hadrien
Édifié en 120 pour se défendre contre les Écossais, il marque la limite nord de l'Empire romain. Il était défendu par 17 forts où se répartissaient plus de 18 500 fantassins et cavaliers.

Mithra
Cette tête du dieu Mithra a été découverte à Londres sur le site d'un temple. Très répandu parmi les soldats romains, le mithracisme, venu de Perse, a longtemps freiné la progression du christianisme.

CHRONOLOGIE

54 Jules César débarque en Grande-Bretagne, mais rebrousse chemin
Jules César (vers 102-44 av. J.-C.)

61 Boadicée se soulève contre les Romains, incendie leurs villes, dont St Albans et Colchester, mais elle est vaincue (p. 183)

70 Les Romains occupent le pays de Galles et le Nord

Boadicée, reine des Icènes (Iᵉʳ siècle)

140-143 Les Romains occupent le sud de l'Écosse et construisent le mur d'Antonin pour marquer la frontière

| 55 | 1 apr. J.-C. | 50 | | 150 |

43 Sous l'empereur Claude, la Grande-Bretagne devient une partie de l'Empire romain

78-84 Agricola parvient en Écosse, puis se retire

120 L'empereur Hadrien construit un mur formant frontière avec l'Écosse

Mosaïque

Au 1er siècle, les sols étaient recouverts de mosaïques faites de pièces blanches et noires. C'est sur le site de Fishbourne Palace qu'elles sont les plus nombreuses.

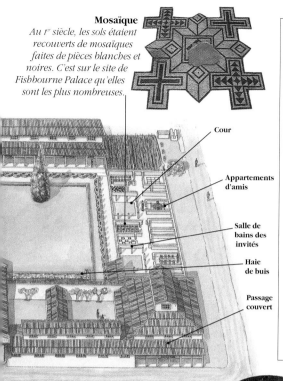

Cour

Appartements d'amis

Salle de bains des invités

Haie de buis

Passage couvert

OÙ VOIR DES VESTIGES ROMAINS

Beaucoup de villes de Grande-Bretagne remontent à l'époque romaine. On en trouve des vestiges à York (p. 390-395), Chester (p. 298-299), St Albans (p. 220), Colchester (p. 193), Bath (p. 246-249), Lincoln (p. 328-329) et Londres (p. 70-123). Les villas étaient construites de préférence dans le sud de l'Angleterre, au climat plus doux et plus proche de l'Europe.

Les thermes romains de Bath (p. 246-249), *ou Aquae Sulis, ont été construits entre le 1er et le IV siècle près d'une source d'eau chaude.*

FISHBOURNE PALACE

Construit au 1er siècle pour Togidubnus, un gouverneur pro-romain, ce palais (reconstitué) était équipé d'un chauffage par le sol et d'une installation de plomberie sophistiquée pour les bains *(p. 159).*

Symbole christique

Il figure sur une fresque du III siècle de la villa romaine de Lullingstone (Kent).

Le bouclier de Battersea

Trouvé dans la Tamise près de Battersea, ce bouclier porte des symboles celtiques et date probablement de la première invasion romaine. Les archéologues pensent qu'il a pu être perdu par un guerrier alors qu'il traversait la Tamise, ou qu'il s'agit d'une offrande à un dieu de la rivière. Il est aujourd'hui au British Museum (p. 108-109).

---

206 Des tribus venues du nord de l'Écosse attaquent le mur d'Hadrien

254 Décapitation de saint Alban, qui devient le premier martyr chrétien de Grande-Bretagne

La pierre picte d'Aberlemno, en Écosse

410 Les Romains quittent la Grande-Bretagne

200	250	300	350	400

306 Les troupes romaines d'York déclarent Constantin empereur

350-369 Raids des Pictes et des Écossais

440-450 Invasions des Angles, des Saxons et des Jutes

209 Septime Sévère arrive de Rome avec des renforts

Les royaumes anglo-saxons

**Le roi Canut
(1016-1035)**

Les Angles et les Saxons venus d'Allemagne ont commencé leurs raids dans l'est de la Grande-Bretagne au milieu du Vᵉ siècle. Ils se sont établis sur place et, en l'espace d'un siècle, ont fondé plusieurs petits royaumes saxons comme le Wessex, la Mercia ou la Northumbria. Les raids vikings des VIIIᵉ et IXᵉ siècles ont été contenus, mais en 1066 Guillaume le Conquérant, venu de Normandie, remporta la victoire sur le roi saxon Harold, à la bataille de Hastings. Guillaume le Conquérant devenait maître du pays tout entier.

Hache viking

Les guerriers vikings étaient armés de lances, de haches et d'épées. Ces ferronniers habiles avaient aussi un sens aigu de la décoration, comme en témoigne cette hache conservée à Copenhague.

Drakkar viking

Les techniques de construction navale des vikings étaient très en avance. Avec leurs figures de proue grimaçantes, ces vaisseaux rapides ne pouvaient qu'effrayer les habitants de l'île.

VIE QUOTIDIENNE

Ces illustrations proviennent d'un calendrier représentant la vie des Anglo-Saxons avant les invasions normandes. Les communautés rurales sont devenues des villes à partir du VIIᵉ siècle, alors que le commerce se développait. Les rois saxons étaient entourés d'une cour, mais les habitants étaient surtout des paysans.

CHRONOLOGIE

vers 470-495 Les Saxons et les Angles s'établissent dans l'Essex, le Sussex et l'East Anglia	**vers 556** Les Saxons traversent la Grande-Bretagne et fondent sept royaumes		*Saint Augustin (mort en 604)* **635** Saint Aidan établit un monastère à Lindisfarne		**730-821** Suprématie de la Mercia. Le roi Offa (mort en 796) construit un rempart entre la Mercia et le pays de Galles	
450	500	550	600	650	700	750
450 Les Saxons s'établissent dans le Kent	**563** Saint Columba aborde l'île d'Iona		**617-685** Suprématie du royaume de Northumbria **597** Saint Augustin est envoyé par Rome pour évangéliser l'Angleterre	*Monnaie portant le nom du roi Offa*		

Charrue tirée par des bœufs

Ménestrels lors d'un banquet

La chasse au faucon

Le joyau d'Alfred
Cet ornement d'or du IXᵉ siècle, conservé à l'Ashmolean Museum (p. 212), porte l'inscription : « Alfred m'a fait faire », sans doute une allusion au roi saxon Alfred.

Édouard le Confesseur
Édouard – dit le Confesseur en raison de sa piété – fut intronisé en 1042. Guillaume le Conquérant revendiqua le trône après sa mort en 1066.

La mort de Harold
Cette miniature du XIVᵉ siècle représente Guillaume le Conquérant après sa victoire sur le roi Harold, tué d'une flèche dans l'œil. La bataille d'Hastings (p. 169) marque la dernière invasion du sol britannique.

OÙ VOIR L'ANGLETERRE SAXONNE

La plus belle collection d'objets saxons a été trouvée à bord d'un bateau funéraire exhumé à Sutton Hoo dans le Suffolk en 1938. Elle est aujourd'hui présentée au British Museum *(p. 108-109)*. Il y a de belles églises saxonnes à Bradwell, dans l'Essex, et à Bosham, dans le Sussex *(p. 159)*. À York, on a fouillé la cité viking de Jorvik *(p. 394)* ; les objets retrouvés sont présentés avec des reconstitutions de l'habitat.

L'église saxonne Saint-Laurent *(p. 243) date de la fin du VIIIᵉ siècle.*

La légende du roi Arthur
Le roi Arthur était sans doute un chef de guerre ennemi des Saxons au début du VIᵉ siècle. Le récit légendaire de ses exploits est apparu en 1155 (p. 273).

Un vaisseau guerrier normand

800	850	900	950	1000	1050	1100

802-839 Après la mort de Cenwulf (821), le Wessex domine la plus grande partie de l'Angleterre

867 La Northumbria tombe aux mains des Vikings

878 Le roi Alfred bat les Vikings, mais leur permet de s'établir à l'est de l'Angleterre

1016 Le roi danois Canut *(p. 159)* s'empare du trône d'Angleterre

843 Kenneth Mc Alpin devient roi de toute l'Écosse

926 Le Danelaw, à l'est de l'Angleterre, est reconquis par les Saxons

1042 Couronnement du roi anglo-saxon Édouard le Confesseur (mort en 1066)

1066 Guillaume le Conquérant revendique le trône et bat Harold à la bataille d'Hastings. Il est couronné à Westminster

vers 793 Lindisfarne est mise à sac par les Vikings ; l'année suivante, premier raid viking en Écosse

Le Moyen Âge

Chasse à courre

L es ruines des châteaux normands témoignent de l'importance des moyens militaires mis en œuvre par les envahisseurs pour assurer leurs conquêtes ; le pays de Galles et l'Écosse ont cependant résisté pendant des siècles.
Les Normands ont instauré un système féodal avec d'un côté des aristocrates et de l'autre les Anglo-Saxons de souche, asservis. Le français est resté la langue de la classe dominante jusqu'au XIIIᵉ siècle ; il s'est alors mêlé au vieil anglais parlé par les paysans. C'est une époque marquée par le poids du pouvoir religieux.

La Magna Carta
Pour protéger leur caste et l'Église contre les taxations arbitraires, les barons anglais ont contraint le roi Jean à signer en 1215 une « Grande Charte » (p. 223), *qui est à l'origine d'un nouveau système juridique.*

Artisans
Sur cette illustration (manuscrit du XIVᵉ siècle), on reconnaît un tisserand et un chaudronnier. Les artisans formaient une classe prospère.

Becket est accueilli au Paradis.

Les soldats d'Henri II assassinent Becket dans la cathédrale de Canterbury.

L'ASSASSINAT DE THOMAS BECKET
La lutte pour le pouvoir entre l'Église et le roi atteignit son paroxysme avec l'assassinat de Thomas Becket, archevêque de Canterbury. Après la canonisation de Becket en 1173, Canterbury devint un important centre de pèlerinage.

Art religieux
L'art médiéval est essentiellement d'inspiration religieuse, comme ce vitrail de la cathédrale de Canterbury (p. 174-175) *représentant Jéroboam.*

La Mort noire
La peste a ravagé plusieurs fois l'Europe et la Grande-Bretagne au cours du XIVᵉ siècle, faisant des millions de morts. Sur cette illustration du XVᵉ siècle, la Mort vient prélever son tribut de victimes.

CHRONOLOGIE

1071 La résistance des Anglo-Saxons est écrasée à Ely

1154 Henri II, le premier roi Plantagenêt, fait abattre les châteaux et exige de l'argent de ses barons plutôt qu'une assistance militaire

1170 Thomas Becket, archevêque de Canterbury, est assassiné par quatre chevaliers à la solde d'Henri II

| 1100 | 1150 | 1200 | 1250 |

1086 Le *Domesday Book* (cadastre) recense tous les fiefs d'Angleterre pour établir les taxations

Le Domesday Book

1215 Les barons contraignent le roi Jean à signer la *Magna Carta*

1256 Le Parlement accueille de simples citoyens pour la première fois

La bataille d'Azincourt

En 1415, Henri V partit revendiquer avec son armée le trône de France. Cette chronique du XVᵉ siècle relate la victoire du roi d'Angleterre sur les Français à Azincourt.

Ce reliquaire (1190, collection privée) a peut-être abrité les restes de Becket.

Becket prend place au Paradis après sa canonisation.

Deux clercs assistent horrifiés au meurtre.

Richard III

Richard III accéda au trône pendant la guerre des Deux-Roses, qui opposa violemment deux factions de la famille royale, les York et les Lancastre. Portrait du XVIᵉ siècle.

OÙ VOIR DES VESTIGES MÉDIÉVAUX

Oxford *(p. 210-215)* et Cambridge *(p. 198-203)* conservent de nombreux bâtiments gothiques. Il y a de belles cathédrales médiévales dans des villes comme Lincoln *(p. 328-329)* et York *(p. 390-395)*, où l'on décèle aussi l'ancien tracé des rues. Les forteresses élevées par Édouard Iᵉʳ le long de la frontière galloise *(p. 424-425)* permettent de se faire une idée de l'architecture militaire médiévale.

À Oxford, All Souls College *(p. 214)* est un mélange harmonieux de bâtiments médiévaux et plus récents.

La vie au château

Les châteaux étaient divisés en plusieurs sections dont la garde était confiée à un baron et à ses soldats. Cette illustration du XIVᵉ siècle détaille les armoiries (p. 26) des barons.

John Wycliffe *(1329-1384)*

Ce tableau de Ford Madox Brown représente Wycliffe tenant sa traduction anglaise de la Bible, désormais accessible à chacun.

1282-1283 Édouard Iᵉʳ conquiert le pays de Galles

1314 Les Écossais battent les Anglais à la bataille de Bannockburn *(p. 468)*

1348 La moitié de la population de l'Europe est décimée par la Mort noire

1387 Chaucer entreprend la rédaction des *Contes de Canterbury* *(p. 174)*

1485 La bataille de Bosworth met fin à la guerre des Deux-Roses

Geoffrey Chaucer (vers 1345-1400)

1300   **1350**   **1400**   **1450**

1296 Édouard Iᵉʳ envahit l'Écosse

Édouard Iᵉʳ (1239-1307)

1381 Révolte des paysans après la mise en place d'une taxe sur les habitants de plus de 14 ans

1415 Victoire des Anglais à Azincourt

1453 Fin de la guerre de Cent Ans contre la France

L'ère Tudor

La chasse au faucon

Les Tudors rétablissent la paix et restaurent la confiance en soi d'un peuple affaibli par des années de guerre civile. Henri VIII décide de refuser l'autorité de l'Église de Rome et se proclame chef de l'Église anglicane. Sa fille, Marie Ire Tudor, tenta de rétablir le catholicisme, mais le règne de sa demi-sœur Élisabeth Ire consolida la position des protestants. Les expéditions lointaines commencent à cette époque, provoquant des tensions avec les autres puissances européennes attirées par l'or du Nouveau Monde. Le génie de William Shakespeare est la contribution majeure des Anglais à la civilisation de la Renaissance venue d'Europe.

Derrière la reine, les rideaux s'ouvrent sur une représentation de la victoire anglaise sur l'Invincible Armada en 1588.

Le pouvoir maritime
C'est Henri VIII qui a jeté les bases de la puissance navale anglaise. En 1545, la Mary Rose, *son vaisseau amiral* (p. 157), *fit naufrage sous ses yeux dans le port de Portsmouth.*

Théâtre
Certaines des pièces de Shakespeare ont été créées dans des théâtres provisoires comme le Globe (p. 122), *au sud de Londres.*

Le globe
symbolise l'étendue du pouvoir royal.

Monastères
Quand Henri VIII rompit avec Rome, les établissements religieux, comme Fountains Abbey (p. 376-377), *furent fermés et leurs richesses confisquées par le roi.*

CHRONOLOGIE

1497 John Colet, soutenu par Érasme et sir Thomas Moore, dénonce la corruption du clergé		**1533-1534** Henri VIII divorce de Catherine d'Aragon. Excommunié par le pape, il fonde l'Église anglicane	**1542-1567** Marie Stuart gouverne l'Écosse
1490	**1510**	**1530**	
1497 John Cabot (p. 244) effectue son premier voyage en Amérique du Nord	**1513** L'Angleterre bat l'Écosse à Flodden (p. 468)	**1535** Acte d'union avec le pays de Galles	**1536-1540** Suppression des monastères
	Henri VIII (1491-1547)		**1549** Parution du premier livre de prières anglica

Marie Stuart, reine d'Écosse

Arrière-petite-fille d'Henri VII, elle revendiqua le trône en 1559. En 1567, Élisabeth Iʳᵉ la fit mettre en prison pour 20 ans, avant de la faire exécuter pour trahison en 1587.

Les joyaux, signes de richesse et de gloire.

OÙ VOIR L'ANGLETERRE DES TUDORS

Hampton Court Palace *(p. 161)* date de cette époque, même s'il a été largement transformé au cours des siècles. Une partie d'une résidence d'Élisabeth Iʳᵉ subsiste encore à Hatfield *(p. 219)*. Dans le Kent, Leeds Castle, Knole *(p. 176-177)* et Hever Castle *(p. 177)* datent de l'ère Tudor. Burghley House *(p. 330-331)* et Hardwick Hall *(p. 290)*, dans les Midlands, sont typiques aussi du XVIᵉ siècle.

L'horloge astronomique d'Hampton Court (p. 161) *au cadran surchargé a été installée en 1540, sous le règne d'Henri VIII.*

LA DÉFAITE DE L'ARMADA

L'Espagne était la grande rivale de l'Angleterre sur les mers, et en 1588 le roi Philippe II envoya cent galions armés vers l'Angleterre. La flotte anglaise, dirigée par Lord Howard, Francis Drake, John Hawkins et Martin Frobisher, partit de Plymouth et remporta une victoire écrasante sur l'« Invincible » Armada des Espagnols. Ce portrait d'Élisabeth Iʳᵉ par George Gower (1540-1596) commémore ce triomphe.

Martyrs protestants
Marie Tudor, catholique, régna de 1553 à 1558. Les protestants qui se révoltaient contre elle finissaient sur le bûcher, comme ces pasteurs de Canterbury, brûlés en 1555.

William Shakespeare (1564-1616)

1570 Première expédition de sir Francis Drake dans les mers du Sud

1584 Sir Walter Raleigh tente de coloniser la Virginie après l'échec de Drake

1591 Première représentation d'une pièce de Shakespeare

1600 Fondation de la Compagnie des Indes orientales, marquant le début de l'engagement anglais sur le continent indien

60	1570	1590

1553 Mort d'Édouard VI ; le trône échoit à Marie Tudor, catholique

1559 Marie Stuart, reine d'Écosse, revendique le trône d'Angleterre

1558 Élisabeth Iʳᵉ accède au trône

1587 Exécution de Marie Stuart sur l'ordre d'Élisabeth Iʳᵉ

1588 L'Invincible Armada est vaincue

Sir Walter Raleigh (1552-1618)

1603 Réunion des couronnes Jacques VI d'Écosse devient Jacques Iᵉʳ d'Angleterre

Le règne des Stuarts

U ne période de troubles succède au règne d'Élisabeth Ire. Jacques Ier hérite de la couronne, mais ses affrontements avec le Parlement dégénèrent en guerre civile sous le règne de son fils, Charles Ier. En 1660, Charles II monte sur le trône ; son successeur Jacques II est évincé à cause de ses sympathies catholiques. Guillaume III et Marie II réaffirment la prééminence du protestantisme et balaient le clan des jacobites (p. 469).

Plat à barbe du XVIIe siècle

Science
Sir Isaac Newton (1642-1727) inventa ce télescope réfléchissant et découvrit la loi de la gravité, ouvrant ainsi la voie à une meilleure compréhension de l'univers.

Charles Ier resta silencieux pendant son procès.

Oliver Cromwell
Protestant convaincu et défenseur acharné des prérogatives du Parlement, il dirigea les forces parlementaires pendant la guerre civile. Il fut Protecteur pendant la République de 1653 à 1658.

Sur le chemin du supplice, le roi portait deux chemises superposées pour éviter de trembler de froid.

Théâtre
Le théâtre s'est développé à partir de 1660, quand le Parlement a rétabli la monarchie. On jouait en plein air, sur des scènes provisoires.

L'EXÉCUTION DE CHARLES Ier

Cromwell était convaincu que le pays ne connaîtrait pas la paix tant que le roi vivrait. Lors de son procès pour trahison, Charles Ier refusa de reconnaître l'autorité de la cour et ne présenta aucune défense. Il affronta la mort dignement le 30 janvier 1649. Cette unique exécution d'un roi anglais fut suivie d'une période républicaine, le Commonwealth.

CHRONOLOGIE

1605 Échec de la Conspiration des Poudres contre le Parlement	**1614** Le Parlement refuse de voter des crédits à Jacques Ier	**1620** Les Pères pèlerins s'embarquent pour la Nouvelle-Angleterre à bord du *Mayflower*	**1642** La guerre civile éclate		**1653-1658** Cromwell Protecteur de la République
		1625		**1650**	
Jacques Ier (1566-1625)	**1611** Parution d'une nouvelle traduction de la Bible, la King James Version	**1638** Les Écossais signent le *National Covenant*, un pacte qui s'oppose aux sympathies catholiques de Charles Ier	**1649** Exécution de Charles Ier ; le Parlement instaure la République		**166** Restauration de la monarchie avec Charles I

La restauration de la monarchie

Ce panneau brodé rappelle que Charles II a évité le destin de son père en se cachant dans un chêne. Il fut accueilli à bras ouverts après son exil en France.

OÙ VOIR L'ANGLETERRE DES STUARTS

Les plus belles réalisations des deux grands architectes de cette période, Inigo Jones et Christopher Wren, en particulier la cathédrale Saint-Paul, se trouvent à Londres *(p. 116-117)*. Dans le sud-est du pays, Audley End *(p. 196)* et Hatfield House *(p. 219)* datent toutes les deux du règne de Jacques Iᵉʳ, tout comme le palais de Holyrood, à Édimbourg *(p. 496)*.

Le corps du roi gît près du billot.

Le bourreau tient à la main la tête de Charles Iᵉʳ.

La peste

Des avis comme celui-ci annonçaient chaque semaine la liste des victimes de la peste qui fit plus de 100 000 morts à Londres en 1665.

Hatfield House *(p. 219), splendide demeure du XVIᵉ siècle.*

Des spectateurs recueillent un peu de sang du roi sur un mouchoir en souvenir de ce jour.

Anatomie

En disséquant des cadavres, les médecins commencèrent à comprendre le fonctionnement du corps humain, étape majeure pour la médecine.

Les Pères pèlerins

En 1620, un groupe de religieux puritains s'embarqua pour l'Amérique. Ils entretinrent d'excellentes relations avec les autochtones ; on voit ici un chef de tribu venu leur rendre visite.

1665-1666 Grande Peste

Le Grand Incendie de Londres

1707 Acte d'union avec l'Écosse

1666 Grand Incendie de Londres

1688 Jacques II, catholique, est déposé par le Parlement et contraint de s'exiler en France

1675

1700

1690 Bataille de la Boyne : l'armée anglo-hollandaise de Guillaume III l'emporte sur l'armée franco-irlandaise de Jacques II

1692 Massacre des jacobites (partisans des Stuarts) par les troupes de Guillaume III

Guillaume III (1689-1702)

Le XVIIIᵉ siècle

Une fois remise du traumatisme causé par la guerre civile, la Grande-Bretagne a pu accroître sa puissance économique et industrielle. Londres devient une importante place financière et la bourgeoisie se développe. La suprématie anglaise sur les mers va permettre de constituer l'empire colonial. Les machines à vapeur, les canaux et les voies ferrées préparent la révolution industrielle. La bonne société reprend confiance en elle, mais pour les classes moins aisées la situation ne fait qu'empirer.

L'actrice Sarah Siddons, par Gainsborough (1785)

L'ardoise est le matériau de couverture préféré au XVIIIᵉ siècle. Les toits sont moins pentus, à l'italienne.

Les fenêtres à guillotine sont l'une des principales caractéristiques des maisons de cette époque.

La bataille de Bunker Hill
En 1775, des colons américains se révoltèrent contre l'autorité anglaise. Les Britanniques remportèrent cette première bataille dans le Massachusetts, mais en 1783 ils durent reconnaître les États-Unis d'Amérique.

Le chêne était très utilisé dans les plus belles maisons ; ailleurs on employait plutôt le pin.

La salle de séjour était tapissée de papier peint, moins cher que le tissu ou les tapisseries.

Le salon, richement décoré, était la pièce de réception de la maison.

La salle à manger servait pour tous les repas de famille.

La machine à vapeur de Watt
En 1769, l'ingénieur écossais James Watt (1736-1819) fit breveter une invention dont il fera un engin de locomotion.

Lord Horatio Nelson (p. 27)
devint un héros après sa mort à la bataille de Trafalgar contre les Français.

Des escaliers menaient au sous-sol, à l'entrée des domestiques.

CHRONOLOGIE

1720 Le scandale de la South Sea Company ruine de nombreux spéculateurs

1746 Bonnie Prince Charlie (p. 521), un jacobite qui revendiquait le trône, est vaincu à la bataille de Culloden

1715	1730	1745	1760

1714 George, Électeur de Hanovre, succède à la reine Anne. Fin de la dynastie des Stuarts ; un roi germanophone gouverne l'Angleterre

George Iᵉʳ (1660-1727)

1721 Robert Walpole (1676-1745) accède aux plus hautes charges de l'État

Gravure satirique sur le scandale de la South Sea Company, 1720

1757 Le premier canal britannique est mis en service

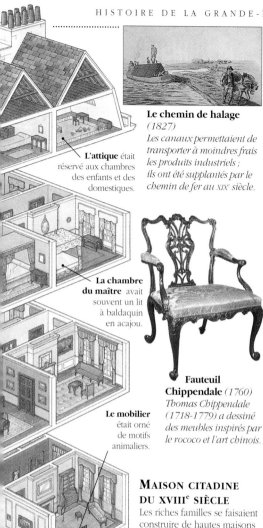

L'attique était réservé aux chambres des enfants et des domestiques.

Le chemin de halage *(1827)*
Les canaux permettaient de transporter à moindres frais les produits industriels ; ils ont été supplantés par le chemin de fer au XIXe siècle.

La chambre du maître avait souvent un lit à baldaquin en acajou.

Le mobilier était orné de motifs animaliers.

Fauteuil Chippendale *(1760)*
Thomas Chippendale (1718-1779) a dessiné des meubles inspirés par le rococo et l'art chinois.

MAISON CITADINE DU XVIIIe SIÈCLE

Les riches familles se faisaient construire de hautes maisons confortables par les grands architectes du temps, R. Adam *(p. 24)* et J. Nash *(p. 107)*.

Les domestiques vivaient et travaillaient au sous-sol pendant la journée.

Cuisine

OÙ VOIR L'ARCHITECTURE DU XVIIIe SIÈCLE

Bath *(p. 246-249)* et Édimbourg *(p. 490-497)* conservent de beaux ensembles du XVIIIe siècle. Le bâtiment qui abrite le musée de Bath *(p. 249)* est typique de cette époque ; le Pavillon royal de Brighton *(p. 166-167)* est un « caprice » Regency de John Nash.

Charlotte Square (p. 490) à Édimbourg conserve de beaux exemples d'architecture XVIIIe.

Les bas quartiers
Cette gravure du peintre William Hogarth (1697-1764) dénonce la pauvreté de certains quartiers de Londres.

Caricature de Wellington (1769-1852)

1775	1790	1805	1820
1776 Déclaration d'indépendance des États-Unis	**1788** Les premiers forçats sont envoyés en Australie **1805** Les Anglais, menés par Nelson, remportent la victoire de Trafalgar sur les Français	**1811-1817** L'accroissement du chômage cause des émeutes	**1815** Wellington vainc Napoléon à Waterloo
	1783 Sir Richard Arkwright (1732-1792) fait fonctionner des filatures de coton grâce à la vapeur *Soupière d'argent, 1774*	**1807** Abolition de la traite des esclaves	**1811** Le prince de Galles gouverne à la place de George III devenu fou **1825** Ouverture de la ligne de chemin de fer Stockton-Darlington	**1829** Décret d'émancipation catholique

L'ère victorienne

La reine Victoria n'avait que 18 ans lorsqu'elle monta sur le trône en 1837. La Grande-Bretagne passait alors avec quelque difficulté d'une économie largement agricole au statut de plus puissante nation industrialisée du monde. L'accroissement de l'Empire ouvrait de nouveaux débouchés aux manufactures. L'urbanisation posa rapidement des problèmes de santé et de logement, et suscita l'émergence du parti travailliste. En 1901, à la fin du règne de Victoria, les choses s'étaient améliorées ; l'éducation était accessible à tous et le droit de vote concernait une part plus large de la population.

La reine Victoria et Disraeli en 1887

Florence Nightingale *(1820-1910)*
Cette infirmière a organisé des hôpitaux militaires de campagne pendant la guerre de Crimée et apporté beaucoup d'améliorations aux services médicaux des armées.

Parois et voûte de verre

Poutrelles préfabriquées

Les bas quartiers de Newcastle *(1880)*
Les ouvriers des grands centres industriels habitaient des maisons construites à la hâte pour loger l'afflux de main-d'œuvre, maladie et révolte y couvaient.

Les grandes expositions présentaient aussi bien des objets d'art que des machines, des bijoux ou des plantes.

La bannière de l'union
Les syndicats furent créés pour protéger les ouvriers contre des patrons sans scrupules.

Ophélie, par Sir John Everett Millais *(1829-1896)*
Les préraphaélites choisissaient des thèmes romantiques, un moyen de fuir l'Angleterre industrielle.

CHRONOLOGIE

Vase créé pour l'Exposition universelle de 1851

1832 La loi étend le droit de vote à tous les hommes propriétaires terriens

1841 Liaison Londres-Brighton par le chemin de fer

1851 Exposition universelle

1867 Une seconde loi donne le droit de vote à tous les citadins propriétaires d'un bien immobilie

1830	1840	1850	1860

1834 Les « Martyrs de Tolpuddle » embarqués pour l'Australie

1833 Une loi interdit de faire travailler les enfants plus de 48 heures par semaine

1854-1856 La Grande-Bretagne gagne la guerre de Crimée contre la Russie

1863 Ouverture du métro de Londres

Le Triomphe de la vapeur et de l'électricité
(1897)
Cette gravure des
Illustrated London News
résume parfaitement l'optimisme que ces nouvelles sources d'énergie avaient fait naître.

La structure de verre
englobait plusieurs ormes. Il y avait aussi des moineaux et des éperviers…

OÙ VOIR L'ANGLETERRE VICTORIENNE

Dans les grandes cités industrielles des Midlands et du Nord ont été construits de nombreux bâtiments civils vastes et impressionnants. Parmi ceux-ci, le Manchester Science and Industry Museum *(p. 361)* ou l'imposant Victoria and Albert Museum de Londres *(p. 100-101).*

La Rotonde, à Manchester, imposant bâtiment victorien.

Cyclo-manie
La bicyclette, inventée en 1865, eut un immense succès populaire, surtout auprès des enfants. Gravure de 1898.

L'EXPOSITION UNIVERSELLE DE 1851

C'est le prince Albert, époux de la reine Victoria, qui eut l'idée de cette exposition gigantesque célébrant l'industrie, la technologie et la puissance de l'Empire. De mai à octobre, six millions de personnes ont visité le « Palais de cristal » de Joseph Paxton, dans Hyde Park. Près de 14 000 exposants du monde entier présentaient environ 100 000 réalisations. En 1852, le bâtiment fut remonté au sud de Londres ; il fut incendié en 1936.

1872 Le vote à bulletin secret est instauré

1874 Benjamin Disraeli devient Premier ministre

1884 Invention du téléphone

1893 Le projet de Gladstone pour l'Irlande est désavoué

Gladstone caricaturé en 1869 dans Vanity Fair

1901 Mort de la reine Victoria

1870   1880   1890   1900

1870 Une loi rend l'école obligatoire pour tous les enfants jusqu'à 11 ans

1877 La reine Victoria est sacrée impératrice des Indes

Un des premiers téléphones

1892 Élection du premier député travailliste

1899-1902 La Grande-Bretagne gagne la guerre des Boers en Afrique du Sud

La Grande-Bretagne de 1900 à 1950

Dès 1901, la société britannique se débarrasse des inhibitions héritées du XIXᵉ siècle ; s'ouvre une ère de gaieté et d'effervescence, interrompue par la Première Guerre mondiale. Plus tard, les difficultés économiques, qui culminèrent avec la crise des années trente, acculèrent des millions de personnes à la misère. En 1939 la Deuxième Guerre mondiale éclate ; sortie victorieuse du conflit, la Grande-Bretagne entreprend des réformes sociales dans les domaines de l'éducation et de la santé.

Noel Coward, auteur dramatique

Welwyn Garden City traduisait les idées utopiques de sir Ebenezer Howard (1850-1928), qui lança le concept de cité-jardin.

Les suffragettes
Les femmes manifestaient pour réclamer le droit de vote ; beaucoup d'entre elles firent de la prison. Les femmes de plus de 30 ans obtinrent ce droit en 1919.

Les années vingt
Les jeunes femmes se débarrassent du carcan social hérité de leurs parents et se tournent vers le jazz, les cocktails et le charleston.

VILLES NOUVELLES
Des villes nouvelles furent construites dans les faubourgs de Londres, pour procurer à leurs habitants verdure et air pur. Welwyn Garden City, fondée en 1919, devait être autonome, mais la rapidité des liaisons ferroviaires en a fait une simple banlieue de Londres.

Première Guerre mondiale
En Europe, les troupes britanniques ont connu la guerre des tranchées, protégées par des fils de fer barbelés, à quelques mètres seulement des lignes ennemies. La guerre de 1914-1918 a fait 17 millions de victimes.

Sans fil
Inventée par Guglielmo Marconi, la T.S.F. permettait à chacun d'être à l'écoute de l'actualité du monde.

CHRONOLOGIE

Henry Asquith (1852-1928), Premier ministre

1903 Apparition du mouvement des suffragettes

1908 Le gouvernement libéral d'Asquith crée les pensions de retraite

1911 Les députés perçoivent un salaire, ce qui permet aux hommes qui travaillent de se faire élire

1914-1918 Première Guerre mondiale

1918 Le droit de vote est accordé aux femmes âgées de plus de 30 ans

1922 Premières émissions radiodiffusées

1924 Premier gouvernement travailliste

| 1905 | 1910 | 1915 | 1920 |

Manifestation
Dans les années vingt, ces hommes et plusieurs milliers d'autres manifestaient pour retrouver un travail après leur licenciement. Mais l'effondrement des valeurs en 1929 et la dépression qui suivit aggravèrent le chômage.

Les cités-jardins comportaient de grands espaces verts et des étangs.

Seconde Guerre mondiale
Les bombardements aériens allemands, le « Blitz », visaient de nuit les endroits stratégiques militaires ou les cités industrielles, comme Sheffield.

La maison moderne
Le succès des appareils ménagers, comme l'aspirateur, inventé par William Hoover en 1908, est lié aussi au fait que les femmes travaillaient hors de chez elles et que l'on trouvait moins facilement des domestiques.

Le prix assez bas des logements et la qualité de l'environnement ont fait le succès de ces nouvelles cités.

La voiture
Dans les années cinquante, de plus en plus de familles pouvaient s'offrir des voitures de série, comme la Hillman Minx vantée par cette affiche.

1926 Grève générale

Édouard VIII (1894-1972) et Wallis Simpson (1896-1986)

1936 Abdication d'Édouard VIII

1944 L'école est dorénavant obligatoire jusqu'à 15 ans ; des bourses d'études sont accordées aux étudiants

1948 Création de la Sécurité sociale britannique

1947 Indépendance de l'Inde et du Pakistan

25	1930	1935	1940	1945

1929 Effondrement du marché des valeurs

1928 Le droit de vote est accordé aux hommes et aux femmes de plus de 21 ans

1936 Premières émissions télévisées régulières

1939-1945 Winston Churchill mène l'Angleterre à la victoire

Carte de rationnement

1945 Gouvernement travailliste ; nationalisation des chemins de fer, des transports routiers, de l'aviation civile, de la banque d'Angleterre, du gaz, de l'électricité et de l'acier

La Grande-Bretagne aujourd'hui

Les privations de la guerre sont oubliées et la Grande-Bretagne entre dans l'ère des « Swinging Sixties », une explosion de jeunesse symbolisée par l'apparition de la mini-jupe et des groupes de musique pop. L'Empire touche à sa fin et la plupart des colonies accèdent à l'indépendance dans les années soixante-dix, malgré l'épisode de la guerre de 1982 contre l'Argentine à propos des îles Falkland. La société change ; l'immigration d'habitants des anciennes colonies enrichit la culture britannique, mais fait surgir aussi des problèmes sociaux. En 1973, la Grande-Bretagne rejoint la Communauté européenne ; l'ouverture du tunnel sous la Manche renforce symboliquement les liens avec le continent.

La styliste Vivienne Westwood et Naomi Campbell

Années soixante. La mini-jupe ouvre une ère d'audace dans la mode ; le « Flower Power » vient de Californie

1951 Winston Churchill est rappelé au pouvoir après la victoire des conservateurs

1958 Lancement d'une campagne pour le désarmement atomique, reflet des inquiétudes de la jeunesse devant le nucléaire

1965 Abolition de la peine de mort

1950	1955	1960	1965	1970

1950	1955	1960	1965	1970

1953 Couronnement d'Élisabeth II, retransmis à la télévision

1963 Les Beatles, venus de Liverpool, déclenchent un véritable raz-de-marée populaire

1959 Construction de la première autoroute, la M1, entre Londres et les Midlands

1957 Arrivée des premiers immigrants venus des Caraïbes

1951 Le festival de Grande-Bretagne dynamise les esprits après la guerre

1973 Après des années de négociations, la Grande-Bretagne rejoint la Communauté européenne

Années soixante-dix.
Les tenues vestimentaires
et les coiffures des punks
choquent le pays

1990 Mᵐᵉ Thatcher
démissionne sous la pression
des députés conservateurs ;
John Major la remplace

1991 Le plus haut gratte-ciel de Grande-
Bretagne, la Canada Tower *(p. 133)*, est
construit dans les Docklands, le nouveau
centre financier de Londres

1982 La flotte britannique
déloge les Argentins
des îles Falkland

1992 Un
gouvernement
conservateur
est élu pour
la quatrième
fois consécutive
– un record au
xxᵉ siècle

1997 Le
New Labour
met fin à
16 années de
gouvernement
conservateur

1976 Premier vol
commercial du
Concorde

1984 Une grève d'un an
des mineurs n'empêche
pas la fermeture des puits
et annonce le déclin de
l'influence des syndicats

| 975 | 1980 | 1985 | 1990 | 1995 | 2000 |

| 975 | 1980 | 1985 | 1990 | 1995 | 2000 |

1981 Mariage « de
conte de fées »
du prince Charles
et de Lady
Diana Spencer
à la cathédrale
Saint-Paul

1999 Fondation
du parlement
d'Écosse et de
l'assemblée du
pays de Galles

075 Début
es forages
étroliers en
er du Nord

1979 Margaret
Thatcher, la « Dame
de fer », devient la
première femme
Premier ministre ; son
gouvernement
conservateur de
droite privatise
plusieurs sociétés
nationales

1985 Le gigantesque concert
Live Aid recueille des fonds
pour combattre la famine
en Afrique

1994 Le tunnel sous la
Manche relie la Grande-
Bretagne et le continent
par voie ferrée

LA GRANDE-BRETAGNE
AU JOUR LE JOUR

Les saisons ont chacune un attrait particulier. En Grande-Bretagne plus qu'ailleurs – amour des jardins oblige –, le printemps est la saison des jonquilles et des jacinthes, l'été celle des roses et l'automne celle des feuillages changeants. L'hiver, le gris du ciel apparaît à travers les branches des arbres dénudés. Les longues

Affiche du Festival du film

périodes de mauvais temps et les gros écarts de températures sont rares, mais le temps est très variable : on peut avoir de belles journées ensoleillées en février, mais se retrouver sous une averse en juillet. Si les principaux monuments sont ouverts toute l'année, de nombreux bâtiments ou sites moins importants peuvent cependant être fermés l'hiver.

Jacinthes en fleur dans les bois d'Angrove, Wiltshire

PRINTEMPS

Les jours rallongent, le temps se réchauffe : la campagne s'éveille enfin d'un long sommeil. Chaque année, de très nombreux châtelains choisissent le week-end de Pâques pour ouvrir au public

leur parc ou leur jardin. Le dimanche de Pentecôte a lieu l'Exposition florale de Chelsea (Chelsea Flower Show) ; c'est un événement important pour tous les jardiniers professionnels ou amateurs. Au printemps se déroulent aussi un peu partout de nombreux concerts ou festivals en tout genre.

MARS

Ideal Home Exhibition *(2ᵉ sem.)*, Earl's Court, Londres. Le salon des arts ménagers et de la décoration.
Exposition canine, National Exhibition Centre, Birmingham.
Foire internationale du livre *(3ᵉ sem.)*, Olympia, Londres.
La Saint-Patrick *(17 mars)*. Les grandes villes organisent des concerts pour célébrer saint Patrick, le saint patron de l'Irlande.

AVRIL

Jeudi saint, la reine distribue des aumônes.
La Saint-Georges *(23 avril)*. Fête du saint patron de l'Angleterre.
Antiquités pour tous *(dernière semaine)*, National Exhibition Centre, Birmingham.

Plantes aquatiques à l'Exposition florale de Chelsea

MAI

Furry Dancing Festival *(8 mai)*, Helston, Cornouailles. Fête du printemps *(p. 268)*.
Fête des puits *(jour de l'Ascension)*, Tissington, Derbyshire *(p. 325)*.
Exposition florale de Chelsea, Royal Hospital, Londres.
Festival de Brighton *(trois dernières semaines)*. Théâtre.
Festival lyrique de Glyndebourne *(mi-mai-fin août)*, près de Lewes, est du Sussex.
Jeux internationaux des Highlands *(dernier week-end)*, Blair Atholl, Écosse.

Les hallebardiers de la Tour de Londres aux célébrations du jeudi saint

ÉTÉ

En été, la Grande-Bretagne s'ouvre sur l'extérieur : les restaurants, les cafés et les pubs sortent leurs terrasses. Partout des fêtes sont organisées, depuis les réjouissances villageoises jusqu'aux garden-parties de la reine à Buckingham. Les piscines et les plages sont bondées, les employés de bureau pique-niquent dans les jardins publics. Des millions de roses éclosent dans les jardins. Les activités culturelles se diversifient : festivals, comme le National Eisteddfod au pays de Galles, concerts, comme les « Proms » de Londres, le Festival lyrique de Glyndebourne et le Festival d'Édimbourg.

Le Festival de musique de Glastonbury draine des milliers de spectateurs

JUIN

Expositions d'été de la Royal Academy *(juin-août).* De nombreux artistes exposent leurs travaux.
Festival international de Bath *(fin mai-début juin).* Manifestations artistiques.
Festival de Beaumaris *(27 mai-4 juin).* Un festival très varié : concerts, foires…
Trooping the Colour *(le sam. le plus proche du 10 juin),* Whitehall, Londres. Parade officielle pour l'anniversaire de la reine.
Festival de Glastonbury

Concours de moutons d'élevage au
Royal Welsh Show de Builth Wells

(fin juin), Somerset.
Festival d'Aldeburgh *(2ᵉ et 3ᵉ sem.),* Suffolk. Arts et musique *(p. 191).*
Royal Highland Show *(3ᵉ sem.),* Ingliston, près d'Édimbourg. Salon écossais de l'agriculture.
Leeds Castle *(der. sem.).* Opéras en plein air.
Festival international de jazz de Glasgow *(dernier week-end).* Nombreux invités.

(légende image chaise longue) Transat à Brighton

JUILLET

Royal Show *(1ʳᵉ sem.),* près de Kenilworth, Warwickshire. Salon national de l'agriculture.
International Eisteddfod *(1ʳᵉ semaine),* Llangollen, nord du pays de Galles. Concours de musique et danse *(p. 436).*
Exposition d'art floral d'Hampton Court *(début juil.),* Hampton Court, Surrey.
Festival estival de musique *(3ᵉ week-end),* Stourhead, Wiltshire.
Régates royales internationales d'Henley *(1ʳᵉ sem.),* Henley-on-Thames. Régates sur la Tamise.
Festival folk de Cambridge *(dernier week-end).* Avec de grands noms de la musique.
Royal Welsh Show *(dernier week-end),* Builth Wells, pays de Galles. Salon gallois de l'agriculture.
Festival international des arts traditionnels *(fin juil.-début août),* Sidmouth, Devon *(p. 277).*

AOÛT

Royal National Eisteddfod *(début du mois).* Concours d'arts traditionnels gallois très couru *(p. 421).*

Un homme-oiseau, carnaval de Notting Hill

Concerts-promenade Henry Wood *(mi-juil.-mi-sept.),* Royal Albert Hall, Londres. Les célèbres « Proms ».
Festival international d'Édimbourg *(mi-août-mi-sept.).* Le plus grand festival de théâtre, danse et musique du monde *(p. 495).*
Festival d'Édimbourg « off ». En marge du festival, 400 spectacles par jour.
Festival de jazz de Brecon *(mi-août),* pays de Galles.
Festival Beatles *(dernier week-end),* Liverpool. Musique et spectacles en rapport avec le célèbre groupe *(p. 363).*
Carnaval de Notting Hill *(dernier week-end),* Londres. Grand défilé de carnaval.

La récolte des pommes se fait l'automne venu

AUTOMNE

Après la parenthèse de l'été, la nouvelle saison est marquée par la rentrée politique : réunions des différents partis en octobre, rentrée du Parlement le mois suivant. À la campagne, les bois virent au jaune et à l'orangé, les arbres croulent sous les fruits de l'automne ; les récoltes s'accompagnent un peu partout de fêtes traditionnelles. Le 5 novembre, tout le pays commémore avec des feux de joie et des feux d'artifice

Lancer de poids à Braemar

l'échec de la Conspiration des Poudres, orchestrée en 1605 par Guy Fawkes et ses partisans pour faire sauter le Parlement. Dans les magasins, on commence à s'approvisionner en vue des fêtes de Noël.

SEPTEMBRE

Les illuminations de Blackpool (*début sept. à fin oct.*). Le front de mer est illuminé sur 8 km de long.
Royal Highland Gathering (*1er sam.*), Braemar, Écosse. On vient de tout le pays pour lancer des troncs de mélèze, lancer des poids, danser et jouer de la cornemuse. La famille royale assiste généralement à ces réjouissances.
Concours international de chiens de berger (*14-16 sept.*), chaque année dans un lieu différent.
Grande Exposition florale d'automne (*3e week-end*), Harrogates, Yorkshire.
Festival de l'huître (*sam. au début de la saison des huîtres*), Colchester. Repas offert par le maire pour fêter l'ouverture de la saison des huîtres.

OCTOBRE

Festivals des moissons (*tout le mois*), dans toute la Grande-Bretagne.
La course du Cheval de l'année (*6-10 oct.*), NEC, Birmingham.
Foire de l'oie de Nottingham (*2e week-end*). Une des plus anciennes foires, aujourd'hui une fête foraine.
Festival de Canterbury (*2e et 3e sem.*). Arts, musique et théâtre.
Festival Britten d'Aldeburgh (*3e week-end*). Concerts (*p. 191*).

Cérémonie d'ouverture de la nouvelle session parlementaire

NOVEMBRE

Rentrée du Parlement (*oct. ou nov.*). La reine se rend en carrosse de Buckingham Palace à Westminster pour ouvrir la nouvelle session.
Festival du film de Londres (*fin oct.-début nov.*). Projection de nouveaux films.
Procession du Lord-Maire (*2e sam.*). Parade dans la City.
Journée du Souvenir (*2e dimanche*). Messes et défilés au Cénotaphe de Whitehall, à Londres, et dans toute la Grande-Bretagne.
Rallye automobile des Vétérans du Royal Automobile Club (*1er dim.*). Entre Londres (Hyde Park) et Brighton.
Nuit Guy Fawkes (*5 nov.*), feux de joie et feux d'artifice dans tout le pays.
Illuminations de Noël dans Regent Street (*mi-nov.*), Londres.

Feux d'artifice au-dessus d'Édimbourg lors de la Nuit Guy Fawkes

L'hiver dans les Highlands écossaises, près de Glencoe

HIVER

L es rues sont pleines de guirlandes et de sapins illuminés. Des chants de Noël résonnent dans toutes les églises ; dans les théâtres des grandes villes, les spectacles pour enfants connaissent toujours un grand succès.

La plupart des bureaux ferment entre Noël et le nouvel an. Les magasins rouvrent le 27 décembre pour les soldes.

Le sapin de Noël illuminé de Trafalgar Square

DÉCEMBRE

Le sapin de Noël *(1ᵉʳ jeu.)* de Trafalgar Square, Londres. Dans un concert de chants de Noël, le sapin offert par les Norvégiens est illuminé par le maire d'Oslo en personne.
Concerts de Noël *(tout le mois),* dans tout le pays.

Grand défilé de Noël *(début déc.)* à Londres. Défilé de chars décorés sur le thème de Santa Claus (le Père Noël).
Messe de minuit *(24 déc.)*, dans les églises de toute la Grande-Bretagne.
Allendale Tarbaal Festival *(31 déc.)*, Northumberland. Procession de villageois portant sur la tête des tonneaux de goudron enflammé pour célébrer le nouvel an.

Branche de houx

JANVIER

Hogmanay et **Nouvel An** *(31 déc. et 1ᵉʳ janv.)*, fêtes du nouvel an en Écosse.
La nuit Robert Burns *(14 janv.)*. Les Écossais commémorent la naissance du grand poète Robert Burns (1759-1796).

FÉVRIER

Nouvel an chinois *(fin janv. ou début fév.)*. Défilés, danses et pétards à Chinatown, Londres.

FÊTES OFFICIELLES

Jour de l'an (1ᵉʳ janvier).
2 janvier (en Écosse).
Week-end de Pâques (mars ou avril). En Angleterre, du **vendredi saint** au **lundi de Pâques** ; en Écosse, le lundi de Pâques n'est pas férié.
May Day (généralement le premier lundi de mai).
Late Spring Bank Holiday (dernier lundi de mai).
Bank Holiday (premier lundi d'août, seulement en Écosse).
August Bank Holiday (dernier lundi d'août, sauf en Écosse).
Noël et la Saint-Étienne (25 et 26 décembre).

Danses folkloriques du May Day à Midhurst, dans le Sussex

L'année sportive

Football ou tennis, les sports les plus populaires du monde sont tous nés en Grande-Bretagne. Ces disciplines étaient à l'origine un délassement pour les classes aisées ; elles se sont peu à peu démocratisées, même si certaines manifestations, comme le Royal Ascot ou le tournoi de Wimbledon, restent des événements autant sportifs que mondains. En Grande-Bretagne, certains tournois présentent un intérêt purement local, comme les parties de cricket à la campagne, le cross à cheval ou les Highland Games, mais mobilisent les foules.

Kelly Holmes

*Le **Royal Ascot** est une manifestation à la fois sportive et mondaine à laquelle assiste la famille royale. Le spectacle est autant dans les tribunes que sur le champ de courses.*

*La **course d'aviron** entre les rameurs d'Oxford et de Cambridge eut lieu pour la première fois en 1829 à Henley ; c'est aujourd'hui un événement national. Les équipes nagent sur la Tamise.*

*En **football**, finale de la coupe de la FA à Wembley.*

Course de chevaux du Derby d'Epsom

Janvier	Février	Mars	Avril	Mai	Juin

Cheltenham, Coupe d'or de steeple-chase (p. 316)

Grand steeple-chase national d'Aintree (p. 362) à Liverpool

Rugby : finale de la coupe de la Ligue à Wembley

Championnat du monde de billard à Sheffield

*Le **tournoi de Wimbledon** compte parmi les plus prestigieuses rencontres de tennis du monde.*

*La **régate royale de Henley** (p. 222) est une compétition internationale (depuis 1839) sur la Tamise. Un événement mondain très couru.*

*Le **tournoi des Six Nations** est une compétition de rugby qui se joue entre l'Angleterre, la France, l'Irlande (à gauche), l'Italie, l'Écosse (à droite) et le pays de Galles. Ce mini-championnat dure tout l'hiver et se termine en mars.*

*Le **marathon de Londres** attire les meilleurs coureurs de fond du monde et des milliers d'amateurs.*

Grand Prix de Formule 1, *à Brands Hatch, comptant pour le championnat du monde.*

BILLETS ET MARCHÉ NOIR

Pour beaucoup d'événements sportifs, le seul moyen d'obtenir des billets est de passer par le club organisateur. Certaines agences prennent le relais, mais leurs tarifs sont souvent élevés. Des tickets sont vendus au marché noir ; ils sont très chers… et pas forcément valables. Soyez prudents.

Billets pour le Grand Prix

En golf, le British Open est un événement très important de la saison. Ici Nick Faldo en action.

Le trophée de Cheltenham et Gloucester, grande compétition de cricket. La finale se déroule sur le terrain de Lord's, à Londres (p. 129).

Pendant la Cowes week (p. 156) se déroulent plusieurs régates.

La compétition du Cheval de l'année, très disputée, rassemble les meilleurs sauteurs d'obstacles (p. 64).

Match de rugby entre Oxford et Cambridge à Twickenham

et	Août	Septembre	Octobre	Novembre	Décembre

Concours hippique européen de Hickstead

Highland Games de Braemar (p. 64)

Les championnats de patinage artistique et de danse sur glace sont des événements très suivis.

Champion- nats du monde de fléchettes à Londres

Course de bateaux de la Coupe d'or de l'Humber à Hull

LA SAISON SPORTIVE

	Cricket
	Pêche en rivière
	Football
	Chasse
	Rugby
	Courses de chevaux
	Saut d'obstacles
	Athlétisme
	Courses auto et cross-country
	Polo

Le Cartier International Polo, Windsor (p. 223) est l'une des principales rencontres de polo, ce sport qui se pratique surtout entre membres de la famille royale et officiers.

Steven Cousins

Le climat de la Grande-Bretagne

La Grande-Bretagne bénéficie d'un climat tempéré. Grâce au Gulf Stream, la côte ouest est à la fois plus chaude et plus humide que la côte est. Le thermomètre ne descend qu'exceptionnellement au-dessous de -15 °C, pendant les nuits d'hiver dans le nord du pays, et dépasse rarement 30 °C, au plus fort de l'été dans le sud. La fourchette des températures est beaucoup plus étroite que dans la plupart des autres pays d'Europe et, malgré la réputation de l'Angleterre, la moyenne annuelle des précipitations (moins d'un mètre) y est plutôt basse.

Wic

Inverness•

Les Highlands
et les îles

EDINBURG
Glasgow•

Lowlands

Le
Lancashire
et les lacs

Liverpo
Le nord
du pays de Galles•
Caernarfon

Le sud et le centre
du pays de Galles

CARDIFF
E
L'Ouest

Exeter•
Le Devon et les
Cornouailles

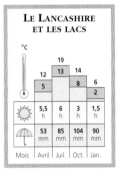

LE LANCASHIRE ET LES LACS

°C

	19		
12	13	14	6
5		8	2

☀	5,5 h	6 h	3 h	1,5 h
☂	53 mm	85 mm	104 mm	90 mm
Mois	Avril	Juil.	Oct.	Jan.

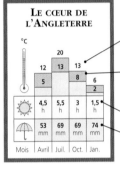

LE CŒUR DE L'ANGLETERRE

°C

	20		
12	13	13	6
5		8	2

☀	4,5 h	5,5 h	3 h	1,5 h
☂	53 mm	69 mm	69 mm	74 mm
Mois	Avril	Juil.	Oct.	Jan.

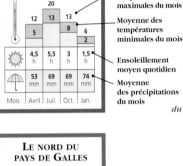

Moyenne des
températures
maximales du mois

Moyenne des
températures
minimales du mois

Ensoleillement
moyen quotidien

Moyenne
des précipitations
du mois

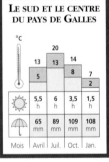

LE SUD ET LE CENTRE DU PAYS DE GALLES

°C

	20		
13	13	14	7
5		8	2

☀	5,5 h	6 h	3,5 h	1,5 h
☂	65 mm	89 mm	109 mm	108 mm
Mois	Avril	Juil.	Oct.	Jan.

LE NORD DU PAYS DE GALLES

°C

	17		
11	11	14	6
5		8	1

☀	3 h	3,5 h	2,5 h	1,5 h
☂	144 mm	206 mm	261 mm	252 mm
Mois	Avril	Juil.	Oct.	Jan.

LE DEVON ET LES CORNOUAILLES

°C

	19		
13	13	15	8
6		9	4

☀	6 h	6,5 h	3,5 h	2 h
☂	53 mm	70 mm	91 mm	99 mm
Mois	Avril	Juil.	Oct.	Jan.

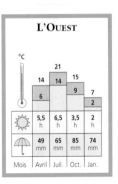

L'OUEST

°C

	21		
14	14	15	7
6		9	2

☀	5,5 h	6,5 h	3,5 h	2 h
☂	49 mm	65 mm	85 mm	74 mm
Mois	Avril	Juil.	Oct.	Jan.

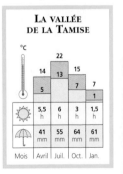

LA VALLÉE DE LA TAMISE

°C

	22		
14	13	15	7
5		7	1

☀	5,5 h	6 h	3 h	1,5 h
☂	41 mm	55 mm	64 mm	61 mm
Mois	Avril	Juil.	Oct.	Jan.

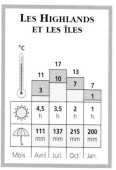

LES HIGHLANDS ET LES ÎLES

°C				
	11	17	13	7
	3	10	7	1
☀	4,5 h	3,5 h	2 h	1 h
☂	111 mm	137 mm	215 mm	200 mm
Mois	Avril	Juil.	Oct.	Jan.

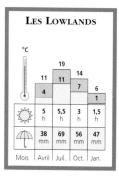

LES LOWLANDS

°C				
	11	19	14	6
	4	11	7	1
☀	5 h	5,5 h	3 h	1,5 h
☂	38 mm	69 mm	56 mm	47 mm
Mois	Avril	Juil.	Oct.	Jan.

Northumbria
● Newcastle upon Tyne

Yorkshire et région du Humber
● York

●anchester

L'est des Midlands

● Birmingham
ur de gleterre
Norwich ●
● Cambridge
Anglia

Vallée de la Tamise
Oxford ●
Londres

Downs et côtes de la Manche
Dover ●
● Portsmouth

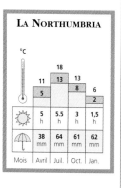

LA NORTHUMBRIA

°C				
	11	18	13	6
	5	13	8	2
☀	5 h	5,5 h	3 h	1,5 h
☂	38 mm	64 mm	61 mm	62 mm
Mois	Avril	Juil.	Oct.	Jan.

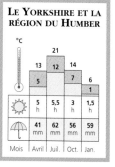

LE YORKSHIRE ET LA RÉGION DU HUMBER

°C				
	13	21	14	6
	5	12	7	1
☀	5 h	5,5 h	3 h	1,5 h
☂	41 mm	62 mm	56 mm	59 mm
Mois	Avril	Juil.	Oct.	Jan.

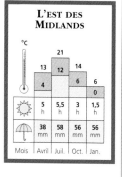

L'EST DES MIDLANDS

°C				
	13	21	14	6
	4	12	6	0
☀	5 h	5,5 h	3 h	1,5 h
☂	38 mm	58 mm	56 mm	56 mm
Mois	Avril	Juil.	Oct.	Jan.

LES DOWNS ET LES CÔTES DE LA MANCHE

°C				
	14	22	14	6
	4	12	6	0
☀	5,8 h	7,3 h	4 h	2 h
☂	38 mm	58 mm	56 mm	56 mm
Mois	Avril	Juil.	Oct.	Jan.

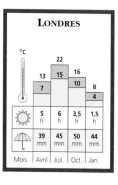

LONDRES

°C				
	13	22	16	8
	7	15	10	4
☀	5 h	6 h	3,5 h	1,5 h
☂	39 mm	45 mm	50 mm	44 mm
Mois	Avril	Juil.	Oct.	Jan.

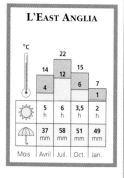

L'EAST ANGLIA

°C				
	14	22	15	7
	4	12	6	1
☀	5 h	6 h	3,5 h	2 h
☂	37 mm	58 mm	51 mm	49 mm
Mois	Avril	Juil.	Oct.	Jan.

LONDRES

Présentation de Londres 72-77

West end et Westminster 78-95

South Kensington et Hyde Park 96-103

Regent's Park et Bloomsbury 104-109

La City et Southwark 110-123

Boutiques et marchés 124-125

Se distraire à Londres 126-129

En dehors du centre 130-134

Atlas des rues 135-143

Londres d'un coup d'œil

Avec ses sept millions d'habitants et une superficie de 1 600 km², Londres est la plus grande ville d'Europe. Au Iᵉʳ siècle de notre ère, les Romains avaient déjà établi sur le site un grand centre administratif, avec un port qui permettait de commercer activement avec le continent. Depuis un millier d'années, Londres est la résidence principale des monarques britanniques, la ville des affaires et le siège du gouvernement. Cette capitale est riche en musées, en églises et en bâtiments historiques de différentes périodes, mais c'est aussi une cité moderne très vivante, avec des cinémas, des théâtres et des grands magasins. Il y a des milliers de choses à voir dans la ville ; cette double page ne fait que présenter quelques monuments essentiels décrits en détail dans les pages suivantes.

Buckingham Palace (p. 88-89) *est la résidence de la famille royale. Devant le palais se déroule la célèbre relève de la Garde.*

REGENT'S
PARK ET
BLOOMSBURY
(p. 104-109)

WEST E
ET
WESTMIN
(p. 78-9

SOUTH KENSINGTON
ET HYDE PARK
(p. 96-103)

Hyde Park (p. 77) *est le plus grand parc de Londres, très fréquenté par les sportifs. On y trouve aussi des restaurants, une galerie d'art, le fameux* Speakers' Corner *et un lac artificiel, la Serpentine.*

0   1 km

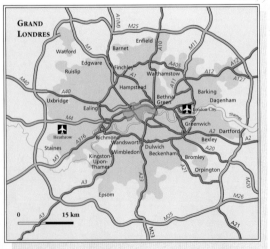

Le Victoria and Albert Museum (p. 100-101) *est le plus riche musée des arts décoratifs du monde. Cette coupe allemande date du XVᵉ siècle.*

LÉGENDE

▢ Partie la plus intéressante

◁ **La Colonne de Nelson (1843) et la National Gallery, sur Trafalgar Square**

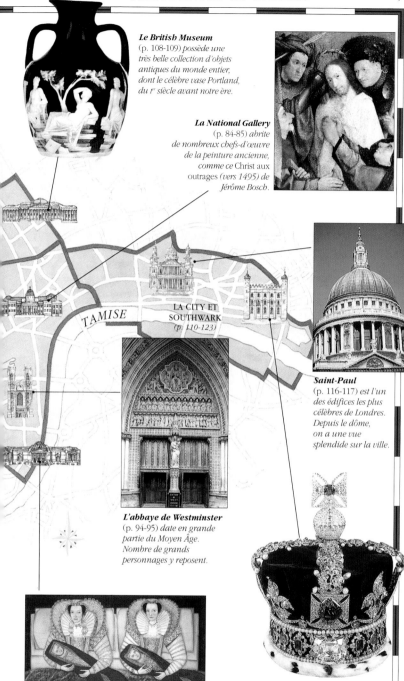

Le British Museum
(p. 108-109) *possède une
très belle collection d'objets
antiques du monde entier,
dont le célèbre vase Portland,
du Ier siècle avant notre ère.*

La National Gallery
(p. 84-85) *abrite
de nombreux chefs-d'œuvre
de la peinture ancienne,
comme ce* Christ aux
outrages *(vers 1495) de
Jérôme Bosch.*

TAMISE

LA CITY ET
SOUTHWARK
(p. 110-123)

Saint-Paul
(p. 116-117) *est l'un
des édifices les plus
célèbres de Londres.
Depuis le dôme,
on a une vue
splendide sur la ville.*

L'abbaye de Westminster
(p. 94-95) *date en grande
partie du Moyen Âge.
Nombre de grands
personnages y reposent.*

La Tate Britain (p. 93) *présente un large panorama
de l'art britannique, depuis les portraits du XVIe siècle,
tels que* The Cholmondeley Sisters, *jusqu'aux
installations et films les plus avant-gardistes.*

La Tour de Londres (p. 120-121)
*était une prison où l'on enfermait
les ennemis de la monarchie.
Elle abrite aujourd'hui les joyaux
de la Couronne.*

Londres au fil de l'eau

L a Tamise a été un axe commercial essentiel pour le pays depuis l'époque des Romains jusqu'aux années cinquante. Aujourd'hui, la rivière et ses abords sont le rendez-vous des promeneurs ; les quais et les entrepôts sont reconvertis en ports de plaisance, en bars ou en restaurants. Le bateau est sans doute le moyen le plus agréable de découvrir la ville. L'un des itinéraires les plus appréciés va du Parlement jusqu'à Tower Bridge : un trajet de 30 minutes pour découvrir quelques-uns des plus célèbres monuments de la ville.

La cathédrale Saint-Paul (p. 116-117), *le chef-d'œuvre de Christopher Wren, domine la rive gauche de la Tamise.*

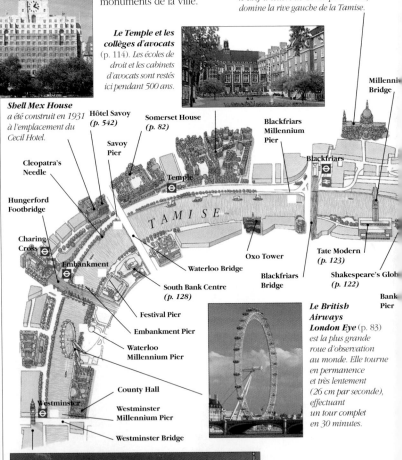

Le Temple et les collèges d'avocats (p. 114). *Les écoles de droit et les cabinets d'avocats sont restés ici pendant 500 ans.*

Millennium Bridge

Shell Mex House *a été construit en 1931 à l'emplacement du Cecil Hotel.*

Hôtel Savoy *(p. 542)*

Somerset House *(p. 82)*

Blackfriars Millennium Pier

Blackfriars

Savoy Pier

Cleopatra's Needle

Temple

Blackfriars Bridge

Tate Modern *(p. 123)*

Hungerford Footbridge

TAMISE

Oxo Tower

Shakespeare's Globe *(p. 122)*

Charing Cross

Waterloo Bridge

Embankment

South Bank Centre *(p. 128)*

Bank Pier

Le British Airways **London Eye** (p. 83) *est la plus grande roue d'observation au monde. Elle tourne en permanence et très lentement (26 cm par seconde), effectuant un tour complet en 30 minutes.*

Festival Pier

Embankment Pier

Waterloo Millennium Pier

County Hall

Westminster

Westminster Millennium Pier

Westminster Bridge

Le Palais de Westminster (p. 92) *a été reconstruit par Charles Barry dans le style néo-gothique après l'incendie de 1834. La tour Victoria est à gauche, Big Ben à droite.*

LONDRES EN BATEAU

Les promenades en bateau les plus populaires parcourent le centre de Londres toute l'année, mais ont des programmes réduits en hiver. En été, les liaisons sont fréquentes entre Westminster *(p. 90-91)* et Greenwich *(p. 133),* avec un départ toutes les 30 ou 60 minutes. Souvent accompagnée de commentaires intéressants, une promenade sur cette partie de la Tamise est très agréable.

Certains bateaux descendent la Tamise de Greenwich jusqu'au barrage de Thames Barrier, un impressionnant ouvrage d'ingénierie moderne. L'aller dure 30 minutes et côtoie des sites industriels. En deux heures, vous pouvez aussi remonter la Tamise de Westminster à Kew *(p. 134)*, en passant par Hammersmith et en longeant quelques-unes des réalisations les plus saisissantes de la ville comme Battersea Power Station et le MI6 Building, siège de l'Internal Security Service. Il est possible d'aller encore plus loin en amont jusqu'à Richmond *(p. 134)* et Hampton Court *(p. 161)*, mais sachez que les marées peuvent modifier le trajet.

Kew Pier

Cadogan Pier

Millbank Millennium Pier

Chelsea Harbour Pier

Voir plan ci-dessous

Greenland Pier

Hilton Docklands Nelson Dock Pier

Canary Wharf Pier

Thames Barrier

Masthouse Terrace

Greenwich Pier

Richmond St Helena Pier

Richmond Landing Stage

Hampton Court

HORAIRES ET TICKETS. Transport for London publie le *River Thames Boat Service Guide*, un guide complet des horaires et des compagnies, disponible dans le métro. Les tickets sont généralement en vente aux guichets situés sur les embarcadères.

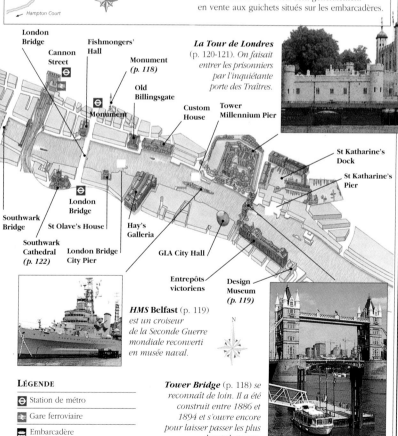

London Bridge

Cannon Street

Fishmongers' Hall

Monument *(p. 118)*

Old Billingsgate

Monument

Custom House

Tower Millennium Pier

La Tour de Londres (p. 120-121). *On faisait entrer les prisonniers par l'inquiétante porte des Traîtres.*

St Katharine's Dock

St Katharine's Pier

London Bridge

Southwark Bridge

St Olave's House

Southwark Cathedral *(p. 122)*

London Bridge City Pier

Hay's Galleria

GLA City Hall

Entrepôts victoriens

Design Museum *(p. 119)*

HMS **Belfast** (p. 119) *est un croiseur de la Seconde Guerre mondiale reconverti en musée naval.*

N

Tower Bridge (p. 118) *se reconnaît de loin. Il a été construit entre 1886 et 1894 et s'ouvre encore pour laisser passer les plus hauts bateaux.*

LÉGENDE

🚇	Station de métro
🚆	Gare ferroviaire
⚓	Embarcadère

Les parcs et jardins de Londres

Camélia

Ses grands parcs et ses pelouses bien entretenues font de Londres une des plus « vertes » des grandes villes du monde. Certains de ses jardins remontent au Moyen Âge ; d'autres ont été plantés plus récemment sur des terrains privés ou laissés en friche. Des élégantes terrasses de Regent's Park jusqu'aux jardins botaniques de Kew, les parcs et les jardins de Londres ont tous un caractère bien à eux ; les Londoniens s'y rendent volontiers pour faire du sport, écouter de la musique ou simplement échapper quelques instants au tumulte de la ville.

Holland Park (p. 130-131) *est une vaste étendue boisée où l'on trouve aussi un théâtre en plein air* (p. 127) *et un café.*

Le jardin botanique de Kew (p. 134) *est le plus complet du monde. Les espèces les plus variées (près de 40 000 !) sont cultivées à l'air libre ou dans de grandes serres victoriennes.*

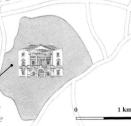

Le parc de Richmond (p. 134), *peuplé de daims, est le plus grand parc royal de Londres. On y a une très belle vue sur la Tamise.*

0   1 km

AU FIL DES SAISONS

À la fin de l'hiver, les pelouses de Green Park ou de Kew se couvrent de crocus, de jonquilles et de tulipes. À Pâques commence la saison des fêtes foraines qui s'installent dans les parcs et les terrains communaux. L'été est la saison du farniente pour ceux qui préfèrent pique-niquer et se faire bronzer à Saint James's Park ou à Regent's Park, avec en prime un concert en plein air ; pour d'autres,

L'hiver dans les jardins de Kensington, près de Hyde Park

c'est la saison de tous les sports : tennis, natation à Hyde Park et à Hampstead Heath, aviron sur les lacs de Regent's Park et de Battersea Park. L'automne est marqué par les feux de joie et les feux d'artifice de la Nuit Guy Fawkes, le 5 novembre (*p. 64*). L'hiver est tout indiqué pour une visite des serres tropicales et du jardin d'hiver de Kew ; s'il fait vraiment froid, on peut même faire du patin à glace sur le Round Pond des jardins de Kensington.

Hampstead Heath *(p. 132)* domine tout Londres et offre une grande variété de paysages.

Regent's Park (p. 105) *possède un grand lac où l'on peut canoter. On y trouve aussi un théâtre en plein air (p. 127), le zoo de Londres, et de belles bâtisses début XIXᵉ.*

Saint James's Park, *au cœur de la ville, est très fréquenté par les employés de bureau. C'est aussi une réserve d'oiseaux.*

TAMISE

Green Park, *avec ses grands arbres et ses bancs ombragés, est une oasis de calme en plein centre-ville.*

Battersea Park, au bord de la Tamise, possède un lac artificiel.

Greenwich Park (p. 133) *est dominé par le Musée maritime national. L'ancien Observatoire royal, au sommet de la colline, offre de très beaux panoramas.*

Hyde Park et les jardins de Kensington *(p. 103) sont très fréquentés, notamment par les sportifs. Dans Hyde Park, on trouve aussi un lac et une galerie d'art. Ce médaillon décore le jardin italien de Kensington.*

CIMETIÈRES HISTORIQUES

À la fin des années 1830, une ceinture de cimetières privés a été établie tout autour de Londres, car les cimetières intra-muros s'avéraient trop petits et malsains. Aujourd'hui, ces cimetières, surtout celui de **Highgate** *(p. 132)* qui abrite de très beaux tombeaux d'époque victorienne, sont aussi des lieux de promenade.

Le cimetière de Kensal Green, sur Harrow Road

WEST END ET WESTMINSTER

L e West End s'étend de Hyde Park jusqu'à Covent Garden. Ce quartier est au cœur de la vie sociale et culturelle de Londres et reste très animé tard dans la nuit ; c'est là aussi que réside la famille royale. Westminster est au centre de la vie politique et religieuse du pays depuis un millier d'années. Le roi Canut y fit construire un palais au XIᵉ siècle ;

Horse Guard à Whitehall

plus tard, Édouard le Confesseur fonda tout près l'abbaye de Westminster, où se déroule depuis 1066 le couronnement des rois d'Angleterre. Les grands organismes d'État se trouvent tous dans cette partie de la ville – sans doute le quartier idéal pour commencer une visite de Londres, car il abrite aussi bien des édifices historiques, que des musées ou des petits cafés.

LE QUARTIER D'UN COUP D'ŒIL

Rues et édifices historiques
Banqueting House ⑱
Buckingham Palace
p. 88-89 ⑬
Cabinet War Rooms ⑯
Downing Street ⑰
Les Royal Mews ⑮
Le Mall ⑫
Le palais de Westminster
p. 92-93 ⑲
La Piazza et le marché
central ❶
Piccadilly
Circus ❽
L'hôtel Ritz ❿

Musées et galeries
London's Transport
Museum ❷
National Gallery
p. 84-85 ❻
National Portrait
Gallery ❼
Queen's Gallery ⑭
Royal Academy ❾
Somerset House ❹
Tate Britain ㉑
Theatre Museum ❸

Églises
L'abbaye de Westminster
p. 94-95 ⑳
Queen's Chapel ⑪

Attraction
British Airways London Eye ❺

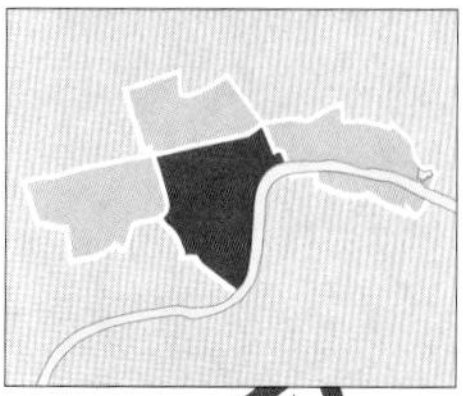

LÉGENDE

- Plan du quartier pas à pas *p. 80-81*
- Plan du quartier pas à pas *p. 86-87*
- Plan du quartier pas à pas *p. 90-91*
- ⊖ Station de métro
- ⊒ Gare
- P Parc de stationnement
- ⚓ Embarcadère

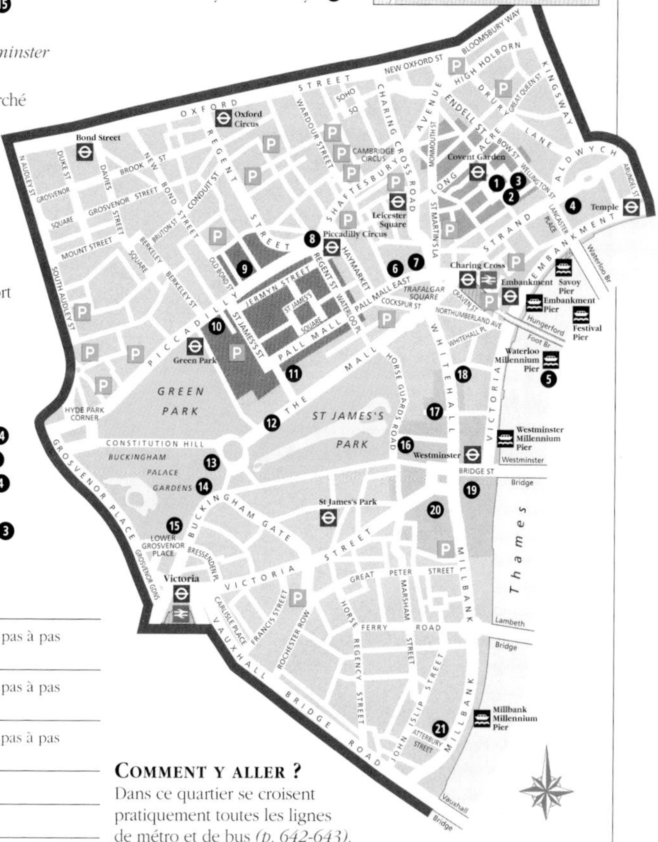

COMMENT Y ALLER ?

Dans ce quartier se croisent pratiquement toutes les lignes de métro et de bus *(p. 642-643)*. En train ou en métro, la gare la plus pratique est Charing Cross.

0   500 m

◁ **Big Ben et le Parlement**

Covent Garden pas à pas

Covent Garden est resté très longtemps un quartier vétuste plein d'entrepôts qui ne s'animaient que la nuit tombée, quand les marchands de primeurs venaient prendre livraison des fruits et légumes du jour. Depuis 1973, le quartier a beaucoup changé ; le marché victorien a cédé la place à des boutiques, à des restaurants et des cafés qui attirent nuit et jour une foule animée.

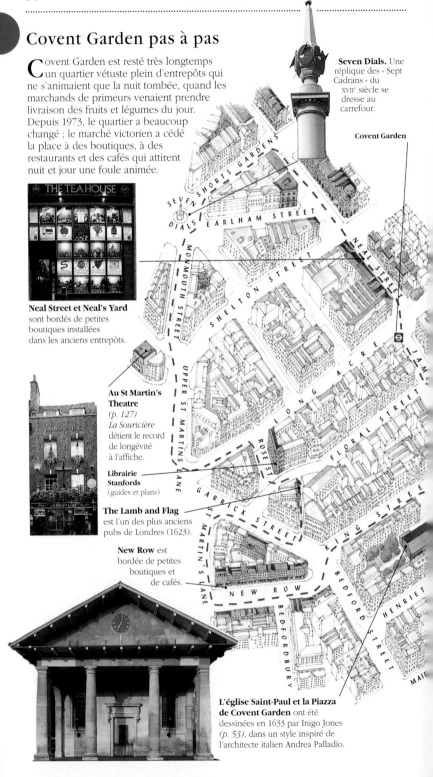

Seven Dials. Une réplique des « Sept Cadrans » du XVIIe siècle se dresse au carrefour.

Covent Garden

Neal Street et Neal's Yard sont bordés de petites boutiques installées dans les anciens entrepôts.

Au St Martin's Theatre (p. 127) *La Souricière* détient le record de longévité à l'affiche.

Librairie Stanfords (guides et plans)

The Lamb and Flag est l'un des plus anciens pubs de Londres (1623).

New Row est bordée de petites boutiques et de cafés.

L'église Saint-Paul et la Piazza de Covent Garden ont été dessinées en 1633 par Inigo Jones (p. 53), dans un style inspiré de l'architecte italien Andrea Palladio.

Le Theatre Museum
*abrite une collection d'objets
liés au monde du
spectacle* ❸

Royal Opera House
*(p. 128). Les plus grands
danseurs et chanteurs du
monde s'y sont produits.*

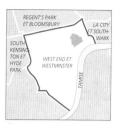

CARTE DE SITUATION
Voir l'atlas des rues, plan 4

LÉGENDE

– – – Itinéraire conseillé

0   100 m

**Le London's
Transport
Museum**
*Ses collections très
originales évoquent
l'histoire du métro,
des bus et des
trains de la ville
ainsi que l'art
publicitaire
du xxᵉ siècle* ❷

Jubilee Market

★ **La Piazza et le
marché central**
*L'un des nombreux cafés
de la Piazza* ❶

À NE PAS MANQUER

★ La Piazza et le
marché central

La Piazza et le marché central ❶

Covent Garden WC2. **Plan** 4 F5.
🚇 *Covent Garden.* ♿ *mais rues
pavées.* **Artistes de rue :** *t.l.j. de 10 h
à la tombée du jour.*

L a Piazza de Covent Garden,
conçue au xviiᵉ siècle
par l'architecte Inigo Jones,
est inspirée de la Grande
Place de Livourne.
Aujourd'hui, le seul bâtiment
d'Inigo Jones qui subsiste
est l'église Saint-Paul. La
Piazza a été quelque temps
l'une des adresses les plus
huppées de Londres, avant
d'être détrônée par St James's
Square *(p. 87)*, au sud-ouest
de la ville. L'installation sur
la Piazza d'un marché de
primeurs a marqué le début
de son déclin ; au milieu du
xviiiᵉ siècle, la plupart des
bâtiments alentour abritaient
des logements miteux,
des maisons de jeu
clandestines, des hôtels
de passe et des tavernes.
    Cependant, le marché

**La Piazza de Covent Garden,
au milieu du xviiiᵉ siècle**

ne cessait de s'agrandir
et devint même le plus
important du pays. En 1828,
on décida de construire
des halles à la mesure de
l'importance que le marché
avait prise. Ces nouveaux
bâtiments s'avérèrent vite
insuffisants eux aussi,
malgré la construction
de nouvelles structures
comme le Floral Hall
et le Jubilee Hall.
    En 1973, les halles ont été
déplacées au sud de Londres
et Covent Garden a trouvé
un nouveau souffle ;
les restaurants, les cafés,
les boutiques et les étals en
plein air en font aujourd'hui
l'un des quartiers les plus
vivants de la capitale.

Le London's Transport Museum ❷

The Piazza, Covent Garden WC2.
Plan 4 F5. ☎ 020-7379 6344.
❺ *Covent Garden.* ◯ *de 10 h à 18 h du sam. au jeu. ; de 11 h à 18 h ven.*
● *du 24 au 26 déc.* ▨ ♿
☑ *tél. à l'avance* ▢ ▣
☑ *www.ltmuseum.co.uk*

L es étonnantes collections de ce musée vont des premiers omnibus à cheval jusqu'aux moyens de transport urbains les plus récents. Elles sont abritées dans l'ancien marché aux fleurs de Covent Garden, un bâtiment datant de 1872. Le musée a beaucoup de succès auprès des enfants : on les laisse prendre la place d'un chauffeur de bus ou actionner les signaux qui jalonnent les voies.

Les sociétés de chemin de fer et les régies de transport londoniennes ont souvent fait acte de mécénat, et le musée présente aussi une belle collection d'affiches des XIXᵉ et XXᵉ siècles, commandées aux meilleurs artistes du temps. Dans la

Une affiche de Michael Reilly (1929) au London's Transport Museum

boutique du musée, on trouvera des reproductions d'œuvres de bons artistes peu connus en France, comme E. McKnight Kauffer, Graham Sutherland ou Paul Nash.

Le Theatre Museum ❸

Russell St WC2. **Plan** 4 F5. ☎ 020-7943 4700. ❺ *Covent Garden.* ◯ *de 10 h à 18 h du mar. au dim.* ● *jours fériés.* ▢ ♿ ☑ *www.theatremuseum.org*

D ans ce musée, on explique aux enfants les secrets du maquillage de théâtre. Une exposition présente tout le processus de réalisation d'une pièce de théâtre, des lectures du texte jusqu'à la première, en passant par les répétitions et le travail des coulisses.

Une vaste collection d'affiches, de programmes, d'accessoires et de costumes de scène retrace toute l'évolution des arts du spectacle.

Somerset House ❹

Strand WC2. **Plan** 4 F5.
☎ 020-7845 4600. ❺ *Temple,* ◯ *de 10 h à 18 h t.l.j.* ● *du 24 au 26 déc., 1ᵉʳ jan.* **Patinoire** ◯ *deux mois en hiver.* ▨ ▢ **Courtauld Gallery** ☎ 020-7848 2526. ▢ ▣ **Gilbert Collection** ☎ 020-7240 9400. ▣ ▣ **Hermitage Rooms** ☎ 020-7845 4630. ▣ ▢ ▣ ▨ *tous les musées.* ♿ *tous les musées.* **Restaurant Admiralty** ☎ 020-7845 4646 ☑ www.somerset-house.org.uk

É légante bâtisse construite en 1770 et conçue par William Chambers, la Somerset House abrite trois magnifiques

Somerset House : façade côté Strand

collections d'art, la **Courtauld Gallery**, la **Gilbert Collection** et les **Hermitage Rooms**. Ne manquez pas le restaurant Admiralty, qui jouit d'une excellente réputation. Dans l'enceinte de la Somerset House se trouve la célèbre Courtauld Gallery, où l'on peut admirer des œuvres majeures de peintres impressionnistes et post-impressionnistes. Autre merveille : la Gilbert collection, grand musée d'arts décoratifs, où sont exposées des pièces du XVIᵉ siècle, ainsi que des pièces d'argenterie européenne. Les Hermitage Rooms recréent

---

SOHO ET CHINATOWN

Depuis sa création à la fin du XVIIᵉ siècle, Soho a toujours été connu comme le quartier de tous les plaisirs – plaisirs de la table, de la chair, et plaisirs intellectuels. Soho est resté un secteur résidentiel très huppé jusqu'à ce que la haute société parte s'installer plus à l'ouest, à Mayfair. Les immigrants venus du continent européen sont alors venus y habiter, des ébénistes et des tailleurs y ont ouvert boutique. À la fin du XIXᵉ siècle, de nombreux pubs, des bars de nuit, des restaurants et des maisons closes s'y sont ouverts. Dans les années soixante, le quartier chinois, avec ses restaurants et ses magasins d'alimentation exotique, s'est installé aux abords des rues Gerrard et Lisle.

La réputation un peu canaille de Soho attire depuis toujours artistes et écrivains ; Soho reste l'un des quartiers les plus chauds de la ville, mais depuis quelque temps, on voit s'y ouvrir des bars et des restaurants plus chic.

Ce lion fait partie d'une parade pour le Nouvel An chinois

Le décor très édouardien de l'hôtel Ritz

en miniature la splendeur de l'ancien Palais d'hiver, aujourd'hui Musée de l'Ermitage de St Pétersbourg.

British Airways London Eye ❺

Jubilee Gardens, South Bank SE1. **Plan** 6 F2. 📞 0870 5000 600. 🚇 Waterloo, Westminster. 🚌 11, 24, 211. ⬭ t.l.j. ; de fév. à avr. : de 9 h 30 à 20 h ; en mai, juin et sept. : de 9 h 30 à 21 h ; en juil. et août : de 9 h 30 à 22 h ; d'oct. à déc. : de 9 h 30 à 20 h. ⬤ 25 déc. et jan. ✍ Acheter les billets au County Hall (juste à côté) au moins 30 min avant le début de la visite) 🚻 ▯ ▯ 🅦 www.londoneye.com

L e British Airways London Eye est une grande roue de 135 m de haut, dressée sur South Bank pour célébrer l'an 2000. Installés dans des capsules de verre, les passagers survolent en une demi-heure le cœur de Londres et jouissent d'une vue exceptionnelle sur une distance de 42 km. Dominant la Tamise et permettant d'apercevoir les grands monuments de la capitale, la roue a conquis le cœur des Londoniens comme celui des visiteurs et est devenue l'une des attractions les plus populaires de la ville. Les « vols » partent toutes les demi-heures.

National Gallery ❻

Voir p. 84-85.

National Portrait Gallery ❼

2 St Martin's Place WC2. **Plan** 6 E1. 📞 020-7306 0055. 🚇 Charing cross, Leicester Sq. ⬭ de 10 h à 18 h du sam. au mer., de 10 h à 21 h jeu. et ven. ⬤ 24 et 25 déc., 1er janv., ven. saint. 🚻 🛗 ▯ ▯ ▯ 🅦 www.npg.org.uk

T ableaux, photographies et sculptures retracent toute l'histoire du pays : d'Élisabeth Iʳᵉ à David Beckham, toutes les grandes figures de l'Angleterre sont là. La partie consacrée au XXᵉ siècle présente une galerie impressionnante de membres de la famille royale, d'hommes politiques, d'artistes et d'écrivains.

Piccadilly Circus ❽

W1. **Plan** 6 D1. 🚇 Piccadilly Circus.

A u début du XIXᵉ siècle, Piccadilly Circus était un quartier élégant, avec de beaux immeubles aux façades incurvées, une charnière entre Piccadilly et le quartier de Regent's Park aménagé par John Nash *(p. 107)*. C'est là qu'en 1910, le premier éclairage électrique fut installé. Dominé par le scintillement d'enseignes lumineuses multicolores, Piccadilly Circus est aujourd'hui un carrefour particulièrement animé ; depuis plus d'un siècle,

on se donne rendez-vous au centre de la place, sous la statue d'Éros.

La Royal Academy ❾

Burlington House, Piccadilly W1. **Plan** 6 D1. 📞 020-7300 8000. 🚇 Piccadilly Circus, Green Park. ⬭ de 10 h à 18 h du sam. au jeu., de 10 h à 20 h ven. ⬤ 24 et 25 déc., ven. saint. ✍ 🚻 ▯ sur r-v. ▯ ▯ ▯ 🅦 www.royalacademy.org.uk

L a Royal Academy, fondée en 1768, est tout particulièrement fréquentée et connue pour ses grandes expositions de l'été. Depuis plus de 200 ans, on y présente environ 1 200 œuvres de peintres, de sculpteurs ou d'architectes. Pendant toute l'année, le musée accueille aussi des expositions itinérantes prestigieuses, en provenance du monde entier et nombreux sont les visiteurs qui se pressent dans la cour de Burlington House, l'une des rares demeures du début du XVIIIᵉ siècle qui subsistent. Outre ses plaisirs esthétiques, la Royal Academy procurera au voyageur harassé, un moment de tranquillité. L'intérieur et les décors inspirent le calme et l'édifice semble coupé de l'agitation de la ville et de la vie moderne.

Statue d'Éros

L'hôtel Ritz ❿

Piccadilly W1. **Plan** 5 C1. 📞 020-7493 8181. 🚇 Green Park. 🚻 Voir **Hébergement** p. 540. 🅦 www.theritzlondon.com

C ésar Ritz, un hôtelier suisse, a fait construire en 1906 l'hôtel qui porte son nom. Le Ritz est à l'origine du mot anglais *ritzy*, qui signifie « luxueux ». La colonnade de la façade rappelle celle de la rue de Rivoli, à Paris. Le Ritz a su conserver son atmosphère très édouardienne et « fin de siècle » ; l'après-midi, on peut aller y boire un excellent thé (sur réservation). Les amateurs de sensations fortes pourront, quant à eux, se retrouver au casino.

La National Gallery ❻

La National Gallery est l'un des plus grands musées de la capitale, avec plus de 2 300 œuvres dont la plupart sont exposées. Depuis qu'en 1824 George IV réussit à persuader un gouvernement réticent d'acquérir 38 tableaux de première importance, le musée n'a cessé de s'enrichir ; ses collections vont aujourd'hui de Cimabue aux impressionnistes du XIXᵉ siècle. Les points forts du musée sont les écoles hollandaise et espagnole du XVIIᵉ siècle et la Renaissance italienne. À gauche de la galerie principale, l'aile Sainsbury, achevée en 1991, abrite la collection du début de la Renaissance.

L'Adoration des mages
(1564) Cette œuvre pleine de réalisme est de Pieter Bruegel l'Ancien (1520-1569).

Entrée par Education Centre

Accès au niveau inférieur

Les Ambassadeurs
La forme étrange du premier plan de ce tableau de Holbein (1533) est une anamorphose du crâne rappelant la vanité de ce monde.

LÉGENDE

☐	Peintures de 1250-1500
☐	Peintures de 1500-1600
☐	Peintures de 1600-1700
☐	Peintures de 1700-1900
☐	Expositions temporaires
☐	Ne se visite pas

Accès au bâtiment principal

Accès au niveau inférieur

Jean Arnolfini et sa femme
Dans cette œuvre de 1434, Jan Van Eyck (1389-1441), pionnier de l'utilisation de la peinture à l'huile, montre sa maîtrise dans le rendu des matières.

Entrée de l'aile Sainsbury

L'Annonciation
(fin des années 1450) Cette œuvre délicate est due à Fra Filippo Lippi. Elle fait partie de la riche collection de peintures italiennes du musée.

★ **La Vénus au miroir**
*(1649) est le seul nu
féminin de Velázquez
qui nous soit parvenu.*

**Accès
aux galeries
du bas**

33

32

37

34

35

36

41

38

40

39

43

44

45

42

46

MODE D'EMPLOI

Trafalgar Sq WC2. **Plan** 6 E1.
020-7747 2885. Charing
Cross, Leicester Sq, Piccadilly
Circus. 3, 6, 9, 11, 12, 13, 15,
X15, 23, 24, 29, 53, X53, 77A, 88,
91, 94, 109, 139, 159, 176.
Charing Cross. de 10 h
à 18 h t.l.j. (de 10 h à 21 h mer.).
du 24 au 26 déc., 1er janv.,
entrée par l'aile Sainsbury.
www.nationalgallery.org.uk

★ **La Charrette de foin (1821)**
*Avec Turner (p. 93), Constable
est le grand représentant
de la peinture de paysage
au XIXe siècle. Ici, il a su
remarquablement traduire les
effets de l'ombre et de la lumière.*

**Entrée
Sir Paul Getty**

**Entrée par
Trafalgar Square**

**La façade
néo-classique**, en
pierre de Portland.

SUIVEZ LE GUIDE !
*La plus grande partie
des collections est
présentée sur un seul
niveau, divisé en
quatre départements.
Les tableaux sont
accrochés par ordre
chronologique ;
les plus anciens
(peintures italiennes
de la Renaissance, 1250-
1500) sont conservés
dans l'aile Sainsbury.
Les autres, toutes
époques confondues,
sont à l'étage inférieur
du bâtiment principal.*

★ **Une esquisse de Léonard
de Vinci** *(vers 1499-1500)
Le fameux clair-obscur du
peintre ajoute au mystère de
cette* Vierge à l'Enfant avec sainte
Anne et saint Jean-Baptiste.

À NE PAS MANQUER

★ **Le carton de Léonard
de Vinci**

★ **La Vénus au miroir de
Velázquez**

★ **La Charrette de foin
de John Constable**

Au théâtre *(1876-1877)
Renoir est certainement
le plus apprécié de tous
les peintres impressionnistes.
Le théâtre était un thème
fréquemment traité
par les artistes de l'époque.*

Piccadilly et St James's pas à pas

L e quartier est devenu le centre de la vie
élégante dès les années 1530, avec
la construction du palais Saint-James
par Henri VIII. Aujourd'hui, Piccadilly est
un quartier commerçant très animé, avec
de très nombreuses boutiques, des restaurants
et des cinémas. St James's,
plus au sud, est resté
un quartier
résidentiel.

L'église Saint-James
a été conçue par
Christopher
Wren en
1684.

★ Royal Academy
*Cette Vierge à
l'Enfant (1505) de
Michel-Ange fait partie des
collections permanentes* ❾

Fortnum & Mason
(p. 124), épicerie
fine depuis 1707.

Le Ritz,
*un des
plus
célèbres
hôtels de
la ville, s'est
ouvert en
1906* ❿

Burlington Arcade
Cette galerie marchande
est gardée par des
huissiers en uniforme.

St James's Palace
est sur le site d'une
ancienne léproserie.

**Vers le Mall et le
palais de Buckingham**
(p. 88-89).

Spencer House, restaurée
récemment dans son état
du XVIIIe siècle, abrite de très
beaux tableaux et meubles
d'époque. Cet édifice
palladien a été achevé
en 1766 pour le premier
comte Spencer, un ancêtre
de feu la princesse Diana.

REGENT ST
SACKVILLE ST
OLD BOND ST
PICCADILLY
JERMYN S
ST JAMES'S ST
RYDER ST
KING S
ST JAMES'S PLACE
MARLBOR
STABLE YARD

À NE PAS MANQUER

★ **Picadilly
Circus**

★ **La Royal Academy**

Piccadilly Circus
Le carrefour de Piccadilly, toujours très animé, est le centre névralgique du West End **❽**

CARTE DE SITUATION
Voir l'atlas des rues, plans 5 et 6

LÉGENDE

- - - Itinéraire conseillé

0   100 m

Piccadilly

Jermyn Street, une rue élégante bordée de magasins d'antiquités et de boutiques.

St James's Square a été longtemps l'un des endroits les plus chic de la ville.

Pall Mall
C'est là que sont situés les célèbres clubs où se retrouvent les hommes d'affaires.

Queen's Chapel *est la première église classique construite en Angleterre* **⓫**

Royal Opera Arcade est un passage couvert bordé de boutiques de luxe. Il a été construit par John Nash en 1818.

Queen's Chapel ⓫

Marlborough Rd SW1. **Plan** 6 D1.
📞 020-7930 4832. 🚇 Green Park.
🕐 dim. pendant les offices (de Pâques à fin juill.) et lors des principales fêtes religieuses. ♿

Queen's Chapel (chapelle de la reine) a été conçue par Inigo Jones pour l'infante d'Espagne, qui devait épouser Charles Iᵉʳ *(p. 52-53)*. Les négociations firent long feu et les travaux commencés en 1623 furent interrompus ; la chapelle fut achevée en 1627 pour Henriette de France, fille d'Henri IV, qui épousa Charles Iᵉʳ en 1625. Le plafond à caissons s'inspire de la reconstitution par Palladio de la voûte d'un temple romain.

Queen's Chapel, vue intérieure

Le Mall ⓬

SW1. **Plan** 6 D2. 🚇 Charing Cross, Green Park.

Cette avenue qui mène de Trafalgar Square au palais de Buckingham a été percée en 1911 par l'architecte Aston Webb, quand il modifia la façade du palais et fit construire le Victoria Monument. Le Mall reprend le tracé d'une promenade qui longeait St James's Park sous Charles II ; c'était alors un des quartiers les plus chic de la ville. Aujourd'hui, le Mall est un peu l'équivalent anglais des Champs-Élysées : l'avenue est pavoisée lors de la visite de chefs d'État étrangers, elle sert aussi de cadre aux processions royales et à certaines manifestations officielles. Le Mall est interdit à la circulation le dimanche.

Buckingham Palace ⓭

La reine Élisabeth II

L a résidence officielle de la reine à Londres a été ouverte à la visite pour la première fois en 1993, les droits d'entrée devant servir à réparer les dommages causés par l'incendie du château de Windsor *(p. 224-225)*. Depuis, une foule de visiteurs s'y presse, surtout en août et en septembre. C'est John Nash *(p. 107)* qui entreprit en 1826 de transformer Buckingham House, une résidence du XVIIIe siècle, en palais pour le roi George IV ; le chantier lui fut retiré en 1831 pour dépassement de budget. La reine Victoria, en 1837, fut le premier occupant du palais. Seuls les appartements d'apparat et l'escalier d'honneur se visitent.

Le salon de musique
C'est là que se déroulent les présentations officielles et le baptême des enfants royaux.

Salon blanc
Salon vert
Escalier d'honneur
Salon bleu
Salle à manger d'apparat

Queen's Gallery
Des chefs-d'œuvre de la collection royale y sont souvent exposés, telle La Leçon de musique (vers 1660) du peintre hollandais Wermeer.

La salle du trône
La plupart des cérémonies conduites par la reine se déroulent dans la salle du trône.

Vue sur le Mall
*C'est de ce balcon que
la famille royale vient saluer
la foule.*

L'Union Jack flotte sur
le palais quand la reine
y réside.

L'aile est a été ajoutée
par l'architecte Aston
Webb en 1913.

La relève de la Garde
se déroule sur
l'esplanade du palais.

LA RELÈVE
DE LA GARDE

De nombreux spectateurs
massés le long des grilles
assistent à la relève de
la Garde, une cérémonie
haute en couleur : les
gardes, vêtus de tuniques
écarlates et coiffés du
célèbre bonnet à poils
descendent le Mall depuis
le palais Saint-James ;
ensuite a lieu une parade
d'une demi-heure, pendant
laquelle la nouvelle garde
prend possession des clefs
du palais.

Queen's Gallery ⓮

La reine possède une
des plus belles collections
privées du monde qui
comprend notamment des
œuvres de Rembrandt et de
Léonard de Vinci. Récemment
agrandie, la galerie permet
d'exposer pratiquement
toute l'année les nombreux
chefs-d'œuvre de la collection
royale. Des expositions
temporaires sont également
organisées.

**Détail du carrosse d'apparat de
George III (1762), Écuries royales**

Les Royal Mews ⓯

Les Écuries royales (Royal
Mews) devraient enchanter
les amateurs de chevaux
et d'apparat. Ces bâtiments,
conçus par John Nash en 1825,
abritent les chevaux et
les équipages utilisés lors
des cérémonies officielles.
Parmi les carrosses, le plus
somptueux est sans doute
celui qui fut construit pour
George III en 1762, doré et
orné de panneaux peints par
Giovanni Cipriani. La reine
l'a utilisé lors des cérémonies
du Golden Jubilee en 2002.

Whitehall et Westminster pas à pas

C'est ici que sont rassemblées les grandes instances politiques et religieuses du pays. La plupart des administrations ont leur siège dans les bâtiments qui bordent les larges avenues de Whitehall et de Westminster. La journée, les rues sont pleines de fonctionnaires ; le week-end, les touristes et les flâneurs prennent la relève.

Downing Street
En 1732, sir Robert Walpole a été le premier à occuper l'appartement de fonction réservé au Premier ministre **⑰**

Cabinet War Rooms
Le quartier général de Churchill pendant la Deuxième Guerre mondiale est ouvert au public **⑯**

St Margaret's Church
C'est souvent ici que se déroulent les mariages de la haute société.

★ L'abbaye de Westminster
Cette abbaye est la plus ancienne et la plus importante église de la ville **⑳**

Central Hall (1911) est un exemple du style académique.

Richard Iᵉʳ Cœur de lion, mort en 1199, statue de 1860.

Dean's Yard est une petite cour isolée environnée de bâtiments pittoresques qui datent de différentes époques.

Les Bourgeois de Calais, épreuve en bronze d'après l'original de Rodin.

Vers Trafalgar Square

Banqueting House, *construite par Inigo Jones en 1622* **18**

REGENT'S PARK ET BLOOMSBURY

WEST END ET WESTMINSTER

SOUTH KENSINGTON ET HYDE PARK

LA CITY ET SOUTHWARK

TAMISE

CARTE DE SITUATION
Voir l'atlas des rues, plan 6

Le Cénotaphe est un monument aux morts dessiné par sir Edwin Lutyens en 1920.

WHITEHALL

RICHMOND TERRACE

VICTORIA EMBANKMENT

La relève des Horse Guards
a lieu deux fois par jour.

Westminster Pier : embarcadère des promenades sur la Tamise *(p. 74-75).*

Westminster

★ **Le palais de Westminster**
Le siège du gouvernement est dominé par la tour-horloge où résonne le fameux carillon de Big Ben, une énorme cloche de 14 tonnes mise en place en 1858 **19**

LÉGENDE

— — — Itinéraire conseillé

0   100 m

À NE PAS MANQUER

★ **L'abbaye de Westminster**

★ **Le palais de Westminster**

Cabinet War Rooms **16**

Clive Steps, King Charles St SW1.
Plan 6 E2. [C] *020-7930 6961.* [E]
Westminster. ○ *de 9 h 30 à 18 h t.l.j.*
● *du 24 au 26 déc.* [icons]
[W] *www.iwm.org.uk*

Pendant les bombardements allemands de la Deuxième Guerre mondiale, le ministère de la Défense, sous l'autorité de Neville Chamberlain puis, à partir de 1940, de Winston Churchill, se réunissait dans les caves d'un immeuble appartenant au gouvernement. Des appartements y avaient également été aménagés pour les principaux ministres et chefs militaires, ainsi qu'une salle où se prenaient les décisions secrètes. Rien n'a été modifié depuis la fin de la guerre : on voit encore le bureau de Churchill, les téléphones de l'époque et les cartes militaires. Le musée Churchill, récemment ouvert, est consacré à la vie et à la carrière du célèbre ministre.

Téléphones de la Salle des cartes, Cabinet War Rooms

Downing Street **17**

SW1. **Plan** 6 E2. [E] *Westminster.*
● *au public.*

Le 10 Downing Street est la résidence officielle du Premier ministre depuis 1732. Outre le cabinet ministériel, les appartements comportent une salle à manger d'apparat somptueuse et une suite de pièces privées ; alentour s'étend un petit jardin très surveillé.

Au numéro 11 de la rue se trouve la résidence officielle du chancelier de l'Échiquier, ou ministre des Finances. Pour des raisons de sécurité, la sortie de Downing Street côté Whitehall est barrée par des grilles depuis 1989.

Banqueting House ⑱

Whitehall SW1. **Plan** 6 E1. 📞 020-7839 8919. ⓔ *Charing Cross.* 🕐 *de 10 h à 17 h du lun. au sam.* ⓕ *jours fériés et lors des cérémonies.* 🔲 🈂️ 🅧 W www.hrp.org.uk

Construit par Inigo Jones *(p. 53)* en 1622, ce bâtiment est le premier du centre-ville qui soit inspiré de l'architecture classique de la Renaissance italienne. Charles Iᵉʳ commanda à Rubens un décor plafonnant représentant l'apothéose de son père, Jacques Iᵉʳ. Ceci ne plut sans doute pas aux parlementaristes, qui firent exécuter le roi devant son palais en 1649 *(p. 52-53).*

Le plafond de Banqueting House, peint par Rubens de 1629 à 1634

Le palais de Westminster ⑲

SW1. **Plan** 6 E2. 📞 020-7219 3000. ⓔ *Westminster.* **Chambres des communes** 🕐 *de 14 h 30 à 22 h 30 lun., de 11 h 30 à 19 h 30 mar., mer. ; de 11 h 30 à 18 h 30 jeu. ; de 9 h 30 à 15 h ven.* ♿ 🎫 *lors de séances du Parlement (fréquentes)* 🔲 W www.keithprowse.com *(pour réserver).* W www.parliament.uk

Des premières constructions élevées au XIᵉ siècle, seul subsiste Westminster Hall.

Le bâtiment néo-gothique actuel a été construit par l'architecte sir Charles Barry après l'incendie du premier palais en 1834. Le palais de Westminster est le siège de la Chambre des communes et de la Chambre des lords depuis le XVIᵉ siècle. La première est composée de députés élus, issus de différents partis politiques ; le parti qui détient le plus grand nombre de sièges forme le gouvernement, et son président devient Premier ministre. La Chambre des lords est composée de pairs, de juristes laïcs et de prélats. Tous les projets de loi sont débattus par les deux Chambres.

L'abbaye de Westminster ⑳

P. 94-95.

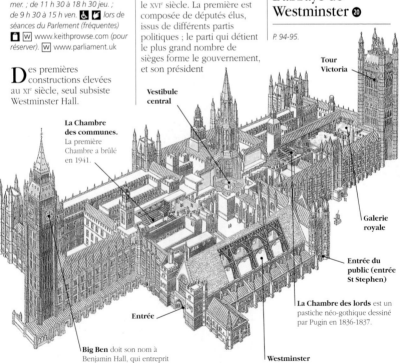

Tour Victoria

Vestibule central

La Chambre des communes. La première Chambre a brûlé en 1941.

Galerie royale

Entrée du public (entrée St Stephen)

La Chambre des lords est un pastiche néo-gothique dessiné par Pugin en 1836-1837.

Entrée

Big Ben doit son nom à Benjamin Hall, qui entreprit les travaux du palais en 1859.

Westminster Hall

La façade de la Tate Britain

La Tate Britain ②

Millbank SW1. **Plan** 6 E4.
📞 020-7887 8000. ⊖ Pimlico.
🚌 77 a, 88, C 10. 🚆 Victoria,
Vauxhall. 🚢 vers Tate Modern toutes
les 40 min. 📷 🕐 de 10 h à 17 h 50
t.l.j. 🔴 du 24 au 26 déc.
💷 pour les grandes expositions.
♿ Attersbury St. 🎧 🍴 🛍 📷
🌐 www.tate.org.uk

L a Tate Britain, l'ancienne
Tate Gallery, est
désormais
consacrée à l'art
britannique et
présente des
œuvres du XVIᵉ
au XXIᵉ siècle.
Ses collections
proviennent de
l'exceptionnelle
Tate Collection
dont les œuvres internationales
sont exposées à la Tate Modern
(p. 123). Un nouveau bateau,
Tate to Tate, transporte les
visiteurs d'une galerie à l'autre.
La Clore Gallery contiguë
abrite le legs Turner qui
regroupe les œuvres cédées à
la nation par le célèbre peintre
J. M. W. Turner.
   La richesse de la collection
est telle que les œuvres
présentées dans une démarche
innovante sont régulièrement
renouvelées. Les thèmes
majeurs changent trois fois par
an ; les salles consacrées à un
artiste ou les salles
à thèmes, plus petites, plus

M. et Mme Clark et Percy (1970-1971)
de David Hockney

fréquemment.
Les expositions
temporaires se
tiennent au sous-sol et
dans certaines salles
du rez-de-chaussée.
   1500-1800 : Ces
galeries retracent
l'histoire de l'art en
Grande-Bretagne de
l'ère des Tudors et
des Stuarts jusqu'à
l'époque de Thomas
Gainsborough. Elles
se terminent par une série
d'expositions, régulièrement
renouvelées, sur le poète et
artiste William Blake.
   1800-1900 : De 1800 à 1900,
l'art britannique
connut un
renouveau. On
peut admirer
les toiles
des peintres
narratifs
victoriens,
tels que
William
Powell Firth,
ainsi que les
œuvres des
préraphaélites John Everett
Millais et Dante Gabriel
Rossetti.
   1900-1960 : Ici, les œuvres
de Jacob Epstein, Wyndham
Lewis et son groupe Vorticiste
côtoient les célèbres travaux
des modernistes Henry Moore,
Barbara Hepworth, Ben
Nicholson, Francis Bacon et
Lucian Freud.
   1960 à nos jours : La richesse
de la Tate Britain en créations
de cette époque est telle
qu'elle nécessite une rotation
fréquente des expositions.
L'éventail des œuvres
exposées est vaste : le visiteur
pourra ainsi découvrir des

Recumbent Figure (1938)
de Henry Moore

artistes pop art du début des
années 1960 tels que David
Hockney, Richard Hamilton et
Peter Blake, en passant par les
œuvres de Gilbert et George et
du peintre paysagiste Richard
Long, jusqu'aux artistes des
années 1980, comme Howard
Hodgkin et RB Kitaj. Les
mouvements les plus récents,
nés dans les années 1990, dont
les YBAs (Young British Artists)
font partie, sont eux aussi bien
représentés à la Tate (travaux
de Damian Hirst, Tracey Emin
et Sarah Lucas).

Le Capitaine Thomas Lee (1594)
de Marcus Gheeraerts II

LE LEGS TURNER

Le grand paysagiste J. M. W. Turner
(1775-1851) a légué ses œuvres à l'État à la
condition qu'elles ne soient pas dispersées.
Ce n'est qu'en 1987, avec l'ouverture de la
Clore Gallery, que le vœu du peintre a pu
être réalisé. Aujourd'hui, on peut y admirer
ses aquarelles, son premier tableau
à l'huile, *Pêcheurs en mer* (Turner avait
21 ans) et des œuvres impressionnistes
de sa maturité, que Constable disait
peintes « avec de la vapeur colorée ».

Ville et fleuve au coucher du soleil (1832)

L'abbaye de Westminster ❷⓪

Depuis le XIᵉ siècle, tous les souverains
britanniques sont enterrés dans l'abbaye
de Westminster ; c'est là aussi que se déroulent
les cérémonies du couronnement et les mariages
princiers. L'abbaye est l'un des plus beaux monuments
de la ville et présente une étonnante diversité
de styles, depuis le gothique austère de la nef jusqu'à
l'étonnante chapelle Henri VII au décor très fouillé. À
la fois lieu de culte et musée historique, l'abbaye abrite une
quantité impressionnante de tombeaux et de monuments
élevés en l'honneur des plus grandes figures du pays.

Entrée nord
*La sculpture est un
pastiche médiéval
du XIXᵉ siècle.*

**Aile des
hommes d'État**

Les arcs-boutants
déchargent la nef
du poids énorme
de la toiture.

★ La nef
*Très étroite (10 m), la nef
de Westminster est aussi la
plus haute d'Angleterre
(31 m).*

LE COURONNEMENT

Le jour de Noël 1066,
Guillaume le Conquérant
fut couronné dans l'abbaye
de Westminster. Depuis
lors, c'est ici que sont
sacrés tous les souverains
britanniques. Celui de la
reine Élisabeth II, en 1953,
est le premier qui ait été
retransmis à la télévision.

Cloîtres
*Construits pour la plupart
aux XIIIᵉ et XIVᵉ s., les cloîtres
relient l'église abbatiale
à l'autre bâtiment.*

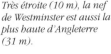

À NE PAS MANQUER

★ La nef

★ La chapelle Henri VII

★ La salle capitulaire

★ La chapelle Henri VII
*Construite entre 1503 et
1519, elle est surmontée
d'une étonnante voûte à
pendentifs ; les stalles
datent de
1519.*

Dans le sanctuaire, construit
sous Henri III, se sont déroulés
38 couronnements.

WILLIAM SHAKESPEARE 1564–1616

Le coin des poètes
*On y trouve
notamment des
monuments élevés
à Shakespeare,
Chaucer
ou T. S. Eliot.*

MODE D'EMPLOI

Broad Sanctuary SW1. **Plan** 6 E2.
☎ 020-7222 5152. ⊖ *Westminster.*
🚌 *3, 11, 12, 24, 29, 53, 70, 77, 77a,
88, 109, 159, 170.* 🚆 *Victoria.* 🛳
Westminster Pier. **Cloître** ☐ *de
8 h à 18 h t.l.j.* **Abbaye : chapelle
royale, coin des poètes, chœur,
aile des hommes d'État, nef** ☐
*de 9 h 30 à 15 h 45 lun., mar., jeu.,
ven. (der. ent. 14 h 45) ; de 9 h 30
à 18 h mer., de 9 h 30 à 13 h 45
sam. (der. ent. 12 h 45).* 🎫
Salle du chapitre et musée ☐
de 10 h 30 à 16 h t.l.j. 🎫 **College
Garden** ☐ *d'avr. à sep. : de 10 h à
18 h du mar. au jeu. ; d'oct. à mars :
de 10 h à 16 h du mar. au jeu.*
⛪ *Vêpres : 17 h du lun. au ven.,
15 h sam. et dim.* Concerts. 🔲 🔲
W *www.westminster-abbey.org*

★ La salle capitulaire
*Le sol de cette étonnante
salle octogonale est
recouvert de carreaux
du XIIIe siècle. Elle est
éclairée par d'immenses
vitraux qui racontent
l'histoire de l'abbaye.*

Le musée
abrite
beaucoup
des plus belles
œuvres d'art de
l'abbaye, dont
des effigies
sculptées
des souverains.

La Salle du coffre abritait
au Moyen Âge les étalons
en or et argent des poids
et monnaies du royaume.

**La chapelle
d'Édouard le Confesseur**
*abrite les reliques du roi,
ainsi que les tombeaux de
plusieurs autres monarques
du Moyen Âge.*

LES ÉTAPES DE LA CONSTRUCTION

Les premiers bâtiment remontent au Xe siècle. L'abbaye actuelle,
très influencée par le gothique français, a été édifiée à partir
de 1245 sur l'ordre d'Henri III Plantagenêt. Westminster
est un lieu phare dans la tradition monarchique ;
c'est pourquoi l'abbaye a échappé à la
destruction des bâtiments monastiques
ordonnée par Henri VIII *(p. 50-51).*

LÉGENDE

☐ Entre 1055 et 1350
☐ Entre 1350 et 1420
☐ Entre 1500 et 1512
☐ Terminé en 1745
☐ Restauré après 1850

SOUTH KENSINGTON ET HYDE PARK

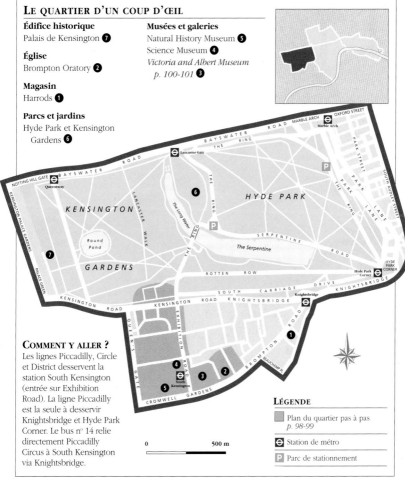

Dans ce quartier, on trouvera deux des plus grands jardins publics de Londres et quelques-uns des plus beaux musées, magasins, restaurants et hôtels de la ville. Au milieu du XIXᵉ siècle, cette partie de la cité était encore un endroit très tranquille, semi-rural, où l'on trouvait de grandes propriétés et des écoles privées. En 1851, l'Exposition universelle *(p. 56-57)* qui s'est tenue dans Hyde Park a transformé tout le quartier en une gigantesque autocélébration de la prospérité de l'ère victorienne. L'exposition remporta un énorme succès, et les bénéfices permirent d'acquérir 35 hectares de terrain dans South Kensington. Le prince Albert y encouragea la construction d'une salle de concert, de musées et d'académies des sciences et des arts appliqués ; la plupart de ces institutions existent encore. Le quartier devint rapidement très résidentiel, comme en témoignent aujourd'hui les grandes demeures de brique rouge, les jardins et les boutiques de luxe de Knightsbridge.

Statue de Peter Pan, Kensington Gardens

LE QUARTIER D'UN COUP D'ŒIL

Édifice historique
Palais de Kensington ❼

Église
Brompton Oratory ❷

Magasin
Harrods ❶

Parcs et jardins
Hyde Park et Kensington Gardens ❻

Musées et galeries
Natural History Museum ❺
Science Museum ❹
Victoria and Albert Museum p. 100-101 ❸

COMMENT Y ALLER ?
Les lignes Piccadilly, Circle et District desservent la station South Kensington (entrée sur Exhibition Road). La ligne Piccadilly est la seule à desservir Knightsbridge et Hyde Park Corner. Le bus n° 14 relie directement Piccadilly Circus à South Kensington via Knightsbridge.

0   500 m

LÉGENDE
■ Plan du quartier pas à pas *p. 98-99*
🚇 Station de métro
🅿 Parc de stationnement

◁ **Cette maison de South Kensington date de la première moitié du XIXᵉ siècle**

South Kensington pas à pas

L es nombreux musées et académies
créés dans le sillage de l'Exposition
universelle de 1851 *(p. 56-57)* font de
South Kensington l'un des hauts lieux
culturels de la ville. Le quartier est très
fréquenté, tant par les touristes que
par les Londoniens eux-mêmes,
notamment pendant le fameux festival
de musique classique
des « Proms » *(p. 63)* au
Royal Albert Hall.

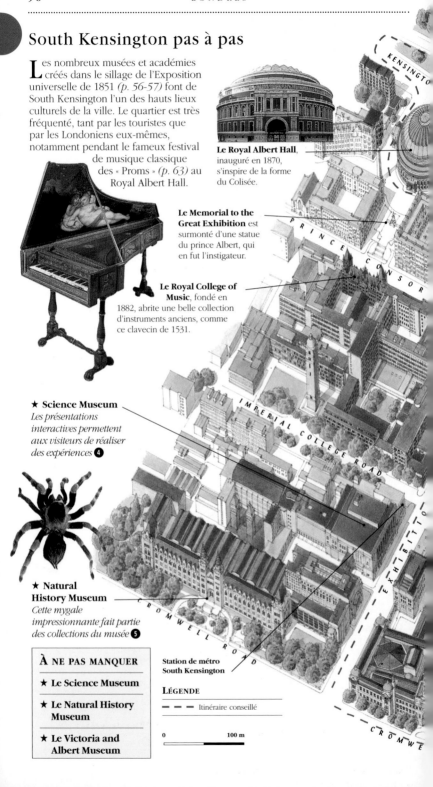

Le Royal Albert Hall,
inauguré en 1870,
s'inspire de la forme
du Colisée.

**Le Memorial to the
Great Exhibition** est
surmonté d'une statue
du prince Albert, qui
en fut l'instigateur.

**Le Royal College of
Music**, fondé en
1882, abrite une belle collection
d'instruments anciens, comme
ce clavecin de 1531.

★ **Science Museum**
*Les présentations
interactives permettent
aux visiteurs de réaliser
des expériences* ❹

★ **Natural
History Museum**
*Cette mygale
impressionnante fait partie
des collections du musée* ❺

À NE PAS MANQUER
- ★ **Le Science Museum**
- ★ **Le Natural History
  Museum**
- ★ **Le Victoria and
  Albert Museum**

**Station de métro
South Kensington**

LÉGENDE

– – – Itinéraire conseillé

0   100 m

Albert Memorial a été édifié à la mémoire du prince Albert, époux de la reine Victoria, qui mourut en 1861.

RÉGENT'S PARK ET BLOOMSBURY

WEST END ET WESTMINSTER

SOUTH KENSINGTON ET HYDE PARK

CARTE DE SITUATION
Voir l'atlas des rues, plan 2

★ **Victoria and Albert Museum**
Sa collection d'objets d'art venus du monde entier est unique ❸

Le Brompton Oratory
est un pastiche de l'architecture baroque italienne qui date du XIXᵉ siècle ❷

Brompton Square (1821)

Vers Knightsbridge et Harrods

Le décor étonnant de Harrods

Harrods ❶

Knightsbridge SW1. **Plan** 5 A3.
📞 *020-7730 1234.* 🚇 *Knightsbridge.*
🕐 *10 h à 19 h du lun. au sam.*
♿ *voir* **Boutiques et marchés**
p. 124-125.

E n 1849, Henry Charles Harrod ouvrait une petite petite épicerie sur Brompton Road. La boutique connut rapidement un grand succès et le magasin, considérablement agrandi, s'installa en 1905 dans ses nouveaux locaux de Knightsbridge.

Le Brompton Oratory ❷

Brompton Rd SW7. **Plan** 2 F5. 📞
020-7808 0900. 🚇 *South Kensington.*
🕐 *de 6 h 30 à 20 h t.l.j.* ♿ 🚻

L 'oratoire de Londres a été édifié à la fin du XIXᵉ siècle à l'instigation du cardinal Newman, qui avait fait venir en Angleterre une communauté de prêtres catholiques de la congrégation des oratoriens, fondée à Rome au XVIᵉ siècle. L'église a été consacrée en 1884, la façade et le dôme furent ajoutés quelque dix ans plus tard.

L'intérieur néo-baroque regorge d'œuvres d'art, dont douze statues d'apôtres du XVIIᵉ siècle provenant de la cathédrale de Sienne et un très beau retable de 1693, autrefois dans l'église dominicaine de Brescia. Le retable de la chapelle Saint-Wilfred, du XVIIIᵉ siècle, vient de Belgique.

Le Victoria and Albert Museum ❸

**Glass Gallery,
salle 131**

L e Victoria and Albert Museum abrite l'une des plus vastes et des plus éclectiques collections d'arts décoratifs, dont le fonds se compose tant d'objets cultuels du début du christianisme que d'œuvres religieuses du Sud-Est asiatique ou de design contemporain. Initialement Museum of Manufactures, fondé en 1852 pour promouvoir le design, il fut rebaptisé en 1899 par la reine Victoria en mémoire du prince Albert. Le musée a entrepris une vaste réorganisation de la majeure partie de ses collections ainsi que du jardin Pirelli. Pour connaître les horaires d'ouverture des galeries, téléphonez au 020 7942 2211.

Argenterie
*De superbes pièces comme
la Burgess Cup (Grande-
Bretagne, 1863) sont exposées
dans ces salles.*

★ Galeries britanniques
*Mentionné par Shakespeare
dans La Nuit des rois,
le grand lit de Ware
est une œuvre admirable,
célèbre depuis 1601.*

★ Galerie de la mode
*Des costumes européens
du milieu du XVIᵉ siècle
à nos jours y sont présentés,
comme ces
chaussures de
Vivienne
Westwood.*

**Entrée par
Exhibition Road**

LÉGENDE

- ☐ Niveau 0
- ☐ Niveau 1
- ☐ Niveau 2
- ☐ Niveau 3
- ☐ Niveau 4
- ☐ Niveau 6
- ☐ Henry Cole Wing
- ☐ Pas d'exposition

À NE PAS MANQUER

- **★ Galeries britanniques**
- **★ Galerie de la mode**
- **★ Galerie de la sculpture**
- **★ Art d'Asie du Sud**

SUIVEZ LE GUIDE

Le V&A est un labyrinthe de 11 km de salles réparties sur six niveaux. Le niveau principal (niveau 1), au rez-de-chaussée, abrite l'art de la Chine, du Japon et de l'Asie du Sud, mais aussi la galerie de la mode. Les galeries britanniques sont situées aux niveaux 2 et 4. Le niveau 3 est consacré à l'art du XXᵉ siècle, à l'argenterie, au travail du métal, à la peinture et au design. Les textiles occupent l'angle nord-est de cet étage. Céramique et verrerie sont exposées aux niveaux 4 et 6. L'aile Henry Cole abrite des salles d'études d'architecture du RIBA, de typographie, de dessins et d'architecture.

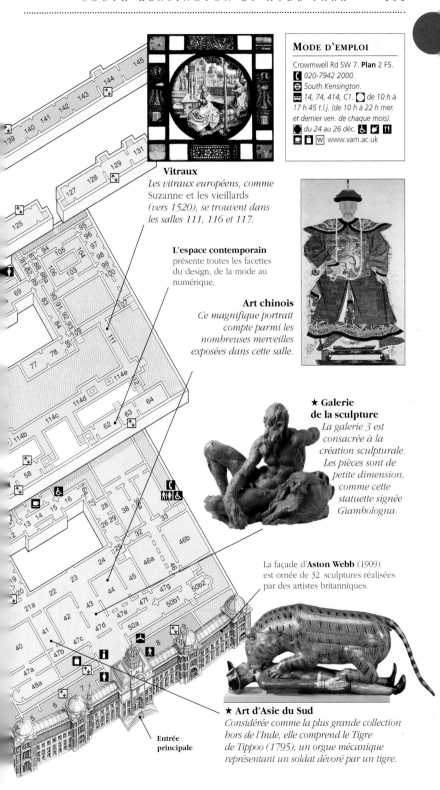

MODE D'EMPLOI

Crowmwell Rd SW 7. **Plan** 2 F5.
020-7942 2000.
South Kensington.
14, 74, 414, C1. de 10 h à
17 h 45 t.l.j. (de 10 h à 22 h mer.
et dernier ven. de chaque mois).
du 24 au 26 déc.
W www.vam.ac.uk

Vitraux
Les vitraux européens, comme
Suzanne et les vieillards
(vers 1520), se trouvent dans
les salles 111, 116 et 117.

L'espace contemporain
présente toutes les facettes
du design, de la mode au
numérique.

Art chinois
Ce magnifique portrait
compte parmi les
nombreuses merveilles
exposées dans cette salle.

**★ Galerie
de la sculpture**
La galerie 3 est
consacrée à la
création sculpturale.
Les pièces sont de
petite dimension,
comme cette
statuette signée
Giambologna.

La façade d'**Aston Webb** (1909)
est ornée de 32 sculptures réalisées
par des artistes britanniques.

**Entrée
principale**

★ Art d'Asie du Sud
Considérée comme la plus grande collection
hors de l'Inde, elle comprend le Tigre
de Tippoo (1795), un orgue mécanique
représentant un soldat dévoré par un tigre.

Le Science Museum ❹

Exhibition Rd SW7. **Plan** 2 E5.
☎ 0870-870 4868. ⊖ South
Kensington. ◻ de 10 h à 18 h t.l.j.
● du 24 au 26 déc. ▨ pour IMAX,
expositions temporaires et
simulateurs. ♿ ▮ ▯ ▯
W www.sciencemuseum.org.uk

Ce musée consacré à la science et à la technologie à travers les siècles présente de magnifiques objets, depuis les premières machines à vapeur jusqu'aux vaisseaux spatiaux, en passant par les

Une machine à vapeur de 1712, au musée des Sciences

aéromoteurs et les calculatrices mécaniques. Le visiteur a la possibilité de participer à de nombreuses expériences interactives, particulièrement appréciées des enfants.

Le musée occupe sept étages. À l'extrémité ouest, l'aile Wellcome vient d'être ajoutée. Au sous-sol, les activités interactives, comme la rampe de lancement et le jardin, sont très appréciées des enfants. L'énergie, et surtout l'énergie-vapeur, est le thème principal du rez-de-chaussée. On y découvre le moteur du moulin de Harle Syke datant de 1903, toujours en état de marche à ce jour, ainsi que les galeries « l'Espace » et « Le Monde moderne », dont la principale curiosité est le vaisseau spatial Apollo 10, qui envoya les trois premiers hommes sur la lune en mai 1969. Dans la galerie « Matériaux », située au premier

étage, un pont en verre ou encore une robe de mariée en acier bouleversent nos idées reçues sur les matériaux.

Le troisième étage est dédié à l'aviation. Les quatrième et cinquième étage accueillent les sciences médicales.

L'aile Wellcome, vouée à la haute technologie, regroupe quantité d'animations interactives, dont le paysage numérique de Digitopolis, permettant aux curieux d'explorer un monde virtuel sonore et visuel. Le cinéma IMAX 3D et le simulateur de mouvements SimEx sont à couper le souffle. Cafés et magasins à découvrir.

Le Natural History Museum ❺

Cromwell Rd SW7. **Plan** 2 E5. ☎ 020-
7938 9123. ⊖ South Kensington.
◻ de 10 h à 17 h 50 du lun. au sam.,
de 11 h à 17 h 50 dim. et jours fériés.
● 25 et 26 déc. ♿ ▮ ▯ ▯
W www.nhm.ac.uk

Le bâtiment néo-roman qui abrite le Muséum d'histoire naturelle date de 1881. Très novateur à l'époque, il témoigne de l'éclectisme du XIXᵉ siècle et des nouvelles techniques de construction mises au point à l'ère victorienne : les animaux et les plantes sculptés sur les arcs et les colonnes dissimulent une armature de fer et d'acier.

Les collections abordent l'écologie, l'histoire de la Terre, l'origine des espèces, l'évolution morphologique de l'homme ; elles utilisent autant les présentations

Cet oiseau préhistorique sculpté orne le Muséum d'histoire naturelle

traditionnelles que les technologies les plus récentes comme l'interactivité.

Le musée est divisé en trois grands départements, la galerie de l'Évolution *(Life Gallery)*, la galerie de la Terre *(Earth Gallery)* et la galerie Darwin *(Darwin Center)*. Le premier traite de l'écologie au sens large et de l'influence de l'homme sur les différents écosystèmes. Des reconstitutions étonnantes, comme la forêt tropicale, toute bruissante d'insectes, ou les dinosaures s'entre-dévorant, rendent le parcours encore plus passionnant. La galerie de la Terre présente la lente évolution de la planète et l'étendue insoupçonnée de ses richesses naturelles. La galerie Darwin présente une fascinante collection de spécimens.

Squelette de dinosaure vieux de 150 millions d'années, au Muséum d'histoire naturelle

Statue de la reine Victoria, sculptée par sa fille la princesse Louise, devant Kensington Palace

Hyde Park et Kensington Gardens ❻

W2. **Plan** 2 F2. 📞 020-7298 2100.
Hyde Park 🚇 Hyde Park Corner, Knightsbridge, Lancaster Gate, Marble Arch. 🕐 de 5 h à minuit t.l.j. ♿
Kensington Gardens 📞 020-7298 2117. 🚇 Queensway, Lancaster Gate. 🕐 du lever du jour à la tombée de la nuit. ♿ **Aire de jeu Diana, princesse de Galles** 🚇 Queensway, Bayswater. 🕐 de 10 h à la tombée de la nuit. ♿ 🚻
🌐 www.royalparks.org.uk

Hyde Park doit son nom au manoir de Hyde, autrefois situé sur des terres appartenant à l'abbaye de Westminster et réquisitionnées par Henri VIII en 1536, lors de la dissolution des ordres monastiques (*p. 50-51*). Jacques Ier ouvrit le parc au public au début du XVIIe siècle ; Hyde Park devint un des lieux de promenade préférés des

Anglais… et des brigands de tout poil. Les vols et les duels devinrent si nombreux que Guillaume III y fit installer 300 réverbères ; Rotten Row fut ainsi la première rue d'Angleterre à bénéficier d'un éclairage nocturne. En 1730, la reine Caroline fit construire un barrage sur un affluent de la Tamise, la Wesbourne, pour créer un lac artificiel, la Serpentine. Hyde Park est aujourd'hui un lieu de détente : barque ou natation dans la Serpentine, promenade à cheval le long de Rotten Row. C'est aussi le cadre d'activités moins sportives : au nord-est du parc, à Speaker's Corner (le « coin des orateurs ») une loi de 1872 autorise chacun à prendre la parole en public. Les orateurs sont particulièrement nombreux le dimanche.

Tout près de Hyde Park, les anciens jardins du palais de Kensington. Tous les petits Londoniens connaissent la statue de Peter Pan, dont le socle est orné de petits lapins et de fées de bronze, le Round Pond, où ils font voguer des maquettes de bateaux, et l'aire de jeux en mémoire de Diana. L'Orangerie de 1704 était autrefois la salle à manger d'été de la reine Anne. C'est aujourd'hui un café.

Détail des grilles de Kensington Gardens

Le palais de Kensington ❼

Kensington Palace Gdns W8. **Plan** 2 D3. 📞 0870-451 5170. 🚇 High St Ken, Queensway. 🕐 t.l.j. ; de nov. à fév. : de 10 h à 17 h ; de mars à oct. : de 10 h à 18 h (der. ent. 1 h avant la fermeture) ● du 24 au 26 déc., 1er janv. 🎫 ♿ rez-de-chaussée. 🚻 📷
🌐 www.kensingtonpalace.org.uk

Le palais de Kensington a été la résidence principale de la famille royale entre 1690 et 1760, date à laquelle George III préféra s'installer à Buckingham Palace. C'est à Kensington que la princesse Victoria apprit, en juin 1837, la mort de son oncle Guillaume IV, qui faisait d'elle la nouvelle reine d'Angleterre. Son long règne (64 ans) commençait. La moitié du palais est occupée par les membres de la famille royale, l'autre partie se visite. Les salles d'apparat du XVIIIe siècle avec leurs plafonds et peintures murales réalisées par William Kent (*p. 24*) sont à voir absolument. Les jours qui ont suivi la mort de la princesse Diana en 1997, le palais est devenu le point de ralliement de ses admirateurs, rassemblés par milliers devant les grilles et faisant de l'espace alentour un immense champ de bouquets de fleurs.

REGENT'S PARK ET BLOOMSBURY

À la limite sud de Regent's Park se trouvent les plus belles maisons georgiennes de la ville, construites au début du XIXᵉ siècle par John Nash *(p. 107)*. C'est lui aussi qui a dessiné le parc, point d'aboutissement d'une perspective qui part de Saint-James *(p. 86-87)*. Ce parc est aujourd'hui le plus animé de la ville. On y trouve un zoo, un théâtre en plein air, une roseraie, un lac, des cafés et la plus grande mosquée de la ville. Au nord-est s'étend Camden Town *(p. 132)*, accessible à pied ou en bateau par Regent's Canal, avec son marché très achalandé, de nombreuses boutiques et des cafés.

Vase grec antique, British Museum

Bloomsbury a gardé ses petits squares et ses maisons georgiennes en brique. Ce quartier est resté l'un des plus élégants de Londres jusqu'en 1850 environ ; la construction d'hôpitaux et de gares en a peu à peu délogé les habitants les plus fortunés, qui sont partis s'installer du côté de Mayfair, de Knightsbridge ou Kensington. Le British Museum est à Bloomsbury depuis 1753 et l'université de Londres depuis 1828. Dans ce quartier très marqué par les arts – peintres, écrivains et intellectuels, comme George Bernard Shaw, Karl Marx, Charles Dickens ou le Bloomsbury Group *(p. 151)* ont longtemps arpenté ses rues –, on trouve encore de nombreux bouquinistes.

LE QUARTIER D'UN COUP D'ŒIL

Rue historique
Bloomsbury ❺

Musées et galeries
British Museum p. 108-109 ❹

Madame Tussaud's et le Planetarium ❶
Sherlock Holmes Museum ❷
Wallace Collection ❸

COMMENT Y ALLER ?
Les stations de métro les plus proches sont Regent's Park, Great Portland Street et Baker Street. Les lignes de bus 13, 139 et 159 partent de Trafalgar Square et passent à proximité de Baker Street. En métro, la station la plus proche du zoo est Camden Town ; Russell Square est au cœur même de Bloomsbury.

LÉGENDE
🚇 Station de métro

🅿 Parc de stationnement

0   500 m

◁ **La place Saint-Andrew, à Regent's Park**

Madame Tussaud's et le Planétarium ❶

Marylebone Rd NW1. **Plan** 3 B3.
📞 0870 400 3000. ⊖ Baker St.
🕐 t.l.j. de 9 h 30 à 17 h 30.
⬤ 25 déc. 📷 ♿ 🚻
🌐 www.madame-tussauds.com

Madame Tussaud a commencé sa carrière en réalisant en cire le masque mortuaire de victimes de la Révolution française. Installée en Angleterre, elle exposa ses œuvres en 1835 à Baker Street, près du musée actuel. Les techniques les plus traditionnelles sont encore utilisées aujourd'hui pour réaliser le portrait des nouveaux pensionnaires du musée, divisé en plusieurs sections :

Effigie de cire de la reine Élisabeth II

Blush, avec les plus grands artistes, les Première Nights, avec des figures du show-business, et le Grand Hall, où le visiteur croise des membres de la famille royale, des hommes d'État, écrivains ou artistes, de Lénine à Martin Luther King en passant par Shakespeare ou Picasso.

Le Cabinet des horreurs a toujours beaucoup de succès. On y voit les masques mortuaires originaux sculptés par Madame Tussaud et la reconstitution de crimes célèbres

En 1990, Luciano Pavarotti entrait chez Madame Tussaud's

Sherlock Holmes, le célèbre détective imaginé par sir Arthur Conan Doyle

dans leurs moindres détails. Le *Spirit of London* permet de revivre les événements qui ont marqué la capitale, depuis le Grand Incendie de 1666 jusqu'au *Swinging London* des années soixante.

Tout près, le Planetarium, construit en 1958, présente un spectacle laser étonnant et permet de tout découvrir du système solaire et des étoiles.

Le Sherlock Holmes Museum ❷

221b Baker St NW1. **Plan** 3 A3.
📞 020-7935 8866. ⊖ Baker St.
🕐 de 9 h 30 à 18 h t.l.j. ⬤ 25 déc.
📷 🚻 🌐 www.sherlock-holmes.co.uk

Le célèbre détective créé par sir Arthur Conan Doyle est censé habiter au 221b Baker Street, un numéro qui n'existe pas mais que l'on a attribué au musée : le 221b est inséré entre les numéros 237 et 239 de la rue… Les fans de Sherlock Holmes y trouveront la reconstitution du salon du détective et, dans la librairie-boutique, des objets relatifs à ses aventures, son célèbre chapeau et des pipes en écume de mer.

La Wallace Collection ❸

Hertford House, Manchester Sq W1.
Plan 3 B4. 📞 020-7563 9500.
⊖ Bond St, Baker St.
🕐 de 10 h à 17 h t.l.j.
⬤ du 24 au 26 déc., 1ᵉʳ janv.,
ven. saint. ♿ téléphoner avant.
🍴 🚻 🌐 www.wallace-collection.org

La Wallace Collection est l'une des plus belles collections privées d'œuvres d'art. Elle a été réunie par quatre générations de collectionneurs passionnés, les marquis de Hertford, qui ont légué en 1897 l'ensemble de la collection à l'État. La Hertford House évoque l'atmosphère d'une grande demeure du XIXᵉ siècle. Le Centenary Project a permis la création de nouvelles galeries, d'un jardin de sculptures couvert d'une imposante verrière et d'un restaurant chic.

Le troisième marquis de Hertford, grande figure du Tout-Londres au début du XIXᵉ siècle, acheta grâce à la fortune de sa femme plusieurs toiles de Titien, Canaletto ou Van Dyck. Mais le point fort de l'exposition est constitué par un très bel ensemble d'œuvres d'art français du XVIIIᵉ siècle, acquises en France par le quatrième marquis de Hertford (1800-1870) et son fils naturel, sir Richard Wallace (1818-1890).

Majolique italienne du XVIᵉ siècle, à la Wallace Collection

Les goûts du marquis allaient à l'encontre de ceux des collectionneurs de la période post-révolutionnaire, peu enclins à acquérir des toiles peintes sous la monarchie. Le marquis put donc acheter à moindres frais des tableaux de Watteau, Boucher ou Fragonard, qui figurent aujourd'hui parmi les chefs-d'œuvre de la collection, avec le portrait de *Titus, fils de l'artiste*, de Rembrandt (vers 1650), le *Persée et Andromède* de Titien (1554-1556), et le célèbre *Rieur* de Franz Hals (1624).

Le Londres de John Nash

**John Nash
(1752-1835)**

John Nash est le fils d'un constructeur de moulins du Lambeth. Architecte dès les années 1780, il se fit aussi une belle réputation d'urbaniste vers 1820, quand il fit percer la « route royale » qui part de Pall Mall, passe par Piccadilly Circus pour aboutir sur Regent's Park – Regent's Park où Nash construisit de très belles maisons néo-classiques, comme Park Crescent et Cumberland Terrace. Sur ce plan de 1851, qui place curieusement le sud en haut de l'image, on mesure l'importance des travaux d'urbanisme entrepris par Nash dans Londres, où il construisit aussi des théâtres, des églises, et s'occupa de remanier le palais de Buckingham (*p. 88-89*).

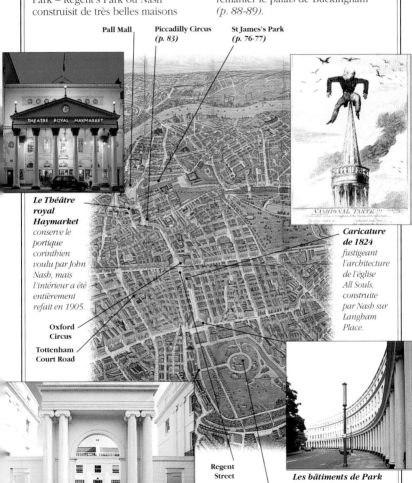

Pall Mall

**Piccadilly Circus
(p. 83)**

**St James's Park
(p. 76-77)**

Le Théâtre royal Haymarket *conserve le portique corinthien voulu par John Nash, mais l'intérieur a été entièrement refait en 1905.*

Oxford Circus

Tottenham Court Road

Caricature de 1824 *fustigeant l'architecture de l'église All Souls, construite par Nash sur Langham Place.*

Regent Street

**Regent's Park
(p. 105)**

Cumberland Terrace, *le plus grand et le plus orné des bâtiments qui entourent Regent's Park, devait faire face à un palais qui ne fut jamais construit.*

Les bâtiments de Park Crescent *devaient dessiner un vaste cercle, mais seule la moitié sud du projet de Nash a été réalisée. Les intérieurs ont été remis à neuf mais la façade est restée intacte.*

Le British Museum ❹

Casque (VIIᵉ siècle) provenant du bateau funéraire de Sutton Hoo

Le British Museum est le plus ancien musée public du monde. Il fut constitué en 1753 pour abriter les collections d'un médecin, sir Hans Sloane (1660-1753). Au fil des années, les collections du docteur Sloane se sont enrichies et le musée possède aujourd'hui des trésors venus du monde entier. La plus grande partie de l'édifice actuel (1823-1850) a été construite par Robert Smirke, mais le joyau architectural du site est la Grande Cour moderne qui accueille en son centre la célèbre salle de lecture.

★ Momies égyptiennes
Les êtres humains, mais aussi certains animaux sacrés, comme les chats, avaient droit aux rites de l'embaumement.

Étages supérieurs

90

67

6

61

59

60

34

Entrée Montagne Place

33

26

24

Statue en bronze de Shiva Nataraja
Ce dieu hindou (vers 1100) est originaire de l'Inde du Sud. Cette œuvre fait partie des collections d'art oriental.

Les antiquités égyptiennes, à l'étage principal, renferment la pierre de Rosette qui permit le déchiffrement des hiéroglyphes.

25

21
20
19
9
22
4

17

SUIVEZ LE GUIDE !
Les collections grecque et romaine et les antiquités orientales occupent trois étages du musée, essentiellement dans la partie ouest. La collection africaine est installée à l'étage inférieur, tandis que les pièces asiatiques se trouvent à l'étage principal et à l'étage supérieur, à l'arrière du musée. Quant à la collection américaine, elle est située à l'angle nord-est de l'étage principal. Les objets égyptiens se trouvent à l'ouest de la Grande Cour à l'étage supérieur.

★ La frise du Parthénon
Cette frise sculptée qui ornait le Parthénon, sur l'Acropole d'Athènes (Vᵉ siècle av. J.-C.), a fait couler beaucoup d'encre. Lord Elgin l'a rapportée de Grèce en 1802.

78
77
79
86
16
10
18
87
80
88
15
81
82
89
85
83
84

Étage principal

Étage inférieur

À NE PAS MANQUER
★ **Les momies égyptiennes**
★ **La frise du Parthénon**
★ **L'homme de Lindow**

LÉGENDE

- Collection asiatique
- Lumières
- Pièces, médailles, gravures et dessins
- Collections grecque et romaine
- Collection égyptienne
- Collection d'antiquités orientales
- Collection européenne
- Expositions temporaires
- Salles sans expositions
- Collection du monde
- Expositions spécifiques

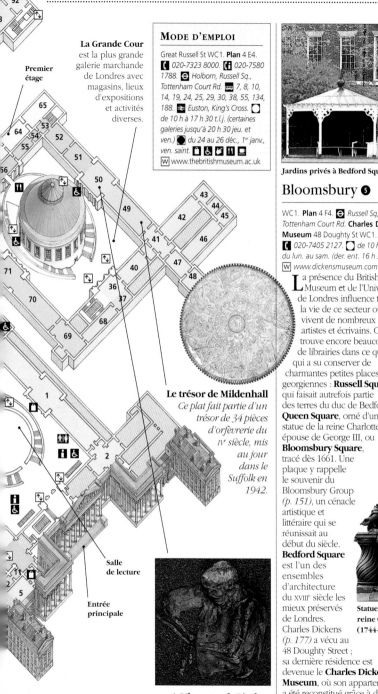

La Grande Cour est la plus grande galerie marchande de Londres avec magasins, lieux d'expositions et activités diverses.

Premier étage

MODE D'EMPLOI

Great Russell St WC1. **Plan** 4 E4.
☎ *020-7323 8000.* 🖷 *020-7580
1788.* 🚇 *Holborn, Russell Sq.,
Tottenham Court Rd.* 🚌 *7, 8, 10,
14, 19, 24, 25, 29, 30, 38, 55, 134,
188.* 🚉 *Euston, King's Cross.* 🕐
*de 10 h à 17 h 30 t.l.j. (certaines
galeries jusqu'à 20 h 30 jeu. et
ven.)* ⬤ *du 24 au 26 déc., 1ᵉʳ janv.,
ven. saint.* 🅿 🚻 📷 🛈 ♿
🌐 *www.thebritishmuseum.ac.uk*

Le trésor de Mildenhall
*Ce plat fait partie d'un
trésor de 34 pièces
d'orfèvrerie du
IVᵉ siècle, mis
au jour
dans le
Suffolk en
1942.*

**Salle
de lecture**

**Entrée
principale**

★ L'homme de Lindow
*La peau de cet homme âgé de 2 000 ans
a été trouvée dans le Cheshire.
Il a probablement été tué
selon un rituel élaboré.*

Jardins privés à Bedford Square

Bloomsbury ⑤

WC1. **Plan** 4 F4. 🚇 *Russell Sq,
Tottenham Court Rd.* **Charles Dickens
Museum** 48 Doughty St WC1.
☎ *020-7405 2127.* 🕐 *de 10 h à 17 h
du lun. au sam. (der. ent. 16 h 30).* 🅿
🌐 *www.dickensmuseum.com*

L
a présence du British
Museum et de l'Université
de Londres influence toute
la vie de ce secteur où
vivent de nombreux
artistes et écrivains. On
trouve encore beaucoup
de librairies dans ce quartier
qui a su conserver de
charmantes petites places
georgiennes : **Russell Square**,
qui faisait autrefois partie
des terres du duc de Bedford,
Queen Square, orné d'une
statue de la reine Charlotte,
épouse de George III, ou
Bloomsbury Square,
tracé dès 1661. Une
plaque y rappelle
le souvenir du
Bloomsbury Group
(*p. 151*), un cénacle
artistique et
littéraire qui se
réunissait au
début du siècle.
Bedford Square
est l'un des
ensembles
d'architecture
du XVIIIᵉ siècle les
mieux préservés
de Londres.
Charles Dickens
(*p. 177*) a vécu au
48 Doughty Street ;
sa dernière résidence est
devenue le **Charles Dickens
Museum**, où son appartement
a été reconstitué grâce à des
objets provenant de ses autres
demeures londoniennes ;
on y a réuni aussi de
nombreuses éditions
originales de ses œuvres.

**Statue de la
reine Charlotte
(1744-1818)**

LA CITY ET SOUTHWARK

Dominée aujourd'hui par des immeubles de bureaux, la City est en fait le plus vieux quartier de Londres. Le secteur a été presque entièrement détruit par le Grand Incendie de 1666, reconstruit par Christopher Wren et sérieusement touché au cours de la Deuxième Guerre mondiale (p. 58-59). La City a toujours été un quartier d'affaires, où banquiers et marchands bénéficiaient d'une réelle autonomie vis-à-vis du pouvoir royal. D'une activité fébrile pendant la journée, la City se vide presque entièrement le soir venu. Southwark, sur la rive droite,

Enseigne de banque

était au Moyen Âge un quartier mal famé, rendez-vous des prostituées, des joueurs et des criminels. Il passa en 1550 sous la juridiction de la City, ce qui n'empêcha pas les hôtels borgnes et les tavernes de se multiplier. Dans de petites arènes, on donnait des combats d'ours et de chiens, parfois aussi des pièces de théâtre, jusqu'à la construction de salles comme le Globe (1598), où plusieurs pièces de Shakespeare ont été créées. Le quartier, restructuré, a conservé les maisons du bord du fleuve, où une belle promenade a été aménagée.

LE QUARTIER D'UN COUP D'ŒIL

Bâtiments historiques
George Inn ⑮
HMS *Belfast* ⑫
Lloyd's Building ⑦
Monument ⑧
The Old Operating
   Theatre ⑭
Temple ③
Tower of London
p. 120-121 ⑨
Tower Bridge ⑩

Musées et galeries
Design Museum ⑪
Shakespeare's Globe ⑱
London Dungeon ⑬
Museum of London ⑥
Sir John Soane's Museum ④
Tate Modern ⑲

Marché
Borough Market ⑯

Églises et cathédrales
St Bartholomew-the-Great ⑤
Cathédrale Saint-Paul
p. 116-117 ②
St Stephen Walbrook ①
Southwark Cathedral ⑰

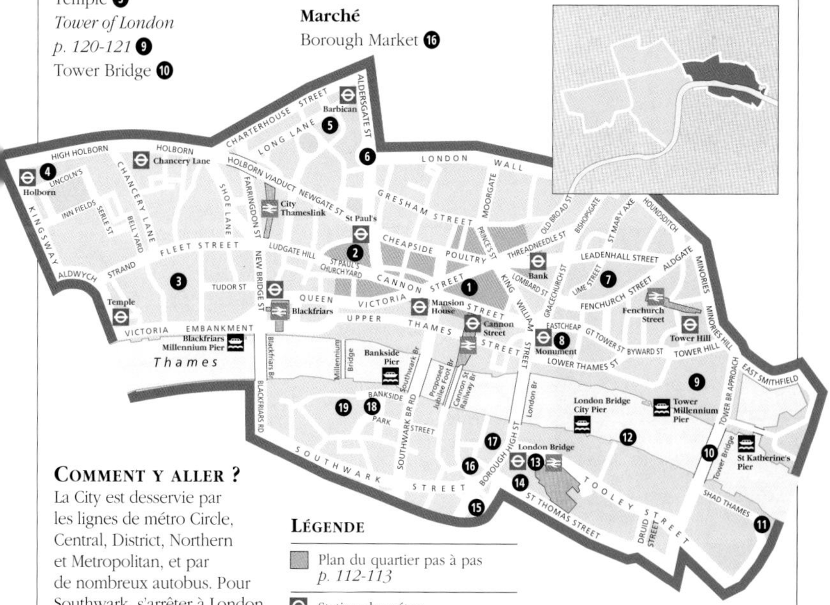

COMMENT Y ALLER ?
La City est desservie par les lignes de métro Circle, Central, District, Northern et Metropolitan, et par de nombreux autobus. Pour Southwark, s'arrêter à London Bridge, à la fois station de métro (Northern) et gare de chemin de fer (trains venant de Charing Cross, Cannon Street et Waterloo).

LÉGENDE
  Plan du quartier pas à pas
  p. 112-113

  Station de métro

  Gare

  Parc de stationnement

  Embarcadère

0   500 m

◁ **La cathédrale Saint-Paul, au cœur de la City ; à gauche, la tour de la NatWest (1980)**

La City pas à pas

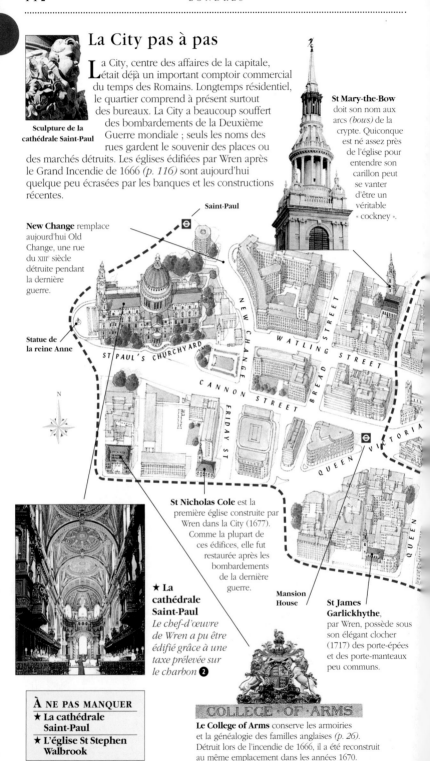

La City, centre des affaires de la capitale, était déjà un important comptoir commercial du temps des Romains. Longtemps résidentiel, le quartier comprend à présent surtout des bureaux. La City a beaucoup souffert des bombardements de la Deuxième Guerre mondiale ; seuls les noms des rues gardent le souvenir des places ou des marchés détruits. Les églises édifiées par Wren après le Grand Incendie de 1666 *(p. 116)* sont aujourd'hui quelque peu écrasées par les banques et les constructions récentes.

Sculpture de la cathédrale Saint-Paul

St Mary-the-Bow doit son nom aux arcs *(bows)* de la crypte. Quiconque est né assez près de l'église pour entendre son carillon peut se vanter d'être un véritable « cockney ».

Saint-Paul

New Change remplace aujourd'hui Old Change, une rue du XIIIᵉ siècle détruite pendant la dernière guerre.

Statue de la reine Anne

ST PAUL'S CHURCHYARD

NEW CHANGE STREET

WATLING STREET

BREAD STREET

CANNON STREET

FRIDAY ST

QUEEN VICTORIA

QUEEN

St Nicholas Cole est la première église construite par Wren dans la City (1677). Comme la plupart de ces édifices, elle fut restaurée après les bombardements de la dernière guerre.

★ La cathédrale Saint-Paul
Le chef-d'œuvre de Wren a pu être édifié grâce à une taxe prélevée sur le charbon ❷

Mansion House

St James Garlickhythe, par Wren, possède sous son élégant clocher (1717) des porte-épées et des porte-manteaux peu communs.

COLLEGE · OF · ARMS

Le College of Arms conserve les armoiries et la généalogie des familles anglaises *(p. 26)*. Détruit lors de l'incendie de 1666, il a été reconstruit au même emplacement dans les années 1670.

À NE PAS MANQUER
* ★ **La cathédrale Saint-Paul**
* ★ **L'église St Stephen Walbrook**

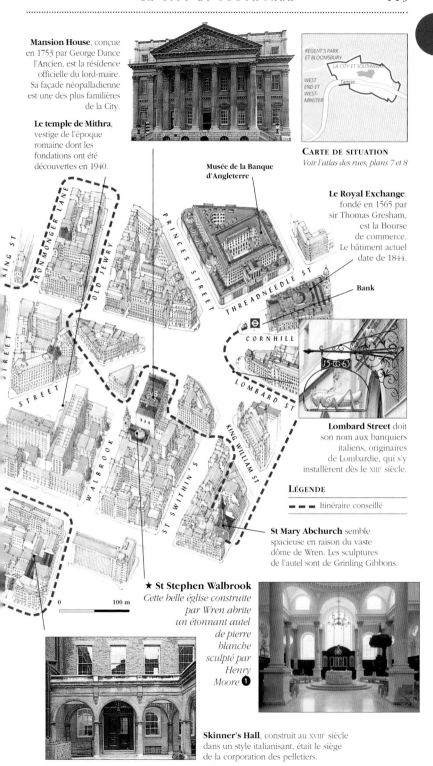

Mansion House, conçue en 1753 par George Dance l'Ancien, est la résidence officielle du lord-maire. Sa façade néopalladienne est une des plus familières de la City.

Le temple de Mithra, vestige de l'époque romaine dont les fondations ont été découvertes en 1940.

CARTE DE SITUATION
Voir l'atlas des rues, plans 7 et 8

Musée de la Banque d'Angleterre

Le Royal Exchange, fondé en 1565 par sir Thomas Gresham, est la Bourse de commerce. Le bâtiment actuel date de 1844.

Bank

Lombard Street doit son nom aux banquiers italiens, originaires de Lombardie, qui s'y installèrent dès le XIIIᵉ siècle.

LÉGENDE

▬ ▬ ▬ Itinéraire conseillé

St Mary Abchurch semble spacieuse en raison du vaste dôme de Wren. Les sculptures de l'autel sont de Grinling Gibbons.

★ **St Stephen Walbrook**
Cette belle église construite par Wren abrite un étonnant autel de pierre blanche sculpté par Henry Moore ❶

Skinner's Hall, construit au XVIIIᵉ siècle dans un style italianisant, était le siège de la corporation des pelletiers.

St Stephen Walbrook ❶

39 Walbrook EC4. **Plan** 8 D3.
020-7626 8242. ⊖ Bank, Cannon St.
☐ de 10 h à 16 h du lun. au jeu.,
de 10 h à 15 h le ven. ● jours fériés.
✚ jeudi, 12 h 45.

L'église paroissiale du lord-maire a été construite par sir Christopher Wren dans les années 1670. C'est l'une des plus belles églises de la City. L'intérieur, très aéré, est inondé de lumière par un dôme gigantesque qui semble flotter au-dessus des colonnes et des arcades. La coupole à caissons annonce celle de Saint-Paul. Les fonts baptismaux et le dais de la chaire, très ornés, contrastent avec le dépouillement de l'autel de pierre, sculpté par Henry Moore en 1987. Les récitals d'orgue gratuits (le vendredi) et les concerts donnés à l'heure du déjeuner dans l'église seront aussi l'occasion d'en admirer l'architecture.

St Paul's ❷

Voir p. 116-117

Gisants de chevaliers, Temple Church

Temple ❸

Inner Temple, King's Bench Walk EC4.
Plan 7 A3. 020-7797 8250. ⊖
Temple. ☐ de 12 h 30 à 15 h du lun.
au ven. (parc seulement). ♿ **Middle
Temple Hall,** Middle Temple Ln EC4.
020-7427 4800. ☐ de 10 h à
11 h 30 et de 15 h à 16 h du lun. au
ven. ♿ **Temple Church** 020-7353
3470. ☐ du mar. au ven., tél. pour
horaires. 📷 sur réservation.

D eux des quatre collèges d'avocats de Londres,

Inner Temple et Middle Temple, se trouvent ici.

Le nom du collège rappelle celui des Templiers, un ordre religieux fondé en 1118 et chargé d'assurer la sécurité des pèlerins se rendant en Terre sainte. Les Templiers sont restés propriétaires des lieux jusqu'en 1312. La nef circulaire de l'église abrite des gisants de chevaliers ; certains remontent au XIIe siècle. Middle Temple Hall a conservé son intérieur d'époque élisabéthaine.

St Bartholomew-the-Great ❺

West Smithfield EC1. **Plan** 7 B1.
020-7606 5171. ⊖ Barbican, St Paul's.
☐ de 8 h 30 à 17 h du mar. au ven.
(de mi-nov. à mi-fév. : de 8 h 30 à 16 h),
de 10 h 30 à 13 h 30 sam., de 14 h 30
à 20 h dim. ● 25, 26 déc., 1er janv.
♿ 📷 W www.greatsbarts.com

L e quartier de Smithfield a été le témoin de bien des événements dramatiques, parmi lesquels l'exécution en 1381 de Wat Tyler, chef des paysans révoltés, et de nombreux martyrs protestants. Cette église

Sir John Soane's Museum ❹

13 Lincoln's Inn Fields WC2. **Plan** 4 F4.
020-7405 2107. ⊖ Holborn.
☐ de 10 h à 17 h du mar. au sam.,
de 18 h à 21 h le 1er mar. du mois.
● 1er janv., du 24 au 26 déc., Pâques.
♿ rez-de-chaussée seulement.
📷 sam. W www.soane.org

C ette maison abrite l'un des musées les plus étonnants de Londres. Elle a été léguée à l'État par Sir John Soane en 1837, à la condition que rien ne serait changé aux collections. Fils de maçon, Soane fut l'un des plus grands architectes anglais du XIXe siècle, partisan d'un style néo-classique très mesuré. Grâce à la fortune de sa femme, il acheta et fit reconstruire le 12 Lincoln's Inn Fields. En 1813, il emménagea au n° 13 et fit reconstruire le 14 en 1824, en ajoutant une galerie de peintures et un parloir de couvent néo-médiéval. Aujourd'hui, selon le vœu

de Soane, les collections – des objets hétéroclites rassemblés pour leur beauté, leur caractère instructif ou leur étrangeté – sont encore dans l'état où il les laissa. On y trouve aussi bien des bronzes, des fragments de sculptures antiques, des peintures et des objets étonnants, dont un champignon géant de Sumatra et un étrange dispositif destiné à réduire au silence les épouses trop bavardes… Parmi les pièces les plus intéressantes, le sarcophage du pharaon Séthi Ier, les plans de Soane pour la banque d'Angleterre, des projets de sculptures d'artistes néo-classiques comme Banks ou Flaxman, et la fameuse série de peintures de Hogarth (1734) intitulée *Rake's Progress (la Carrière d'un débauché).*

Le bâtiment lui-même réserve bien des surprises au visiteur : dans la salle principale du rez-de-chaussée, des miroirs créent des effets de trompe-l'œil, un dôme vitré couronne le gigantesque atrium.

Un dôme vitré permet d'éclairer tous les étages.

Un énorme sarcophage (1300 av. J.-C.) repose sur le sol de la crypte.

est l'une des plus anciennes de la ville. Cachée derrière le marché de Smithfield, le seul marché de gros qui subsiste dans le centre de Londres, elle faisait autrefois partie d'un vaste ensemble monastique fondé en

L'ancien porche de St Bartholomew

1123 par le moine Rahère. Celui-ci était le bouffon du roi Henri Ier, jusqu'à ce qu'en rêve il voie saint Barthélemy le tirer des griffes d'un monstre ailé.

Une arcade du XIIIe siècle, aujourd'hui surmontée d'une construction de l'époque Tudor, donnait accès à l'église, détruite sur l'ordre d'Henri VIII avec tous les bâtiments monastiques du pays (p. 50-51).

Le peintre William Hogarth fut baptisé en 1697 dans cette église. Elle a servi de décor dans les films *4 Mariages et un enterrement* et *Shakespeare in love*.

Museum of London ❻

London Wall EC2. **Plan** 7 C2. **📞** *0870 444 3851.* **🚇** *Barbican, St Paul's.* **🕐** *de 10 h à 17 h 50 du lun. au sam. et jours fériés, de 12 h à 17 h 50 dim.* **●** *24 au 26 déc., 1er janv.* **♿ 🛒 🅿** **W** *www.museumoflondon.org.uk*

Le musée retrace l'histoire de Londres, de la préhistoire à nos jours. On y trouve des objets provenant de fouilles archéologiques ou des

Plat de céramique fait à Londres en 1600, Museum of London

reconstitutions de scènes de rue et d'intérieurs. Les galeries de World City racontent la naissance du Londres moderne, de la Révolution française à la Première Guerre mondiale. Le passé romain est représenté par une fresque du IIe siècle provenant d'un établissement de bains de Southwark. Le département consacré au XVIIe siècle conserve la chemise que Charles Ier portait lors de son exécution (p. 52-53).

Le carrosse doré du lord-maire, qui date de 1757, sert encore chaque année pour la procession de novembre. On y découvre aussi une maquette du Grand Incendie de 1666.

Toutes les pièces sont remplies d'objets du sol au plafond.

Dans la galerie de peintures, les panneaux mobiles où sont accrochés les tableaux cachent d'autres œuvres.

Le parloir des moines conserve des objets d'art de style gothique.

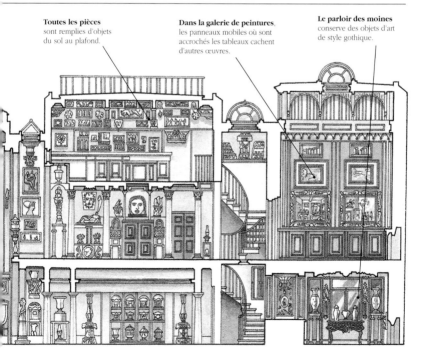

La cathédrale Saint-Paul ❷

L e Grand Incendie de 1666 réduisit
en cendres la première cathédrale
médiévale. On s'adressa pour la
reconstruction à Christopher Wren, mais le
projet en croix grecque (à quatre bras
d'égale longueur) proposé par l'architecte
fut rejeté. Les autorités insistèrent pour
revenir au plan classique en croix latine,
avec une longue nef et deux bras de
transept plus courts, censé mieux ramener
l'attention des fidèles vers l'autel. Wren dut
céder sur ce point, mais imposa le style
baroque qui fait de la cathédrale, construite

de 1675 à 1710,
le cadre idéal des
grandes
cérémonies.

★ Le dôme
*Culminant à
111 m, c'est
l'un des plus
importants
du monde.*

La balustrade qui
couronne l'édifice
a été ajoutée en
1718, contre
l'avis de Wren.

**★ La façade occidentale
et les tours**
*Inspirées de l'architecte
baroque italien
Borromini, les tours ont été
ajoutées par Wren en 1707.*

Le porche ouest consiste
en une double rangée
de colonnes corinthiennes
surmontée d'un fronton
où figure la conversion
de saint Paul.

La nef
*Une succession d'arcades à la fois massives
et majestueuses entraîne le visiteur sous
l'immense dôme de la cathédrale.*

CHRISTOPHER WREN

Après une formation
scientifique, Christopher
Wren (1632-1723) ne
commença sa carrière
d'architecte qu'à l'âge de
31 ans. Il devint l'un des
principaux architectes de la
reconstruction de Londres après
le Grand Incendie de 1666 : on ne lui doit pas
moins de 52 églises. Wren n'est jamais allé
en Italie, mais son œuvre est influencée
par l'architecture romaine Renaissance
et baroque, qu'il connaissait par des gravures.

Porche ouest

**Entrée principale,
du côté de Ludgate Hill**

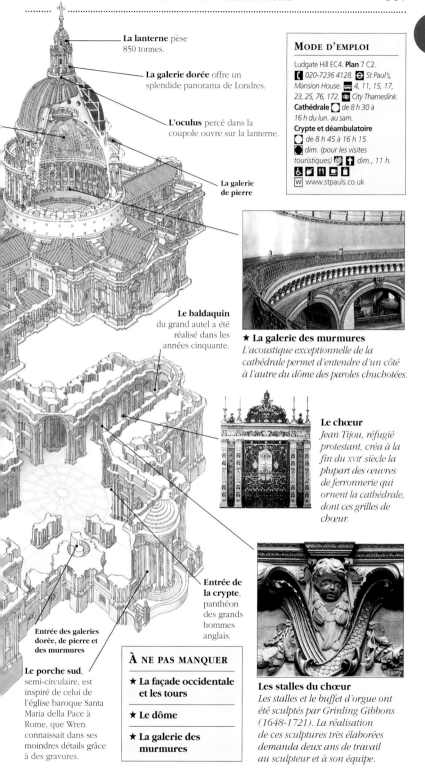

La lanterne pèse 850 tonnes.

La galerie dorée offre un splendide panorama de Londres.

L'oculus percé dans la coupole ouvre sur la lanterne.

La galerie de pierre

MODE D'EMPLOI

Ludgate Hill EC4. **Plan** 7 C2.
☎ 020-7236 4128. 🚇 St Paul's, Mansion House. 🚌 4, 11, 15, 17, 23, 25, 76, 172. 🚆 City Thameslink.
Cathédrale ⬜ de 8 h 30 à 16 h du lun. au sam.
Crypte et déambulatoire
⬜ de 8 h 45 à 16 h 15.
⬛ dim. (pour les visites touristiques) 📷 🎫 dim., 11 h.
♿🅿️🍴⬜🎁
Ⓦ www.stpauls.co.uk

Le baldaquin du grand autel a été réalisé dans les années cinquante.

★ La galerie des murmures
L'acoustique exceptionnelle de la cathédrale permet d'entendre d'un côté à l'autre du dôme des paroles chuchotées.

Le chœur
Jean Tijou, réfugié protestant, créa à la fin du XVII siècle la plupart des œuvres de ferronnerie qui ornent la cathédrale, dont ces grilles de chœur.

Entrée de la crypte, panthéon des grands hommes anglais.

Entrée des galeries dorée, de pierre et des murmures

Le porche sud, semi-circulaire, est inspiré de celui de l'église baroque Santa Maria della Pace à Rome, que Wren connaissait dans ses moindres détails grâce à des gravures.

À NE PAS MANQUER

★ **La façade occidentale et les tours**

★ **Le dôme**

★ **La galerie des murmures**

Les stalles du chœur
Les stalles et le buffet d'orgue ont été sculptés par Grinling Gibbons (1648-1721). La réalisation de ces sculptures très élaborées demanda deux ans de travail au sculpteur et à son équipe.

Le Lloyd's Building de Richard Rogers

Lloyd's Building ➐

1 Lime St EC3. **Plan** 8 E2. 020-7327 1000. Monument, Bank, Aldgate. au public.

Fondée à la fin du XVII° siècle et spécialisée dans l'assurance navale, la Lloyd's devint rapidement la principale compagnie d'assurances mondiale. Conçu en 1986 par Richard Rogers, l'architecte du Centre Georges-Pompidou à Paris, l'édifice actuel est un immeuble d'acier et de verre aux énormes tuyaux d'acier rappelant le bâtiment parisien. La nuit, cette fascinante réalisation high-tech, l'une des plus originales de Londres, est fort bien éclairée.

Le Monument ➑

Monument St EC3. **Plan** 8 D3. 020-7626 2717. Monument. de 9 h 30 à 17 h t.l.j. du 24 au 26 déc., 1er jan. www.towerbridge.org.uk

Suite au Grand Incendie de septembre 1666 qui détruisit la quasi-totalité de la ville originelle, Christopher Wren, chargé de la reconstruction du quartier, réalisa cette colonne dorique en pierre pour commémorer la catastrophe. Haute de 62 m, soit la distance exacte la séparant de Pudding Lane où débuta l'incendie, elle est coiffée d'une flamme de bronze. Sur le socle, les bas-reliefs représentent Charles II restaurant la ville après la tragédie.

Un étroit escalier en spirale de 311 marches conduit à une plate-forme panoramique minuscule. (En 1842, elle fut entourée de grilles pour éviter les suicides.) La montée est raide mais la vue du sommet est spectaculaire et un certificat récompense les visiteurs.

Tower of London ➒

Voir p.120-121.

Tower Bridge ➓

SE1. **Plan** 8 F4. 020-7403 3761. Tower Hill. **The Tower Bridge Exhibition** d'avr. à sept. : de 10 h à 18 h 30 t.l.j. ; d'oct. à mars : de 9 h 30 à 18 h t.l.j. (der. ent. : 17 h 30). 24 et 25 déc. ascenseur. www.towerbridge.org.uk

Tower Bridge est une réussite de la technologie de l'ère victorienne. Achevé en 1894 d'après les plans de sir Horace Jones, il est devenu l'un des symboles de la capitale. Les tours abritent un mécanisme qui permet de relever le pont pour laisser le passage aux navires. L'appareil néo-gothique en pierre cache une solide armature métallique. Entre les deux tours, le pont routier, en bas, et une passerelle pour les piétons, en haut. Cette dernière est restée fermée de 1909 à 1982, car on y croisait beaucoup de prostituées et de candidats au suicide. Le pont abrite un musée, le Tower Bridge Exhibition, qui illustre son histoire. On y verra aussi la machine à vapeur qui, jusqu'en 1976, actionnait le mécanisme de levage.

La passerelle, accessible aux piétons, offre de très beaux panoramas de la Tamise et de toute la ville.

Le pont routier une fois ouvert libère un espace de 40 m de haut sur 60 de large, de quoi livrer passage aux plus gros cargos.

Salle des machines

Rive gauche

300 marches et des ascenseurs permettent aux visiteurs d'accéder en haut des tours.

Le premier système de levage utilisait la vapeur.

Entrée

Rive droite

Design Museum ⓫

Butlers Wharf, Shad Thames SE1. **Plan**
8 F4. 📞 0870-833 9955. 🚇 Tower
Hill, London Bridge. 🕐 de 10 h à
17 h 45 t.l.j. (dern. entrée 17 h 15) ;
d'avr. à oct. : nocturne ven. jusqu'à 21 h.
⬤ 25 et 26 déc. 🅿 ♿ 🍽 Blueprint
Café 📞 020-7378 7031 (réservations).
♿🖥📷 🌐 www.designmuseum.org

Fondé en 1989, ce musée
fut le premier au monde à
être entièrement consacré au
design des xxᵉ et xxiᵉ siècles.
À travers un programme
d'expositions temporaires très
varié, il revient sur les dates
marquantes et les principales
innovations de l'histoire
du design moderne et
contemporain, tout en
évoquant le contexte social,
culturel, économique et
technologique. La collection
présente tous les domaines
où le design s'applique : des
meubles et la mode aux
produits ménagers, voitures,
arts graphiques, en passant
par les sites Internet et les
réalisations architecturales.
Tous les printemps, le
musée accueille l'événement
« Designer de l'année », un prix
national décerné par le public
à l'un des artistes exposant.
Le Design Museum occupe
trois niveaux : les grandes
expositions visibles au
premier étage. Au deuxième
se trouvent les plus petites
expositions, ainsi qu'un
espace interactif où les
visiteurs pourront redécouvrir
les tout premiers jeux vidéos
et se documenter sur
les designers exposés dans
le musée en consultant
les archives en ligne.
Le magasin et le café sont
situés au rez-de-chaussée.
Le restaurant Blueprint Café,
au premier étage, offre une
vue imprenable sur la Tamise
(il est conseillé de réserver).

Austin Mini, Design Museum

Le croiseur *Belfast* sur la Tamise

HMS Belfast ⓬

Morgan's Lane, Tooley St SE1. **Plan** 8 E4.
📱 020-7940 6300. 🚇 London Bridge,
Tower Hill. 🕐 de mars à oct. : de 10 h à
18 h t.l.j. ; de nov. à fév. : de 10 h à 17 h
t.l.j. (der. ent. : 45 min. avant fermeture).
⬤ du 24 au 26 déc. 🅿 ♿ limité. 📷
📱 🌐 www.iwm.org.uk

Mis en service par
la Royal Navy en 1938,
le HMS *Belfast* est un croiseur
de 11 500 tonnes qui joua
un rôle déterminant dans la
bataille navale du Cap Nord,
en 1943, quand il participa
à la destruction du croiseur
allemand *Scharnhorst*. Il joua
également un rôle primordial
lors du débarquement en
Normandie en 1944.
Après la Seconde Guerre
mondiale, ce navire conçu
pour l'offensive et pour
soutenir les opérations
amphibies fut envoyé sous
mandat des Nations unies en
Corée. Rentré en 1952, il fut
restauré avant d'être désarmé
en 1965.
Depuis 1971, il a été
transformé en musée naval
dont une partie reconstitue
l'atmosphère à bord en 1943,
lors de la bataille du Cap
Nord. D'autres expositions
présentent plus généralement
la vie à bord pendant le
conflit mondial. On y trouve
aussi des objets liés à
l'histoire de la Royal Navy.
Cette visite constitue une
sortie en famille idéale,
d'autant que, le week-end,
les enfants peuvent prendre
part à des activités éducatives
qui se déroulent à bord.

London Dungeon ⓭

Tooley St SE1. **Plan** 8 D4. 📱 020-7403
7221. 🚇 London Bridge. 🕐 t.l.j. ;
en juil.-août : de 10 h à 19 h 30 ; en
sept.-oct. : de 10 h à 17 h 30 ; de nov. à
Pâques : de 10 h 30 à 17 h ; de Pâques à
juin : de 10 h à 17 h 30. ⬤ 25 déc.
♿ 🖥 📷 🌐 www.thedungeons.com

Version sophistiquée de la
chambre des Horreurs de
Madame Tussaud's *(p. 106)*, ce
musée illustre les événements
les plus sanguinaires
de l'histoire britannique.
Sa scénographie macabre se
double d'une ambiance sonore
de cris de terreur. On y assiste
à un sacrifice humain
accompli par des druides
à Stonehenge, à l'exécution
d'Anne Boleyn, épouse
de Henri VIII ou à l'agonie
des Londoniens lors de
la Grande Peste de 1665.
Torture, meurtre et sorcellerie
complètent ce sinistre tableau.

Instruments de chirurgie du xixᵉ siècle

The Old Operating Theatre ⓮

9a St Thomas St SE1. **Plan** 8 D4.
📞 020-7955 4791. 🚇 London
Bridge. 🕐 de 10 h 30 à 17 h t.l.j.
⬤ du 15 déc. au 5 jan. 🅿 📷
🌐 www.thegarret.org.uk

C'est ici que s'élevait
St Thomas Hospital, fondé
au xiiᵉ siècle ; en grande partie
démoli en 1862, il fut déplacé
vers l'ouest pour laisser place
au chemin de fer. La salle
d'opération des femmes
(The Old Operating Theatre
Museum and Herb Garret),
créée en 1822 dans les
combles de l'église de l'hôpital,
n'a survécu que parce qu'elle
se trouvait à bonne distance
des bâtiments principaux.
Elle demeura donc murée et
oubliée jusqu'aux années 1950.
Restaurée, la plus ancienne
salle d'opération britannique
a retrouvé son aspect original
du début du xixᵉ siècle.

La Tour de Londres ❾

En 1066, à peine monté sur le trône, Guillaume le Conquérant fit bâtir à l'emplacement actuel de la Tour de Londres une forteresse pour protéger l'entrée de Londres du côté de l'estuaire de la Tamise. En 1097, la Tour blanche fut élevée au cœur de la forteresse ; d'autres bâtiments vinrent s'y ajouter au cours des siècles. La Tour a servi de résidence royale, d'armurerie, de trésor et de prison pour les opposants au régime monarchique. Parmi les nombreux prisonniers qui y furent exécutés figurent les « Princes de la Tour », les deux fils d'Édouard IV. Aujourd'hui, la Tour de Londres abrite les joyaux de la Couronne. Elle est fréquentée aussi par sept corbeaux particulièrement choyés, car une légende veut que la monarchie disparaisse le jour où ils quitteront la Tour.

La tour Beauchamp
Elle fut construite vers 1281 par Édouard Ier. Les prisonniers de haut rang y étaient incarcérés, parfois avec leurs domestiques.

Un « Beefeater »
Trente-six « Yeomen » gardent la Tour et vivent sur place. Leur uniforme remonte aux Tudors.

Deux murs d'enceinte du XIIIe siècle protègent la Tour.

Sur la pelouse de Tower Green ont été exécutés plusieurs prisonniers de marque, dont deux des six femmes d'Henri VIII, Anne Boleyn et Catherine Howard ; les prisonniers moins importants mouraient en public, à Tower Hill.

Queen's House
Ce bâtiment Tudor est la résidence du souverain à la Tour.

Entrée principale en venant de Tower Hill

LES JOYAUX DE LA COURONNE

Ce trésor rassemble les couronnes, les sceptres, les globes et les épées utilisés pour le couronnement des rois et quelques autres grandes cérémonies. La plupart de ces objets datent de 1661, quand Charles II fit remplacer les symboles monarchiques détruits par le Parlement après l'exécution de Charles Ier (p. 52-53). Les rares pièces antérieures conservées avaient été cachées par les membres du clergé jusqu'à la Restauration. Parmi elles, le saphir d'Édouard le Confesseur, qui orne maintenant la couronne impériale d'État (p. 73), réalisée pour la reine Victoria en 1837 et utilisée depuis pour le couronnement de tous ses successeurs.

L'anneau du Souverain (1831)

Le globe du Souverain (1661), sphère d'or incrustée de pierres précieuses

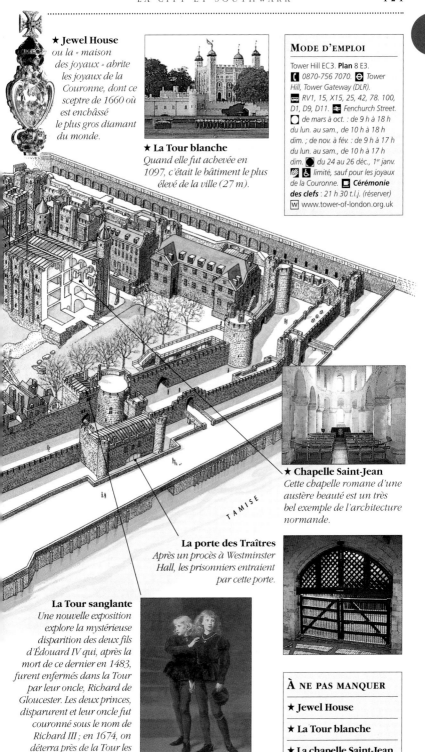

★ Jewel House
ou la « maison des joyaux » abrite les joyaux de la Couronne, dont ce sceptre de 1660 où est enchâssé le plus gros diamant du monde.

★ La Tour blanche
Quand elle fut achevée en 1097, c'était le bâtiment le plus élevé de la ville (27 m).

★ Chapelle Saint-Jean
Cette chapelle romane d'une austère beauté est un très bel exemple de l'architecture normande.

La porte des Traîtres
Après un procès à Westminster Hall, les prisonniers entraient par cette porte.

TAMISE

La Tour sanglante
Une nouvelle exposition explore la mystérieuse disparition des deux fils d'Édouard IV qui, après la mort de ce dernier en 1483, furent enfermés dans la Tour par leur oncle, Richard de Gloucester. Les deux princes, disparurent et leur oncle fut couronné sous le nom de Richard III ; en 1674, on déterra près de la Tour les squelettes de deux enfants.

À NE PAS MANQUER

★ Jewel House

★ La Tour blanche

★ La chapelle Saint-Jean

George Inn, désormais propriété du National Trust

George Inn 🕔

77 Borough High St SE1. **Plan** 8 D4.
📞 *020-7407 2056.* ⊖ *London Bridge, Borough.* ⏱ *de 11 h à 23 h du lun. au sam. ; de 12 h à 22 h 30 le dim.* 🍴

Cette auberge du XVIIᵉ siècle est l'unique bâtiment de Londres doté d'une galerie de bois qui ait survécu. Mentionnée dans *Little Dorrit* de Dickens, elle fut reconstruite dans un style médiéval après l'incendie de Southwark en 1676. À l'origine, trois corps de bâtiments encadraient une cour où, au XVIIᵉ siècle, étaient données des pièces de théâtre. Les ailes nord et est ayant été démolies en 1889, il n'en subsiste qu'un seul.

L'auberge abrite toujours un restaurant et un pub dont l'atmosphère confortable est bienvenue par temps froid. En été, des tables sont installées dans la cour où sont parfois présentés divers spectacles. Ne manquez pas la bière brune *(bitter)* maison.

Borough Market 🕕

8 Southwark St SE1. **Plan** 8 D4.
⊖ *London Bridge.* **Marché** ⏱ *ven. de 12 h à 18 h, sam. de 9 h à 16 h.*

Encore récemment, ce marché né au Moyen Âge était spécialisé dans la vente en gros de fruits et légumes. Installé sous la voie ferrée, il fut transféré à cet endroit insolite en 1756. C'est

désormais un marché très fréquenté et réputé.
On y trouve des produits gastronomiques du monde entier mais aussi des fruits et des légumes de grande qualité.

Vitrail en hommage à Shakespeare (1954), Southwark Cathedral

Southwark Cathedral 🕖

Montague Close SE1. **Plan** 8 D4.
📞 *020-7367 6700.* ⊖ *London Bridge.* ⏱ *8 h-18 h t.l.j.* 📷 🅦 *www. southwark.anglican.org/cathedral*

Élevée au rang de cathédrale en 1905, cette ancienne église date du XIIᵉ siècle comme en témoignent certaines parties. Elle conserve de nombreux éléments médiévaux, notamment le superbe chœur gothique et la tombe du poète John Gower (vers 1325-1408), contemporain de Chaucer *(p. 174)*. Shakespeare y est honoré par un monument sculpté en 1912 et par un vitrail *(ci-dessus)* installé en 1954.

Shakespeare's Globe 🕛

New Globe Walk SE1. **Plan** 7 C3.
📞 *020-7902 1400. Réservations : 020-7401 9919.* ⊖ *Southwark, London Bridge.* **Exposition** ⏱ *de mai à sept. : de 9 h à 17 h t.l.j. ; d'oct. à avr. : de 10 h à 17 h t.l.j.* 📷 ♿ 📷 *toutes les 30 min. (sur r.-v., visite du Rose Theatre pour les groupes de 15 pers. mini).* 🍴 🛒 🎁 **Spectacles** *de mi-mai à sept.* ♿ *limité.* 🅦 *www.shakespeares-globe.org*

Ouvert en 1997, cet édifice circulaire est une réplique exacte d'un théâtre de la fin du XVIᵉ siècle, proche de l'endroit qu'occupait l'ancien Globe, le théâtre dont Shakespeare devint propriétaire en 1609. Sa structure de brique et de chêne, maintenue par des chevilles de bois, est coiffée du premier toit de chaume autorisé à Londres depuis le Grand Incendie de 1666. Il a été édifié grâce à la ténacité de l'acteur-réalisateur américain Sam Wanamaker qui soutint le projet pendant plus de vingt ans. Conçu pour des spectacles à ciel ouvert, il ne fonctionne qu'en été, mais les places sont toutefois protégées. Assister à une pièce dans ce lieu est un événement inoubliable. Sous le théâtre, se trouve l'exposition Shakespeare's Globe. Ouverte toute l'année, elle retrace l'histoire du Globe, ainsi que la vie de Shakespeare. Non loin se situent les fondations du théâtre de la Rose. Les groupes de 15 personnes ou plus peuvent réserver pour les visiter.

***Henri IV* de Shakespeare (représenté au Globe Theatre vers 1600)**

Tate Modern ⑲

Holland St, SE1. **Plan** 7 C3.
📞 020-7887 8000. ⊖ *Blackfriars,
Southwark.* 🚆 *Tate Britain toutes
les 40 min.* ⭕ *du dim. au jeu. de 10 h
à 18 h ; ven. et sam. de 10 h à 22 h.*
⬤ *du 24 au 26 déc.* 🎫 *grandes
expositions.* ♿ 🚻 🎧 🛍
🇼 www.tate.org.uk

Nichée sur la rive sud de
la Tamise, la Tate Modern
est aménagée dans l'ancienne
centrale électrique de Bankside,
un espace dynamique
présentant l'une des toutes
premières collections d'art
contemporain. Ses nombreuses
œuvres proviennent de
l'immense collection de la Tate,
puisées dans les fonds des Tate
St Ives *(p. 265)*, Tate Liverpool
(p. 363) et Tate Britain *(p. 93)*.
Une navette fluviale, *Tate to
Tate*, transporte les visiteurs
de Tate Modern à Tate Britain.

***Death** de **Death Hope Life Fear**
(1984) de Gilbert et George*

La Tate Modern est aujourd'hui
l'objet d'une réorganisation
générale, qui devrait s'achever
en 2006 ; œuvres et expositions
peuvent donc être différentes
de celles décrites ici.

L'entrée ouest du musée
conduit directement à
l'immense Turbine Hall, la salle
des machines, qui accueille
chaque année un artiste
pouvant laisser libre cours à son
imagination. Louise Bourgeois
fut la première à y exposer,
créant trois tours géantes et une
araignée gargantuesque,
Maman (2000). Aujourd'hui, le
soleil géant d'Olafur Eliasson
(The Weather Project) éclaire le
Turbine Hall.

Un escalier
mécanique sur
deux niveaux
permet
d'accéder
rapidement au
niveau 3 où sont
situées les salles principales.
Hors de toute convention,
les collections sont
présentées par thèmes plutôt
que par chronologie ou par
école, une démarche qui
transcende les mouvements
artistiques et mélange
les moyens d'expression.
Quatre thèmes révèlent ainsi
comment les traditions ont
été défiées, approfondies
ou rejetées par les artistes
des xxᵉ et xxiᵉ siècles.

Au niveau 3,
nature morte/
objet/vie réelle
présente des
œuvres très différentes, des
tableaux de Cézanne aux
œuvres de Claes Oldenburg et
Damien Hirst. Également
au niveau 3, paysage/matière/

***Standing by the Rags** (1988-1989)
de Lucian Freud*

environnement permet
d'appréhender la façon dont
les artistes
représentent ce
qui les entoure.
Dans l'une des
salles, *Nymphéas*
de Claude
Monet fait face à
l'œuvre abstraite *Instant
Loveland* de Jules Olistski.
Au niveau 5, nu/action/
corps présente
les artistes qui, comme
Lucian Freud, Pablo
Picasso et Louis Corinth,
se sont attachés au
corps. Également au
niveau 5, les salles
histoire/mémoire/
société abritent des artistes
du xxᵉ siècle, tels Piet
Mondrian et Gilbert et
George, ayant
abordé réalités
sociale et politique.
Cette collection
permanente est complétée par
un programme dynamique
d'expositions temporaires avec
trois manifestations de grande
envergure par an.

***Soft Drainpipe-Blue (Cool)**
(1967) de Claes Oldenburg*

LA CENTRALE ÉLECTRIQUE DE BANKSIDE

Cette imposante forteresse a été réalisée en 1947 par
sir Giles Gilbert Scott, l'architecte de Battersea Power Station,
de Waterloo Bridge et le concepteur des célèbres cabines
téléphoniques rouges. La structure de cette centrale électrique
est revêtue de plus de 4,2 millions de briques cerclées d'acier.
La salle des machines (Turbine Hall) fut conçue pour abriter
d'immenses générateurs ; trois vastes cuves à pétrole existent
toujours, enterrées juste au sud de l'édifice. Elles doivent être
utilisées lors d'une étape ultérieure du développement de la
Tate Modern. La centrale électrique elle-même a été reconvertie
par les architectes suisses Herzog et de Meuron qui ont conçu
la verrière du toit sur deux niveaux. Celle-ci éclaire les galeries
supérieures et offre de magnifiques vues de Londres.

Façade, cheminée et verrière de la Tate Modern

BOUTIQUES ET MARCHÉS

Sacs de deux célèbres grands
magasins londoniens

Londres est une des grandes capitales mondiales du shopping. On y trouve toutes sortes de boutiques *(p. 627)*, des grands magasins connus dans le monde entier et des petits marchés de quartier. Il y en a vraiment pour tous les goûts, des boutiques haut de gamme de Knightsbridge et Bond Street vendant des vêtements de créateurs aux magasins plus abordables d'Oxford Street, en passant par les marchés bruyants et colorés de Covent Garden *(p. 81)*, Berwick Street ou Brick Lane. À Londres, on trouve surtout une incroyable diversité de vêtements, des tweeds les plus traditionnels aux tenues les plus colorées et les plus excentriques.

LES GRANDS MAGASINS

Façade de Liberty (1925)

Avec 300 rayons et 4 000 employés, **Harrods** est le plus connu des grands magasins de Londres. Le décor édouardien du département alimentation vaut à lui seul le détour. Tout près, **Harvey Nichols** peut se vanter d'avoir le rayon alimentaire le plus chic de la ville. L'épicerie fine **Fortnum & Mason** existe depuis près de 300 ans. On y trouve aussi un salon de thé.

Selfridges vend à peu près de tout, des grandes marques de prêt-à-porter internationales jusqu'aux gadgets pour la maison ; **John Lewis** et **Peter Jones** proposent des tissus, des porcelaines, de la verrerie et des objets de décoration. **Liberty** est situé dans un très beau bâtiment de style Tudor ; on y trouve encore les soieries et les tissus orientaux qui ont fait la réputation de la maison dès son ouverture en 1875. **Marks & Spencer**, renommé pour la qualité de sa ligne de vêtements, possède aussi de nombreux magasins d'alimentation. **Virgin Megastore** et **HMV** sont les trois plus grands magasins de disques de la ville.

VÊTEMENTS ET CHAUSSURES

Les créateurs de mode anglais vont de l'élégant **Ben de Lisi** à la doyenne de l'avant-garde punk, **Vivienne Westwood**. Si les deux grands stylistes **Margaret Howell** et **Paul Smith** proposent une mode chic, les boutiques comme **Urban Outfitters** vendent des modèles de jeunes créateurs audacieux destinés à une clientèle branchée de noctambules. Les couturiers de renommée internationale se trouvent chez **Browns** et dans les grands magasins **Harvey Nichols**, **Liberty** et **Selfridges** (avec ici une franchise Top Shop pour la mode filles).

Les vêtements plus traditionnels – vestes Barbour, imperméables Burberry – se trouvent chez **Harrods**, **Hackett** (pour hommes), **Burberry** ou **Gieves & Hawkes**.

Au rayon chaussures, **Church's** et **John Lobb** représentent le haut de gamme ; on trouvera des modèles originaux chez **Emma Hope**, plus abordables chez **Hobbs** ou **Pied à Terre**.

MARCHÉS

Sur les marchés de Londres, on trouve vraiment de tout, des vêtements neufs ou d'occasion aux denrées alimentaires, antiquités ou articles de maison.

Les marchés les plus courus sont **Camden Lock**, **Greenwich**, **Portobello Road** et **Covent Garden**, où l'on trouve pêle-mêle artisanat, brocante et vieux vêtements.

La nuit venue, 11 500 ampoules illuminent la façade de Harrods

Les chineurs avertis préfèrent se rendre, le vendredi matin de bonne heure, au marché de **Bermondsey**, dans le sud de Londres.

Le marché de **Petticoat Lane** est renommé pour ses cuirs. À **Brick Lane**, un autre authentique marché de l'East End, offre un bric-à-brac de vieux meubles, livres, fripes… Non loin, l'**Old Spitalfields Market** fait référence en matière de mode. Sur **Berwick Street** alternent marchands des quatre saisons, tissus et articles de maison.

Borough Market est très fréquenté : on y trouve des produits de la ferme *(p. 122)*.

La foule du marché de Petticoat Lane, dans Middlesex Street

CARNET D'ADRESSES

GRANDS MAGASINS

Fortnum & Mason
181 Piccadilly W1.
Plan 6 D1.
📞 *020-7734 8040.*

Harrods
87-135 Brompton Rd SW1.
Plan 5 A3.
📞 *020-7730 1234.*

Harvey Nichols
109-125 Knightsbridge SW1.
Plan 5 B2.
📞 *020-7235 5000.*

HMV
150 Oxford St W1.
Plan 4 D4.
📞 *020-7631 3423.*

John Lewis
278-306 Oxford St W1.
Plan 3 C5.
📞 *020-7629 7711.*

Liberty
210-220 Regent St W1.
Plan 3 C5.
📞 *020-7734 1234.*

Marks & Spencer
173 et 458 Oxford St W1.
Plan 3 C5 / 3 B5.
📞 *020-7935 7954.*
Deux des nombreuses succursales.

Peter Jones
Sloane Square SW1.
Plan 5 A4.
📞 *020-7730 3434.*

Selfridges
400 Oxford St W1.
Plan 3 B5.
📞 *0870 837 7377.*

Virgin Megastore
1 Piccadilly Circus W1.
Plan 6 D1.
📞 *020-7439 2500.*

ou :

14-16 Oxford St W1.
Plan 4 E4.
📞 *020-7631 1234.*

VÊTEMENTS ET CHAUSSURES

Ben de Lisi
40 Elizabeth St W1.
Plan 5 B4. 📞 *020-7730 2994. Une des nombreuses succursales.*

Browns
23-27 South Molton St W1.
Plan 3 B5. 📞 *020-7514 0000. Une des*

Burberry
21-23 New Bond W1.
Plan 3 C5.
📞 *020-7930 3343.*
Une des trois succursales.

Church's Shoes
163 New Bond St W1.
Plan 3 C5. 📞 *020-7734 2438. Une des nombreuses succursales.*

Gieves & Hawkes
1 Savile Row W1.
Plan 3 C5.
📞 *020-7434 2001.*

Hackett
87 Jermyn St W1. **Plan** 6 D1. 📞 *020-7930 1300. Une des nombreuses succursales.*

Hobbs
47-48 South Molton St W1.
Plan 3 C5. 📞 *020-7629 0750. Une des nombreuses succursales.*

Emma Hope
53 Sloane Sq W1 **Plan** 5 B4.
📞 *020-7259 9566. Une des trois succursales.*

John Lobb
9 St James's St SW1. **Plan** 6 D1. 📞 *020-7930 3664.*

Margaret Howell
34 Wigmore St W1. **Plan** 3 B4. 📞 *020-7009 9009.*

Paul Smith
40-44 Floral St WC2.
Plan 4 E5.
📞 *020-7379 7133.*
Une des nombreuses succursales.

Pied à Terre
19 South Molton St W1
Plan 3 B5. 📞 *020-7629 1362. Une des nombreuses succursales.*

Vivienne Westwood
6 Davies St W1. **Plan** 3 B5.
📞 *020-7629 3757*

Urban Outfitters
36-38 Kensington High St W8. **Plan** 1 C4.
📞 *020-7761 1001.*

MARCHÉS

Bermondsey
Long Lane et Bermondsey St SE1. **Plan** 8 E5.
🕐 *de 5 h à 14 h ven.*

Berwick Street
Berwick St W1.
Plan 4 D5. 🕐 *de 9 h à 18 h du lun. au sam.*

Borough
8 Southwark St SE1. **Plan** 8 D4. 🕐 *de midi à 18 h ven., de 9 h à 16 h sam.*

Brick Lane
Brick Lane E1.
🚇 *Liverpool St, Aldgate East.*
🕐 *de l'aube à 13 h dim.*

Camden Lock
Chalk Farm Rd NW1.
🚇 *Camden Town, Chalk Farm.* 🕐 *de 9 h 30 à 17 h 30 t.l.j.*

Covent Garden
The Piazza WC2.
Plan 4 F5. 🕐 *de 9 h à 17 h t.l.j. (antiquités : lun.).*

Greenwich
College Approach SE10.
🚉 *Greenwich.* 🕐 *de 9 h à 18 h le sam. et dim.*

Old Spitalfields
Commercial St E1.
🚇 *Liverpool St.*
🕐 *de 9 h 30 à 17 h 30 dim.*

Petticoat Lane
Middlesex St E1. **Plan** 8 E2. 🚇 *Liverpool St.*
🕐 *de 9 h à 14 h dim.*

Portobello Road
Portobello Rd W10.
🚇 *Notting Hill Gate.*
🕐 *de 7 h à 17 h 30 sam.*

SE DISTRAIRE À LONDRES

L ondres propose un très vaste éventail de distractions. Ici comme dans toutes les autres grandes métropoles, on peut choisir de passer la nuit dans une discothèque à la mode ou d'aller au spectacle ou au concert. On ne saurait s'arrêter à Londres sans consacrer une soirée au théâtre, pour assister à un spectacle prestigieux dans le West End ou à quelque pièce expérimentale. Côté ballet ou opéra, Sadler's Wells et le Royal Opera House ont toujours une programmation d'excellente qualité.

En musique aussi, vous n'aurez que l'embarras du choix : classique, jazz, rock, dans de petits clubs en sous-sol, en plein air comme à Wembley ou dans d'anciennes salles de cinéma reconverties.

De nombreux cafés proposent des concerts gratuits

Les cinéphiles peuvent hésiter chaque soir entre plusieurs centaines de films. Les amateurs de sport préféreront assister à un match de cricket au Lord's ou pratiquer leur sport préféré, des sports nautiques au patin à glace. Tous les mardis paraît *Time Out*, le guide qui recense tous les spectacles de la capitale. Des quotidiens comme *The Evening Standard* et *The Independent*, l'hebdomadaire *The Guardian* (le samedi) publient eux aussi le programme des spectacles. Si vous achetez vos billets dans une agence de location et non au guichet de la salle, comparez toujours les prix. N'ayez recours au marché noir qu'en dernière extrémité.

WEST END ET THÉÂTRES NATIONAUX

Affiche du Palace Theatre (1898)

L es théâtres du West End peuvent s'enorgueillir d'avoir vu passer une galerie impressionnante d'acteurs prestigieux. Le coût des productions de ces théâtres (voir les adresses à la page suivante) est supporté par les bénéfices réalisés et grâce à l'aide d'une armée de mécènes, les « anges ». La programmation cherche à toucher tous les publics : comédies musicales, classiques, comédies, pièces d'auteurs contemporains.

Le **Royal National Theatre**, subventionné, fait partie du South Bank Centre *(p. 128)*. Il dispose de trois salles – la grande salle Olivier, la salle Lyttelton, dotée d'une importante avant-scène, et la petite salle Cottesloe, facilement modulable.

La **Royal Shakespeare Company (RSC)** a inclus dans son répertoire, outre les pièces de Shakespeare, des tragédies grecques, des œuvres de la Restauration ou du XXᵉ siècle. La compagnie est basée à Stratford-upon-Avon *(p. 313-315)*, mais les principales productions sont montées à Londres, dans les théâtres du West End (pour tout renseignement, téléphoner au RSC). The Old Vic a connu un récent renouveau, sous la direction artistique de Kevin Spacey, dont la programmation attire un large public.

Le prix des places varie de 5 à 30 livres. On peut se les procurer aux guichets des théâtres, les réserver par téléphone ou se les faire envoyer par la poste. À Leicester Square, le kiosque « tkts » vend des tarifs réduits pour des représentations ayant lieu le jour même. Il est ouvert du lundi au samedi (10 h-19 h) pour les spectacles en matinée et le soir même ; et le dimanche (12 h-15 h) pour les spectacles en matinée (paiement en espèces ou par carte de crédit).

THÉÂTRES « OFF »

L es théâtres « off West End » offrent aux directeurs de compagnies et aux acteurs l'occasion de participer à des productions différentes, où l'on peut se montrer plus soucieux de création et d'innovation que de rentabilité. Les « fringe theatres » – de « fringe », limite, parce que ces théâtres sont implantés à la limite de la ville – sont en général loués à des compagnies de passage. Dans ces théâtres « off » sont montées les œuvres d'auteurs peu connus. Ces endroits sont beaucoup trop nombreux

L'Old Vic abrite le National Theatre depuis 1963

Théâtre en plein air à Regent's Park

pour que l'on puisse tous les répertorier ici ; il faut se reporter aux listes publiées dans les journaux. Il peut s'agir de salles minuscules, parfois situées tout simplement au-dessus d'un pub, comme le Gate, ou de grandes salles comme le Donmar Warehouse, qui a vu passer des acteurs et des metteurs en scène de talent.

THÉÂTRES EN PLEIN AIR

L'été, c'est un véritable enchantement d'assister à la représentation d'une comédie de Shakespeare comme *Le Songe d'une nuit d'été* sous les frondaisons de Regent's Park (020-7935 5756) ou Holland Park (020-7602 7856). D'autres pièces de théâtre sont aussi jouées en plein air au Globe *(p. 122)*, reconstitution d'un théâtre élisabéthain.

CINÉMAS

Dans le West End, on trouve nombre de complexes multisalles (MGM, Odeon, UCI) où sont projetées notamment toutes les grandes productions hollywoodiennes, bien avant leur distribution dans le reste du pays. L'Odeon Marble Arch possède le plus grand écran d'Europe ; la plus grande salle de la ville (2 000 places) est l'Odeon Leicester Square.

Les Londoniens sont en général très friands de cinéma, et les plus grands circuits de distribution introduisent dans leur programme des films à petit

Le cinéma IMAX, à Waterloo

budget ou provenant d'autres pays. La plupart des films étrangers sont sous-titrés, et non doublés. Les cinémas indépendants, comme le Metro, le Renoir, le Prince Charles dans le centre-ville, ou le Curzon dans Mayfair, diffusent des films d'art et d'essai et des œuvres en version originale.

Il n'y a pas de quartier sans cinéma, mais la plupart des salles sont concentrées dans le district de Leicester Square. Juste à côté, le Prince Charles est le cinéma le moins cher du West End. Ailleurs, le prix des places varie entre 6 et 9 livres en soirée. Le lundi et en matinée, les séances sont souvent moins chères.

Le NFT (National Film Theatre) est le fer de lance du cinéma de répertoire. Subventionné par le British Film Institute, il possède un fonds très important de films anciens ou plus récents provenant du monde entier. À proximité, à Waterloo, le cinéma IMAX possède l'un des plus grands écrans au monde.

CARNET D'ADRESSES

Adelphi
Strand. **Plan** 4 F5.
☎ 020-7344 0055.

Albery
St Martin's Lane. **Plan** 4 E5.
☎ 020-7369 1730.

Aldwych
Aldwych. **Plan** 4 F5.
☎ 020-7379 3367.

Apollo
Shaftesbury Ave. **Plan** 4 E5.
☎ 020-7494 5050.

Cambridge
Earlham St. **Plan** 4 E5.
☎ 020-7494 5050.

Comedy
Panton St. **Plan** 6 E1.
☎ 020-7369 1731.

Criterion
Piccadilly Circus. **Plan** 4 D5.
☎ 020-7413 1437.

Dominion
Tottenham Court Rd. **Plan**
4 E4. ☎ 0870-607 7560.

Duchess
Catherine St. **Plan** 4 F5.
☎ 020-7494 5050.

Duke of York's
St Martin's Lane. **Plan** 4 E5.
☎ 020-7369 1791.

Fortune
Russell St. **Plan** 4 F5.
☎ 020-7369 1737.

Garrick
Charing Cross Rd.
Plan 4 E5.
☎ 020-7494 5050.

Gielgud
Shaftesbury Ave. **Plan**
4 D5. ☎ 020-7494 5050.

Her Majesty's
Haymarket. **Plan** 6 E1.
☎ 020-7494 5050.

Lyceum
Wellington St. **Plan** 4 F5.
☎ 0870 243 9000.

Lyric
Shaftesbury Ave. **Plan**
4 D5. ☎ 0870-890 1107.

New London
Drury Lane. **Plan** 4 E5.
☎ 020-7494 5050.

The Old Nick
Waterloo Rd SE1. **Plan**
7 A5. ☎ 0870-060 6628.

Palace
Shaftesbury Ave.
Plan 4 E5.
☎ 020-7434 0909.

Phoenix
Charing Cross Rd. **Plan**
4 E5. ☎ 020-7369 1733.

Piccadilly
Denman St. **Plan** 4 D5.
☎ 020-7369 1734.

Prince Edward
Old Compton St. **Plan** 4 D5.
☎ 020-7447 5400.

Prince of Wales
Coventry St. **Plan** 4 D5.
☎ 020-7839 5972.

Queen's
Shaftesbury Ave. **Plan**
4 E5. ☎ 020-7494 5050.

Royal National
South Bank. **Plan** 7 A4.
☎ 020-7452 3000.

RCS ☎ 0870 609 1110.

Shaftesbury
Shaftesbury Ave. **Plan**
4 E4. ☎ 020-7379 3345.

Strand Aldwych. **Plan** 4
F5. ☎ 0870-060 2335.

St Martin's
West St. **Plan** 4 E5.
☎ 020-7836 1443.

Theatre Royal :
– Drury Lane
Catherine St. **Plan** 4 F5.
☎ 020-7494 5050.

–Haymarket
Haymarket. **Plan** 6 E1.
☎ 0870-901 3356.

Vaudeville
Strand. **Plan** 4 F5.
☎ 020-7494 5050.

Wyndham's
Charing Cross Rd. **Plan**
4 E5. ☎ 020-7369 1736.

Le Royal Festival Hall, South Bank Centre

MUSIQUE CLASSIQUE, OPÉRA ET DANSE

L ondres est l'une des grandes capitales mondiales de la musique classique, avec cinq orchestres symphoniques, des orchestres de chambre de renommée internationale comme l'Académie de St-Martin-in-the-Fields ou l'English Chamber Orchestra, et une infinité de petits orchestres. Des concerts prestigieux ont lieu pratiquement toutes les semaines ; l'été est une période encore plus faste, avec la saison du **Royal Albert Hall** (*p. 62-65*). L'excellente acoustique du **Wigmore Hall**, récemment restauré, permet d'y donner des concerts de musique de chambre, tout comme dans l'église baroque **St John's, Smith Square**.

Les spectacles produits par le **Royal Opera House** sont souvent somptueux, mais les places sont chères (entre 5 et 200 livres) et généralement réservées très longtemps à l'avance. L'English National Opera, basé au **London Coliseum**, a une programmation plus éclectique et s'adresse à des spectateurs plus jeunes. La plupart des œuvres sont représentées en anglais.

Le Royal Opera House abrite le Royal Ballet et le London Coliseum l'English National Ballet, les deux plus grandes compagnies de danse de Grande-Bretagne. Les deux établissements accueillent aussi des troupes extérieures. **The Place**, théâtre consacré à la danse contemporaine, accueille les nombreuses compagnies qui se sont créées ces dernières années.

D'autres spectacles de danse ont lieu à **Sadler's Wells**, à l'**ICA**, au **Peacock Theatre** et au **Chisenhale Dance Space**.

Des concerts et des opéras sont donnés aussi au **Barbican Concert Hall** et au **South Bank Centre**, qui comprend le Royal Festival Hall, le Queen Elizabeth Hall et la Purcell Room.

Pendant l'été, de nombreux concerts en plein air se tiennent dans toute la ville (*p. 62-63*), notamment à **Kenwood House**. Les plus intéressants sont le Royal Opera Festival, en juin, qui réunit des chanteurs venus du monde entier, le City of London Festival, en juillet, avec des concerts très variés, enfin les festivals de danse contemporaine comme Spring Loaded (de février à avril) et Dance Umbrella (octobre). Le magazine *Time Out* et les journaux publient les programmes complets.

Kenwood House à Hampstead Heath (*p. 132*)

CARNET D'ADRESSES	**Kenwood House** Hampstead Lane NW3. 🚇 *Archway.* 📞 *020-8348 1286.*	**Royal Opera House** Floral St WC2. **Plan** 4 F5. 📞 *020-7304 4000.* 🌐 *www.royalopera.org*	**ROCK, POP, JAZZ ET CLUBS**
MUSIQUE CLASSIQUE, OPÉRA ET DANSE	**London Coliseum** St Martin's Lane W2. **Plan** 4 E5. 📞 *020-7632 8300.* 🌐 *www.eno.org*	**Sadler's Wells** Rosebery Ave EC1. 🚇 *Angel.* 📞 *020-7863 8000.* 🌐 *www.sadlerswells.com*	**100 Club** 100 Oxford St W1. **Plan** 4 D5. 📞 *020-7636 0933.*
Barbican Concert Hall Silk St EC2. **Plan** 7 C1. 📞 *0845-120 7500.* 🌐 *www.barbican.org.uk*	**Peacock Theatre** Portugal St WC2. **Plan** 4 F5. 📞 *020-7863 8000.*	**St John's, Smith Sq** Smith Sq SW1. **Plan** 6 E3. 📞 *020-7222 1061.* 🌐 *www.sjss.org.uk*	**Brixton Academy** 211 Stockwell Rd SW9. 🚇 *Brixton.* 📞 *0870-771 2000.*
Chisenhale Dance Space 64-84 Chisenhale Rd E3. 🚇 *Bethnal Green, Mile End.* 📞 *020-8981 6617.*	**The Place** 17 Duke's Rd WC1. **Plan** 4 E2. 📞 *020-7387 0031.*	**South Bank Centre** SE1. **Plan** 6 F1. 📞 *020-7960 4206.* 🌐 *www.southbank.london.com*	**Cargo** 83 Rivangton St EC2. 🚇 *Old St.* 📞 *020-7739 3440.*
ICA The Mall SW1. **Plan** 6 E1. 📞 *020-7930 0493.* 🌐 *www.ica.org.uk*	**Royal Albert Hall** Kensington Gore SW7. **Plan** 2 E4. 📞 *020-7589 8212.* 🌐 *www.royalalberthall.com*	**Wigmore Hall** Wigmore St W1. **Plan** 3 B4. 📞 *020-7935 2141.* 🌐 *www.wigmore-hall.org.uk*	**Fridge** Town Hall Parade, Brixton Hill SW2. 🚇 *Brixton.* 📞 *020-7326 5100.*

L'Hippodrome, Leicester Square

ROCK, POP, JAZZ, CLUBS

Toute la semaine, on peut assister à Londres à un grand nombre de concerts très différents ; rock, pop, jazz, musiques latino-américaines ou traditionnelles, folk et reggae, tous les styles sont représentés. Les plus grands artistes se produisent dans des lieux comme **Wembley Arena** ou le **Royal Albert Hall**. Certains préfèrent la **Brixton Academy** ou le **Forum**, anciens cinémas transformés.

Les clubs de jazz se sont multipliés ces dernières années. Parmi les valeurs sûres, on peut citer **Ronnie Scott's** ; au rang des nouveaux venus, figurent le **100 Club**, le **Jazz Café** et **Pizza on the Park**.

La vie nocturne de Londres est particulièrement intense, surtout depuis 1990 : la loi autorise l'ouverture des discothèques toute la nuit. Les heures d'ouverture vont généralement de 22 h à 3 h du matin, mais le week-end la plupart des clubs sont ouverts jusqu'à 6 h. Ils sont animés par des DJ célèbres ; certains, comme le **Stringfellows** ou l'**Hippodrome** font désormais partie des circuits touristiques. Il y a aussi le **Ministry of Sound**, qui a introduit à Londres le style new-yorkais, le cabaret **Madame Jojo's**, les clubs branchés **333** et **Cargo** à Shoreditch, les spectacles

laser du **Heaven**, le prestigieux **Pacha London** ou le **Soho Lounge** (ska, soul et rhythm and blues le jeudi). Le Heaven et le **Fridge** comptent parmi les plus populaires des boîtes gay de Londres.

SPORTS

À Londres, les installations sportives sont très nombreuses et en général bon marché. La plupart des quartiers de la ville bénéficient d'une piscine, de courts de squash, de salles de gymnastique ; presque tous les parcs possèdent des courts de tennis. On peut aussi faire du canotage ou du patin à glace, ou assister en simple spectateur à des matchs de football ou de rugby à **Wembley Stadium**, voir du cricket au **Lord's** ou à l'**Oval**, du tennis à l'**All England Lawn Tennis Club** de Wimbledon.

Autres sports britanniques traditionnels : le polo à **Guards**, le croquet à **Hurlingham** et le jeu de paume au **Queen's Club Real Tennis**. Il est difficile de se procurer des billets pour les manifestations les plus populaires *(p. 67)*. Pour des informations complémentaires, voir pages 630 et 631.

Agence de spectacle sur Shaftesbury Avenue

Forum
9-17 Highgate Rd NW5.
Kentish Town.
0870-534 4444.

Heaven
Sous les Arches, Villiers St WC2. **Plan** 6 E1.
020-7930 2020.

Hippodrome
Cranbourne St WC2.
Plan 4 E5.
020-7437 4311.

Jazz Café
3-5 Parkway NW1.
Camden Town.
020-7916 6060.

Madame Jojo's
8-10 Brewer St W1.**Plan** 4 D5. 020-7734 3040.

Ministry of Sound
103 Gaunt St SE1. **Plan** 7 C5. 020-7378 6528.

Pacha London
Terminus Place SW1.**Plan** 5 C3. 020-7834 4440.
www.pachalondon.com

Pizza on the Park
11 Knightsbridge SW1.
Plan 5 B2. 020-7235 5550. www. pizzaonthepark.com

Ronnie Scott's
47 Frith St W1.**Plan** 4 D5.
020-7439 0747.
www.ronniescotts.uk

Soho Lounge
69 Dean St W1. **Plan** 4 D4. 020-7434 4480.

Stringfellows
16-19 Upper St Martin's Lane SW2. **Plan** 4 E5.
020-7240 5534.

333
333 Old St EC1.
020-7739 5949.
www.333mother.com

SPORTS

All England Lawn Tennis Club
Church Rd, Wimbledon SW19. Southfields.
020-8946 2244.

Guards Polo Club
Windsor Great Park, Englefield Green, Egham, Surrey. Egham.
01784 434212.

Hurlingham Club
Ranelagh Gdns SW6.
Plan 5 B5.
020-7736 8411.

Lord's Cricket Ground
St John's Wood NW8.
St John's Wood.
020-7289 1611.

Oval Cricket Ground
Kennington Oval SE11.
Oval.
020-7582 6660.

Queen's Club Real Tennis
Palliser Rd W14.
Barons Court.
020-7385 3421.

EN DEHORS DU CENTRE

Au fil du temps, Londres s'est peu à peu étendue jusqu'à annexer toute la ceinture de petits villages qui l'entourait à l'origine ; les limites de ville initiale sont aujourd'hui celles de la City. Toute la périphérie est urbanisée de façon très homogène, mais certains endroits ont su conserver l'atmosphère des anciens villages. Hampstead et Highgate, par exemple, sont des enclaves bien distinctes, Chelsea est marqué par les arts, Islington par la littérature. Greenwich, Chiswick et Richmond témoignent encore du temps où la Tamise était une voie de commerce et de transport essentielle, alors qu'à l'est de la City les docks ont fait place depuis une vingtaine d'années à un nouveau quartier de commerces et d'habitations.

LE QUARTIER D'UN COUP D'ŒIL

Camden et Islington **7**

Chelsea **1**

Chiswick **10**

East End et les quartiers des docks **8**

Greenwich **9**

Hampstead **4**

Hampstead Heath **5**

Highgate **6**

Holland Park **2**

Notting Hill et
   Portobello Road **3**

Richmond et Kew **11**

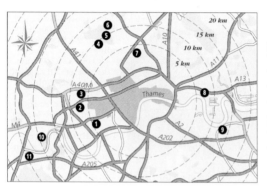

LÉGENDE

▨ Quartiers les plus intéressants

☐ Le Grand-Londres

☐ Parcs

═ Autoroute

▬ Route principale

═ Route secondaire

10 miles = 15 km

Chelsea **1**

SW3. 🚇 *Sloane Square.*

Le quartier a pris son essor à l'époque des Tudors ; c'est là qu'habitait Thomas More, le grand chancelier d'Henri VIII

Statue de sir Thomas More (1478-1535) sur Cheyne Walk

(p. 50). Dans les années 1830, l'arrivée de l'historien Thomas Carlyle et de l'essayiste Leigh Hunt conféra à Chelsea une réputation de quartier littéraire. Des plaques apposées sur certaines façades de **Cheyne Walk** rendent hommage à des résidents célèbres comme le peintre Turner *(p. 93),* les écrivains George Eliot, Henry James et T. S. Eliot.

Aujourd'hui, la tradition artistique de Chelsea se perpétue : magasins d'antiquités et galeries alternent avec des boutiques de mode dans **King's Road**. **Sloane Square** doit son nom au physicien Sir Hans Sloane, qui acheta le manoir de Chelsea en 1712. Il fit aménager le **Chelsea Physic Garden** le long de Swan Walk pour cultiver des plantes médicinales.

L'**Hôpital royal**, construit par Wren en 1692, accueille encore des soldats à la retraite.

Le salon arabe de Leighton House (1866)

Holland Park **2**

W8, W14. 🚇 *Holland Park.*

Ce parc très agréable, beaucoup moins étendu que les grands parcs royaux comme Hyde Park *(p. 103),* a ouvert ses portes en 1952 sur l'ancien domaine de **Holland House**, qui était un foyer de contestation politique au XIXᵉ siècle.

Le parc est entouré de très belles maisons victoriennes. **Linley Sambourne House**, par exemple, date de 1870 et est encore décorée suivant le goût très chargé de l'époque : nombreux meubles, porcelaines, lourdes tentures de velours. Le premier propriétaire était illustrateur à la revue satirique *Punch* ; certains de ses dessins sont exposés.

Leighton House, construite en 1866 pour le peintre néo-classique Lord Leighton, est un témoin précieux de l'esthétique victorienne. La pièce la plus spectaculaire est le salon arabe, construit en 1879 pour abriter une très belle collection de céramiques du Moyen-Orient. Les peintures exposées sont dues à Lord Leighton lui-même ou à ses contemporains, Edward Burne-Jones et John Millais.

🏛 Linley Sambourne House
18 Stafford Terrace W8. 📞 020-7938 1295. ⊖ High St Ken. ⭘ de 10 h à 17 h du lun. au dim. 🚫📷 obligatoire ; toutes les heures, dernière vis. à 15 h 30.
🏛 Leighton House
12 Holland Park Rd W14. 📞 020-7602 3316. ⊖ High St Kensington. ⭘ de 11 h à 17 h 30 du mer. au lun. ⬤ jours fériés. 🚫📷 mer. et jeu. 🚻

Notting Hill et Portobello Road ❸

W11. ⊖ Notting Hill Gate.

D ans les années cinquante et soixante, une communauté antillaise s'est installée dans cette partie de la ville, aujourd'hui largement cosmopolite. Depuis 1966, c'est ici que se déroule le plus grand carnaval d'Europe *(p. 63)*, le dernier week-end d'août ; la foule des danseurs costumés envahit alors le quartier tout entier. Tout près, le marché de Portobello Road *(p. 124-125)* regorge de petits stands et de boutiques de brocanteurs.

Hampstead ❹

NW3, N6. ⊖ Hampstead.
🚃 Hampstead Heath.

H ampstead, installé sur une colline au nord de la ville, s'est toujours tenu à l'écart de la capitale. Ce petit village georgien resté presque intact est l'un des quartiers résidentiels les plus prisés de la ville. Depuis le XIXᵉ siècle, les artistes et les écrivains en ont fait leur quartier de prédilection.

Dans une rue tranquille, la **maison de Keats** (1816) permet d'évoquer la vie et l'œuvre du grand poète et de Fanny Brawne, sa fiancée, à travers de nombreux manuscrits et objets.

Une maison XIXᵉ de Hampstead

John Keats (1795-1821) vécut ici deux ans ; c'est dans un prunier du jardin qu'il écrivit l'*Ode à un rossignol*, son poème le plus célèbre.

Le **Freud Museum**, qui a ouvert ses portes en 1986, est consacré à la vie de Sigmund Freud (1856-1939), le père de la psychanalyse. À l'âge de 82 ans, fuyant les persécutions nazies, Freud vint se réfugier à Hampstead, où il passa la dernière année de sa vie. On voit encore le célèbre divan où il faisait allonger ses patients, dans son cabinet de consultation meublé dans le style viennois. Sa fille Anna, qui a beaucoup travaillé sur la psychanalyse des enfants, a vécu dans la maison jusqu'à sa mort en 1982. Un montage de films de famille, où l'on voit notamment les nazis investissant sa maison de Vienne, montre la vie de Freud sous un jour méconnu.

🏛 Keats House
Keats Grove NW3.
📞 020-7435 2062.
⊖ Hampstead, Belsize Park.
⭘ de 13 h à 17 h du mar. au dim.
🌐 www.cityoflondon.gov.uk/keats
🏛 Freud Museum
20 Maresfield Gdns NW3. 📞 020-7435 2002. ⊖ Finchley Rd. ⭘ de midi à 17 h du mer. au dim. 🚫📷 🚻 limité. 🌐 www.freud.org.uk

Antiquaire dans Portobello Road

Hampstead Heath : la campagne en pleine ville

Hampstead Heath ❺

N6. ⊖ *Hampstead, Highgate.*
☷ *Hampstead Heath.*

Séparant les villages de Hampstead et de Highgate, les larges espaces dégagés de Hampstead Heath proposent une rupture très appréciée avec le rythme de la ville. Il y a des prairies, des lacs et des étangs où se baigner et pêcher ; à l'est, **Parliament Hill** offre de beaux panoramas de la capitale.

Sur un terrain paysager au-dessus de Hampstead Heath se dresse **Kenwood House**, une splendide demeure transformée par Robert Adam *(p. 24)* en 1764 et restée depuis pratiquement intacte. La plus belle pièce de la maison est la bibliothèque, mais sa collection de peintures est célèbre aussi : Van Dyck, Vermeer, Turner *(p. 93)*, Romney et le chef-d'œuvre de la galerie, un autoportrait de Rembrandt (1663). L'été, des concerts de musique classique sont donnés au bord du lac *(p. 128)*.

♅ Kenwood House
Hampstead Lane NW3. ⦅ 020-8348 1286. ⬤ *t.l.j.* ⬤ ⬛ ⬛
ⓦ www.english-heritage.org.uk

Artisanat et antiquités au marché couvert de Camden Lock

Highgate ❻

N6. ⊖ *Highgate, Archway.*

Le site de Highgate est habité depuis le Moyen Âge. Comme Hampstead, ce quartier était déjà à la mode sous les Tudors. Avec ses belles demeures du siècle dernier, Highgate a conservé quelque chose de très rural, et semble à mille lieues de la grande ville.

Les beaux monuments funéraires du **cimetière de Highgate**, ouvert en 1839 *(p. 77)*, créent une atmosphère très particulière. Des visites guidées (tous les jours en été, le week-end pendant l'hiver) expliquent l'histoire du cimetière, intrigues, récits de vandalisme et mystères. Dans la partie est du cimetière sont inhumés la romancière George Eliot (1819-1880) et Karl Marx (1818-1883).

♅ Highgate Cemetery
Swains Lane N6. ⦅ 020-8340 1834.
⊖ *Archway, Highgate.* ⬤ *t.l.j.*
⬤ *lors des cérémonies, 25 et 26 déc.*
⬛ ⬛ ⓦ www.highgate-cemetery.org

Camden et Islington ❼

NW1, N1. **Camden** ⊖ Camden Town, Chalk Farm. **Islington** ⊖ *Angel, Highbury & Islington.*

Camden fourmille de restaurants et de boutiques ; il s'y tient aussi un **marché** très animé *(p. 124-125)*. Des milliers de personnes s'y rendent tous les week-ends pour flâner le long des stands ou tout simplement pour renifler l'atmosphère du charmant secteur pavé proche du canal, rendez-vous des musiciens et des artistes de rue. Islington était autrefois une station thermale très en vogue, mais la région déclina rapidement dès la fin du XVIIIᵉ siècle. Au XXᵉ siècle, des écrivains comme Evelyn Waugh, George Orwell et Joe Orton y ont vécu. Depuis quelques années, Islington est redevenue à la mode et s'est « embourgeoisée » ; les maisons anciennes, rachetées puis restaurées, ont toutes repris vie.

East End et les quartiers des docks ❽

E1, E2, E14. 🔵 *Aldgate East, Liverpool St, Bethnal Green.* **Docklands Light Railway** : *Canary Wharf.*

Au Moyen Âge, on ne pouvait pratiquer dans la City des activités nocives ou gênantes. C'est ainsi que le brassage de la bière, la teinture des textiles ou la fabrication du vinaigre étaient relégués dans l'East End. Dès le XVIIᵉ siècle, le quartier accueillit aussi de nombreux immigrants, dont les huguenots français fuyant les persécutions. Ils installèrent dans Spitalfields des filatures de soie. Le textile est resté l'activité essentielle du quartier, avec l'arrivée de tailleurs et de fourreurs juifs dans les années 1880, et l'installation de tisserands bengalis depuis les années 1950.

Pour goûter l'atmosphère si particulière de l'East End, rien ne vaut une promenade sur les marchés du dimanche matin *(p. 125).* Les amateurs de contrastes pourront visiter aussi le quartier des docks **(Docklands)**, un ensemble de bâtiments contemporains édifiés à l'emplacement de docks désaffectés, dominé par **Canada Tower**, le plus haut bâtiment de Londres (250 m). Une visite s'impose aussi au musée de l'Enfant **(Bethnal Green Museum of Childhood)** à l'étonnante collection de jouets et de maisons de poupée, et à la maison de Dennis Severs **(Dennis Severs'**

Les deux bâtiments du Royal Naval College ; au fond, Queen's House

House), où cet acteur et créateur de décors a reconstitué des intérieurs des XVIIᵉ, XVIIIᵉ et XIXᵉ siècles.

🏛 **Bethnal Green Museum of Childhood**
Cambridge Heath Rd E2.
☎ 020-8980 5200. ◐ de 10 h à 17 h 30 du sam. au jeu. ◑, du 24 au 26 déc., 1ᵉʳ janv. ♿ ☐ ☐
W www.museumofchildhood.org.uk
♿ **Dennis Severs' House**
18 Folgate St E1. ☎ 020-7247 4013.
◐ 1ᵉʳ dim. et lun. du mois.
W www.dennissevershouse.co.uk

Greenwich ❾

SE10. 🚆 *Greenwich, Maze Hill.* 🔵 *Cutty Sark (DLR)*

Depuis 1884, c'est le **Royal Observatory Greenwich**, aujourd'hui devenu un musée, qui donne l'heure exacte au monde entier. Le passé maritime et royal de la région est omniprésent. La ville possède de très belles demeures néoclassiques et un parc ; on y trouve aussi des boutiques d'antiquités et de livres anciens, des marchés

Canada Tower, à Canary Wharf

(p. 124-125). **Queen's House**, la Maison de la reine, a été dessinée par Inigo Jones pour l'épouse de Jacques Iᵉʳ, mais elle ne fut achevée qu'en 1637 pour Henriette-Marie de France, épouse de Charles Iᵉʳ. On y admirera surtout le hall carré et l'escalier en spirale. Tout près est situé le **National Maritime Museum**, qui illustre toute l'histoire de la marine anglaise. En remontant vers la Tamise,

Boussole du XVIIIᵉ siècle, National Maritime Museum

on rencontre le **Old Naval College**, conçu par Wren *(p. 116)* en deux parties afin de préserver la perspective sur la rivière depuis Queen's House. Palais royal, hôpital et enfin collège naval depuis 1873, le bâtiment abrite une chapelle rococo et un splendide salon peint en trompe l'œil.

🏛 **Royal Observatory Greenwich**
Greenwich Park SE10.
☎ 020-8312 6535.
◐ t.l.j. ◑ 24-26 déc. ☐
W www.rog.nmm.ac.uk
🏛 **Queen's House et National Maritime Museum**
Romney Rd SE10. ☎ 020–8312 6565.
◐ t.l.j. ◑ du 24 au 26 déc. ♨ ♿ limité. ☐ ☐ W www.nmm.ac.uk
♿ **Old Royal Naval College**
King William Walk, Greenwich SE10.
☎ 020-8269 4791. ◐ de 10 h à 17 h t.l.j. ◑ jours fériés.

Chiswick ❿

W4. 🚇 *Chiswick.*

Chiswick est le plus bucolique des faubourgs de Londres, avec pubs, cottages, rivière et toutes sortes d'oiseaux, comme les hérons. Le promeneur pourra aussi y visiter **Chiswick House**, une splendide demeure inspirée de l'architecture palladienne. Elle a été conçue au XVIIIᵉ siècle par le troisième comte de Burlington, comme une annexe de la demeure préexistante, afin de pouvoir recevoir ses amis. C'est le bâtiment principal qui fut détruit en 1758. Les beaux jardins de la maison, ouverts au public, ont retrouvé leur tracé initial.

Héron

🏛 **Chiswick House**
Burlington Lane W4. 📞 *020-8995 0508.* ◯ *du mer. au dim. et jours fériés d'avr. à oct.* 🎟 🚾 *tél. pour rens.* 🅿
📷 🌐 www.english-heritage.org.uk

Richmond et Kew ⓫

SW15. 🚇 🚆 *Richmond.*

Le charmant village de Richmond doit son nom à un palais construit en 1500 par Henri VII, alors comte de Richmond, dans le Yorkshire. On voit encore quelques ruines de ce château. Tout près s'étend le vaste **parc de Richmond** *(p. 76)*, où Charles Iᵉʳ donnait des chasses. L'été, on peut y venir en bateau depuis Westminster Millenium Pier ; c'est l'occasion de quitter Londres pour passer une journée à la campagne *(p. 74-75)*.

La noblesse a continué de fréquenter Richmond après le départ des rois, comme en témoignent plusieurs belles demeures qui nous sont parvenues : **Marble Hill House**, par exemple, construite en 1729 pour la maîtresse de George II, ou **Ham House**, sur l'autre rive de la Tamise. Cette belle bâtisse de 1610 a une curieuse origine. La comtesse de Laudersdale hérita cette demeure de son père, qui avait été le « whipping boy » du roi Charles Iᵉʳ : c'est lui qui était puni à la place du futur roi quand ce dernier avait commis quelque méfait. À l'âge adulte, Lauderdale reçut Ham et un titre de pair en récompense de son dévouement…

Un peu plus au nord, se situe **Syon House**, où les ducs de Northumberland ont vécu pendant quatre siècles. On peut y voir une collection de voitures anciennes, une serre à papillons et une serre spectaculaire de 1830. L'intérieur de la demeure est superbe, avec les pièces néo-classiques décorées par Robert Adam dans les années 1760 *(p. 24)*.

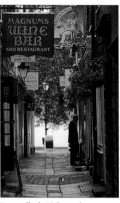

Une ruelle de Richmond

La rivière est bordée au sud par le **jardin botanique de Kew** *(p. 76)*, le plus complet du monde, avec près de 40 000 plantes différentes. Les immenses serres de verre et de fer construites au siècle dernier abritent les espèces exotiques.

🏛 **Marble Hill House**
Richmond Rd, Twickenham.
📞 *020-8892 5115.* ◯ *sam. et dim. d'avr. à oct.* 🚾 *limité.* ⏸ 🅿 📷
🏛 **Ham House**
Ham St, Richmond. 📞 *020-8940 1950.*
◯ *d'avr. à oct. : du sam. au mer.* 🎟 🚾
🏛 **Syon House**
London Rd, Brentford.
📞 *020-8560 0881.* **Maison** ◯ *de mi-mars à oct. : mer., jeu., dim.*
Jardins ◯ *t.l.j.* ● *de nov. à mi-mars.*
🎟 🚾 *jardins seulement.* 🅿 📷
🌐 www.syonpark.co.uk
🌿 **Kew Gardens**
Royal Botanic Gdns, Kew Green, Richmond. 📞 *020-8332 5655.*
◯ *t.l.j.* ● *25 déc., 1ᵉʳ janv.* 🎟 🚾
📷 ⏸ 🅿 📷 🌐 www.kew.org

Chiswick House

ATLAS DES RUES

Les références données pour chaque site, hôtel, restaurant, magasin ou salle de spectacle du centre de Londres se rapportent aux quatre plans des pages suivantes. Les principaux centres d'intérêt sont indiqués sur les plans, de même que les moyens d'accès, gares ferroviaires ou routières, stations de métro. Les différentes zones qui font l'objet d'un plan détaillé sont définies sur la carte ci-dessous. Le centre-ville (en rose sur la carte) est présenté plus largement sur la couverture intérieure, en fin de volume.

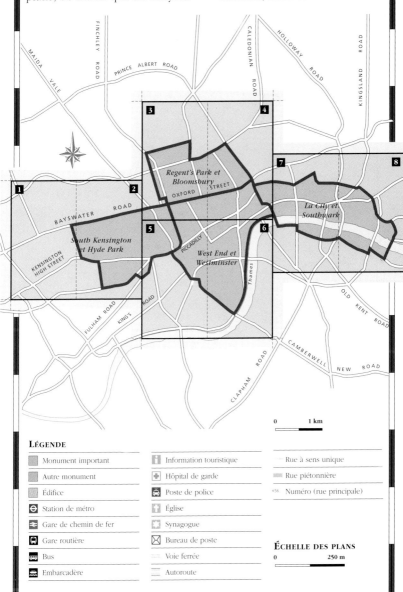

3 **4**

Regent's Park et Bloomsbury

7 **8**

La City et Southwark

1 **2**

South Kensington et Hyde Park

5 **6**

West End et Westminster

0   1 km

LÉGENDE

▢	Monument important
▢	Autre monument
▢	Édifice
⊖	Station de métro
⊠	Gare de chemin de fer
▣	Gare routière
▥	Bus
▤	Embarcadère

ℹ	Information touristique
⊕	Hôpital de garde
▣	Poste de police
✝	Église
✡	Synagogue
⊠	Bureau de poste

- ⁻ Rue à sens unique
- ▬ Rue piétonnière
- *56 Numéro (rue principale)
- ⎓ Voie ferrée
- ▬ Autoroute

ÉCHELLE DES PLANS

0   250 m

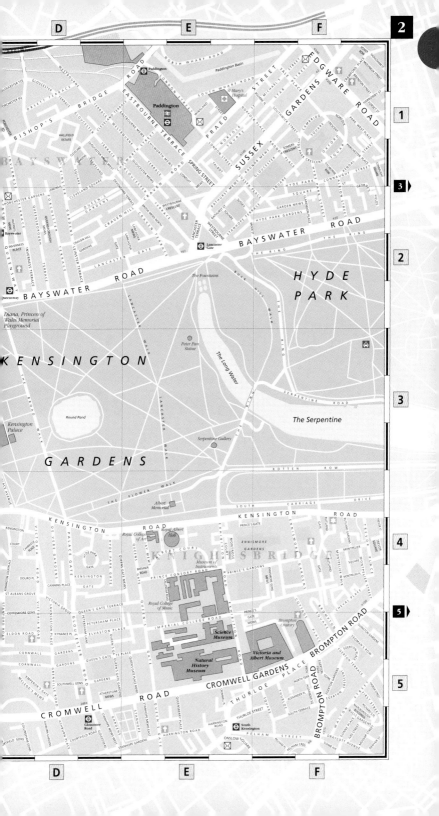

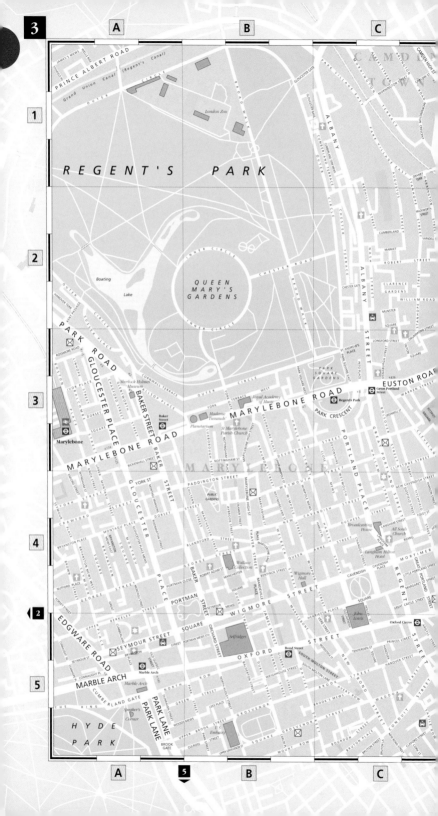

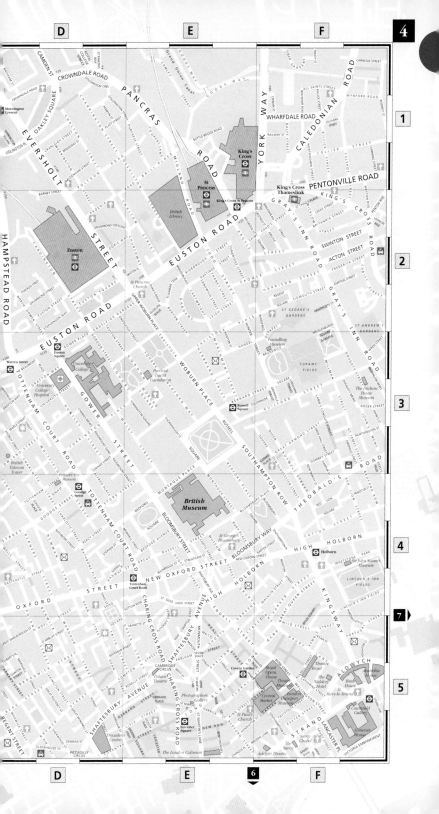

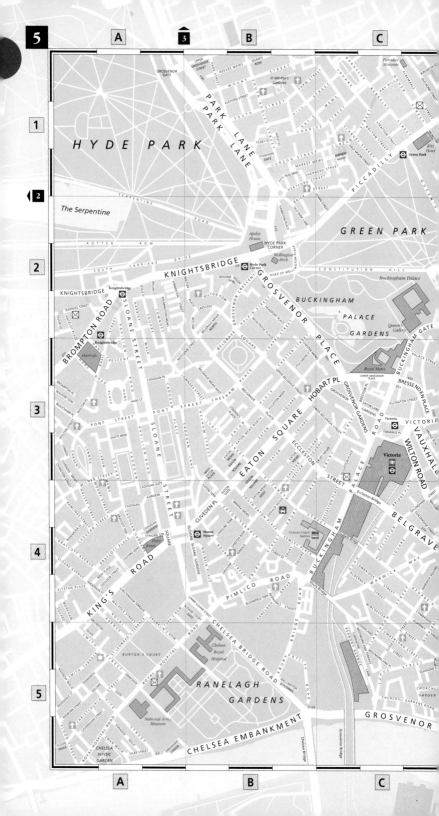

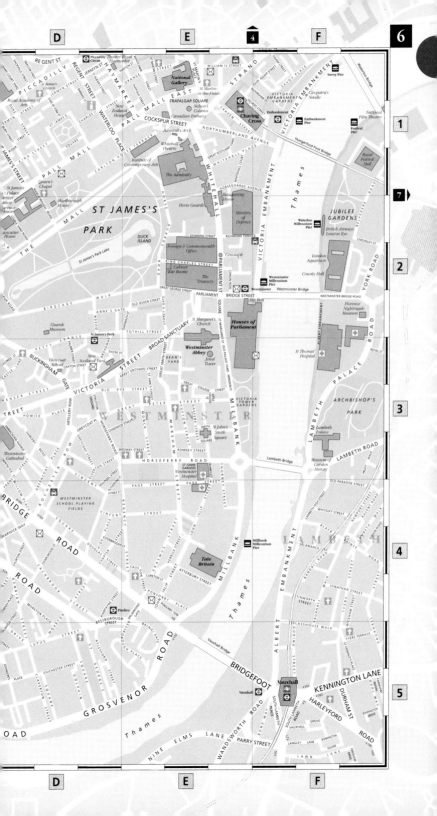

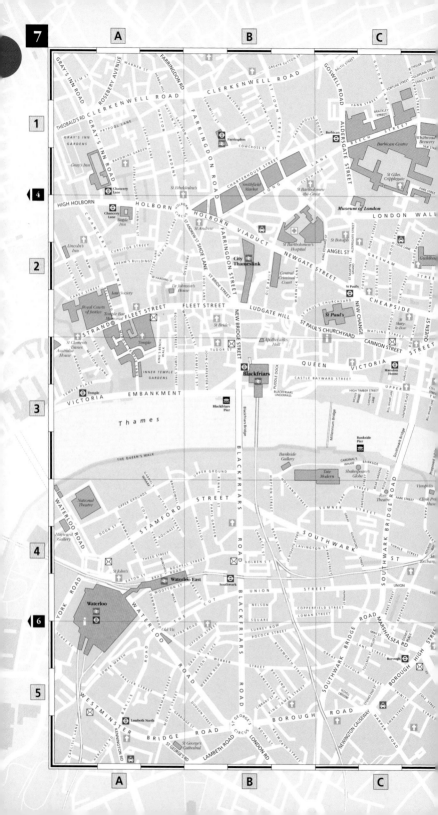

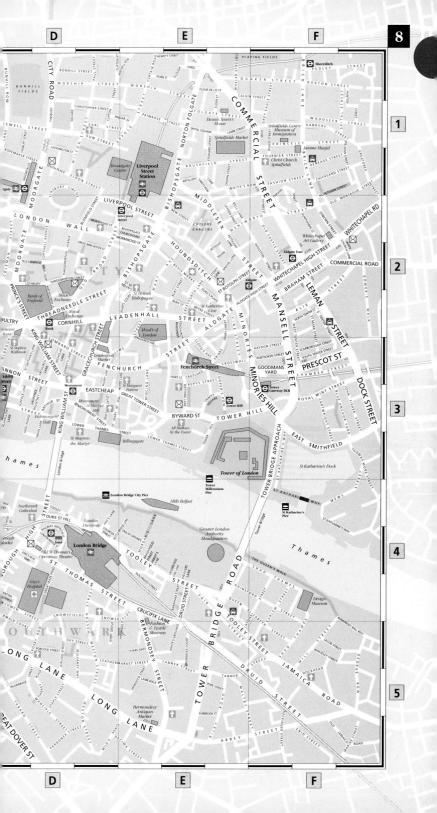

LE SUD-EST DE L'ANGLETERRE

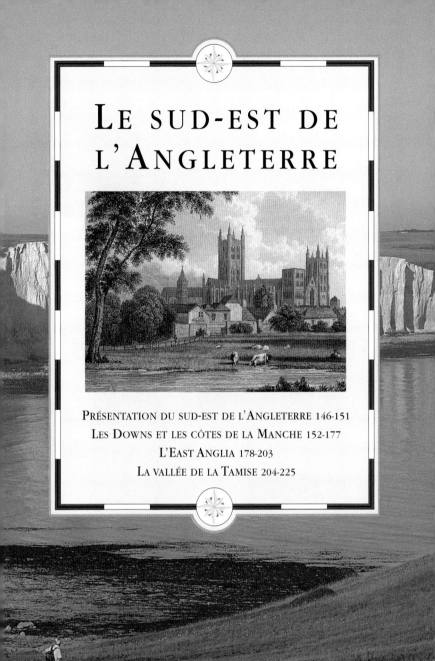

PRÉSENTATION DU SUD-EST DE L'ANGLETERRE 146-151
LES DOWNS ET LES CÔTES DE LA MANCHE 152-177
L'EAST ANGLIA 178-203
LA VALLÉE DE LA TAMISE 204-225

Le sud-est de l'Angleterre d'un coup d'œil

Les régions qui entourent Londres aujourd'hui correspondent au tracé des anciens royaumes saxons. Chacune bénéficie de la proximité de la capitale, tout en ayant à cœur de préserver ses particularités. C'est dans cette partie du pays que se trouvent les universités, les palais, les châteaux, les demeures et les cathédrales qui ont été le théâtre des événements marquants de l'histoire du pays. Le paysage alentour est harmonieux et calme – collines verdoyantes et arrondies, plaines fertiles de l'East Anglia, longues plages sablonneuses du bord de la Manche.

Blenheim Palace
(p. 216-217) *est un chef-d'œuvre d'architecture baroque encadré de très beaux jardins.*

Bedfordshire

Hertfordsh

Buckinghamshire

VALLÉE DE LA TAMISE
(p. 204-225)

Oxfordshire

Les bâtiments de l'université d'Oxford (p. 210-215) *sont une sorte d'anthologie de l'architecture anglaise du Moyen Âge à nos jours. Christ Church College (1525) est l'édifice le plus important.*

Surrey

Hampshire

West Sussex

Le château de Windsor (p. 224-225) *est la plus ancienne résidence royale de Grande-Bretagne. La tour ronde date du XII* siècle ; elle surveillait alors les abords de Londres par l'ouest.*

La cathédrale de Winchester
(p. 158-159) a été édifiée en 1097 sur les ruines d'une église saxonne, mais la ville elle-même était déjà un bastion important de l'Église chrétienne depuis le VII siècle. Le porche nord est typique du gothique anglais.*

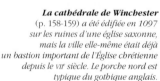

◁ **Les falaises blanches de Douvres, dans le Kent**

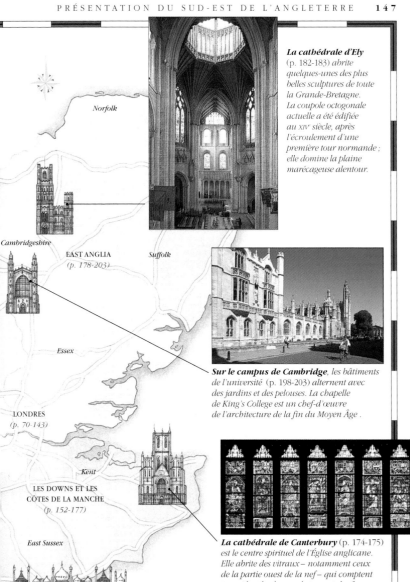

La cathédrale d'Ely
(p. 182-183) *abrite
quelques-unes des plus
belles sculptures de toute
la Grande-Bretagne.
La coupole octogonale
actuelle a été édifiée
au XIVe siècle, après
l'écroulement d'une
première tour normande ;
elle domine la plaine
marécageuse alentour.*

Norfolk

Cambridgeshire

EAST ANGLIA
(p. 178-203)

Suffolk

Essex

Sur le campus de Cambridge, *les bâtiments
de l'université* (p. 198-203) *alternent avec
des jardins et des pelouses. La chapelle
de King's College est un chef-d'œuvre
de l'architecture de la fin du Moyen Âge .*

LONDRES
(p. 70-143)

Kent

LES DOWNS ET LES
CÔTES DE LA MANCHE
(p. 152-177)

East Sussex

La cathédrale de Canterbury (p. 174-175)
*est le centre spirituel de l'Église anglicane.
Elle abrite des vitraux – notamment ceux
de la partie ouest de la nef – qui comptent
parmi les plus beaux du pays et des fresques
du XIIe siècle admirablement conservées.*

Le Pavillon royal de Brighton
(p. 166-167) *a été édifié pour le Prince
Régent ; c'est l'un des plus beaux
monuments du pays. Les coupoles et les
minarets dessinés par John Nash* (p. 107)
*sont inspirés par l'architecture des Indes.
Le pavillon récemment restauré
a retrouvé sa splendeur d'antan.*

0   25 km

Le jardin de l'Angleterre

Un sol fertile régulièrement arrosé par les pluies et un climat tempéré font du Kent une région idéale pour les cultures. Ce sont les Romains qui y ont planté les premiers vergers. La viticulture a pris un essor extraordinaire, comme en témoignent les collines couvertes de ceps autour de Lamberhurst. Les cultures créent aussi de merveilleux paysages : au printemps, les vergers en fleur sont un enchantement, à l'automne, les branches croulent sous le poids des fruits magnifiques du « jardin de l'Angleterre ». Près de Faversham se trouve l'institut de recherche sur les fruits de Brogdale ; ouvert au public, il permet de se familiariser avec les différents fruits, leurs goûts et la façon de les cultiver.

Vin blanc produit dans le Sud-Est

LE HOUBLON

La récolte du houblon, une affaire de famille

Les séchoirs à houblon, que l'on repère de loin dans les campagnes grâce aux abat-vent qui surmontent leur toit, sont des bâtiments

LA SAISON DES FRUITS

Ce calendrier montre comment la récolte des principaux fruits du verger se répartit au fil des saisons. Les premiers bourgeons apparaissent parfois alors que les champs sont encore couverts de neige. Les fruits mûrissent au soleil de l'été et sont récoltés l'automne venu.

Les pêchers sont souvent cultivés le long des façades plein sud, car leurs fruits ont besoin de chaleur.

***Dans les vergers** du Kent, on cultive les prunes, les poires et surtout, comme ici, les pommes.*

***Les framboises**, savoureuses et légèrement acides. Certains récoltants laissent au public le soin de cueillir lui même ses framboises on les paye ensuite au poids.*

MARS	AVRIL	MAI	JUIN	JUILL

***Les fleurs des cerisiers** surs sont les premières à éclore.*

***Les fleurs blanc crème** des poiriers éclosent deux ou trois semaines avant celles des pommiers.*

*Le **prunus** est cultivé pour ses fleurs pleines de délicatesse.*

***Les fraises** sont les fruits préférés des Anglais. Les variétés remontantes permetten d'en cueillir pendant tout l'été.*

***Les groseilles à maquereau** sont souvent trop acides pour être mangées crues ; on en fait des tartes délicieuses.*

agricoles fréquents dans le Kent. Beaucoup d'entre eux servent encore aujourd'hui, car les Britanniques sont de grands amateurs de bière *(p. 34-35)*. Si la Grande-Bretagne importe une grande partie de sa consommation, elle produit chaque année quatre millions de tonnes de houblon.

L'été, les plants de houblon grimpent sur des claies rectangulaires. Jusqu'au milieu du XXᵉ siècle, des milliers de familles originaires de l'est de Londres venaient chaque année à l'automne pour les récolter. Cette tradition est tombée en désuétude avec la mécanisation des procédés.

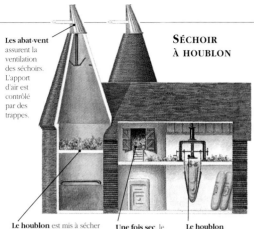

SÉCHOIR À HOUBLON

Les abat-vent assurent la ventilation des séchoirs. L'apport d'air est contrôlé par des trappes.

Le houblon est mis à sécher au-dessus d'un radiateur qui souffle l'air chaud vers le haut.

Une fois sec, le houblon est mis à refroidir puis stocké.

Le houblon conditionné part à la brasserie.

Les prunes peuvent se servir en compote, sur des tartes, ou sous la forme de pruneaux secs. La Victoria (à gauche) se mange de préférence crue. La Purple est elle aussi très prisée.

La reine-claude, au parfum caractéristique, fait d'excellentes confitures.

Les cerises sont parmi les plus beaux fruits du Kent. Variétés très appréciées, la Stella et la Duke.

La Bramley Seedling, une des meilleures pommes à cuire, n'est pas assez sucrée pour être mangée crue.

Les poires, comme la williams, se mangent très mûres. La conférence se conserve longtemps.

AOÛT	SEPTEMBRE	OCTOBRE	NOVEMBRE

La saveur un peu acide des groseilles et des cassis est particulièrement goûtée.

Les pêches, cultivées en Chine depuis 4 000 ans, apparurent en Angleterre au XIXᵉ siècle.

Les pommes, comme la cox's orange pippin (à droite), ont toujours beaucoup de succès. Certaines variétés, comme la Discovery, sont faciles à cultiver.

La noisette du Kent, longtemps éclipsée par d'autres variétés européennes, est à nouveau cultivée.

Les vignobles font partie des paysages du Kent, du Sussex et du Hampshire. Le vin, comme le Lamberhurst, est en général du blanc.

Les hôtes célèbres de la région

L es maisons où ont habité certains grands noms du monde politique, artistique ou littéraire reflètent la personnalité de leurs occupants et permettent souvent de deviner bien des choses de leur vie et de leur caractère, à travers les meubles et les objets dont ils ont choisi de s'entourer. Dans le sud-est de l'Angleterre, on peut visiter plusieurs de ces maisons historiques, de la grande demeure au simple cottage, pleines du souvenir de leurs hôtes illustres.

Florence Nightingale *(1820-1910), la « dame à la lampe », était infirmière pendant la guerre de Crimée (p. 56). Elle vivait à Clayton avec sa sœur, Lady Verney.*

Nancy Astor *(1879-1964) fut en 1919 la première femme à siéger au Parlement. Jusqu'à sa mort, elle tint à Cliveden un cénacle politique.*

Claydon House, Winslow, près de Milton Keynes

Le duc de Wellington *(1769-1852) se vit offrir cette maison par la nation en 1817, pour le récompenser d'avoir mené les troupes anglaises à la victoire à Waterloo (p. 55).*

VALLÉE DE LA TAMISE *(p. 204-225)*

Cliveden House, près de Maidenhead

Stratfield Saye, Basingstoke, près de Windsor

Jane Austen *(1775-1817) a passé les huit dernières années de sa vie dans cette maison. Elle y a écrit et corrigé plusieurs de ses romans (p. 160).*

Broadlands, Southampton

Maison de Jane Austen, Chawton, près de Winchester

Lord Mountbatten (1900-1979), homme d'État et chef de guerre, fut le dernier vice-roi des Indes. Il vécut très longtemps dans sa demeure de Broadlands, qu'il fit considérablement remanier.

Osborne House, île de Wight

La reine Victoria (1819-1901) et son époux, le prince Albert, firent construire Osborne House (p. 156) en 1884. Tous deux préféraient nettement cette résidence en bord de mer au pavillon royal de Brighton.

LE GROUPE DE BLOOMSBURY

Ce cercle d'artistes et d'écrivains avant-gardistes, dont la plupart des membres s'étaient rencontrés au cours de leurs études supérieures, commença à se réunir en 1904 dans une maison du quartier de Bloomsbury, à Londres. On y rencontrait Virginia Woolf, Aldous Huxley, T. S. Eliot, E. M. Forster ou Bertrand Russell. Aujourd'hui, de nombreuses maisons d'édition sont installées dans ce quartier de la capitale. En 1916, le peintre Duncan Grant et Vanessa Bell s'installèrent à Charleston (p. 168), dans le sud du pays ; leur maison devint une sorte d'annexe pour le groupe de Bloomsbury.

Vanessa Bell à Charleston, par Duncan Grant (1885-1978)

Maison de Gainsborough, Sudbury, près d'Ipswich

EAST ANGLIA
(p. 178-203)

Le peintre Thomas Gainsborough
(1727-1788), l'un des plus grands artistes anglais du XVIIIe siècle, est né dans cette maison (p. 194). Voici son double portrait de Mr et Mrs Andrews.

***Charles Darwin** (1809-1882) écrivit son fameux traité De l'origine des espèces dans cette maison où il s'était installé pour raisons de santé ; il y était en relation avec de nombreux savants.*

Down House, Downe, près de Sevenoaks

LES DOWNS ET LES CÔTES DE LA MANCHE
(p. 152-177)

Bleak House, Broadstairs, près de Margate

Charles Dickens (1812-1870), le plus célèbre et le plus prolifique des romanciers de l'époque victorienne (p. 177), passait régulièrement ses vacances à Bleak House, qui porte le nom d'un de ses romans.

Chartwell, Westerham, près de Sevenoaks

Batemans, Burwash, près d'Hastings

Winston Churchill (1874-1965), qui fut Premier ministre pendant la Seconde Guerre mondiale (p. 177), a vécu 40 ans dans cette maison où il bricolait beaucoup pour se détendre.

***Rudyard Kipling** (1865-1936), poète et romancier, est né aux Indes, mais il a passé 34 ans en Angleterre. Parmi ses œuvres les plus célèbres, Le Livre de la jungle, Capitaines courageux et les Histoires comme ça.*

Charleston, Lewes

Vanessa Bell (1879-1961), artiste et membre du groupe de Bloomsbury, a vécu ici jusqu'à sa mort. Les murs et les meubles peints de sa ferme du XVIIIe siècle reflètent son sens de la décoration (p. 168).

LES DOWNS ET LES CÔTES DE LA MANCHE

···

HAMPSHIRE · SURREY · EST DU SUSSEX · OUEST DU SUSSEX · KENT

*L*e Sud-Est est la première terre atteinte par les immigrants, les envahisseurs ou les missionnaires venus d'Europe. Les plaines fertiles qui s'étendent derrière les falaises de craie se sont avérées des sites propices à l'établissement de villages ou de cités.

Les Romains ont été les premiers à élever, le long des côtes de la Manche, des fortifications propres à décourager des envahisseurs potentiels venus du continent. On voit aujourd'hui encore des vestiges de ces murailles, qui ont parfois, comme à Portchester Castle, près de Portsmouth, été intégrées à d'autres remparts élevés postérieurement. Sur les côtes comme à l'intérieur des terres, on trouve aussi trace de constructions romaines civiles, comme Fishbourne Palace.

Les immenses cathédrales de Canterbury ou Winchester témoignent du rôle majeur que jouait au Moyen Âge l'Église, presque aussi puissante que l'État. Le commerce avec le continent a fait la fortune des ports – et des contrebandiers – du Sussex et du Kent. À l'époque des Tudors déjà, les rois, les nobles et les courtisans achetaient des domaines et se faisaient construire des demeures entre Londres et la côte, profitant à la fois de la douceur du climat et de la proximité de la capitale. Plusieurs de ces vastes maisons de campagne existent encore et se visitent. De nos jours, le sud-est de l'Angleterre est la région la plus prospère et la plus peuplée du pays. Une partie du Surrey et du Kent, jusqu'à environ 32 km de Londres, est connue sous le nom de « Stockbroker Belt », ou « banlieue des agents de change », car de nombreux hommes d'affaires d'aujourdhui, comme déjà les riches familles sous les Tudors, sont venus s'y installer.

Le Kent, particulièrement fertile, est considéré comme le jardin de l'Angleterre. Malgré les constructions récentes, c'est une région essentielle pour la culture des fruits *(p. 148-149)*, tout près des grands marchés de la métropole.

Vue aérienne de Leeds Castle

◁ **Un parterre de jacinthes sauvages dans un sous-bois du Kent**

À la découverte des Downs et des côtes de la Manche

L e nord et le sud des Downs sont des régions particulièrement agréables à parcourir à pied. On y trouve aussi nombre de belles demeures anciennes, car dès l'époque des Tudors, les riches marchands de Londres ont fait construire des résidences dans le Kent, à une journée de cheval de la capitale. Beaucoup de ces demeures sont ouvertes au public. La côte est parsemée des ruines de forteresses édifiées là pour repousser les envahisseurs. Aujourd'hui, le littoral s'est trouvé une vocation plus pacifique avec les plus anciennes stations balnéaires de Grande-Bretagne ; les bains de mer auraient même été inventés à Brighton.

Le Pier de Brighton, vu depuis la promenade

Séchoirs à houblon à Chiddingstone, près de Royal Tunbridge Wells

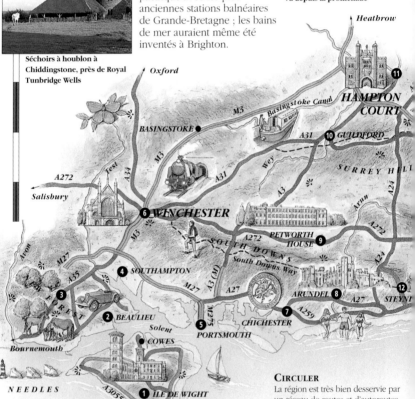

CIRCULER

La région est très bien desservie par un réseau de routes et d'autoroutes qui relient toutes les villes entre elles et à la capitale. L'itinéraire que suit la A 259, le long des côtes, est particulièrement agréable et pittoresque. L'infrastructure ferroviaire est très bonne, tout comme le réseau de cars de tourisme qui proposent des circuits entre les principaux sites de la région.

VOIR AUSSI

- *Hébergement* p. 545-547

- *Restaurants et pubs* p. 582-584

La région d'un coup d'œil

Arundel Castle **8**

Beaulieu **2**

Le château de Bodiam **18**

Brighton p. 162-167 **13**

Canterbury p. 174-175 **23**

Chichester **7**

Douvres **21**

Les Downs **16**

Eastbourne **15**

Guildford **10**

Hampton Court p. 161 **11**

Hastings **17**

Hever Castle **27**

Île de Wight **1**

Knole **26**

Leeds Castle **24**

Lewes **14**

Margate **22**

New Forest **3**

Petworth House **9**

Portsmouth **5**

Rochester **25**

Romney Marsh **20**

Royal Tunbridge Wells **28**

Rye p. 172-173 **19**

Southampton **4**

Steyning **12**

Winchester p. 158-159 **6**

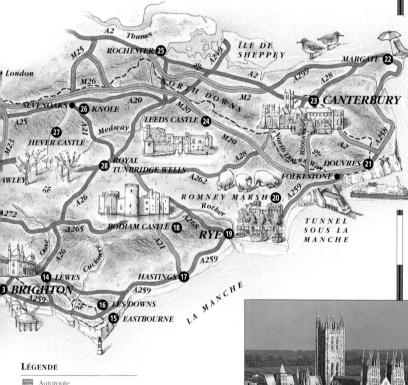

Légende

	Autoroute
	Route principale
	Route secondaire
	Route pittoresque
	Chemin pittoresque
	Cours d'eau
	Point de vue

Le clocher de la cathédrale de Canterbury, dominant le paysage alentour

Osborne House, où la reine Victoria prenait ses vacances

L'île de Wight ❶

Isle of Wight. 🏠 *138 000.* 🚢 *au départ de Lymington, Southampton, Portsmouth.* ℹ️ *Westridge Centre, Brading Road (01983 813818).* 🌐 *www.islandbreaks.co.uk*

La visite d'**Osborne House**, la résidence balnéaire préférée de la reine Victoria et du prince Albert, justifie à elle seule le petit voyage en ferry entre le continent et l'île. Elle a conservé pratiquement intacts tout son mobilier et sa décoration intérieure d'époque. Des portraits, des souvenirs et des photos y évoquent les fréquents séjours de la famille royale.

Le **Swiss Cottage** (la ferme suisse) était en quelque sorte la salle de jeu des enfants royaux ; c'est aujourd'hui un musée qui dépend d'Osborne House. Tout près, on verra l'étrange construction de bois sur roues qui permettait à la reine de prendre ses bains de mer à l'abri des regards *(p. 383).*

Sur l'île de Wight se trouve aussi **Carisbrooke Castle**, une forteresse édifiée au XIᵉ siècle. Les remparts dominent l'extraordinaire panorama des côtes rocheuses de l'Angleterre. C'est dans ce château que Charles Iᵉʳ *(p. 52-53)* fut emprisonné en 1647. Sa tentative d'évasion échoua : le roi resta coincé entre deux barreaux de la fenêtre.

L'île est réputée pour ses plages, et les randonneurs sont très friands des belles balades

à pied que l'on peut y faire ; c'est de l'île de Wight aussi que partent les régates, notamment pendant la Cowes Week *(p. 67).* À l'ouest se dressent les **Needles** – les aiguilles –, trois pointes rocheuses jaillissant de la mer, à quelques encablures des impressionnantes falaises d'Alum Bay.

🚇 Osborne House

(EH) East Cowes. 📞 *01983 200022.* ○ *d'avr. à oct. : t.l.j., de nov. à mars : certains jours.* 🅿️ *seulement, tél. avant.* 🎫 ♿ *limité.* ▯
🖥️ *(aussi au Swiss Cottage d'avr. à oct.).*

🏰 Carisbrooke Castle

Newport. 📞 *01983 522107.* ○ *t.l.j.* ● *du 24 au 26 déc., 1ᵉʳ janv.* 🎫 ♿ *limité.* ▯ 🚻 🖥️

Beaulieu ❷

Brockenhurst, Hampshire. 📞 *01590 612345.* 🚆 *prendre un taxi à Brockenhurst.* ○ *t.l.j.* ● *25 déc.* ▯ 🎫 ♿ 🚻 *sur rendez-vous.* 🖥️ 🌐 *www.beaulieu.co.uk*

Cette ancienne résidence seigneuriale abrite le **National Motor Museum**, la plus belle collection

de voitures anciennes du pays.

L'**abbaye cistercienne** fondée en 1204 par le roi Jean *(p. 48)* est à présent ruinée ; on peut y voir une évocation de la vie des moines. L'église conventuelle est aujourd'hui une simple église paroissiale.

Aux environs

Au sud de Beaulieu se trouve le musée maritime de **Buckler's Hard**, qui retrace l'aventure de la construction navale au XVIIIᵉ siècle. C'est ici qu'ont été construits trois des vaisseaux de la flotte conduite par Nelson. Au meilleur de leur productivité, les chantiers navals employaient 4 000 personnes ; ils ont commencé à décliner quand l'acier a supplanté le bois dans la construction navale.

🏛️ Buckler's Hard

Beaulieu. 📞 *01590 616203.* ○ *t.l.j.* ● *25 déc.* 🎫 ♿ *limité.*

New Forest ❸

Hampshire. 🚆 *Brockenhurst.* 🚌 *prendre le bus à Lymington.* ℹ️ *parc de stationnement à Lyndhurst (023 8028 2269).* 🌐 *www.thenewforest.co.uk*

Un espace immense (375 km²) de landes et de bois, le plus vaste de tout le sud de l'Angleterre. Malgré son nom, qui signifie « forêt nouvelle », ce terrain boisé est en fait l'une des grandes chênaies primitives du pays. C'était le terrain de chasse favori des rois normands ; en 1100, Guillaume II y fut mortellement blessé lors d'une partie de chasse.

Aujourd'hui, près de sept millions de promeneurs parcourent chaque année la forêt en compagnie des poneys à poils longs de New Forest, typiques de la région, et d'environ 1 500 daims en liberté.

Une Rolls-Royce Siver Ghost de 1909 au National Motor Museum

Southampton ❹

Hampshire. 🏛 220 000. ✈ ⚓ 🚉
🚌 🅷 *9 Civic Centre Road (023 8083 3333).* 🆆 *www.southampton.gov.uk*

Southampton est un port très actif depuis des siècles. D'ici sont partis en 1620 le *Mayflower*, qui fut l'un des premiers bateaux d'émigrants à faire route vers l'Amérique, et en 1912 le *Titanic*, qui fit naufrage au cours de sa première traversée.
   Le **Maritime Museum** présente, bien sûr, ces deux navires mythiques, ainsi que les fameux transatlantiques.

Le *Titanic*, qui heurta un iceberg et coula en 1912

   Une promenade sur les vestiges du mur d'enceinte de la cité médiévale conduit à **Bargate**, une ancienne porte de la ville. Elle conserve ses deux tours du XIIIᵉ siècle et porte un décor d'armoiries sculptées datant du XVIIᵉ siècle.
   Au **God's House Tower Museum of Archaeology**, on peut admirer un corps de garde datant du XIIIᵉ siècle, ainsi qu'un portique et une tour du XVᵉ. Le musée expose des œuvres de l'ère romaine au Moyen-Âge.

🏛 **Maritime Museum**
Town Quay. 📞 *023 8063 5904.* ⭘ *mar.-dim. (fermé 13 h-14 h).* ● *25 et 26 déc., 1ᵉʳ janv. et j. fériés.* 🅶 *limité.* 🅾

🏛 **God's House Tower Museum of Archaeology**
Winkle St. 📞 *023 8063 5904.* ⭘ *du mar. au sam. (fermé de midi à 13 h) ; de 14 h à 17 h dim.* 🅶 *limité.* 🅾

Portsmouth ❺

Hampshire. 🏛 190 000. ⚓ 🚉 🅷 *The Hard (023 9282 6722).* 🚢 *du jeu. au sam.* 🆆 *www.visitportsmouth.co.uk*

Portsmouth est une ville tranquille qui reste profondément marquée par son passé maritime : c'était autrefois l'un des ports les plus importants d'Angleterre.
   Les anciens docks du port abritent le **Portsmouth Historic Dockyard**, qui évoque les fastes de la marine anglaise des siècles passés. On y voit notamment la coque de la **Mary Rose**, le vaisseau-amiral d'Henri VIII *(p. 50)* qui en 1545 coula sous ses yeux à peine mis à flot. Le vaisseau a été renfloué en 1982. Les milliers d'objets du XVIᵉ siècle exposés alentour proviennent de l'épave.
   Tout près, le HMS **Victory**, le trois-mâts amiral à bord duquel l'amiral Nelson trouva la mort pendant la bataille de Trafalgar *(p. 27)*, restauré dans sa splendeur originelle. Le **Royal Naval Museum** est consacré à l'histoire de la Royal Navy depuis 1485 ; il permet aussi de découvrir le HMS **Warrior**, le premier navire de guerre à coque de métal (1860), ainsi qu'une

La figure de proue du HMS *Victory* à Portsmouth

galerie consacrée à Nelson.
   À voir aussi, le **D-Day Museum** (Musée du Jour J), consacré au débarquement de Normandie. La tapisserie d'Overlord, une sorte de pendant moderne de la tapisserie de Bayeux, présente en 34 panneaux le détail du débarquement allié de 1944.
   Portchester Castle, au nord de la ville, est une place forte du IIIᵉ siècle, le meilleur exemple de défense portuaire édifiée par les Romains dans le nord de l'Europe. Les Normands se sont ensuite servi des murailles romaines pour en ceindre un château, dont seul le donjon subsiste, et une église. C'est là qu'Henri V réunit son armée avant la bataille d'Azincourt *(p. 49)*. Aux XVIIIᵉ et XIXᵉ siècles, des prisonniers de guerre ont été enfermés au château. Le **Charles Dickens Museum** *(p. 177)* est installé dans la maison natale du romancier.

🏛 **Portsmouth Historic Dockyard**
The Hard. 📞 *023 9286 1512.* ⭘ *t.l.j.* ● *25 et 26 déc.* 📷 🅶 🍽 🅾

🏛 **D-Day Museum**
Clarence Esplanade. 📞 *023 9282 7261.* ⭘ *t.l.j.* ● *24 et 26 déc.* 📷 🅶 🅿 🍽 🅾

🏰 **Portchester Castle**
Castle St, Porchester. 📞 *023 9237 8291.* ⭘ *t.l.j.* ● *24-26 déc., 1ᵉʳ janv.* 📷 🅲 *sur rendez-vous.*

🏛 **Charles Dickens Museum**
393 Old Commercial Rd. 📞 *023 9282 7261.* ⭘ *t.l.j. d'avril à oct. et 7 fév. (anniversaire de Dickens)* 📷 🅾

Un poney sauvage et son poulain en liberté dans New Forest

Winchester ❻

Hampshire. 🏛 *36 000.* 🚆 🚌
ℹ️ *Guildhall, The Broadway*
(01962 840500). 🏪 *de mer. à sam.*
🌐 www.visitwinchester.co.uk

Capitale de l'ancien
royaume de Wessex,
Winchester a été aussi le
quartier général des rois anglo-
saxons jusqu'à la conquête
des Normands *(p. 47)*.

Guillaume le Conquérant
y fit bâtir l'une de ses
premières forteresses. Il n'en
reste qu'une grande salle,
le **Great Hall**, reconstruite

en 1235. Aujourd'hui, on
peut y voir la fameuse
Table ronde, dont
l'histoire comporte une
bonne part de légende,
puisqu'on la dit faite
par l'enchanteur Merlin
lui-même. Elle ne date
en réalité que du
XIIIᵉ siècle. C'est le roi
Arthur *(p. 273)* qui décida
de sa forme, pour qu'aucun
des chevaliers assemblés
ne puisse prétendre avoir
la moindre préséance sur les
autres. Le **Westgate Museum**
est installé dans l'une
des quatre portes du XIIᵉ siècle
percées dans les remparts de
la ville. Le plafond de la pièce
qui la surmonte est orné de
belles peintures du XVIᵉ siècle ;
il provient du collège

**La Table ronde remonte au
XIIIᵉ siècle**

de Winchester, le plus ancien
d'Angleterre puisqu'il fut fondé
en 1382 par Guillaume de
Wykeham. **Wolvesey Castle**,
aujourd'hui en ruines, était
la résidence des puissants
évêques de Winchester.

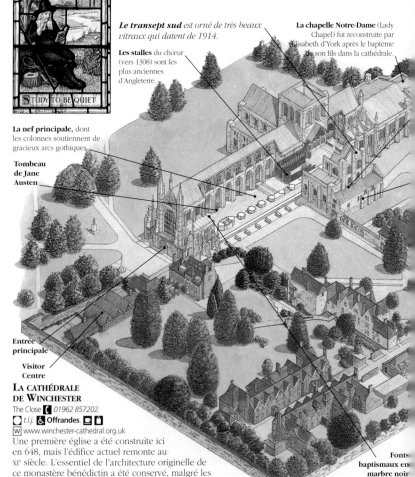

*Le transept sud est orné de très beaux
vitraux qui datent de 1914.*

Les stalles du chœur
(vers 1308) sont les
plus anciennes
d'Angleterre.

La chapelle Notre-Dame (Lady
Chapel) fut reconstruite par
Élisabeth d'York après le baptême
de son fils dans la cathédrale.

La nef principale, dont
les colonnes soutiennent de
gracieux arcs gothiques.

**Tombeau
de Jane
Austen**

**Entrée
principale**

**Visitor
Centre**

**Fonts
baptismaux en
marbre noir**

LA CATHÉDRALE
DE WINCHESTER

The Close 📞 *01962 857202.*
⏰ *t.l.j.* ♿ **Offrandes.** 📷 🚻
🌐 www.winchester-cathedral.org.uk

Une première église a été construite ici
en 648, mais l'édifice actuel remonte au
XIᵉ siècle. L'essentiel de l'architecture originelle de
ce monastère bénédictin a été conservé, malgré les
transformations qui se sont succédé jusqu'au XVIᵉ siècle.

L'hôpital Sainte-Croix
est un ancien hospice de 1446.
Depuis le Moyen Âge,
une tradition d'assistance
aux voyageurs s'y maintient.

**Great Hall et Visitor
Centre**
Castle Ave. 01962 846476.
t.l.j. 25 et 26 déc.
Westgate Museum
High St. 01962 848269. fév.,
mars : mar.-dim. ; avr.- oct. : lun.-dim.
Hospital of St Cross
St Cross Rd. 01962 851375. du
lun. au sam. 25 déc., ven. saint.
www.stcrosshospital.co.uk

*La
bibliothèque
est riche de
plus de 4 000
manuscrits ;
cette splendide
lettrine
enluminée
orne la
célèbre Bible
de Winchester,
du XIIᵉ siècle.*

**La salle
capitulaire**
normande
est désaffectée
depuis le
XVIᵉ siècle.

**Le
prieuré**

L'enceinte
abritait autrefois
tous les bâtiments
annexes, nécessaires à la vie
des moines. La plupart des
constructions, comme le
réfectoire et le cloître, ont été
détruits au XVIᵉ siècle lors de
la dissolution des ordres
monastiques *(p. 50).*

Chichester ❼

West Sussex. 26 000.
29A South St (01243 775888).
mer., sam. www.visitsussex.org

Cette ville de marché
préservée conserve en son
centre une croix (Market Cross)
du début du XVIᵉ siècle.
La **cathédrale**, consacrée
en 1108, est l'un des plus
importants bâtiments
normands du pays ; sa flèche
est paraît-il la seule
d'Angleterre visible depuis la
mer. L'édifice abrite encore de
belles colonnes romanes et une
clôture de chœur du XVᵉ siècle.
La tour d'horloge séparée est
l'un des rares monuments de
ce type en Angleterre. On verra
aussi des stalles du XIVᵉ siècle,
des dalles sculptées du XIIᵉ,
des peintures de Graham
Sutherland (1903-1980) et
un vitrail de Chagall.

Aux environs
À l'ouest, à Bosham, se trouve
l'église saxonne de la Sainte-
Trinité **(Holy Trinity
Church)**. Le roi Canut aurait
perdu ici de son prestige en
s'avérant incapable de maîtriser
la marée montante.
Cette église figure sur
la *Tapisserie de Bayeux*, car
en 1064 le roi Harold
y entendit la messe *(p. 47).*
Fishbourne Roman Palace
(p. 44-45), entre Bosham et
Chichester, est la plus grande
villa romaine d'Angleterre.
Elle date du Iᵉʳ siècle de notre
ère et a été mise au jour en
1960. La villa couvre une
surface de 3 ha et comporte
plus de 100 pièces distribuées
autour d'un jardin ; elle fut
détruite par un incendie en
285, peut-être à la suite d'un
raid saxon. L'aile nord abrite

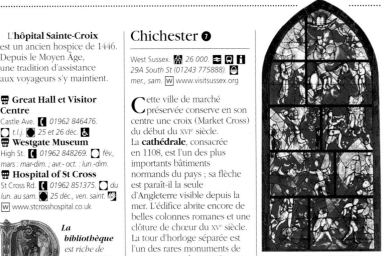

**Le vitrail de Chagall (1978)
dans la cathédrale de Chichester**

certaines des plus belles
mosaïques romaines jamais
découvertes en Angleterre.
Au nord, **Goodwood House**
est une demeure aménagée
au XVIIIᵉ siècle pour le duc
de Richmond, fils illégitime
de Charles Iᵉʳ. Elle abrite
une collection de tableaux
– Canaletto, Van Dyck,
Romney, Stubbs –, des
tapisseries des Gobelins et des
meubles français et anglais. Des
courses de chevaux ont lieu
toute l'année dans le domaine.

Chichester Cathedral
West St. 01243 782595. t.l.j.
pendant les offices.
Fishbourne Roman Palace
Fishbourne. 01243 785859.
de fév. à mi-déc. : t.l.j. ; de mi-déc.
à janv. : sam. et dim.
www.sussexpast.co.uk
Goodwood House
Goodwood. 01243 755048.
01243 755040 d'avr. à sept. : dim.,
lun. (a.-m.) ; août : du dim. au jeu. (a.-m.).
occasions spéciales.

WILLIAM WALKER

Au début du XXᵉ siècle, la partie est
de la cathédrale de Winchester, bâtie sur
des marécages, commença à s'enfoncer.
La nappe d'eau étant très proche des fondations,
les travaux de soutènement durent être effectués
sous l'eau. De 1906 à 1911, le plongeur William
Walker travailla six heures par jour à remplacer
le bois des fondations par du ciment.

William Walker dans son scaphandre

La silhouette impressionnante d'Arundel Castle, dans le West Sussex

Arundel Castle ❽

Arundel, West Sussex. ☎ 01903 883136. ☒ Arundel. ◯ d'avr.à oct. : du dim. au ven. ● ven. saint. ▧ ✔ sur r.-v. ♯ ▯ ▯

C ette citadelle impressionnante en pierre grise, ceinturée de remparts crénelés, domine la petite ville d'Arundel ; du premier château construit sur la colline du temps des Normands ne subsiste que le donjon.

Le château fut acquis au XVIᵉ siècle par les ducs de Norfolk, la plus grande famille catholique du pays ; ses descendants y habitent toujours. Presque entièrement détruit par les Parlementaristes en 1643 *(p. 52)*, il fut reconstruit à l'identique par les ducs de Norfolk et restauré au XIXᵉ siècle.

Sur la propriété se dresse l'**église Saint-Nicolas**, dont le chœur abrite la petite Fitzalan Chapel, construite vers 1380 pour les premiers propriétaires du château et séparée du reste de l'édifice par une grille du XIVᵉ siècle.

Petworth House ❾

(NT) Petworth, West Sussex. ☎ 01798 342207. ☒ Pulborough, puis bus. Maison ◯ de mars à nov. : de sam. à mer. Parc ◯ t.l.j. ▧ ♿ limité. ♯ ▯ ◻ www.nationaltrust.org.uk/petworth

C ette demeure de la fin du XVIIᵉ siècle a été peinte à plusieurs reprises par Turner *(p. 93)*. Certaines de ses plus belles toiles sont exposées ici. La collection

rassemble aussi des toiles de Titien, Van Dyck ou Gainsborough *(p. 151)*, des sculptures antiques romaines et grecques, comme l'*Aphrodite Leconfield*, du IVᵉ siècle avant notre ère, qui serait l'œuvre de Praxitèle.

La Carved Room est réputée pour son décor de panneaux sculptés où Grinling Gibbons (1648-1721) a figuré des oiseaux, des fleurs et des instruments de musique.

Le parc est l'une des premières réalisations du grand paysagiste Capability Brown *(p. 22)*.

Cette horloge du XVIIᵉ siècle orne le Guildhall de Guildford

Guildford ❿

Surrey. ▨ 63 000. ☒ ▯ ▯ ▯ 14 Tunsgate (01483 444333). ☉ ven., sam. ◻ www.visitguildford.com

L 'ancienne capitale du Surrey, habitée déjà du temps des Saxons, abrite aujourd'hui les vestiges

d'un petit **château** normand. La rue principale, High Street, est bordée de maisons à colombage du XVIIᵉ siècle, comme le **Guildhall** (1683). Au nord-ouest de la ville s'élève la nouvelle cathédrale, construite entre 1936 et 1964.

Aux environs
Guildford est bâtie aux confins des North Downs, une chaîne de collines calcaires prisée des randonneurs *(p. 33)*. Très beaux panoramas, dont **Leith Hill**, le point le plus élevé du sud-est de l'Angleterre, et **Box Hill** ; la vue que l'on découvre alors justifie largement la petite escalade pour y arriver.

Au sud de la ville se dresse **Clandon Park**, une des plus belles demeures en brique rouge du XVIIIᵉ siècle anglais. L'intérieur est particulièrement somptueux : le Marble Hall, ou Salon de marbre, est coiffé d'un beau plafond baroque et éclairé par des luminaires en forme de bras porteurs de torches surgissant des parois.

Au sud-ouest, à Chawton, se trouve la **maison de Jane Austen** *(p. 150)*. La célèbre romancière y écrivit nombre de ses livres, dont *Orgueil et préjugés*, publié en 1813.

🏛 **Clandon Park**
(NT) West Clandon, Surrey. ☎ 01483 222482. ◯ d'avr. à oct. : mar. au jeu. ; jours fériés. ▧ ♿ limité. ♯ ▯ 🏛 **Jane Austen's House** Alton, Hants. ☎ 01420 83262. ◯ de déc. à fév. : sam., dim. ; de mars à nov. : t.l.j. ● 25 et 26 déc. ▧ ♿ limité. ▯

Hampton Court ⓫

East Molesey, Surrey. ☎ 0870-752
7777. 🚆 Hampton Court. ⬤ t.l.j.
⬤ du 24 au 26 déc. 🈳 ♿ 🎫 🏪 🚻
🌐 www.hampton-court-palace.org.uk

L e cardinal Wolsey, homme
d'Église très influent sous le
règne d'Henri VIII *(p. 50-51),*
fit de Hampton Court
sa résidence campagnarde en
1514. En 1528, il l'offrit au roi
dans l'espoir de se gagner ses
bonnes grâces. Une fois entré

dans le domaine
royal, Hampton Court
fit l'objet de
deux campagnes
d'agrandissement ;
la première fut le fait
d'Henri VIII lui-même,
la seconde fut
entreprise dans les
années 1690 par
Guillaume III, qui confia le
chantier à Christopher Wren
(p. 116). Vu de l'extérieur, le
palais marie harmonieusement
le style Tudor et le baroque

**Allégorie peinte sur un
plafond d'Hampton Court**

anglais.
À l'intérieur
en revanche,
le classicisme des salles
de Wren rompt
nettement avec le style
Tudor des autres pièces.
Les meubles
et les tableaux qui
décorent
les appartements d'apparat
proviennent en majorité
des collections royales.
Les jardins baroques ont été
soigneusement restaurés.

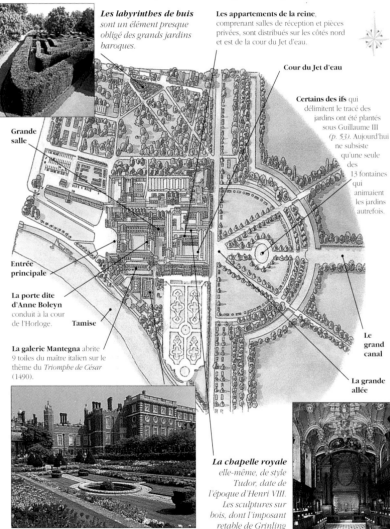

Les labyrinthes de buis
*sont un élément presque
obligé des grands jardins
baroques.*

Les appartements de la reine,
comprenant salles de réception et pièces
privées, sont distribués sur les côtés nord
et est de la cour du Jet d'eau.

Cour du Jet d'eau

Certains des ifs qui
délimitent le tracé des
jardins ont été plantés
sous Guillaume III
(p. 53). Aujourd'hui
ne subsiste
qu'une seule
des
13 fontaines
qui
animaient
les jardins
autrefois.

**Grande
salle**

**Entrée
principale**

**La porte dite
d'Anne Boleyn**
conduit à la cour
de l'Horloge. **Tamise**

La galerie Mantegna abrite
9 toiles du maître italien sur le
thème du *Triomphe de César*
(1490).

**Le
grand
canal**

**La grande
allée**

Le tracé régulier *de ces jardins en parterres,
agrémentés d'une petite pièce d'eau, fait partie des
importants remaniements décidés par Henri VIII.*

La chapelle royale
*elle-même, de style
Tudor, date de
l'époque d'Henri VIII.
Les sculptures sur
bois, dont l'imposant
retable de Grinling
Gibbons, datent, elles,
de transformations
entreprises vers 1711.*

Steyning

West Sussex. 5 000. *9 The Causeway, Horsham (01403 211661).*

Cette charmante petite ville des Downs recèle de nombreuses maisons à colombage du XVIIe siècle.

Steyning, à la fois sur la mer et la rivière, était à l'époque des Saxons une cité importante, avec un port et un chantier naval. C'est ici que le roi Ethelwulf, père du roi Alfred *(p. 47)*, fut enterré en 858 ; son corps fut transporté plus tard à Winchester. D'après le *Domesday Book (p. 48)*, Steyning comptait au XIe siècle 123 maisons, ce qui en faisait l'une des plus grandes villes du sud du pays. Une belle et vaste église du XIIe siècle témoigne aujourd'hui encore de cette ancienne prospérité. La rivière s'est envasée au XIVe siècle et son cours a changé de direction : c'en était fini des activités portuaires de Steyning. La ville devint plus tard un relais de diligence très fréquenté ; l'auberge **Chequer Inn**, avec sa façade du XVIIIe siècle, date de cette époque.

Aux environs

Il y a à Bramber, à l'est de Steyning, les vestiges d'un **château normand**. À voir aussi dans ce petit village la façade à colombage de **St Mary's House** (1470) ; l'intérieur est décoré de belles peintures de l'époque élisabéthaine. Le jardin abrite un *Ginkgo biloba* qui est l'un des plus vieux arbres du pays.
Chanctonbury Ring et **Cissbury Ring**, sur les collines à l'ouest de Steyning, sont d'anciens forts de l'âge du fer ; à Cissbury Ring se trouvent les vestiges d'une mine de silex exploitée au Néolithique.

St Mary's House
Bramber. 01903 816205.
de Pâques à sept. : dim. et jeu. (après-midi), jours fériés.

Brighton pas à pas

Souvenir de Brighton

Brighton est la station balnéaire la plus proche de Londres ; elle a toujours été très fréquentée, tout en ayant su garder un tout autre cachet que Margate *(p. 171)* ou Southend, ses voisines plus tapageuses. Le souvenir un peu canaille du prince régent *(p. 167)* semble flotter encore sur la ville, à cause, bien sûr, du splendide Pavillon royal, mais aussi des hôtels où, dit-on, se retrouvent les couples illégitimes. Brighton a toujours attiré les artistes ; Laurence Olivier, par exemple, y possédait une maison.

Old Ship Hotel
Il fut acheté par Nicholas Tettersells avec l'argent que Charles II lui donna pour le remercier de l'avoir emmené en France pendant la guerre civile (p. 52).

★ Brighton Pier
Construite à la fin du XIXe siècle, la jetée principale accueille des espaces de divertissement.

KING'S ROAD

BLACK LION ST

GRAND JUNCTION ROAD

EAS

LÉGENDE

– – – Itinéraire conseillé

À NE PAS MANQUER
★ **Brighton Pier**
★ **Le Pavillon royal**

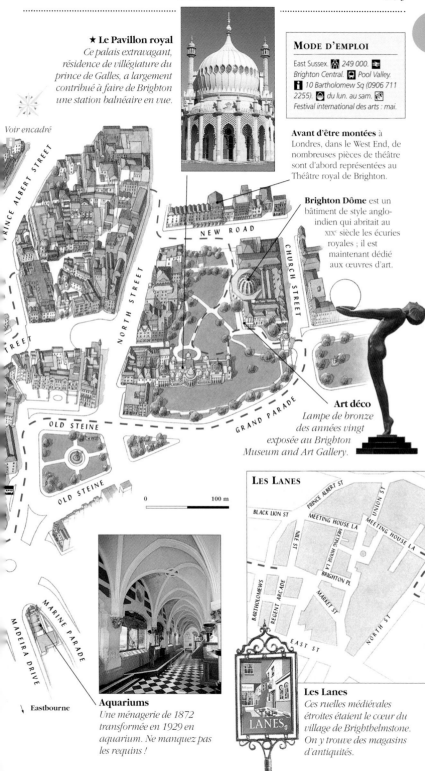

★ **Le Pavillon royal**
*Ce palais extravagant,
résidence de villégiature du
prince de Galles, a largement
contribué à faire de Brighton
une station balnéaire en vue.*

MODE D'EMPLOI

East Sussex. 👤 249 000. 🚆
Brighton Central. 🚌 Pool Valley.
ℹ️ 10 Bartholomew Sq (0906 711
2255). 🛍️ du lun. au sam. 🎭
Festival international des arts : mai.

Avant d'être montées à
Londres, dans le West End, de
nombreuses pièces de théâtre
sont d'abord représentées au
Théâtre royal de Brighton.

Brighton Dôme est un
bâtiment de style anglo-
indien qui abritait au
XIXᵉ siècle les écuries
royales ; il est
maintenant dédié
aux œuvres d'art.

Voir encadré

PRINCE ALBERT STREET

NEW ROAD

CHURCH STREET

NORTH STREET

...REET

GRAND PARADE

OLD STEINE

OLD STEINE

0   100 m

MARINE PARADE

MADEIRA DRIVE

↓ **Eastbourne**

Art déco
*Lampe de bronze
des années vingt
exposée au Brighton
Museum and Art Gallery.*

LES LANES

PRINCE ALBERT ST
BLACK LION ST
UNION ST
MEETING HOUSE LA
MEETING HOUSE LA
SHIP ST
MEETING HOUSE LA
BRIGHTON PL
BARTHOLOMEWS
REGENT ARCADE
MARKET ST
NORTH ST
EAST ST

Aquariums
*Une ménagerie de 1872
transformée en 1929 en
aquarium. Ne manquez pas
les requins !*

THE LANES

Les Lanes
*Ces ruelles médiévales
étroites étaient le cœur du
village de Brighthelmstone.
On y trouve des magasins
d'antiquités.*

Le Pavillon royal de Brighton

Avec la mode des bains de mer qui se développa dès le milieu du XVIIIe siècle, Brighton devint rapidement la principale station balnéaire d'Angleterre. L'atmosphère de fête qui y régnait eut tôt fait d'attirer le prince de Galles, futur George IV *(p. 55)*. C'est ici que le prince épousa secrètement Maria Fitzherbert en 1785 ; il s'installa avec elle dans une maison du bord de mer qu'il fit agrandir par Henry Holland *(p. 24)*. Il demanda plus tard à John Nash *(p. 107)* de transformer cette demeure en un somptueux palais à l'orientale ; les travaux durèrent de 1815 à 1823. Le palais n'a guère changé depuis cette époque ; il fut vendu en 1850 à la ville de Brighton par la reine Victoria.

Le dôme central
S'inspirant de l'art moghol, Nash a créé les délicates ouvertures qui ornent le dôme principal du pavillon.

★ **La Salle des festins**
Le dragon est l'un des thèmes récurrents de la décoration du pavillon. Celui-ci, au centre du plafond de la Salle des festins (Banqueting Room), *soutient un énorme lustre de cristal.*

L'exté-rieur est construit en pierre de Bath.

Galerie de la Salle des festins

Galeries sud

24 convives peuvent prendre place autour de la table.

Façade est du pavillon

Éclairage
La Salle des festins est éclairée par huit lampadaires de porcelaine et de bois doré, ornés de dragons, de dauphins et de fleurs de lotus.

À NE PAS MANQUER

★ La Salle des festins

★ Les cuisines

★ **Les cuisines**
Les banquets mémorables que donnait le prince nécessitaient des cuisines de vastes proportions. Les meilleurs chefs du moment venaient y officier. Remarquez les ustensiles de cuivre.

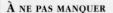
◁ **La façade principale du Pavillon royal de Brighton**

Le Salon

*l'exotisme sans frontière : motifs
liens pour la décoration sculptée
des murs, papier peint chinois,
moignant du goût du XVIII° siècle
pour l'Extrême-Orient, divan en
me d'embarcation égyptienne…*

MODE D'EMPLOI

Old Steine, Brighton. 01273
290900. d'avr. à sept. : de
10 h à 17 h 15 ; d'oct. à mars : de
9 h 30 à 17 h 45 (der. ent. 45 min.
avant la fermeture) ; t.l.j. 25 et
26 déc. limité.
W www.royalpavilion.org.uk

La Grande Galerie

*Des magots
chinois à la
tête mobile
sont alignés
le long des
murs roses et
bleus de
cette longue
galerie
(49 m).*

La chambre à coucher de la reine Victoria

*Ce lit fait partie du mobilier des
appartements où la reine
Victoria a séjourné (p. 56-57).*

Le salon de musique,
tendu de pourpre et
d'or, accueillait
l'orchestre de
70 musiciens
qui jouait
pour les
invités.

Les dômes
sont en
fonte.

**Galerie du salon
de musique**

**Pièces
en saillie**

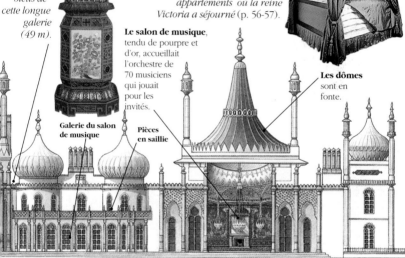

Sortie **Entrée** **Vers le
premier
étage** **Appartements
du roi**

Boutique **Hall octogonal**

uisines

**Salle des
festins** **Salon** **Grande
galerie** **Salon de
musique**

nti-
hambre **Galerie de la
Salle des festins** **Galerie
du salon
de musique**

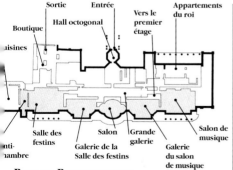

PLAN DU PAVILLON ROYAL

Les architectes Holland et Nash ont tous deux
considérablement remanié et agrandi le
bâtiment original. Au premier étage
se trouvent les chambres, où ont dormi
notamment les frères du roi George.

LE PRINCE DE GALLES ET MRS FITZHERBERT

Le prince de Galles
n'avait que 23 ans
quand il tomba
amoureux de Maria
Fitzherbert, qu'il
épousa en secret.
Ils vécurent ensemble
à Brighton jusqu'au
mariage officiel du
prince, devenu le roi
George, avec Caroline
de Brunswick (1795).
Mrs Fitzherbert
emménagea alors
dans une petite maison
tout près de là.

Intérieur de la maison dite d'Anne de Clèves, à Lewes

Lewes

East Sussex. 🏛 *16 000.*
🚆 ℹ️ *187 High St (01273 483448).*
🌐 *www.lewes.gov.uk*

L'ancienne capitale du
Sussex avait une grande
importance stratégique à
l'époque troublée des Saxons,
car elle est située au sommet
d'une colline d'où l'on
embrasse une très vaste portion
de la côte.

En 1067, Guillaume le
Conquérant fit construire ici
un premier château de bois,
rapidement remplacé par
le bâtiment de pierre dont on
visite les vestiges aujourd'hui.

En 1264, Lewes fut le théâtre
d'une bataille épique au terme
de laquelle Henri III fut vaincu
par Simon de Montfort et
ses barons, qui établirent
le premier Parlement.

La **maison dite d'Anne de
Clèves**, où la quatrième femme
d'Henri VIII n'a pourtant jamais
habité, abrite aujourd'hui un
musée d'histoire locale.

Au cours de la Guy Fawkes
Night, qui célèbre l'échec d'une
tentative pour faire sauter le
Parlement *(p. 64)*, on roule vers

la rivière des tonneaux
enflammés et on brûle le pape
en effigie, en mémoire des
17 protestants condamnés au
bûcher sur ordre de Marie Ire
(p. 50).

Aux environs
Tout près de Lewes
se trouvent une belle demeure
du XVIe siècle, **Glynde Place**,
et la pittoresque **Charleston**,
maison du groupe de
Bloomsbury.

🏛 Anne of Cleves House
Lewes. 📞 *01273 474610.*

🌙 *de mars à oct. : t.l.j. ; de nov. à fév. :
du mar. au sam.* 📷 🚻

🏠 Glynde Place
Lewes. 📞 *01273 858224.* 🌙 *rens. par
tél.* 📷 🚻 🅿️ 🌐 *www.glyndeplace.com*

🏠 Charleston
Lewes. 📞 *01323 811265.* 🌙 *d'avr.
à oct. : du mar. au dim ; jours fériés.*
📷 🅿️ 🌐 *www.charleston.org.uk*

Eastbourne ⑮

East Sussex. 🏛 *93 000.* 🚆 🚌 ℹ️
Cornfield Rd (01323 411400). 🛍
mer., sam. 🌐 *www.eastbourne.org*

Cette station balnéaire mise
à la mode au siècle dernier
est aujourd'hui une ville où
les Anglais prennent volontiers
leur retraite, et un très bon
point de départ pour découvrir
la région. Le South Downs Way
(p. 33) part de **Beachy Head**,
une falaise de craie spectaculaire
(163 m) juste aux portes de la
ville ; une promenade mène
jusqu'au sommet, Birling Gap,
avec vue sur les **Seven Sisters**
(les Sept Sœurs), qui plongent
à pic dans la mer.

Aux environs
À l'est d'Eastbourne se trouve
le **Seven Sisters Country Park**,
285 ha de falaises et de
marécages. Au **Park Visitor's
Centre**, une exposition décrit
la géologie et la faune locales.

Un peu au nord, **Alfriston**,
petit village de carte postale,
avec une ancienne place
du marché, une auberge du
XVe siècle, **The Star**, et **Clergy
House**, maison du XIVe siècle,
premier achat du National Trust
(p. 25). À l'est, se trouve une
gravure préhistorique, l'**homme
de Wilmington** *(p. 209)*.

Le phare de Beachy Head, à Eatsbourne, construit en 1902

Le paysage paisible des Downs du Sud, traversé par la Cuckmere

Park Visitor's Centre
Exceat, Seaford. 01323 870001.
d'avr. à oct. : t.l.j. ; de nov. à mars :
sam., dim. 25 déc.

Clergy House
(NT) Alfriston. 01323 870001.
mars : sam., dim. ; d'avr. à déc. :
du sam. au lun., mer. et jeu.

Les Downs ⓰

East Sussex. Eastbourne.
Cornfield Rd, Eastbourne
(01323 411400).

Les Downs du Nord et
du Sud sont deux bancs
de craie parallèles qui
traversent d'est en ouest
le Kent, le Sussex et le Surrey.
Ils sont séparés par une bande
de terre fertile.

Depuis les collines au-delà
de **Devil's Dyke** (la Digue
du Diable), au nord
de Brighton, on embrasse toute
la région des Downs. Selon
la légende, le Diable aurait
tout fait pour que la mer vienne

inonder les terres, mais son
dessein aurait été déjoué par
une intervention divine.

Uppark House est située au
point le plus élevé des Downs.
Ce bâtiment aux lignes
très strictes a été restauré
dans son état du XVIIIᵉ siècle
après un incendie en 1989.

Uppark House
(NT) Petersfield, West Sussex.
01730 825857. d'avr. à oct. :
du dim. au jeu.

Hastings ⓱

East Sussex. 83 000.
Queens Square, Priory Meadow
(01424 781111).
www.visithastings.com

Cette cité était l'un
des cinq ports défensifs
(p. 170) de la côte sud ;
c'est encore un port de pêche
très actif. Voir les grandes
cabanes de bois sur la plage, où
depuis des siècles les pêcheurs

mettent leurs filets à sécher. Au
XIXᵉ siècle, une station balnéaire
s'est développée à l'ouest
de la ville, laissant intact
l'ancien quartier des pêcheurs.

Séchoirs à filets en bois
sur la plage d'Hastings

À voir aussi, le chemin
de fer des falaises et le réseau
de grottes qui servaient
à la contrebande (p. 268).

Aux environs
À 11 km d'Hastings se trouve
la petite ville de Battle
où l'on peut voir le portail
de **Battle Abbey**, construite
par Guillaume le Conquérant
sur le site de sa victoire.
Selon la légende, il aurait
établi l'autel à l'endroit même
où Harold trouva la mort.
L'abbaye fut détruite
au XVIᵉ siècle (p. 50).

Battle Abbey
High St, Battle.
01424 773792.
t.l.j. ; de Pâques à sept. :
de 10 h à 18 h ; d'oct. à Pâques :
de 10 h à 16 h. du 24 au 26 déc.,
1ᵉʳ janv.

LA BATAILLE D'HASTINGS

En 1066, les Normands conduits par Guillaume le Conquérant
débarquent en Angleterre pour assiéger Winchester et Londres.
Ayant appris que le roi Harold et son armée étaient basés près
d'Hastings, Guillaume le Conquérant les défia et remporta la
victoire après la mort d'Harold, atteint d'une flèche dans l'œil.
Cette invasion de
l'Angleterre, la
dernière qui ait abouti,
est représentée sur la
célèbre tapisserie (en
fait une broderie)
conservée à Bayeux.

La mort du roi Harold,
Tapisserie de Bayeux

Le château de Bodiam (XIVᵉ siècle), entouré de douves

Le château de Bodiam ⓲

(NT) Près de Robertsbridge, East Sussex. **☎** 01580 830436. **☎** taxi depuis Robertsbridge. **◯** de mi-fév. à oct. : t.l.j. ; de nov. à mi-fév. : sam. et dim. **●** du 24 au 26 déc. **▨** **♿** limité. **▣ ♦**

Ce château de la fin du XIVᵉ siècle est entouré de douves profondes ; il est considéré comme l'un des plus romantiques d'Angleterre. On a longtemps attribué sa construction au besoin de se défendre d'une invasion française, mais on pense maintenant qu'il était la demeure d'un chevalier. Le château fut cependant pris d'assaut par les Parlementaristes pendant la guerre civile.

Resté depuis lors inhabité, ce robuste édifice de pierre grise n'a pas eu trop à souffrir de cette désaffectation. Il a été restauré en 1919 par lord Curzon qui le légua à l'État.

Aux environs
À l'est, **Great Dixter**, un beau manoir du XVᵉ siècle que sir Edwin Lutyens restaura en 1910. Christopher Lloyd y fit aménager un jardin où alternent les terrasses et les parterres (p. 22-23).

▦ Great Dixter
Northiam, Rye. **☎** 01797 252878. **◯** d'avr. à oct. : de 14 h à 17 h 30 du mar. au dim. et jours fériés. **▨ ♦** **W** www.greatdixter.co.uk

Rye ⓳

P. 172-173.

Romney Marsh ⓴

Kent. **☎** Ashford. **☒** Ashford, Hythe. **ℹ** Magpies Church Approach, New Romney (01797 364044).

Jusqu'à l'époque romaine, Romney Marsh et Walland Marsh, plus au sud, étaient régulièrement recouverts par la mer à la marée montante. Les Romains creusèrent des canaux et Walland Marsh put être progressivement asséché au cours du Moyen Âge. De nombreuses cultures et les gros moutons de Romney Marsh, réputés pour la qualité et la quantité de la laine qu'ils fournissent, se partagent aujourd'hui un sol très fertile.

Le paysage de **Dungeness**, un endroit perdu au sud-est de la région, est dominé par un phare et une centrale nucléaire.

LA DÉFENSE CÔTIÈRE ET LES « CINQUE PORTS »

En cas d'invasion par la mer, il était de la première importance pour les rois saxons d'avoir de bonnes relations avec les ports de la Manche. Les ports d'Hastings, Romney, Hythe, Sandwich et Douvres furent créés ; ils avaient le droit de lever des impôts, mais devaient en échange fournir à la marine royale des navires tout équipés. Leur nom de « Cinque Ports » vient de l'ancien français. Les privilèges de ces ports – et d'autres construits par la suite – furent abolis au XVIIᵉ siècle. En 1803, en réponse aux menaces d'invasion française, 74 postes de défense furent construits le long des côtes ; 24 de ces tours Martello subsistent encore.

La position dominante de l'ancienne citadelle de Douvres

Une des tours dressées sur les côtes de la Manche

C'est ici que se termine la ligne de chemin de fer **Romney-Hythe-Dymchurch**, ouverte en 1927. En été, ce train miniature (un tiers de la taille habituelle) promène ses passagers tout le long de la côte.

Au nord de Romney Marsh, alors que Napoléon projetait d'envahir le pays *(p. 55)*, on creusa un canal à la fois pour l'arrêter et pour permettre le ravitaillement des troupes.

Douvres ㉑

Kent. 🏘 *30 000.* 🚢 🚉 🚏 🛈 *Old Town Jail, Biggin St (01304 205108).* 🛒 *sam.* ⓦ *www.dover.gov.uk*

D ouvres et Folkestone (où débouche le tunnel sous la Manche, *p. 632)* sont les deux ports par lesquels les touristes arrivent en Angleterre. La position de Douvres, face à l'Europe, et son vaste port ouvert sur la Manche ont toujours conféré à la ville un rôle capital dans la protection du pays. **Dover Castle**, la citadelle de Douvres, a d'ailleurs été édifié sur le site d'anciennes fortifications saxonnes ; son rôle défensif capital, depuis le lointain XIᵉ siècle jusqu'à la Deuxième Guerre mondiale, est évoqué par une exposition installée dans la citadelle, ainsi que dans le labyrinthe de tunnels creusés par des prisonniers au cours des guerres napoléoniennes *(p. 55)*.

Aux environs
Richborough Roman Fort est un des sites historiques les plus importants de toute l'Angleterre. C'est ici qu'ont débarqué en l'an 43 les premières troupes romaines de l'empereur Claude *(p. 44)*. Pendant plusieurs siècles, le port de Rutupiae, comme on l'appelait alors, est resté une base militaire de première importance. Aujourd'hui, Richborough Castle, tout comme Aigues-Mortes en France, se trouve loin à l'intérieur des terres.

♣ **Dover Castle**
Castle Hill. 🛈 *01304 211067.* ⭘ *de fév. à oct. : t.l.j. ; de nov. à janv. : du jeu. au lun.* ⬤ *du 24 au 26 déc., 1ᵉʳ janv.* ▨ 🏠 🛗

🛖 **Richborough Roman Fort**
Richborough. 🛈 *01304 612013.* ⭘ *d'avr. à sept. : t.l.j.*

Margate ㉒

Kent. 🏘 *39 000.* 🚉 🛈 🛈 *17 Albert St (01843 583334).* ⓦ *www.tourism.thanet.gov.uk*

M argate a toujours été la plus animée des trois stations balnéaires (les autres sont Ramsgate et Broadstairs) que comprend l'île de Thanet. En bateau à vapeur à l'époque victorienne, ou aujourd'hui en train, c'est depuis longtemps une des destinations préférées des Londoniens qui viennent y passer la journée. Sur le front de mer, attractions et grotte en coquillages.

Aux environs
Au sud se trouve **Quex House**, une gentilhommière du XIXᵉ siècle. Dans le domaine, un musée présente une belle collection d'art d'Afrique et d'Orient, et des dioramas exceptionnels sur la vie sauvage des tropiques.

Détente l'été sur la plage de Margate

À l'ouest, une église saxonne construite sur les ruines du fort romain de **Reculver**. Les deux tours jumelles, les Deux Sœurs (Two Sisters), sont un ajout du XIIᵉ siècle ; elles servaient de repère aux navigateurs, ce qui les a sauvées de la destruction. Autour de l'église s'étend aujourd'hui un vaste parc, balayé par les vents.

🛖 **Quex House**
Birchington. 🛈 *01843 842168.* ⭘ *d'avr. à oct. : du mar. au jeu., dim. et jours fériés (musée seul, de nov. à mars : dim.).* 🏠 🖼 ♿ 🖼 *pour les groupes.* 🛗
🛖 **Reculver Fort**
Reculver. 🛈 *01227 361911 (syndicat d'initiative d'Herne Bay).* ⭘ *t.l.j.*

Les plaines fertiles de Romney Marsh sont sillonnées de canaux de drainage

Rye pas à pas ⑲

La ville faisait partie au XIᵉ siècle de la ceinture de ports fortifiés établis sur la côte sud du pays. En 1287, un ouragan détourna la Rother de son cours et la fit se jeter dans la mer à Rye même, qui devint une ville portuaire très active, jusqu'à ce qu'au XVIᵉ siècle le sable envahisse le port ; la localité se trouve aujourd'hui à 3 km de la côte. Rye a fréquemment été attaquée par les troupes françaises ; en 1377, elle fut même complètement détruite par le feu.

L'enseigne de l'auberge de la Sirène

★ Mermaid Street
La « rue de la Sirène », petite rue pavée pittoresque dont les maisons ne suivent aucun alignement strict, n'a guère changé depuis le XIVᵉ siècle.

The Mint
Dans cette rue on battait autrefois monnaie *(mint)*.

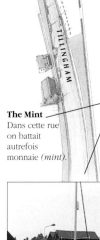

Le quai
Les entrepôts de brique et de bois témoignent de l'époque où Rye était encore un port prospère.

L'auberge de la Sirène
(The Mermaid Inn) date du XIᵉ siècle. C'est la plus grande bâtisse médiévale de la ville. Dans les années 1750, c'était le repaire d'une bande de contrebandiers sanguinaires.

Vue sur la Tillingham

Lamb House
La « maison de l'Agneau » fut construite en 1722. George Iᵉʳ, surpris par une tempête, s'y arrêta. L'écrivain Henry James (1843-1916) y vécut.

À NE PAS MANQUER

★ Mermaid Street

★ La tour d'Ypres

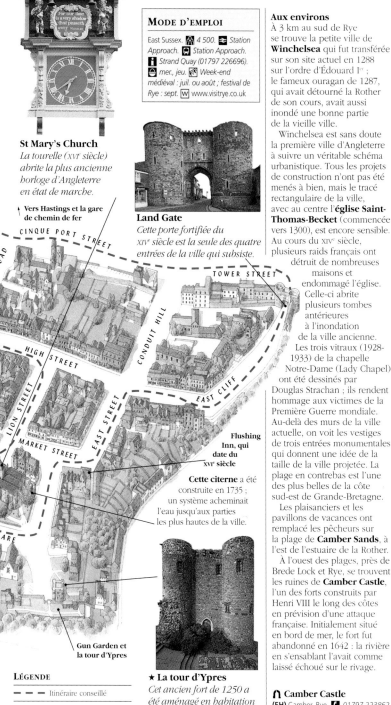

St Mary's Church
*La tourelle (XVIᵉ siècle)
abrite la plus ancienne
horloge d'Angleterre
en état de marche.*

↑ **Vers Hastings et la gare
de chemin de fer**

MODE D'EMPLOI

East Sussex. 🚹 4 500. 🚆 *Station
Approach.* 🚌 *Station Approach.*
ℹ️ *Strand Quay (01797 226696).*
🏪 *mer., jeu.* 🎭 *Week-end
médiéval : juil. ou août ; festival de
Rye : sept.* 🌐 *www.visitrye.co.uk*

Land Gate
*Cette porte fortifiée du
XIVᵉ siècle est la seule des quatre
entrées de la ville qui subsiste.*

**Flushing
Inn, qui
date du
XVIᵉ siècle**

Cette citerne a été
construite en 1735 ;
un système acheminait
l'eau jusqu'aux parties
les plus hautes de la ville.

**Gun Garden et
la tour d'Ypres**

LÉGENDE

– – – Itinéraire conseillé

0   50 m

★ **La tour d'Ypres**
*Cet ancien fort de 1250 a
été aménagé en habitation
au XVᵉ siècle. Il a servi aussi
de prison et de morgue.*

Aux environs
À 3 km au sud de Rye
se trouve la petite ville de
Winchelsea qui fut transférée
sur son site actuel en 1288
sur l'ordre d'Édouard Iᵉʳ ;
le fameux ouragan de 1287,
qui avait détourné la Rother
de son cours, avait aussi
inondé une bonne partie
de la vieille ville.

Winchelsea est sans doute
la première ville d'Angleterre
à suivre un véritable schéma
urbanistique. Tous les projets
de construction n'ont pas été
menés à bien, mais le tracé
rectangulaire de la ville,
avec au centre l'**église Saint-
Thomas-Becket** (commencée
vers 1300), est encore sensible.
Au cours du XIVᵉ siècle,
plusieurs raids français ont
détruit de nombreuses
maisons et
endommagé l'église.
Celle-ci abrite
plusieurs tombes
antérieures
à l'inondation
de la ville ancienne.
Les trois vitraux (1928-
1933) de la chapelle
Notre-Dame (Lady Chapel)
ont été dessinés par
Douglas Strachan ; ils rendent
hommage aux victimes de la
Première Guerre mondiale.
Au-delà des murs de la ville
actuelle, on voit les vestiges
de trois entrées monumentales
qui donnent une idée de la
taille de la ville projetée. La
plage en contrebas est l'une
des plus belles de la côte
sud-est de Grande-Bretagne.

Les plaisanciers et les
pavillons de vacances ont
remplacé les pêcheurs sur
la plage de **Camber Sands**, à
l'est de l'estuaire de la Rother.

À l'ouest des plages, près de
Brede Lock et Rye, se trouvent
les ruines de **Camber Castle**,
l'un des forts construits par
Henri VIII le long des côtes
en prévision d'une attaque
française. Initialement situé
en bord de mer, le fort fut
abandonné en 1642 : la rivière
en s'ensablant l'avait comme
laissé échoué sur le rivage.

🏰 **Camber Castle**
(EH) Camber, Rye. 📞 *01797 223862.*
🕐 *de juil. à sept. : sam.,
dim. après-midi.* 📷 *seulement.*

Détail de Christ Church Gate, cathédrale de Canterbury

Canterbury ㉓

Kent. 🏠 *50 000.* 🚆 🚌 ℹ️ *Sun St, Buttermarket (01227 378100).* 🅰️ *mer., ven.* 🆆 *www.canterbury.co.uk*

Occupant une position clé entre Londres et Douvres, Canterbury était déjà une ville romaine importante. En 597, saint Augustin, envoyé par le pape pour convertir le pays au christianisme, arriva dans la ville, qui devint la capitale de l'Église chrétienne d'Angleterre.

La construction de la **cathédrale** et l'assassinat de Thomas Becket *(p. 48)* assurèrent sa position de grand centre religieux.

Tout près des ruines de **St Augustine's Abbey**, détruite lors de la Dissolution *(p. 50)*, se dresse **St Martin's Church**, l'une des plus anciennes d'Angleterre. Saint Augustin y a souvent officié.

Les collections d'armures et d'armes anciennes du **West Gate Museum** sont installées dans un corps de garde de 1381.

Le bâtiment du XIIe siècle où l'on soignait les prêtres indigents accueille un musée consacré au rayonnement de Canterbury, le **Museum of Canterbury**.

🏛 West Gate Museum
St Peter's St. ☎ *01227 452747.* ⭘ *du lun. au sam.* ⭘ *du 24 au 28 déc., 1er janv.* 📷 🚻

🏛 Museum of Canterbury
Stour St. ☎ *01227 452747.* ⭘ *de juin à oct. : t.l.j. ; de nov. à mai : du lun. au sam.* 📷 🚻 🆆 *www.canterbury-museum.co.uk*

La cathédrale de Canterbury

Le premier archevêque de Canterbury, Lanfranc, décida en 1070 de faire bâtir une cathédrale digne de l'importance grandissante de la ville. L'édifice, construit sur les ruines d'une première cathédrale anglo-saxonne, fut à plusieurs reprises agrandi et remanié ; on y retrouve aujourd'hui tous les styles architecturaux du Moyen Âge. Quatre ans après le meurtre de Thomas Becket en 1170 *(p. 48)*, la cathédrale fut ravagée par un incendie et l'on construisit la chapelle de la Trinité pour abriter une châsse contenant les restes de Becket. Elle attira de nombreux fidèles, et jusqu'à la dissolution des ordres monastiques *(p. 50)* la cathédrale est demeurée l'un des plus grands centres de pèlerinage de toute la chrétienté.

La nef de la cathédrale mesure 60 m ; Canterbury est une des plus longues églises médiévales.

Le porche sud-ouest (1426) a peut-être été construit pour commémorer la victoire d'Azincourt *(p. 49)*.

Entrée principale

★ Vitraux
Cette représentation de Mathusalem est un détail de la verrière du transept sud-ouest de la cathédrale.

GEOFFREY CHAUCER

Celui que l'on considère comme le premier grand poète anglais était douanier de profession. Geoffrey Chaucer (v. 1345-1400) dépeint dans les *Contes de Canterbury* (Canterbury Tales) la rencontre pleine de verve de pèlerins se rendant à la cathédrale. Tous les types sociaux sont représentés dans le groupe, véritable peinture de la société ; les *Contes* sont un des chefs-d'œuvre de la littérature anglaise médiévale.

Miniature illustrant les *Contes*

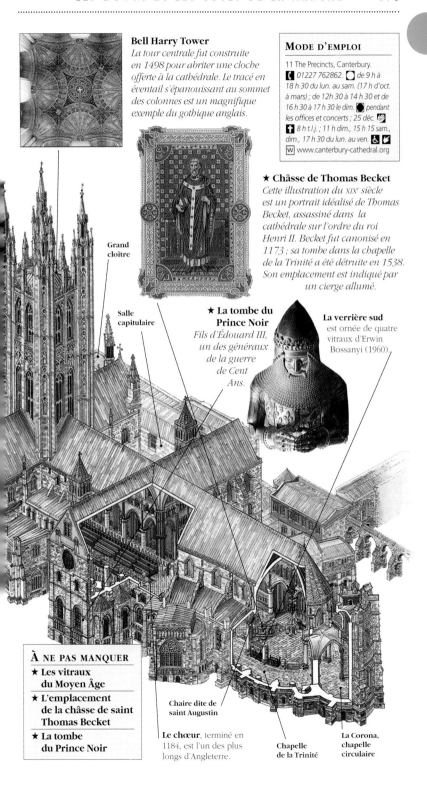

Bell Harry Tower

La tour centrale fut construite en 1498 pour abriter une cloche offerte à la cathédrale. Le tracé en éventail s'épanouissant au sommet des colonnes est un magnifique exemple du gothique anglais.

MODE D'EMPLOI

11 The Precincts, Canterbury.
☎ 01227 762862. ☐ de 9 h à 18 h 30 du lun. au sam. (17 h d'oct. à mars) ; de 12h 30 à 14 h 30 et de 16 h 30 à 17 h 30 le dim. ● pendant les offices et concerts ; 25 déc. ▓
✝ 8 h t.l.j. ; 11 h dim., 15 h 15 sam., dim., 17 h 30 du lun. au ven. ♿ ✉
W www.canterbury-cathedral.org

★ Châsse de Thomas Becket

Cette illustration du XIXᵉ siècle est un portrait idéalisé de Thomas Becket, assassiné dans la cathédrale sur l'ordre du roi Henri II. Becket fut canonisé en 1173 ; sa tombe dans la chapelle de la Trinité a été détruite en 1538. Son emplacement est indiqué par un cierge allumé.

Grand cloître

Salle capitulaire

★ La tombe du Prince Noir

Fils d'Édouard III, un des généraux de la guerre de Cent Ans.

La verrière sud est ornée de quatre vitraux d'Erwin Bossanyi (1960).

À NE PAS MANQUER

★ **Les vitraux du Moyen Âge**

★ **L'emplacement de la châsse de saint Thomas Becket**

★ **La tombe du Prince Noir**

Chaire dite de saint Augustin

Le chœur, terminé en 1184, est l'un des plus longs d'Angleterre.

Chapelle de la Trinité

La Corona, chapelle circulaire

Le donjon du château de Rochester domine la ville et la vallée de la Medway

Leeds Castle

Maidstone, Kent. 📞 01622 765400.
🚌 Prendre le bus à Bearsted. 🕐 t.l.j.
⬤ lors des concerts et le 25 déc. 🔲 ♿
🍴 🔲 🔲 W www.leeds-castle.com

L e château de Leeds est
souvent considéré comme
le plus beau d'Angleterre.
Commencé au début du
XIIᵉ siècle, il fut sans cesse
remanié au cours des siècles,
les dernières transformations
datant des années trente.
Le château fut offert en 1278
au roi Édouard Iᵉʳ par
un courtisan qui cherchait
à s'attirer sa faveur.
   Henri VIII y séjourna
fréquemment pour échapper
à la peste qui sévissait
à Londres. En 1552,
Édouard VI offrit le château
à sir Anthony Saint Leger
qui l'avait aidé à pacifier
l'Irlande. Les jardins,
dessinés par Capability
Brown (p. 23), comportent
un labyrinthe végétal.

Rochester

Kent. 🏛 145 000. 🚌 🚉 🛈 95 High
Street (01634 843666).

À l'embouchure de
la Medway, les villes
de Rochester, Chatham
et Gillingham ont toutes les
trois un riche passé maritime.
Rochester détient
une position stratégique
entre Londres et Douvres.

Le **château de Rochester** a
le plus haut donjon normand
d'Angleterre, avec une superbe
vue sur la vallée de la Medway.
Les remparts médiévaux
de la ville, qui suivent le tracé
des anciennes fortifications
romaines, sont encore visibles
quand on se trouve dans
High Street ; la **cathédrale**,
construite en 1088, abrite
des fresques dans un état
de conservation remarquable.

Aux environs
L'**Historic Dockyard**
de Chatham est aujourd'hui
un musée de la construction
navale. Le **Fort Amherst**
fut construit en 1756 pour
protéger les chantiers navals
et l'embouchure de la rivière ;
1 800 m de tunnels y ont été
creusés par les prisonniers
des guerres napoléoniennes.

⚓ **Rochester Castle**
L'Esplanade. 📞 01634 402276.
🕐 t.l.j. ⬤ du 24 au 27 déc., 31 déc.,
1ᵉʳ janv. 🔲 ♿ r.-d.-c. seul. 🔲

🏛 **Historic Dockyard**
Dock Rd, Chatham. 📞 01634
823800. 🕐 de mi-fév. à oct. : t.l.j. ;
nov. : sam. et dim. 🔲 ♿ 🍴 🔲 🔲
🏰 **Fort Amherst**
Dock Rd, Chatham.
📞 01634 847747. 🕐 renseignements
par téléphone. ⬤ 24, 25 déc.,
1ᵉʳ janv. 🔲 🔲

Knole

(NT) Sevenoaks, Kent. 📞 01732
462100. 🚌 prendre un taxi
à Sevenoaks. **Maison** 🕐 de mars
à oct. : du mer. au dim. (après-midi),
ven. saint et jours fériés.
Jardin 🕐 t.l.j. 🔲 ♿ limité.
🔲 sur rendez-vous. 🔲 🔲

C ette immense demeure
Tudor date de la fin
du XVᵉ siècle. Propriété de
Thomas Cranmer, archevêque
de Canterbury, le domaine fut
réquisitionné par Henri VIII
quand il décida de saisir
les biens de l'Église (p. 50).
En 1566, Élisabeth Iʳᵉ l'offrit à
son cousin, Thomas
Sackville ; ses descendants
y habitent encore.
   Si la décoration
intérieure de Knole
est remarquable,
c'est le mobilier qui
est le plus extraordinaire, en
particulier le splendide lit
d'apparat de Jacques II. Plus
de 400 hectares de parc
entourent la demeure.

Aux environs
À l'est de Knole se trouve
l'un des plus beaux exemples

Un
gladiateur,
parc de
Knole

de l'architecture médiévale anglaise, **Ightham Mote**, petit manoir de pierre et de bois cerné de douves, disposé autour d'une cour centrale. Les jardins de **Sissinghurst Castle Garden** ont été créés par l'écrivain Vita Sackville-West et son mari Harold Nicolson dans les années 1930.

Ightham Mote
(NT) Ivy Hatch, Sevenoaks. *01732 810378.* de mi-mars à oct. : mer.-ven., dim., lun. et j. fériés.

Sissinghurst Castle Garden
(NT) Cranbrook. *01580 710700.* d'avr. à oct. : de 11 h à 18 h 30 lun., mar., ven. ; de 10 h à 18 h 30 sam., dim., ven. saint. limité.

Hever Castle ㉗

Edenbridge, Kent. *01732 861701.* Edenbridge Town. de mars à nov. : t.l.j. ; **Jardins** de 11 h à 18 h ; **Château** de 12 h à 18 h. limité. grpes sur r.-v. W www.hevercastle.co.uk

D ans ce petit château entouré de douves a vécu Anne Boleyn, une

CHARLES DICKENS

Charles Dickens (1812-1870) est aujourd'hui encore un auteur très populaire. L'écrivain naquit à Portsmouth, mais dès 1817 ses parents partirent s'installer à Chatham. Plus tard, Dickens vécut à Londres, mais il garda toute sa vie des liens étroits avec la région ; il prenait ses vacances à Broadstairs, au sud de Margate – c'est là qu'il écrivit *David Copperfield* –, et passa les dernières années de sa vie à Gad's Hill, près de Rochester.

La façade de Chartwell, où vécut Winston Churchill

des femmes du roi Henri VIII. Elle y passa une partie de sa jeunesse ; lorsqu'il résidait à Leeds Castle, le roi venait souvent lui rendre visite. En 1903, William Waldorf Astor acquit le domaine et le restaura ; il fit construire un petit village néo-Tudor pour loger ses domestiques et ses invités. Le porche et les douves sont du XIIIᵉ siècle.

Aux environs
Au nord-ouest de Hever se trouve **Chartwell**, la maison de Winston Churchill *(p. 59)*. Elle a conservé son mobilier. Quelques-uns de ses tableaux sont exposés.

Chartwell
(NT) Westerham, Kent. *01732 866368.* de mi-mars à juin et de sept. à nov. : de 11 h à 17 h du mer. au dim. et jours fériés ; juil.-août : de 11 h à 17 h du mar. au dim. et jours fériés. limité.

Royal Tunbridge Wells ㉘

Kent. 55 000. Old Fish Market, The Pantiles (0800 393686). mer. W www.visittunbridgewells.com

E n 1606, on découvrit ici des sources d'eau minérale. Grâce au patronage de la famille royale, la ville devint une station thermale très en vogue aux XVIIᵉ et XVIIIᵉ siècles.

Aux environs
Tout près se trouve le manoir de **Penshurst Place** (années 1340). Le grand salon a 18 m de hauteur sous plafond.

Penshurst Place
Tonbridge, Kent. *01892 870307.* d'avr. à oct. : t.l.j. ; mars : sam., dim. ; **Manoir** de 12 h à 16 h 30 ; **Jardins** de 10 h 30 à 18 h ; **Musée du Jouet** de 12 h à 17 h. limité.

Un astrolabe du début du XVIIIᵉ siècle dans les jardins d'Hever Castle

L'EAST ANGLIA

CAMBRIDGESHIRE · ESSEX · NORFOLK · SUFFOLK

E ntre l'estuaire de la Tamise et le pays de Galles s'étend un vaste territoire à l'originalité très marquée. L'East Anglia est décentrée par rapport au grand axe nord-sud qui traverse la Grande-Bretagne ; c'est ce qui l'a aidée à préserver sa culture et ses traditions, tant en ville qu'à la campagne.

Le nom de la région vient de celui des Angles, une tribu du nord de l'Allemagne installée ici aux Ve et VIe siècles de notre ère. La région a toujours tenu à son franc parler et surtout à son indépendance, comme en témoignent deux de ses enfants les plus célèbres, la reine Boadicée, au Ier siècle, et Oliver Cromwell, au XVIIe siècle. C'est d'East Anglia d'ailleurs que Cromwell a reçu le soutien le plus important pendant la guerre civile. Preuve du caractère farouche des habitants de la région, leur surnom de *Fen Tigers*, « Tigres des marais », car ils ont vécu longtemps de chasse et de pêche dans des zones marécageuses, qui ne furent drainées qu'au XVIIe siècle. Le sol s'avéra alors très propice au développement des cultures ; aujourd'hui, le tiers des légumes produits en Grande-Bretagne provient d'East Anglia. La rotation des cultures est mise en place dans le Norfolk depuis le XVIIIe siècle ; c'est à l'agriculture que de nombreuses villes de cette région, dont Norwich, doivent leur prospérité. La mer joue aussi un grand rôle dans l'économie de la région : les villes et villages côtiers d'East Anglia sont les ports d'attache de la plupart des chalutiers qui sillonnent la mer du Nord.

De nos jours, la région mise surtout sur la navigation de plaisance, tant le long des côtes que sur les nombreuses voies navigables des Norfolk Broads. Dernier point : c'est dans l'East Anglia que se trouve Cambridge, une des meilleures universités de toute la Grande-Bretagne.

Champs de lavande en fleur à Heacham, dans le Norfolk

◁ **Les marécages de la côte nord du Norfolk sont ponctués de moulins à vent**

À la découverte de l'East Anglia

L e visiteur qui quitte la conurbation londonienne découvre des paysages qui n'ont guère changé depuis l'époque de Constable *(p. 192)*, semés d'églises, de moulins à vent et de granges. C'est une région bénie pour les amoureux de la nature, l'une des plus ensoleillées d'Angleterre. Le nord du Norfolk compte plusieurs réserves d'oiseaux et des colonies de phoques. Le visiteur ne pourra qu'être séduit aussi par l'originalité des constructions de la région, des cottages roses du Suffolk aux toits de chaume des fermes du Norfolk.

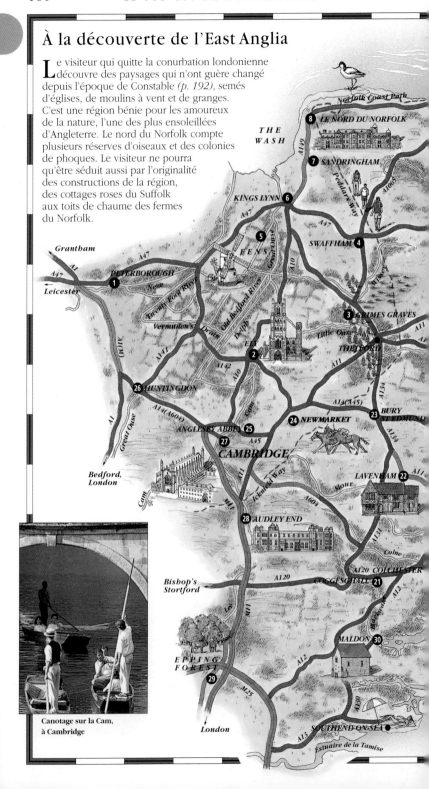

Norfolk Coast Path

8 **LE NORD DU NORFOLK**

THE WASH

7 **SANDRINGHAM**

Peddar's Way

A149

A1065

Grantham

Leicester

6 **KINGS LYNN**

A47

A47

SWAFFHAM **4**

5

FENS

PETERBOROUGH **1**

Nene

Great Ouse

A10

Wissey

A47

Vermuden's Drain

Old Bedford River

Delph

Little Ouse

3 **GRIMES GRAVES**

THETFORD

A11

A11

A1

2 *ELY*

A142

A10

A14T

A1(M)

26 **HUNTINGDON**

A14(A604)

Cam

A14(A45)

24 **NEWMARKET**

23 **BURY ST EDMUND**

A134

A134

25 **ANGLESEY ABBEY**

27

A45

CAMBRIDGE

Bedford, London

Icknield Way

A604

Stour

LAVENHAM **22**

A1

Cam

M11

28 **AUDLEY END**

A131

Colne

Bishop's Stortford

A120

A120 **COLCHESTER**

A120

COGGESHALL **21**

A12

Lea

M11

Blackwater

A12

MALDON **30**

EPPING FOREST

A12

29

M25

London

A13

SOUTHEND-ON-SEA

A130

Estuaire de la Tamise

Canotage sur la Cam, à Cambridge

LÉGENDE

▰	Autoroute
▰	Route principale
▰	Route secondaire
▰	Route pittoresque
‑‑	Chemin pittoresque
≈	Cours d'eau
☆	Point de vue

CIRCULER

Certains jolis coins un peu perdus sont difficiles à atteindre par le train ou le car. Louer une voiture peut s'avérer la solution la plus rationnelle et la moins chère pour découvrir la région. L'autoroute M11 relie Londres et Cambridge. Entre Aldeburgh et King's Lynn, la route côtière traverse quelques-uns des plus beaux sites de la région. Le réseau ferroviaire n'est guère étendu, mais Norwich, Ipswich et Cambridge sont bien desservies. Norwich possède deux aéroports internationaux : Stansted et Norwich.

VOIR AUSSI

- *Hébergement* p. 547-549

- *Restaurants et pubs* p. 584-585

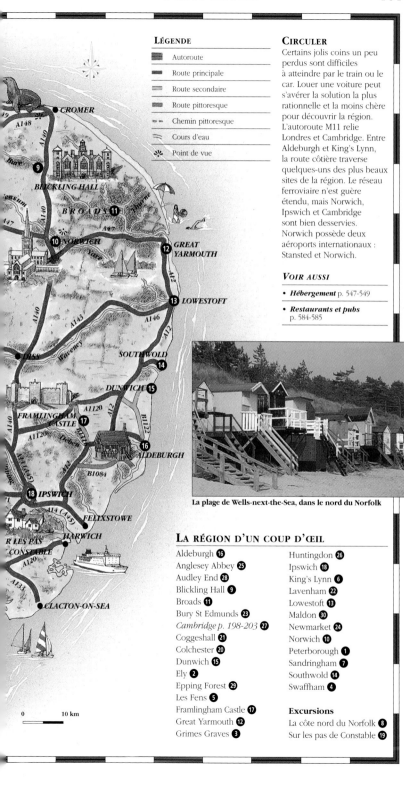

La plage de Wells-next-the-Sea, dans le nord du Norfolk

LA RÉGION D'UN COUP D'ŒIL

Aldeburgh **16**
Anglesey Abbey **25**
Audley End **28**
Blickling Hall **9**
Broads **11**
Bury St Edmunds **23**
Cambridge p. 198-203 **27**
Coggeshall **21**
Colchester **20**
Dunwich **15**
Ely **2**
Epping Forest **29**
Les Fens **5**
Framlingham Castle **17**
Great Yarmouth **12**
Grimes Graves **3**

Huntingdon **26**
Ipswich **18**
King's Lynn **6**
Lavenham **22**
Lowestoft **13**
Maldon **30**
Newmarket **24**
Norwich **10**
Peterborough **1**
Sandringham **7**
Southwold **14**
Swaffham **4**

Excursions

La côte nord du Norfolk **8**
Sur les pas de Constable **19**

0   10 km

Peterborough ❶

Cambridgeshire. 🏛 156 000.
🚆 🚌 ℹ 3 Minster Precinct (01733 452336). 🏪 du mar. au sam.
🌐 www.peterborough.gov.uk

L e site de Peterborough est habité depuis des temps immémoriaux, mais ce n'est qu'en 1967 que la ville est devenue une importante métropole régionale.

Le centre est dominé par **St Peter's Cathedral**. L'intérieur de cet édifice normand classique du XIIᵉ siècle a été endommagé par les troupes de Cromwell (*p. 52*), mais par chance l'extraordinaire plafond, peint en 1220, nous est parvenu intact. Catherine d'Aragon, la première femme d'Henri VIII, a été enterrée ici ;

Les armes de Peterborough et sa devise : Sur ce rocher

son tombeau fut jeté bas par les troupes de Cromwell.

Aux environs
Sur le site de Flag Fen (**Flag Fen Bronze Age Centre**), des objets datant de l'âge du bronze (1 300 ans avant notre ère) ont été trouvés dans la tourbe.

🏛 **Flag Fen Bronze Age Centre**
The Droveway, Northay, Peterborough. ☎ 01733 313414.
◐ t.l.j. de 10 h à 17 h. 🅿 ♿ 🎁 🖥
🌐 www.flagfen.com

Grimes Graves ❸

(EH) Lynford, Norfolk.
☎ 01842 810656.
🚆 Prendre un taxi à Brandon. ◐ t.l.j.
● du 24 au 26 déc., 1ᵉʳ janv. 🅿 🖥

G rimes Graves est l'un des sites néolithiques les plus importants d'Angleterre. Il y a plus de 2 000 ans, c'était un grand centre d'exploitation du silex.

Avec comme seuls outils des bois de cerf et des pioches, les mineurs de l'âge de la pierre ont creusé la craie pour atteindre les veines de silex dont ils faisaient des haches, des armes et des outils, convoyés ensuite à travers le pays. Les galeries sont aujourd'hui ouvertes à la visite. Pendant les fouilles, les

Ely ❷

Cambridgeshire. 🏛 14 000. 🚆
ℹ 29 St Mary's St (01353 662062).
🏪 jeu., sam. (objets, antiquités).
🌐 www.eastcambs.gov.uk

C onstruite sur une colline crayeuse, cette petite ville doit peut-être son nom aux anguilles (*eels*) qui abondent dans l'Ouse toute proche.

La colline où la vieille ville a été bâtie constituait une sorte d'île inaccessible au milieu d'une région couverte de marécages (*p. 184*) ; cette situation faisait d'Ely un site stratégique. La ville fut le dernier bastion de la résistance anglo-saxonne aux Normands.

Aujourd'hui, la petite ville d'Ely, à l'ombre de sa **cathédrale**, doit sa prospérité à l'agriculture car la terre est particulièrement riche.

Les vitraux du lanternon éclairent le dôme

Cet ange de bois peint *du XIIIᵉ siècle est l'une des centaines de statues qui ornent les deux bras sud et nord du transept.*

Musée du vitrail

Ici se trouve le tombeau d'Alan de Walsingham, architecte de l'Octogone.

L'Octogone, *entièrement en bois, a été construit en 1322 après l'effondrement de la première tour. Le toit et le lanternon demandèrent 24 ans de travail ; ils pèsent 200 tonnes.*

L'Octogone

Partie détaillée

LA CATHÉDRALE D'ELY
Ely. ☎ 01353 667735.
◐ t.l.j. ● occasions spéciales. 🅿 🍴 ♿ 🖥 🎁
Commencée en 1083, la cathédrale ne fut achevée que 268 ans plus tard. Elle échappa aux destructions du XVIᵉ siècle (*p. 50*), mais fut fermée pendant 17 ans sur l'ordre de Cromwell (*p. 52*).

archéologues ont mis au jour d'étranges statuettes de craie représentant des phallus ou des divinités de la fécondité *(p. 43)*.

Aux environs
Au centre de la plaine autrefois fertile de Breckland se trouve la petite ville commerçante de **Thetford**.

Cette localité autrefois prospère a vu sa richesse décroître au XVIᵉ siècle avec la destruction de son prieuré. Les terrains alentour ont été dévastés par des armées de moutons et sont devenus des pinèdes. Dans la ville, un tertre s'élève à l'emplacement d'un château antérieur à l'époque des Normands. Thetford est le berceau d'un écrivain révolutionnaire anglais du XVIIIᵉ siècle, Tom Paine.

L'énorme tour de la cathédrale domine tout le paysage alentour.

Plafond peint du XIXᵉ siècle

La Porte du Prieur (vers 1150)

L'aile sud est supportée par une galerie d'arcades composée de 12 arcs normands en plein cintre.

Oxburgh Hall, entouré de douves en eau

Swaffham ●

Norfolk. 🏠 6 700. 🚉 ℹ️ *d'avr. à nov. : pl. du marché (01760 722255).* 🔼 *sam.* 🌐 www.aroundswaffham.co.uk

Swaffham est la mieux préservée des villes georgiennes de l'East Anglia. Elle s'anime surtout le samedi, quand les maraîchers s'installent sur la place du marché, aménagée en 1783.

Au centre de la ville se trouve l'**église Saint-Pierre-et Saint-Paul** (*church of St Peter and St Paul*), dont la très belle aile nord Tudor a, dit-on, été construite grâce à de l'argent donné par un simple colporteur, John Chapman. Lors d'un voyage à Londres, Chapman aurait rencontré un étranger qui lui aurait indiqué la cachette d'un trésor. L'information était bonne, et avec cet argent Chapman décida de faire embellir l'église. Il est représenté sur une enseigne à double face de la place du marché.

Aux environs
À Castle Acre, au nord de la ville, se trouvent les ruines massives d'un **prieuré** clunisien de 1090.

Tout près de là se dresse **Oxburgh Hall and Garden**, construit par sir Edmund Bedingfeld en 1482. Un imposant porche fortifié se dresse à 24 m de hauteur. À l'intérieur est conservée une tenture brodée par Marie Stuart *(p. 497)*.

Effigie de John Chapman

🏛 Castle Acre Priory
(EH) Castle Acre. 📞 01760 755394. 🕐 *d'avr. à oct. : t.l.j. ; de nov. à mars : mer. à dim.* ⬤ *24-26 déc., 1ᵉʳ janv .* ♿ & *limité.* 🅿️

🏛 Oxburgh Hall
(NT) Oxborough. 📞 01366 328258. 🕐 *de mars à nov. : du sam. au mer. (jardins ouv. aussi en déc., sam. et dim.)* ♿ & *limité.* 🍴 🅿️

BOADICÉE ET LES ICÈNES

Quand les Romains envahirent la Grande-Bretagne, les Icènes, la plus importante tribu de l'East Anglia, décidèrent de combattre à leurs côtés. Mais les Romains se retournèrent ensuite contre les Icènes et leur reine, Boadicée, organisa en 61 de notre ère la révolte contre leur autorité. Ses partisans incendièrent Londres, Colchester et St Albans, avant de baisser les armes. Boadicée préféra s'empoisonner plutôt que de se rendre. À Cockley Cley, un camp des Icènes a été mis au jour.

La reine Boadicée, illustration du XIXᵉ siècle

Moulin au milieu des marécages

Les Fens ❺

Cambridgeshire/Norfolk. 🚆 *Ely.* ℹ️
29 St Mary's St, Ely (01353 662062).
🌐 *www.eastcambs.gov.uk*

Le nom de Fens désigne les vastes plaines marécageuses de l'Angleterre de l'est, entre Lincoln, Cambridge, Bedford et King's Lynn. Jusqu'au XVIIe siècle, il n'y avait là qu'un marais où il n'était possible de s'établir que sur des îles surélevées.

Au XVIIe siècle, des spéculateurs se rendirent compte de la richesse du sol et firent venir des experts hollandais pour mettre en place un système de drainage. L'eau est aujourd'hui évacuée par de puissantes pompes électriques.

À 14 kilomètres d'Ely se trouve Wicken Fen, un marécage de 243 hectares qui n'a jamais été asséché et constitue une réserve naturelle pour la faune et la flore locales.

King's Lynn ❻

Norfolk. 🏠 *42 000.*
🚆 🚌 ℹ️ *Purfleet Quay
(01553 763044).* 🛍️ *mar., sam.*
🌐 *www.west-norfolk.gov.uk*

Le premier nom de la ville, Bishop's (évêque) Lynn a été « laïcisé » en King's (roi) Lynn au XVIe siècle *(p. 51)*. Au Moyen Âge,

L'hôtel de ville de King's Lynn

c'était l'un des plus grands ports du pays, d'où partaient pour l'Europe des bateaux chargés de la laine et du blé produits dans toute la région alentour. De cette époque subsistent quelques entrepôts et quelques maisons de négociants sur l'Ouse. Au nord-est de la ville se trouve

Excursion sur la côte nord du Norfolk ❽

Ce circuit traverse une des plus belles régions de l'East Anglia. Pratiquement toute la côte nord du Norfolk est considérée par les Anglais comme une région d'une extraordinaire beauté naturelle. C'est la mer qui a façonné toute cette partie du Norfolk, élevant des dunes, ensablant peu à peu des ports florissants qui se retrouvent aujourd'hui loin à l'intérieur des terres. Les dunes abritent une faune d'une étonnante variété. Attention : en été, cette route très touristique est souvent embouteillée.

> **CARNET DE ROUTE**
>
> *Itinéraire : 45 km.*
> **Où faire une pause ?** *Holkham Hall est l'endroit idéal pour s'arrêter déjeuner. Vous trouverez plusieurs pubs sympathiques à Wells-next-the-Sea. (Voir aussi p. 636-637.)*

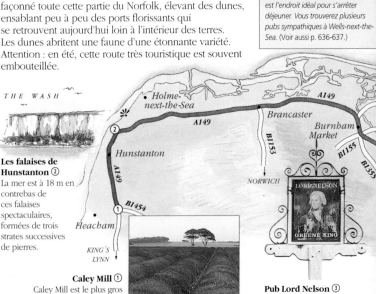

Les falaises de Hunstanton ②
La mer est à 18 m en contrebas de ces falaises spectaculaires, formées de trois strates successives de pierres.

Caley Mill ①
Caley Mill est le plus gros producteur anglais de lavande. En pleine saison, en juillet et août, les paysages y sont magnifiques.

Pub Lord Nelson ③
C'est ici que l'amiral Nelson a pris son dernier repas sur le sol anglais avant Trafalgar.

True's Yard, qui faisait partie de l'ancien quartier des pêcheurs. Situé sur Saturday Market Place, le **Trinity Guildhall** est une ancienne prison datant du XVᵉ siècle. L'élégante **Customs House**, qui borde la rivière, était à l'origine une Bourse de commerce, devenue aujourd'hui un musée consacré à l'histoire maritime de la ville. C'est ici également que se trouve l'office de tourisme. Sur la place du marché, **St Margaret's Church**, construite en 1101, possède un jubé d'époque élisabéthaine. La grande flèche de la tour sud-ouest de l'église s'est effondrée lors d'une tempête en 1741.

🏛 Customs House
Purfleet Quay. 📞 01553 763044.
🕐 t.l.j. 📷 ♿ rez-de-chaussée.

Sandringham House, où la famille royale vient passer les fêtes de Noël

Sandringham ❼

Norfolk. 📞 01553 612908. 🚌 depuis King's Lynn. 🕐 de Pâques à oct. : t.l.j. 🕐 1 semaine en juil. 📷 📹 ♿ 🚻
🌐 www.sandringhamestate.co.uk

Sandringham House appartient à la famille royale d'Angleterre depuis 1862, date à laquelle elle fut achetée par le prince de Galles, futur Édouard VII. Cette belle demeure du XVIIIᵉ siècle a été considérablement remaniée par le prince, qui lui a donné son allure du XIXᵉ siècle.

Les vastes écuries abritent un musée où sont exposés les nombreux trophées remportés par la famille royale lors de parties de chasse ou de tir et de concours hippiques. À voir aussi, une collection d'automobiles embrassant près d'un siècle.

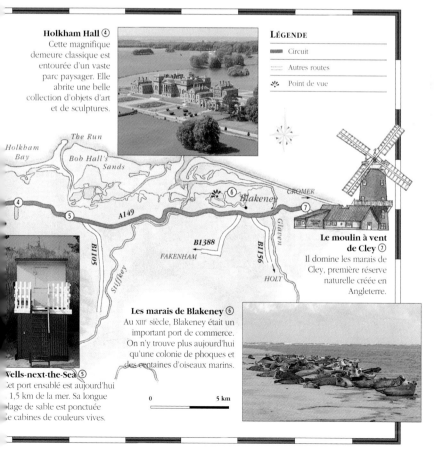

Holkham Hall ④
Cette magnifique demeure classique est entourée d'un vaste parc paysager. Elle abrite une belle collection d'objets d'art et de sculptures.

LÉGENDE

▬▬ Circuit

═══ Autres routes

☼ Point de vue

Holkham Bay

The Run

Bob Hall's Sands

A149

B1105

Stiffkey

B1388

FAKENHAM

Blakeney ⑥

Glaven

B1156

HOLT

CROMER

⑦

Le moulin à vent de Cley ⑦
Il domine les marais de Cley, première réserve naturelle créée en Angleterre.

Les marais de Blakeney ⑥
Au XIIIᵉ siècle, Blakeney était un important port de commerce. On n'y trouve plus aujourd'hui qu'une colonie de phoques et des centaines d'oiseaux marins.

Wells-next-the-Sea ⑤
Cet port ensablé est aujourd'hui à 1,5 km de la mer. Sa longue plage de sable est ponctuée de cabines de couleurs vives.

0 ▬▬▬▬ 5 km

La façade en brique rouge de Blickling Hall, construite au XVIᵉ siècle

Blickling Hall ❾

(NT) Aylsham, Norfolk. **☎** *01263 738030.* **🚂** *Norwich, puis bus.* **Maison** ☐ *de mi-mars à oct. : de 13 h à 17 h du mer. au dim. et jours fériés ;* **Parc** ☐ *d'avr. à oct. : de 10 h 15 à 17 h 15 du mer. au dim. et jours fériés ; août : du mar. au dim.* **♿ 🚻 ⛔** **W** *www.nationaltrust.org.uk*

L a façade symétrique de cette demeure du XVIᵉ siècle, environnée d'arbres et flanquée de deux haies de buis, a vraiment fière allure. C'est ici qu'Anne Boleyn, la deuxième femme d'Henri VIII, a passé son enfance.

Mais la plus grande partie de la construction que l'on visite aujourd'hui date de 1628 ; la maison appartenait alors à sir Henry Hobart, président de la Cour suprême sous Jacques Iᵉʳ. En 1767, la demeure fut remaniée par John Hobart, deuxième duc du Buckinghamshire, qui, en hommage à Anne Boleyn, la fit représenter avec sa fille, Élisabeth Iʳᵉ, dans le grand salon.

La grande galerie est la plus belle salle restée intacte depuis le XVIIᵉ siècle. Son plafond est décoré d'allégories du savoir.

La salle Pierre le Grand a été aménagée en 1764 pour accueillir une immense tapisserie représentant le tsar à cheval, offerte par la Grande Catherine au deuxième duc, alors ambassadeur d'Angleterre en Russie. Dans la même salle, des portraits de l'ambassadeur et de son épouse, peints en 1760 par Gainsborough *(p. 151).*

Norwich ❿

P. 188-189

Les Broads ⓫

Norfolk. **🚂** *Hoveton, Wroxham.* **🚌** *Norwich, puis prendre le bus.* **ℹ** *d'avr. à oct. : Station Rd, Hoveton (01603 782281).* **W** *www.broads-authority.gov.uk*

O n a longtemps pu croire que ces petits lacs peu profonds reliés par une demi-douzaine de rivières (la Bure, la Thurne, l'Ant, l'Yare, la Waveney et le Chet) étaient l'œuvre de la nature ; ils ne sont en réalité apparus qu'au XIIIᵉ siècle, quand les levées de tourbe mises en place au Moyen Âge ont été inondées.

L'été, ces quelque 200 km de voies navigables font le bonheur de tous les amateurs de loisirs nautiques. On peut louer un bateau pour partir à l'aventure, ou suivre l'un des nombreux circuits qui permettent de découvrir la faune et la flore de la région. On observera de magnifiques machaons, les plus grands papillons de toute la Grande-Bretagne. La plupart de ces excursions prennent leur départ à Wroxham, qui est un peu la capitale officieuse des Broads.

Les voies navigables sont bordées de bouquets de roseaux dont on se sert pour recouvrir les toits *(p. 29).* Ils sont coupés en hiver et acheminés dans des bateaux à fond plat, caractéristiques de la région, que l'on utilise aussi pour la chasse au canard.

Une visite au **Norfolk Wildlife Trust**, installé sur une plate-forme flottante amarrée sur Ranworth Broad, permet de mieux comprendre comment toute la région s'est constituée et de découvrir en détail la faune particulièrement variée qu'elle abrite.

Dans le centre de Ranworth, **St Helen's Church** abrite un manuscrit enluminé du XIVᵉ siècle dans un excellent état de conservation ; du haut de la tour, on a une vue magnifique sur toute la région.

🦋 Norfolk Wildlife Trust
Ranworth. **☎** *01603 625540.* ☐ *d'avr. à oct. : t.l.j.* **♿ ⛔**

Voilier sur l'un des petits lacs du Norfolk

Great Yarmouth ⑫

Norfolk. 🏠 90 000. 🚆 🖪 🖪 *Marine Parade (01493 842195).* 🖪 *mer., ven. (été), sam.* 🖵 www.great-yarmouth.co.uk

Jusqu'à la Première Guerre mondiale, la pêche au hareng était la principale activité du port. Elle mobilisait alors un millier d'embarcations. Les bancs de poissons se raréfiant, les pêcheurs ont dû diversifier leurs activités ; beaucoup se consacrent aujourd'hui à la révision et à l'entretien des navires de fret et des plates-formes pétrolières de la mer du Nord.

Great Yarmouth est aussi la plus importante station balnéaire du Norfolk. Sa popularité a commencé quand les lecteurs de Dickens *(p. 177)* ont découvert qu'une partie de son *David Copperfield* se passe dans la ville.

Les collections de l'**Elizabethan House Museum** sont consacrées à l'histoire de la région. La vieille ville abrite encore quelques belles maisons anciennes, dont l'**Old**

Chalutiers à quai à Lowestoft

Merchant's House, du XVIIᵉ siècle. La visite guidée inclut celle du cloître d'un ancien monastère du XIIIᵉ siècle.

🏛 **Elizabethan House Museum**
(EH) 4 South Quay.
📞 *01493 855746.*
🕐 *d'avr. à oct. : t.l.j.* 🖼 🖪
🚻 **Old Merchant's House**
(NT) South Quay. 📞 *01493 857900.*
🕐 *d'avr. à oct. : t.l.j.* 🖼 🖪

LES MOULINS À VENT

Le moulin de Saxtead Green, près de Framlingham

Dans cette région de plaines marécageuses où souffle sans cesse la brise venue de la mer du Nord, les moulins à vent de l'East Anglia sont longtemps restés une source d'énergie appréciable. Aujourd'hui, ils font partie intégrante du paysage dans les Broads et les Fens. Certains d'entre eux servaient à pomper l'eau des marécages ; d'autres, comme celui de Saxtead Green, à moudre le grain. En terrain marécageux, les fondations des constructions ne peuvent être très profondes, et seuls quelques moulins ont survécu ; dans la région des lacs, quelques-uns ont été restaurés et fonctionnent encore. Le moulin le plus haut est celui de Berney Arms. Celui de Thurne Dyke abrite une exposition qui explique le fonctionnement des moulins.

Le moulin de Herringfleet Smock, près de Lowestoft

Lowestoft ⑬

Suffolk. 🏠 55 000. 🚆 🖪
🖪 *East Point Pavilion, Royal Plain (01502 533600).* 🖪 *mar., ven., sam.*
🖵 www.visit-lowestoft.co.uk

Lowestoft est la dernière ville à l'est de l'Angleterre. La pêche y garde aujourd'hui son importance ; le carrelet et d'autres poissons plats ont simplement remplacé le hareng.

Dans les années 1840, l'arrivée du chemin de fer a donné un nouvel élan à la ville, comme en témoignent de nombreuses maisons datant de cette époque.

Le **musée municipal**, installé dans une maison du XVIIᵉ siècle, présente de beaux échantillons de la porcelaine qui se fabriquait ici au XVIIIᵉ siècle et des objets d'archéologie locale.

Aux environs
Au nord-ouest se trouve **Somerleyton Hall**, construit au siècle dernier, dans un style néo-Tudor, sur les vestiges d'une maison du XVIᵉ siècle.

🏛 **Lowestoft Museum**
Oulton Broad. 📞 *01502 568560.*
🕐 *de mars (dernier lun.) à oct. (dernier dim.) : de 10 h 30 à 17 h du lun. au ven. ; de 14 h à 17 h sam. et dim.*
♿ *limité.* 📷 *sur rendez-vous.* 🖪

🚻 **Somerleyton Hall**
Sur la B1074. 📞 *01502 730224.*
🕐 *de Pâques à oct. : jeu., dim. et jours fériés (juil.-août : du mar. au jeu., dim. et jours fériés).*
🖼 ♿ 📷 *sur rendez-vous.* 🖵 🖪
🖵 www.somerleyton.co.uk

Norwich ❿

A u cœur de la campagne fertile de l'East Anglia, Norwich a su conserver son allure tranquille et provinciale ; c'est en fait l'une des cités les mieux préservées de toute l'Angleterre. Norwich a été fortifiée par les Saxons dès le IXᵉ siècle ; le tracé irrégulier de ses rues remonte à cette époque. Au début du XIIᵉ siècle, des tisserands venus des Flandres ont établi dans la ville une industrie textile qui lui assura une telle prospérité qu'elle resta la deuxième ville d'Angleterre jusqu'à la révolution industrielle *(p. 56-57).*

L'ancienne rue pavée d'Elm Hill

À la découverte de Norwich

Les parties les plus anciennes de la ville sont Elm Hill, une des plus jolies rues médiévales d'Angleterre, et Tombland, l'ancienne place du marché, près de la cathédrale. Dans l'un et l'autre endroits, on trouvera des bâtiments d'époque médiévale bien conservés, qui font aujourd'hui partie d'un quartier animé.

Dans cette ville très commerçante se tient depuis des siècles un marché particulièrement coloré qui vaut le détour ; à faire aussi, la visite à pied de ce qui subsiste des anciennes fortifications de la ville, édifiées au XIVᵉ siècle.

🔒 Norwich Cathedral

Enceinte. 📞 *01603 218321.*
⏱ *t.l.j.* **Offrandes** 🚻 ♿ 🍴
🌐 www.cathedral.org.uk
Ce splendide édifice a été bâti à partir de 1096 par l'évêque Losinga, avec de la pierre de Caen et de Barnack.

Il y avait autrefois près de la cathédrale un monastère, dont seul subsiste aujourd'hui le cloître, le plus grand d'Angleterre. La flèche de la cathédrale est un ajout du XVᵉ siècle ; avec ses 96 m, c'est

la plus haute du pays après celle de Salisbury *(p. 252-253).* Les piliers normands et les arcs de la nef supportent un plafond sculpté du XVᵉ siècle dont les ornements ont fait l'objet d'une restauration scrupuleuse.

Les sculptures du chœur et celles des miséricordes des stalles sont plus faciles à voir que celles du plafond ; elles fourmillent de petits détails réalistes et amusants. À voir aussi, le beau retable de la chapelle Saint-Luc, qui est resté caché pendant des années derrière un panneau de bois pour que les puritains ne le détruisent pas.

Il reste deux des accès monumentaux à l'entrée de

Une des nombreuses sculptures qui ornent le cloître de la cathédrale

la cathédrale : le **portail Saint-Ethelbert**, du XIIIᵉ siècle, et le **portail Erpingham**, construit par sir Thomas Erpingham, qui mena les archers anglais à la victoire lors de la bataille d'Azincourt en 1415 *(p. 49).*

Au pied du mur ouest se trouve la tombe d'Edith Cavell, une infirmière originaire de Norwich qui fut exécutée par les Allemands en 1915 pour avoir aidé des soldats alliés à fuir la Belgique occupée.

🏛 Castle Museum

Castle Meadow. 📞 *01603 493625.*
⏱ *t.l.j. (dim. après-midi seul.).*
⬤ *25 et 26 déc., 1ᵉʳ janv.* ♿ 🔲 📷
🌐 www.museum@norfolk.gov.uk
Ce château du XIIᵉ siècle a servi de prison pendant 650 ans. Il abrite un musée depuis 1894 ; une des gloires des collections est une belle porte normande sculptée qui était autrefois l'entrée principale du château.

Parmi les objets exposés, de très belles collections

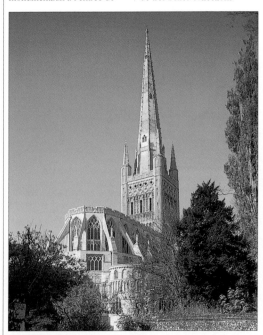

La cathédrale de Norwich vue du sud-est

It's nicer with **MUSTARD**

LA MOUTARDE COLMAN

Cette marque ne nous dit peut-être pas grand-chose, mais outre-Manche c'est un « must » pour de nombreux gastronomes. C'est en 1814 que Colman commença à fabriquer sa célèbre moutarde à Norwich. On trouve aujourd'hui ce condiment dans une boutique de Bridewell Alley ; un musée est consacré à l'histoire de la société.

Une réclame des années 1950 vantant la moutarde Colman

archéologique et d'histoire naturelle, des objets artisanaux et la plus importante collection de théières en céramique du monde. Il y a aussi une belle série d'œuvres des peintres de l'école de Norwich, un groupe de paysagistes de la première moitié du XIXᵉ siècle. John Crome (1768-1821), que d'aucuns comparent parfois à Constable *(p. 192)*, et John Sell Cotman (1782-1842), rendu célèbre par ses aquarelles, sont considérés comme les chefs de file de ce mouvement.

🔒 St Peter Mancroft

Place du marché. 📞 *01603 610443.* ⭘ *de 10 h à 16 h du lun. au ven. ; de 10 h à 16 h sam. (été), de 10 h à 13 h (hiver) ; dim. offices seul.* **Offrandes.** ♿
Le nom de Mancroft vient du latin *magna crofta*, qui signifie grande prairie ; de vastes prés s'étendaient en effet ici avant que les Normands n'y établissent une église et un bourg. Cet imposant édifice de 1455 domine à ce point le centre-ville que les visiteurs le prennent pour la cathédrale.
    L'intérieur de St Peter Mancroft est inondé de lumière par toute une série de grandes fenêtres ; celle de l'est a conservé ses vitraux du XVᵉ siècle. Sur le plafond de bois, très original, est sculpté le motif en éventail qui, traité en pierre de taille, recouvre habituellement la charpente des édifices religieux. En 1588, les 13 cloches du carillon de l'église annoncèrent à tout le pays la défaite de l'Invincible Armada *(p. 51)*.

🏛 Bridewell Museum

Bridewell Alley. 📞 *01603 629127.* ⭘ *de 10 h à 17 h du lun. au sam.* ♿ 🅿
Cette maison du XIVᵉ siècle, l'une des plus anciennes de la ville, a longtemps servi de prison. C'est aujourd'hui un musée des traditions locales.

🏛 Guildhall

Gaol Hill. 🅿
La place du marché, vieille de 900 ans, est dominée par l'imposante silhouette de l'ancien hôtel de ville (aujourd'hui un café), en silex et en pierre et surmonté d'une flèche bicolore. Vous y verrez une belle épée offerte à la ville par l'amiral Nelson, prise de guerre de 1797.

🏛 Strangers' Hall

Charing Cross. ⭘ *mer., sam.* 🅿 *seulement.*

Billets au Castle Museum (01603 493636).
Cette belle maison de négociants datant du XIVᵉ siècle était autrefois habitée par les tisserands immigrés, les « strangers ». Les collections originales qu'elle abrite permettent de se faire une idée de l'évolution de la vie quotidienne en Angleterre.

🏛 The Sainsbury Centre for Visual Arts

Université d'East Anglia (sur la B1108). 📞 *01603 593199.* ⭘ *du mar. au dim.* ⭘ *23 déc. au 2 janv.* 📷 ♿ 🅿 *sur rendez-vous.* 🅿 🌐 *www.uea.ac.uk/scva*
Cette importante galerie d'art a été aménagée en 1978 pour accueillir la belle collection d'œuvres d'art léguée à l'université d'East Anglia par Robert et Lisa Sainsbury.
    L'art européen du XXᵉ siècle constitue le point fort de la collection, avec des œuvres de Modigliani, Picasso ou Bacon et des sculptures de Giacometti et Moore ; on verra aussi des collections ethnographiques provenant d'Afrique, des îles du Pacifique et d'Amérique.
    Le Sainsbury Centre, construit par Norman Foster, est l'un des premiers bâtiments qui donnent à voir l'intégralité de leur structure métallique.

Ce paysage est une œuvre de John Crome (école de Norwich)

Bruyères en fleur tout le long de Dunwich Heath

Southwold ⓮

Suffolk. 🏯 3 900. 🚉 🛈 *High Street (01502 724729).* 🛒 *lun., jeu.* W *www.visit-southwold.co.uk*

Cette petite ville pittoresque en bord de mer a été préservée de l'invasion hebdomadaire des Londoniens par la fermeture providentielle de la ligne de chemin de fer qui la reliait à la capitale.

Southwold était autrefois une ville portuaire très peuplée, comme en témoigne la taille de **St Edmund King and Martyr Church**, qui abrite de belles peintures du XVIᵉ siècle. Sur la tour, remarquez la statue d'un soldat en costume du XVᵉ siècle : c'est un jacquemart connu sous le nom de Jack o' the Clock.

Le **Southwold Museum** est

Jack o'the Clock, Southwold

consacré à la sanglante bataille qui opposa en pleine mer les Anglais et les Hollandais en 1672.

Aux environs
La fermeture de la voie de chemin de fer a isolé le joli village de **Walberswick**, que l'on ne peut plus atteindre que par le ferry ou un long trajet en voiture. À Blythburgh, on verra une église du XVᵉ siècle, **Holy Trinity Church**. Les soldats de Cromwell *(p. 52)* en firent une écurie ; les murs extérieurs portent encore les anneaux métalliques où ils attachaient leurs chevaux. En 1944, une bombe américaine tomba sur l'église, tuant Joseph Kennedy Jr, frère du futur président des États-Unis d'Amérique.

🏛 **Southwold Museum**
9-11 Victoria St. ⃝ *de Pâques à oct. : de 14 h à 16 h t.l.j.* ♿

Dunwich ⓯

Suffolk. 🏯 1 400.

Il ne reste plus aujourd'hui que quelques maisons de cette ville qui fut autrefois la capitale des puissants rois d'East Anglia. Au XIIIᵉ siècle, Dunwich était encore le plus grand port du Suffolk, et on y construisit pas moins de 12 églises. Mais la mer gagnait sans cesse du terrain (près d'un mètre par an), et la dernière des églises de la ville disparut dans les flots en 1919.

Dunwich Heath, au sud de la ville, est aujourd'hui une importante réserve naturelle. La **réserve de Minsmere** possède même quelques observatoires d'où l'on peut contempler une étonnante variété d'oiseaux, dont des avocettes, des butors et des busards.

🦋 **Dunwich Heath**
(NT) Près de Westleton. 📞 *01728 648505* ⃝ *rens. par tél.* 📷 🔲 🛈
🦋 **Minsmere Reserve**
Westleton. 📞 *01728 648281.* ⃝ *du mer. au lun.* ⬤ *25 et 26 déc.* 🛈 📷 ♿ 🔲 🛈 W *www.rspb.org.uk*

Aldeburgh ⓰

Suffolk. 🏯 3 840. 🚉 🛈 *High St (01728 453637).* W *www.suffolkcoastal.gov.uk/leisure*

La ville est aujourd'hui surtout connue parce qu'elle accueille le festival musical de Snape Maltings, mais c'est avant tout un port qui remonte au temps des Romains ; une partie de la ville antique est aujourd'hui engloutie par la mer.

La façade à colombage de Moot Hall, à Aldeburgh

C'est aussi à cause de l'érosion que **Moot Hall**, une belle demeure Tudor autrefois loin à l'intérieur des terres, se retrouve aujourd'hui presque en bord de mer ; le rez-de-chaussée de la maison accueille un musée. Tout comme autrefois, on ne peut accéder à la belle salle du premier étage que par un escalier extérieur.

L'**église**, du XVIe siècle également, abrite une belle verrière posée en 1979 à la mémoire de Benjamin Britten.

Moot Hall
Market Cross Pl. 01728 452730.
avr. et mai : sam., dim. (a.-m.) ; juin : t.l.j. (a.-m.) ; juil. et août : t.l.j.

Le festival musical d'Aldeburgh

Le compositeur Benjamin Britten (1913-1976), né à Lowestoft, s'installa à Snape en 1937. C'est là qu'en 1945 fut créé son opéra *Peter Grimes*, inspiré par l'œuvre du poète George Crabbe (1754-1832). Depuis lors, la région n'a cessé d'attirer les musiciens. En 1948, Britten créa le festival musical d'Aldeburgh, qui se déroule chaque année en juin *(p. 63)* ; il acheta les malteries de Snape, dont il fit une salle de concert, inaugurée par la reine en 1967. Chaque année, de nombreux concerts y sont donnés, tout comme dans les églises et les autres salles de spectacle de la région.

Benjamin Britten au piano

Le château de Framlingham 17

(EH) Framlingham, Suffolk.
01728 724189. *Wickham Market, puis en taxi.* *t.l.j.*
du 24 au 26 déc., 1er janv.

En haut d'une colline, le petit village de Framlingham a de tout temps été considéré comme un site stratégique, bien avant même que le comte de Norfolk n'y fasse construire un château, en 1190. De cette époque, il ne reste pas grand-chose d'autre que l'imposant mur d'enceinte du haut duquel on a une vue splendide sur toute la ville.

C'est dans ce château que Marie Tudor apprit qu'elle allait devenir reine d'Angleterre.

Aux environs
Au sud-est, sur la côte, se trouve le donjon d'**Orford Castle**, construit comme avant-poste défensif par Henri II à peu près en même temps que le château de Framlingham. C'est le premier exemple connu en Angleterre de donjon pentagonal. Auparavant, les donjons étaient carrés ; plus tard ils furent circulaires. Du sommet, le panorama est extraordinaire.

Orford Castle
(EH) Orford. *01394 450472.* *d'avr. à oct. : t.l.j. ; de nov. à mars : de mer. à dim.*
du 24 au 26 déc., 1er janv.

Ipswich 18

Suffolk. *120 000.*
St Stephen's Lane (01473 258070).
mar., ven., sam. *IPART (musique et arts) : dernière sem. de juin et 1re sem. de juil.* www.ipswich.gov.uk

Le centre de la capitale du Suffolk est en grande partie moderne, mais on y trouve aussi quelques bâtiments des siècles passés. Le port dut sa prospérité au commerce de la laine *(p. 195)* dès le XIIIe siècle et, après la révolution industrielle, à celui du charbon.

La façade d'**Ancient House** est ornée de très beaux motifs décoratifs moulés et sculptés.

La façade d'Ancient House, à Ipswich

Christchurch Mansion abrite le musée municipal et une galerie d'art. Élisabeth Ire y résida en 1561 ; on admirera la plus belle collection de peintures de Constable conservée en dehors de Londres *(p. 192)* et des toiles de Gainsborough *(p. 151)*.

Le **musée d'Ipswich** abrite des copies des objets du IVe siècle mis au jour à Mildenhall ou Sutton Hoo et aujourd'hui conservés au British Museum *(p. 108-109)*.

Dans le centre-ville, l'**église St Margaret** est un bel édifice du XVe siècle avec une charpente double et un plafond décoré de panneaux peints du XVIIe siècle. Le cardinal Wolsey *(p. 161)*, né à Ipswich, avait projeté de construire dans sa ville un vaste collège ecclésiastique ; mais quand le cardinal tomba en disgrâce, en 1527, seul un portique était sorti de terre.

Christchurch Mansion
Soane St. *01473 433554.* *de 10 h à 17 h du mar. au sam. et jours fériés ; de 14 h 30 à 16 h 30 dim.* *du 24 au 26 déc.*
limité *sur rendez-vous.*

Ipswich Museum
High St. *01473 433550.*
du mar. au sam.

Sur les pas de Constable ⓳

Cet itinéraire suit la partie la plus pittoresque du cours de la Stour. Le père de John Constable (1776-1837) était un riche marchand, propriétaire du moulin de Flatford, dont la silhouette familière apparaît dans une dizaine des plus belles toiles du peintre. Le circuit suit les chemins qu'affectionnait le peintre, qui affirmait connaître tous les arbres et jusqu'au moindre sentier de la région d'East Bergholt.

La Stour apparaît à l'arrière-plan de ce tableau de Constable

CARNET DE ROUTE

Départ : Parc de stationnement de Flatford Lane, East Bergholt (payant). ℹ️ 01206 299460 ; **(NT)** Bridge Cottage (01206 298260). **Comment y aller ?** L'A 12 jusqu'à Ipswich, puis la B 1070 jusqu'à East Bergholt, suivre les panneaux jusqu'à Flatford Mill. 🚉 Manningtree est accessible à pied depuis Flatford. 🚌 d'Ipswich ou de Colchester. **Où faire une pause ?** Dedham. **Itinéraire :** 5 km. **Difficulté :** Parcours le long de la rivière jalonné de petites clôtures.

Point de vue ⑤
C'est d'ici que l'on découvre la plus belle vue sur la vallée.

Parc de stationnement ①
Suivre les panneaux jusqu'à Flatford, puis passer le pont.

Dedham Mill

Stour

A12

Dedham

COLCHESTER

EAST BERGHOLT

Gosnalls Farm

Ram Lock

Flatford Mill

Fen Bridge ③
Ce pont moderne a remplacé celui qui figure dans maintes toiles de Constable.

L'église de Dedham ④
Le haut clocher de cette église apparaît dans nombre de toiles du peintre.

0   500 m

LÉGENDE

▪ ▪ Circuit

═══ Route B

═══ Route secondaire

☀️ Point de vue

🅿️ Parc de stationnement

Le cottage de Willy Lott ②
Il n'a pas beaucoup changé depuis que Constable l'a représenté dans *La Charrette de foin (p. 85)*.

Colchester ⑳

Essex. 🅜 160 000. 🚆 🅷 🅸 Queen St (01206 282920). 🅰 ven., sam.

Colchester est la plus ancienne ville d'Angleterre ; elle était déjà capitale de tout le sud-est du pays à l'époque où les Romains l'ont envahie, en 43 avant notre ère. C'est ici que s'est établie la première colonie romaine.

La reine Boadicée *(p. 183)* incendia la ville en 60. Pour décourager toute nouvelle tentative, les Romains élevèrent un mur défensif de 3 km de long, 3 m d'épaisseur et 9 m de haut qui existe toujours.

Au Moyen Âge, l'industrie du tissu prit une grande importance dans la ville. Au XVIᵉ siècle, des tisserands flamands vinrent s'installer à l'ouest du château, endroit encore connu sous le nom de **Dutch Quarter**, ou quartier hollandais. Il a conservé ses hautes maisons et ses rues étroites et escarpées.

Au cours de la guerre civile *(p. 52)*, Colchester soutint pendant 11 semaines le siège des troupes de Cromwell avant de capituler.

🏛 Tymperleys

Trinity St. 📞 01206 282943. ◻ d'avr. à oct. : du mar. au sam. 🅷 🅱 W www.colchestermuseums.org.uk
L'horlogerie était une activité autrefois très répandue à Colchester, comme on peut le constater dans cette maison à pans de bois du XVᵉ siècle. À voir aussi, ses beaux jardins de l'époque Tudor.

🏛 Hollytrees Museum

Castle Park. 📞 01206 282940. ◻ t.l.j. ● du 24 au 26 déc., 1ᵉʳ janv. 🅷 🅱 W www.colchestermuseum.org.uk
Cette élégante résidence georgienne fut édifiée en 1719. Transformée en charmant musée d'histoire sociale, la demeure permet de découvrir l'évolution de la vie des habitants de Colchester au cours des trois derniers siècles.

🏛 Castle Museum

High St. 📞 01206 282939. ◻ t.l.j. ; de 11 à 17 h dim. ● du 24 au 27 déc. 🅷🖼🅱🅸 W www.colchestermuseums.org.uk
Ce donjon normand est le plus ancien et le plus grand

Les impressionnants vestiges du donjon normand de Colchester

d'Angleterre. Deux fois plus important que la Tour blanche de Londres *(p. 120-121)*, il fut édifié en 1076 sur les fondations d'un temple romain dédié à Claude Iᵉʳ *(p. 44)*. Les collections du musée retracent toute l'histoire de la ville, depuis la préhistoire jusqu'à la guerre civile.

🏯 Layer Marney Tower

Près de la B1022. 📞 01206 330784. ◻ d'avr. à sept. : de 12 à 17 h du dim. au jeu. 🅷 🅱 🅿 limité. 🅱 sur rendez-vous. 🖥 W www.layermarneytower.co.uk
Cette belle porte monumentale Tudor est la plus grande de tout le pays. Ses deux tourelles hexagonales montent jusqu'à une hauteur de 24 m. Elle devait faire partie d'un complexe défensif beaucoup plus vaste qui ne fut jamais achevé. L'ornementation de briques et de terre cuite du toit et des fenêtres est un très bel exemple des arts décoratifs à l'époque des Tudors.

🌿 Beth Chatto Garden

Elmstead Market. 📞 01206 822007. ◻ de mars à oct. : de 9 h à 17 h du lun. au sam. ; de nov. à fév. : de 9 h à 16 h du lun. au ven. ● du 24 déc. au 6 janv. 🅷 🖼 🅱 W www.bethchatto.co.uk
L'une des plus célèbres paysagistes d'Angleterre a dessiné ces jardins dans les années soixante pour prouver que l'on pouvait aménager un beau jardin même dans des conditions extrêmes. Elle s'est donc attachée à fleurir et à planter des surfaces particulièrement difficiles.

Coggeshall ㉑

Essex. 🅜 4 000. 🅰 jeu.

Cette petite ville abrite deux des plus beaux bâtiments du Moyen Âge et de l'époque Tudor de tout le pays. **Coggeshall Grange Barn**, datant de 1140, est la plus ancienne grange à pans de bois d'Europe. À l'intérieur sont exposées des machines agricoles anciennes. **Paycoke's** est une belle maison à pans de bois (v. 1550). L'intérieur est remarquablement conservé ; les dentelles fabriquées dans la région y sont présentées.

🏯 Coggeshall Grange Barn

(NT) Grange Hill. 📞 01376 562226. ◻ de mars. à oct. : mar., jeu., dim. et jours fériés (a.-m.). ● ven. saint. 🖼 🅱

🏯 Paycocke's

(NT) West St. 📞 01376 561305. ◻ d'avr à oct. : mar., jeu., dim. et jours fériés (après-midi). ● ven. saint. 🖼 🅱

Le jardin de Beth Chatto, à Colchester, à la belle saison

Lavenham ❷

Suffolk. 👥 *1 700.* ℹ️ *Lady St (01787 248207).*

A vec ses maisons bicolores à colombage et ses rues pittoresques dont le tracé n'a guère changé depuis le Moyen Âge, la petite ville de Lavenham est sans doute l'une des plus jolies de toute l'Angleterre. Entre le XIVe et le XVIe siècle, elle fut une plaque tournante très importante pour le commerce de la laine dans le Suffolk. De cette période prospère, elle conserve de très nombreux bâtiments, dont beaucoup, comme le splendide **Little Hall**, sont préservés.

Aux environs
La **maison de Gainsborough** est un musée dédié au peintre.

🏛 **Little Hall**
Market Place. 📞 *01787 247179.*
⭘ *d'avr. à oct. : mer., jeu., sam., dim. et jours fériés, l'après-midi seul.* 🅿️
🏛 **Gainsborough's House**
Sudbury. 📞 *01787 372958.*
⭘ *du lun. au sam.* ⬤ *du 24 déc. au 1ᵉʳ janv., ven. saint.* 🅿️ 🔲
🆆 *www.gainsborough.org*

LITTLE HALL

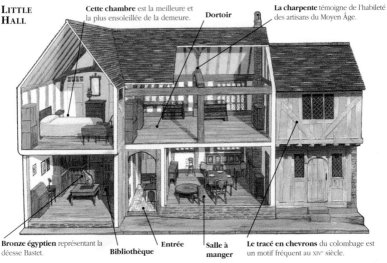

Cette chambre est la meilleure et la plus ensoleillée de la demeure.

Dortoir

La charpente témoigne de l'habileté des artisans du Moyen Âge.

Bronze égyptien représentant la déesse Bastet.

Bibliothèque

Entrée

Salle à manger

Le tracé en chevrons du colombage est un motif fréquent au XIVe siècle.

Bury St Edmunds ❷

Suffolk. 👥 *34 000.* 🚉 🚌 ℹ️ *Angel Hill (01284 764667).* 🛒 *mer., sam.*
🆆 *www.stedmundsbury.gov.uk*

S aint Edmond, décapité par les Danois en 870, est le dernier roi saxon d'East Anglia. Selon une légende, un loup serait venu après sa mort récupérer la tête du saint. Le roi Edmond a été canonisé en 900 et enterré à Bury, où le roi Canut *(p. 159)* fit construire en 1014 une **abbaye** en son honneur. Cette abbaye était la plus riche du pays, jusqu'à sa destruction et la dissolution des monastères *(p. 339)*. On peut en voir les vestiges dans un jardin du centre-ville.

Tout près se dressent deux grandes églises construites au XVe siècle, époque de prospérité pour la ville. **Saint-Jacques** a été érigé en cathédrale en 1914. À **Sainte-Marie**, on remarquera le porche nord et la belle charpente de la nef. Une dalle marque l'emplacement de la tombe de Marie Tudor *(p. 50-51)*.

Portrait de saint Edmond

Non loin de la **croix de la place du marché** à Cornhill, transformée en 1714 par Robert Adam *(p. 24)*, s'élève **Moyse's Hall**, une maison de négociant du XIIe siècle qui abrite aujourd'hui le musée municipal. On peut y voir les objets retrouvés sur les sites archéologiques des environs.

Aux environs
À 5 km au sud-ouest de Bury se trouve **Ickworth House**,

La rotonde centrale d'Ickworth House, à Bury St Edmunds

belle demeure du XVIIIe siècle. Ce bâtiment néo-classique entouré d'un parc se compose d'une rotonde flanquée de deux ailes. Il abrite une belle collection de peintures et d'œuvres d'art : toiles de Reynolds et Titien, argenterie, porcelaines, sculptures.

🏛 Moyse's Hall
Cornhill. 📞 01284 706183. 🕐 t.l.j.
🔴 du 24 au 26 déc., ven. saint.
📷 ♿ 🅿

🏛 Ickworth House
Horringer. 📞 01284 735270.
🕐 de mars à oct. : du ven. au mar.
📷 ♿ 🏛 🅿

Newmarket ㉔

Suffolk. 🏘 17 000. 🚂 🚌 🛈
Palace House, Palace St (01638
667200). 🗓 mar., sam.
🌐 www.forest-heath.gov.uk

Une simple promenade le long de la rue principale de la ville permet de comprendre très vite ce qui fait sa prospérité. Dans les boutiques, on trouve de la nourriture pour les chevaux et toutes sortes d'accessoires pour les cavaliers.

À Newmarket se déroulent de spectaculaires courses de chevaux depuis le jour où Jacques Ier, qui venait souvent chasser dans la région, jugea que ces landes immenses seraient un terrain idéal pour organiser des courses entre ses

Au National Stud de Newmarket, les écuries des étalons

propres chevaux et ceux de ses amis. La première eut lieu en 1622. Charles II partagea la passion de son grand-père au point de venir avec toute sa cour passer toute la belle saison à Newmarket.

À Newmarket et dans les environs, il y a aujourd'hui

Un cheval de course à l'entraînement à Newmarket

plus de 2 500 chevaux à l'entraînement et deux courses célèbres s'y déroulent chaque année entre avril et octobre *(p. 66-67)*. Quelques écuries sont ouvertes au public, et tôt le matin on peut assister à l'entraînement des chevaux.

On peut aussi visiter

le **National Stud**, ou haras national, où sont élevés les étalons. Avec un peu de chance, surtout en avril et mai, vous verrez aussi quelques poulains nouveau-nés. Dans le National Stud se trouve Tattersall's, où les pur-sang sont vendus aux enchères.

Le **National Horseracing Museum**, musée national des courses de chevaux, est tout entier consacré à ce sport. On y voit de nombreuses œuvres d'art sur le thème du cheval et, plus inattendu, le squelette d'un cheval presque mythique, Eclipse, qui gagna 18 courses consécutives en 1769-1770. Eclipse est l'ancêtre de quelques-uns des meilleurs chevaux de course actuels.

🎠 National Stud
Newmarket. 📞 01638 663464.
🕐 de mars à sept. : t.l.j. 📷 ♿ ✅
🅿 🌐 www.nationalstud.co.uk

🏛 National Horseracing Museum
99 High St, Newmarket. 📞 01638
667333. 🕐 d'avr. à oct. : du mar.
au dim. 📷 ♿ ✅ 🅿
🌐 www.nhrm.co.uk

L'église Sainte-Marie de Stoke-by-Nayland, au sud-est de Bury St Edmunds

LE COMMERCE DE LA LAINE

Depuis le XIIIe siècle, le commerce de la laine a une importance capitale pour l'économie anglaise. La Peste noire *(p. 48)*, qui dévasta l'Angleterre en 1348, a été un des facteurs indirects du développement de cette industrie ; nombre de cultivateurs étaient morts, et sur leurs terres on mit de plus en plus de moutons… Vers 1350, Édouard III décida d'établir une véritable industrie nationale de la laine et fit venir en Angleterre des tisserands flamands. La plupart d'entre eux s'installèrent dans l'East Anglia, principalement dans le Suffolk. Pendant cette période de prospérité, de nombreuses églises ont été construites – il y en a près de 2 000 dans l'East Anglia. Le déclin de cette industrie s'amorça à la fin du XVIe siècle avec l'apparition des premiers métiers à tisser mus par l'énergie hydraulique, car sur les rivières de la région il était impossible d'installer ces nouveaux métiers. Aujourd'hui, ce sont les visiteurs qui bénéficient indirectement de ce déclin ; les magnifiques constructions Tudor que l'on voit aujourd'hui ont pu subsister parce que Lavenham et Bury St Edmunds n'ont jamais été assez riches pour les jeter bas et se moderniser.

Façade d'Anglesey Abbey

Anglesey Abbey ㉕

(NT) Lode, Cambridgeshire. 📞 *01223 810080*. 🚊 *Cambridge, puis bus.* ⬜ **Maison** *d'avr. à oct. : du mer. au dim.* **Jardins** *du mer. au dim.* 🚫 ♿ *limité.* 🍴 📷

L a première abbaye fondée ici en 1135 pour l'ordre des augustiniens a été presque entièrement détruite au XVIᵉ siècle *(p. 50)*. Il n'en reste plus que la crypte, dite aussi parloir des moines, dont le plafond voûté est supporté par des colonnes de marbre.

Ces vestiges ont été intégrés à la construction d'une grande demeure qui abrite aujourd'hui de riches collections d'art : meubles de tous les styles, et une rare marine de Gainsborough *(p. 194)*. Les beaux jardins qui l'entourent ont été dessinés dans les années trente pour Lord Fairhaven qui a supervisé l'agencement des statues et des parterres.

Huntingdon ㉖

Cambridgeshire. 🏛 *18 000*. 🚊 🚌 ⓘ *Princes St (01480 388588).* 🛒 *mer., sam.* ⓦ *www.huntsleisure.org*

P lus de 300 ans après sa mort, le souvenir d'Oliver Cromwell *(p. 52)* hante encore la petite ville qui le vit naître en 1599 : on trouve mention de son baptême au County Records Office d'Huntington. On peut y voir son nom, barré d'une inscription ancienne : « La plaie de l'Angleterre pendant cinq ans. » Le **musée Cromwell**, installé dans l'école où il étudia, conserve de nombreux portraits et des souvenirs, tels que son masque mortuaire et sa trousse à pharmacie.

Cromwell reste l'une des figures les plus contestées de l'histoire britannique. Membre du Parlement très jeune, il fut vite impliqué dans les querelles qui opposaient Charles Iᵉʳ au Parlement au sujet des impôts et de la religion. Pendant la guerre civile, il se montra un général habile ; il fut nommé Lord Protecteur en 1653, après avoir refusé la couronne. Deux ans seulement après sa mort, la monarchie fut rétablie à la demande du peuple ; les restes de Cromwell quittèrent Westminster Abbey *(p. 94-95)* pour être accrochés à une potence.

Un pont du XIIIᵉ siècle franchit l'Ouse et relie Huntingdon et Godmanchester, établi à l'emplacement d'un camp romain sur la route entre Londres et York.

🏛 **Cromwell Museum**
Grammar School Walk. 📞 *01480 375830.* ⬜ *du mar. au dim. (a.-m. seul. sauf sam. de nov. à mars.).* ⬤ *du 24 au 27 déc., 1ᵉʳ janv., certains j. fériés.* 📷 ♿

Audley End ㉘

Saffron Walden, Essex. 📞 *01799 522399.* 🚊 *Audley End, puis taxi.* ⬜ *d'avr. à sept. : de 12 h à 17 h du mer. au lun. ; de mars à oct. : sur r.-v.* 📷 🚫 ♿ *limité.* 🎧 🍴 📷 ⓦ *www.english-heritage.org.uk*

C ette demeure élevée pour Thomas Howard, ministre des Finances et premier comte de Suffolk, était à l'époque où elle fut construite la plus grande de tout le pays. Jacques Iᵉʳ disait en plaisantant qu'Audley End était trop vaste pour un roi, mais pas pour un ministre des Finances.

Ce ne fut pas l'avis de Charles II, qui l'acheta en 1667 ; aucun de ses successeurs n'y séjourna beaucoup, et en 1701 la demeure revint aux mains des Howard, qui en jetèrent bas les deux tiers.

Robert Adam *(p. 24)* a remanié plusieurs pièces dans les années 1760 ; aujourd'hui, on s'attache à leur redonner l'aspect qu'elles avaient à cette époque. Les jardins d'Audley End ont été dessinés par Capability Brown *(p. 22)*.

La chapelle *a été construite en 1772 dans le style gothique. Les meubles ont été dessinés pour s'harmoniser avec les piliers et la voûte en bois, peints à l'imitation de la pierre.*

Cette verrière *de 1768 représente la Cène.*

Entrée principale

Le Grand Salon *décoré de portraits de famille est la plus belle pièce de la demeure. Les murs sont recouverts de lambris de chêne, la charpente sculptée date du XVIIIᵉ siècle.*

Cambridge ㉗

P. 198-203

Epping Forest ㉙

Essex. 🚈 *Chingford.* Ⓔ *Loughton, Theydon Bois.* 🛈 *High Beach, Loughton (020-8508 0028).*

Détail de la *Broderie de Maldon*

Les quelque 2 400 hectares de ce massif forestier font la joie des randonneurs. C'était autrefois un des territoires

Certains chênes et hêtres d'Epping Forest ont plus de 400 ans

de chasse préférés des rois et des courtisans.

En 1543, Henri VIII s'y fit construire un pavillon de chasse. Sa fille, la reine Élisabeth Iʳᵉ, s'y rendait très souvent. Le bâtiment finit par devenir le pavillon de chasse de la reine et s'appeler **Queen Elizabeth's Hunting Lodge**. Cet édifice de trois étages à colombage abrite une exposition présentant l'histoire du pavillon. Tout autour, les bois sont entrecoupés de petits lacs qui abritent une flore et une faune variées. On y croise notamment des daims noirs, introduits dans la région par Jacques Iᵉʳ. Le conseil municipal de Londres a acquis tout le domaine d'Epping

Forest au milieu du XIXᵉ siècle pour qu'il ne tombe jamais entre les mains de particuliers.

🏰 Queen Elizabeth's Hunting Lodge

Rangers Rd, Chingford. 📞 *020-8529 6681.* ◯ *du mer. au dim. (après-midi)* ● *du 24 au 26 déc., 1ᵉʳ janv.* ♿ *limité.* 📷 *sur r.-v.*

Maldon ㉚

Essex. 🔼 *21 000.* 🚈 *Chelmsford, puis bus.* 🛈 *Coach Lane (01621 856503).* 🗓 *jeu., sam.* 🌐 *www.maldon.gov.uk*

Cette petite ville pleine de charme sur la Blackwater, avec ses échoppes et ses auberges dont certaines remontent au XIVᵉ siècle, était autrefois un port très important. Une de ses sources de revenus les plus connues est le sel marin, encore récolté à l'ancienne.

Un des plus anciens poèmes saxons qui nous soient parvenus, *La Bataille de Maldon*, raconte le féroce combat (991) qui opposa dans la ville les Saxons et les envahisseurs vikings. La même bataille est illustrée par la *Broderie de Maldon*, conservée au **Maeldune Centre**. Réalisée par des habitants de la ville, elle retrace l'histoire de Maldon de 991 à 1991.

Aux environs
À l'est de Maldon, à Bradwell-on-Sea, se trouve une robuste église saxonne, **St Peter's-on-the-Wall**. Elle fut édifiée en 654 avec les pierres d'un ancien fort romain. Elle servit longtemps de cathédrale, puis de hangar jusqu'au XVIIᵉ siècle. Elle a été entièrement restaurée dans les années 1920.

🏛 Maeldune Centre
High St. 📞 *01621 851628.* ◯ *d'oct. à mars : du jeu. au sam. ; d'avr. à sept. : du lun. au sam. ; l'après-midi seul.* ● *24-26 déc., 1ᵉʳ janv.* 📷

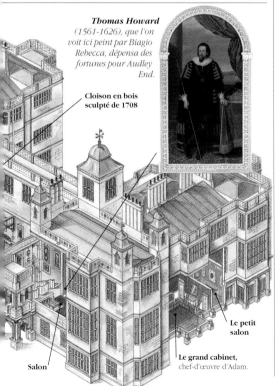

Thomas Howard
(1561-1626), que l'on voit ici peint par Biagio Rebecca, dépensa des fortunes pour Audley End.

Cloison en bois sculpté de 1708

Salon

Le petit salon

Le grand cabinet,
chef-d'œuvre d'Adam.

Cambridge pas à pas

Statue, chapelle de King's College

Cambridge est une ville importante depuis l'époque romaine. Au XIᵉ siècle, plusieurs ordres monastiques s'y établirent ; en 1209 vint s'y installer un groupe de théologiens qui avait décidé de quitter l'université d'Oxford *(p. 210-215)* à la suite de discussions religieuses houleuses. La ville est fortement marquée par la présence des étudiants, mais c'est aussi un lieu d'échanges très important où circule la production agricole de la région.

Promenade à vélo dans Cambridge

Le Magdalene Bridge franchit la Cam entre Bridge Street, dans le centre-ville, et Magdalene College.

Les bâtiments de Saint John's College datent des XVᵉ et XVIᵉ siècles.

Kitchen Bridge

★ Le pont des Soupirs
Cette réplique du célèbre pont de Venise a été exécutée en 1831.

Trinity College

Trinity Bridge

Les Backs
C'est le nom donné aux vastes pelouses qui séparent les différents collèges de Cambridge. Ces espaces dégagés mettent particulièrement en valeur l'architecture des collèges.

Newmarket

BRIDGE STREET

ST JOHN'S STREET

Clare College

Clare Bridge

Grantchester

LÉGENDE

– – – Itinéraire conseillé

À NE PAS MANQUER

★ Le pont des Soupirs

★ La chapelle de King's College

0　　　　75 m

Round Church,
ou « église ronde », date
du XIIe siècle. Son plan
circulaire, très rare en
Angleterre, reprend
celui de la basilique du
Saint-Sépulcre à
Jérusalem.

**Le collège de Gonville
et Caius**, fondé en 1348,
est l'un des plus anciens
de Cambridge.

Great Saint Mary's Church
*Cette horloge surmonte
le portail ouest de l'église, lieu
de culte officiel de l'université.*

★ **Chapelle de King's College**
*Ce chef-d'œuvre de l'architecture
médiévale fut construit en 70 ans*
(p. 200-201).

Place du marché

**Gare
routière →**

MODE D'EMPLOI

Cambridgeshire. 🚶 120 000.
✈ Stansted. ✕ Cambridge.
🚆 Station Rd. 🚌 Drummer St.
ℹ Wheeler St (0903 5862526).
📅 t.l.j. 🎭 Festival traditionnel :
juil. ; foire de la Fraise : juin.
🌐 www.visitcambridge.org

King's College
*La chapelle fut
construite sous le règne
d'Henri VIII dont la
statue orne l'entrée
principale du
collège.*

Queens' College
*Ce collège Tudor
est l'un des
plus beaux
de Cambridge.
Un cadran solaire
du XVIIIe siècle
décore un mur
de la salle de
lecture.*

Collège de Corpus Christi

Vers la gare

Pont des Mathématiques
*D'après la légende, le premier pont
de Queens' College ne comportait
ni clou ni vis.*

TRINITY STREET

KING'S PARADE

SILVER STREET

CAM

🏛 Fitzwilliam Museum

Trumpington St. ☎ 01223 332900.
🕐 du mar. au sam. ; jours fériés
● du 24 au 27 déc., 1ᵉʳ janv., ven. saint,
1ᵉʳ mai. **Offrandes.** ♿ 📷 🏪
Ⓦ www.fitzmuseum.cam.ac.uk

Ce bâtiment d'architecture
classique est l'un des tout
premiers musées ouverts
au public en Grande-Bretagne.
Ses collections – céramiques,
peintures et manuscrits –
recèlent nombre de pièces
rares et de très grande qualité.

Fondé en 1816 grâce à un legs
du VIIᵉ vicomte Fitzwilliam,
le musée n'a cessé de s'enrichir.

Parmi les peintures
anciennes, des œuvres de
Titien (1488-1576) et de
maîtres hollandais du
XVIIᵉ siècle comme Hals, Cuyp
et Hobbema. Pour le
XIXᵉ siècle, signalons de belles
toiles impressionnistes, dont
Le Printemps de Monet (1866)
ou *La Place Clichy* (1880)
de Renoir, pour le XXᵉ siècle,
une *Nature morte* de Picasso
(1923). La plupart des grands
artistes britanniques sont
représentés, depuis Hogarth
pour le XVIIIᵉ siècle jusqu'à Ben
Nicholson pour le XXᵉ siècle,
en passant par Constable.

Le musée conserve aussi
de belles miniatures,
dont le premier portrait connu
d'Henri VIII, et plusieurs
manuscrits enluminés, dont
le *Pontifical de Metz* qui date
du XVᵉ siècle. À voir aussi,
la bibliothèque de Haendel et
le manuscrit original de l'*Ode
à un rossignol* de Keats (1819).

La collection Glaisher de grès
et de céramiques européens
est l'une des plus importantes
du pays (bel ensemble
de céramiques anglaises
des XVIᵉ et XVIIᵉ siècles).

**Portrait de Richard James vers
1740, par William Hogarth**

Cambridge, King's College

**Les armoiries de
King's College**

C'est Henri VI qui fonda ce collège
en 1441. Sa chapelle est l'un des
plus beaux exemples de l'architecture
anglaise à la fin du Moyen Âge.
Les travaux commencés en 1446
ne furent achevés que 70 ans plus
tard. C'est le roi lui-même qui fixa
les dimensions de la chapelle :
88 m de long, 12 m de large et 29 m
de haut. Le projet initial, remanié au fil des années,
serait l'œuvre d'un maître tailleur de pierre nommé
Reginald Ely.

★ Le plafond voûté
*Les éventails de pierre imbriqués
qui composent la voûte reposent sur
22 piliers. Ils ont été construits en
1515 par John Wastell, maître
tailleur de pierre.*

Le bâtiment des professeurs,
dessiné en 1724 par James
Gibbs, faisait partie d'un
ensemble plus vaste qui
ne fut pas réalisé.

La statue d'Henri VI
*Cette statue en bronze du fondateur
du collège a été mise en place en 1879.*

LE CHŒUR DE KING'S COLLEGE

En instituant la chapelle, Henri VI
stipula qu'un chœur de 6 frères
lais et 16 garçons membres du
collège serait formé pour chanter
aux offices. Aujourd'hui, le chœur
de King's College se produit dans
le monde entier. Son concert de
Noël, retransmis par la télévision,
est une tradition à laquelle les
Anglais sont très attachés.

Le chœur de King's College

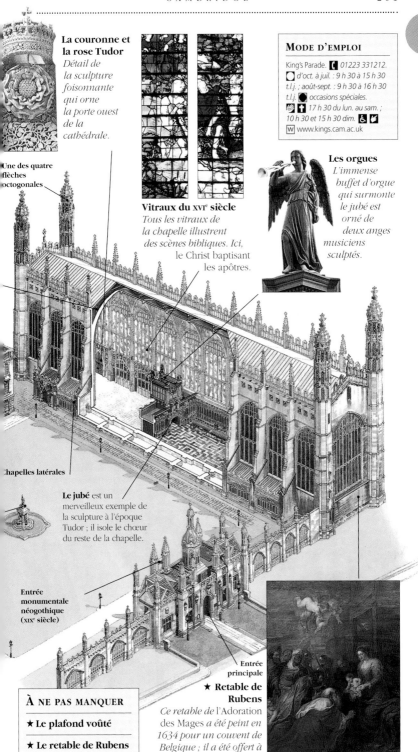

La couronne et la rose Tudor
Détail de la sculpture foisonnante qui orne la porte ouest de la cathédrale.

Une des quatre flèches octogonales

Vitraux du XVIᵉ siècle
Tous les vitraux de la chapelle illustrent des scènes bibliques. Ici, le Christ baptisant les apôtres.

MODE D'EMPLOI

King's Parade. 01223 331212.
d'oct. à juil. : 9 h 30 à 15 h 30 t.l.j. ; août-sept. : 9 h 30 à 16 h 30 t.l.j. occasions spéciales.
17 h 30 du lun. au sam. ; 10 h 30 et 15 h 30 dim.
www.kings.cam.ac.uk

Les orgues
L'immense buffet d'orgue qui surmonte le jubé est orné de deux anges musiciens sculptés.

Chapelles latérales

Le jubé est un merveilleux exemple de la sculpture à l'époque Tudor ; il isole le chœur du reste de la chapelle.

Entrée monumentale néogothique (XIXᵉ siècle)

Entrée principale

★ Retable de Rubens
Ce retable de l'Adoration des Mages a été peint en 1634 pour un couvent de Belgique ; il a été offert à King's College en 1961.

À NE PAS MANQUER

★ **Le plafond voûté**

★ **Le retable de Rubens**

À la découverte de l'université de Cambridge

L'université de Cambridge ne compte pas moins de 31 collèges *(p. 198-199)* ; le plus ancien est Peterhouse (1284), le plus récent Robinson (1979). La plupart des collèges rassemblés autour du centre-ville possèdent des jardins qui donnent sur la Cam. Dans l'architecture des collèges les plus anciens, on sent, comme à Oxford *(p. 214-215)*, l'influence des institutions religieuses, malgré les remaniements parfois radicaux opérés au siècles dernier. Les bâtiments se composent en général de quatre pavillons autour d'une cour centrale. Ils constituent un véritable florilège de l'architecture anglaise de la fin du Moyen Âge à nos jours.

La nef de la chapelle de Pembroke College (due à Christopher Wren)

La façade majestueuse d'Emmanuel College

Emmanuel College
La chapelle construite par Wren *(p. 116)* en 1677 est le chef-d'œuvre d'Emmanuel College. Certains détails décoratifs, comme les motifs du plafond ou la balustrade de l'autel (1734), sont de toute beauté. Il existe à Emmanuel College, fondé en 1584, une tradition puritaine. Parmi les anciens du collège, John Harvard quitta l'Angleterre pour l'Amérique en 1636 et laissa sa fortune au collège du Massachusetts qui porte son nom.

Senate House
Un bâtiment de style palladien construit sur King's Parade, où se déroulaient autrefois les grandes cérémonies. Dessinée par James Gibbs en 1732, Senate House devait faire partie d'un ensemble beaucoup plus vaste qui ne fut jamais construit.

Corpus Christi College
Il fut fondé en 1352 par les guildes des commerçants, qui ne voulaient pas que l'éducation ne fût accessible qu'aux nobles et aux membres du clergé. La Vieille Cour (Old Court) est remarquablement bien conservée ; son aspect actuel est très proche de celui qu'elle devait avoir au XIVᵉ siècle.
Une galerie de brique rouge datant du XVᵉ siècle relie le collège à l'église Saint-Benoît (St Benedict's Church), dont la grosse tour saxonne est le plus ancien bâtiment de Cambridge.

King's College
P. 200-201.

Pembroke College
La chapelle de Pembroke College est le premier monument construit par Wren *(p. 116-117)*. Sa structure classique remplace une chapelle du XIVᵉ siècle désaffectée devenue une bibliothèque. Les jardins du collège se trouvent au-delà de Trumpington Street.

Jesus College
Le collège lui-même a été fondé en 1497, mais certains bâtiments qui le composent sont plus anciens, car il occupe le site du monastère de Sainte-Radegonde établi au XIIᵉ siècle. On voit encore quelques colonnes normandes, des fenêtres et une charpente ancienne bien conservée dans le réfectoire.
La chapelle a gardé l'essentiel de l'église originelle, mais ses vitraux sont modernes ; certains sont dus à William Morris *(p. 208-209)*.

Queens' College
Ce collège élevé en 1446 fut doté successivement par deux reines d'Angleterre, Marguerite d'Anjou, épouse d'Henri VI,

---

SUR LA CAM

Une des images les plus célèbres de Cambridge : une longue barque à fond plat menée nonchalemment à la perche par un étudiant, tandis que d'autres se détendent, allongés au fond de l'embarcation. Ces barques à fond plat ont toujours beaucoup de succès, tant auprès des visiteurs que des étudiants. On peut en louer au bord de la rivière – avec un pilote si nécessaire.

Canotage sur la Cam, le long des « Backs »

en 1448 et Élisabeth Woodville, épouse d'Édouard IV, en 1465. Queens' College est un merveilleux ensemble de bâtiments Tudor. Cloister Court et la galerie du Président formaient ensemble le premier cloître universitaire de Cambridge. La cour principale

La bibliothèque de Magdalene College

et la tour Érasme datent du XVe siècle. Le collège s'étend sur les deux rives de la Cam. Les bâtiments sont reliés par le pont des Mathématiques, construit en 1749 sans clou ni vis ; il a pourtant fallu planter quelques clous à l'occasion de réparations postérieures.

Magdalene College
Ce collège a été construit en 1482 dans Bridge Street. Samuel Pepys (1633-1703), auteur d'un journal étonnant et très vivant sur la vie en Angleterre au XVIIe siècle, a fait ses études ici ; il légua à sa mort toute sa bibliothèque au collège. Magdalene College est le dernier de Cambridge à avoir admis la mixité ; celle-ci date de 1987.

St John's College
Un imposant porche de 1514 donne accès au deuxième plus grand collège de Cambridge, bel ensemble des XVIe et XVIIe siècles. Dans le hall, qui date en grande partie du XVIe siècle, sont accrochés les portraits des étudiants célèbres du collège, comme le poète William Wordsworth (*p. 354*) ou Lord Palmerston, un homme politique. St John s'étend aussi de l'autre côté de la Cam ; on s'y rend grâce à deux ponts, une copie du pont des Soupirs de Venise (1831) et un pont construit en 1712.

Peterhouse
Peterhouse, construit dans Trumpington Street, est le collège le plus ancien de Cambridge, mais aussi un des plus petits. Le hall est encore en grande partie du XIIIe siècle, mais les plus beaux éléments décoratifs sont plus tardifs, comme la cheminée Tudor doublée de carreaux émaillés du XIXe siècle dus à William Morris (*p. 208-209*). Une galerie relie le collège à l'église St Mary-the-Less, du XIIe siècle.

Carreaux XIXe à Peterhouse

MODE D'EMPLOI

Les collèges de Cambridge sont en général accessibles t.l.j. de 14 h à 17 h, mais il n'y a pas d'heures d'ouverture définies : consulter les panneaux placés à l'entrée. Quelques visites sont payantes.

Trinity College
Trinity College, fondé en 1547 par Henri VIII, est le plus grand collège de Cambridge. Le pavillon d'entrée, où l'on reconnaît des statues d'Henri VIII et Jacques Ier, ajoutées postérieurement, a en fait été construit en 1529 pour le collège de King's Hall, aujourd'hui absorbé par Trinity College. Dans la Grande Cour, une fontaine de la fin du XVIe siècle a longtemps fourni presque toute l'eau du collège. Dans la chapelle de 1567, plusieurs statues grandeur nature d'anciens membres du collège, dont une effigie d'Isaac Newton sculptée en 1755.

Jardins botaniques
Ces jardins aménagés en 1846 près de Trumpington Street rassemblent de très beaux arbres d'essences différentes et un jardin d'eau. Le jardin d'hiver est l'un des plus beaux du pays.

Au-dessus de la Cam, le pont des Soupirs relie deux bâtiments de St John's College

LA VALLÉE DE LA TAMISE

BEDFORDSHIRE · BERKSHIRE · BUCKINGHAMSHIRE
HERTFORDSHIRE · OXFORDSHIRE

*L*e puissant fleuve au bord duquel Londres a été fondée n'est à sa naissance, dans les collines du Gloucestershire, qu'un ruisseau, qui s'élargit en arrivant dans la luxuriante campagne qui entoure la capitale. Essentiellement agricole au XIX⁰ siècle, la vallée de la Tamise a su conserver la plus grande part de son charme campagnard.

Toute la région entretient des liens puissants avec la monarchie. Le château de Windsor, résidence royale depuis plus de 900 ans, a eu son rôle à jouer dans l'Histoire : c'est de là que le roi Jean est parti en 1215 pour aller signer la *Magna Carta* à Runnymede, sur la Tamise. Plus au nord, la reine Anne fit construire Blenheim Palace pour le commandant en chef de ses armées, le premier duc de Marlborough. Élisabeth Iʳᵉ passa une partie de son enfance à Hatfield House ; une partie des bâtiments qu'elle a connus existe encore.

Plusieurs villes de la vallée, comme Burford, dans l'Oxfordshire, étaient des relais de poste sur les grandes routes qui relient Londres à l'ouest du pays. Grâce au développement de nouveaux moyens de transport au début du XXᵉ siècle, la région devint une sorte d'extension de la banlieue de Londres, et suscita d'intéressantes utopies urbanistiques, comme la « ville-jardin » de Welwyn et la ville des quakers à Jordans.

Oxford, la principale ville de la vallée, doit son importance à l'implantation dans la ville, en 1167, de la première université d'Angleterre ; la plupart des « collèges » sont des joyaux d'architecture médiévale. Au XVIIᵉ siècle, de nombreux épisodes de la guerre civile *(p. 52)* se déroulèrent autour d'Oxford, qui fut quelque temps le quartier général de Charles Iᵉʳ, soutenu par les étudiants. Quand les royalistes furent contraints de quitter la cité, Oliver Cromwell se proclama chancelier de l'université.

Canotage sur la Cherwell, à Oxford

◁ **Un escalier médiéval de Christchurch College, à Oxford**

À la découverte de la vallée de la Tamise

Les aristocrates qui ne voulaient pas trop s'éloigner de Londres ont peuplé de châteaux les collines de Chiltern et la vallée de la Tamise. La plupart de ces demeures, comme Hatfield House et Blenheim Palace, comptent parmi les plus somptueuses du pays. Autour de ces propriétés ont prospéré des villages pittoresques dont les maisons à colombage cèdent le pas, plus on va vers les Costwolds, à des maisons en pierre couleur de miel. De nombreux vestiges préhistoriques, dont la remarquable figure gravée sur un coteau crayeux connue sous le nom de Cheval blanc d'Uffington, attestent que la région est habitée depuis des milliers d'années.

LA RÉGION D'UN COUP D'ŒIL

Blenheim Palace p. 216-217 **6**
Burford **2**
Jardins de la Rose **14**
Great Tew **1**
Hatfield House **12**
Hughenden Manor **15**
Kelmscott **3**
Knebworth House **11**
Oxford p. 210-215 **5**
St Albans **13**
Stowe **7**
Val du Cheval blanc **4**
Waddesdon Manor **9**
Réserve de Whipsnade **10**
Windsor p. 223-225 **17**
Woburn Abbey **8**

Excursion
Les rives de la Tamise **16**

Birmingham

● BANBURY

STOWE **7**

Stratford-upon-Avon

A361

GREAT TEW **1**

A44

Oxford Canal

Cherwell

A40

A421

BICESTER

WADDESDON MANOR **9**

Evenlode

6

Cheltenham

Windrush

A40

2

BURFORD

BLENHEIM PALACE

Thames

OXFORD **5**

A40

A418

A361

Isis

3 KELMSCOTT

A420

A338

A34

A329

A4130

A417

VAL DU CHEVAL BLANC **4**

M40

Swindon

Ridgeway

A417

A34

HENLEY-ON-THAMES

16 LES RIVES DE LA TAMISE

Thames

A329

M4

A338

READING ●

A4

NEWBURY

Kennet

Winchester

Une chaumière d'Upper Swarford, à Banbury

CIRCULER

La vallée de la Tamise étant une sorte de grande banlieue pour Londres, elle est bien desservie tant par les transports publics que par le réseau autoroutier et routier. Des trains relient les principales villes et il existe au départ de Londres de nombreuses excursions en autocar vers les principaux sites de la région.

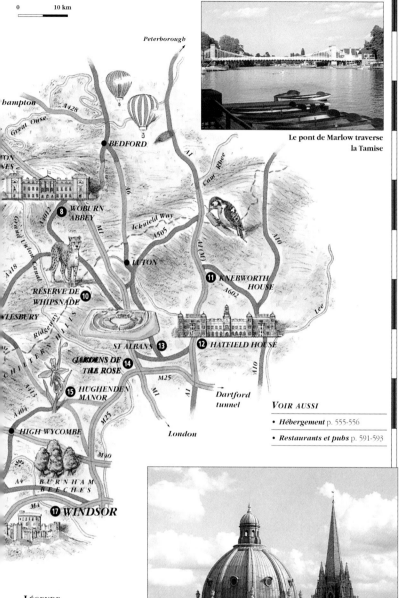

0   10 km

Peterborough

bampton

Great Ouse

A428

BEDFORD

A6

Cam River

A1

8 *WOBURN ABBEY*

A4012

Ickuield Way

A505

LUTON

A10(M)

11 *KNEBWORTH HOUSE*

A602

RÉSERVE DE WHIPSNADE **10**

Ridgeway

CHILTERN HILLS

ST ALBANS **13**

A10

12 *HATFIELD HOUSE*

GARDENS OF THE ROSE **14**

M25

M1

A1

→ *Dartford tunnel*

Lee

15 *HUGHENDEN MANOR*

A413

A404

M25

M1

→ *London*

HIGH WYCOMBE

M40

A4

BURNHAM BEECHES

M4

17 *WINDSOR*

Le pont de Marlow traverse la Tamise

VOIR AUSSI

- *Hébergement* p. 555-556
- *Restaurants et pubs* p. 591-593

LÉGENDE

▰	Autoroute
▰	Route principale
▰	Route pittoresque
--	Chemin pittoresque
≈	Cours d'eau
☀	Point de vue

Devant la coupole de la Radcliffe Camera, les pinacles de l'université

Great Tew ❶

Oxfordshire. 🚶 250. 🚆 Oxford ou Banbury, puis taxi. ℹ️ Spiceball Park Rd (01295 259855).
🌐 www.visit-northfordshire.co.uk

Ce village niché au creux d'une vallée boisée a été fondé dans les années 1630 par Lord Falkland pour accueillir le personnel de son domaine. Il a été largement restauré entre 1809 et 1811 dans le style néo-gothique. Les chaumières entourées de haies de buis bien taillées et le pub **Falkland Arms** du XVIIᵉ siècle ont le parfum de l'authenticité.

Aux environs
À 8 km à l'est se trouvent les **Rollright Stones**, trois monuments de l'âge du bronze. Il y a d'abord un cercle de 77 pierres, appelées les « King's Men » (les Hommes du roi) ; puis les vestiges d'un tumulus, « Whispering Knights » (les Chevaliers murmurants) ; et la solitaire Pierre du roi (« King Stone »). Plus au nord, le village de **Banbury** est célèbre par ses galettes croustillantes et sa croix de la place du marché.

La croix sur la place du marché de Banbury

🏛 **Falkland Arms**
Great Tew. 📞 01608 683653.
🕐 t.l.j. 🔴 25 déc. 🚻

Burford ❷

Oxfordshire. 🚶 1 000. ℹ️ Sheep St (01993 823558).

Cette ravissante petite ville n'a guère changé depuis le XVIIIᵉ siècle ; c'était alors un important relais routier entre Oxford et l'ouest du pays. La rue principale est bordée de maisons de pierre, d'auberges et de boutiques qui datent pour la plupart du XVIᵉ siècle. À voir, **Tolsey Hall**, un manoir du XVIᵉ siècle qui a conservé ses écuries au rez-de-chaussée. Il est situé au coin de Sheep Street (rue des Moutons), qui rappelle l'importance du commerce de la laine au Moyen Âge *(p. 195)*.

Aux environs
À l'est de Burford, l'église de **Swinbrook** abrite les monuments Fettiplace, six figures sculptées des XVIᵉ et XVIIᵉ siècles. Trois kilomètres plus loin se dressent les ruines d'un manoir du XVᵉ siècle, **Minster Lovell Hall**, dont seul le pigeonnier est resté intact.

L'hôtel de ville de **Witney**, plus à l'ouest, date de 1730. Aux abords du village, on verra une ferme du XIIIᵉ siècle, **Cogges Manor Farm**, qui abrite aujourd'hui un musée de la vie rurale.

🏛 **Minster Lovell Hall**
Minster Lovell. 🕐 t.l.j.
🏛 **Cogges Manor Farm**
Witney. 📞 01993 772602.
🕐 de Pâques à oct. : du mar. au dim. (sam. et dim. l'après-midi), jours fériés.
📷 ♿ limité. 🚻 🏪

Kelmscott ❸

Oxfordshire. 🚶 100. ℹ️ 7a Market Place, Faringdon (01367 242191).
🌐 www.faringdon.org

William Morris, artiste et écrivain, a vécu dans ce joli village du bord de la Tamise de 1871 à sa mort en 1896. Très attiré comme ses amis du mouvement Arts and Crafts *(p. 25)* par l'atmosphère médiévale du village, il y partagea le manoir de **Kelmscott Manor** avec le peintre Dante Gabriel Rossetti (1828-1882), jusqu'à ce que ce dernier quitte la maison à la suite de sa liaison avec Jane, la femme de Morris, représentée dans de nombreuses peintures préraphaélites. Aujourd'hui,

Maisons anciennes à Burford, dans l'Oxfordshire

L'austère entrée de Kelmscott Manor, demeure élisabéthaine

Kelmscott Manor expose des œuvres d'art des membres du mouvement, dont des carreaux décoratifs de William de Morgan. Morris, dont le tombeau a été dessiné par Philip Webb, est enterré dans le cimetière du village.

À trois kilomètres vers l'est se trouve le pont de **Radcot**, considéré comme le plus vieux pont sur la Tamise. Construit au XIIIᵉ siècle dans la belle pierre de Taynton, c'était un point stratégique important. Il fut d'ailleurs sévèrement endommagé en 1387 lors d'une bataille entre Richard II et ses barons.

🏰 Kelmscott Manor

Kelmscott. 📞 01367 252486.
🕐 d'avr. à juin, sept. :
mer., 3ᵉ sam. ; de juil. à août :
mer., 1ᵉʳ et 3ᵉ sam. 🔲 🚫 limité. 🌐
W www.kelmscottmanor.co.uk

Le Val du Cheval blanc ❹

Oxfordshire. 🚆 Didcot. 🛈 25 Bridge St, Abingdon (01235 522711) ;
19 Church St. Wantage (01235 760176). W www.wantage.com

Cette jolie vallée doit son nom à l'immense cheval de craie, long de 100 m, gravé sur le coteau d'Uffington. Ce cheval est probablement la plus ancienne figure gravée d'Angleterre et fit naître de nombreuses légendes. Pour certains, il aurait été exécuté par le chef saxon Hengist, dont le nom signifie étalon en allemand ; pour d'autres, il aurait à voir avec Alfred le Grand qui serait né près d'ici. Il semble cependant que cette figure soit beaucoup plus ancienne encore et date d'environ 1000 avant notre ère. Non loin, les remparts celtiques de terre d'**Uffington Castle** et un grand tumulus de l'âge de la pierre, **Wayland's Smithy**, sur l'ancienne route commerciale de Ridgeway, donnent à cette région l'atmosphère mystérieuse et légendaire que sir Walter Scott (p. 498) s'attachait à transcrire dans ses romans.

C'est depuis le village d'Uffington que l'on a la plus belle vue sur le cheval. Uffington abrite aussi un musée, le **Tom Brown's School Museum**. Dans cette ancienne école du XVIIᵉ siècle sont réunis des documents sur l'écrivain Thomas Hughes (1822-1896) qui a situé dans les environs des passages entiers d'un roman très appécié outre-Manche, *Tom Brown's Schooldays*. À voir aussi, les vestiges archéologiques provenant de fouilles sur la colline du Cheval blanc.

🏛 Tom Brown's School

Broad St, Uffington. 📞 01367 820259.
🕐 de Pâques à oct. : sam., dim. et jours fériés (l'après-midi). 🔲 🚫 limité.
W www.uffington.net/museum

LES FIGURES DE CRAIE

Ce sont les Celtes qui ont compris les premiers quel parti tirer du contraste entre des figures gravées sur la craie blanche et la végétation alentour. Les chevaux, tenus en haute estime par les Celtes et les Saxons, et parfois même objets de culte, étaient un de leurs thèmes favoris. Mais on connaît aussi des représentations humaines, comme à Cerne Abbas, dans le Dorset (p. 257), et à Wilmington (p. 168). Ces figures étaient peut-être des symboles religieux, ou des repères au sol permettant aux différents clans de marquer leurs territoires respectifs. Beaucoup se sont perdues, car si l'on n'y prend garde elles se recouvrent rapidement d'herbe. Le site d'Uffington était régulièrement « lessivé », ce qui donnait lieu autrefois à des festivités et à une foire. Au XVIIIᵉ siècle, la tradition des figures gravées connut un regain d'intérêt. Quelquefois, comme à Bratton Castle, près de Westbury, une gravure du XVIIIᵉ siècle se superpose à une autre, plus ancienne.

Le Cheval blanc d'Uffington

Oxford pas à pas ❺

L e nom d'Oxford signifie « gué pour les bœufs » ; on en déduit qu'il y avait ici un gué facile à franchir, qui faisait de la ville un point stratégique sur la route entre l'ouest du pays et Londres. Des clercs venus de France en 1167 y ont fondé une université, la première d'Angleterre, qui se développa rapidement et a modelé une bonne part du paysage architectural de la ville.

Old Ashmolean
Aujourd'hui musée de l'Histoire des sciences, ce splendide bâtiment fut construit en 1683 pour abriter la collection de curiosités d'Elias Ashmole, déplacée en 1845.

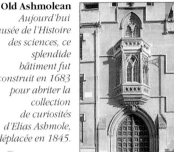

L'Ashmolean Museum
possède une des plus anciennes collections d'œuvres d'art du pays.

St John's College

Balliol College

ST GILES

MAGDALEN STREET

BROAD STREET

BEAUMONT STREET
Swindon

Le mémorial des Martyrs
Il commémore le martyre de trois protestants, Latimer, Ridley et Cranmer, qui furent condamnés au bûcher pour hérésie.

Gare routière

Trinity College

CORNMARKET STREET

TURL

BRAS

MARKET STREET

STRE

0   100 m

Histoire d'Oxford

Jesus College

Lincoln College

LÉGENDE

— — — Itinéraire conseillé

Marché couvert

Gare ferroviaire

Lincoln College Library

ST ALD

PERCY BYSSHE SHELLEY

Shelley (1792-1822), célèbre poète romantique *(p. 354),* étudia à Oxford, mais il fut renvoyé de l'université pour avoir écrit un pamphlet révolutionnaire, *De la nécessité de l'athéisme.* Le collège lui a cependant dédié un beau monument de marbre.

Musée d'Oxford

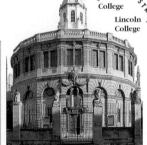

Sheldonian Theatre
Ce bâtiment conçu par sir Christopher Wren (p. 116) est le cadre de la traditionnelle cérémonie de la remise des diplômes universitaires.

À NE PAS MANQUER

★ **La Radcliffe Camera**

★ **Christ Church**

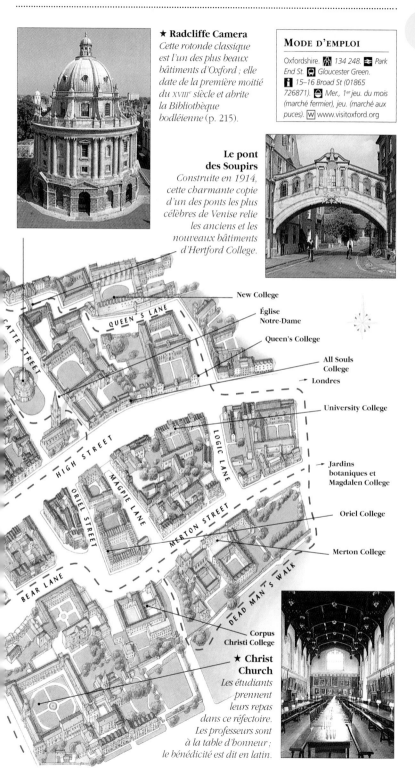

★ Radcliffe Camera

Cette rotonde classique est l'un des plus beaux bâtiments d'Oxford ; elle date de la première moitié du XVIIIe siècle et abrite la Bibliothèque bodléienne (p. 215).

MODE D'EMPLOI

Oxfordshire. 🕾 134 248. 🚆 Park End St. 🚌 Gloucester Green. 🛈 15–16 Broad St (01865 726871). 🛒 Mer., 1er jeu. du mois (marché fermier), jeu. (marché aux puces). 🆆 www.visitoxford.org

Le pont des Soupirs

Construite en 1914, cette charmante copie d'un des ponts les plus célèbres de Venise relie les anciens et les nouveaux bâtiments d'Hertford College.

CATTE STREET

QUEEN'S LANE

New College

Église Notre-Dame

Queen's College

All Souls College

→ Londres

University College

HIGH STREET

LOGIC LANE

→ Jardins botaniques et Magdalen College

ORIEL STREET

MAGPIE LANE

MERTON STREET

Oriel College

Merton College

BEAR LANE

DEAD MAN'S WALK

Corpus Christi College

★ Christ Church

Les étudiants prennent leurs repas dans ce réfectoire. Les professeurs sont à la table d'honneur ; le bénédicité est dit en latin.

Sculpture du Sheldonian Theatre

À la découverte d'Oxford

Oxford n'est pas seulement une ville universitaire ; on y trouve aussi une des plus importantes usines automobiles d'Angleterre, installée en banlieue, à Cowley. L'économie de la ville reste cependant très liée à la vie intellectuelle ; la librairie Blackwell, par exemple, a plus de 20 000 titres en stock. Il y a de jolies balades à faire le long des deux rivières, la Cherwell et l'Isis (c'est le nom que prend la Tamise quand elle traverse la ville), à pied ou en barque.

🏛 Ashmolean Museum

Beaumont St. ☎ 01865 278000. ○ du mar. au dim. (dim. l'après-midi seul.), jours fériés. ● du 25 au 28 déc., 1ᵉʳ janv., ven. saint. ☐ & mar., ven., sam. ☐ 🖻 w www.ashmole.ox.ac.uk

Ce musée est le premier en Angleterre qui ait été abrité dans un bâtiment spécialement construit pour lui. C'est aussi l'un des plus beaux du pays hors de la capitale. Il a ouvert ses portes en 1683, et proposait alors aux visiteurs la collection de curiosités des Tradescant, père et fils. Ils firent de nombreux voyages en Orient et en Amérique et rassemblèrent ainsi nombre d'objets étonnants, animaux empaillés, objets d'art primitif, toutes choses qui n'avaient encore jamais été montrées en Angleterre. À leur mort, leurs trésors furent acquis par l'antiquaire Elias Ashmole, qui les légua à l'université et fit construire pour les abriter

un bâtiment dans Broad Street, aujourd'hui le musée d'Histoire des sciences.

Au XIXᵉ siècle, une partie des collections fut ajoutée à celles du musée de l'Université, abrité dans une magnifique bâtisse néo-classique de 1845, connue aujourd'hui sous le nom d'Ashmolean Museum.

Des œuvres d'art, notamment des peintures et des dessins, sont venues enrichir les collections initiales. Citons le *Saint Jérôme lisant* de Bellini (vers 1490), les *Deux têtes d'apôtres* de Raphaël (1519), *Le Grand Canal de Venise* de Turner (1840), *Saskia endormie* de Rembrandt (1635), une *Crucifixion* de Michel-Ange (1557), *Les Toits bleus* de Picasso (1901) et un bel ensemble de toiles pré-raphaélites de Rossetti, Millais et Hunt. On verra aussi des sculptures grecques et romaines, une collection d'instruments à cordes, des aquarelles de Rowlandson. Dans la superbe série de monnaies, la deuxième d'Angleterre par son importance, figure une couronne d'Oxford en argent qui fut frappée dans la ville en 1644, en pleine guerre civile *(p. 52)*, alors que Charles Iᵉʳ y résidait.

Mais la perle du musée reste l'anneau d'or émaillé, vieux de plus de mille ans, dit le « joyau du roi Alfred » *(p. 47)*.

L'entrée de l'Ashmolean Museum

🌿 Botanic Gardens

Rose Lane. ☎ 01865 286690. ○ t.l.j. ● 25 déc., ven. saint. 🖻 de mars à oct. **Offrandes** de nov à fév. & w www.botanic-garden.ox.ac.uk

C'est le plus ancien jardin botanique d'Angleterre. Il fut aménagé en 1621 (il subsiste un if de cette époque) pour le comte de Danby. Le portail d'entrée, très travaillé, a été dessiné par Nicholas Stone en 1633. Il s'orne des statues du comte de Danby, de Charles Iᵉʳ et de Charles II. Avec ses parterres fleuris au dessin très précis, ses plates-bandes de plantes herbacées et son jardin de rocaille, ce jardin clos est un endroit idéal pour marquer une pause et flâner un peu.

Les jardins botaniques du XVIIᵉ siècle

🗼 Carfax Tower

Carfax Sq. ☎ 01865 792653. ○ t.l.j. ● 25 et 26 déc. 1ᵉʳ janv. 🖻 🖻

Cette tour est l'unique vestige de l'église Saint-Martin construite au XIVᵉ siècle et démolie en 1896 pour permettre l'élargissement de la route. Sa belle horloge sonne tous les quarts d'heure ; du sommet, panorama exceptionnel de la ville. Carfax se trouvait à l'intersection des premières routes est-ouest et nord-sud ; le nom de Carfax vient du français « quatre voies ».

🎵 Holywell Music Room

Holywell St. ○ concerts seulement. 🖻 &

C'est la première vraie salle de concert construite en Europe (1752). D'ordinaire, les concerts avaient lieu chez des particuliers et pour leurs seuls invités. Les deux superbes lustres qui éclairent la pièce décoraient Westminster Hall en 1820, pendant les cérémonies du couronnement de George IV. Ils furent offerts à Wadham College, dont dépend administrativement la salle de musique, par le roi lui-même. À Holywell ont lieu des concerts de musique classique ou contemporaine.

🏛 Museum of Oxford

St Aldate. 📞 01865 815559. 🕐 du mar. au dim. 🔴 25 et 26 déc., 1er janv. 📷 W www.oxford.gov.uk/museum
Une présentation intelligente illustre, dans l'hôtel de ville du siècle dernier, la longue et passionnante histoire d'Oxford et de son université ; on découvre ainsi le four d'un potier romain, un sceau de la ville datant de 1191 et une série de pièces d'époque reconstituées.

⚜ Martyrs' Memorial

Magdalen St.
Il commémore le martyre de trois protestants condamnés au bûcher dans Broad Street : les évêques Latimer et Ridley en 1555, et l'archevêque Cranmer en 1556. Quand, en 1553, la reine Marie monta sur le trône (p. 51), ils furent emprisonnés à la Tour de Londres, puis envoyés à Oxford pour défendre leurs opinions religieuses devant un cénacle de théologiens, qui les condamnèrent pour hérésie.
Le mémorial a été réalisé en 1843 par George Gilbert Scott qui s'est fortement inspiré de l'architecture gothique.

🏛 Oxford Story

6 Broad St. 📞 01865 728822. 🕐 t.l.j. 🔴 25 déc. 🔒 📷 ♿ limité
L'histoire d'Oxford est évoquée à travers des présentations audiovisuelles bien conçues qui mettent en scène des effigies grandeur nature des grandes figures historiques de la ville.

🔒 St Mary the Virgin Church

High St. 📞 01865 279111. 🕐 t.l.j. 🔴 25 et 26 déc., ven. saint. 🔒 ♿
W www.university-church.ox.ac.uk
L'église officielle de l'université est, dit-on, la plus visitée d'Angleterre. Les parties les plus anciennes, dont la tour, datent du XIIIe siècle. La salle où les professeurs tiennent leurs assemblées générales, de la même époque, a abrité la première bibliothèque de l'université jusqu'à la fondation de la Bodléienne en 1488 (p. 215). C'est dans cette église que les trois martyrs d'Oxford ont été déclarés hérétiques en 1555. Le joyau de l'église est son porche sud, baroque.

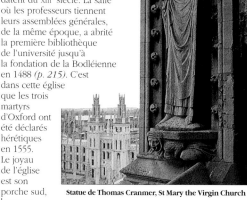

Statue de Thomas Cranmer, St Mary the Virgin Church

🏛 University Museum

Parks Rd. 📞 01865 272950. 🕐 t.l.j. (l'après-midi) 🔴 du 24 au 26 déc., Pâques. 🔒 W www.oum.ox.ac.uk

🏛 Pitt Rivers Museum

Parks Rd. 📞 01865 270927 🕐 t.l.j. (l'après-midi). 🔴 du 24 au 26 déc., Pâques. 🔒 W www.prm.ox.ac.uk
Deux des plus intéressants musées d'Oxford sont côte à côte. Le premier est le Muséum d'histoire naturelle, qui abrite des squelettes de dinosaures et un dodo empaillé, cet oiseau qui ne pouvait voler et qui a disparu dès le XVIIe siècle. C'est peut-être celui-là que l'on retrouve dans *Alice au Pays des Merveilles (p. 387)* de Lewis Carroll (de son vrai nom Charles Dodgson, maître de conférences en mathématiques à Oxford). Le Pitt Rivers Museum est l'une des plus grandes collections ethnographiques du monde. On y trouve des masques, des objets tribaux d'Afrique et d'Extrême-Orient, et les trésors archéologiques collectés par le capitaine Cook.

⚜ Sheldonian Theatre

Broad St. 📞 01865 277299. 🕐 téléphoner. 🔴 période de Noël, Pâques et jours fériés. 📷 ♿ limité. W www.sheldon.ox.ac.uk
Le bâtiment a été élevé en 1669 par sir Christopher Wren (p. 116). C'est Gilbert Sheldon, archevêque de Canterbury, qui finança la construction, qui devait servir de cadre aux cérémonies de remise des diplômes. Le plan en forme de D du bâtiment est inspiré du théâtre de Marcellus à Rome. Depuis le lanternon de la coupole octogonale, on découvre une très belle vue sur la ville. Le plafond du théâtre est décoré de peintures allégoriques représentant le triomphe de la Religion, de l'Art et de la Science sur l'Envie, la Haine et la Méchanceté.

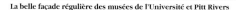

La belle façade régulière des musées de l'Université et Pitt Rivers

À la découverte de l'université d'Oxford

La plupart des 36 collèges qui composent l'université ont été fondés entre le XIIIe et le XVIe siècle, et sont groupés autour du centre-ville. L'enseignement n'était alors dispensé que par le clergé ; c'est ce qui explique que les collèges aient été dessinés comme des bâtiments monastiques. La plupart d'entre eux ont été quelque peu altérés au fil du temps, mais ils conservent pour l'essentiel leurs caractéristiques originales.

Vue d'ensemble d'All Souls College depuis St Mary's Church

All Souls College
La chapelle construite dans High Street en 1438 par Henri VI, le long de la façade nord du collège, présente une charpente classique mais d'étonnantes miséricordes *(p. 329)* et des vitraux du XVe siècle.

Christ Church College
C'est depuis la prairie de St Aldate que l'on découvre le mieux le plus grand des collèges d'Oxford. Il a été fondé en 1525 par le cardinal Wolsey qui voulait en faire un collège ecclésiastique pour la formation des cardinaux. Son clocher domine toute la ville ; il a été complété par Wren *(p. 116)* en 1682. Quand on y installa la cloche, Great Tom, en 1648, le collège avait 101 élèves, ce qui explique qu'elle sonne 101 fois à 21 h 05, pour signifier aux étudiants le couvre-feu (qui n'est plus appliqué depuis 1963). Cet horaire surprenant se comprend mieux quand on sait que la nuit tombe ici cinq minutes après Greenwich *(p. 133)*. En 200 ans, 16 Premiers ministres sont sortis de ce collège. À côté de la cour principale se trouve la plus petite cathédrale d'Angleterre (XIIe siècle).

Lincoln College
Fondé en 1427 dans Turl Street, c'est un des collèges médiévaux les mieux préservés. La cour d'honneur et la façade datent du XVe siècle. Le réfectoire a toujours son plafond d'origine, avec le trou pour l'évacuation de la fumée. La chapelle du XVIIe siècle abrite de beaux vitraux. John Wesley *(p. 267)* a étudié dans ce collège ; sa chambre a depuis été transformée en chapelle.

Magdalen College
Au bout de High Street se dresse le plus typique et peut-être le plus beau collège d'Oxford. Ses cours, de styles très différents, datent du XVe siècle. Le premier mai, à 6 heures du matin, le chœur du collège chante depuis le sommet du clocher, coutume du XVIe siècle marquant le début de l'été.

New College
C'est un des plus grands collèges d'Oxford, fondé en 1379 par William de Wykeham, pour former des prêtres destinés à remplacer le clergé décimé par la Peste

Le pont Magdalen sur la Cherwell

noire *(p. 49)*. Dans New College Lane, une magnifique chapelle restaurée au XIXe siècle abrite des miséricordes du XIVe siècle et un *Saint Jacques* du Greco (1541-1614).

Queen's College
Ce collège est un magnifique exemple de l'architecture du XVIIIe siècle à Oxford. Sa superbe bibliothèque a été construite en 1695 par Henry Aldrich (1647-1710). La grille de l'entrée, interrompue par un petit clocher, se reconnaît de loin dans High Street.

LA VIE ESTUDIANTINE

Les étudiants sont attachés à un collège et y vivent en général jusqu'à la fin de leur cursus. L'université organise conférences et examens et décerne les diplômes, mais l'essentiel de l'enseignement et de la vie sociale de l'étudiant tourne autour de son collège. La plupart des traditions sont très anciennes, comme la remise des diplômes en latin au Sheldonian Theatre.

Remise de diplômes au Sheldonian *(p. 213)*

Merton College vu depuis les prairies de Christ Church

St John's College
L'impressionnante façade donnant sur St Giles est de 1437, date de la fondation du collège par les cisterciens. L'ancienne bibliothèque abrite un mobilier et des vitraux du XVIIe siècle ; dans la Baylie Chapel sont exposés des costumes du XVe siècle.

Trinity College
En 1555, Trinity College a pris possession des locaux auparavant occupés par Durham Quad, un ancien collège monastique du XIIIe siècle. La chapelle du XVIIe siècle possède un remarquable retable et un beau jubé de bois sculpté.

Corpus Christi College
Ce charmant collège qui donne sur Merton Street date de 1517. Le cadran solaire de la cour, surmonté d'un pélican, l'emblème du collège, porte un calendrier du début du XVIIe siècle. Dans la chapelle, un rare lutrin sculpté du XVIe siècle en forme d'aigle.

Merton College
C'est le plus ancien (1264) des collèges d'Oxford. La plupart des salles de cours datent de cette époque. Le chœur de la chapelle est orné de reliefs allégoriques (la Musique, l'Arithmétique, la Rhétorique, la Grammaire).

MODE D'EMPLOI

Les collèges d'Oxford peuvent en général se visiter de 14 h à 17 h, tous les jours de l'année, mais les horaires ne sont pas définis. Il faut donc consulter les panneaux placés à l'entrée de chaque collège. **La bibliothèque Bodléienne (Duke Humphrey's Library & Divinity School)**, Broad St. 01865 277224. lun.-ven., 9 h à 16 h 45, sam., 9 h à 12 h 30. du 23 déc. au 3 janv., Pâques. www.bodley.ox.ac.uk

LA BIBLIOTHÈQUE BODLÉIENNE
Fondée en 1320, la bibliothèque fut agrandie en 1426 par Humphrey, duc de Gloucester (1391-1447), le frère d'Henri V. Sa collection de manuscrits ne tenait plus dans l'ancienne bibliothèque. La Bodléienne fut remaniée en 1602 par Thomas Bodley, un riche érudit qui édicta des règles strictes interdisant par exemple au bibliothécaire de se marier. Aujourd'hui, la Bodléienne est l'une des six bibliothèques d'Angleterre habilitées à recevoir le dépôt légal.

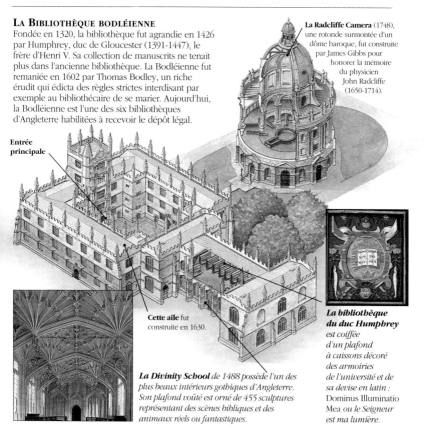

La Radcliffe Camera (1748), une rotonde surmontée d'un dôme baroque, fut construite par James Gibbs pour honorer la mémoire du physicien John Radcliffe (1650-1714).

Entrée principale

Cette aile fut construite en 1630.

La Divinity School de 1488 possède l'un des plus beaux intérieurs gothiques d'Angleterre. Son plafond voûté est orné de 455 sculptures représentant des scènes bibliques et des animaux réels ou fantastiques.

La bibliothèque du duc Humphrey est coiffée d'un plafond à caissons décoré des armoiries de l'université et de sa devise en latin : Dominus Illuminatio Mea ou le Seigneur est ma lumière.

Blenheim Palace ❻

Après sa victoire sur les Français lors de la bataille de Blenheim, en 1704, John Churchill, le premier duc de Marlborough, fut fort bien récompensé par la reine Anne qui lui offrit le manoir de Woodstock et fit construire pour lui Blenheim Palace. Cette demeure, conçue par Nicholas Hawksmoor et Sir John Vanbrugh *(p. 384)*, est un chef-d'œuvre baroque. C'est ici que naquit, en 1874, Winston Churchill.

★ La Grande Bibliothèque
Cette pièce de 55 m de long a été dessinée par Vanbrugh pour accueillir des peintures, dont un portrait de la reine Anne par Sir Godfrey Kneller (1646-1723).

Winston Churchill et sa femme, Clementine

Le Grand Pont fut construit en 1708. À l'intérieur de l'arche principale, plusieurs pièces sont ménagées.

La chapelle
Le monument en marbre au premier duc de Marlborough et à sa famille fut sculpté par Michael Rysbrack en 1733.

Les parterres d'eau
Ces splendides jardins ont été dessinés dans les années 1920 par un architecte français, Achille Duchêne, qui s'est inspiré des jardins de Versailles.

À NE PAS MANQUER

★ La Grande Bibliothèque

★ Le Salon

★ Le parc et les jardins

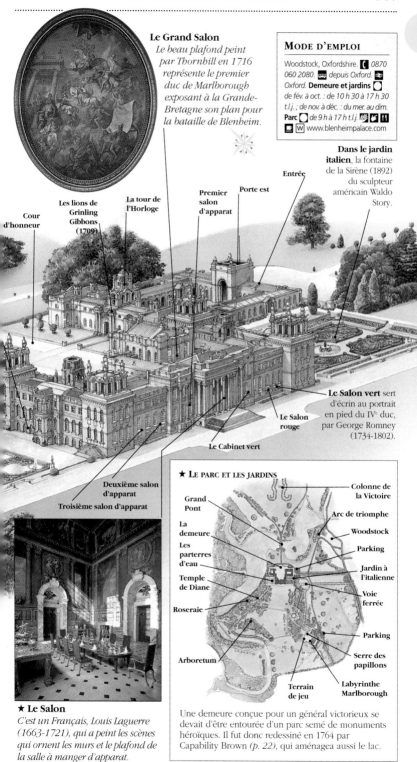

Le Grand Salon
Le beau plafond peint par Thornhill en 1716 représente le premier duc de Marlborough exposant à la Grande-Bretagne son plan pour la bataille de Blenheim.

MODE D'EMPLOI

Woodstock, Oxfordshire. [0870 060 2080. 🚌 depuis Oxford. 🚂 Oxford. **Demeure et jardins** ⬜ de fév. à oct. : de 10 h 30 à 17 h 30 t.l.j. ; de nov. à déc. : du mer. au dim. **Parc** ⬜ de 9 h à 17 h t.l.j. 🖼 👢 🍴 🔲 W www.blenheimpalace.com

Dans le jardin italien, la fontaine de la Sirène (1892) du sculpteur américain Waldo Story.

Entrée

Porte est

Premier salon d'apparat

La tour de l'Horloge

Les lions de Grinling Gibbons (1709)

Cour d'honneur

Le Salon vert sert d'écrin au portrait en pied du IVᵉ duc, par George Romney (1734-1802).

Le Salon rouge

Le Cabinet vert

Deuxième salon d'apparat

Troisième salon d'apparat

★ **LE PARC ET LES JARDINS**

Grand Pont

La demeure

Les parterres d'eau

Temple de Diane

Roseraie

Arboretum

Colonne de la Victoire

Arc de triomphe

Woodstock

Parking

Jardin à l'italienne

Voie ferrée

Parking

Serre des papillons

Labyrinthe Marlborough

Terrain de jeu

★ **Le Salon**
C'est un Français, Louis Laguerre (1663-1721), qui a peint les scènes qui ornent les murs et le plafond de la salle à manger d'apparat.

Une demeure conçue pour un général victorieux se devait d'être entourée d'un parc semé de monuments héroïques. Il fut donc redessiné en 1764 par Capability Brown *(p. 22)*, qui aménagea aussi le lac.

L'Entrée de l'Arsenal (1730) de Canaletto, à Woburn Abbey

Stowe ❼

(NT) Buckingham, Buckinghamshire.
📞 01280 822850. 🚃 Milton Keynes,
puis bus. ⏰ de mars au 22 déc. : du
mer. au dim., jours fériés. 🖼 🚻 limité.
🅿 🛍 🌐 www.stowe.co.uk

C'est le plus ambitieux des
jardins paysagers
d'Angleterre et un excellent
exemple de ce que l'art
des jardins a pu produire
au XVIIIe siècle *(p. 22-23).*
En l'espace d'un siècle
environ, le jardin original
dessiné en 1680 a été agrandi de
façon à pouvoir y inclure des
monuments néo-gothiques, des
temples à l'antique, des grottes,
des statues, des ponts, des lacs
artificiels et des arbres implantés
« naturellement » pour mettre ces
constructions en valeur.
La plupart des grands
architectes du moment
ont travaillé à ce projet,
notamment Sir John Vanbrugh,
James Gibbs et Capability
Brown *(p. 22)* qui fut pendant
10 ans, au début de sa carrière,
jardinier en chef à Stowe.
De 1593 à 1921, l'immense
propriété de Stowe a appartenu
aux familles Temple et
Grenville, puis la grande
demeure palladienne a été
vendue et convertie en collège
privé pour les jeunes garçons
de la bonne société (des visites
peuvent être organisées
durant les vacances scolaires).
Les temples et les statues
du jardin reflètent des idéaux
de démocratie et de liberté.
On trouve ainsi des temples
dédiés aux Grands Hommes
de l'Angleterre, aux vertus
antiques, à la Concorde et à
la Victoire, à la Poésie pastorale
et aux Champs-Élysées.
Quelques-uns de ces
monuments furent détériorés au
cours du XIXe siècle, car
les propriétaires n'avaient plus
les moyens d'entretenir
le domaine, et de nombreuses
statues furent vendues.
Un programme de rénovation
du domaine prévoit le rachat
des statues pour les remettre
à leur ancien emplacement ou
de leur substituer des copies.

Woburn Abbey ❽

Woburn, Bedfordshire. 📞 01525
290666. 🚃 Flitwick, puis taxi.
⏰ d'avr. à sept. : t.l.j. ; de janv.
à mars., oct. : sam., dim. 🖼 🚻 tél.
d'abord. 📷 sur rendez-vous. 🍴 🛍
🌐 www.woburnabbey.co.uk

L es ducs de Bedford, qui
ont vécu ici pendant plus de
350 ans, furent parmi
les premiers propriétaires
à ouvrir leur domaine au public,
il y a de cela 40 ans.
L'abbaye fut construite vers
1750 sur les fondations d'un
grand monastère cistercien du
XIIe siècle. Le domaine est l'un
des sites les plus visités de la
région, en partie du fait de son
parc animalier de 142 hectares
et de sa réserve de cerfs, où
vivent pas moins de 9 espèces
différentes, dont des cerfs sika
originaires d'Asie.
Les appartements d'apparat,
particulièrement somptueux,
regorgent d'œuvres d'art
et de tableaux de maîtres,
dont Reynolds (1723-1792)
et Canaletto (1697-1768).

Waddesdon Manor ❾

Près de Aylesbury, Buckinghamshire.
📞 01296 653203. 🚃 Aylesbury,
puis taxi. **Maison** ⏰ d'avr. à oct. :
de 11 h à 16 h du mer. au dim. et lun.
fériés ; Noël (tél.). **Jardin** ⏰ de mars
au 23 déc. : de 10 h à 17 h du mer.
au dim. et lun. fériés. **Bachelors'Wing**
⏰ de mars à oct. : de 11 h à 16 h
du mer. au ven. 🍴 🅿 🛍
🌐 www.waddesdon.org.uk

C onstruit entre 1874 et 1879
pour le baron Ferdinand
de Rothschild, Waddesdon
Manor est l'œuvre
de l'architecte français
Gabriel-Hippolyte Destailleurs
et les jardins ont été conçus
par le paysagiste français
Élie Lainé.
Bâtie dans le style
Renaissance, la demeure abrite
une des plus belles collections
d'art décoratif français du
XVIIIe siècle, ainsi qu'un
important mobilier français, des
tapis de la Savonnerie,
des porcelaines de Sèvres et
des tableaux du XVIIe siècle.
Le jardin est renommé pour
ses splendides parterres
de fleurs. Des dégustations
de vin ont également lieu
dans les caves, réalisées d'après
celles de Château-Lafite.

Pont palladien sur le lac octogonal du parc de Stowe

Hatfield House, une des plus grandes demeures XVIIᵉ du pays

La réserve de Whipsnade ❿

Près de Dunstable, Bedfordshire. 📞 01582 872171. 🚆 Hemel Hempsted, puis bus ; ou Whipsnade (Victoria Station, à Londres). ◯ t.l.j. ● 25 déc. 🖼️ ♿ 🖥️ 🌐 www.whipsnade.co.uk

Dépendant du zoo de Londres, ce parc est l'un des premiers où l'on ait cherché à minimiser l'usage des cages et imaginé des espaces où les animaux sauvages pourraient évoluer librement et en toute sécurité pour les visiteurs. Sur 240 hectares et regroupant plus de 2 500 espèces, cette réserve est la plus grande d'Europe. On peut y circuler en voiture ou en train à vapeur. Il y a aussi un terrain de jeu et un spectacle d'otaries.

Knebworth House ⓫

Knebworth, Hertfordshire. 📞 01438 812661. 🚆 Stevenage, puis taxi. ◯ sam., dim. ; 2 sem. à Pâques : t.l.j. ; de juil. à sept. : t.l.j. 🖼️ ♿ limité . 📷 🖥️ 🏠 🌐 www.knebworthhouse.com

À ce manoir Tudor, qui abrite une salle de banquet du XVIIᵉ siècle, Lord Lytton, homme d'État et romancier, ajouta une façade néo-gothique. Le fils aîné de Lord Lytton fut vice-roi des Indes, et la maison abrite de nombreux objets indiens. Constance Lytton fut une des figures du mouvement des suffragettes (p. 58). Visite guidée de la maison, des jardins et du parc. Piste aux dinosaures pour les enfants.

Hatfield House ⓬

Hatfield, Hertfordshire. 📞 01707 287010. 🚆 Hatfield. ◯ du sam. de Pâques à sept. : t.l.j. 🖼️ ♿ 🍴 🏠 🌐 www.hatfield-house.co.uk

Cette demeure, qui compte parmi les plus belles d'Angleterre, fut construite entre 1607 et 1611 pour Robert Cecil, un puissant homme politique ; elle appartient toujours à ses descendants. Le principal centre d'intérêt de Hatfield House est l'aile Tudor, vestige du premier palais, où Élisabeth Iʳᵉ (p. 50-51) a passé la plus grande partie de son enfance. Après son couronnement, en 1558, c'est là qu'elle tint son premier conseil d'État. Le palais fut en partie démoli en 1607 pour laisser place à de nouvelles constructions, mais on peut encore y évoquer les séjours de la reine, notamment grâce à un portrait peint aux environs de 1600 par Isaac Oliver.

Le domaine s'enorgueillit d'un jardin du XVIIᵉ siècle dessiné par Robert Cecil et John Tradescant, qui a été fidèlement restauré.

LES PURITAINS CÉLÈBRES

Trois figures importantes du mouvement puritain du XVIIᵉ siècle ont partie liée avec la région. John Bunyan (1628-1688), qui écrivit le conte allégorique *The Pilgrim's Progress (Le Voyage du pèlerin)*, est né à Elstow, près de Bedford. Orateur passionné, ses convictions puritaines lui valurent 17 années de prison. Le Bunyan Museum de Bedford fut l'un des premiers lieux de culte des puritains.

John Bunyan, d'après une gravure du XVIIIᵉ siècle

Plus au nord, à Chalfont St Giles, se trouve le cottage où le poète John Milton (1608-1674) a séjourné pour échapper à la peste de Londres. C'est là qu'il acheva sa plus grande œuvre, *Le Paradis perdu*. Sa maison abrite un musée qui lui est consacré.

William Penn, qui donna son nom à la Pennsylvanie

John Milton, portrait par Pieter Van der Plas

St Albans ⑬

St Albans est aujourd'hui une ville animée où se retrouvent de nombreux Londoniens. Pendant des siècles, elle a été au cœur de quelques-uns des plus grands moments de l'histoire de l'Angleterre. Camp romain de première importance, elle devint un grand centre religieux qui fut pendant la guerre des Deux-Roses *(p. 49)* l'enjeu de deux batailles. En 1455, les partisans de la maison d'York en délogèrent Henri VI, et six ans plus tard les partisans des Lancastre la reprirent.

Saint Alban, martyr

À la découverte de St Albans

Une partie du charme de cette ville ancienne et fascinante, qui se trouve à une heure de voiture de Londres, réside dans le fait que l'on peut retracer 2 000 ans de son histoire en visitant quelques sites très proches les uns des autres. Un grand parc de stationnement est installé à l'abri de l'enceinte romaine de Verulamium, entre le musée, St Michael's Church et le théâtre romain. Ici commence une belle promenade à travers le parc, pour découvrir en chemin d'autres sites romains, la vieille auberge Ye Olde Fighting Cocks, une cathédrale imposante et une rue ancienne, High Street. On y voit encore de nombreuses maisons du XVIᵉ siècle et une tour-horloge de 1412, qui sonnait le couvre-feu à 4 h du matin et 20 h 30.

♙ Verulamium
À la sortie du centre-ville se dresse l'enceinte de Verulamium, une des premières villes que les Romains établirent sur le sol britannique à partir de 43 de notre ère. Boadicée *(p. 183)* l'avait fait raser quand elle s'était rebellée contre l'envahisseur romain en 62, mais la position stratégique de la ville, le long d'un axe commercial important, lui valut d'être aussitôt reconstruite et même agrandie. Elle devait prospérer jusqu'en 410.

🏛 Verulamium Museum
St Michael's. ☎ 01727 751810
🕐 t.l.j. ● 25 et 26 déc. 📷 ♿ 🚻
🅦 www.stalbansmuseum.org.uk
Ce musée passionnant retrace toute l'histoire de la ville ; son point fort est la splendide collection romaine qui comprend, outre des urnes funéraires et des cercueils de plomb, de très belles mosaïques de pavement. L'une d'elles représente une tête de dieu marin, une autre une coquille Saint-Jacques au relief suggéré par les nuances entre les petits cubes de pierre.

Entre le musée et la cathédrale, on trouve encore quelques vestiges romains : thermes décorés de mosaïques, fragments de l'enceinte et porte de la ville.

Un des plus vieux pubs d'Angleterre

🍺 Ye Olde Fighting Cocks
Abbey Mill Lane. ☎ 01727 869152.
🕐 t.l.j. ♿
Le Ye Ole Fighting Cocks est peut-être le plus ancien pub d'Angleterre ; de forme octogonale, il est en tout cas un des plus originaux puisque c'était le pigeonnier d'une abbaye médiévale ; il fut « recyclé » après la dissolution des ordres monastiques *(p. 50)*.

♗ Roman Theatre
St Michael's. ☎ 01727 835035.
🕐 t.l.j. ● 25 et 26 déc. 📷 🚻
🅦 www.romantheatre.co.uk
En face du musée subsistent les fondations d'un théâtre construit vers 140, mais agrandi à plusieurs reprises. Les Romains n'édifièrent que six théâtres sur le sol britannique.

Alentour, on peut repérer l'emplacement de quelques boutiques en enfilade et d'une maison. Des fouilles proviennent beaucoup des trésors exposés au musée, dont une statuette de Vénus en bronze.

⛪ St Michael's Church
St Michael's. ☎ 01727 835037.
🕐 d'avr. à sept. : tél. pour horaires.
Cette église fondée pendant la domination saxonne fut en partie construite avec des briques prises sur le site de Verulamium, alors sur le déclin. De nombreux éléments sont venus s'ajouter à l'église primitive, dont une splendide chaire du XVIᵉ siècle.

Du XVIIᵉ siècle date le monument à la mémoire de sir Francis Bacon, homme d'État et écrivain de l'époque

Une des mosaïques de pavement conservées au musée de Verulamium

MODE D'EMPLOI

Hertfordshire. 🚶 129 000. ✈
🚆 🛈 Place du marché (01727
864511). 🌐 www.stalbans.gov.uk

élisabéthaine. Son père
possédait dans la région une
belle demeure du XVIᵉ siècle,
aujourd'hui en ruine.

🔒 St Albans Cathedral

Sumpter Yard. 📞 01727 860780.
🕐 t.l.j. ♿ 📷 11 h 30 et 14 h 30.
Ce joyau de l'architecture
médiévale abrite des peintures
murales (XIIIᵉ-XIVᵉ siècle).

Une première église a été
édifiée sur le site en 793 ;
le roi Offa de Mercie venait
de fonder une abbaye dédiée à
saint Alban, le premier martyr

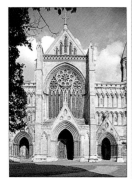

**Le porche ouest de St Albans
Cathedral**

chrétien d'Angleterre,
mis à mort par les Romains
au IIIᵉ siècle pour avoir protégé
un prêtre. Les parties les plus
anciennes datent de 1077. Elles
sont de style normand, aux arcs
et fenêtres en plein cintre.
La nef de 84 m est la plus
longue d'Angleterre.

Plus à l'est, la plupart des arcs
brisés datent du XIIIᵉ siècle ;
d'autres ont été substitués au
XIVᵉ siècle à des arcs
normands qui s'étaient
effondrés. À l'est de la
croisée du transept, on
peut voir les vestiges du
tombeau de saint Alban, un
piédestal de marbre composé
de plus de 2 000 fragments.

Une copie de la *Magna Carta*
(p. 48) est accrochée au mur.
C'est en effet ici que les barons
anglais rédigèrent le document
que le roi Jean dut ratifier.

Les Jardins de la Rose en pleine floraison

Les Jardins de la Rose ⓮

Chiswell Green, Hertfordshire. 📞
01727 850461. 🚆 St Albans, puis bus.
🕐 de juin à sept. : de 9 h à 17 h
du lun. au sam. ; de 10 h à 18 h dim.
et jours fériés. 📷 ♿ 🖥 🛍
🌐 www.rosesociety.org.uk

L a rose est l'emblème national
de l'Angleterre et la fleur
préférée des jardiniers anglais.
Les 5 hectares des jardins d
e la Société royale nationale
de la Rose, avec leurs
30 000 rosiers de 1 700 variétés
différentes, sont un
enchantement à la fin du mois
de juin. Des variétés anciennes
y sont cultivées : la rose blanche
d'York, la rose rouge
des Lancastre *(p. 49)* et
la Rosa Mundi – ainsi baptisée
par Henri II en souvenir de sa
maîtresse, la belle Rosemonde,

empoisonnée par la reine
Aliénor en 1177. Mais
les religieuses qui l'enterrèrent
inscrivirent sur sa tombe que
la réputation de la dame n'avait
pas la fraîcheur des roses.

Hughenden Manor ⓯

High Wycombe, Buckinghamshire.
📞 01494 755565. 🚆 High Wycombe,
puis bus. 🕐 mars : sam., dim. ; d'avr.
à nov. : du mer. au dim. et jours fériés.
🔴 ven. saint. 📷 ♿ limité. 🍽 🛍

B enjamin Disraeli, homme
politique et romancier qui
fut Premier ministre de 1874
à 1880, vécut jusqu'à sa mort
dans cette villa du XVIIIᵉ siècle,
qu'il fit remanier en 1862
dans le style néo-gothique. Le
décor permet de se représenter
la vie d'un gentleman aisé
du siècle dernier.

GEORGE BERNARD SHAW

Auteur controversé et personnage espiègle,
l'Irlandais George Bernard Shaw (1856-1950)
était pourtant un homme aux habitudes très établies.
Il vécut près de St Albans, à Ayot St Lawrence, dans
une maison appelée aujourd'hui Shaw's Corner,
pendant les 44 dernières années de sa vie. Il
s'installait tous les jours pour travailler
dans un pavillon au fond de son
jardin. Ses pièces, qui distillent
d'efficaces messages politiques et
sociaux, n'ont pas pris une ride. Une
des plus célèbres est *Pygmalion*
(1913), qui a inspiré la comédie
musicale *My Fair Lady*. La maison
et le jardin sont un musée
consacré à la vie et à
l'œuvre de Shaw.

Les rives de la Tamise ⓰

L a vallée de la Tamise, entre Pangbourne et
Eton, est romantique à souhait. Le meilleur
moyen pour l'explorer est le bateau. Mais si le
temps vous manque, empruntez la route qui suit
le fleuve sur une grande partie de son cours.
C'est l'occasion de découvrir des paysages
paisibles, des cygnes glissant sous de vieux ponts,
d'élégants hérons impassibles sur le rivage. Sur
les berges s'alignent de jolies maisons aux jardins
descendant jusqu'à l'eau. Ce cours d'eau
tranquille, qui a toujours inspiré les peintres et
les écrivains, a longtemps été une voie essentielle.

Hambledon Mill ⑥
Ce moulin de bois, qui est resté en activité
jusqu'en 1955, est à la fois l'un des plus
grands et des plus anciens moulins installés
sur la Tamise. Il subsiste quelques éléments
du premier moulin, du XVIe siècle.

Beale Park ①
Le philanthrope Gilbert Beale (1868-1967)
a créé sur 10 hectares une réserve pour
protéger une large portion de la rivière
et permettre ainsi à des espèces
d'oiseaux menacées
de vivre
paisiblement.

Henley ⑤
Dans cette jolie ville
ancienne, qui conserve de
nombreuses maisons et
églises des XVe et
XVIe siècles, se déroulent
tous les ans d'importantes
régates (p. 66).

Pangbourne ②
L'écrivain Kenneth
Grahame, auteur
de *The Wind in the
Willows*, a vécu ici.
Quand Ernest Shepard
et Arthur Rackham
illustrèrent le livre,
Pangbourne les inspira
tout naturellement.

Sonning Bridge ④
Ce pont du XVIIIe siècle
est constitué de
11 arches en briques
de différentes largeurs.

CARNET DE ROUTE

Itinéraire : 75 km.
Où faire une pause ? Dans
le village de Henley, vous
trouverez de nombreux pubs,
le long de la rivière, pour
déjeuner. Si vous êtes en
bateau, vous pouvez mouiller
en plusieurs endroits de la rive.
(Voir aussi p. 636-637.)

Whitchurch Mill ③
Ce charmant village, relié à Pangbourne par un pont
à péage du siècle dernier, s'enorgueillit de posséder
une église pittoresque et l'un des nombreux moulins
à eau qui utilisaient autrefois la force de la rivière.

Cookham ⑦
À Cookham se trouve la demeure de Stanley Spencer (1891-1959), l'un des meilleurs artistes anglais du XXe siècle. L'ancienne chapelle méthodiste de son enfance a été transformée en musée où sont exposés ses œuvres et son matériel de peintre. Ce tableau, *Le Recensement des cygnes* (1914-1919), illustre une ancienne coutume des rives de la Tamise.

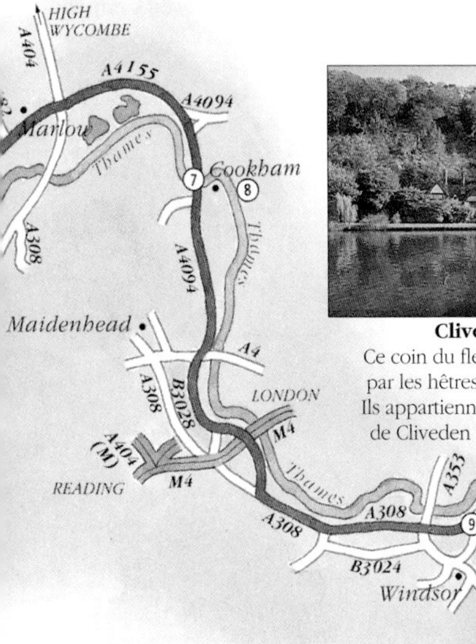

Cliveden Reach ⑧
Ce coin du fleuve est embelli par les hêtres qui le bordent. Ils appartiennent au domaine de Cliveden House *(p. 150)*.

Le collège d'Eton ⑨
Fondé par Henri VI en 1440, Eton est le plus célèbre des collèges privés d'Angleterre. Sa superbe chapelle de 1441 abrite un cycle de peintures murales (1479-1488).

LÉGENDE

- Circuit
- Autre route
- Point de vue

0 — 10 km

PROMENADES EN BATEAU

Des bateaux en location prêts à quitter Henley

En été, des services réguliers relient par la rivière Henley, Windsor, Runnymede et Marlow. Les bateaux peuvent être loués à l'heure, à la journée ou pour faire un séjour sur la Tamise de plusieurs jours, puisqu'il existe aussi des bateaux possédant une cabine *(voir aussi p. 641)*. Pour de plus amples informations, appeler Salter Bros au 01753 865832.

Windsor ⑰

Berkshire. 30 000. *Central Station, Thames St (01753 743900).*
www.windsor.gov.uk

La ville de Windsor est dominée par son imposant château bâti sur une colline *(p. 224-225)*. En fait, la ville entière a été conçue dans le seul but de pourvoir aux besoins du château. Aujourd'hui, ses boutiques, ses maisons et ses auberges lui donnent un charme désuet. Le bâtiment le plus frappant est le **Guildhall**, maison des corporations, construite en 1689 par Wren *(p. 116)*. Le **musée de la Cavalerie** présente une vaste collection d'armes et d'uniformes. L'immense **parc de Windsor** (1 940 hectares) s'étend du château jusqu'à Snow Hill, où se dresse une statue de George III.

Aux environs
À 7 km au sud-est se trouve la prairie de **Runnymede,** un des plus célèbres sites historiques d'Angleterre. C'est là qu'en 1215 le roi Jean fut contraint par ses barons rebelles de signer la *Magna Carta* qui limitait ses pouvoirs *(p. 48)*. Un monument le commémore depuis 1957.

Household Cavalry Museum
St Leonard's Rd. *01753 755112.*
du lun. au ven. *jours fériés.*
Offrandes.

Le roi Jean signant la *Magna Carta* à Runnymede

Le château de Windsor

Le roi Henri II

L e château de Windsor est la plus ancienne résidence royale d'Angleterre occupée de manière permanente. Un premier château de bois fut construit par Guillaume le Conquérant en 1070 pour prévenir toute tentative d'invasion de Londres par l'ouest. Le site de Windsor fut retenu parce qu'il y avait là une colline et qu'il se trouvait à peine à une journée de Londres. Les monarques successifs l'ont tous remanié, et le château garde la trace de tous les changements de goût des rois d'Angleterre à travers les siècles. De nos jours, le château est la résidence officielle de la reine et de sa famille, qui y séjournent fréquemment.

Albert Memorial Chapel
Cette chapelle construite en 1240, remaniée en 1485, abrite depuis 1863 le mémorial du prince Albert.

Porte Henri VIII et sortie principale

★ St George's Chapel
Cette chapelle est le plus beau morceau d'achitecture du château et figure parmi les trésors de l'art gothique en Angleterre. Elle fut construite entre 1475 et 1528. Dix monarques y sont enterrés.

La Tour ronde
fut d'abord érigée par Guillaume le Conquérant, puis reconstruite en pierre en 1170 par Henri II *(p. 48)*. Elle abrite les Archives royales et les Archives photographiques.

Statue de Charles II

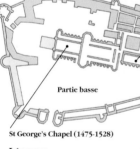

Albert Memorial Chapel (1485)

La Tour ronde (1080)

Waterloo Chamber (vers 1820)

St George's Hall (1357-1368)

Partie basse

Partie médiane

Partie supérieure

St George's Chapel (1475-1528)

Légende

☐ XIᵉ-XIIIᵉ siècle

☐ XIVᵉ siècle

☐ XVᵉ-XVIIIᵉ siècle

☐ XIXᵉ-XXᵉ siècle

Histoire du château de Windsor
Le château, à l'origine (1080) une simple motte fortifiée (p. 472), fut construit pour l'essentiel à l'initiative d'Henri II et d'Édouard III. George IV le fit remanier en 1823.

Galerie des dessins
Ce dessin à la pierre noire de Michel-Ange fait partie des collections royales. es tableaux sont présentés par roulement. On peut notamment admirer des œuvres de Holbein et de Léonard de Vinci.

MODE D'EMPLOI

Castle Hill. 020-7766 7304.
t.l.j. ; de mars à oct. :
de 9 h 45 à 17 h 15 ; de nov. à fév. :
de 9 h 45 à 16 h 15 (der. ent. à 15).
25 et 26 déc., ven. saint.
chapelle Saint-Georges : tél. pour les horaires. www.royal.gov.uk

La Salle des audiences est la pièce où la reine accueille les invités de marque.

La Salle de bal de la reine

La maison de poupée de la reine Marie, dessinée par sir Edwin Lutyens, a été offerte à la reine en 1924. Tous les éléments sont à l'échelle de 1/12. Le cellier contient de vrais grands crus.

Waterloo Chamber
Cette salle de banquet a été créée lors du remaniement dont le château a fait l'objet en 1823.

Brunswick Tower

Ces parterres furent aménagés à l'est du château vers 1820 par sir Jeffry Wyatville.

★ **Les appartements d'apparat**
Ce lit d'apparat du XVIIIᵉ siècle meuble la chambre à coucher aménagée pour la visite de Napoléon III en 1855.

À NE PAS MANQUER
★ **St George's Chapel**
★ **Les appartements d'apparat**

L'incendie de 1992
Il se déclara pendant des travaux d'entretien dans les appartements d'apparat. St George's Hall a été détruit, et reconstruit depuis.

L'ouest de la
Grande-Bretagne

Présentation de l'ouest de la Grande-Bretagne 228-233

Le Wessex 234-259

Le Devon et les Cornouailles 260-283

L'Ouest d'un coup d'œil

L'ouest de la Grande-Bretagne forme une longue péninsule, bordée au nord par l'Atlantique et au sud par la Manche, qui se termine à Land's End, le point le plus extrême de l'île. Tourisme culturel dans les grandes villes, promenades romantiques dans la solitude des landes et des monuments préhistoriques, ou simples balades le long des côtes d'une région au climat doux, quel que soit le type de séjour qu'ils ont choisi, tous les vacanciers sont sous le charme !

Exmoor (p. 238-239). *Les landes couvertes de bruyère et les vallées boisées où vivent en liberté des poneys sauvages et des cerfs s'arrêtent brusquement aux spectaculaires falaises du Devon.*

Wells (p. 240-241), *charmante ville nichée au pied des collines de Mendip, est réputée pour sa superbe cathédrale à trois tours do la riche façade ouest s'orne d'une foule de statues. Non loin, vous pourrez voir le palais épiscopal entouré de douves et l'enceinte de la cathédrale, qui date du XVe siècl.*

À St Ives (p. 265), *une annexe de la Tate Gallery présente des artistes contemporains ayant choisi de travailler dans la région. Cette œuvre très colorée de Patrick Heron fait partie des collections permanentes.*

Devon

LE DEVON ET LES
CORNOUAILLES
(p. 260-283)

Cornouailles

Dartmoor (p. 282-283) *est un lieu sauvage à la fois vaste (945 km²) et d'une grande beauté. Les paysages sont ponctués de ponts de pierre, de villages pittoresques et de rochers de granit déchiquetés.*

◁ **La côte sauvage qui marque la limite ouest de la Grande-Bretagne**

Bath (p. 246-249), « bain » en anglais, doit son nom aux anciens thermes romains situés au cœur de la vieille ville, tout près d'une splendide abbaye médiévale. Avec ses rangées de maisons du XVIIIᵉ siècle aux façades couleur de miel, conçues par John Wood l'Ancien et John Wood le Jeune, Bath est l'une des plus agréables villes d'Angleterre.

Stonehenge (p. 250-251), aménagé en plusieurs fois à partir de 3000 avant notre ère, est un site préhistorique connu du monde entier. Il s'agirait d'un sanctuaire dédié au culte du soleil. Déplacer et lever les énormes pierres représentait un véritable exploit.

LE WESSEX
(p. 234-259)

Wiltshire

Somerset

Dorset

0   25 km

Salisbury (p. 252-253) est fière de sa cathédrale, dont la flèche élancée a inspiré l'un des plus beaux tableaux de John Constable. L'enceinte compte de remarquables bâtiments médiévaux.

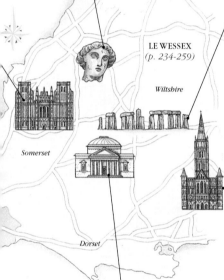

Les jardins de Stourhead (p. 254-255), inspirés des peintures du Lorrain et de Poussin, sont une véritable œuvre d'art. Les perspectives artificielles, les jeux d'ombre et de lumière, les petits monuments comme le Panthéon néo-classique qui se détache sur un fond de verdure très étudié constituent un ensemble d'une grande beauté.

La faune de la côte

Un long littoral découpé, depuis les falaises de granit de Land's End jusqu'aux étendues de galets de Chesil Bank, abrite une faune variée. Les plages sont parsemées de coquillages, les calanques grouillent de minuscules animaux marins. Les grottes, elles, sont le refuge d'animaux plus gros, comme les phoques gris ; les falaises offrent aux oiseaux des endroits où nicher en toute tranquillité. Au printemps et au début de l'été, des plantes d'une étonnante variété, qui attirent de nombreux papillons, croissent sur le bord de mer et la falaise ; le Southwest Coastal Path *(p. 32)* permet de les admirer de plus près.

Les corniches de Land's End,
où viennent nicher les oiseaux

Chesil Bank est une plage de galets (p. 256) de 29 km, tout le long de la côte du Dorset. Cette levée a été créée par les tempêtes, et la taille des galets augmente du nord-ouest au sud-est à cause des forces très différentes des courants côtiers. La levée de galets est interrompue par un lagon naturel, la Fleet, qui abrite les cygnes d'Abbotsbury et beaucoup d'oiseaux sauvages.

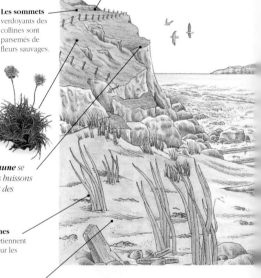

Ce beau
papillon *coloré qui butine les fleurs des falaises migre au printemps vers les terres.*

Les marées rejettent branchages et coquilles

Les sommets verdoyants des collines sont parsemés de fleurs sauvages.

Des touffes de fleurs ***mauves*** *viennent égayer au printemps les falaises et les corniches.*

Le bruant jaune *se perche sur les buissons au sommet des falaises.*

Les racines d'oyat retiennent le sable sur les dunes.

LE GUIDE DU BATTEUR DE GRÈVE

Le moment propice pour observer la vie du rivage est le début du reflux, avant que les mouettes aient pêché les crabes, les poissons et autres puces de mer échoués sur la grève, et que les algues aient eu le temps de sécher. Plantes et animaux se réfugient dans de petits trous d'eau des rochers.

Les phoques gris apprécient les grèves tranquilles où ils donnent naissance à leurs petits.

Durdle Door. *Sur les tendres couches crayeuses de cette falaise du Dorset (p. 258), l'érosion a fini par créer cette belle arche qui n'est pas sans rappeler les falaises d'Étretat.*

COLLECTIONNER LES COQUILLAGES

Beaucoup de mollusques comestibles sont des bivalves (Saint-Jacques, coques) ; d'autres des gastéropodes.

Coquille Saint-Jacques

Coque commune

Bulot commun

Patelle

Certaines algues, *comme le goémon, ressemblent une fois dans l'eau à du corail ou du lichen.*

Les rochers *ont été colonisés par les bernacles, les moules et les patelles.*

Les huîtriers *au bec orangé chassent sur le rivage, se nourrissant de toutes sortes de coquillages et crustacés.*

Les étoiles de mer *sont de redoutables prédateurs pour les crustacés. Les extrémités photosensibles de leurs bras leur permettent de se guider.*

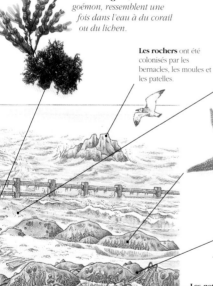

Les moules *très répandues, sont faciles à récolter et délicieuses.*

Les petites cuvettes *entre les rochers accueillent crabes, moules, crevettes et végétaux.*

La carapace du crabe *velouté, qui se dissimule dans les algues, est recouverte d'un fin duvet.*

Les mulets *à peine éclos se laissent observer dans les trous entre les rochers.*

Les jardins de l'Ouest

L'Ouest a toujours attiré les jardiniers ; son climat doux est idéal même pour les délicates plantes exotiques, dont beaucoup ont été importées d'Asie au XIXᵉ siècle. Les jardins de la région comptent parmi les plus beaux et les plus variés d'Angleterre ; ils illustrent toutes les tendances de l'art des jardins *(p. 22-23)*, de l'ordre rigoureux de Montacute House à l'exubérance d'East Lambrook Manor.

Lanhydrock *(p. 272). Des haies rigoureusement taillées, un feu d'artifice de fleurs.*

Trewithen *(p.269) est réputé pour ses camélias, ses rhododendrons et ses magnolias issus de graines récoltées en Asie. Ce jardin immense est spectaculaire en mars et en juin.*

Cotehele *(p. 281),* un joli jardin vallonné.

LE DEVON ET LES CORNOUAILLE *(p. 260-283)*

Trelisick *(p.269)* offre des points de vue extraordinaires sur une belle région boisée.

Glendurgan *(p. 269),* niché dans une vallée encaissée, est un véritable paradis pour les amoureux des plantes.

Le mont Edgcumbe *(p. 280)* comporte des jardins à l'anglaise, à la française ou à l'italienne du XVIIIᵉ siècle.

Trengwainton *(p. 264) est un délicieux jardin animé d'un cours d'eau, sous une voûte luxuriante de fougères arborescentes de Nouvelle-Zélande.*

Overbecks *(près de Salcombe) est un site spectaculaire qui domine l'estuaire de Salcombe et abrite des jardins secrets, des terrasses et des vallons de rocailles.*

LE JARDINAGE CRÉATIF

Les jardins ne sont pas de simples alignements de plantes ; une grande part de leur charme vient de la façon dont ils sont aménagés. Une végétation taillée, des bâtiments rococo, une statuaire fantasque et des labyrinthes contribuent à transporter le promeneur dans un autre monde. De cet art, les jardins de la région offrent un superbe florilège.

Les labyrinthes *furent créés dans les monastères du Moyen Âge comme école de patience et de ténacité. Le labyrinthe de Glendurgan a été planté en 1833.*

Les fontaines *et les statues qui ornent les jardins depuis l'époque des Romains ajoutent grâce, poésie et élégance à la rigueur formelle de jardins comme celui du mont Edgcumbe.*

À Knightshayes Court (p. 277), les fleurs sont groupées en fonction de leur parfum ou de leur couleur.

LE WESSEX
(p. 234-259)

À East Lambrook Manor (près de South Petherton), les plantes poussent en toute liberté dans un foisonnement de couleurs.

Stourhead (p. 254-255) est un très bel exemple de l'art du paysage au XVIII⁰ siècle.

Montacute House (p. 256). Ses jardins ornés de pavillons sont célèbres par leur haie d'ifs centenaires et la collection de roses anciennes.

Athelhampton (p. 257). Ses jardins font grand usage de fontaines, statues, pavillons et arbres taillés.

0   25 km

À Parnham (près de Beaminster), comme dans la plupart des jardins de la région, les parterres sont aménagés suivant un thème donné. Ici, l'allée d'ifs reprend le tracé de la balustrade. Ailleurs, un bois, un potager ou des jardins à l'italienne ombragés adoucissent le paysage.

Dans les jardins, l'architecture est souvent pleine de fantaisie, car, à l'inverse des maisons elles-mêmes, les petits pavillons qui les parsèment ne sont pas tenus d'être fonctionnels. Cette construction élisabéthaine particulièrement décorative, dans les jardins de Montacute House, a pourtant servi quelquefois d'habitation.

L'art de la taille remonte à l'époque des Grecs. Depuis, l'art de sculpter les arbustes pour leur donner des formes étonnantes n'a cessé de se perfectionner. Les ifs de Knightshayes Court, taillés dans les années vingt, représentent un renard pourchassé par une meute ; cet ensemble prend tout son relief en hiver, quand le buis encore vert se détache sur le reste du jardin.

LE WESSEX

DORSET · SOMERSET · WILTSHIRE

Cette belle région essentiellement rurale est parsemée de collines vallonnées et de charmants villages. Elle est riche aussi en sites et en monuments de toutes les époques, de l'alignement préhistorique de Stonehenge à la superbe ville georgienne de Bath, en passant par les vestiges de thermes romains.

L'expression médiévale « as different as chalk and cheese » (« comme le jour et la nuit ») prend tout son sens quand on découvre ces vastes étendues balayées par le vent, qui tout à coup deviennent des vallées luxuriantes. Des vaches y paissent ; leur lait servira à fabriquer le cheddar, une des fiertés de la région. Les moutons, eux, dont la laine partait autrefois pour l'Europe ou était transformée en vêtements dans les filatures de Bradford-on-Avon, broutent l'herbe qui recouvre les collines de craie. L'opulence de cette contrée y avait déjà retenu les hommes des premiers âges ; ils ont laissé les mystérieux alignements de Stonehenge ou Maiden Castle qui frappent aujourd'hui l'imagination du promeneur.

Cette région est aussi la terre natale des rois Arthur *(p. 273)* et Alfred le Grand, dont la vie est tout auréolée de légende. C'est le roi Arthur qui au VIᵉ siècle conduisit la résistance britannique face à l'invasion saxonne. Les Saxons l'emportèrent, et c'est l'un d'eux, le roi Alfred, qui a forgé l'unité politique de l'Ouest, sous le nom de royaume du Wessex *(p. 47)*.

Wilton House et Lacock Abbey, autrefois des monastères, sont devenus au XVIᵉ siècle, après la dissolution des ordres monastiques *(p. 50-51)*, de superbes demeures. Aujourd'hui, l'importance de leurs dépendances donne la mesure de leur magnificence passée. S'ajoutant aux splendeurs nées de la main de l'homme, la faune et la flore contribuent à faire du Wessex une région inoubliable.

Une halte dans les jardins élisabéthains de Montacute House, Somerset

◁ **Des cottages du XVIIIᵉ siècle tout le long de Gold Hill, Shaftesbury**

À la découverte du Wessex

Des plaines onduleuses qui cernent Stonehenge aux falaises des gorges du Cheddar, en passant par les plateaux d'Exmoor couverts de bruyère, le Wessex est un véritable résumé de tous les paysages de l'Angleterre. Reflet de la richesse et de la diversité du sous-sol qui fournit les matériaux de construction, chaque partie du Wessex présente un style d'architecture propre, des demeures néo-classiques de Bath aux maisons de brique et de bois de Salisbury et aux cottages de chaume et de chaux typiques du Dorset.

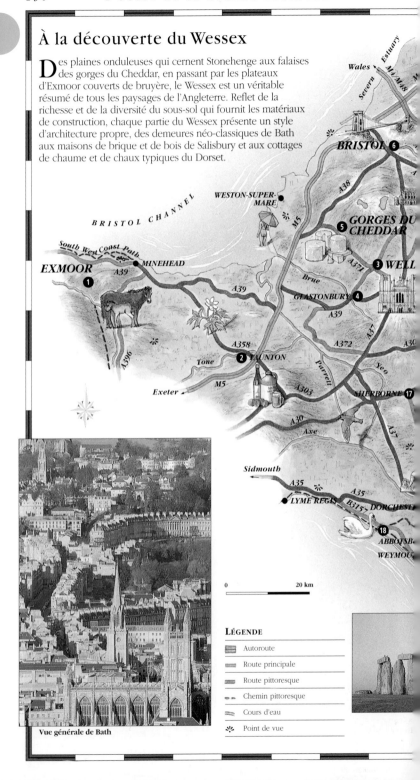

Wales

Severn Estuary

M4/M48

BRISTOL ❻

A38

BRISTOL CHANNEL

WESTON-SUPER-MARE

M5

❺ **GORGES DU CHEDDAR**

A371

❸ **WELL**

Brue

GLASTONBURY ❹

A39

A37

South West Coast Path

EXMOOR ❶

MINEHEAD

A39

A39

A358

A372

A30

Tone

❷ **TAUNTON**

Parrett

Yeo

Exeter

M5

A303

SHERBORNE ❼

A396

A30

A37

Axe

Sidmouth

A35

A35

LYME REGIS

B315 **DORCHEST**

❽

ABBOTSB

WEYMOU

0   20 km

Vue générale de Bath

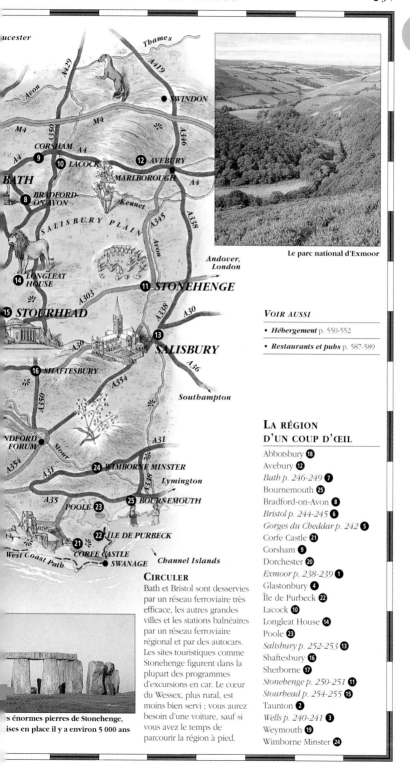

Le parc national d'Exmoor

énormes pierres de Stonehenge, ises en place il y a environ 5 000 ans

Voir aussi

- *Hébergement* p. 550-552

- *Restaurants et pubs* p. 587-589

La région d'un coup d'œil

Abbotsbury **18**
Avebury **12**
Bath p. 246-249 **7**
Bournemouth **25**
Bradford-on-Avon **8**
Bristol p. 244-245 **6**
Gorges du Cheddar p. 242 **5**
Corfe Castle **21**
Corsham **9**
Dorchester **20**
Exmoor p. 238-239 **1**
Glastonbury **4**
Île de Purbeck **22**
Lacock **10**
Longleat House **14**
Poole **23**
Salisbury p. 252-253 **13**
Shaftesbury **16**
Sherborne **17**
Stonehenge p. 250-251 **11**
Stourhead p. 254-255 **15**
Taunton **2**
Wells p. 240-241 **3**
Weymouth **19**
Wimborne Minster **24**

Circuler

Bath et Bristol sont desservies par un réseau ferroviaire très efficace, les autres grandes villes et les stations balnéaires par un réseau ferroviaire régional et par des autocars. Les sites touristiques comme Stonehenge figurent dans la plupart des programmes d'excursions en car. Le cœur du Wessex, plus rural, est moins bien servi ; vous aurez besoin d'une voiture, sauf si vous avez le temps de parcourir la région à pied.

Le Parc national d'Exmoor ❶

Les majestueuses falaises qui plongent dans l'Atlantique tout le long des côtes de l'Exmoor ne s'interrompent que pour laisser la place à des vallées boisées où coulent des rivières poissonneuses. À l'intérieur des terres, les collines sauvages servent de pâturage à des poneys robustes, à des moutons et à des cerfs. Il n'est pas rare aussi de voir des courlis ou des busards tournoyant au-dessus des fougères à la recherche d'une proie.

Pour les marcheurs, plus de 1 000 km de sentiers pédestres traversent des paysages changeants. Aux alentours du parc national, on pourra au choix visiter des villages et des églises ou s'adonner aux plaisirs du bord de mer.

Courlis

Panorama depuis le Southwest Coastal Path

À Combe Martin *(p. 276)* se trouve l'auberge du « Paquet de cartes » (Pack of Cards Inn).

L'église de Parracombe a conservé à l'intérieur son beau décor sculpté de style georgien.

Combe Martin

Heddon

Parracombe

Lynton
Lynmouth

A399

A39

West Lyn

BARNSTAPLE

B3358

TIVERTON

Embouchure de l'Heddon
C'est dans ce paysage escarpé que l'Heddon se jette dans la mer, après avoir traversé bois et prairies.

La vallée des Rocs
L'érosion a sculpté dans la pierre de cette gorge naturelle des formes fantastiques.

LÉGENDE

🛈	Information touristique
▬▬	Route A
▭▭	Route B
▱▱	Route secondaire
--	Chemin côtier
🌿	Point de vue

Lynmouth
Au sommet d'une colline, Lynton domine le village de pêcheurs de Lynmouth. Les deux villages sont reliés par une voie ferrée.

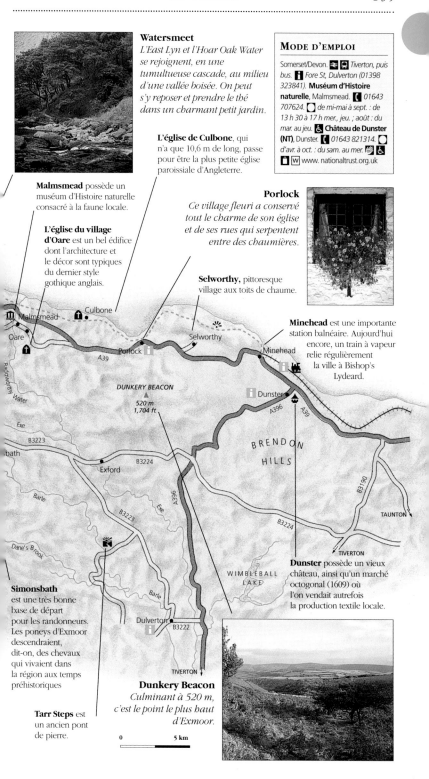

Watersmeet
L'East Lyn et l'Hoar Oak Water se rejoignent, en une tumultueuse cascade, au milieu d'une vallée boisée. On peut s'y reposer et prendre le thé dans un charmant petit jardin.

MODE D'EMPLOI

Somerset/Devon. 🚆 🚌 *Tiverton, puis bus.* ℹ️ Fore St, Dulverton (01398 323841). **Muséum d'Histoire naturelle**, Malmsmead. 📞 01643 707624. 🕐 de mi-mai à sept. : de 13 h 30 à 17 h mer., jeu. ; août : du mar. au jeu. ♿ **Château de Dunster (NT)**, Dunster. 📞 01643 821314. 🕐 d'avr. à oct. : du sam. au mer. 📷 ♿ 🏠 w www. nationaltrust.org.uk

L'église de Culbone, qui n'a que 10,6 m de long, passe pour être la plus petite église paroissiale d'Angleterre.

Malmsmead possède un muséum d'Histoire naturelle consacré à la faune locale.

L'église du village d'Oare est un bel édifice dont l'architecture et le décor sont typiques du dernier style gothique anglais.

Porlock
Ce village fleuri a conservé tout le charme de son église et de ses rues qui serpentent entre des chaumières.

Selworthy, pittoresque village aux toits de chaume.

Minehead est une importante station balnéaire. Aujourd'hui encore, un train à vapeur relie régulièrement la ville à Bishop's Lydeard.

Malmsmead
Culbone
Oare
Porlock
Selworthy
Minehead
A39

DUNKERY BEACON
520 m
1,704 ft

Dunster
A396
A39

B R E N D O N
H I L L S

Randworthy Water
Exe
B3223
bath
Barle
B3224
Exford
B3223
Exe
A396
B3190
B3224
TAUNTON

Dane's Brook

Simonsbath
est une très bonne base de départ pour les randonneurs. Les poneys d'Exmoor descendraient, dit-on, des chevaux qui vivaient dans la région aux temps préhistoriques

Barle
WIMBLEBALL LAKE
Dulverton
B3222
TIVERTON

TIVERTON

Dunster possède un vieux château, ainsi qu'un marché octogonal (1609) où l'on vendait autrefois la production textile locale.

Tarr Steps est un ancien pont de pierre.

Dunkery Beacon
Culminant à 520 m, c'est le point le plus haut d'Exmoor.

0   5 km

Taunton ❷

Somerset. 🏛 77 000. 🚐 🚌 ℹ Paul St (01823 336 344). 🛒 jeu. (produits fermiers), mar. et sam. (bestiaux).
🌐 www.heartofsomerset.com

Taunton est au cœur d'une région fertile, réputée pour ses pommes et son cidre. La prospère industrie de la laine finança la construction de l'imposante église **Sainte-Marie-Madeleine** et de sa tour (1488-1514). Au **château** se déroulèrent les fameuses « Assises sanglantes » de 1685, au cours desquelles le juge Jeffreys, surnommé le « Pendeur » (« Hanging »), condamna le duc de Monmouth et ses partisans qui s'étaient soulevés contre le roi Jacques II.

Ce château du XIIᵉ siècle abrite le **Somerset County Museum**, dont la pièce maîtresse est une mosaïque romaine représentant Didon et Énée.

Aux environs

Les **jardins de Hestercombe** sont l'un des chefs-d'œuvre de sir Edwin Lutyens et Gertrude Jekyll.

🏛 Somerset County Museum

Castle Green. 📞 01823 320201.
🕐 du mar. au sam. et jours fériés.
♿ r-d.-c. seulement. 📷
🌐 www.somerset.gov.uk/museums

♣ Hestercombe Gardens

Cheddon Fitzpaine. 📞 01823 413923. 🕐 t.l.j. ♿ 🚻 📷
🌐 www.hestercombegardens.com

LE CIDRE DU SOMERSET

Le Somerset est l'un des rares comtés anglais où le cidre est toujours produit selon les méthodes traditionnelles.

Autrefois, une partie du salaire des laboureurs leur était versée en nature, sous forme de cidre. Selon la légende, on y ajoute toutes sortes de choses, comme des clous, pour lui donner sa force. On peut voir la fabrication du cidre à la ferme **Sheppy** sur l'A38 près de Taunton.

Cidre fermier

Wells ❸

Somerset. 🏛 10 000. 🚌 ℹ Place du marché (01749 672552). 🛒 mer. (produits fermiers), sam.

C'est la source Saint-André (St Andrew's Well), jaillie près du **palais épiscopal** (XIIIᵉ siècle), résidence de l'évêque de Bath et Wells, qui donna son nom à cette ville paisible. La cathédrale fut commencée dans les années 1100. Le « Penniless Porch », ou porche des sans-le-sou, où les mendiants demandaient l'aumône, sert de transition entre l'effervescence de la place du marché et le calme de l'enceinte de la cathédrale. Le **musée** abrite des objets préhistoriques découverts à Wookey Hole.

L'horloge de la cathédrale (1386-1392)

Aux environs

Au nord-est de Wells, les grottes de **Wookey Hole** s'accompagnent d'attractions.

🏛 Wells Museum

8 Cathedral Green. 📞 01749 673477.
🕐 de Pâques à oct. : t.l.j. ; de nov. à Pâques : du mer. au lun. ♿ limité. 📷

♥ Wookey Hole

Près de l'A371. 📞 01749 672243. 🕐 t.l.j. ♿ 🚻 📷 🌐 www.wookey.co.uk

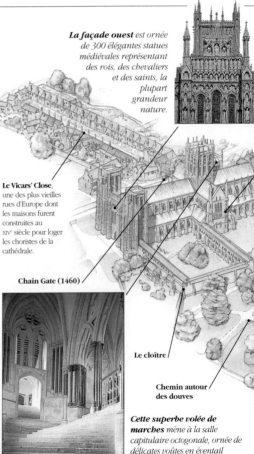

La façade ouest est ornée de 300 élégantes statues médiévales représentant des rois, des chevaliers et des saints, la plupart grandeur nature.

Le Vicars' Close, une des plus vieilles rues d'Europe dont les maisons furent construites au XIVᵉ siècle pour loger les choristes de la cathédrale.

Chain Gate (1460)

Le cloître

Chemin autour des douves

Cette superbe volée de marches mène à la salle capitulaire octogonale, ornée de délicates voûtes en éventail datant de 1306 ; leurs 32 arêtes, jaillissant de la colonne centrale, forment comme un palmier.

L'abbaye de Glastonbury, tombée en ruine au XVIe siècle

Les tombes des évêques *entourent le jubé. Cette belle tombe de marbre, dans l'aile sud, est celle de Lord Arthur Hervey, qui fut évêque de Bath et Wells (1869-1894).*

Les douves *sont le refuge des cygnes qui ont appris à sonner la cloche quand ils veulent être nourris. Leurs repas sont servis à 11 h et 16 h.*

Le palais épiscopal (1230-1240)

LA CATHÉDRALE DE WELLS ET LE PALAIS ÉPISCOPAL

Le cloître. **C** *01749 674483.* ○ *t.l.j.* **&** *limité.* **Le palais épiscopal** **C** *01749 678691.* ○ *d'avr. à oct. : du mar. au ven., dim. et jours fériés (août : t.l.j. sauf 1er sam.).* **&**

Wells a su conserver sa physionomie médiévale grâce au groupe harmonieux que forment la cathédrale, le palais entouré de douves et les bâtiments monastiques. De la cathédrale, on retiendra surtout la belle façade ouest et l'imposante arche édifiée en 1338 pour consolider la tour qui menaçait ruine.

Ruines de la Grande Salle (XIIIe siècle)

Glastonbury ●

Somerset. **9 000.** ☐ **H** *Tribunal, High St (01458 832954).* ☐ *mar.* **W** *www.glastonburytic.co.uk*

G lastonbury la magique, auréolée du mythe du roi Arthur, était autrefois l'une des villes de pèlerinage les plus importantes d'Angleterre. Aujourd'hui, des milliers de personnes viennent chaque année, au solstice d'été (21 juin), y assister à un festival de rock *(p. 63)*.

Au cours des siècles, l'histoire et la légende se sont mêlées inextricablement. Les moines fondateurs de l'**abbaye** (vers 700) ont encouragé l'assimilation de Glastonbury avec la mythique « île bénie », connue sous le nom d'Avalon, où gît le roi Arthur avec le Saint-Graal *(p. 273)*.

La majestueuse abbaye normande tomba en ruine après la dissolution des ordres monastiques *(p. 50)*, mais ses vestiges, comme les surprenantes cuisines au toit octogonal et la grange qui abrite aujourd'hui le **Somerset Rural Life Museum** (musée de la vie rurale du Somerset), valent le détour.

On dit de l'aubépine qui fleurit dans le domaine, à Noël comme au mois de mai, qu'elle a jailli miraculeusement du bâton de Joseph d'Arimathie, quand celui-ci fut envoyé en Angleterre en 60 apr. J.-C. pour convertir le pays au christianisme.

Le **Lake Village Museum** (musée du Village du lac) présente quelques découvertes intéressantes datant de l'âge du fer, quand des campements étaient installés en bordure des marais qui entourent la **Glastonbury Tor**. Visible à des kilomètres à la ronde, la Tor est une colline où subsistent les ruines d'une église du XIVe siècle.

🏛 Somerset Rural Life Museum

Chilkwell St. **C** *01458 831197.* ○ *d'avr. à oct. : du mar. au dim. ; de nov. à avr. : du mar. au sam. et jours fériés.* ● *du 24 au 26 déc., 1er janv., ven. saint.* **&** *limité.* ☐ *fermé en hiver.* **H** **W** *www.somerset.gov.uk/museums*

🏛 Lake Village Museum

Tribunal, High St. **C** *01458 832954.* ○ *t.l.j.* ● *25 et 26 déc.* **&**

Les gorges du Cheddar ❺

Ce gouffre spectaculaire a été creusé au cours des dernières périodes glaciaires par des courants tumultueux et rapides qui entaillèrent le plateau du Mendip. Cheddar a aussi donné son nom à un fromage savoureux fabriqué dans la région et aujourd'hui mondialement connu. Il était autrefois entreposé et affiné dans les cavernes naturelles des gorges, dont la température constante et le taux d'humidité élevé créaient l'atmosphère idéale à la lente maturation des fromages.

MODE D'EMPLOI

B3135, Somerset.
📞 01934 744071.
🚌 depuis Wells. 🅿 🍴 💺
🌐 www.somersetbythesea.co.uk
Caves du cheddar
📞 01934 742343. ◯ t.l.j.
🅿 ♿ limité. 🔲 📷
Cheddar Gorge Cheese Co.,
📞 01934 742810. ◯ t.l.j. 📷
♿ 🔲 📷 🌐 www.cheddar
gorgecheeseco.co.uk

La Cheddar Gorge Cheese Company est la seule fromagerie en activité du Cheddar. On y découvre les différentes étapes de la fabrication du produit. Il est possible de déguster et d'acheter sur place.

Le squelette de « l'homme du Cheddar », vieux de 9 000 ans, est exposé dans les caves du cheddar.

La route B3135 serpente au fond de la gorge sur 5 km.

Un sentier pédestre longe le sommet du versant sud de la gorge.

La grotte de Gough est de dimensions spectaculaires.

Information touristique

La grotte de Cox est ornée de stalactites et de stalagmites aux formes inhabituelles.

Des falaises impressionnantes, presque à pic, se dressent sur une hauteur de 120 m ; elles encadrent une gorge étroite et sinueuse.

L'Échelle de Jacob, avec ses 274 marches, conduit au sommet de la falaise.

L'œillet du Cheddar a trouvé refuge le long des parois hostiles des gorges.

La Lookout Tower offre un magnifique point de vue sur les alentours.

Bristol ❻

P. 244-245

Bath ❼

P. 246-249.

Bradford-on-Avon ❽

Wiltshire. 👥 9 500. 🚆 🚌 ℹ St
Margaret St (01225 865797). 🚌 jeu.
🌐 www.bradfordonavon.co.uk

Cette jolie ville aux ruelles
escarpées abrite plusieurs
demeures fastueuses construites
aux XVIIᵉ et XVIIIᵉ siècles pour
de riches marchands de textiles.
Abbey House, dans Church
Street, en est un bel exemple.
Un peu plus loin, **St Laurence
Church**, construite par
les Saxons en 705 *(p. 47)*, est
remarquablement conservée.
Elle a été transformée
au XIIᵉ siècle en école, puis

**Construction typique en pierre
des Cotswolds, Bradford-on-Avon**

en cottage, et n'a été identifiée
qu'au XIXᵉ siècle par un pasteur
qui a reconnu le toit
caractéristique, en forme
de croix, des églises saxonnes.
À une extrémité du pont
médiéval, **Town Bridge**,
se trouve un petit édicule
de pierre. C'était au XIIIᵉ siècle
une chapelle ; au XVIIIᵉ,
on y enfermait les ivrognes
et les vagabonds.
À un jet de pierre, près
des anciennes filatures et
de la partie navigable du canal
de l'Avon et du Kennet, se
trouve **Tithe Barn** *(p. 28-29)*,
une imposante grange dîmière.

🏛 Tithe Barn
Pound Lane. 🔲 t.l.j. ● 25, 26 déc. ♿

Corsham ❾

Wiltshire. 👥 12 000.
ℹ High St (02149 714660).
🌐 www.northwilts.gov.uk

Les rues de Corsham sont
bordées de majestueuses
demeures georgiennes
en pierre des Cotswolds.
St Bartholomew's Church
à l'élégante flèche abrite la
tombe sculptée de la dernière
Lady Methuen, dont
la famille fonda
une importante
maison
d'édition
anglaise.
Cette même
famille
acquit en
1745 le manoir
de **Corsham
Court**, dont
la collection
de peintures
des écoles flamande, italienne
et anglaise présente
des œuvres de Van Dyck, Lippi
ou Reynolds. Des paons
se promènent librement
dans le domaine.

**Paon se pavanant
à Corsham Court**

🏛 Corsham Court
Près de l' A4. 📞 01249 701610.
🔲 de mi-mars à sept. : du mar. au dim.
(après-midi), d'oct. à mi-mars : sam.,
dim. (après-midi). ● déc. 🚫 ♿
limité.

Lacock ❿

Wiltshire. 👥 1 000.

Maintenu dans son état
originel par le National
Trust et n'ayant subi que peu
de rajouts modernes, Lacock
est un village très pittoresque.
D'étranges figures de pierre
vous observent depuis **St
Cyriac Church**, du XVᵉ siècle,
dont la cour est bordée au
nord par les méandres de
l'Avon. L'intérieur abrite
le splendide tombeau
Renaissance de sir
William Sharington
(1495-1553), qui acheta
l'**abbaye de Lacock**
après la dissolution
des ordres monastiques
(p. 50). Mais c'est un
autre de ses propriétaires,
John Ivory Talbot, qui fit
remanier le bâtiment dans
le style gothique très à la

mode au XVIIIᵉ siècle. Un de ses
descendants, Henry Fox Talbot,
pionnier de la photographie,
rendit l'abbaye célèbre en
prenant son premier cliché
(1835) d'une des fenêtres de
la galerie sud. Une ancienne
grange a été transformée
en un **musée** qui présente
les expériences de Fox Talbot.

Aux environs
Dessinée par Robert Adam
(p. 24-25)
en 1769, **Bowood
House** abrite le
laboratoire
dans lequel
Joseph
Priestley
identifia
l'oxygène en
1774, ainsi
qu'une belle
collection
de sculptures, de
peintures
et de costumes. Des jardins
à l'italienne entourent
la demeure ; le domaine,
ponctué de lacs et dessiné par
Capability Brown *(p. 22-23)*,
comprend un temple dorique,
une grotte, une cascade et
un grand parc d'attractions.

🏰 Lacock Abbey
(NT) Lacock. 📞 01249 730227.
🔲 de mars à oct. : du mer. au lun.
(après-midi). ● ven. saint.
🚫 ♿ limité à l'intérieur.
🌐 www.nationaltrust.org.uk
🏛 Fox Talbot Museum
(NT) Lacock. 📞 01249 730459. 🔲 de
mars à oct. : t.l.j. ● ven. saint. 🚫 ♿
🏛 Bowood House
Derry Hill, près de Calne. 📞 01249
812102. 🔲 d'avr. à oct. : t.l.j.
🚫 ♿ 🍴 🛍 🔲

**William Henry
Fox Talbot
(1800-1877)**

Bristol ❻

C'est en 1497 que l'explorateur John Cabot quitta Bristol pour l'Amérique du Nord. La ville, située à l'embouchure de l'Avon, devint ainsi le principal port anglais de commerce transatlantique. Avec la construction du *Great Britain* s'ouvrait l'ère des grands paquebots à vapeur. Bristol devint une ville commerçante prospère grâce au commerce du vin, du tabac et, au XVIIᵉ siècle, des esclaves. Ses docks et ses usines de moteurs d'avion lui valurent d'être sévèrement bombardée pendant la Deuxième Guerre mondiale, et la ville doit son aspect actuel aux urbanistes de l'après-guerre.

Le roi Brennus, St John's Gate

Les docks furent déplacés sur Avonmouth ; à leur place, un nouveau quartier a vu le jour, avec des cafés en bord de mer, des boutiques et des galeries d'art.

À la découverte de Bristol

La partie la plus ancienne de la cité, le Vieux Quartier, se trouve entre Broad Street, King Street et Corn Street. Le marché St Nicholas, couvert et animé, s'abrite sous une halle au blé (**Corn Exchange**) construite par John Wood l'Ancien *(p. 246)* en 1743. À l'extérieur, les célèbres Clous de Bristol (Bristol Nails), quatre socles de bronze (XVIᵉ-XVIIᵉ s.), sur lesquels les marchands installaient la table où ils réglaient leurs transactions – d'où l'expression *« to pay on the nail »*, c'est-à-dire « payer sur le clou », l'équivalent de notre « payer rubis sur l'ongle ». Au début de Broad Street, **St John's Gate** est une porte ornée des statues de Brennus et Benilus, les rois fondateurs de Bristol. Entre Lewins Mead et Colston Street, une jolie ruelle bordée de boutiques et de cafés, **Christmas Steps**. Tout en haut, la **chapelle des Trois Rois**, fondée en 1504.

King Street offre de beaux

Les Deux Sœurs (1889) de Renoir, au musée municipal de Bristol

exemples de maisons anciennes, dont **Llandoger Trow**, une auberge du XVIIᵉ siècle. C'est ici que Daniel Defoe aurait rencontré Alexander Selkirk, dont la vie d'exil sur une île lui inspira son *Robinson Crusoe* (1719). Le **Théâtre royal**, juste au-dessus, est une ancienne maison de jeu de 1766. Tout près se trouve la fameuse galerie **Arnolfini**, véritable vitrine de l'art contemporain, du théâtre, de la danse et du cinéma.

À l'ouest de la ville, l'impressionnante structure du **pont suspendu de Clifton** renforce la théâtralité des gorges escarpées de l'Avon. Terminé en 1864, le pont témoigne de l'habileté de l'ingénieur Brunel. Le **parc zoologique** voisin se consacre à la sauvegarde des espèces menacées.

La proue du *Great Britain*

Monument funéraire de William Canynge le Jeune (1400-1474)

🔒 St Mary Redcliffe
Redcliffe Way. 📞 *0117 9291487.* ⏰ *t.l.j.* ♿ 🅿 *sur rendez-vous.* 📷
🌐 www.stmaryredcliffe.co.uk
Cette magnifique église du XIVᵉ siècle était considérée par la reine Élisabeth Iʳᵉ comme la plus belle d'Angleterre. Les inscriptions sur les tombes des marchands et des marins parlent de vies consacrées au commerce avec l'Asie et l'Amérique.

🏛 Great Britain
Gas Ferry Rd. 📞 *0117 9260680.* ⏰ *t.l.j.* ● *24 et 25 déc.* 💷 ♿ *limité.* 🅿 *sur rendez-vous.* 📷 📷
🌐 www.ss-great-britain.com
Dessiné par Isambard Kingdom Brunel, c'est le premier grand paquebot de fer du monde destiné à transporter des passagers. Mis à l'eau en 1843, il fit 32 fois le tour du monde, avant d'être abandonné dans les Malouines en 1886. Le bateau a été restauré récemment.

🏛 Georgian House
7 Great George St. 📞 *0117 9211362.* ⏰ *du sam. au mer.*
🌐 www.bristol-city.gov.uk/museums
La vie dans les maisons des marchands aisés de Bristol à la fin du XVIIIᵉ siècle est illustrée côté salon par un beau mobilier de style Adam et côté cuisine par la diversité étonnante des pots, poêles et plats utilisés.

🏛 British Empire & Commonwealth Museum
Station Approach, Temple Meads. 📞 *0117 9254980.* ⏰ *t.l.j.* ● *25 et 26 déc.* 📷 💷 ♿ 📷
🌐 www.empiremuseum.co.uk
Ouvert récemment, ce grand musée national se trouve dans la gare dessinée par Brunel en 1841. Plus de 20 galeries, une bibliothèque, des archives et des expositions relatent les 500 ans d'histoire de l'Empire britannique.

Entrepôts donnant sur le port

🏛 Bristol Industrial Museum

Prince's Wharf. **📞** 0117 9251470.
⬤ du sam. au mer.
⬤ 25 et 26 déc. 📧📶🔶
W www.bristol-city.gov.uk/museums
Les collections de véhicules
et de maquettes du musée
industriel donnent un aperçu
des productions de Bristol
depuis 300 ans : voitures
luxueuses ou bus de tous
les jours, la première caravane
de tourisme du monde et
le Concorde dont la maquette
du cockpit est présentée.

🏛 City Museum and Art Gallery

Queen's Rd. **📞** 0117 9223571. ⬤ t.l.j.
⬤ 24-25 déc. 🔶📶🔶 limité. 📧
W www.bristol-city.gov.uk/museums
On y trouve des antiquités
égyptiennes, des fossiles, la
plus grande collection de verre
de Chine, et des peintures
européennes parmi lesquelles
des œuvres de Renoir et
Bellini. Les artistes de Bristol
sont représentés par sir
Thomas Lawrence et Francis
Danby.

MODE D'EMPLOI

Bristol. 🚶 450 000. ✈ Lulsgate,
à 11 km au sud-ouest de Bristol.
🚆 Temple Meads. 🚌 Marlbo-
rough St. 🛈 The Annexe, Wild-
screen Walk, Harbourside (0906
7112191). 🎪 t.l.j. 🎊 Harbour
Festival : juil.-août; Balloon Festival :
août. W www.visitbristol.co.uk

✝ Bristol Cathedral

College Green. **📞** 0117 9264879.
⬤ t.l.j. 🔶 limité. **Offrandes.**
W www.bristol-cathedral.co.uk
La construction de la
cathédrale débuta en 1140.
Elle s'accéléra entre 1298 et
1330, au moment où le chœur
fut reconstruit. Le transept et
la tour furent terminés en
1515 ; 350 ans plus tard,
l'architecte victorien G. E.
Street construisit la nef. Des
sculptures pleines d'humour
et d'invention y abondent :
escargot rampant sur un
feuillage de pierre, singes
musiciens dans l'ancienne
chapelle de la Vierge,
et dans le chœur un bel
ensemble de miséricordes.

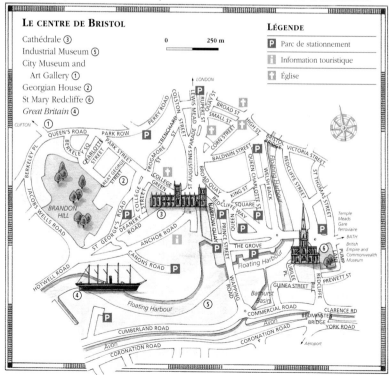

LE CENTRE DE BRISTOL

Cathédrale ③
Industrial Museum ⑤
City Museum and
    Art Gallery ①
Georgian House ②
St Mary Redcliffe ⑥
Great Britain ④

0   250 m

LÉGENDE

P Parc de stationnement

🛈 Information touristique

✝ Église

Bath pas à pas ❼

Bath doit sa prospérité à une petite source d'eau gazeuse autour de laquelle les Romains eurent tôt fait de construire des thermes. Bath devint ainsi la première station thermale d'Angleterre. Après une éclipse, elle fut à nouveau, au XVIIIᵉ siècle, une ville d'eau réputée. C'est à cette époque que deux brillants architectes nommés tous deux John Wood (l'Ancien et le Jeune) ont conçu la plupart des bâtiments de la ville dans un style inspiré de Palladio.

Le Circus
*Son architecture, d[ue]
à John Wood l'Anc[ien]
(1705-1754), romp[t]
avec le style de la
place georgienne
classique.*

Royal Crescent

Au 17 vivait Thomas Gainsborough *(p. 151)*, grand peintre du XVIIIᵉ siècle.

**Salles de réunion
et musée du Costume**

BENNETT ST

THE CIRCUS

GAY STREET

GEORGE

★ Le Royal Crescent
Salué comme la rue la plus majestueuse de Grande-Bretagne, cet arc de trente maisons (1767-1774) est le chef-d'œuvre de John Wood le Jeune. Le Royal Victoria Park, aménagé en 1830, est le plus grand espace vert de la ville.

QUEEN

SQUARE

BARTON STREET

Jane Austen
(p. 150)
demeurait au 13
Queen Square
à chaque fois que,
dans sa jeunesse,
elle venait à Bath.

Milsom Street
et New Bond Street
rassemblent
les boutiques les plus
chic de Bath.

BEAUFORD SQUARE

Le Théâtre royal (1805)

LÉGENDE

━ ━ ━ Itinéraire conseillé

0 ———————— 100 m

THE KING'S SPRING

Les Pump Rooms
Ces salons de thé étaient autrefois au cœur de la vie sociale de Bath. On peut y voir cette belle fontaine.

À NE PAS MANQUER

★ **Royal Crescent**

★ **Les thermes romains**

★ **L'abbaye de Bath**

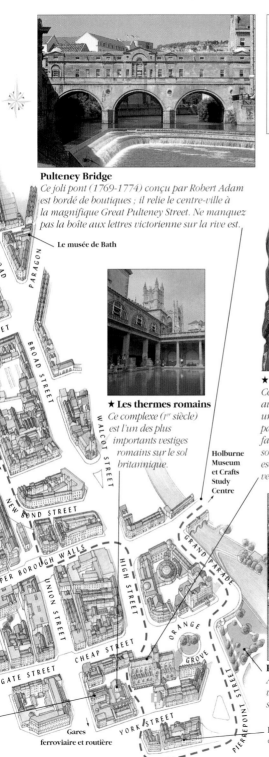

Pulteney Bridge
Ce joli pont (1769-1774) conçu par Robert Adam est bordé de boutiques ; il relie le centre-ville à la magnifique Great Pulteney Street. Ne manquez pas la boîte aux lettres victorienne sur la rive est.

Le musée de Bath

★ **Les thermes romains**
Ce complexe (1er siècle) est l'un des plus importants vestiges romains sur le sol britannique.

★ **L'abbaye de Bath**
Cette splendide abbaye se trouve au cœur de la vieille ville, sur une grande place pavée animée par des musiciens. Sur une façade unique en son genre sont sculptés des anges escaladant l'Échelle de Jacob vers le paradis.

Holburne Museum et Crafts Study Centre

Parade Gardens
Au XVIIIe siècle, les couples venaient abriter leurs amours secrètes dans ce parc.

La maison de Sally Lunn (1482)
est l'une des plus vieilles de la ville.

Gares ferroviaire et routière

PARAGON

ROAD

BROAD STREET

WALCOT STREET

NEW BOND STREET

PPER BOROUGH WALLS

UNION STREET

HIGH STREET

GRAND PARADE

ORANGE GROVE

CHEAP STREET

TGATE STREET

YORK STREET

PIERREPOINT STREET

À la découverte de Bath

Cette belle ville animée, nichée dans les vertes collines onduleuses de la vallée de l'Avon, offre au visiteur de splendides points de vue sur la campagne environnante. Le centre piétonnier, animé par les musiciens de rue, regorge de musées, de cafés et de boutiques attrayantes ; cette animation a pour toile de fond les élégantes maisons georgiennes de la ville, aux façades couleur de miel.

Musicien de rue

La construction de l'abbaye de Bath a commencé en 1499

🛕 Bath Abbey
13 Kingston Bldgs, Abbey Churchyard. 📞 01225 422462. ◯ t.l.j. ⬤ pendant les offices. **Offrandes.** 📷 ♿
📷 ⬛ www.bathabbey.org
La légende raconte que cette splendide abbaye serait une œuvre divine ; sa forme aurait été dictée par Dieu à l'évêque Oliver King, au cours d'un rêve immortalisé dans les sculptures de la façade ouest. L'évêque aurait entrepris sa construction en 1499 sur les vestiges d'une église du XVIIIᵉ siècle. Des inscriptions commémoratives couvrent ses murs ; celles qui datent du XVIIIᵉ siècle constituent un témoignage précieux sur la société. À l'intérieur de l'église, la nef est ornée de voûtes en éventail, véritable dentelle de pierre, ajoutées par sir George Gilbert Scott en 1874.

🏛 Assembly Rooms et Museum of Costume
Bennett St. 📞 01225 477789. ◯ t.l.j. ⬤ 25 et 26 déc. (Museum of Costume) ♿ 📷
⬛ www.museumofcostume.co.uk
Les salles de réunion (Assembly Rooms), construites par John Wood le Jeune en 1769, devaient être un lieu de rencontre pour l'élite et un décor pour les bals, dont Jane Austen, dans un roman de 1818, L'Abbaye de Northanger, a décrit l'ambiance faite d'intrigues. Les sous-sols abritent une collection de costumes qui retrace l'histoire de la mode depuis le XVIᵉ siècle jusqu'à nos jours.

🏛 No. 1 Royal Crescent
Royal Crescent. 📞 01225 428126. ◯ du mar. au dim. et jours fériés. ⬤ déc., janv., ven. saint. 📷 📷
⬛ www.bath-preservation-trust.co.uk
Ce musée, dans une des belles demeures du Croissant royal, permet d'imaginer la vie d'aristocrates du XVIIIᵉ siècle. La maison est pleine d'objets d'époque ; ainsi dans la cuisine, devant la cheminée, on voit une broche actionnée autrefois par un chien.

🏛 Holburne Museum of Art
Great Pulteney St. 📞 01225 466669. ◯ de mi-janv. à mi-déc. : du mar. au dim. 📷 ♿ (limité).
⬛ www.bath.ac.uk/holburne
Ce bâtiment doit son nom à William Holburne de Menstrie (1793-1874), dont les trésors forment le noyau de l'impressionnante collection du musée (beaux-arts et arts décoratifs). On peut y voir des tableaux de Gainsborough et de Stubbs.

LE MUSÉE DES THERMES ROMAINS
Entrée dans Abbey Churchyard.
📞 01225 477784. ◯ t.l.j. ⬤ 25 et 26 déc. 📷 ♿ limité.
⬛ www.romanbaths.co.uk
Selon la légende, Bath doit son origine au roi celte Bladud, qui découvrit, en 860 av. J.-C., les vertus curatives des sources chaudes. En effet, condamné à l'exil parce qu'il était lépreux, il aurait suivi l'exemple d'un porc sorti tout guilleret d'un bain dans la boue chaude de Bath.

Au Iᵉʳ siècle, les Romains construisirent des thermes et un temple dédié à Sulis Minerve, synthèse entre la déesse celte des eaux Sulis et la déesse romaine de la guerre. Une tête en bronze doré de la déesse figure au musée. Au Moyen Âge, les moines de l'abbaye exploitèrent les sources, mais ce n'est qu'en 1702-1703, avec la visite de la reine Anne, que Bath devint une ville d'eaux à la mode.

Tête de Sulis Minerve en bronze doré

🏛 Buildings of Bath Museum

The Vineyards.
📞 01225 333895.
🕐 du mar. au dim. et jours fériés.
🌑 de fin nov. à mi-fév.
🅿️ 🚻 limité.
🌐 www.bath-preservation-trust.co.uk

Situé dans une vieille chapelle méthodiste, ce musée est un bon point de départ pour visiter la ville.

Il montre comment Bath, dont l'économie était basée au Moyen Âge sur la laine, devint au XVIIIᵉ siècle une des plus élégantes stations thermales d'Europe. John Wood et son fils dessinèrent les façades classiques du Royal Crescent et du Circus, laissant aux spéculateurs immobiliers le soin de concevoir ce qu'il fallait mettre derrière. Le musée retrace l'histoire de chaque bâtiment, jusqu'à la construction récente d'une nouvelle galerie où sont exposés des intérieurs géorgiens.

🏛 American Museum

Claverton Manor, Claverton Down.
📞 01225 460503.
🕐 août : t.l.j.(après-midi) ;
de mars à oct. : du mar. au dim.
et jours fériés. 🅿️ 🚻 (limité). 📷

Installé dans un manoir de 1820, ce premier musée américain d'Angleterre fut fondé en 1961.

Des habitations rudimentaires des premiers pionniers aux foyers opulents du XIXᵉ siècle, les différentes salles donnent un bon aperçu de la diversité du nouveau continent, complété par des meubles des quakers, des patchworks et de l'art indien.

Une girouette du XIXᵉ siècle

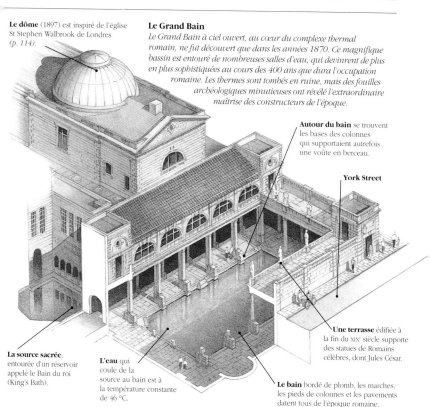

Le dôme (1897) est inspiré de l'église St Stephen Walbrook de Londres (p. 114).

Le Grand Bain

Le Grand Bain à ciel ouvert, au cœur du complexe thermal romain, ne fut découvert que dans les années 1870. Ce magnifique bassin est entouré de nombreuses salles d'eau, qui devinrent de plus en plus sophistiquées au cours des 400 ans que dura l'occupation romaine. Les thermes sont tombés en ruine, mais des fouilles archéologiques minutieuses ont révélé l'extraordinaire maîtrise des constructeurs de l'époque.

Autour du bain se trouvent les bases des colonnes qui supportaient autrefois une voûte en berceau.

York Street

Une terrasse édifiée à la fin du XIXᵉ siècle supporte des statues de Romains célèbres, dont Jules César.

La source sacrée, entourée d'un réservoir appelé le Bain du roi (King's Bath).

L'eau qui coule de la source au bain est à la température constante de 46 °C.

Le bain bordé de plomb, les marches, les pieds de colonnes et les pavements datent tous de l'époque romaine.

Stonehenge ⓫

Construit en plusieurs étapes à partir de 3000 av. J.-C., Stonehenge est l'ensemble mégalithique le plus connu d'Europe. Nous ne pouvons qu'imaginer les rituels qui s'y déroulaient, mais il est fort probable que l'alignement des pierres a un lien avec le soleil et l'enchaînement des saisons ; il est certain aussi que ses bâtisseurs possédaient une compréhension élaborée de l'astronomie et de l'arithméthique. En dépit d'une croyance populaire, le cercle de Stonehenge n'a pas été élevé par des druides, car ces prêtres de l'âge du fer officiaient en 250 av. J.-C., soit plus de 1 000 ans après l'achèvement de Stonehenge.

Objets découverts dans un tumulus près de Stonehenge (musée de Devizes)

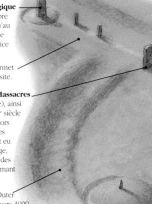

Stonehenge aujourd'hui

La Pierre magique étend une ombre immense jusqu'au centre du cercle le jour du solstice d'été.

L'Avenue permet d'accéder au site.

La pierre des Massacres (Slaughter Stone), ainsi nommée au XVIIe siècle car on croyait alors que des sacrifices humains avaient eu lieu à Stonehenge, était en fait une des deux pierres formant l'entrée.

Ce remblai (Outer Bank), creusé vers 3000 av. J.-C., est la partie la plus ancienne de Stonehenge.

LA CONSTRUCTION DE STONEHENGE

La monumentalité de Stonehenge est encore plus impressionnante quand on sait que les seuls outils disponibles alors étaient en pierre, en bois ou en os. Le travail fourni pour extraire, transporter et ériger ces énormes pierres exigeait des concepteurs une vue d'ensemble de toutes les opérations et une autorité exercée sur un grand nombre d'hommes.

RECONSTITUTION DU SITE DE STONEHENGE

Voici à quoi ressemblait vraisemblablement Stonehenge il y a environ 4 000 ans.

Un monolithe était déplacé sur des cylindres de bois.

Grâce à des leviers, il était peu à peu soulevé.

La pierre était tirée à la verticale par 200 hommes s'aidant de cordes.

La fosse à la base était comblée une fois la pierre en place.

LES AUTRES SITES PRÉHISTORIQUES DU WILTSHIRE

Le relief dégagé de la plaine de Salisbury a fait de cette région un site préhistorique important riche en vestiges. Ainsi tout autour de Stonehenge se trouvent un grand nombre de tumulus ; les membres de la société dirigeante avaient le privilège d'être inhumés près du sanctuaire.

Des armes cérémonielles en bronze, des bijoux et autres objets découverts au cours de fouilles dans la région sont présentés au musée de Salisbury (p. 252-253) et au musée principal de Devizes.

Silbury Hill, le plus grand tertre fortifié préhistorique

La colline de Silbury

d'Europe, a été construit en blocs crayeux aux alentours de 2750 av. J.-C. Il couvre 2 hectares de collines et s'élève à une hauteur de 40 m. On se perd encore en conjectures sur sa signification réelle.

Non loin de là, le **West**

Le cercle de Monolithes (Sarsen Circle), érigé vers 1500 av. J.-C., est coiffé de pierres horizontales maintenues par mortaises et tenons.

Le cercle de Pierres bleues (Bluestone Circle), réalisé en 2000 av. J.-C. avec 80 pierres provenant du sud du pays de Galles, ne fut jamais achevé.

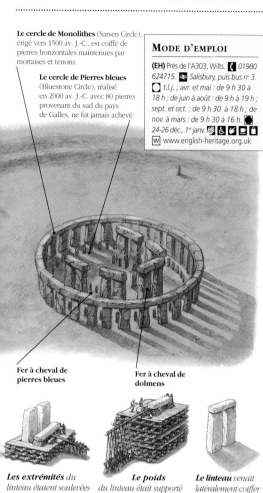

Fer à cheval de pierres bleues

Fer à cheval de dolmens

Les extrémités du linteau étaient soulevées alternativement

Le poids du linteau était supporté par une plate-forme.

Le linteau venait latéralement coiffer les pierres debout.

MODE D'EMPLOI

(EH) Près de l'A303, Wilts. 📞 01980 624715. 🚆 Salisbury, puis bus n° 3. ☐ t.l.j. ; avr. et mai : de 9 h 30 à 18 h ; de juin à août : de 9 h à 19 h ; sept. et oct. : de 9 h 30 à 18 h ; de nov. à mars : de 9 h 30 à 16 h. ● 24-26 déc., 1er janv. 🦽♿🎧📷♿
🌐 www.english-heritage.org.uk

Un monolithe du cercle de pierres d'Avebury

Avebury ⑫

Wiltshire. 🏘 600. 🚆 Swindon, puis bus. 🛈 Green St (01672 539425).

É levé aux alentours de 2500 avant notre ère, l'**Avebury Stone Circle** qui entoure le village d'Avebury était probablement autrefois un site sacré. Bien que les monolithes utilisés ici soient plus petits que ceux de Stonehenge, le cercle lui-même est plus grand. Au XVIIIe siècle, les villageois superstitieux ont fracassé la plupart des pierres, pensant que ce cercle avait été témoin de sacrifices païens. Le **musée Alexander Keiller** retrace la construction du cercle de pierres et ses corrélations avec les autres monuments de la région. Une intéressante exposition intitulée « Six mille ans de mystère » explique l'évolution du paysage d'Avebury. **St James's Church** possède des fonts baptismaux normands sculptés de monstres marins et un étonnant jubé du XVe siècle.

Aux environs
À quelques minutes à l'est, **Marlborough** est une ville attrayante dont la rue principale est bordée de boutiques XVIIIe ornées de colonnades.

🏛 **Alexander Keiller Museum**
(NT) Près de High St. 📞 01672 539250. ☐ t.l.j. ● du 24 au 26 déc.
📷🦽♿📖♿
🌐 www.nationaltrust.org.uk

Kennet Long Barrow (grand tumulus de l'ouest du Kennet) est le complexe funéraire le plus important d'Angleterre, avec ses nombreuses chambres bordées de pierres et son entrée monumentale. Construit aux alentours de 3250 av. J.-C., il fut utilisé comme cimetière communal pendant des siècles ; on retirait les corps pour faire place aux nouveaux venus.

C'est à l'intérieur des massifs remparts d'un fort bâti sur la colline au Ier siècle par les Romains que les fondateurs normands d'**Old Sarum** ont construit un château fortifié sur un tertre. On en voit aujourd'hui les ruines, ainsi que les fondations de l'immense cathédrale de 1075. Mais il ne reste rien de la ville intérieure aux remparts.

🏰 **Old Sarum**
(EH) Castle Rd. 📞 01722 335398. ☐ t.l.j. ● du 24 au 26 déc., 1er janv. 🦽📷

Complexe funéraire de West Kennet Long Barrow (v. 3250 av. J.-C.)

Salisbury ⑬

S alisbury a été fondée en 1220, après que les habitants eurent décidé de quitter les environs arides et désolés du village d'Old Sarum *(p. 251)* pour les prairies luxuriantes où convergent l'Avon, la Nadder et la Bourne. Pour bâtir la cathédrale, on fit certainement venir par flottage sur la Nadder depuis Chilmark, à 20 km à l'ouest de Salisbury, le marbre de Purbeck. Commencée dans les premières années du XIIIᵉ siècle, la cathédrale fut édifiée en <un temps record : 38 ans. Sa flèche est la plus haute d'Angleterre ; elle a été ajoutée entre 1280 et 1310.

La maison de John A' Port dans Queen's Street (xvᵉ siècle)

à colombage. Sur la **place du Marché**, très animée, le **Guildhall** (hôtel de ville) est une étonnante construction en pierre beige de la fin du XVIIIᵉ siècle. Plus attrayantes sont les maisons de brique et de bois alignées sur le côté nord du square ; leurs façades georgiennes sont plaquées sur des demeures datant du Moyen Âge.

Vue de l'enceinte de la cathédrale avec une sculpture d'Élisabeth Frink

Le cloître de la cathédrale est le plus grand d'Angleterre ; il a été ajouté entre 1263 et 1284.

À la découverte de Salisbury
La vaste **enceinte**, qui renferme écoles, hospices et logements pour le clergé, forme un bel écrin à la cathédrale. Parmi les bâtiments les plus intéressants, citons le **Matrons' College** (collège des Matrones), construit en 1682 pour les veuves des membres du clergé, la **Malmesbury House**, du XIIIᵉ siècle, avec ses jolies portes en fer forgé et une belle façade georgienne de 1719, le **Deanery** (doyenné), construit au XIIIᵉ siècle, la **Wardrobe** (garde-robe), du XIIIᵉ siècle, aujourd'hui un musée militaire, et la **Cathedral School**, dans le palais épiscopal du XVIIIᵉ siècle.

Au-delà de l'enceinte, la ville de Salisbury s'ordonne comme un échiquier dont chaque case serait dévolue à un corps de métier ; on peut ainsi se retrouver « rue du Poisson » (Fish Row) ou « rue du Boucher » (Butcher Row). Quittant l'enceinte par la **High Street Gate**, on rejoint High Street, la Grand-Rue, conduisant à l'**église Saint-Thomas** (XIIIᵉ siècle), qui a une belle charpente sculptée de 1450. Elle abrite un saisissant Jugement dernier de la fin du XVᵉ siècle. Non loin, dans Silver Street, se trouve **Poultry Cross**, un marché aux volailles (poultry) couvert du XVᵉ siècle. De là se déploie tout un réseau de ruelles aux charmantes maisons

Dans la salle capitulaire est présenté un original de la Grande Charte *(Magna Carta)*. Les murs sont ornés de scènes de l'Ancien Testament.

La chapelle de la Trinité abrite le tombeau de saint Osmund, évêque d'Old Sarum entre 1078 et 1099.

Stalles du chœur

Bishop Audley's Chantry, magnifique réalisation du XVIᵉ siècle, est l'une des nombreuses chapelles groupées autour de l'autel.

FISH ROW

La « rue du Poisson », dans le vieux quartier de Salisbury

🏠 Mompesson House
(NT) Enceinte. 📞 01722 335659.
🕐 d'avr. à oct. : du sam. au mer.
de 11 h à 17 h. 🏷️ 🚻 limité. 🅿️
Construite en 1701 pour une
famille aisée du Wiltshire, cette
maison agréablement meublée
nous renseigne sur la
façon dont on vivait
au XVIII⁺ siècle à
l'intérieur de l'enceinte
de la cathédrale.
Le mur nord de
l'enceinte sert de
limite à un joli jardin.

🏛️ Salisbury and South Wiltshire Museum
Enceinte. 📞 01722 332151. 🕐 du
lun. au sam. (juil.-août : t.l.j.). 🏷️ 🅿️
🚻 W www.salisburymuseum.org.uk
Installées dans King's House,
les collections sont consacrées
aux bâtisseurs de Stonehenge
et d'Old Sarum *(p. 251)*.

MODE D'EMPLOI

Wiltshire. 👥 40 000. 🚉 South
Western Rd. 🚌 Endless St. 🛈 Fish
Row (01722 334956). 🕐 mar.,
sam. 🎭 Festival de Salisbury : fin
mai. W www.visitsalisbury.com

Aux environs
La ville de Wilton, connue
pour son industrie du tapis, fut
fondée par le huitième comte
de Pembroke qui employait des
tisserands français, huguenots
réfugiés. L'**église**
de la ville (1844), très ornée, est
un brillant exemple
d'architecture éclectique,
réutilisant des colonnes
d'époque romaine, des travaux
d'ébénisterie flamands, des
vitraux hollandais et allemands,
et des mosaïques italiennes.

Wilton House est un ancien
couvent transformé au XVI⁺ siècle
en maison d'habitation par
les comtes de Pembroke.
Remaniée par Inigo Jones au
XVIII⁺ siècle, la demeure possède
une tour de l'époque
des Tudors, une belle
collection d'œuvres
d'art et un parc
paysager avec
un pont inspiré de
Palladio (1737). Les
somptueuses salles
d'apparat (Single et
Double Cube State
Rooms) sont la fierté
du domaine. Elles
accueillent une série
de portraits de famille
peints par Van Dyck.

🏠 Wilton House
Wilton. 📞 01722 746729. 🕐 de
Pâques à oct. : t.l.j. 🏷️ 🚻 🍴 🅿️
W www.wiltonhouse.com

La flèche de
la cathédrale
a 123 m de haut.

*La façade ouest est
décorée de rangées de
sculptures symboliques
ou représentant
des saints.*

**Une promenade sur le
toit** permet d'accéder à
une galerie externe située
à la base de la flèche,
d'où l'on voit toute la ville
et Old Sarum.

L'horloge de 1386 est la
plus vieille d'Europe en
état de marche.

La nef est divisée en dix
travées par des colonnes
en marbre de Purbeck.

**Transept
nord-ouest**

**Les
nombreuses
fenêtres**
renforcent
la luminosité
de la cathédrale.

LA CATHÉDRALE DE SALISBURY
Enceinte. 📞 01722 555120. 🕐 t.l.j. **Offrandes.** 🚻 🅿️ 🛈
W www.salisburycathedral.org.uk
La cathédrale a été construite pour l'essentiel entre
1220 et 1258. C'est un excellent exemple du premier
art gothique anglais, caractérisé par de hautes
fenêtres terminées par un arc en ogive acéré.

**Un des salons d'apparat dessinés
par Inigo Jones en 1653**

Cette belle tapisserie à la gloire de Longleat House a été tissée en 1980

Longleat House ⑭

Warminster, Wiltshire. 📞 *01985 844400.* 🚆 *Warminster, puis taxi.* **Maison** ⬜ *t.l.j.* ⬛ *25 déc.* **Safari Parc** ⬜ *de fév. à nov. : t.l.j.* ♿ 🚻 ⬛ 📷 🌐 *www.longleat.co.uk*

L a « maison du prodige » : c'est ainsi que l'historien de l'architecture John Summerson qualifie la maison de Longleat, merveilleux exemple de la grandeur et de l'exubérance de l'architecture élisabéthaine. Sa construction débuta en 1540, lorsque John Thynn acheta pour 53 livres les ruines d'un prieuré situé sur le domaine. Les propriétaires successifs de la maison, génération après génération, ont apporté leur propre touche. Les salles à manger ont ainsi été décorées dans les années 1870 dans un style proche du palais des Doges de Venise ; le propriétaire actuel, septième marquis de Bath, a lui-même peint des fresques érotiques. Seul le Great Hall date du XVIᵉ siècle.

En 1949, le sixième marquis fut le premier aristocrate anglais à ouvrir son château au public, pour pouvoir continuer à assurer l'entretien de la demeure et du domaine. Le parc, dessiné par Capability Brown *(p. 22)*, a été aménagé en 1966 en une vaste réserve où des animaux sauvages vivent en semi-liberté. La réserve, et d'autres attractions du domaine, comme le grand labyrinthe, l'Adventure Castle et le Blue Peter Maze, attirent aujourd'hui plus de visiteurs que la demeure elle-même.

Stourhead ⑮

L es jardins de Stourhead sont l'un des sommets de l'art paysager anglais au XVIIIᵉ siècle *(p. 22-23)*. Henry Hoare (1705-1785) transforma dans les années 1740 le domaine qu'il avait reçu en héritage en une véritable œuvre d'art. Il fit aménager un lac, planter tout autour des essences rares et construire des temples néo-classiques à l'italienne, des grottes et des ponts. La maison, de style palladien, a été construite par Colen Campbell *(p. 24)* en 1724.

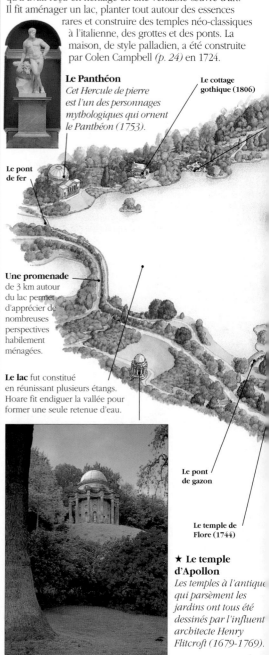

Le Panthéon
Cet Hercule de pierre est l'un des personnages mythologiques qui ornent le Panthéon (1753).

Le cottage gothique (1806)

Le pont de fer

Une promenade de 3 km autour du lac permet d'apprécier de nombreuses perspectives habilement ménagées.

Le lac fut constitué en réunissant plusieurs étangs. Hoare fit endiguer la vallée pour former une seule retenue d'eau.

Le pont de gazon

Le temple de Flore (1744)

★ Le temple d'Apollon
Les temples à l'antique qui parsèment les jardins ont tous été dessinés par l'influent architecte Henry Flitcroft (1679-1769).

La grotte
Des tunnels conduisent à une caverne artificielle où se trouvent un bassin et une statue grandeur nature d'un dieu fluvial sculpté par John Cheere en 1748.

MODE D'EMPLOI

(NT) Stourton, Wiltshire. 01747
841152. Gillingham, puis taxi.
Maison d'avr. à oct. : de 11 h
à 17 h du ven. au mar. (der. ent.
à 16 h 30). **Jardins** de 9 h à 19 h
(au crépuscule si plus tôt) : t.l.j.
limité. W www.
nationaltrust.org.uk/stourhead

★ **Stourhead House**
Reconstruite après un incendie en 1902, la demeure abrite un beau mobilier Chippendale. Dans la collection d'œuvres d'art, qui reflète le goût très classique d'Henry Hoare, Le Choix d'Hercule *de Nicolas Poussin (1637).*

Des rhododendrons
et d'autres arbustes aux couleurs variées entourent la maison.

Le village de Stourton a été inclus dans le vaste dessein d'Henry Hoare.

Pelargonium House
abrite une centaine d'espèces et variétés de géraniums.

Dans ce bâtiment
se déroulent des expositions sur l'histoire de Stourhead.

Entrée et parc
de stationnement

St Peter's Church
L'église paroissiale abrite les tombes de la famille Hoare. Le monument médiéval voisin fut rapporté de Bristol en 1765.

À NE PAS MANQUER

★ **Le temple d'Apollon**

★ **Stourhead House**

Shaftesbury ⑯

Dorset. 🏚 8 000. 🚻 🔒 8 Bell St
(01747 853514). 🛍 jeu.
🅦 www.shaftesburydorset.co.uk

La ville de Shaftesbury
occupe le sommet d'une
colline. Ses rues pavées et
ses cottages du XVIIIe siècle ont
souvent servi de décor à des
films. La pittoresque **Gold Hill**
est flanquée par l'ancien mur
d'enceinte d'une **abbaye**
fondée par le roi Alfred en 888.
Il n'en reste plus aujourd'hui
que des ruines et quelques
fragments conservés au musée
d'histoire locale.

**L'hospice de 1437 attenant à
l'église abbatiale de Sherborne**

Sherborne ⑰

Dorset. 🏚 9 500. 🚆 🔒 🚻 Digby
Rd (01935 815341). 🛍 jeu., sam.
🅦 www.westdorset.com

Peu de villes d'Angleterre
possèdent autant de
constructions médiévales.
Édouard VI *(p. 41)* a fondé
en 1550 l'école de Sherborne,
préservant ainsi la splendide
Abbey Church, l'hospice et
d'autres bâtiments monastiques
qui auraient été détruits par
Henri VIII *(p. 50)*. La façade
inclut quelques vestiges de la
première église saxonne, mais
son morceau de bravoure est le
plafond du XVe siècle, avec ses
voûtes en éventail.

Sherborne Castle, construit
pour sir Walter Raleigh
(p. 50-51) en 1594, préfigure
la virtuosité et le sens du décor
du style XVIIe. Raleigh vécut
aussi quelque temps à
Old Castle (XIIe s.), démoli
par les partisans de Cromwell
lors de la guerre civile *(p. 52)*.

Aux environs
À l'ouest, après Yeovil, se trouve
une maison élisabéthaine,
Montacute House *(p. 233)*.
Elle abrite des tapisseries,
des modèles de broderie
du XVIIe siècle ; dans la Grande
Galerie, une belle série de
portraits du XIVe au XVIIe siècle.

🏛 **Sherborne Castle**
Près de l'A30. 📞 01935 813182.
Château 🕐 d'avr. à oct. : du mar. au
jeu., sam., dim. et jours fériés (l'après-
midi). **Parc** 🕐 d'avr.à oct : du jeu. au
mar. 🎫🖥️🍴🚻 🅦
www.sherbornecastle.com
🏛 **Old Castle**
(EH) Près de l'A30. 📞 01935 812730.
🕐 de Pâques à oct. : t.l.j. ; de nov.
à Pâques : du mer. au dim.
● 25 et 26 déc., 1er janv. 🔒 🎫 ♿
🏛 **Montacute House**
(NT) Montacute. 📞 01935 823289.
Parc 🕐 d'avr. à nov. : du mer. au lun.
🎫🍴 🔒

Abbotsbury ⑱

Dorset. 🏚 400. 🚻 Bakehouse,
Market St (01305 871130).
🅦 www.abbotsbury-tourism.co.uk

Le nom d'Abbotsbury (*abbot*
signifie *père supérieur*)
rappelle qu'au XIe siècle
se dressait ici une abbaye
bénédictine, dont il ne reste
qu'une énorme grange dîmière
construite vers 1400.
   On ne sait quand le
Swannery (élevage de cygnes)
fut fondé, mais la « colonie »
d'Abbotsbury est mentionnée
dès 1393. Ils trouvent

La colonie de cygnes d'Abbotsbury

refuge dans les roseaux du Fleet,
une lagune saumâtre protégée
de la mer par un haut rempart
de pierres, le **Chesil Bank**
(p. 230). Des courants très forts
rendent la baignade dangereuse,
mais l'aspect sauvage de cette
région a quelque chose de
fascinant. Dans les serres des
**Abbotsbury Sub-Tropical
Gardens** sont cultivées de
nombreuses plantes d'Amérique
du Sud ou d'Asie.

🦢 **Swannery**
New Barn Rd. 📞 01305 871858.
🕐 de mi-mars. à oct. : t.l.j.
🎫🔒 ♿ 🔒
🌿 **Abbotsbury Sub-Tropical
Gardens**
Près de la B3157 📞 01305 871387.
🕐 t.l.j. ● du 24 déc. au 1er janv.
🎫🔒 ♿ 🔒

Weymouth ⑲

Dorset. 🏚 62 000. 🚆 🔒 🚢
🚻 King' Statue, The Esplanade
(01305 785747). 🛍 jeu.
🅦 www.weymouth.gov.uk

Weymouth est l'une des
plus anciennes stations
balnéaires d'Angleterre. Elle
devint populaire dès l'été 1789,

Le quai de Weymouth, sur la côte sud du Dorset

quand le roi George III fit ici le premier d'une longue série de séjours. La cabine de bains roulante du roi est exposée à **Brewers' Quay**. Les façades des hôtels et des élégantes maisons georgiennes sont tournées vers la magnifique baie de Weymouth. La vieille ville, centrée sur le quai de la Douane (Custom House Quay), est très différente : bateaux de pêcheurs, anciennes auberges à matelots à colombage.

🏛 **Brewer's Quay**
Hope Sq. 📞 01305 777622. ⏰ t.l.j.
● 25 et 26 déc., 2 sem. en jan. ♿

Dorchester ⑳

Dorset. 👥 16 000. 🚆 ℹ Antelope Walk (01305 267992). 🅿 mer.
🌐 www.westdorset.com

Dorchester, chef-lieu du comté de Dorset, est la ville où Thomas Hardy situa l'intrigue de son roman *Le Maire de Casterbridge* (1886). Parmi les nombreuses maisons des XVIIe et XVIIIe siècles longeant High Street, se trouve le **Dorset County Museum**. On peut y découvrir le manuscrit original du roman de Hardy. Dorchester est la seule ville de toute la Grande-Bretagne à compter une **maison de ville romaine**. Les fouilles archéologiques ont révélé la présence de richesses architecturales, dont une belle

Le mystérieux géant de 55 m gravé dans le calcaire de Cerne Abbas

mosaïque. **Maumbury Rings** (Weymouth Avenue) est un ancien cromlech de la période néolithique converti en amphithéâtre par les Romains. À l'ouest, des tombeaux romains ont été mis au jour sous **Poundbury Camp**, le fort datant de l'âge de fer, situé au sommet de la colline.

Aux environs
Au sud-ouest de Dorchester, **Maiden Castle** (p. 43) est une imposante forteresse datant d'environ 100 ans avant J.-C.
Au nord, le charmant village de **Cerne Abbas** abrite de superbes granges aux dîmes médiévales et des monuments monastiques. La longue silhouette d'un géant tracée à la craie dans l'herbe a été associée à des rituels locaux célébrant la fertilité.

Elle pourrait représenter le dieu romain Hercule ou bien un guerrier de l'âge de fer.
À l'est de Dorchester, on pourra admirer les églises, les belles chaumières et les collines immortalisées par les romans de Thomas Hardy. L'église saxonne **Bere Regis**, de style pittoresque, abrite les tombeaux de la famille d'Abberville, dont Hardy s'inspira pour son roman *Tess d'Urberville*. Ne manquez pas de visiter le cottage où l'écrivain naquit et **Max Gate**, la maison qu'il fit construire en 1885 et où

Statue de Thomas Hardy à Dorchester

il vécut jusqu'à sa mort. Son cœur est enterré avec sa famille dans l'église de **Stinsford**.
La visite d'**Athelhampton House**, château datant du XVe siècle, vaut le détour. Il est entouré de splendides jardins (p. 233).

🏛 **Dorset County Museum**
High West St. 📞 01305 262735. ⏰ de nov. à avr. : du lun. au sam. ; de mai à oct. : t.l.j. ● 25 et 26 déc. ♿ ⓕ limité.
📷 🌐 www.dorsetcountymuseum.org
🏠 **Hardy's Cottage**
(NT) Higher Bockhampton.
📞 01305 262366. ⏰ d'avril à oct. : du jeu. au lun. ♿ ⓕ jardins seul.
🏠 **Max Gate**
(NT) Arlington Ave, Dorchester. 📞 01305 262538. ⏰ d'avr. à sept. : dim., lun. et mer. (après-midi). ♿ ⓕ 📷
🏠 **Athelhampton House**
Athelhampton. 📞 01305 848363.
⏰ de mars à oct. : du dim. au jeu.
♿ ⓕ jardins. 📷 🍴 📷

THOMAS HARDY (1840-1928)

Les romans et les poèmes de Thomas Hardy, un écrivain peu connu en France mais extrêmement populaire en Angleterre, se déroulent dans son Dorset natal. La campagne du Wessex est la toile de fond familière devant laquelle le romancier fait évoluer ses personnages. Les descriptions du monde rural sont un témoignage sur un moment clé de l'histoire du pays, juste avant que la mécanisation ne vienne remplacer les méthodes de travail ancestrales – ce qu'avait fait dans les villes, un siècle plus tôt, la révolution industrielle (p. 54-55). Le style très imagé d'Hardy ne pouvait manquer d'intéresser les metteurs en scène ; il incite aussi nombre de passionnés de littérature à venir parcourir les villages et les paysages qui lui ont inspiré ses plus beaux écrits.

Nastassja Kinski dans le film *Tess* de Roman Polanski (1979)

Corfe Castle ㉑

(NT) Dorset. 📞 01929 481294.
🚆 Wareham puis bus. ◯ t.l.j.
● 25 et 26 déc. 🎟 ⚹ limité. 🎥 de
mars à oct ; de nov. à fév. sur r.-v.
🖥 🏠 🅦 www.corfecastle.org.uk

L es ruines spectaculaires
du château de Corfe
couronnent, de façon
très romantique, la cime
déchiquetée d'un promontoire
rocheux. Au dessous, le petit
village qui a donné son nom
au château. Le château
en ruine domine le paysage
alentour depuis le XIᵉ siècle.
En 1635, il fut acquis par
sir John Bankes. Pendant
la guerre civile (p. 52-53), son
épouse et les domestiques –
en majorité des femmes –
soutinrent pendant six semaines
le siège de 600 soldats
des troupes parlementaires. Le
château fut finalement pris par
trahison ; en 1646, le Parlement,
ulcéré de la longue résistance
des habitants, décida
de le faire sauter. Les ruines
de Corfe Castle dominent l'île
de Purbeck ; la vue découvre
toute la côte alentour.

Les ruines du château de Corfe, qui remonte au temps des Normands

L'île de Purbeck ㉒

Dorset. 🚆 Wareham. 🛥 Shell Bay,
Studland. ℹ Swanage (01929
422885). 🅦 www.swanage.gov.uk

L 'île de Purbeck est en
réalité une péninsule ; c'est
ici que se trouvent les carrières
de calcaire coquillier gris
connu sous le nom de marbre
de Purbeck. Au sud-ouest, à
Kimmeridge, la nature du sol
est différente, et on trouve en
abondance du schiste constellé
de fossiles ; on y a récemment

découvert du pétrole. L'île,
classée Patrimoine mondial,
est entourée de belles plages
préservées. Le sable blanc
de la **baie de Studland** se
déploie sur un arc immense ;
les dunes où viennent nicher
des oiseaux ont été classées
parmi les plus beaux paysages
côtiers d'Angleterre. La petite
baie de Lulworth est presque
entièrement encerclée
de falaises ; en suivant la ligne
de crête, on arrive à Durdle
Door (p. 231), une arche
naturelle crayeuse. Du port
de **Swanage** partaient pour
Londres les pierres taillées
de Purbeck, qui servaient
aussi bien à paver les rues qu'à
édifier des églises. Les pierres
inutilisées ou récupérées sur
des chantiers de démolition
revenaient parfois sur l'île ;
c'est ainsi que la **mairie**
de Swanage a pu s'orner d'une
superbe façade dessinée par
Christopher Wren vers 1668.

Poole ㉓

Dorset. 🏠 142 000. 🚆 🖥 🛥
ℹ Poole Quay. (01202 253253).
🅦 www.pooletourism.com

S itué dans une des plus
grandes baies du monde,
Poole est un port de mer
ancien mais toujours florissant.
Le quai est bordé de vieux
entrepôts et d'appartements
modernes donnant sur la baie
tranquille et protégée.
Le **Waterfront Museum**
est installé sur le quai, dans
des caves du XVᵉ siècle. Ses
collections retracent l'histoire
de la ville et du port.
L'île voisine de **Brownsea**
est une réserve naturelle

La plage de Lulworth Cove, sur l'île de Purbeck

boisée qui accueille de nombreuses espèces d'oiseaux et qui offre une belle vue sur la côte du Dorset.

🏛 Waterfront Museum
High St. ☎ *01202 262600.* ◯ *t.l.j.* ● *25 et 26 déc., 1er janv.* &

🦋 Brownsea Island
(NT) Poole. ☎ *01202 707744.* ◯ *d'avr. à sept. : t.l.j. (départ toutes les 30 min. en saison).* 🎫 & 🅿 ◻ 🎁

Bateaux amarrés dans le port de Poole

Wimborne Minster ㉔

Dorset. 🏘 *6 500.* 🚌 ⟊ *29 High St (01202 886116).* 🅐 *du ven. au dim.* 🆆 *www.ruraldorset.com*

L a collégiale du **monastère** de Wimborne a été fondée en 705 par Cuthburga, sœur du roi du Wessex. L'église fut dévastée au Xe siècle par des pillards danois ; l'édifice actuel en pierre grise a été construit en 1043 par Édouard le Confesseur *(p. 47).* Les bâtisseurs de l'époque ont sculpté dans le marbre de Purbeck des monstres, des scènes bibliques et des motifs géométriques. Le **Priest's House Museum**, installé dans des bâtiments du XVIe siècle où logeaient les prêtres, abrite des salles meublées dans différents styles. On y découvrira aussi un ravissant jardin.

Aux environs
Construit pour la famille Bankes après la destruction du château de Corfe, **Kingston Lacy** fut acquis par le National Trust en 1981. Le domaine est toujours exploité suivant les méthodes traditionnelles ; les animaux sauvages, les fleurs protégées et les papillons y sont nombreux. Dans ce coin tranquille et oublié du Dorset, le bétail se rend dans les pâturages en empruntant des chemins dont le tracé remonte au temps des Romains ou des Saxons. Sur le domaine, une jolie demeure du XVIIIe siècle abrite une collection de peintures exceptionnelle, avec des toiles de Rubens, Titien ou Velázquez.

🏛 Priest's House Museum
High St. ☎ *01202 882533.* ◯ *d'avr. à oct. : lun.-sam.* 🎫 & ◻ 🎁

♟ Kingston Lacy
(NT) B3082. ☎ *01202 883402.* **Maisons** ◯ *d'avr. à oct. : du mer. au dim.* **Jardins** ◯ *d'avr.à oct. : t.l.j. ; de nov à mars : sam. et dim.* 🎫 & *jardins seulement.* 🍴 🎁

Bournemouth ㉕

Dorset. 🏙 *165 000.* 🚆 🚌 🚢 ⟊ *Westover Rd (0906 8020234).* 🆆 *www.bournemouth.co.uk*

B ournemouth est une des stations balnéaires préférées des Anglais. Sa longue plage s'étend de Poole Harbour à Hengistbury Head. La majeure partie du front de mer est couverte de grandes villas et d'hôtels. À l'ouest, le sommet des falaises, où des jardins ont été aménagés, est interrompu parfois par des ravines boisées. À **Compton Acres** sont reconstitués tous les types de jardin possibles. Au centre de Bournemouth, attractions, casinos, discothèques et boutiques sont implantés pour distraire les vacanciers. L'été, des groupes de rock et le fameux

Le train miniature qui longe le bord de mer à Bournemouth

La Marquise Maria Grimaldi, par Rubens (1577-1640), Kingston Lacy

orchestre symphonique de Bournemouth se produisent dans différents théâtres de la ville. Le **Russell-Cotes Art Gallery and Museum** conserve une belle collection d'objets d'art oriental et de l'époque victorienne.

Aux environs
Le magnifique **prieuré de Christchurch**, à l'est de Bournemouth, est, avec ses 95 m, l'église la plus longue d'Angleterre. Il a été reconstruit entre les XIIIe et XVIe siècles, et on y reconnaît différents styles. La nef, de 1093, est un bon exemple d'architecture normande, mais on retiendra surtout un retable de pierre où figurent l'Arbre de Jessé et la lignée des ancêtres du Christ. À côté du prieuré se trouvent les ruines d'un **château** normand. Entre Bournemouth et Christchurch, les hauteurs de **Hengistbury Head** offrent de magnifiques points de vue sur la mer ; la faune ailée de **Stanpit Marsh**, à l'ouest de Bournemouth, enchantera les amoureux des oiseaux.

🌷 Compton Acres
Canford Cliffs Rd. ☎ *01202 700778.* ◯ *t.l.j.* 🎫 & 🍴 ◻ 🎁 🆆 *www.comptonacres.co.uk*

🏛 Russell-Cotes Art Gallery and Museum
Eastcliff. ☎ *01202 451800.* ◯ *du mar. au dim.* & 🍴 ◻ 🎁 🆆 *www.russell-cotes.bournemouth.gov.uk*

LE DEVON ET LES CORNOUAILLES

CORNOUAILLES · DEVON

Le sud-ouest de la Grande-Bretagne offre sur des kilomètres de côtes une succession de paysages variés. Là, les villes de vacances alternent avec de petites criques et des villages de pêcheurs. À l'intérieur des terres, changement de décor : des jardins exotiques, des landes parsemées de buttes rocheuses et les vestiges d'un riche passé.

Voisins sur la carte, le Devon et les Cornouailles ont cependant des personnalités très différentes. Dans les Cornouailles celtiques, dont de nombreux villages portent le nom des premiers missionnaires chrétiens venus évangéliser, les arbres sont plutôt rares ; la région porte encore comme des cicatrices la marque des mines d'étain et de cuivre qui ont joué un rôle important dans son économie pendant quelque 4 000 ans. Cela n'altère en rien la beauté et la variété de toute la ligne côtière, avec ses phares et ses baies où se jettent des rivières profondes.

Le Devon, au contraire, est une terre de prairies, divisée en une mosaïque de petits champs où se faufilent d'étroits chemins fleuris, au printemps, de primevères, en été de digitales, de marguerites et de bleuets. L'atmosphère rurale et paisible que l'on retrouve tant ici que dans les Cornouailles contraste avec l'agitation des villes : Exeter et sa célèbre cathédrale, Plymouth, ville historique, l'élégante Truro et Totnes, la cité élisabéthaine. Tous ces centres urbains sont débordants de vie et de caractère.

La beauté de la côte et le climat tempéré de la région attirent les familles, les surfers et les passionnés de voile. Pour les amateurs de solitude, le Southwest Coastal Path permet de découvrir des endroits plus tranquilles. Les villages de pêcheurs et les ports ont connu leur apogée à l'époque des boucaniers, de Drake et Raleigh *(p. 51)*. À l'intérieur des terres court la lande sauvage de Bodmin et de Dartmoor, qui a inspiré nombre de légendes mettant en scène le roi Arthur *(p. 273)*, qui serait né en effet à Tintagel, sur la côte nord des Cornouailles.

Cabines de plage multicolores à Paignton, près de Torquay

◁ **Bateaux de pêche à Port Isaac, sur la côte nord des Cornouailles**

À la découverte du Devon et des Cornouailles

L'intérieur du Devon et des Cornouailles, couvert d'une lande romantique, est un terrain d'exploration idéal pour les randonneurs ; la vue s'y étend de toutes parts sur des kilomètres. La côte en revanche est entaillée par des centaines de petites criques qui semblent totalement coupées du monde ; c'est une des raisons pour lesquelles la région donne toujours l'impression d'être quasi déserte, même en pleine saison. Si vous disposez d'une semaine au plus pour visiter le Devon et les Cornouailles, ne cherchez pas à tout voir ; explorez plutôt à fond une petite partie de la région.

LÉGENDE

	Autoroute
	Route principale
	Route secondaire
	Route pittoresque
	Chemin pittoresque
	Cours d'eau
	Point de vue

LA RÉGION D'UN COUP D'ŒIL

Appledore ⑯
Barnstaple ⑰
Bideford ⑮
Bodmin ⑪
Buckfastleigh ㉓
Buckland Abbey ㉖
Bude ⑬
Burgh Island ㉔
Clovelly ⑭
Cotehele ㉗
Dartmoor p. 282-283 ㉙
Dartmouth ㉑
Eden Project p. 270-271 ⑨
Exeter ⑲
Falmouth ⑥
Fowey ⑩
Helston et le cap Lizard ⑤
Lynton et Lynmouth ⑱
Morwellham Quay ㉘
Penzance ③
Plymouth ㉕
St Austell ⑧
St Ives ②
St Michael's Mount p. 266-267 ④
Tintagel ⑫
Torbay ⑳
Totnes ㉒
Truro ⑦

Excursion
Le Penwith ①

Les falaises spectaculaires de Land's End : la pointe ouest de l'Angleterre

CLOVEL

BUDE

TINTAGEL

LAUNCES

BODMIN MOOR

WADEBRIDGE

BODMIN

LISKEARD

NEWQUAY

EDEN PROJECT

ST AUSTELL

FOWEY
South West Coast Pa

TRURO

Carrick Roads

EXCURSION DANS LE PENWITH

ST IVES

ST MICHAEL'S MOUNT

PENZANCE

FALMOUTH

HELSTON ET LE CAP LIZARD

LAND'S END

Îles de Scilly

LIZARD

VOIR AUSSI

- *Hébergement* p. 553-555
- *Restaurants et pubs* p. 589-591

Jardins subtropicaux à Torquay, une ville balnéaire très populaire

CIRCULER

De mi-juillet à début septembre, l'autoroute M5 et les grandes routes telles que l'A30 risquent d'être encombrées et le trafic très ralenti, surtout le samedi. Une fois que vous serez dans la région, empruntez de préférence les routes secondaires.

L'infrastructure ferroviaire est bonne. Entre Paddington et Penzance, le train dessert la plupart des grandes villes, en suivant le Brunel's Great Western Railway. Quelques rares bus sillonnent aussi la région.

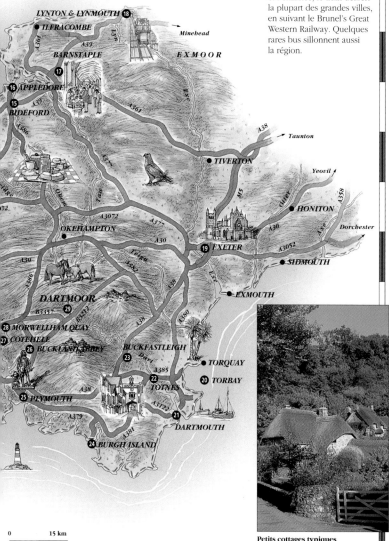

**Petits cottages typiques
de la région du Dartmoor**

0   15 km

Excursion dans le Penwith ❶

CARNET DE ROUTE

Itinéraire : 50 km.
Où faire une pause ? Il y a des
pubs et des cafés dans la plupart des
villages. À mi-parcours, Sennen
Cove sera une halte très agréable.
(Voir aussi p. 636-637.)

Ce circuit traverse les paysages spectaculaires des Cornouailles, où l'on peut découvrir les traces des anciennes exploitations d'étain, de pittoresques villages de pêcheurs et de nombreux monuments préhistoriques. La côte offre des aspects très variés, depuis la lande à peine ondulée du nord jusqu'aux falaises escarpées du sud. La beauté des paysages et la qualité de la lumière attirent depuis près d'un siècle de nombreux artistes, dont les œuvres sont exposées dans les musées de Newlyn, St Ives et Penzance.

Zennor ①
Dans l'église, un bas-relief rappelle l'histoire d'une sirène qui séduisit un jour le fils du châtelain et l'entraîna avec elle dans l'océan.

Lanyon Quoit ②
Le dolmen, à gauche de la route qui mène à Madron, est l'un des nombreux monuments préhistoriques de la région.

Botallack Mine ⑧
Des bâtiments abandonnés accrochés aux falaises témoignent de l'ancienne activité minière de la région.

Trengwainton ③
Ses jardins luxuriants sont renommés *(p. 232)*.

Land's End ⑦
La pointe la plus occidentale de l'Angleterre est remarquable par ses falaises déchiquetées et ses paysages spectaculaires.

Merry Maidens ⑤
D'après la légende, 19 jeunes filles auraient été changées en rochers pour avoir dansé un dimanche.

Newlyn ④
Le plus grand port de pêche des Cornouailles a donné son nom à une école de peinture fondée dans les années 1880 *(p. 266)*.

Minack Theatre ⑥
Cet amphithéâtre de 1923, construit suivant le modèle antique, domine la magnifique baie de Porthcurno. L'été, il sert de cadre à des spectacles.

0   3 km

LÉGENDE

▬▬▬ Circuit

═══ Autres routes

☀ Point de vue

St Ives ❷

Cornouailles. 👥 *11 000.* �' 🚋 ℹ
Street-an-Pol (01736 796297).
Ⓦ *www.go-cornwall.com*

La ville est connue des
amateurs d'art à cause du
**Barbara Hepworth Museum
and Sculpture Garden** et de la
Tate St Ives ; ils présentent les
œuvres d'un groupe d'artistes
qui fondèrent ici une colonie
d'artistes dans les années vingt.
L'architecture de la Tate St Ives
a été conçue de manière à
privilégier une large vue
panoramique sur la plage de
Pothmeor. Le musée Barbara
Hepworth est installé dans la
maison et le jardin
où l'artiste a vécu et travaillé
pendant de nombreuses
années. À l'intérieur, on
retrouve l'atmosphère de
l'atelier ; les jardins

La terrasse de la Tate St Ives

subtropicaux, eux, sont
organisés comme une galerie
d'art où sont présentées les
œuvres de Barbara Hepworth.
La ville de St Ives elle-même est
une cité balnéaire anglaise très

courue, où l'art joue un grand
rôle ; de nombreuses galeries se
sont ouvertes le long des rues
de la ville. Certaines d'entre
elles se sont installées dans
d'anciennes caves ou dans les
greniers où l'on salait autrefois
le poisson. À St Ives, on verra
aussi nombre de jolis cottages
blanchis à la chaux. Leurs petits
jardins sont pleins de fleurs aux
couleurs éclatantes.

🏛 Barbara Hepworth Museum and Sculpture Garden

Barnoon Hill. 📞 *01736 796226.*
◯ *de mars à oct. : t.l.j. ; de nov. à fév. :
du mar. au dim.* ● *du 24 au 26 déc.*
📷 ♿ *tél. avant.* 🛍

🏛 Tate St Ives

Porthmeor Beach. 📞 *01736
796226.* ◯ *de mars à oct. : t.l.j. ;
de nov. à fév. : du mar. au dim.*
● *du 24 au 26 déc.* 📷 ♿ 🍴 🛍
Ⓦ *www.tate.org.uk/stives*

LES ARTISTES DU XXᵉ SIÈCLE À ST IVES

C'est autour du peintre Ben Nicholson et du sculpteur Barbara
Hepworth que s'est formé le groupe de St Ives, dont l'importance
est considérable dans le développement de l'art abstrait européen.
Dès les années 1920, les villes de St Ives et de Newlyn *(p. 264)* ont
été le point de ralliement de jeunes artistes. Parmi les plus grands, le
potier Bernard Leach (1887-1979) et le peintre Patrick Heron (1920-
1999), à qui l'on doit la verrière qui orne l'entrée de la Tate St Ives
(p. 228). La plupart des œuvres présentées relèvent
de l'art abstrait, mais on y décèle l'influence des
vigoureux paysages de la région et des couleurs
changeantes du bord de mer.

Barbara Hepworth *(1903-1975)*
*compte parmi les premiers sculpteurs
abstraits de sa génération.*
Cette Vierge à l'Enfant *de 1953
est conservée dans l'église St Ia.*

John Wells *(1907-2000)*
*s'intéresse à la lumière, à
des formes souples inspirées
du vol des oiseaux.* Aspiring
Forms *date de 1950.*

Ben Nicholson *(1894-1982),
l'un des plus grands peintres
anglais de ce siècle, a peu à peu
évolué vers l'abstraction.* St Ives,
Cornouailles *(toile de 1943-1945)
marque une transition : le thème
est encore reconnaissable, mais
le peintre procède déjà par
grandes masses géométriques.*

Penzance ❸

Cornouailles. 🏠 *15 000.* 🚉 🚌 ⛴
ℹ *Station Approach (01736
362207).* 🌐 *www.go-cornwall.com*

La petite ville de Penzance
bénéficie d'un climat si
doux que des palmiers et des
plantes subtropicales se sont
très bien acclimatés dans les
luxuriants **Morrab Gardens**.
On a, depuis la ville
environnée d'une vaste plage
de sable, une vue splendide
sur St Michael's Mount.

La rue principale est Market
Jew Street, qui mène à Market
House, une magnifique
construction de 1837.

Juste en face, la statue de sir
Humphrey Davy (1778-1829),
originaire de Penzance, qui
inventa pour les mineurs une
lampe de sécurité permettant
de détecter les gaz mortels.

Chapel Street est bordée
de curieux édifices, dont
le plus spectaculaire est
sans doute l'**Egyptian House**
(maison égyptienne) de 1835.
À voir aussi, **Admiral Benbow
Inn**, auberge de 1696, avec
sa figure de pirate scrutant
la mer depuis le haut du toit.
**Penlee House Gallery and
Museum**, musée de la ville,
abrite des œuvres de l'école
de Newlyn.

Aux environs
Tout près de Penzance, **Newlyn**
(p. 264) est le plus grand port
de pêche des Cornouailles.
La ville a donné son nom à une
école de peinture fondée par
Stanhope Forbes (1857-1947),
dont les représentants
préféraient peindre en plein air
les effets changeants du vent,
du soleil et de la mer. Plus au
sud, la route côtière se termine

Maison égyptienne (1835)

à **Mousehole**, un village plein
de charme avec un petit port,
des rangées de chaumières
et des ruelles étroites.

Au nord de Penzance,
dominant la splendide côte
des Cornouailles, **Chysauster**
est un bel exemple de

St Michael's Mount ❹

(NT) Marazion, Cornouailles. 📞 *01736
710507 ; information sur les marées et
les ferries : 01736 710265* ⛴ *depuis
Marazion (d'avr. à oct.) ou à pied à
marée basse.* 🕐 *d'avr. à oct. : du lun.
au ven. ; de nov. à mars : visites guidées
seulement (tél. avant).* 🎨 🍴 🛍 🏛
🌐 *www.stmichaelsmount.co.uk*

St Michael's Mount émerge en
face du village de Marazion.

Au temps des Romains,
le mont s'appelait Ictis ; c'était
depuis l'âge du fer une plaque
tournante pour le commerce de
l'étain. Le mont est dédié
à saint Michel, qui y serait
apparu en 495.

Quand les Normands
envahirent l'Angleterre en 1066
(p. 46-47), ils furent frappés de
la ressemblance de l'île avec
« leur » Mont-Saint-Michel et
demandèrent aux bénédictins
de l'abbaye normande d'édifier
ici une seconde abbaye, plus
petite. Lors de la dissolution
des monastères *(p. 339)*,
l'édifice devint une forteresse,
car Henri VIII s'employait à
construire sur toute la côte une
chaîne de fortifications contre
d'éventuelles attaques françaises.

En 1659, St Michael's Mount
fut acheté par sir John St Aubyn.
Ses descendants en firent
une demeure somptueuse.

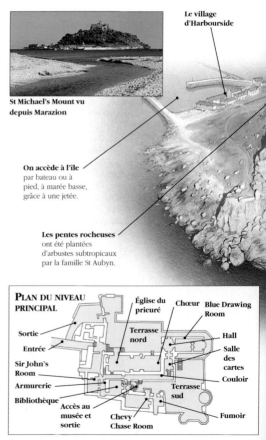

**St Michael's Mount vu
depuis Marazion**

**Le village
d'Harbourside**

On accède à l'île
par bateau ou à
pied, à marée basse,
grâce à une jetée.

Les pentes rocheuses
ont été plantées
d'arbustes subtropicaux
par la famille St Aubyn.

**PLAN DU NIVEAU
PRINCIPAL**

Sortie
Entrée
Sir John's
Room
Armurerie
Bibliothèque
Accès au
musée et
sortie
Chevy
Chase Room

Église du
prieuré
Terrasse
nord
Chœur   Blue Drawing
Room
Hall
Salle
des
cartes
Couloir
Terrasse
sud
Fumoir

village romano-britannique du début de notre ère. Le site est resté pratiquement inchangé depuis qu'il a été abandonné au IIIe siècle. Des laisons maritimes et par hélicoptère régulières relient Penzance aux **îles Scilly** (Sorlingues), un archipel granitique au large de Land's End. Le tourisme et l'horticulture sont les principales ressources de ces îles.

🏛 Penlee House Gallery and Museum

Morrab Rd. 📞 01736 363625. ⏰ de mai à sept. : de 10 h à 17 h du lun. au sam. ; d'oct. à avr. : de 10 h 30 à 16 h 30 du lun. au sam. ● 25 et 26 déc., 1er janv. 🎟 (gratuit sam.) ♿ ☐ ☐ Ⓦ www.penleehouse.org.uk

⛩ Chysauster

Près de la B3311. 📞 07831 757934. ⏰ d'avr. à oct. : t.l.j. 🎟

LE DÉVELOPPEMENT DU MÉTHODISME

Les mineurs et les pêcheurs de la région travaillaient dur et n'avaient guère de temps à consacrer à la religion, mais ils furent séduits par les rites méthodistes, les prêches en plein air, les hymnes et leur lecture approfondie, « méthodique », de la Bible. Quand John Wesley, fondateur du méthodisme, vint pour la première fois dans la région en 1743, il fut accueilli par des jets de pierres. Sa persévérance porta cependant ses fruits, et en 1762 il prêchait parfois devant 30 000 personnes. Des lieux de culte furent établis dans tout le comté, notamment dans l'amphithéâtre de **Gwennap Pit**, à Busveal. Le musée de Truro *(p. 269)* conserve de nombreux objets liés au courant méthodiste.

John Wesley (1703-1791)

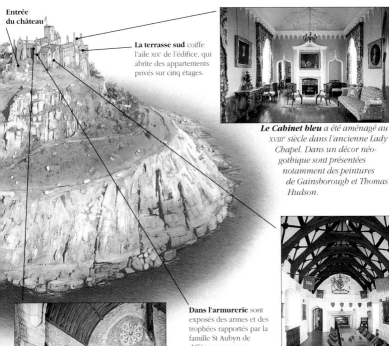

Entrée du château

La terrasse sud coiffe l'aile XIXe de l'édifice, qui abrite des appartements privés sur cinq étages.

Le Cabinet bleu *a été aménagé au* XVIIIe *siècle dans l'ancienne Lady Chapel. Dans un décor néo-gothique sont présentées notamment des peintures de Gainsborough et Thomas Hudson.*

Dans l'armurerie sont exposés des armes et des trophées rapportés par la famille St Aubyn de différentes guerres.

La chapelle du prieuré, *reconstruite à la fin du* XIVe *siècle, couronne tout l'édifice. Elle est éclairée par deux magnifiques verrières.*

La Chevy Chase Room *est décorée d'une frise sculptée de 1641 représentant des scènes de chasse.*

Rochers de serpentine émergeant à Kynance Cove, cap Lizard

Helston et le cap Lizard ❺

Cornouailles. 🚌 *depuis Penzance.*
ℹ️ *79 Meneage St (01326 565431).*
ⓦ *www.go-cornwall.com*

La charmante ville de Helston est une excellente base de départ pour explorer le cap Lizard (Lizard Peninsula). À Helston se déroule chaque année, au printemps, un festival de danse très apprécié, le Furry Dance *(p. 62)* ; le **Folk Museum**, consacré aux traditions locales, explique tout de cette ancienne coutume. La ville était autrefois une cité prospère où les lingots d'étain étaient dûment contrôlés et certifiés avant d'être vendus. De cette époque datent les élégantes maisons georgiennes et les auberges de Coinagehall Street. On acheminait l'étain provenant des mines locales vers la mer par la rivière ; au XIIIᵉ siècle, une barre de sable condamna le port et créa un lac d'eau douce, Loe Pool. En 1880, un nouveau port fut créé plus à l'est sur l'Helford, à Gweek. La ville accueille aujourd'hui le **National Seal Sanctuary**, où sont soignés les phoques malades ou blessés.

La **Poldark Mine** présente les activités minières des Cornouailles depuis l'époque romaine jusqu'à nos jours ; la visite des galeries souterraines évoque les conditions de travail effroyables des mineurs au XVIIIᵉ siècle. À voir aussi, le **Flambards Experience**, pour sa reconstitution d'un village du siècle dernier et son évocation de la vie en Grande-Bretagne pendant la dernière guerre.

Plus au sud, les structures modernes d'une station satellite émergent de la lande ; c'est le **Goonhilly Earth Station**, qui présente aussi au public les données de la communication par satellite.

Dans les boutiques, vous trouverez toutes sortes d'objets sculptés en serpentine, une pierre verte très répandue dans la région et notamment dans la baie de **Kynance Cove**.

🏛 **Folk Museum**
Market Place, Helston. 📞 *01326 564027.* 🕐 *du lun. au sam.* ● *sem. de Noël.* 🎫 🚻 *limité.* 🅿️
ⓦ *www.kerrierleisure.org.uk*
🐾 **National Seal Sanctuary**
Gweek. 📞 *01326 221361.*
🕐 *t.l.j.* ● *25 déc.* 🎫 🚻 🖵 🅿️
ⓦ *www.sealsanctuary.co.uk*
🏛 **Poldark Mine**
Wendron. 📞 *01326 573173.*
🕐 *2 sem. à Pâques, juil. et août : t.l.j. ; avr., juin, sept. et oct. : du dim. au ven. ; de nov à mars : sur r.-v.* 🎫 🚻 🖵 🅿️
ⓦ *www.poldark-mine.co.uk*
🏛 **Flambards Village Theme Park**
Culdrose Manor, Helston. 📞 *0845 6018684.* 🕐 *de Pâques à oct. : t.l.j. ; de fév. à mars : du sam. au mer.* 🎫 🚻
🍴 🅿️ ⓦ *www.flambards.co.uk*
🏛 **Goonhilly Earth Station**
Près de Helston et de la B3293.
📞 *0800 679593.* 🕐 *d'avr à oct. : t.l.j.* 🎫 🚻 🖵 🅿️
ⓦ *www.goonhilly.bt.com*

Falmouth ❻

Cornouailles. 👥 *22 000.* 🚆 🚌 🚕
ℹ️ *28 Killigrew St (01326 312300).*
ⓦ *www.go-cornwall.com*

Falmouth est construite tout près des **Carrick Roads**, une large entaille dans la côte où confluent sept rivières. L'estuaire est si profond que des transatlantiques peuvent remonter presque jusqu'à Truro.

Les criques semées tout le long de la côte sont idéales pour faire du bateau. Falmouth possède le troisième plus grand bassin portuaire naturel après Sydney et Rio de Janeiro. Sur le front de mer se dresse le nouveau **National Maritime Museum Cornwall** qui fait

---

LES CONTREBANDIERS

Avant la création de l'impôt sur le revenu, les finances de l'État étaient alimentées principalement par les taxes prélevées sur les produits de luxe importés. En ne payant pas ces taxes, qui atteignirent des sommets entre 1780 et 1815, on pouvait réaliser des bénéfices substantiels. Les Cornouaillais, à l'écart du reste du pays, parcourus de rivières faciles à remonter, étaient un terrain d'action idéal pour les contrebandiers. On estime à 100 000 le nombre de personnes, femmes et enfants inclus, concernés par cette activité parallèle. Des naufrageurs allumaient aussi des fanaux trompeurs sur les côtes rocheuses. Les navires qui venaient s'y échouer étaient alors pillés.

partie du projet de construction d'un grand complexe en bordure de mer, avec cafés, restaurants et boutiques. Ce musée est consacré à la tradition maritime des Cornouailles et renferme les plus belles collections nationales de petits bateaux d'hier et d'aujourd'hui. Le bâtiment est destiné à faire revivre l'histoire des bateaux, les traditions de la mer et le patrimoine des Cornouailles ainsi que l'histoire de ceux dont la vie dépendait de la mer. Il s'adresse à toute la famille. La ville possède encore de nombreuses maisons anciennes, comme **Customs House** ; tout près de là se trouve King's Pipe (la pipe du roi), où l'on brûlait au XIXᵉ siècle le tabac de contrebande.

En face de Falmouth, **Pendennis Castle** et St Mawes Castle furent construits par Henri VIII.

Aux environs
Au sud, les jardins de **Glendurgan** *(p. 232)* et de **Trebah** sont plantés dans des vallées protégées qui descendent en pente douce vers les baies de l'Helford.

🏛 National Maritime Museum Cornwall
Discovery Quay, Falmouth.
📞 *01326 313388.* ⏰ *t.l.j.*

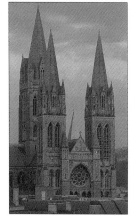

La cathédrale de Truro, dessinée par J. L Pearson et construite en 1910

⏰ *jours fériés.* 🔲 ♿ 🖥 🚻
🌐 www.nmmc.co.uk

♣ Pendennis Castle
(EH) The Headland.
📞 *01326 316594.* ⏰ *t.l.j. du 24 au 26 déc., 1ᵉʳ janv.* 🔲 ♿ *limité.* 🖥 🚻

♣ Glendurgan
(NT) Mawnan Smith.
📞 *01326 250906.* ⏰ *de mi-fév. à mi-nov. : du mar. au sam. et jours fériés.* ⏰ *ven. saint.* 🔲 🖥 🚻
🌐 www.nationaltrust.org.uk

♣ Trebah
Mawnan Smith. 📞 *01326 250448.*
⏰ *t.l.j.* 🔲 ♿ 🖥 🚻
🌐 www.trebah-garden.co.uk

Truro ❼

Cornouailles. 🏘 *19 000.* 🚆 🚌
🛈 Boscawen St *(01872 274555).*
🛒 *mer. (bétail), mer. et sam. (marché paysan).* 🌐 www.truro.gov.uk

Truro était autrefois une ville commerçante et un port ; elle est aujourd'hui la capitale administrative des Cornouailles. Les nombreuses maisons georgiennes témoignent de sa prospérité pendant le « boom » minier du début du XIXᵉ siècle. En 1876, Truro devint un diocèse ; l'église du XVIᵉ siècle fit place à une **cathédrale**, la première construite en Angleterre depuis l'achèvement de Saint-Paul de Londres *(p. 116-117)* par sir Christopher Wren. Avec ses tours et ses fenêtres lancéolées, la cathédrale de Truro ressemble plus aux édifices gothiques de France qu'aux autres cathédrales d'Angleterre. Les ruelles pavées bordées de boutiques sont pittoresques. Le **Royal Cornwall Museum** éclaire toutes les particularités du comté, la mine, le méthodisme *(p. 267)*, l'archéologie et la contrebande.

Aux environs
Dans les faubourgs de la ville, jardins de **Trewithen** et **Trelissick** *(p. 232)* ; le premier a de nombreuses variétés de plantes asiatiques.

🏛 Royal Cornwall Museum
River St. 📞 *01872 272205.* ⏰ *du lun. au sam.* ⏰ *jours fériés.* 🔲 ♿ 🖥 🚻
🌐 www.royalcornwallmuseum.org.uk

♣ Trewithen
Grampound Rd. 📞 *01726 883647.*
⏰ *de mars à sept. : du lun. au sam. ; d'avr. à mai : t.l.j.* 🔲 ♿
🌿 *sur rendez-vous.* 🖥 🚻
🌐 www.trewithengardens.co.uk

♣ Trelissick
(NT) Feock. 📞 *01872 862090.*
⏰ *de mi-fév. à déc. : t.l.j. ; de janv. à mi-fév. : du jeu. au dim.* 🔲 ♿ 🍴 🚻

Les « Alpes des Cornouailles », au nord de St Austell

St Austell ❽

Cornouailles. 🏘 *20 000.* 🚆 🚌
🛈 Station-service Jet, Southbourne Rd *(0870 445 0244).* 🛒 *du ven. au dim.* 🌐 www.cornish-riviera.co.uk

Cette ville doit sa prospérité aux gisements de kaolin qui suscitèrent une véritable industrie au XVIIIᵉ siècle. C'est aujourd'hui encore un facteur essentiel de l'économie locale, car jusqu'à récemment, seule la Chine possédait des gisements comparables. Les monticules de kaolin blanc qui ponctuent le paysage brillent au soleil comme des pics enneigés ; ils ont valu à la région le surnom de « Cornish Alps », ou Alpes des Cornouailles.

Aux environs
Les **Lost Gardens of Heligan** créés entre le XVIᵉ s. et la Première Guerre mondiale, ont été restaurés.

Le **Wheal Martyn China Clay Museum** explique l'extraction et le raffinage du kaolin jusqu'à sa transformation en porcelaine.

♣ Lost Gardens of Heligan
Pentewan. 📞 *01726 845100.*
⏰ *t.l.j.* 🔲 ♿ *limité.* 🍴 🖥 🚻
🌐 www.heligan.com

🏛 Wheal Martyn China Clay Museum
Carthew. 📞 *01726 850362.*
⏰ *t.l.j.* 🔲 ♿ *limité.* 🖥 🚻
🌐 www.wheal-martyn.com

Figure de proue, Falmouth

Eden Project ❾

Construit dans l'enceinte d'une carrière de kaolin abandonnée, Eden Project est un jardin planétaire du XXIe siècle, un cadre spectaculaire pour raconter l'histoire fascinante du rapport de l'être humain aux plantes. Deux biomes, des serres futuristes, ont été conçus pour reproduire les milieux naturels des climats chauds : l'un chaud et humide, l'autre chaud et sec. Aux abords de la carrière, des espèces adaptées au climat des Cornouailles ont été plantées. Contrairement aux serres classiques où les plantes sont présentées par espèces, l'approche de l'Eden Project se veut éducative et présente les plantes dans leur milieu. La relation entre l'être humain et la nature est exposée par des conteurs et des artistes dans tout le site.

④ **Amérique du Sud tropicale**
Certaines plantes de cette aire atteignent des proportions gigantesques. Les feuilles de nénuphar géant peuvent mesurer 2 m.

③ **Afrique de l'Ouest**
Hautement hallucinogène, l'iboga joue un grand rôle dans la religion bwiti, notamment lors des cérémonies initiatiques.

② **Malaisie**
Dans cette forêt tropicale pousse l'arum titan qui peut atteindre 1,5 m de haut et dont l'odeur évoque la chair en décomposition.

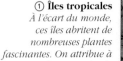

① **Îles tropicales**
À l'écart du monde, ces îles abritent de nombreuses plantes fascinantes. On attribue à la pervenche de Madagascar (Catharanthus roseus) des vertus curatives contre la leucémie.

LE SITE

L'accès aux jardins extérieurs et aux biomes se fait par le Visitor Centre.

Biome tropical humide
① Îles tropicales
② Malaisie
③ Afrique de l'Ouest
④ Amérique du Sud tropicale
⑤ Récoltes et cultures

Biome tempéré chaud
⑥ Méditerranée
⑦ Afrique du Sud
⑧ Californie
⑨ Récoltes et cultures

MODE D'EMPLOI

Bodelva, St Austell, Cornouailles.
(01726 811911. **≋** St Austell.
⊞ service de navette au départ
de St Austell. **○** d'avr. à oct. :
de 10 h à 18 h t.l.j. (dern. entrée
17 h) ; de nov. à mars : de 10 h à
16 h 30 t.l.j. (dern. entrée 15 h).
● 24 et 25 déc. **⊠ & ∎∎ ▭**
□ W www.edenproject.com

Construction de l'Eden

Le déclin du kaolin de Cornouailles a laissé de nombreuses carrières abandonnées. L'Eden Project utilise de façon ingénieuse ce paysage industriel. Une carrière a été partiellement comblée, puis les immenses Biomes y ont été aménagés.

Hexagones transparents faits de plastique high-tech ultraléger

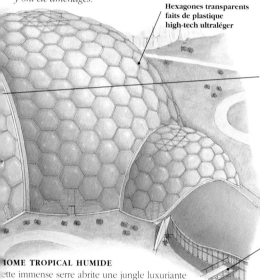

⑤ Récoltes et cultures
Le plant de café (Coffea arabica) *est l'une des nombreuses plantes présentées qui entrent dans la fabrication de produits de consommation courante.*

L'entrée pour les deux biomes, tempéré et tropical humide, s'effectue par le Link où se trouvent deux restaurants.

BIOME TROPICAL HUMIDE

Cette immense serre abrite une jungle luxuriante de 8 000 plantes et arbres. Le dôme est suffisamment haut pour permettre aux arbres de croître normalement.

Paysage extérieur
⑩ Plantes et pollinisateurs
⑪ Plantes et cultures
des Cornouailles
⑫ Plantes et saveurs
⑬ Cultures des Andes
⑭ Bière et brassage
⑮ Plantes et textiles
⑯ Chanvre
⑰ Steppe et prairie
⑱ Éco-ingénierie
⑲ Nouvelle aire pour
expositions
⑳ Thé
㉑ Lavande
㉒ Récolte

㉓ Théâtre
㉔ Plantes et combustibles
㉕ Plantes : mythes
et folklore
㉖ Cornouailles sauvages
㉗ Jeu
㉘ Fleurs des jardins
㉙ Alimentation et santé
㉚ Jardins sans fleurs

LÉGENDE
═══ Train

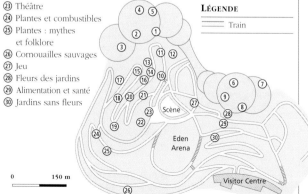

0   150 m

Scène
Eden Arena
Visitor Centre

Depuis Fowey, vue de Polruan, de l'autre côté de l'estuaire

Fowey ❿

Cornouailles. 🚶 *2 000.* ⛴
🛈 *5 South St (01726 833616).*
🌐 *www.fowey.co.uk*

L a ville de Fowey apparaît
sous le nom de Troy Town
dans les romans pleins
d'humour de l'écrivain anglais
sir Arthur Quiller-Couch
(1863-1944), qui a vécu à **The
Haven**. Fowey est fréquentée
par de nombreux Londoniens
fortunés qui viennent y faire du

DAPHNÉ DU MAURIER

Dans les romans historiques
de Daphné du Maurier
(1907-1989), on retrouve les
paysages des Cornouailles
où l'écrivain a grandi.
C'est avec *L'Auberge de
la Jamaïque* qu'elle s'est
fait connaître dès 1936 ;
avec la publication deux ans
plus tard de *Rebecca*, elle
devenait l'un des écrivains
anglais les plus populaires
de son temps. *Rebecca*
a été adapté au cinéma
par Hitchcock, avec
Joan Fontaine et
Laurence Olivier.

bateau. Avec ses restaurants
de luxe, c'est l'une des villes les
plus huppées des Cornouailles.
Elle a un charme indéniable :
petites rues fleuries, vues
panoramiques sur la mer et
Polruan, de l'autre côté de
l'estuaire. Saint's Way, ainsi
appelé en hommage
aux missionnaires celtes venus
évangéliser les Cornouailles,
aboutit à l'église
St Fimbarrus, qui
possède un porche
majestueux et une
splendide tour
sculptée. À l'intérieur,
plusieurs tombeaux
XVIIᵉ des Rashleigh,
une grande famille de
la région. Leur
propriété, Menabilly,
fut habitée longtemps
par Daphné
du Maurier ; c'est
le Manderley de
son célèbre roman
Rebecca, paru en 1938.

Aux environs
Des circuits sur la rivière
au départ de petites criques
permettent d'aborder **Polruan**,
une ville portuaire
à l'activité incessante.
À l'entrée de l'estuaire,
on voit encore les deux tours
jumelles entre lesquelles
on accrochait autrefois une
énorme chaîne pour arrêter les
envahisseurs venus
par la mer. En suivant la côte
par l'est, on parvient
à **Polperro**, village de pêcheurs
blotti au fond d'un ravin
verdoyant, tout près de **Looe**.
En remontant la rivière, on
arrive à **Lostwithiel**.
Sur une colline toute proche,
les ruines d'un château
normand, **Restormel Castle**.

⚓ **Restormel Castle**
(EH) Lostwithiel. 📞 *01208 872687.*
🕐 *d'avr. à oct. : t.l.j.* ♿

Bodmin ⓫

Cornouailles. 🚂 *Bodmin Parkway.*
🚌 *Bodmin.* 🛈 *Mount Folly Sq,
Bodmin (01208 76616).*
🌐 *www.bodminlive.com*

L a ville de Bodmin, au cœur
d'une lande immense, est
l'ancienne capitale des
Cornouailles. Le **Bodmin
Town Museum** retrace toute
son histoire. **Bodmin Jail**, où
des exécutions capitales ont eu
lieu jusqu'en 1909, n'est plus
qu'un endroit touristique, qui
remporte un certain succès
auprès des amateurs de
frissons. Il y a dans le cimetière
une source miraculeuse près de
laquelle saint Guron, au
VIᵉ siècle, établit son ermitage.
L'**église** elle-même est dédiée à
saint Petroc, un grand
missionnaire gallois qui fonda
de nombreux
monastères, ici et
dans toute la région.
Quelques reliques
du saint sont abritées
dans une splendide
châsse d'ivoire
sculpté du XIIᵉ siècle,
conservée dans
l'église.
    Au sud de Bodmin
se dresse
Lanhydrock,
une demeure
massive entourée
d'étendues boisées et
de jardins *(p. 232)*. Le manoir a
été reconstruit en 1881 après un
incendie, mais conserve
quelques éléments du
XVIIᵉ siècle. Dans ses grandes
pièces et le labyrinthe règne
encore l'atmosphère des vastes
demeures anglaises du siècle
dernier. Le chef-d'œuvre
de Lanhydrock est sans doute
le plafond de la Grande
Galerie, orné de sculptures
du XVIIᵉ siècle représentant
des scènes bibliques.
    Bodmin Moor, la lande
alentour, porte encore la trace
de tout un réseau de champs
préhistoriques, mais
on y trouve surtout la célèbre
Jamaica Inn (Auberge
de la Jamaïque) immortalisée
par Daphné du Maurier.
Aujourd'hui, elle abrite un
restaurant, un bar et un musée.
    À une demi-heure de marche
de l'auberge se trouve
Dozmary Pool, un puits

**L'Auberge
de la Jamaïque,
à Bodmin Moor**

Les ruines du château de Tintagel, sur la côte nord des Cornouailles

réputé sans fond, mais qui a fini par se tarir en 1976. D'après la légende, c'est dans ce puits que l'épée Excalibur aurait été jetée.

À l'est se trouve le charmant village d'**Altarnun**. Sa vaste église du XVe siècle, **St Nonna**, est parfois appelée la « cathédrale de la lande ».

🏛 Bodmin Town Museum
Mt Folly Sq, Bodmin. ☎ 01208 77067.
◯ de Pâques à oct. : du lun. au sam., ven. saint. ● jours fériés. & limité. 🛆

🚽 Bodmin Jail
Berrycombe Rd, Bodmin. ☎ 01208 76292. ◯ t.l.j. ● 25 déc. 🚻 🛆

🚽 Lanhydrock
(NT) Bodmin. ☎ 01208 265950. **Maison** ◯ d'avr. à oct. : du mar. au dim. et jours fériés. **Jardins** ◯ t.l.j. 🚻 & 🛆

Tintagel ⑫

Cornouailles. 🕍 1 700.
🛈 01840 7790840. ⬛ jeu. (l'été).
Ⓦ www.visitboscastleandtintagel.com

Les ruines romantiques et mystérieuses de **Tintagel Castle**, château construit vers 1240 par le comte Richard de Cornouailles, dominent un paysage de falaises d'ardoise et de grottes. On y accède par deux escaliers très raides et bordés de lavande.

Le comte Richard choisit de faire construire une forteresse dans cet endroit escarpé sur la foi de l'*Histoire des rois d'Angleterre* de Geoffrey de Monmouth, qui en faisait le

lieu de naissance du roi Arthur.

On a découvert sur le site de nombreux beaux vases méditerranéens du Ve siècle environ, qui témoignent d'une intense activité économique bien avant la construction du château médiéval. Les habitants de l'époque, peut-être les rois de Cornouailles, devaient avoir un train de vie fastueux.

Le chemin qui suit le haut des falaises mène du château à l'**église** de Tintagel, d'architecture normande et saxonne. À Tintagel, même l'ancien bureau de poste **(Old Post Office)** est une belle salle du XIVe siècle très bien restaurée et qui conserve un mobilier de chêne du XVIIe siècle.

Aux environs
À l'est, on rencontre le joli village de **Boscastle**. La Valency traverse la rue principale, avant de se jeter dans le port de pêche de la ville, protégé de la pleine mer par de hautes falaises d'ardoise. On accède à la mer par un défilé taillé dans le rocher.

⚔ Tintagel Castle
Près de High St. ☎ 01840 770328.
◯ t.l.j. ● du 24 au 26 déc., 1er janv. 🚻 Ⓦ www.english-heritage.org.uk/tintagel

🚽 Old Post Office
(NT) Fore St. ☎ 01840 770024.
◯ d'avr. à oct. : t.l.j. 🚻 🛆

Bude ⑬

Cornouailles. 🕍 9 000. 🛈 parking The Crescent (01288 354240). ⬛ ven. (l'été). Ⓦ www.visitbude.co.uk

Les magnifiques plages de Bude sont un lieu de vacances familiales idéal. Ces étendues de sable faisaient autrefois de la ville un port animé. Riche en coquillages et en chaux, le sable était transporté le long d'un canal jusqu'aux fermes de l'intérieur ; il servait à neutraliser l'acidité du sol. Le canal est abandonné depuis les années 1880, mais une petite partie subsiste, véritable paradis pour les oiseaux.

Martin-pêcheur

LE ROI ARTHUR

Les historiens considèrent que le roi Arthur a réellement existé. Il s'agissait probablement d'un chef d'armée ou d'un guerrier romano-britannique du VIe siècle qui se serait placé à la tête de la résistance anglaise face aux envahisseurs saxons *(p. 46-47)*. L'*Histoire des rois d'Angleterre* de Geoffrey de Monmouth (1139) a fait du roi Arthur une figure quasi mythique en accréditant de nombreuses légendes : comment il devint roi après avoir dégagé Excalibur du rocher qui l'emprisonnait, l'histoire des Chevaliers de la Table ronde *(p. 158)*… Depuis lors, la figure du roi Arthur n'a cessé d'inspirer les écrivains et les artistes.

Le roi Arthur, d'après un manuscrit du XIVe siècle

Clovelly ⑭

Devon. 🚶 350. 📞 01237 431781.
Centre d'information ⭘ t.l.j.
⬤ 25 et 26 déc. 📧 ♿ Visitors' Centre.
W www.clovelly.co.uk

Clovelly est un village côtier plein de charme, avec des rues pavées montant à l'assaut de la falaise, des maisonnettes blanchies à la chaux entourées de jardins pleins de fleurs.
Le village est devenu un site touristique très fréquenté, où la pêche, jadis florissante, ne joue plus qu'un rôle secondaire.
Depuis le haut du village, on a une vue superbe sur toute la côte alentour. Des sentiers de randonnée permettent de faire connaissance avec la région, qu'un centre d'information présente en détail.
Le Hobby Drive est le chemin le plus agréable pour arriver à pied à Clovelly, car il longe la côte sur 5 km en passant à travers bois.
Le Hobby Drive a été construit entre 1811 et 1829 pour donner du travail aux hommes de la région, qui avaient perdu leur emploi à la suite des guerres napoléoniennes *(p. 54-55)*.

Le pont médiéval de Bideford, aux 24 arches, a 203 mètres de long

Bideford ⑮

Devon. 🚶 13 000. 🚌 ℹ Victoria Park (01237 477676). 🛒 mar., sam.

Le village de Bideford, dont les maisons s'égrènent tout le long de l'estuaire de la Torridge, s'est développé dès le XVIe siècle grâce au commerce du tabac, importé du Nouveau Monde.
Plusieurs demeures du XVIIe siècle qui appartenaient autrefois à de riches marchands subsistent dans Bridgeland Street, notamment la belle maison du n° 28, avec ses baies vitrées en encorbellement (1693). Tout près, Mill Street, bordée de boutiques, mène à l'église et à un pont du XVe siècle. Dans un parc, trône la statue de Charles Kingsley à qui la région doit beaucoup ; c'est dans ses livres qu'au siècle dernier le grand public a découvert le charme de cette partie de la côte.

Aux environs
À l'ouest de Bideford se trouve le village de **Westward Ho !** construit à la fin du XIXe siècle. Il doit son nom à l'une des plus célèbres nouvelles de Kingsley. Le village fait aujourd'hui partie d'un complexe de vacances. La région est décidément très marquée par la littérature : une colline au sud du village porte le nom de **Kipling Tors** en hommage à Rudyard Kipling *(p. 151)*, qui a fait de la campagne alentour le décor de son roman *Stalky & Co* (1899).
À l'ouest, **Hartland Abbey**, un ancien monastère (vers 1157) devenu résidence privée, présente un musée avec des collections d'art et d'antiquités ainsi qu'un agréable jardin.
Le chef-d'œuvre d'Henry Williamson, *Tarka la loutre* (1927), décrit la vie des loutres de la **vallée de la Torridge**. Le Tarka Trail (circuit de Tarka), aménagé le long de la rivière, côtoie les magnifiques jardins de **Rosemoor Garden**. Pour le suivre, on peut louer des vélos à la gare de Bideford.
Des excursions au départ de Bideford ou d'Ilfracombe (en fonction des marées) mènent à l'île de **Lundy**. Faune et flore sauvages y sont variées.

🏛 **Hartland Abbey**
Près de Bideford. 📞 01237 441264.
⭘ d'avr. à oct. : de 14 h à 17 h 30 mar. (en juil. août seul.), mer., jeu., dim., jours fériés. 📧 🅿
W www.hartlandabbey.com

🌷 **RHS Rosemoor Garden**
Great Torrington. 📞 01805 624067.
⭘ t.l.j. ⬤ 25 déc. 📧 ♿ 🍴 🅿
W www.rhs.org.uk

Barques de pêche sur la grève à Clovelly

Maisons de pêcheurs à Appledore

Appledore ⑯

Devon. 🏘 3 000.
🄸 Bideford (01237 477676).

C'est grâce à sa situation retirée, à l'extrémité de l'estuaire de la Torridge, qu'Appledore a pu conserver tout son charme. Le bord de la rivière est toujours très animé ; de là partent aussi bien les pêcheurs que les vacanciers qui se rendent de l'autre côté de l'estuaire, sur les plages de Braunton Burrows. La rue principale est bordée de très belles bâtisses anciennes, derrière lesquelles se développe tout un réseau de ruelles pavées qui mènent à des maisons de pêcheurs du XVIIIe siècle. Certaines boutiques ont conservé la structure originale de leur vitrine en avancée sur la rue.

Le **North Devon Maritime Museum**, musée maritime, évoque l'histoire locale, dont l'épopée des habitants du comté partis coloniser l'Australie, et le travail sur les chantiers navals. La **Victorian Schoolroom** présente une série de documentaires vidéo sur la pêche, la charpenterie de navire.

🏛 North Devon Maritime Museum

Odun Rd. 📞 01237 474852. ◯ de mai à sept. : t.l.j. ; avr., oct. l'après-midi seulement. 🈯 ⛺ limité. 🄸
🅆 www.devonmuseums.net

Barnstaple ⑰

Devon. 🏘 33 000. 🚆 🚌 🄸 The Square (01271 375 000). 🛒 du lun. au sam. 🅆 www.staynorthdevon.co.uk

B arnstaple joue un rôle central dans l'économie de la région, mais le centre-ville, interdit à la circulation, reste calme. Un grand marché couvert, **Pannier Market** (1855), propose toutes sortes de primeurs, des œufs et du miel produits dans les fermes de la région. Tout près de là, **St Peter's Church**, dont le clocher a été tordu par la foudre qui faussa toute la charpente en 1810.

Près de la grève s'élève un bâtiment surmonté d'une statue de la reine Anne, l'**Heritage Centre** ; les commerçants venaient y vendre la cargaison de leurs navires amarrés sur la rivière. Plus loin, se trouvent un pont du XVe siècle et le **Museum of Barnstaple and North Devon**, musée consacré à l'histoire régionale ; on y évoque la tradition du travail de l'argile et la faune locale, dont les loutres. Le circuit de Tarka ou Tarka Trail (290 km) serpente autour de Barnstaple (piste cyclable sur 56 km).

Aux environs
À l'ouest de Barnstaple, **Braunton « Great Field »** (le Grand Champ de Braunton) est le témoin d'anciens modes de culture remontant au Moyen Âge. **Braunton Burrows** est l'un des plus vastes ensembles de dunes protégées

Au marché couvert de Barnstaple

PRENDRE LE THÉ DANS LE DEVON

Tous les habitants du Devon vous le diront, le thé que l'on sert ici n'a pas d'égal. La raison de cette suprématie, c'est la crème caillée, fabriquée avec le lait du bétail des riches prairies du Devon. Du thé, un gros pot de confiture de fraises, et cette fameuse crème étendue sur des scones encore tièdes : il y a en effet de quoi attendre avec une certaine impatience que cinq heures sonnent.

Crème caillée, thé, confitures et scones : la table est mise

de toute l'Angleterre. Tout près de là, à Croyde et Woolacombe, les grandes plages de sable où viennent s'écraser les vagues sont le paradis des surfers, mais il y a aussi des coins plus tranquilles, des creux dans les rochers et des endroits où l'eau est peu profonde.

À **Arlington Court**, au nord de Barnstaple, est conservée une belle collection de maquettes de bateaux du début du XIXe. L'endroit plaira surtout aux passionnés de chevaux : les écuries abritent toute une série d'équipages hippomobiles ; des promenades en calèche permettent de découvrir les puissants chevaux de trait de la région.

Statue de la reine Anne (1708)

🏛 Museum of Barnstaple and North Devon

The Square. 📞 01271 346747.
◯ du lun. au sam. ● du 24 déc. au 1er janv. ⛺ limité.
🅆 www.devonmuseums.net

🏰 Arlington Court

(NT) Arlington. 📞 01271 850296.
◯ de Pâques à oct. : du mer. au lun. 🈯
⛺ limité. 🄿 🄸

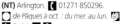

Le village de Lynmouth

Lynton et Lynmouth ⑱

Devon. 🏛 *2 000.* 🚌 🚉 *Town Hall, Lee Rd (015987 52225). Voir p. 238-239.* 🆆 *www.lyntourism.co.uk*

Situé à l'embouchure de la Lyn, Lynmouth est un village de pêcheurs pittoresque, même s'il est très touristique. La rue principale, piétonnière, est bordée de boutiques où l'on trouve la fameuse crème caillée et des souvenirs. Elle est parallèle à la Lyn, canalisée aujourd'hui par de hauts murs à cause des inondations ; l'une d'elles a dévasté la ville au cours de l'été 1952. Les traces de ce désastre, dû à des pluies diluviennes tombées sur Exmoor, disparaissent aujourd'hui sous les arbres de **Glen Lyn Gorge**, au nord du village. Lynton est le village jumeau de Lynmouth. Perché tout en haut d'une falaise de 130 m, d'où la vue porte jusqu'à la côte galloise, Lynton date en grande partie du XIXᵉ siècle. On peut l'atteindre depuis le port par le train, par la route ou par un sentier à flanc de falaise.

Aux environs
Lynmouth constitue une excellente base de départ pour découvrir Exmoor à pied. Un circuit long de 3 km mène à **Watersmeet** *(p. 239).*
Sur la côte ouest d'Exmoor se trouve **Combe Martin** *(p. 238),* blotti au creux d'une vallée protégée. Dans la rue principale, bordée de villas victoriennes, se dresse Pack of Cards Inn, construite au XVIIIᵉ siècle par un joueur. Elle comporte 52 fenêtres, autant qu'il y a de cartes dans un jeu.

Exeter ⑲

Exeter est la capitale du Devon, une cité affairée et très vivante qui a su conserver tout son cachet malgré les bombardements de la Deuxième Guerre mondiale qui ont détruit la plus grande partie du centre-ville. Construite sur un haut plateau qui domine l'Exe, la ville est encore entourée d'importants vestiges de remparts romains et médiévaux ; le tracé des rues, lui, n'a guère changé depuis l'époque romaine. L'enceinte de la cathédrale est un véritable havre de paix, cerné par tout un réseau d'allées étroites et de ruelles pavées bordées de boutiques pleines de spécialités locales.

À la découverte d'Exeter
L'enceinte de la cathédrale d'Exeter englobe de vastes pelouses où la foule se presse tout l'été pour écouter des musiciens ambulants. Les bâtiments de l'enceinte juxtaposent harmonieusement plusieurs styles architecturaux. L'un des plus beaux est **Mol's Coffee House**, d'époque élisabéthaine. Parmi les autres constructions anciennes qui ont échappé aux bombardements de la Deuxième Guerre mondiale, on peut citer le **Guildhall** (hôtel de ville) de 1330, dans High Street, **Custom House**, construite en 1681 près du quai, et **Rougemont House**, une élégante maison du XVIIIᵉ siècle qui se dresse tout près des vestiges d'un **château** normand bâti par Guillaume le Conquérant *(p. 46-47).*
La zone portuaire est devenue très touristique ; tous les entrepôts du début du XIXᵉ siècle ont été convertis en boutiques, magasins d'antiquités ou cafés. Sur le port, on peut louer des bateaux pour remonter le canal.

Le Mol's Coffee House, construit en 1596 près de la cathédrale

La façade ouest et l'une des tours de la cathédrale Saint-Pierre d'Exeter

Le **Quay House Interpretation Centre** (ouvert tous les jours d'avril à octobre, le week-end de nov. à mars) présente l'histoire de la ville.

🔒 Cathedral Church of St Peter

Enceinte de la cathédrale. 📞 *01392 255573.* 🕐 *t.l.j.* 🅿️ ♿ 🍴

La cathédrale d'Exeter est l'une des plus belles d'Angleterre. La majeure partie de l'édifice date du XIVᵉ siècle, à l'exception des deux tours qui sont de style roman. La cathédrale fut construite dans le style Decorated, appelé ainsi en raison des nombreuses volutes taillées dans la pierre. La façade ouest constitue la plus grande collection de sculptures médiévales de toute l'Angleterre (66 au total). À l'intérieur, la voûte gothique, ponctuée çà et là de motifs sculptés peints de couleurs vives, est d'une homogénéité remarquable. Le chœur abrite de nombreuses tombes, parmi lesquelles celle de Walter de Stapledon (1261-1326), trésorier d'Édouard II, tué lors d'une émeute à Londres. Stapledon a réuni presque tout l'argent nécessaire à la construction de cette cathédrale et du collège d'Exeter à Oxford *(p. 210-215).*

Les coquillages et le bric-à-brac poétique de la maison A La Ronde

MODE D'EMPLOI

Devon. 🏛 111 000. ✈ 8 km
à l'est. 🚉 Exeter St David's,
Bonhay Rd ; Exeter Central,
Queen St. 🚌 Paris St. ℹ Paris
St (01392 265700). 🎪 t.l.j.
🌐 www.heart-of-devon.com

🔱 Passages souterrains

Roman Gate Passage. 📞 01392
665887. 🔴 fermé pour rénovation
en 2006 ; rens. par tél. 📷 🛒
Près du centre-ville
se trouvent les
vestiges du système
qui alimentait la ville
en eau au Moyen Âge.
Une visite guidée
explique comment
aux XIVᵉ et XVᵉ siècles
on a construit
des tunnels de pierre
en pente très douce
pour acheminer l'eau
des sources
avoisinantes.

🔱 St Nicholas Priory

The Mint. 📞 01392
265858. 🔴 de Pâques
à oct. (groupes seul.) :
lun., mer. et sam. a.-m.
Le bâtiment qui fut construit
au XIIᵉ siècle a conservé
plusieurs pièces et éléments
d'origine. Ceux-ci permettent
de reconstituer la fascinante
histoire de cet austère monastère
qui servit sous les Tudors
de résidence à des marchands
fortunés et abrite aujourd'hui
cinq locaux commerciaux.

🏛 Royal Albert Memorial Museum and Art Gallery

Queen St. 📞 01392 265858. 🔴 du lun.
au sam. 🔴 du 24 au 26 déc., 1ᵉʳ janv.,
ven. saint et jours fériés. ♿ 🛒

**Tête africaine du
XIXᵉ siècle, au Royal
Albert Museum**

Les collections de ce musée
sont très variées. Elles vont
des vestiges d'époque romaine
à une galerie d'animaux
empaillés, en passant
par l'art extrême-oriental
et une section
ethnographique
très intéressante.
L'argenterie
et l'horlogerie
sont deux sections
particulièrement
riches.

Aux environs

Au sud d'Exeter sur
l'A376 se trouve **A La
Ronde**, une étrange
maison à 16 côtés
construite en 1796
que les deux cousins qui
la décorèrent
de coquillages et
de souvenirs rapportés
de leurs voyages.

Plus à l'est, la ville Regency
de **Sidmouth** est abritée dans
une baie. Ses bâtiments les plus
anciens remontent aux années
1820 ; la ville était alors une
station balnéaire très en vogue.
Les chaumières y côtoient les
villas édouardiennes ; de
belles maisons s'alignent sur le
front de mer. En été, la ville
accueille un Festival
international des arts
traditionnels (p. 63).

Au nord de Sidmouth
se trouve la magnifique église
d'**Ottery St Mary**. Construite
entre 1338 et 1342 par
l'évêque Grandisson, c'est une
réplique à échelle réduite de la
cathédrale d'Exeter. Dans le
cimetière, une plaque rappelle
que le poète anglais Samuel
Taylor Coleridge est né dans
la ville en 1772.

Tout près de là, se situe
le village de **Honiton**,
où l'on fabrique depuis
l'époque élisabéthaine
une dentelle délicate.

Plus au nord, juste après
la M5, **Killerton** accueille
la collection de vêtements
anciens du National Trust ;
des scènes illustrent la mode
et l'art de vivre de l'aristocratie
du XVIIIᵉ siècle à nos jours.

Plus au nord, près
de Tiverton, se trouve
Knightshayes Court,
une demeure néo-gothique
du XIXᵉ siècle aux jardins
magnifiques (p. 233).

🏛 A La Ronde

(NT) Summer Lane, Exmouth.
📞 01395 265514. 🔴 d'avr. à oct. :
du dim. au jeu. 📷 🛒

🏛 Killerton

(NT) Broadclyst. 📞 01392 881345.
Maison 🔴 d'avr. à oct. : t.l.j. **Jardins**
🔴 t.l.j. 📷 ♿ 🛒

♣ Knightshayes Court

(NT) Bolham. 📞 01884 254665.
🔴 d'avr. à nov. : du sam. au jeu., ven.
saint (jardins ouverts t.l.j. d'avr. à nov.).
📷 ♿ 🍴 🛒

**Danseuse mexicaine au Festival
des arts traditionnels de Sidmouth**

Torbay 🄴

Torbay. 🚄 🔁 *Torquay, Paignton.*
🛈 *Vaughan Parade, Torquay (01803
297428).* 🔳 www.theenglishriviera.co.uk

Torquay, Paignton
et Brixham forment
aujourd'hui une seule et même
ville balnéaire baignée par
les eaux de Torbay. La douceur
de son climat, ses jardins
subtropicaux et ses grands
hôtels du siècle dernier ont valu
à la région le surnom de Riviera
anglaise. Torbay a connu son
apogée au début du XIXᵉ siècle,
notamment durant les guerres
napoléoniennes (*p. 55*) ; elle
était fréquentée par tous les
Anglais fortunés, car se rendre
en villégiature sur le continent
n'était alors ni patriotique
ni prudent. Aujourd'hui, c'est
une ville balnéaire importante
et très vivante, surtout autour
de Torquay.

Torre Abbey inclut les
vestiges d'un monastère fondé
en 1196 et transformé en galerie
d'art. On peut y voir une très
belle grange, où furent enfermés
les soldats de l'Invincible Armada
capturés en 1588. Le musée de
Torquay (**Torquay Museum**)
est consacré à l'histoire naturelle
et à l'archéologie, avec des
objets trouvés lors des fouilles
menées aux **Kents Cavern
Showcaves**, dans les faubourgs
de la ville. Ce site préhistorique
est l'un des plus importants
d'Angleterre ; dans ces grottes
spectaculaires est évoquée la vie
des hommes et des animaux qui
vivaient ici il y a 350 000 ans.

La ville miniature du
Babbacombe Model Village se
trouve au nord de Torquay ; à
environ 1,5 km à l'intérieur des
terres, on rencontre
le charmant village
de **Cockington**. Un circuit
en calèche permet de voir son
beau manoir Tudor, l'église,
les chaumières et une forge.

Le **zoo de Paignton** explique
tout aux enfants sur
la vie sauvage ; de là, un train
à vapeur permet de visiter
Dartmouth.

En continuant vers le sud
depuis Paignton, on arrive
à Brixham qui était autrefois
le plus important port
de pêche du pays.

Bayards Cove, Dartmouth

🏠 **Torre Abbey**
King's Drive, Torquay. 📞 01803
293593. ⭕ d'avr. à oct. : t.l.j. 🖼 ▯

🏛 **Torquay Museum**
Babbacombe Rd, Torquay. 📞 01803
293975. ⭕ t.l.j. (de nov. à Pâques : du
lun. au ven.) ⚫ une sem. à Noël. 🖼 ♿
▯ ▯ 🔳 www.torquaymuseum.org

🏠 **Kents Cavern**
Ilsham Rd, Torquay. 📠 01803 294059.
⭕ t.l.j. ⚫ 25 et 26 déc. 🖼 ▯ ▯ ▯

🏛 **Babbacombe Model Village**
Hampton Ave, Torquay.
📞 01803 315315. ⭕ t.l.j. 🖼 ♿ ▯

🐾 **Paignton Zoo**
Totnes Rd, Paignton. 📠 01803 557479.
⭕ t.l.j. ⚫ 25 déc. 🖼 ♿ 🍴 ▯
🔳 www.paigntonzoo.org.uk

Dartmouth 🄵

Devon. 🏘 5 500. 🚍 🛈 *Mayors Ave
(01803 834224).* ⭕ du mar. au ven.
matin. 🔳 www.discoverdartmouth.com

C'est au **Royal Naval College**,
haut perché sur une colline
dominant la Dart, que se déroule
depuis 1905 l'instruction des
officiers de la Marine anglaise.
Bien avant cette date, Dartmouth
était un port important, d'où
la flotte anglaise partit pour les
deuxième et troisième croisades.
Des maisons du XVIIIᵉ siècle
s'alignent sur le quai pavé
de Bayards Cove ; Butterwalk
est bordé de bâtiments XVIIᵉ
ornés de bois sculpté ; au nᵒ 6 se
trouve le **Dartmouth Museum**.
Au sud, **Dartmouth Castle**
est un pittoresque château.

🏛 **Dartmouth Museum**
Butterwalk. 📞 01803 832923. ⭕ du
lun. au sam. ⚫ 25 et 26 déc., 1ᵉʳ janv.
🖼 ▯ 🔳 www.devonmuseums.net

🏰 **Dartmouth Castle**
(EH) Castle Rd. 📞 01803 833588.
⭕ t.l.j. (de nov. à Pâques : sam. et dim.).
⚫ 24 au 26 déc., 1ᵉʳ janv. ▯ 🖼 ▯

Les jardins de Torquay, sur la « Riviera anglaise »

Ce vitrail orne l'une des chapelles de l'abbaye de Buckfast

Totnes 22

Devon. 7 500. Coronation Road (01803 863168). mar. matin (mai à sept.), ven., sam. www.totnesinfo.org.uk

Totnes, avec son **château** normand, est situé au bout de la partie navigable de la Dart. Entre la ville et le château se trouve High Street, bordée de maisons élisabéthaines. **Eastgate**, une porte vestige des remparts médiévaux, barre la rue. Le musée local, **Totnes Elizabethan Museum**, évoque la ville à son apogée, au XVIe siècle ; une des salles est consacrée au mathématicien Charles Babbage (1791-1871), considéré comme un pionnier de l'informatique. À voir aussi, le **Guildhall** (hôtel de ville) médiéval et l'**église**, au jubé doré délicatement sculpté. Le mardi, tout l'été, les vendeurs du marché portent des costumes élisabéthains.

Au marché de Totnes

Aux environs

Non loin au nord de Totnes, **Dartington Hall** possède 10 ha de beaux jardins. La célèbre école de musique de la ville donne des concerts dans une salle du XIVe siècle, le Great Hall.

Totnes Castle
(EH) Castle St. *01803 864406.* *d'avr. à oct. : t.l.j.*

Totnes Elizabethan Museum
Fore St. *01803 863821.* *de Pâques à oct. : du lun. au ven.* *limité.*

Guildhall
Rampart Walk. *01803 862147.* *d'avr. à oct. : du lun. au ven.*

Dartington Hall Gardens
01803 862367. *t.l.j.* www.dartingtonhalltrust.com

Buckfastleigh 23

Devon. 3 300. Fore St (01364 644522).

Cette ville commerçante, aux confins du Dartmoor *(p. 282-283)*, est dominée par **Buckfast Abbey**. La première abbaye, fondée à l'époque des Normands, tomba en ruine après la dissolution des ordres monastiques ; en 1882, un petit groupe de bénédictins français y éleva de nouveaux bâtiments. La construction de l'abbaye fut achevée en 1938. Elle accueille aujourd'hui une communauté nombreuse. Les mosaïques et les vitraux sont aussi l'œuvre des moines. Tout près se trouvent **Buckfast Butterfly Farm and Otter Sanctuary**, ferme où sont élevés des papillons et réserve où les loutres sont protégées, et le terminus des trains à vapeur du **South Devon Steam Railway**, qui rejoint Totnes en haletant tout le long de la vallée.

Buckfast Abbey
Buckfastleigh. *01364 645500.* *t.l.j.* *25 au 27 déc., ven. saint.* www.buckfast.org.uk

Buckfast Butterfly Farm and Otter Sanctuary
Buckfastleigh. *01364 642916.* *de Pâques à oct. : t.l.j.* www.ottersandbutterfliestrust.com

Burgh Island 24

Devon. Plymouth, puis taxi. The Quay, Kingsbridge (01548 853195). www.kingsbridgeinfo.co.uk

Une courte promenade à marée basse permet de retrouver ici toute l'atmosphère des années vingt et trente. En 1929, le millionnaire Archibald Nettlefold fit construire le luxueux **Burgh Island Hotel**. Créé dans le style Art déco avec une piscine d'eau de mer creusée dans le rocher, ce palace a été fréquenté par le duc de Windsor et Agatha Christie. Aujourd'hui restauré, il offre un très bel exemple de la fastueuse décoration intérieure des palaces au début du siècle. Sur l'île, on peut visiter aussi un charmant village et **Pilchard Inn**, une auberge de 1336 qui serait hantée par le fantôme d'un contrebandier.

Le bar Art déco lumineux du Burgh Island Hotel

Plymouth ㉕

Plymouth. 250 000. The Mayflower, The Barbican (01752 264849). t.l.j.
w www.plymouth.gov.uk

L'ancien petit port d'où sont partis Drake, Raleigh, Cook et Darwin est aujourd'hui une cité importante. La vieille ville s'organise autour du **Hoe**, un petit terrain planté de gazon où sir Francis Drake, dit-on, aurait calmement terminé sa partie de boules alors que l'Invincible Armada approchait de la côte (p. 50-51). Aujourd'hui, le Hoe est un parc agréable où se dressent des monuments élevés à de grands capitaines de la marine anglaise. Jouxtant le parc se trouve la **Royal Citadel** construite par Charles II vers 1660 pour protéger le port. Le **Plymouth Dome** est l'une des principales attractions de la

Les armoiries de Drake

ville. Le passé et le présent de la cité y sont évoqués grâce aux technologies de pointe. On y découvre aussi la retransmission par satellite des images météorologiques et les écrans radar. Sur le port se trouve le **National Marine Aquarium**. Tout près de là, le **Mayflower Stone and Steps** marque l'endroit où ont embarqué en 1620 les premiers émigrants anglais partis coloniser le Nouveau Monde.

Aux environs

Une promenade en bateau permet de découvrir le complexe portuaire, où, depuis l'époque des guerres napoléoniennes, on construit et équipe des navires de guerre et des sous-marins. On y admire aussi de superbes panoramas et de beaux jardins, comme le **Mount Edgcumbe Park** (p. 232), semés tout le long de la côte.

Cheminée en bois sculpté du xviiie siècle, Saltram House

À l'est de la ville, **Saltram House**, demeure du xviiie siècle, comprend deux pièces décorées par Adam (p. 24-25) et des œuvres de Joshua Reynolds.

Royal Citadel
(EH) The Hoe. 01752 9750700. horaires par tél. seulement.
Plymouth Dome
The Hoe. 01752 603300. d'avr. à oct. : t.l.j. ; de nov. à mars : du mar. au sam. w www.plymouthdome.gov.uk
National Marine Aquarium
Rope Walk, Coxside. 01752 600301. t.l.j. 25 déc. w www.national-aquarium.co.uk
Mount Edgcumbe Park
Cremyll, Torpoint. 01752 822236. **Maison** d'avr. à sept. : du dim. au jeu. **Parc** toute l'année. w www.mountedgcumbe.gov.uk
Saltram House
(NT) Plympton. 01752 333500. **Galerie** de mars à déc. : du sam. au jeu. ; janv. et fév. : sam. et dim. **Jardins** toute l'année.

Buckland Abbey ㉖

(NT) Yelverton, Devon. 01822 853607. d'Yelverton. du ven. au mer. (de nov. à mars : sam. et dim. après-midi). de Noël à mi-fév. w www.nationaltrust.org.uk

F ondée en 1278 par des moines cisterciens, l'abbaye de Buckland a été transformée en simple demeure de particuliers après la dissolution des ordres monastiques ; Drake y vécut de 1581 à sa mort en 1596. Une partie de la maison est consacrée à Drake et à son époque.

Le port de Plymouth vu depuis le Hoe

Cotehele ㉗

(NT) St Dominick, Cornwall.
📞 *01579 351346.* 🚆 *Calstock.*
Maison ⬜ *d'avr. à oct. : du sam.*
au jeu., ven. saint. **Domaine** ⬜ *t.l.j.*
🅿 ♿ ⬜ *limité.* 🍴 ⬜

L es bois qui l'entourent
et la présence de la rivière
font du domaine de Cotehele
un endroit particulièrement
agréable où passer la journée.
Loin de la civilisation, perdu
dans un massif forestier
en pleines Cornouailles,
Cotehele est resté en sommeil
pendant près de 500 ans.
La demeure a été construite
entre 1489 et 1520 ; c'est
un exemple très bien conservé
des maisons de cette époque,
ordonnées autour de plusieurs
cours, avec une magnifique
salle centrale, des cuisines,
une chapelle et un ensemble
de pièces privées. Le côté
enchanteur de la demeure
est encore renforcé par
les jardins en terrasses qui
la bordent à l'est. Un tunnel
conduit le visiteur
à d'autres jardins exubérants.
Le sentier qui les traverse
passe près d'un beau
pigeonnier médiéval couronné
d'un dôme et mène au quai
où l'on embarquait autrefois
la chaux et le charbon.
Dans le domaine se trouvent
aussi un village, avec un petit
musée maritime, des moulins
en état de marche, d'anciens
fours à chaux et tout
un équipement industriel
datant du XIXᵉ siècle.
La rivière présente de très
beaux paysages.

**Le pigeonnier médiéval, perdu
dans les jardins de Cotehele**

La flotte anglaise et l'Invincible Armada peu avant l'affrontement

SIR FRANCIS DRAKE

Sir Francis Drake (vers 1540-1596) est le premier Anglais qui ait
navigué tout autour de la Terre ; il fut anobli par Élisabeth Iʳᵉ
en 1580. Quatre ans plus tard, il introduisit dans le pays le tabac
et la pomme de terre, après avoir ramené chez eux 190 colons
qui avaient tenté de s'établir en Virginie. Pour nombre de ses
contemporains, Drake n'était cependant guère plus qu'un
aventurier opportuniste, qui devait sa renommée à des exploits
suspects, proches de la piraterie. L'Espagne catholique était
alors l'ennemi public numéro 1, et Drake recouvra la faveur
de la reine et du peuple en jouant un rôle important dans la
victoire anglaise sur l'Invincible Armada *(p. 50-51).*

Morwellham Quay ㉘

Près de Tavistock, Devon.
📞 *01822 832766.* 🚆 *Gunnislake.*
⬜ *de Pâques à oct. : t.l.j. ; de nov.*
à mars : groupes seul. ♿ ⬜ *limité.*
De Pâques à oct : 🎧 ⬜ 📷
🌐 www.morwellham-quay.co.uk

M orwellham Quay
a connu un regain
d'intérêt dans les années
1970, quand les membres
d'une association locale
ont entrepris de restaurer
les cottages abandonnés,
l'école, les fermes, le quai et
les anciennes mines de cuivre
dans leur état du XIXᵉ siècle.
Aujourd'hui, on y trouve
un ensemble d'archéologie
industrielle très complet,
où le visiteur peut passer
la journée entière à partager
les activités d'un village
du siècle dernier.
Des habitants du village,
en costumes d'époque,
donnent toutes sortes
d'explications qui rendent
ce musée particulièrement
vivant. Les visiteurs peuvent
mettre la main à la pâte,

**Vestiges du passé industriel
de Morwellham Quay**

assister à une leçon
dans l'école, prendre part
à des jeux typiques du siècle
dernier ou même revêtir
les longues jupes à cerceaux,
les bonnets, les vestes
et les hauts-de-forme
de l'époque. Les habitants
du village connaissent
une foule de détails sur
la vie quotidienne d'autrefois
dans cette petite communauté
minière.

Le parc national du Dartmoor ❷⁹

La lande sauvage du Dartmoor, où traînent souvent des lambeaux de brume, est le décor d'un célèbre roman policier de Conan Doyle, *Le Chien des Baskerville* (1902). C'est ici, à Princetown, entourée de buttes rocheuses pelées, que se trouve l'une des plus importantes prisons anglaises. Les paysages sont semés de vestiges préhistoriques taillés dans le granit. Plus loin règne une atmosphère très différente. Les torrents qui se précipitent à travers des ravins encombrés de rochers deviennent par endroits des cascades ; dans les vallées des abords de la lande sont nichées de jolies chaumières où les randonneurs fatigués peuvent boire un thé à la crème et se réchauffer à un feu dans l'âtre.

Busard

La lande dans l'est du Dartmoor

À Okehampton se trouvent un musée local et les ruines d'un château du XIVe siècle.

Okehampton

LAUNCESTON

MELDON RESEVOIR

High Willhays
621 m
2,038 ft

TERRAIN MILITAIRE

Lydford Gorge (accessible d'avril à octobre) est un ravin boisé impressionnant qui mène à une cascade.

Lydford

Brentor
Sur cette colline volcanique est perchée une petite église fondée en 1130.

Le ministère de la Défense a établi dans la région des terrains d'entraînement, mais l'accès est généralement possible (0800 458 4868).

Postbridge

Two Bridges

Blackbrook
Princetown

Merrivale

Tavistock

LISKEARD

Visitor Centre du High Moorland

Légende

	Information touristique
	Route A
	Route B
	Route secondaire
☼	Point de vue

Yelverton

BURRATOR RESEVOIR

0   5 km

PLYMOUTH

PLYMOUTH
Ivybr

Postbridge
Le village de Postbridge permet de rayonner dans la lande la plus septentrionale du Dartmoor. La lande onduleuse est quadrillée murets de pierres sèches.

Les poneys du Dartmoor
Ces petits chevaux robustes vivent dans la région depuis le Xᵉ siècle.

Grimspound est un ensemble impressionnant de huttes datant de l'âge du bronze, il y a plus de 4 000 ans.

Castle Drogo (NT) est un pastiche de château médiéval construit par sir Edwin Lutyens *(p. 25)* entre 1910 et 1930.

Becky Falls est une cascade de 22 m de haut, située au cœur des bois, dans un site enchanteur.

EXETER
Drewsteignton
Teign

WORTHY VOTR

Bovey

EXETER
Moretonhampstead

Manaton

A382

EXETER

Bovey Tracey

157

Buckland-in-the-Moor

A38

VENFORD RESERVOIR

Buckfastleigh

Ashburton

Dart

AVON DAM RESERVOIR

Avon

A38

Dartmeet est parcouru de nombreuses rivières.

Hound Tor
Sur cette colline se trouvent d'importants vestiges d'un site médiéval habité depuis l'époque saxonne jusqu'au début du XIVᵉ siècle.

Bovey Tracey est au cœur d'une vaste étendue boisée.

Haytor Rocks est l'une des buttes rocheuses les plus accessibles de la région.

Le train à vapeur du sud du Devon

L'abbaye de Buckfast a été fondée par le roi Canut *(p. 159)* en 1018.

La ferme aux papillons et la réserve de loutres du Dartmoor

Buckland-in-the-Moor
L'un des plus jolis villages du Dartmoor, tout en granit et toits de chaume.

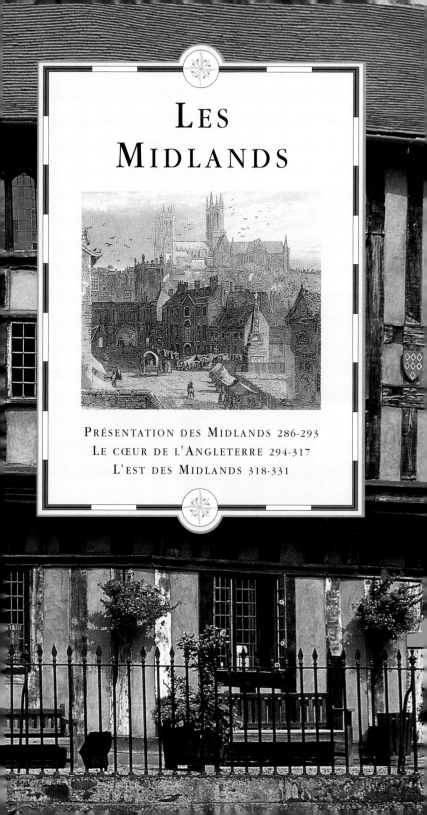

LES
MIDLANDS

Présentation des Midlands 286-293
Le cœur de l'Angleterre 294-317
L'est des Midlands 318-331

Les Midlands d'un coup d'œil

Dans les Midlands alternent paysages
magnifiques et villes industrielles. On vient y
découvrir la beauté sauvage des Peaks dentelés,
descendre les canaux dans des péniches aux
couleurs vives et explorer les nombreux jardins
enchanteurs. Cette région présente toute
la gamme de l'architecture britannique,
des cathédrales et des petites églises
aux charmantes villes d'eau, aux nobles
demeures et aux cottages campagnards. Les
musées industriels sont souvent implantés
dans des sites pittoresques.

Cheshire

Staffordshire

Shropshire

Le Tissington Trail (p. 325) *ajoute à une
promenade à travers le
Peak District un
divertissant aperçu de la
coutume
des puits fleuris.*

LE CŒUR DE L'ANGLETERRE
(p. 294-317)

Ironbridge Gorge (p. 302-303) *a vu naître la
révolution industrielle (p. 336-337). Ce site
inscrit au patrimoine mondial est un exemple
des premières implantations industrielles
au cœur de la campagne anglaise.*

Worcestershire

*Herefordshire
Worcestershire*

Gloucestershire

Dans les Cotswolds
(p. 292-293), *nombreuses sont
les maisons construites dans
la pierre locale grâce aux
profits tirés du commerce
de la laine au Moyen Âge.
Le manoir de Snowshill
(à gauche) est proche du
village préservé de Broadway.*

0   25 km

◁ Façade à colombage du Lord Leycester Hospital, Warwick

Chatsworth House (p. 322-323), *superbe bâtiment baroque, est célèbre par ses jardins dessinés par Capability Brown. Ici le Conservative Wall, serre pour plantes exotiques.*

Nottinghamshire

Lincolnshire

Derbyshire

La cathédrale de Lincoln (p. 329), *édifice vaste et imposant, domine la vieille ville. Elle abrite de splendides miséricordes et le chœur des Anges du XIIIe siècle, qui compte 30 anges sculptés.*

L'EST DES MIDLANDS
(p. 318-331)

Leicestershire

Burghley House (p. 330-331), *avec ses motifs architecturaux de style Renaissance, se voit à des lieues à la ronde dans le paysage peu vallonné des Midlands.*

Warwickshire

Le château de Warwick (p. 310-311) *est un étonnant mélange de forteresse médiévale et de demeure campagnarde, avec ses tours massives, ses remparts, son souterrain et ses appartements historiques, comme la chambre de la reine Anne.*

Northamptonshire

Stratford-upon-Avon (p. 312-315), *ville natale de Shakespeare, compte nombre d'anciennes demeures, dont certaines se visitent. Ces constructions à colombage noir et blanc, courantes dans les Midlands, sont typiques de l'architecture Tudor (p. 290-291).*

Les canaux des Midlands

C'est le troisième duc de Bridgewater qui fit creuser, en 1761, l'un des premiers canaux d'Angleterre, pour relier la mine de charbon de son domaine de Worsley aux usines textiles de Manchester. En 1805, 4 800 km de voies navigables, reliées au réseau hydrographique quadrillaient le pays. Ce fut le moyen de transport de marchandises le plus rapide et le moins coûteux, jusqu'à la concurrence du chemin de fer à partir de 1840. On cessa de convoyer les marchandises sur les canaux en 1963, mais près de 3 200 km sont encore navigables pour les voyageurs qui désirent faire une croisière tranquille en péniche.

Le Grand Union Canal (peinture de 1931), long de 485 km, fut construit dans les années 1790 afin de relier Londres aux Midlands.

Les éclusiers étaient logés dans de petites maisons.

Des auberges d'écluses approvisionnaient les bateliers.

Le Farmer's Bridge, à Birmingham, est une suite d'écluses. Les péniches peuvent ainsi passer d'un niveau du canal à l'autre. Plus la dénivellation est forte, plus les écluses doivent être nombreuses.

De lourdes portes en V ferment l'écluse.

C'est la pression de l'eau qui maintient la porte fermée.

Le chemin de halage permettait aux chevaux de remorquer les péniches avant qu'elles ne soient motorisées. Les chevaux étaient régulièrement remplacés.

Les péniches *à fond plat ont la proue et la poupe identiques. Le chargement occupait presque toute la place, sauf une petite cabine pour l'équipage. Elles étaient peintes de couleurs vives.*

LE RÉSEAU DE CANAUX DES MIDLANDS

Les Midlands, région industrielle qui a vu naître le réseau de canaux anglais, a toujours la plus forte concentration de voies navigables.

CHESTER

Macclesfield

Trent & Mersey

Shropshire Union

Severn

Staffordshire & Worcester

Wolverhampton

Birmingham

Worcester

Worcester & Birmingham

Grand Union

Nene

Welland

Stamford

Nottingham

Trent

Lincoln

Witham

THE WASH

LONDRES

0   50 km

LÉGENDE

▭ Canal

▭ Cours d'eau

MODE D'EMPLOI

Sociétés spécialisées dans les péniches de tourisme :
Blake's Holidays **☎** *01603 739400* ; Hoseasons **☎** *01502 501010* ; Canal Cruising Co **☎** *01785 813982* ; Black Prince Holidays **☎** *01527 575115* ; Alvechurch Boat Centres Ltd **☎** *0121 445 2909*. **Musées des canaux :** Téléphoner pour les horaires. National Waterways Museum (*voir p. 317*) ; Canal Museum, Stoke Bruerne, Towcester **☎** *01604 862229* ; Boat Museum, South Pier Rd, Ellesmere Port. **☎** *0151 3555017.*
W www.thewaterwaytrust.co.uk

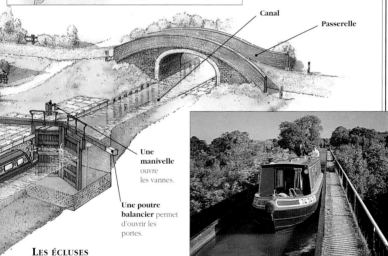

Canal

Passerelle

Une manivelle ouvre les vannes.

Une poutre balancier permet d'ouvrir les portes.

LES ÉCLUSES

Les canaux empruntaient des tunnels, des remblais et des écluses pour assurer la rapidité du transport des marchandises. Les écluses permettaient de franchir les déclivités.

L'aqueduc d'Edstone, au nord de Stratford-upon-Avon est une construction en acier de 180 m, supportée par des piliers de brique, qui permet au canal de passer au-dessus des routes et d'une voie ferrée fréquentée.

L'ART DES BATELIERS

Les cabines sont si petites que chaque centimètre carré est mis à profit pour en faire une habitation confortable. L'intérieur était agrémenté de peintures colorées et abondamment décoré.

Le mobilier est conçu pour être commode et pour tenir dans des cabines exiguës.

Les péniches sont souvent ornées d'éléments en cuivre.

Les pots à eau sont également peints. Les motifs les plus répandus sont les roses et les châteaux, avec des variantes de style locales.

Les manoirs Tudor

Nombre de manoirs remarquables ont été édifiés dans le centre de l'Angleterre sous les Tudors *(p. 50-51)*, époque de paix et de prospérité relatives. La dissolution des ordres monastiques fit démembrer de vastes domaines, vendus à des propriétaires laïques qui firent construire des maisons en accord avec leur nouveau statut *(p. 24)*. Dans les Midlands,

Armes de la famille Lucy le bois était le matériau de construction principal, et la gentry affichait sa fortune en ornant son intérieur de boiseries sculptées.

Les moulures *sculptées de l'aile sud datent de la fin du XVIe siècle. Des motifs traditionnels, comme la vigne ou le trèfle, se combinent à ceux empruntés à la Renaissance italienne.*

Les douves *rectangulaires étaient décoratives plutôt que défensives. Elles entourent un potager reconstitué (p. 22) en 1975 avec des plantes qui existaient sous les Tudors.*

La grande galerie, *partie la plus récente (1580), servait de salle de jeu. Des peintures murales d'origine représentent la Destinée (à gauche) et la Fortune.*

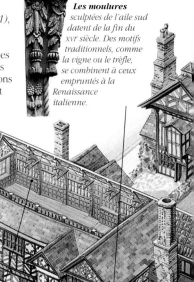

Cheminée en brique

Encorbellement (aux étages supérieurs)

DEMEURES TUDOR ET NÉO-TUDOR

Les Midlands comptent de nombreuses demeures Tudor somptueusement décorées. Au XIXe siècle, la « vieille Angleterre » adopta l'architecture néo-Tudor, qui représentait l'idée de tradition familiale.

Hardwick Hall, *dans le Derbyshire, dont on voit ici l'immense cuisine, est l'une des plus belles demeures Tudor du pays. On appelle ces bâtiments les « maisons du prodige » (p. 330) à cause de leur taille.*

Charlecote Park, *dans le Warwickshire, demeure édifiée par sir Thomas Lucy en 1551-1559, a été restaurée dans le style Tudor au XIXe siècle, mais a conservé une belle maison de garde d'origine. Shakespeare (p. 312-315), dit-on, fut pris dans sa jeunesse à braconner le chevreuil dans le parc.*

Entrée

*Le **parloir** était une pièce destinée aux réceptions informelles. Des scènes bibliques comme Suzanne et les vieillards (à droite) rappelaient la foi et la culture religieuse.*

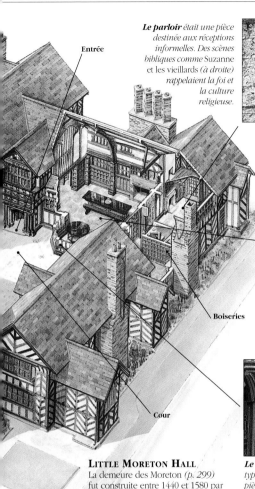

Boiseries

Cour

*Le **grand salon** (vers 1440) est la partie la plus ancienne de la maison, et la plus grande à l'époque des Tudors. C'était la principale pièce commune pour les dîners et les réceptions.*

LITTLE MORETON HALL

La demeure des Moreton *(p. 299)* fut construite entre 1440 et 1580 par l'assemblage de nombreuses pièces de bois. Boiseries et encorbellements en reflétaient la richesse.

*Le **vitrage** de la grande baie est typique du XVIᵉ siècle : de petites pièces de verre fabriquées sur place étaient taillées à facettes comme un diamant avant d'être ajustées avec des baguettes de plomb.*

__Packwood House__, dans le Warwickshire, est une demeure à colombage du milieu de l'époque Tudor, largement modifiée au XVIIᵉ siècle. L'étonnant jardin, dont les ifs taillés sont censés représenter Le Sermon sur la montagne, date du XVIIᵉ siècle.

__Moseley Old Hall__, dans le Staffordshire, a un mur de que qui dissimule le colombage u XVIIᵉ siècle. La chambre du roi est celle dans laquelle Charles II se réfugia après la bataille de Worcester (p. 52-53).

__Wightwick Manor__, dans l'ouest des Midlands, date de 1887-1893. Ce bel ensemble néo-Tudor possède des meubles et des décors superbes de la fin du XIXᵉ siècle.

La pierre des Cotswolds

Les Cotswolds sont une chaîne élevée de collines calcaires qui court sur 80 km au nord-est en direction de Bath *(p. 246-249)*. Les sols peu profonds sont difficiles à labourer mais parfaits pour faire paître les moutons, et la richesse tirée de la laine au Moyen Âge

Dragon, église de Deerhurst

a permis de construire des églises majestueuses et d'opulentes demeures en ville. Ce sont les pierres de ces collines qui ont servi à bâtir la cathédrale Saint-Paul *(p. 116-117)*, ainsi que les villages, les granges et les manoirs qui rendent le paysage si pittoresque.

Les cottages d'Arlington Row, à Bibury, furent construits au XVIIe siècle pour des tisserands dont les métiers étaient installés dans les greniers.

Les fenêtres étant frappées d'un impôt et le verre coûteux, les cottages ouvriers n'avaient que quelques ouvertures étroites à petits carreaux.

Un larmier permet à l'eau de s'écouler.

Le toit est en pente raide pour supporter le poids des ardoises. Des maîtres artisans les fabriquaient en effeuillant les blocs d'ardoise.

COTTAGE EN PIERRE DES COTSWOLDS

Les cottages à deux étages d'Arlington Row, construits à partir de pierres aux formes curieuses, sont asymétriques. Il y fait sombre à cause de l'étroitesse des ouvertures.

Portes et linteaux en bois

Le bois, moins cher que la pierre, servait à édifier les étages supérieurs sous les toits.

VARIATIONS EN PIERRE

La pierre des Cotswolds a des tons chauds dans le Nord, nacrés dans le Centre et gris clair dans le Sud. On dirait qu'elle restitue la lumière qu'elle a absorbée. Cette pierre tendre, facile à sculpter, se prête à tous les usages : bâtiments, ponts, tombes, gargouilles.

« Tiddles » est la pierre tombale d'un chat (cimetière de Fairford).

Lower Slaughter doit son nom au mot anglo-saxon slough, « lieu boueux ». Son pont bas en pierre enjambe le cours de l'Eye.

VILLES ET VILLAGES EN PIERRE DES COTSWOLDS

Les villes et les villages de cette carte sont de bons exemples de sites bâtis presque entièrement en pierre. Presque tous les villages de la région ont été fondés avant le XIII siècle. L'abondance de pierre calcaire a entraîné une multitude de constructions. Les maçons travaillaient selon des modèles locaux qui se transmettaient de génération en génération.

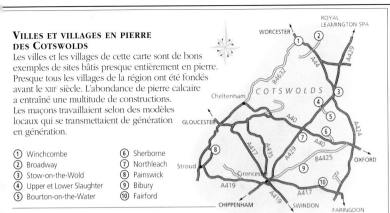

① Winchcombe
② Broadway
③ Stow-on-the-Wold
④ Upper et Lower Slaughter
⑤ Bourton-on-the-Water
⑥ Sherborne
⑦ Northleach
⑧ Painswick
⑨ Bibury
⑩ Fairford

Les maisons des marchands de laine étaient construites en belle *ashlar* (pierre de taille) avec des pierres d'angle, des linteaux et des chambranles décoratifs.

Avant-toit dentelé

MAISON EN PIERRE DES COTSWOLDS

Cette maison de marchand du début de l'époque georgienne, à Painswick, est d'un style des Cotswolds accompli, qui emprunte des éléments décoratifs à l'architecture classique.

La porte est surmontée d'un fronton arrondi sur des pilastres lisses.

LES GARGOUILLES

Celles de l'église de Winchcombe (XV siècle) mêlent croyances païennes et chrétiennes.

Dieux païens écartant les esprits maléfiques.

Les allégories de la fertilité, importantes à la campagne, apparaissaient dans des fêtes chrétiennes.

Visages humains, souvent caricatures de dignitaires locaux.

Dieux animaux représentant des qualités comme la force.

Les murs de pierre sèche sont construits sans mortier, selon une vieille technique des Cotswolds.

Les croix de pierre comme celle de Stanton, près de Broadway (XVI siècle), sont nombreuses dans les Cotswolds.

Sarcophages et « boîtes à thé » : belles tombes du XVIII siècle dans le cimetière de Painswick.

The Cotswold Arms
Bar Snacks
Restaurant
Beer Garden
Morning Coffee

LE CŒUR DE L'ANGLETERRE

CHESHIRE · HEREFORDSHIRE · GLOUCESTERSHIRE · SHROPSHIRE
STAFFORDSHIRE · WARWICKSHIRE · WORCESTERSHIRE

L e plus grand attrait de la Grande-Bretagne est sa variété, et rien ne le prouve mieux que le cœur du pays où les collines des Cotswolds, qui dissimulent des cottages et des églises de pierre, cèdent la place aux plaines fertiles du Warwickshire. Le pays de Shakespeare voisine avec le centre industriel de l'Angleterre, qui fut l'atelier du monde.

Coventry, Birmingham, les « Potteries » et leurs arrière-pays travaillent le fer, le textile et la céramique depuis le XVIIIᵉ siècle. Au XXᵉ siècle, ces industries ont décliné, et un nouveau genre de musée est apparu pour faire revivre les heures de gloire de ces villes et les techniques d'autrefois. Ironbridge Gorge et la filature de Quarry Bank, à Styal, dont les usines sont devenues des musées vivants, sont des sites industriels captivants implantés en pleine nature.

On peut goûter ces paysages depuis le pont d'une péniche qui descend les canaux des Midlands vers la région frontalière du pays de Galles connue sous le nom de Marches. Là, les murs massifs de Chester et les châteaux de Shrewsbury et de Ludlow rappellent les batailles féroces des Gallois contre les barons normands et les lords des Marches. Celles-ci sont maintenant parsemées de localités rurales qui s'approvisionnent aux marchés de Leominster, Malvern, Ross-on-Wye et Hereford. Les villes de Worcester et Gloucester possèdent des centres commerciaux modernes, mais leurs cathédrales majestueuses conservent une sérénité d'un autre âge.

Cheltenham comporte de nombreux édifices Régence, Cirencester un riche héritage romain et Tewkesbury une solide abbaye normande. Enfin citons Stratford-upon-Avon, ville célèbre puisque William Shakespeare y naquit et y mourut.

Paisible passe-temps villageois, hérité de siècles plus tranquilles

◁ **Les constructions du cœur de l'Angleterre utilisent souvent la pierre des Cotswolds**

À la découverte du cœur de l'Angleterre

Plus que toute autre région, le cœur de l'Angleterre doit son caractère à ses paysages. Maisons pittoresques, pubs et églises, à colombage ou en pierre des Cotswolds, charment les yeux et ajoutent beaucoup au plaisir de la découverte. La région proche de Birmingham et de Stoke-on-Trent (ancien centre industriel de l'Angleterre) tranche cependant avec le reste. À certains endroits, l'horizon bétonné n'est guère riant, mais l'art et l'architecture victoriens triomphants, ainsi qu'une série de beaux musées de l'industrie, reflètent l'histoire passionnante de la région.

Arlington Row : cottages de pierre à Bibury, village des Cotswolds

LA RÉGION D'UN COUP D'ŒIL

Birmingham ⑬
Cheltenham ⑳
Chester ❷
Chipping Campden ⑱
Cirencester ㉒
Coventry ⑭
Gloucester ㉑
Great Malvern ⑪
Hereford ❽
Ironbridge p. 302-303 ❺
Ledbury ❿
Leominster ❼
Ludlow ❻
Quarry Bank Mill, Styal ❶
Ross-on-Wye ❾
Shrewsbury ❹
Stoke-on-Trent ❸
Stratford-upon-Avon p. 312-315 ⑰
Tewkesbury ⑲
Warwick p. 308-311 ⑯
Worcester ⑫

Excursions
Les jardins des Midlands ⑮

CIRCULER

Le cœur de l'Angleterre est d'accès facile par le train, grâce aux grandes lignes desservant Cheltenham, Worcester, Birmingham et Coventry. Les autoroutes M5 et M6 sont les voies routières principales, mais elles sont souvent embouteillées. Des compagnies d'autocars font la navette entre Cheltenham et Birmingham. Mais la voiture est encore le meilleur moyen de se déplacer. Les petites routes sont généralement désertes ; cependant, les principaux centres d'intérêt, comme Stratford-upon-Avon, peuvent être envahis l'été.

VOIR AUSSI

• *Hébergement* p. 555-556
• *Restaurants et pubs* p. 591-593

0   10 km

Manchester

Manchester

1 QUARRY BANK MILL, STYAL

→ Buxton

A537

A34

Macclesfield Canal

PEAK DISTRICT NATIONAL PARK

A53

STOKE-ON-TRENT

3

A52

A34

M6

A50

UTTOXETER

→ Derby

Dove

Trent & Mersey Canal

STAFFORD

A518

A38

Nottingham

CANNOCK CHASE

Staffordshire Worcestershire Canal

Trent

M54

M6

A5

A49

IRONBRIDGE

BLACK COUNTRY

A442

A456

M5

Coventry Canal

M42

Leicester

M69

13 BIRMINGHAM

M6

Northampton

KIDDERMINSTER

A456

A45

A441

14 COVENTRY

M6

RUGBY

A451

A449

A456

A46

A45

M45

Northampton

15

WARWICK **16** LES JARDINS DES MIDLANDS

Severn

Teme

12 WORCESTER

VALE OF EVESHAM

STRATFORD-UPON-AVON **17**

A3400

Oxford Canal

A443

GREAT MALVERN

11

A4104

A449

10 LEDBURY

B4632

Banbury, Oxford, London

18 CHIPPING CAMPDEN

M50

19 TEWKESBURY

A40

GLOUCESTER

20 CHELTENHAM

21

Foss Way

Cotswolds

A46

A40

A40

Oxford

M5

Cotswold Way

22 CIRENCESTER

A419

A433

COTSWOLDS

Bristol

→ Swindon

Bath

Vue de la vallée de la Wye, près de Ross-on-Wye

LÉGENDE

▨ Autoroute

▨ Route principale

▨ Route pittoresque

— Chemin pittoresque

⌇ Cours d'eau

⁂ Point de vue

Reader's House, à Ludlow, face à St Laurence's Church

La filature de Quarry Bank, témoin vivant de la révolution industrielle

Quarry Bank Mill, Styal ❶

(NT) Cheshire. 📞 *01625 527468.*
🚆 *Manchester Airport puis en bus.*
🕐 *avr.- sept. : t.l.j. ; oct.- mars :*
mar.-dim. (et lun. pendant les vac. scol.).
⚫ *24 et 25 déc.* ♿ *limité.* 🅿️ 🍴
🌐 *www.quarrybankmill.org.uk*

L a filature de Quarry Bank, transformée en musée, fait revivre la révolution industrielle (*p. 54-55*). C'est là qu'en 1784 Samuel Greg utilisa pour la première fois les eaux de la vallée de la Bollin pour actionner le métier qui transformait les fibres de coton en toile. Vers 1840, Greg possédait l'un des empires du coton les plus importants de Grande-Bretagne, et ses coupons de tissu s'exportaient dans le monde entier.

La vieille filature massive, restaurée, accueille un musée vivant de l'industrie du coton, qui a dominé la région de Manchester pendant près de 200 ans avant d'être détrônée par la concurrence étrangère. Reconstitutions, démonstrations et manipulations amusantes montrent toutes les étapes, du filage et du tissage au blanchiment en passant par l'impression et la teinture.

Dans la salle de tissage, des métiers produisent du tissu dans un grand cliquètement. On peut ainsi voir comment l'eau actionne les machines, parmi lesquelles une roue de 50 t, haute de 7 m, qui met en branle les métiers à tisser.

La famille Greg prit conscience qu'elle avait besoin d'une main-d'œuvre en bonne santé, loyale et stable. Une exposition sur l'histoire sociale explique comment les ouvriers de la filature logeaient au village de Styal, construit spécialement, dans des cottages spacieux avec potagers et lieux d'aisances. Des panneaux détaillent les salaires, les conditions de travail et l'état sanitaire. Des visites guidées de l'**Apprentice House** voisine sont organisées : elle accueillait des orphelins qui travaillaient jusqu'à 12 h par jour à la filature dès l'âge de six ou sept ans. Les visiteurs peuvent essayer les lits des enfants et même goûter les potions qu'on leur servait… Quarry Bank est entouré de plus de 115 ha de forêt.

Chester ❷

Cheshire. 🏠 *125 000.* 🚆 🚌
ℹ️ *Town Hall, Northgate St (01244 402111).* 🛍️ *du lun. au sam.*
🌐 *www.chestertourism.com*

L es rues principales de cette ville, ancien camp romain (*p. 44-45*) établi en 79 apr. J.-C. pour défendre les terres fertiles riveraines de la Dee, sont maintenant bordées de maisons à colombage. Ce sont les **Rows**, qui, avec leurs deux étages de boutiques et leur galerie supérieure continue, ont précédé de plusieurs siècles les grands magasins.

Bien que leurs fenêtres à oriel et leur colombage décoratif soient presque tous du XIXe siècle, ces galeries datent du XIIIe et du XIVe siècle, et la structure d'origine apparente en de nombreux endroits. La façade de la **Bishop Lloyd's House**, Watergate Street, est l'une des plus richement sculptées de Chester. C'est au coin d'Eastgate Street et de Bridge Street que les galeries sont les plus variées et les plus belles. Ici, la vue sur la cathédrale et les remparts donne l'impression que la ville n'a guère changé depuis le Moyen Âge. D'autant plus que le crieur public annonce les heures et des avis, l'été, depuis la Croix, reconstitution d'un crucifix de pierre du XVe siècle détruit pendant la guerre civile (*p. 52-53*). Le **Grovesnor Museum**, au sud de la Croix, retrace l'histoire de la ville.

La **cathédrale** se trouve au nord. Les stalles du chœur possèdent de magnifiques miséricordes (*p. 329*), ornées

Tour de l'horloge de Chester, 1897

Sculptures de la façade de Bishop Lloyd's House, à Chester

Les Rows de Chester, véritables galeries marchandes

Museum est un complexe industriel de l'époque victorienne, avec ateliers, fours, galeries, salle des machines et démonstrations de techniques traditionnelles de céramique.

Le **Potteries Museum and Art Gallery**, à Hanley, expose des céramiques anciennes ou modernes.

Josiah Wedgwood fonda sa fabrique de faïence en 1769 et construisit un village ouvrier, Etruria. L'**Etruria Industrial Museum** abrite la dernière fabrique de poterie à vapeur.

Aux environs

À 16 km se trouve **Little Moreton Hall** *(p. 291)*, manoir de style Tudor à colombage.

🏛 **Gladstone Pottery Museum**
Uttoxeter Rd, Longton. ☎ 01782 319232. ⬤ t.l.j. ⬤ du 24 déc. au 2 janv. 🅿️ ♿ 📧 🏠
🆆 www.stoke.gov.uk/gladstone

🏛 **Potteries Museum and Art Gallery**
Bethesda Rd, Hanley. ☎ 01782 232323. ⬤ t.l.j. ⬤ du 25 déc. au 1er janv. ♿ 📧 🏠 🆆 www.stoke.gov.uk/museums

🏛 **Etruria Industrial Museum**
Lower Bedford St, Etruria. ☎ 01782 233144. ⬤ de janv. à mars : du lun. au mer. ; d'avr. à déc. : du sam. au mer. ⬤ du 25 déc. au 1er janv. 🅿️ 🎧 sur rendez-vous. 📧 🏠

Little Moreton Hall
(NT) Congleton, A34. ☎ 01260 272018. ⬤ de mars à oct. : du mer. au sam. et jours fériés ; de nov. au 22 déc. : sam., dim. 🅿️ 🎧 ♿ limité. 🍴 🏠

de scènes parmi lesquelles un couple se querellant, qui contrastent avec les flèches délicates des dais des stalles. Le **mur d'enceinte**, romain à l'origine mais plusieurs fois rebâti, longe la cathédrale sur deux côtés. La plus belle perspective va de la cathédrale à Eastgate, dont l'**horloge** de fer ouvré date de 1897. La route de Newgate mène à un **amphithéâtre romain** construit en 100 apr. J.-C.

🏛 **Grovesnor Museum**
Grovesnor St. ☎ 01244 402008. ⬤ du lun. au sam., dim. après-midi. ⬤ 25 et 26 déc., 1er janv, ven. saint. ♿ limité. 🏠 🆆 www.chester.uk/museums

🏛 **Roman Amphitheatre**
Little St John St. ☎ 01244 402009. ⬤ t.l.j.

Stoke-on-Trent ➌

Staffordshire. 🏘 252 000. 🚲 🚗
🛈 Quadrant Rd, Hanley (01782 236000). ⬤ du lun. au sam.
🆆 www.visitstoke.co.uk

Au milieu du XVIIIe siècle, le Staffordshire est devenu un foyer de la céramique industrielle. Il doit sa réputation aux fines porcelaines tendres de Wedgwood, Minton, Doulton et Spode, mais on y fabrique aussi des produits usuels : baignoires, lavabos et carrelage.

En 1910, Longton, Fenton, Hanley, Burslem, Tunstall et Stoke-upon-Trent formèrent Stoke-on-Trent, surnommé les « Potteries ». Les lecteurs d'Arnold Bennett (1867-1931) reconnaîtront les « cinq villes » qu'il met en scène dans la série de romans consacrés à cette région.

Le **Gladstone Pottery**

LA CÉRAMIQUE DU STAFFORDSHIRE

Beaucoup d'eau, de la marne, de l'argile et du charbon facile à extraire permirent au Staffordshire de devenir un centre de la céramique ; les ressources locales en fer, en cuivre et en plomb servaient à la vitrerie. Au XVIIIe siècle, la céramique devint abordable. La porcelaine anglaise (« china »), qui devait sa dureté et sa translucidité à l'utilisation d'os d'animaux broyés, s'exportait dans le monde entier, et Josiah Wedgwood (1730-1795) mit sur le marché une faïence simple et solide, bien que son modèle le plus connu soit le bleu jaspé décoré de motifs blancs classiques *(jasper)*. L'argile cuisait dans des fours verticaux à charbon jusque vers 1950, où la loi sur la pollution de l'air les fit remplacer par des fours électriques ou à gaz.

Chandeliers Wedgwood, 1785

Les maisons à colombage
de Fish Street, à Shrewsbury

Shrewsbury ❹

Shropshire. 🏘 96 000. 🚃 🚗
ℹ The Square (01743 281200).
🛒 mar., mer., ven., sam.
🖥 www.visitshrewsbury.com

Cette ville, située au milieu d'un méandre de la Severn, est presque une île. Un **château** sévère de grès rouge, qui se dresse depuis 1083 sur sa seule limite terrestre, en commande l'entrée. De tels ouvrages étaient nécessaires aux marches de l'Angleterre et du pays de Galles, dont les farouches habitants défiaient les envahisseurs saxons et normands (p. 46-47). Le château, plusieurs fois reconstruit au cours des siècles, abrite le Shropshire Regimental Museum.

En 60 apr. J.-C., les Romains (p. 44-45) bâtirent la ville de garnison de Viroconium, aujourd'hui Wroxeter, à 8 km à l'est de Shrewsbury. Le **Shrewsbury Museum and Art Gallery** expose le produit de fouilles, dont un miroir d'argent décoré du IIᵉ siècle et des objets de luxe apportés par l'armée romaine.

Les maisons à colombage de High Street, Butcher Row et Wyle Cop rappellent la richesse de la ville au Moyen Âge, due au commerce de la laine. Deux des plus grandes

maisons de High Street, **Ireland's Mansions** et **Owen's Mansions**, doivent leur nom à Robert Ireland et Richard Owen, riches marchands de laine qui les firent construire respectivement en 1575 et 1570. D'autres maisons intéressantes de Fish Street encadrent une face du **Prince Rupert Hotel**, éphémère quartier général du prince Rupert, royaliste pendant la guerre civile (p. 52-53).

De l'autre côté du fleuve, l'**abbatiale** est tout ce qui reste du monastère médiéval. Elle abrite des mémoriaux intéressants, parmi lesquels celui du lieutenant W. E. S. Owen, M. C., plus connu sous le nom de Wilfred Owen, poète de la guerre (1893-1918). Il enseigna à l'école voisine de Wyle Cop et fut tué dans les derniers jours de la Grande Guerre.

Aux environs
Au sud de Shrewsbury, la route de Ludlow traverse les paysages chantés en 1896 par A. E. Housman (1859-1936). Autres sites d'intérêt, la lande battue par le vent de **Long Mynd**, avec ses 15 tumulus préhistoriques, et la longue crête de **Wenlock Edge**, merveilleux paysage propice à la promenade où la vue porte très loin.

Miroir romain en argent du Shrewsbury Museum

⚓ **Shrewsbury Castle**
Castle St. 📞 01743 358516.
⬜ de Pâques à oct. : t.l.j. ; d'oct. à Pâques : du mer. au sam. ⬤ du 22 déc. à mi-fév. ♿ 🏠
🏛 **Shrewsbury Museum and Art Gallery**
Barker St. 📞 01743 361196. ⬜ d'oct. à mi-mai : du mar. au sam. ; de juin à sept. : t.l.j. ⬤ 2 sem. à Noël. ♿ limité. 🏠 🖥 www.shrewsburymuseums.com

Ironbridge Gorge ❺

Voir p. 302-303.

Ludlow ❻

Shropshire. 🏘 10 000. 🚃 ℹ Castle St (01584 875053). 🛒 lun., mer., ven., sam. 🎭 Musique et théâtre : fin juin 🖥 www.ludlow.org.uk

Son magnifique château attire de nombreux visiteurs, mais cette petite ville aux boutiques et aux charmantes maisons Tudor à colombage recèle d'autres curiosités. Ludlow est un site archéologique et son **musée** conserve des fossiles d'animaux et de plantes.

Le **château** domine la Teme du haut d'une falaise. Édifié en 1086, il fut endommagé pendant la guerre civile (p. 52-53) et abandonné en 1689. C'est dans le Great Hall que fut créé Comus, masque de John Milton (1608-1674) mêlant musique et théâtre.

Le prince Arthur (1486-1502), frère aîné d'Henri VIII (p. 50-

La tour et l'aile sud du château de Stokesay, près de Ludlow

51), est mort au château de Ludlow. Son cœur est enterré dans **St Laurence's Church**, à l'autre bout de Castle Square. À l'est, l'église s'appuie contre les bâtiments à colombage décorés du **Bull Ring**.

Deux auberges attirent l'attention de l'autre côté de la rue : **The Bull**, avec sa cour Tudor, et **The Feathers**, à la façade flamboyante, dont le nom rappelle que la fabrication des flèches empennées était une activité locale.

Aux environs
À 8 km au nord, dans un site ravissant, s'élève **Stokesay Castle**, manoir fortifié aux douves transformées en jardin floral.

♣ **Ludlow Castle**
The Square. **C** 01584 873355. ☐ t.l.j. *(janv. : sam., dim. seul.)* 🅿 🅖 limité.
🄷 🅦 www.ludlowcastle.com
🏛 **Ludlow Museum**
Castle St. **C** 01584 875384.
☐ *d'avr. à oct. : du lun. au sam. (juin à août : t.l.j.).* 🅿 🅖
♣ **Stokesay Castle**
Craven Arms, A49. **C** 01588 672544.
☐ *de mars à oct. : du jeu. au lun. (t.l.j. de juin à août) ; de nov. à fév. : du ven. au dim.* 🅿 🅲 🅶

Leominster ❼

Herefordshire. 🏘 11 000. 🚆 🅸 *Corn Sq (01568 616460).* 🅓 *ven.*
🅦 www.visitorlinks.com

L eominster (prononcer « Lemster ») est un marché agricole prospère au centre d'une région fertile. Ville lainière pendant 700 ans, elle compte deux monuments notables : dans le centre, la magnifique **Grange Court**, sculptée de motifs vigoureux et étonnants par John Abel en 1633 ; le **prieuré**, dont l'imposant portail normand est orné d'un mélange d'oiseaux mythiques, de bêtes et de serpents. Les lions, au moins, s'expliquent : au Moyen Âge, les moines croyaient que Leominster venait de *monasterium leonis*, le « monastère des lions ». En fait, *leonis*, qui vient sans doute du latin médiéval, signifie « des marais ». Les champs verdoyants autour

de la ville, en prolongement de riches vallées qui se rejoignent à Leominster, montrent la justesse du terme.

Aux environs
Au sud de la ville, les jardins d'**Hampton Court**, restaurés récemment, renferment des pavillons insulaires et un labyrinthe. À l'ouest, le long de l'Arrow, se trouvent **Eardisland** et **Pembridge**, deux villages coquets aux jardins bien tenus et aux maisons à colombage. **Berrington Hall**, à 5 km au nord de Leominster, est une belle demeure du XVIIIe siècle,

Vue de Leominster, arrosé par la Lugg dans un paysage doucement vallonné

de style néo-classique, entourée d'un parc dessiné par Capability Brown. Elle possède de beaux plafonds décorés et un intéressant mobilier d'époque, dont une chambre d'enfants. Au nord-est, la ville d'eau de **Tenbury Wells** eut son heure de gloire au XIXe siècle. La Teme, qui la traverse était chère au compositeur sir Edward Elgar *(p. 305)*, qui cherchait souvent l'inspiration sur ses rives. La rivière arrose aussi **Burford House Gardens**, jardins situés à la limite ouest de Tenbury Wells, où ses eaux alimentent des canaux, des fontaines et des bassins qui abondent en plantes semi-aquatiques rares.

🌷 **Hampton Court Gardens**
Près de Hope Under Dinmore.
C 01568 797777. ☐ *d'avr. au 21 déc. : de 11 h à 17 h (16 h en nov. et déc.) du mar. au dim.* 🅿 🅖 🅟 🅟
🅦 www.hamptoncourt.org.uk
🏛 **Berrington Hall**
Berrington. **C** 01568 615721.
☐ *de mi-mars à mi-nov. : du sam. au mer.* 🅿 🅟 🅟
🌷 **Burford House Gardens**
Tenbury Wells. **C** 01584 810777.
☐ *t.l.j.* ● *25, 26 déc., 1ᵉʳ janv.*
🅿 🅲 🅟 🅟 🅦 www.burford.co.uk

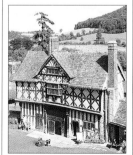
Porche de Stokesay Castle, un manoir fortifié

Ironbridge Gorge ❺

Ironbridge Gorge était l'un des centres les plus importants de la révolution industrielle (p. 54-55). C'est ici qu'en 1709 Abraham Darby Iᵉʳ (1678-1717) inaugura l'usage du coke, combustible meilleur marché que le charbon de bois, pour fondre le minerai de fer. L'usage de l'acier pour les ponts, les navires et les bâtiments fit d'Ironbridge Gorge l'un des grands centres sidérurgiques du monde. Le déclin du XXᵉ siècle entraîna la décadence du site, qui a été restauré plus tard pour devenir un lieu de mémoire industrielle, avec plusieurs musées alignés le long des rives boisées de la Severn.

MODE D'EMPLOI

Shropshire. 🚗 2 900. 🚆 Telford, puis en bus (Telford Travelink 01952 200005). 📞 01952 435900. 🛈 01952 994391 ◻ de mi-avr. à oct. : t.l.j. ; de nov. à mi-avr. : tél. pour horaires. ● 24, 25 déc. et 1ᵉʳ janv. Certains sites sont fermés de nov. à avr., tél. pour informations. ♿ la plupart des sites. 🅿 🎥 sur rendez-vous. ◻ 🍴 ◻ w www.ironbridge.org.uk

Horloge de fer forgé (1843) sur le toit du musée du Fer

MUSEUM OF IRON

Ce musée remarquable retrace l'histoire de l'acier et des hommes qui le fabriquaient. La découverte par Abraham Darby Iᵉʳ du procédé de fonte au coke permit une production de masse, ouvrant la voie de l'industrialisation. Son premier haut fourneau est la pièce maîtresse du musée.

L'un des thèmes du musée est l'histoire des Darby, famille de quakers qui eut une grande influence sur la localité de Coalbrookdale. Les conditions de travail et de vie des ouvriers, qui travaillaient parfois 24 heures d'affilée, sont aussi décrites. C'est Ironbridge Gorge qui produisit les premières roues en fer et les premiers cylindres de la première machine à vapeur. Parmi les produits de la Coalbrookdale Company exposés, une locomotive restaurée et des statues en fonte, dont beaucoup furent commandées pour l'Exposition universelle de 1851 (p. 56-57).

L'une des demeures de la famille Darby se trouve à Coalbrookdale, le village voisin : **Rosehill House**, meublée dans le style victorien.

MUSEUM OF THE GORGE

Dans ce bâtiment victorien aux allures de château était entreposée la production des usines sidérurgiques qui devait être embarquée à bord des péniches naviguant sur la Severn. Le Museum of the Gorge, installé dans cet entrepôt, raconte l'histoire de la Severn et des industries de l'eau. Avant l'arrivée du chemin de fer au milieu du XIXᵉ siècle, la Severn était la principale voie de transport des marchandises. Son débit était irrégulier : tantôt à sec, tantôt en crue, elle était difficilement navigable ; dans les années 1890, le trafic avait été interrompu. La pièce maîtresse du musée est une maquette de 12 m de haut de la Gorge telle qu'elle devait être en 1796, avec les fonderies, les chalands et les villages en construction.

Europe (1860), musée du Fer

JACKFIELD TILE MUSEUM

L'industrie de la céramique est implantée dans la région depuis le XVIIᵉ siècle, mais ce n'est qu'avec le goût victorien pour les carreaux décoratifs que Jackfield se fit connaître. Deux usines de céramique, Maw et Craven Dunhill, transformaient l'argile extraite non loin de là

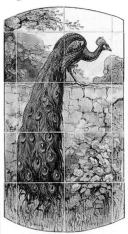

Panneau au paon (1928), musée de la Céramique

en céramique aux décors variés. Des dessinateurs de talent composèrent quantité de motifs. Le Jackfield Tile Museum, récemment enrichi de l'ancienne usine Craven Dunhill, conserve une collection de carrelages et de frises murales des années 1850 à 1960. On peut aussi observer des démonstrations de techniques traditionnelles, avec un four à biscuit et les ateliers de décoration.

À NE PAS MANQUER

Blists Hill Victorian Town ⑥
Coalport China
　　Museum ⑤
Ironbridge ③
Jackfield Tile
　　Museum ④
Museum of Iron ①
Museum of the Gorge ②

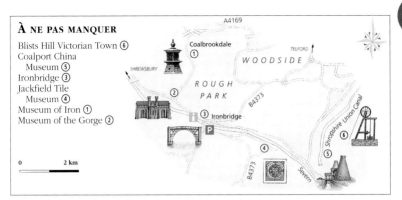

A4169

Coalbrookdale ①

TELFORD

WOODSIDE

SHREWSBURY

ROUGH PARK

B4373

③ Ironbridge

Shropshire Union Canal

⑥

④

⑤

B4373

Severn

0　　　2 km

COALPORT CHINA MUSEUM

Au milieu du XIXe siècle, Coalport Works était l'une des plus grandes usines de porcelaine de Grande-Bretagne, spécialisée dans la belle vaisselle. La Coalport Company, qui fabrique encore aujourd'hui de la porcelaine, a été transférée depuis longtemps à Stoke-on-Trent *(p. 299)*. Les ateliers ont été transformés en un musée où l'on peut voir les étapes de fabrication, parmi lesquelles le moulage, la peinture et l'émaillage. L'un des fours verticaux abrite une superbe collection de porcelaine du XIXe siècle.

Non loin de là se trouve le **Tar Tunnel**, gisement de bitume naturel découvert au XVIIIe siècle à 110 m sous terre. À une époque, on en extrayait 20 500 litres par semaine. Une partie du tunnel est encore accessible.

Les fours en forme de bouteille du musée de la Porcelaine de Coalport

BLISTS HILL VICTORIAN TOWN

Ce musée en plein air reconstitue la vie quotidienne à Ironbridge Gorge telle qu'elle se déroulait il y a cent ans. Des bâtiments du XIXe siècle (habitations, église, école, etc.) ont été reconstruits sur les 20 ha de Blists Hill, mine de charbon qui alimentait les hauts fourneaux de la Gorge. Des figurants en costume refont les gestes d'autrefois, par exemple ceux des forgerons. On peut échanger son argent contre de la monnaie ancienne pour faire ses courses chez le boulanger ou prendre un verre au pub du coin. La pièce maîtresse est une fonderie complète qui fonctionne encore, et l'une des plus spectaculaires est le plan incliné couvert de paille utilisé pour faire franchir aux péniches les dénivellations du canal. On voit aussi des machines à vapeur, un bourrelier, un médecin, un pharmacien, un fabricant de chandelles et une confiserie.

LE PONT D'IRONBRIDGE GORGE

Abraham Darby III (petit-fils d'Abraham Ier) construisit sur la Severn le premier pont métallique du monde en 1779, révolutionnant ainsi les techniques de l'époque. Le bureau de péage, sur la rive sud, en raconte la construction.

Hereford

Herefordshire. 🏛 50 000. 🚉 🚌
ℹ️ King St (01432 268430). 🏪 mer.
(bétail, général), sam. (général).
🌐 www.visitherefordshire.co.uk

Ancienne capitale de l'État saxon de West Mercia, Hereford est devenue une agréable ville, centre d'une région principalement agricole. Un marché aux bestiaux s'y tient tous les mercredis et les productions locales sont vendues sous le marché couvert du centre. Presque en face, l'**Old House**, édifice à colombage de 1621 a été transformé en musée.

La **cathédrale** possède quelques curiosités, parmi lesquelles la Lady Chapel, de style gothique primitif (*Early English*) très orné, la *Mappa Mundi (ci-dessous)* et la Chained Library, dont les 1 500 livres ont été attachés aux rayons afin d'éviter les vols. Des objets, maquettes et bornes interactives retracent l'histoire de ces œuvres. Bishop's Meadow, au sud du centre-ville, offre la meilleure vue d'ensemble de la cathédrale. De là, on descend vers la rive de la Wye.

Parmi les musées, citons le **City Museum and Art Gallery**, remarquable par ses mosaïques romaines et des aquarelles d'artistes locaux, et le **Cider Museum and King Offa Distillery** où l'on découvrira les différentes

L'Old House de Hereford, du XVIIᵉ siècle, meublée dans le style de l'époque

Détail d'une sculpture de Kilpeck Church

étapes de la fabrication du cidre. Depuis plus de 200 ans, la King Offa Distillery produit de l'eau-de-vie de cidre et propose visites et dégustations.

Aux environs
Au XIIᵉ siècle, Oliver de Merlemond partit de Hereford en pèlerinage pour l'Espagne. Séduit par l'architecture des églises qu'il vit en chemin, il ramena des maçons français, qui introduisirent leurs techniques dans la région. **Kilpeck Church**, à 10 km au sud-ouest, en est un exemple ; les figures grotesques et les dragons qui couvrent l'église sont d'inspiration plus païenne

que chrétienne. À **Abbey Dore**, à 6 km à l'ouest, les jardins au bord de l'eau d'**Abbey Dore Court** agrémentent l'abbatiale.

🏠 **Old House**
High Town. ☎ 01432 260694.
🕐 d'avr. à sept. : du mar. au dim. ; d'oct. à mars : du mar. au sam., jours fériés. ⬤ 25, 26 déc., 1ᵉʳ janv., ven. saint. ♿ limité. 📷
🌐 www.herefordshire.gov.uk/museums
🏛 **City Museum and Art Gallery**
Broad St. ☎ 01432 260692. 🕐 d'avr. à sept. : du mar. au dim. ; d'oct. à mars : du mar. au sam., jours fériés. ⬤ 25, 26 déc., 1ᵉʳ janv., ven. saint. ♿
🌐 www.herefordshire.gov.uk
🏛 **Cider Museum and King Offa Distillery**
Ryelands St. ☎ 01432 354207.
🕐 du mar. au dim. et jours fériés. ⬤ 25 et 26 déc., 1ᵉʳ janv. 📷
♿ limité. 📷 sur rendez-vous. 📷 📷

Ross-on-Wye

Herefordshire. 🏛 10 000. 🚉 ℹ️ Eddie Cross St (01989 562768). 🏪 jeu., sam. 1ᵉʳ ven. du mois (marché paysan)
🌐 www.visitherefordshire.co.uk

Cette jolie ville est située sur une falaise de grès rouge dominant des prés inondés des rives de la Wye. Depuis les jardins au bord de l'à-pic, don à la ville d'un bienfaiteur local, John Kyrle (1637-1724), la vue sur la rivière est magnifique.

**La vallée boisée de la Wye,
près de Ross**

Alexander Pope (1688-1744)
fit, dans *Moral Essays on
the Uses of Riches*, l'éloge
de l'usage que Kyrle faisait
de sa fortune. Un mémorial
lui rend également hommage
dans **St Mary's Church**.

Aux environs
De Hereford à Ross,
la **Wye Valley Walk**
traverse 26 km de paysage
agréable. Après Ross,
elle continue sur 54 km
en terrain rocheux dans
de profonds ravins boisés.
Goodrich Castle, château fort
du XIIᵉ siècle en grès rouge,
à 8 km au sud de Ross,
se dresse au sommet
d'un piton dominant la rivière.

⚓ **Goodrich Castle**
(EH) Goodrich. 📞 *01600 890538.*
◖ *t.l.j. (nov. à mars : du jeu. au lun.)*
🖼 🔵 *(d'avr. à sept.).*
ⓦ *www.english-heritage.org.uk*

Ledbury ❿

Herefordshire. 👥 *8 000.* 🚊 🚌
ℹ️ *The Homend (01531 636147).*
ⓦ *www.visitherefordshire.co.uk*

L a grand-rue est bordée
de maisons à colombage,
parmi lesquelles le **Market
Hall**, de 1655.
Church Lane, voie
pavée qui donne
dans High Street,
compte de jolis
bâtiments du
XVIᵉ siècle : le
Heritage Centre
et la **Butcher
Row House** sont
des musées ;
**St Michael and
All Angels
Church** possède un clocher
massif isolé, une décoration du
gothique primitif et d'intéressants
monuments funéraires.

**Carreau médiéval du
prieuré de Great Malvern**

🏛 **Heritage Centre**
Church Lane. ◖ *de Pâques
à oct. : t.l.j.* ♿
🏛 **Butcher Row House**
Church Lane. ◖ *de Pâques à oct. : t.l.j.*

Great Malvern et
les Malverns ⓫

Worcestershire. 👥 *35 000.* 🚊 🚌
ℹ️ *21 Church St (01684 892289).*
📅 *ven., 3ᵉ sam. du mois (marché
paysan)* ⓦ *www.malvernhills.gov.uk*

V isible de loin, le vieux
massif granitique
des Malvern Hills s'élève,

majestueux, au-dessus du
bassin de la Severn. C'est dans
ces lieux que sir Edward Elgar
(1857-1934) écrivit certaines de
ses plus belles œuvres, parmi
lesquelles *Le Songe de Gerontius*,
oratorio de 1900. Elgar habitait
à **Little Malvern**, où l'on peut
voir, sur une colline abrupte et
boisée, le prieuré
Saint-Gilles ; les
pierres de la nef
furent volées lors de
la dissolution des
ordres monastiques
(p. 339). **Great
Malvern**, capitale
du massif, est ornée
d'édifices du
XIXᵉ siècle évoquant
des sanatoriums
suisses : les patients
résidaient à l'époque dans des
établissements comme celui du
docteur Gulley (aujourd'hui
Tudor Hotel). L'eau qui jaillit
du flanc de la colline à Saint
Ann's Well, au-dessus de la
ville, est mise en bouteilles et
vendue dans toute l'Angleterre.
La ville est la patrie des
voitures Morgan (visite de
l'usine : 01684 573104).
Le lieu le plus intéressant
de Malvern est le **prieuré**,
avec ses vitraux du XVᵉ siècle
et ses miséricordes médiévales.
Le lac du **jardin d'hiver**,
au-dessous de l'église,
est l'ancien vivier du
monastère. C'est dans
le théâtre que, toute l'année,
sont jouées des œuvres d'Elgar
et des pièces de George
Bernard Shaw *(p. 221)*.

Vue sur la chaîne des Malverns, formée de roches dures du précambrien

Worcester ⑫

Worcestershire. 🏠 95 000. 🚃 🚌
ℹ️ High St (01905 722480).
🕐 du lun. au sam.
🌐 www.cityofworcester.gov.uk

C omme de nombreuses
villes d'Angleterre,
Worcester a été marquée par les
transformations du monde
moderne. Le monument
le plus remarquable est
la **cathédrale**, à côté de
College Yard, dont le clocher
s'effondra en 1175. Elle fut
ravagée par un incendie en
1203. L'édifice actuel date du
XIIIᵉ siècle. La nef et le clocher
furent achevés vers 1370, après
une interruption due à la peste
noire qui décima les ouvriers
(p. 48). Les modifications les
plus récentes datent de 1874 :
sir George Gilbert Scott
(p. 451) dessina le chœur
gothique en incorporant des
miséricordes du XIVᵉ siècle.
Parmi les nombreuses tombes
intéressantes, celle du roi Jean
(p. 48-49), chef-d'œuvre
de sculpture médiévale, face

**Charles Iᵉʳ portant le symbole de
l'Église, Guildhall de Worcester**

à l'autel. Le prince Arthur, frère
d'Henri VIII *(p. 300)* mort
à quinze ans, est enterré dans la
chapelle, au sud de l'autel. La
grande crypte normande
est un vestige de l'ancienne
cathédrale (1084).
    Du cloître attenant, une porte
mène au College Green et
à l'école, puis à Edgar Street,
aux maisons georgiennes.
Le **Museum of Worcester**

Porcelain possède une
collection de porcelaine royale
de Worcester, dont certaines
pièces remontent à 1751. Dans
la grand-rue, au nord de
la cathédrale, le **Guildhall**
de 1723 est orné de statues
des Stuarts rappelant la fidélité
de la ville à la monarchie.
C'est dans **Ye Old King
Charles House**, sur le
Cornmarket, que le prince
Charles, futur Charles II,
se cacha après la bataille
de Worcester *(p. 52-53)*.
    Friar Street compte quelques-
unes des plus belles maisons
à colombage : **Greyfriars**
(vers 1480) vient d'être
restaurée dans le style de
l'époque. La **Commandery**,
hospice du XIᵉ siècle reconstruit
au XVᵉ siècle, servit de quartier
général au prince Charles
pendant la guerre civile.
Elle abrite aujourd'hui le Civil
War Museum.
    Elgar's Birthplace, maison
natale de sir Edward Elgar
(p. 305), conserve des
souvenirs de la vie et de
l'œuvre du compositeur.

🏛 **Museum of Worcester
Porcelain**
Severn St. ☎ 01905 23221. 🕐 t.l.j.
🔴 25 déc. 🚫 🚻 🎁 📷 🚻
🏠 **Greyfriars**
(NT) Friar St. ☎ 01905 23571.
🕐 d'avr. à oct. : du mer. au sam.
(jours fériés : après-midi seulement). 🚫
🏛 **Commandery**
Sidbury. ☎ 01905 361821.
🕐 t.l.j. (dim. : après-midi).
🔴 25 et 26 déc., 1ᵉʳ janv. 🚫 📷
🏛 **Elgar's Birthplace**
Lower Broadheath. ☎ 01905 333224.
🕐 t.l.j. 🔴 du 24 déc. à mi-janv.
🚫 📷 🌐 www. elgarmuseum.org

Birmingham ⑬

Birmingham. 🏠 1 000 000. ✈ 🚃
🚌 ℹ️ 0121 2025099. 🕐 du lun. au
sam. 🌐 www. beinbirmingham.com

B rum, comme ses habitants
la surnomment, fut au
XIXᵉ siècle l'un des principaux
foyers de la révolution
industrielle. L'implantation
d'un nombre important
d'industries donna naissance
à des usines sinistres et
à un habitat misérable. Après
la guerre, plusieurs de ces
quartiers ont été rasés, et

La cathédrale de Worcester domine le cours de la Severn

L'Adieu à l'Angleterre, de Ford Madox Brown, galerie de Birmingham

Birmingham a pris une allure plus avenante. La ville a su convaincre sir Simon Rattle de venir diriger son orchestre symphonique et l'ancien Royal Sadler's Wells Ballet (devenu le Birmingham Royal Ballet) de quitter Londres pour les installations plus récentes de Birmingham. Les salles de séminaire, de conférence et d'exposition du **National Exhibition Centre**, à 8 km à l'ouest du centre-ville, attirent des milliers de personnes.

À part l'imposant centre commercial Bullring, les bâtiments publics du XIXe siècle de la cité sont typiquement néo-classiques. Citons le **City Museum and Art Gallery**, dont les collections comprennent des œuvres majeures d'artistes préraphaélites comme sir Edward Burne-Jones (1833-1898), enfant du pays, et Ford Madox Brown (1821-1893). Le musée organise aussi d'intéressantes expositions temporaires, comme celle consacrée à J.M.W. Turner (1775-1851).

Le réseau de canaux très complet est surtout utilisé par les bateaux de plaisance *(p. 288-289)*. Plusieurs entrepôts ont été transformés en musées ou en galeries. Le **Thintank**, le musée des sciences et des découvertes de Birmingham, rappelle la contribution de la ville au développement du chemin de fer, de l'aviation et de l'automobile. Dans le vieux quartier des bijoutiers, au nord de ce musée, les artisans travaillent les matières précieuses depuis le XVIe siècle.

La banlieue possède de nombreux attraits, dont le **jardin botanique** d'Edgbaston et le **Cadbury World**, à Bournville, très fréquenté, consacré au chocolat (mieux vaut réserver). Ce sont les frères Cadbury, des quakers, qui ont fait bâtir en 1890 pour leurs ouvriers le village de Bournville, précurseur des banlieues vertes.

🏛 City Museum and Art Gallery
Chamberlain Sq. 📞 0121 3032834. ○ t.l.j. (dim. : après-midi). ● 25 et 26 déc. & 🖥 🏠

🏛 Thintank
Millenium Point 📞 0121 202 222. ○ t.l.j. ● du 24 au 26 déc.

🌷 Botanical Gardens
Westbourne Rd, Edgbaston. 📞 0121 454 1860. ○ t.l.j. ● 25 déc. 🖥 & 🖼 sur rendez-vous. 🍴 🏠

🏛 Cadbury World
Linden Rd, Bournville. 📞 0121 4514159. ○ du 20 janv. à oct. : t.l.j. ; de nov. à déc. : horaires par tél. ● 2 premières sem. de janv. 🖼 &

Bâtiment officiel de Victoria Square, à Birmingham

Coventry ⑭

Coventry. 🏘 300 000. ⊞ 🚆
🛈 4 Priory Road (024 7622 7264).
🛍 du lun. au sam.
🌐 www.visitcoventry.co.uk

Les usines d'armement de Coventry furent la cible des bombardiers allemands, qui en 1940 détruisirent la **cathédrale** médiévale. Sir Basil Spence (1907-1976) dessina la première cathédrale entièrement moderne, édifiée le long des ruines de l'ancienne.

Saint Michel terrassant le démon, cathédrale de Coventry

Les sculptures sont de sir Jacob Epstein (1880-1959) et une tapisserie de Graham Sutherland (1903-1980).

Le **Herbert Gallery and Museum** retrace la légende de Lady Godiva, qui au XIe siècle traversa la ville nue sur son cheval.

Le **Museum of British Road Transport** possède la plus importante collection britannique de moyens de transport routier et présente la voiture la plus rapide du monde.

🏛 Herbert Gallery and Museum
Jordan Well. 📞 024 7683 2381. ○ t.l.j. (dim. : après-midi). 🖥 🏠

🏛 Museum of British Road Transport
Hales St. 📞 024 7683 2425. ○ t.l.j. & 🖥 🏠
🌐 www.transport-museum.com

Excursion dans les jardins des Midlands ⓯

Les bâtiments en pierre des Cotswolds s'accordent à merveille avec les célèbres jardins de la région. Ce circuit pittoresque, de Warwick à Cheltenham, permet d'admirer tous les styles de jardins, depuis ceux des petits cottages, avec leurs fleurs à clochettes et leurs roses trémières, jusqu'aux parcs des domaines aristocratiques peuplés de cervidés. La route suit la chaîne des Cotswolds, à travers des paysages spectaculaires et quelques-uns des plus jolis villages des Midlands.

Prunier en fleur

CARNET DE ROUTE

Itinéraire : 50 km.
Où faire une pause ? Hidcote Manor propose des déjeuners et des thés excellents ; on trouve des rafraîchissements à Kiftsgate Court et à Sudeley Castle.
À Broadway, on a le choix entre des pubs et des salons de thé et le luxueux Lygon Arms (p. 591-593).

Cheltenham Imperial Gardens ⑨
C'est en 1817-1818 qu'on aménagea ce jardin public coloré, afin d'encourager les promeneurs à se rendre de la ville à la station thermale *(p. 316)*.

Sudeley Castle ⑧
Des haies et des arbres taillés et un jardin élisabéthain mettent en valeur le château restauré où Catherine Parr, veuve d'Henri VIII, mourut en 1548.

Broadway ⑤
Des cottages du XVIIᵉ siècle se cachent derrière de la glycine et des arbres fruitiers.

Stanway House ⑦
Planté de beaux arbres, le parc de ce manoir possède une cascade surmontée d'une pyramide.

Snowshill Manor ⑥
Ce manoir en pierre des Cotswolds abrite des collections éclectiques (bicyclettes, armures japonaises…). Les jardins clos et les terrasses sont ornés de nombreux objets d'art tels que cette horloge (à gauche), à la couleur bleue caractéristique.

Warwick Castle ①
Les jardins du château
(p. 310-311)
comprennent le
Mound, de style
médiéval, où alternent
pelouses, chênes, ifs
et des haies taillées.

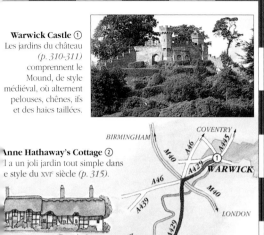

Anne Hathaway's Cottage ②
Il a un joli jardin tout simple dans
le style du XVIᵉ siècle *(p. 315)*.

**Hidcote Manor
Gardens ③**
Entrepris dans les premières
années du XXᵉ siècle, ces
magnifiques jardins ont
inauguré la conception du
jardin comme une suite de
« pièces » en plein air, ceintes
de haies d'ifs et plantées
chacune selon un thème.

Kiftsgate Court Garden ④
Ce charmant jardin naturel s'étend
en face de Hidcote Manor. Sa série
de terrasses à flanc de colline
comprend de nombreuses plantes
rares, parmi lesquelles l'énorme rose
« Kiftsgate », haute de près de 30 m.

LÉGENDE

▬▬▬	Autoroute
▬▬▬	Itinéraire
▬▬▬	Autre route
☆	Point de vue

0   5 km

Warwick ⑯

Warwickshire. 🏠 28 000. 🚂 🚌
ℹ️ *The Courthouse, Jury St
(01926 492212).* 🛒 *sam.*
🌐 www.warwick-uk.co.uk

Des bâtiments médiévaux ont
survécu au grand incendie
de 1694. À St John's, le
magnifique manoir jacobéen
St John's House Museum
reconstitue des pièces de style
victorien. À l'extrémité ouest de la
grand-rue, le **Lord Leycester
Hospital**, fondé en 1571 par le
comte de Leicester (1532-1588)
pour ses anciens soldats, occupe
les bâtiments des corporations
du Moyen Âge.

Les arcades de **Market Hall**
(1670) font partie du
Warwickshire Museum, connu
pour ses tapisseries de 1558
représentant la carte de la région.

Church Street, au sud
de St Mary's Church, la **chapelle
Beauchamp** (1443-1464),
bel exemple d'architecture
perpendiculaire, abrite les tombes
des comtes de Warwick. Du
clocher, on a une vue plongeante
sur le **château** *(p. 310-311)*.

🏛 **St John's House Museum**
St John. 📞 *01926 412132.*
◯ *de mai à sept. : du mar. au dim. ;
d'oct. à avr. : du mar. au sam. ;
jours fériés : lun.* ♿ *limité.*
🏩 **Lord Leycester Hospital**
High St. 📞 *01926 491422.* ◯ *du
mar. au dim. et jours fériés.* ● *25 déc.,
ven. saint.* **Jardins** ◯ *mêmes jours
mais de Pâques à sept. seul.*
📷 🅿️ ♿ *limité.* 🚻
🏛 **Market Hall**
Market Place. 📞 *01926 412500.*
◯ *du lun. au sam. (de mai à sept. : t.l.j.).*
♿ *limité.* 🚻

Le Lord Leycester Hospital, devenu
un asile pour anciens soldats

Le château de Warwick

La famille Neville en prière (v. 1460)

P lace forte médiévale, Warwick est aussi l'une des plus belles demeures du pays. Le château normand d'origine fut modifié au XIVe siècle par l'édification d'un épais mur d'enceinte et de tours, afin d'affirmer la puissance de grands seigneurs féodaux, les Beauchamp et les Neville, comtes de Warwick. Le château échut en 1604 à la famille Greville qui le transforma aux XVIIe et XVIIIe siècles en maison d'agrément. Les propriétaires du musée de Madame Tussaud (*p. 106*) l'achetèrent en 1978 et y installèrent des tableaux et des figures de cire pour en évoquer l'histoire.

La Ghost Tower est hantée, dit-on, par le fantôme de sir Fulke Greville qui fut assassiné par un de ses serviteurs en 1628.

Le Mound contient des vestiges de la motte, du mur d'enceinte (*p. 472*) et du donjon d... XIIIe siècl...

Royal Weekend Party
*Ce valet en cire
fait partie
de la reconstitution
de la visite du prince
de Galles en 1898.*

**Moulin et salle
des machines**

★ Great Hall et State Rooms
*Les appartements médiévaux sont devenus le
Great Hall et les State Rooms. Ils furent rebâtis
après un incendie en 1871. Le Great Hall abrite
armes, armures, meubles et autres curiosités.*

**Kingmaker
Attraction**
*Sont restituées
des scènes de la vie
au Moyen Âge
comme les
préparatifs du
comte de Warwick,
le « faiseur de rois »,
Richard Neville,
avant une bataille.*

Vue du château de Warwick, côté sud, par Antonio Canaletto (1697-1768)

Remparts et tours, en grès gris du pays, furent ajoutés au XIVᵉ siècle pour renforcer les défenses.

La Guy's Tower (1393) abrite des logements des hôtes et des membres de la suite du comte de Warwick.

★ Death or Glory, salle d'armes
On peut y voir le casque de Cromwell et une lourde épée à deux mains du XIVᵉ siècle.

Entrée

Le dongeon souterrain contient une collection d'instruments de torture médiévaux.

Le portail est gardé par des herses et des mâchicoulis par lesquels on jetait de l'huile bouillante sur les assaillants.

À NE PAS MANQUER

★ Le Great Hall et les State Rooms

★ La salle d'armes

CHRONOLOGIE

Bouclier (1745), Great Hall

1068 Construction de la motte normande et du mur d'enceinte

1264 Simon de Montfort, champion du Parlement contre Henri III, met le château à sac

1478 Le château revient à la couronne après le meurtre du gendre de Richard Neville

1893-1910 Visites du futur Édouard VII

1000	1200	1400	1600	1800

Richard Neville

1268-1445 Les Beauchamp, comtes de Warwick, édifient le château actuel

1449-1471 Richard Neville, comte de Warwick

1604 Jacques Iᵉʳ donne le château au comte Fulke Greville

1600-1800 Remaniement de l'intérieur et aménagement du paysage

1642 Des royalistes y sont enfermés

1871 Anthony Salvin (1799-1881) restaure le Great Hall et les State Rooms après un incendie

Stratford-upon-Avon pas à pas ⓱

Bouffon (1930)

S ur la rive ouest de l'Avon, au cœur des Midlands, Stratford est l'une des villes les plus célèbres d'Angleterre. Ses origines remontent au moins à l'époque romaine. Elle conserve l'apparence d'une petite ville Tudor, avec ses maisons à colombage patinées et sa promenade le long de la rivière bordée d'arbres. Son charme en fait le site le plus visité en dehors de Londres : des hordes de touristes se rendent sur les lieux qui évoquent le souvenir de Shakespeare et de sa famille.

Bancroft Gardens
On y voit un joli bassin avec des péniches et une chaussée du XVe siècle.

Information touristique et gare

★ Shakespeare's Birthplace
La maison natale de Shakespeare fut presque entièrement reconstruite au XIXe siècle dans le style Tudor d'origine.

0   100 m

Shakespeare Centre

WATER

BRIDGE STREET

UNION STREET

HIGH STREET

HENLEY STREET

MEER STREET

WOOD STREET

ELY STREET

Vers la gare

Harvard House
La maison de la romancière Marie Corelli (1855-1924), restaurée, jouxte le Garrick Inn, pub du XVIe siècle.

À NE PAS MANQUER

★ **Shakespeare's Birthplace**

★ **Hall's Croft**

★ **Holy Trinity Church**

Hôtel de ville
La façade de ce bâtiment de 1767 porte des traces de graffiti du XVIIIe siècle proclamant « God Save the King ».

Royal Shakespeare Theatre et Swan Theatre
Depuis sa fondation en 1961, la célèbre Royal Shakespeare Company qui l'occupe a monté toutes les pièces de Shakespeare.

MODE D'EMPLOI

Warwickshire. 🅜 22 000.
✈ 32 km au N.-O.
de Stratford-upon-Avon.
🚂 Alcester Rd. 🚌 Bridge St.
ℹ Bridge Foot (0870 1607930).
🕎 ven. 🎭 Shakespeare's
Birthday : avr. ; Stratford Festival :
juil. 🆆 www.shakespeare-
country.co.uk

★ Hall's Croft
John Hall, gendre de Shakespeare, était médecin. Cette charmante maison abrite une exposition sur la médecine à l'époque de Shakespeare.

★ Holy Trinity Church
Cette église abrite la tombe de Shakespeare et le registre paroissial portant les déclarations de sa naissance et de sa mort.

Edward VI
Grammar
School

Nash's House
Les fondations de New Place, où Shakespeare est mort, vues du jardin qui jouxte cette maison.

Guild
Chapel

ttage
anne
thaway

LÉGENDE

– – – Itinéraire conseillé

À la découverte de Stratford-upon-Avon

Mosaïque représentant
Shakespeare sur Old Bank (1810)

Villiam Shakespeare est né à Stratford-upon-Avon le 23 avril 1564, jour de la Saint-Georges. Les admirateurs de son œuvre ont commencé à s'y rendre en pèlerinage dès sa mort, en 1616. En 1847, une souscription publique permit d'acheter sa maison natale. Stratford devint ainsi un lieu de mémoire dédié au plus grand dramaturge britannique. Elle est aussi la ville qui accueille la Royal Shakespeare Company, troupe qui monte régulièrement à Stratford les pièces qu'elle joue ensuite à Londres *(p. 126-127)*.

À travers Stratford

De nombreux bâtiments évoquent Shakespeare. Au coin de la grand-rue, la **Cage**, prison du XVe siècle, fut transformée en habitation. Judith, la fille de Shakespeare, y vécut. C'est aujourd'hui une boutique. Au bout de la grand-rue, une statue de Shakespeare, don de David Garrick (1717-1779), l'acteur qui organisa le premier festival Shakespeare, orne la façade de l'**hôtel de ville**.

La grand-rue mène à Chapel Street, où **Nash's House**, maison à colombage, est devenue un musée d'histoire locale. C'est là que s'élévait

Holy Trinity Church vue de l'autre rive de l'Avon

Le cottage d'Anne Hathaway,
femme de Shakespeare

New Place, où Shakespeare mourut ; il n'en subsiste que les fondations. Dans Church Street, en face, le jubé de la **Guild Chapel** (1496) est orné d'un Jugement dernier (vers 1500). Shakespeare a, croit-on, fréquenté l'**Edward VI Grammar School**, sa voisine (au-dessus du Guildhall).

En tournant à gauche dans Old Town, on arrive à **Hall's Croft**, ancienne demeure de la fille de Shakespeare, Susanna, où sont exposés des objets médicaux des XVIe et XVIIe siècles. Une avenue bordée de tilleuls mène à **Holy Trinity Church**, où Shakespeare est enterré. De là, une promenade le long de la rivière conduit aux **Bancroft Gardens**, au confluent du canal de Stratford et de l'Avon.

🏛 Shakespeare's Birthplace

Henley St. 📞 *01789 201823.* ◯ *t.l.j.* ● *23-26 déc.* 🚻 📷 ♿ *limité.* 🌐 *www.shakespeare.org.uk*
Achetée par l'État en 1847 (c'était alors une taverne), la maison natale du dramaturge fut restaurée dans le style élisabéthain. Des souvenirs de son père, gantier et marchand de laine, y sont exposés. On peut voir la pièce où Shakespeare est supposé être né et une autre pièce dont la fenêtre est gravée d'autographes de visiteurs dont celui de sir Walter Scott *(p. 498).*

⚜ Harvard House

High St. 📞 *01789 204016.*
🕐 *de mai à sept. : du ven. au dim.,*
lun. (férié). 🔲 🔲 *limité.*
🔲 *www.shakespeare.org.uk*

Cette maison à colombage
richement sculptée, construite
en 1596, fut la demeure de la
mère de John Harvard, donna
son nom à la célèbre université
américaine. Elle abrite
le Museum of British Pewter,
ainsi que des expositions
sur John Harvard.

Aux environs

La visite du **Anne Hathaway's
Cottage** s'impose. Avant
d'épouser Shakespeare, elle
vivait à Shottery, à 1,5 km de
là. En dépit d'un incendie
en 1969, ce cottage, meublé
de quelques belles pièces
du XVIᵉ siècle, est toujours
intéressant. Les Hathaway
vécurent dans cette maison
agrémentée d'un jardin
jusqu'au début du XXᵉ siècle.

⚜ Anne Hathaway's Cottage

Cottage Lane. 📞 *01789 292100.*
🕐 *t.l.j.* 🕐 *du 23 au 26 déc.* 🔲 🔲
🔲 *www.shakespeare.org.uk*

Kenneth Branagh dans *Hamlet*

LA ROYAL SHAKESPEARE COMPANY

Cette troupe renommée
pour sa nouvelle
interprétation de l'œuvre de
Shakespeare se produit au
Royal Shakespeare Theatre
(1932), bâtiment aveugle
en brique adjacent au Swan
Theatre, construit en 1986
sur le modèle d'un théâtre
élisabéthain. Un bâtiment
voisin expose accessoires,
affiches et costumes.
La Royal Shakespeare
Company se produit aussi
dans une salle de 150 places
connue sous le nom de
l'Other Theatre ainsi qu'à
Londres *(p. 126-127).*

Grevel House, la plus ancienne maison de Chipping Campden

Chipping Campden ⑱

Gloucestershire. 🏠 *2 500.* ℹ️ *Hollis
House, Stow-on-the-Wold (01451
831082).* 🔲 *www.costwold.gov.uk*

C'est au Campden Trust,
association fondée
en 1929 pour perpétuer
l'art de la taille de pierre,
que cette ville typique des
Cotswolds doit d'avoir gardé
les coloris de ses pierres
dorées couvertes de lichen.
En venant du nord-ouest
par la B4035, on aperçoit
d'abord les ruines
de **Campden Manor**,
commencé vers 1613 par
sir Baptist Hicks, premier
vicomte de Campden. À la fin
de la guerre civile *(p. 52-53),*
comme il était aux mains
du Parlement, les troupes
royalistes y mirent le feu,
épargnant cependant les
hospices, en face du portail.
Ils formaient la lettre I (qui
en latin équivaut au J)
en signe de fidélité du
propriétaire au roi Jacques Iᵉʳ.

L'**église Saint-Jacques**,
en ville, l'une des plus belles
des Cotswolds, fut construite
au XVᵉ siècle grâce
aux subsides des marchands
qui exportaient la laine
de la région. L'église contient
de nombreuses tombes et une
magnifique plaque tombale
en cuivre dédiée à William

Grevel. Ce marchand de laine
fit bâtir **Grevel House**
(v. 1380) dans la grand-rue
(High Street), la plus ancienne
d'une belle rangée
de maisons, qui se signale
par sa baie à deux étages.

Le vicomte de Campden fit
don de **Market Hall** (marché
couvert) en 1627. Robert Dover,
son contemporain, fonda en
1612 le Cotswold Olympicks,
longtemps avant l'organisation
des olympiades modernes.
Celles de 1612 comprenaient
des sports violents, comme
la lutte. Ces compétitions se
déroulent toujours le premier
vendredi après Spring Bank
Holiday (dernier lundi de mai).
Elles sont suivies d'une marche
aux flambeaux juste avant
le Scuttlebrook Wake Fair
du lendemain. Le site des jeux
est une spectaculaire cuvette
naturelle sur **Dover's Hill**,
qui domine la ville. L'escalade
de cette colline par temps clair
permet de découvrir le
panorama du Vale of Evesham.

**Le marché couvert du XVIIᵉ siècle
à Chipping Campden**

L'abbatiale de Tewkesbury domine la ville, qui se presse le long des rives de la Severn

Tewkesbury ⓳

Gloucestershire. 🏠 11 000.
🚉 Barton St (01684 295027).
📧 mer., sam. 🌐 www.visitcotswold
sandsevernvale.gov.uk

Cette jolie ville au confluent
de la Severn et de l'Avon
possède l'une des plus belles
abbatiales normandes, **St Mary
the Virgin**, avec sa tour
massive et sa façade normande.
Les gens du pays la sauvèrent
lors de la Dissolution *(p. 339)* en
payant 453 livres à Henri VIII.
Les maisons à colombage qui
l'entourent se serrent
dans un méandre
de la rivière.
Entrepôts et quais
rappellent la
richesse passée,
et le Borough
Mill de Quay
Street est le seul
moulin qui tire
encore son
énergie de la rivière.

**Détail de la Pump
Room de Cheltenham**

Aux environs
Des croisières partent
de la marina fluviale pour
les pubs au bord de l'eau de
Twyning's, à 10 km au nord.

Cheltenham ⓴

Gloucestershire. 🏠 107 000. 🚉 🚌
🚉 77 Promenade (01242 522878).
📧 dim., 2ᵉ et der. ven. du mois (marché
paysan) 🌐 ww.visitcheltenham.info

Sa réputation d'élégance
date du XVIIIᵉ siècle, alors
que la haute société venait
y prendre les eaux à l'exemple

de George III *(p. 54-55)*.
Le long de larges avenues,
on construisit de nombreuses
maisons élégantes
aux terrasses néo-classiques.
Certaines ont subsisté autour
du Queen's Hotel, près
de **Montpellier**, ravissante
arcade Régence bordée
d'artisans et d'antiquaires,
et sur la **Promenade**, avec
ses grands magasins et ses
couturiers chic. L'atmosphère
est plus moderne dans la
récente Regency Arcade, dont
l'attraction est l'**horloge** de
Kit Williams (1987) : toutes les
heures, des poissons
soufflent des bulles
au-dessus de la tête
des passants. Le
**Museum and Art
Gallery** mérite
une visite pour
sa collection de
meubles et
d'objets dus à
des membres
de l'Arts and Crafts
Movement *(p. 25)*,
dont William Morris *(p. 208)*
définit les principes
strictement utilitaires.
La **Pitville Pump Room**,
dessinée d'après le temple
d'Ilissos, à Athènes, raconte
l'histoire de la mode, de
la Régence aux années 1960.
Sous son dôme ont souvent
lieu des représentations,
à l'occasion des festivals
de musique (en juillet) et
de littérature (en octobre).
Mais l'événement qui attire
vraiment les foules est
la Cheltenham Gold Cup
qui se déroule en mars

à l'hippodrome de Presbury,
à l'est de la ville *(p. 66)*.

🏛 Museum and Art Gallery
Clarence St. 📞 01242 237431. 🕐 du
lun. au sam. ⬤ 25 déc., 1ᵉʳ janv., jours
fériés. ♿ 🅿 sur rendez-vous. 📷 ♿
🌐 www.cheltenham.artgallery.museum

🏛 Pitville Pump Room
Pitville Park. 📞 01242 523852.
⬤ 25, 26 déc., 1ᵉʳ janv., jours fériés
et événements particuliers ;
se renseigner par téléphone. ♿

**L'horloge de Kit Williams, dans la
Regency Arcade de Cheltenham**

Nef de la cathédrale de Gloucester

Gloucester ㉑

Gloucestershire. 🏘 *110 000.* 🚉 🚌
🛈 *28, Southgate St (01452 421188).*
📅 *mer., sam.*
ⓦ *www.gloucester.gov.uk/tourism*

C'est à Gloucester que
Guillaume le Conquérant
commanda l'inventaire
de toutes les terres de
son royaume, qui devait être
consigné dans le *Domesday
Book* de 1086 *(p. 48).*

Les souverains normands
appréciaient la ville,
et c'est dans sa magnifique
cathédrale qu'Henri III se fit
couronner en 1216. La nef,
solide et majestueuse, fut
entreprise en 1089. Édouard II
(p. 425), qui fut assassiné en
1327 au château de Berkeley,
à 14 km au sud-ouest, est
enterré près du maître-autel.
De nombreux pèlerins vinrent
lui rendre hommage, laissant
de généreuses offrandes,
ce qui permit à l'abbé Thoky
de commencer la
reconstruction en 1331.
On lui doit le magnifique
vitrail (à l'est) et le cloître,
surmonté d'une voûte
en éventail, qui fut souvent
copié à travers le pays.

Parmi les beaux bâtiments
qui entourent la cathédrale,
citons College Court. Là,
la **House of the Tailor of
Gloucester** *(p. 355)* occupe
la maison que Beatrix Potter,
auteur pour enfants, utilisa
pour illustrer l'histoire
du Tailleur de Gloucester.
Un ensemble de musées a été
ouvert dans les **Gloucester
Docks**, encore en partie
en activité, reliés au détroit
de Bristol par le canal

de Gloucester et Sharpness
(ouvert en 1827). Dans
le vieux port, le **National
Waterways Museum**, logé
dans un entrepôt victorien,
retrace, par le biais de
présentations interactives,
l'histoire des canaux.

🏛 House of the Tailor
of Gloucester
College Court. 📞 *01452 422856.*
⬜ *du lun. au sam.* ⬤ *jours fériés.*
📷 🎥

🏛 National Waterways
Museum
Llanthony Warehouse, Gloucester
Docks. 📞 *01452 318054.*
⬜ *t.l.j.* ⬤ *25 déc.* 📷 🎥 ♿ 🖥
ⓦ *www.mwm.org.uk*

Cirencester ㉒

Gloucestershire. 🏘 *20 000.* 🚌 🛈
Market Place (01285 654180).
📅 *lun., mar. (bétail) et ven.*
ⓦ *www.cotswold.gov.uk*

L a capitale des Cotswolds
est construite autour d'une
place du marché où fromages,
poissons, fleurs et herbes
s'étalent chaque lundi et
vendredi. L'**église Sain-Jean-
Baptiste**, dont la chaire « en
verre à vin » (1515) est l'une
des rares d'Angleterre datant
d'avant la Réforme, domine la
place du marché. À l'ouest,
le **Cirencester Park** fut
dessiné par le premier comte
de Bathurst, à partir de 1714,
avec l'aide du poète
Alexander Pope *(p. 305).*
La demeure est ceinte
d'une haie d'ifs qu'on dit

la plus haute du monde.
Les maisons de marchands
de laine des XVIIᵉ et
XVIIIᵉ siècles de Cecily Hill,
de style italianisant,
se concentrent autour
de l'entrée du parc. Coxwell
Street compte des habitations
des Cotswolds plus modestes.

Sous ces maisons en pierre
dorée se trouve une ville
romaine dont les vestiges
apparaissent au premier coup
de pioche. Le **Corinium
Museum** (du nom latin
de la ville) expose des objets
mis au jour, mettant en scène
la vie d'une famille romaine.

♣ Cirencester Park
Cirencester Park.
📞 *01285 653135.* ⬜ *t.l.j.* ♿
ⓦ *www.circensesterpark.co.uk*

🏛 Corinium Museum
Park St. 📞 *01285 655611.*
⬜ *t.l.j. (dim. : a.-m. seul.).* ⬤ *25 et
26 déc., 1ᵉʳ janv.* 📷 🎥 ♿ 🖥

**L'église paroissiale de Cirencester,
l'une des plus grandes d'Angleterre**

ART ET NATURE DANS LE MONDE ROMAIN

À l'époque romaine, Cirencester produisait des mosaïques.
Le Corinium Museum en expose de belles pièces, qui
illustrent des thèmes classiques, comme Orphée subjuguant
les lions et les tigres au son de sa lyre ou la représentation
réaliste d'un lièvre. Les mosaïques de la villa de Chedworth,

à 13 km au nord, s'inspirent
de la vie quotidienne.
Parmi celles dites des *Quatre
Saisons*, l'Hiver représente
un paysan dont le manteau
flotte au vent, le lièvre
qu'il vient d'attraper
dans une main, du bois
pour le feu dans l'autre.

Mosaïque au lièvre,
Corinium Museum

L'EST DES MIDLANDS

DERBYSHIRE · LEICESTERSHIRE · LINCOLNSHIRE
NORTHAMPTONSHIRE · NOTTINGHAMSHIRE

L'est des Midlands présente trois types de paysages très différents. À l'ouest, les plaines basses et les villes industrielles du cœur de la région sont dominées par des landes sauvages qui s'élèvent jusqu'aux hauteurs escarpées du Peak District. À l'est, collines et villages de pierre calcaire s'étirent le long d'une côte basse.

L'est des Midlands doit beaucoup à la combinaison entre les villes et la campagne. Les stations thermales, les vieux villages et les grands domaines s'insèrent dans un paysage profondément modelé par l'industrialisation.

Cette région est habitée depuis la préhistoire. Les Romains exploitaient des mines de plomb et de sel ; ils établirent un vaste réseau de voies et de camps. L'influence des Anglo-Saxons et des Vikings, quant à elle, est manifeste dans la toponymie. Au Moyen Âge, les bénéfices de l'industrie lainière permirent l'essor de villes comme Lincoln, qui compte encore nombre de beaux édifices. L'est des Midlands fut le théâtre de batailles féroces pendant la guerre des Deux-Roses et la guerre civile, et les insurgés, pendant l'insurrection jacobite, atteignirent Derby.

Dans l'ouest de la région s'étend le Peak District, le premier parc naturel de Grande-Bretagne, fondé en 1951. Les landes couvertes de bruyère ou la vallée boisée de la Dove attirent les visiteurs en quête de sites naturels.

Les amateurs d'escalade et de varappe fréquentent assidûment les Peaks. Les prés clos de murets de pierre sont situés sur les versants orientaux des Peaks qui s'abaissent progressivement vers des vallées abritées. Les thermes romains de Buxton mettent une dernière note d'élégance avant les plaines du Derbyshire, du Leicestershire et du Nottinghamshire. Ce paysage, semé de mines de charbons et d'usines depuis la fin du XVIIe siècle, est destiné à devenir une forêt domaniale au cours du XXIe siècle.

Danse à l'occasion de la fête ancestrale des puits fleuris, à Stoney Middleton dans le Peak District

◁ Façade ouest de Chatsworth House, superbe demeure baroque du Peak District

À la découverte de l'est des Midlands

L'est des Midlands, région très fréquentée, possède un bon réseau routier, mais est plus agréable à parcourir à pied. De nombreux sentiers bien balisés traversent le parc national du Peak District. Chatsworth et Burghley ont de magnifiques demeures et les villes historiques comme Lincoln ou Stamford sont passionnantes.

LA RÉGION D'UN COUP D'ŒIL

Burghley p. 330-331 **8**
Buxton **1**
Chatsworth p. 322-323 **2**
Lincoln p. 328-329 **7**
Matlock Bath **3**
Northampton **10**
Nottingham **6**
Stamford **9**

Excursions

Le Peak District **5**
Tissington Trail **4**

CIRCULER

Les principales routes pour l'est des Midlands sont la M6, la M1 et l'A1, mais elles souffrent de l'encombrement dû au volume du trafic. Il est parfois plus rapide et plus intéressant d'emprunter de petites routes qui traversent, par exemple, les villages des alentours de Stamford et de Northampton. L'été, les routes du Peak District sont surchargées, et il est conseillé de partir tôt le matin. Lincoln et Stamford sont bien reliés à Londres par le train. Le chemin de fer est beaucoup moins commode dans le Peak District, mais des lignes locales desservent Matlock et Buxton.

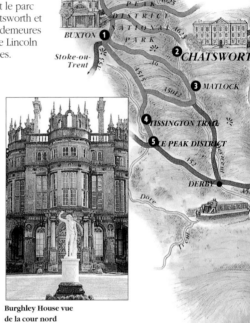

Burghley House vue de la cour nord

VOIR AUSSI

- *Hébergement* p. 558-559
- *Restaurants et pubs* p. 593-595

*(carte : Doncaster, Edale, Sheffield, Peak District National Park, Buxton **1**, Stoke-on-Trent, Chatsworth **2**, Matlock **3**, Tissington Trail **4**, Le Peak District **5**, Derby, Dore, Coventry, Birmingham)*

LÉGENDE

▨	Autoroute
▨	Route principale
▨	Route pittoresque
▪▪	Chemin pittoresque
▨	Cours d'eau
❊	Point de vue

Paysage du Peak District vu du Tissington Trail

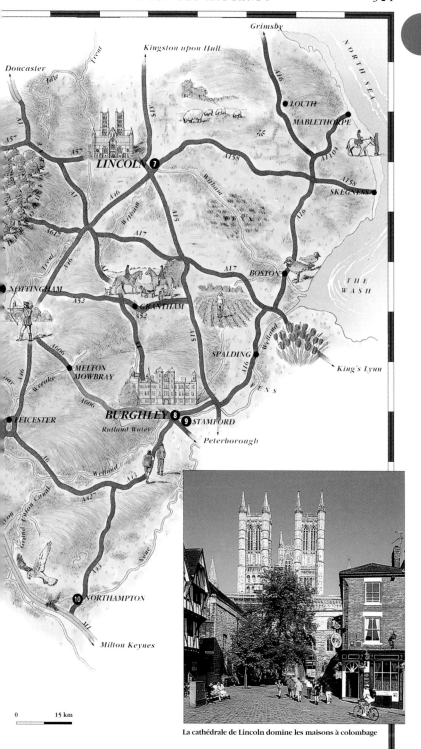

La cathédrale de Lincoln domine les maisons à colombage

0   15 km

L'opéra de Buxton, de la fin
du XIXᵉ siècle, restauré en 1979

Buxton ❶

Derbyshire. 🏠 20 000. ✈ 🚌 🚹 *The
Crescent (01298 25106).* 🏪 *mar., sam.*
🌐 www.highpeak.gov.uk

C'est le cinquième duc
de Devonshire qui en fit
une ville d'eaux à la fin du
XVIIIᵉ siècle. Buxton compte
de beaux édifices néo-
classiques, parmi lesquels
des écuries devenues le
Devonshire Royal Hospital
(1790), à l'entrée de la ville.
Le **Crescent** (1780-1790)
fut bâti afin de rivaliser avec
celui de Bath *(p. 246).*
   Le bureau d'information
touristique est installé dans
les anciens bains municipaux,
au sud-ouest de la ville. Là
se trouve une source d'où
l'eau jaillit avec un débit
de 7 000 l/h. L'eau de Buxton
se vend en bouteille, mais
il existe une fontaine
publique à **St Ann's Well**.
   Des jardins en pente,
les Slopes, vont du Crescent
au petit **Museum and Art
Gallery**. Derrière le Crescent,
dominant les Pavilion
Gardens, s'élève l'étonnant
Pavilion de fer et de verre
du XIXᵉ siècle et l'**opéra**,
magnifiquement restauré,
qui accueille l'été un festival
de musique et d'art.

🏛 Buxton Museum and
Art Gallery
Terrace Rd. 📞 *01298 24658.* 🕐
*de Pâques à sept. : du mar. au dim. ;
d'oct. à Pâques : du mar. au sam.*
⬤ *du 25 déc. au 2 janv.* ♿ 🅿
🌐 www.derbyshire.gov.uk
🎪 **Pavilion and Gardens**
St John's Rd. 📞 *01298 23114.*
🕐 *t.l.j.* ⬤ *25 déc.* ♿ 🍴 📷 🅿

Château et jardins
de Chatsworth ❷

Cette grande demeure est
l'une des plus marquantes
de Grande-Bretagne. Entre 1687
et 1707, le quatrième comte de
Devonshire remplaça la demeure
Tudor par ce palais baroque aux
magnifiques jardins dessinés dans
les années 1760 par Capability
Brown *(p. 23)* et améliorés
par Joseph Paxton *(p. 56-57)*
au milieu du XIXᵉ siècle.

Bess de Hardwick bâtit la
première demeure en 1552

★ **Cascade**
*L'eau dévale
les escaliers
de la Cascade,
construite en 1696
à la française.*

À NE PAS MANQUER

★ **La cascade**

★ **La chapelle**

Résidence
d'été

Les étangs ronds
sont surnommés
« les Lunettes »

Entrée
du jardin

Entrée
de la maison

Paxton's « Conservative » Wall
*Cette serre de bois et de verre fut dessinée
en 1848 par Joseph Paxton, auteur
du Great Conservatory de Chatsworth
(aujourd'hui détruit).*

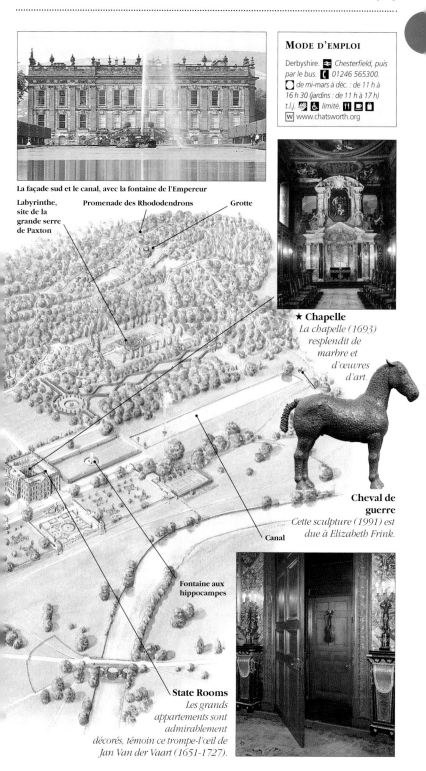

La façade sud et le canal, avec la fontaine de l'Empereur

MODE D'EMPLOI

Derbyshire. Chesterfield, puis par le bus. 01246 565300. de mi-mars à déc. : de 11 h à 16 h 30 (jardins : de 11 h à 17 h) t.l.j. limité. W www.chatsworth.org

Labyrinthe, site de la grande serre de Paxton

Promenade des Rhododendrons

Grotte

★ **Chapelle**
La chapelle (1693) resplendit de marbre et d'œuvres d'art.

Cheval de guerre
Cette sculpture (1991) est due à Elizabeth Frink.

Canal

Fontaine aux hippocampes

State Rooms
Les grands appartements sont admirablement décorés, témoin ce trompe-l'œil de Jan Van der Vaart (1651-1727).

Matlock ❸

Derbyshire. 👥 23 000. 🚉
ℹ️ Crown Square (01629 583388).
🌐 www.derbyshiredales.gov.uk

Matlock devint une ville d'eau vers 1780. L'imposant **palais** (1853), situé sur une colline qui domine la ville, est un établissement thermal transformé en bureaux du conseil municipal. Sur la colline d'en face se trouvent les ruines de **Riber Castle**, un château néogothique.

L'A6 quitte Matlock et traverse la très belle **Derwent Gorge** jusqu'à **Matlock Bath**, d'où un téléphérique mène au parc de loisirs des **Heights of Abraham**, avec ses grottes, ses sentiers sauvages et son vaste panorama. Le **Peak District Mining Museum**, complété par la **Temple Mine**, est consacré à l'extraction du plomb. **Sir Richard Arkwright's Cromford Mill** (1771), première filature du monde à énergie hydraulique, est située à l'extrémité sud de la gorge (p. 327).

🚡 **Heights of Abraham**
A6. 📞 01629 582365. ◯ de fév. à mars : sam. et dim. 🎫 ♿ limité.
🏛 **Peak District Mining Museum**
The Pavilion, A6. 📞 01629 583834.
◯ t.l.j. ● 25 déc. 🎫 ♿ 🅿️ 🛍
🌐 www.peakmines.co.uk
⛏ **Temple Mine**
Temple Rd, A6. 📞 01629 583834.
◯ tél. pour horaires. ● 25 déc. 🎫
⛏ **Arkwright's Mill**
Mill Lane, Cromford. 📞 01629 824297. ◯ t.l.j. ● 25 déc. ♿
🌐 www.cromfordmill.co.uk

Le téléphérique qui conduit les visiteurs aux Heights of Abraham

Tissington Trail ❹

Voir p. 325.

Excursion dans le Peak District ❺

Voir p. 326-327.

Nottingham ❻

Nottinghamshire. 👥 269 000.
🚉 🚌 ℹ️ Smithy Row
(0115 9155330). 🛍 t.l.j.
🌐 www.experiencenottinghamshire.com

Ce nom évoque, bien sûr, le shérif ennemi de Robin des Bois. Le **château de Nottingham** existe bel et bien, dressé sur un rocher truffé de passages souterrains. Il abrite un musée d'histoire de la ville et la galerie d'art municipale la plus ancienne de Grande-Bretagne, qui compte des œuvres de Sir Stanley Spencer (1891-1959) et de Dante Gabriel Rossetti (1828-1882). Au pied du château, la plus vieille taverne de Grande-Bretagne, le **Trip to Jerusalem** (1189), accueille toujours des clients. Si l'enseigne évoque les croisades, les bâtiments datent pour l'essentiel du XVIIᵉ siècle.

Plusieurs musées sont installés non loin du château : le **Tales of Robin Hood** recourt à des effets spéciaux pour retracer la vie du célèbre bandit ; le **Museum of Nottingham Life** vous fera découvrir ce qu'était le mode de vie des habitants de la région il y a trois cents ans.

Aux environs
Kedleston Hall (p. 24-25), néo-classique, fait partie des grandes demeures qui se trouvent dans un rayon de quelques kilomètres. C'est Bess de Hardwick, l'avide comtesse de Shrewsbury (p. 322), qui a fait construire le spectaculaire **Hardwick Hall** (p. 290).

♟ **Nottingham Castle and Museum**
Castle Rd. 📞 0115 9153700. ◯ t.l.j. ● du 24 au 27 déc., 1ᵉʳ janv. 🎫 sam., dim. et jours fériés. ♿ 🅿️ 🛍
🏛 **Tales of Robin Hood**
30-38 Maid Marion Way. 📞 0115 9483284. ◯ t.l.j. ● 25 et 26 déc. 🎫 ♿ 🅿️ 🛍
🏛 **Museum of Nottingham Life**
Casne Bd. 📞 0115 9153600.
◯ t.l.j. ● du 24 au 26 déc., 1ᵉʳ janv. 🎫 sam et dim. seulement.
🏰 **Kedleston Hall**
(NT) A38. 📞 01332 842191.
◯ d'avr. à oct. : du sam. au mer. (après-midi). 🎫 ♿ 🅿️
🏰 **Hardwick Hall**
(NT) A617. 📞 01246 850430.
◯ d'avr. à oct. : mer., jeu., sam. dim. et jours fériés. 🎫 ♿ limité. 🍴 🅿️

ROBIN DES BOIS, DE LA FORÊT DE SHERWOOD

Nombre de livres et de films retracent les aventures mouvementées de Robin et de ses « joyeux compagnons » dans la forêt de Sherwood, près de Nottingham. Issu de la tradition orale, ce personnage, qui dévalisait les riches au profit des pauvres, apparut d'abord dans des ballades ; les premiers récits écrits de ses exploits datent du XVᵉ siècle. Il évoque sans doute à la fois plusieurs hors-la-loi du Moyen Âge qui refusaient de se soumettre aux contraintes de la vie féodale.

Illustration victorienne représentant frère Tuck et Robin des Bois

Tissington Trail ❹

Le Tissington Trail parcourt en tout 22 km, du village d'Ashbourne à Parsley Hay, où il rejoint le High Peak Trail. En voici une partie, qui emprunte un chemin facile, le long d'une voie ferrée désaffectée autour du village de Tissington, d'où l'on a de belles vues sur les paysages de White Peak. La coutume de fleurir les puits dans le Derbyshire est certainement bien antérieure à la christianisation. Elle reprit vie au début du XVIIe siècle ; on décora les sources de Tissington, car on attribuait la fin de l'épidémie de peste à l'effet salvateur de l'eau. Cet acte est resté un événement important dans le Peak District, surtout dans les villages dont les ressources en eau avaient tendance à s'amenuiser.

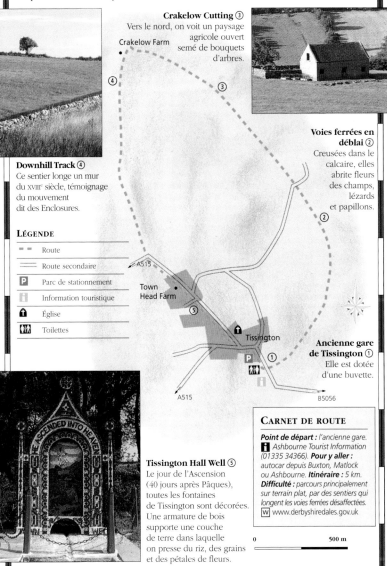

Crakelow Cutting ③
Vers le nord, on voit un paysage agricole ouvert semé de bouquets d'arbres.

Crakelow Farm

Downhill Track ④
Ce sentier longe un mur du XVIIIe siècle, témoignage du mouvement dit des Enclosures.

Voies ferrées en déblai ②
Creusées dans le calcaire, elles abrite fleurs des champs, lézards et papillons.

LÉGENDE

– –	Route
===	Route secondaire
P	Parc de stationnement
H	Information touristique
⌂	Église
WC	Toilettes

A515

Town Head Farm

Tissington

Ancienne gare de Tissington ①
Elle est dotée d'une buvette.

A515

B5056

Tissington Hall Well ⑤
Le jour de l'Ascension (40 jours après Pâques), toutes les fontaines de Tissington sont décorées. Une armature de bois supporte une couche de terre dans laquelle on presse du riz, des grains et des pétales de fleurs.

CARNET DE ROUTE

Point de départ : l'ancienne gare. **H** Ashbourne Tourist Information (01335 34366). *Pour y aller :* autocar depuis Buxton, Matlock ou Ashbourne. *Itinéraire :* 5 km. *Difficulté :* parcours principalement sur terrain plat, par des sentiers qui longent les voies ferrées désaffectées. **W** www.derbyshiredales.gov.uk

0   500 m

Excursion dans le Peak District ❺

Angelot, Opéra de Buxton

Dans le Peak District, les sites naturels et les hauteurs rocailleuses où paissent les moutons contrastent avec les villes industrielles des vallées. Le premier parc naturel de Grande-Bretagne, créé en 1951, présente deux types de paysages : dans le sud, les collines de calcaire blanc du White Peak ; au nord, à l'est et à l'ouest, les landes sauvages et couvertes de bruyère des tourbières de Dark Peak recouvrant une couche de grès meulier.

Edale ❺

Le haut plateau du pittoresque Edale est le point de départ du sentier de Pennine Way, long de 412 km *(p. 32)*.

Buxton ❻

On a surnommé l'Opéra *(p. 322)* de cette jolie ville d'eaux le « théâtre sur la colline », en raison de son site magnifique.

Arbor Low ❼

Ce cercle de pierres qui date de 2000 av. J.-C., surnommé le « Stonehenge du Nord », compte 46 pierres couchées ceintes d'un fossé.

CARNET DE ROUTE

Itinéraire : 60 km.
Où faire une pause ? *On trouve des rafraîchissements au Crish Tramway Village et à la filature d'Arkwright, à Cromford. Eyam compte de bons salons de thé . La Nag's Head, à Edale, est une charmante auberge Tudor. À Buxton, nombreux pubs et cafés (voir p. 636-637).*

LÉGENDE

▬▬▬	Route du circuite
═══	Autre route
☼	Point de vue

Dovedale ❽

Cette vallée fréquentée est une des plus jolies du Peak District, avec ses pierres de gué, ses rives densément boisées et ses rochers sculptés par le gel et la glace. Izaac Walton (1593-1683), auteur de *The Compleat Angler* (« le Parfait Pêcheur »), venait y pêcher.

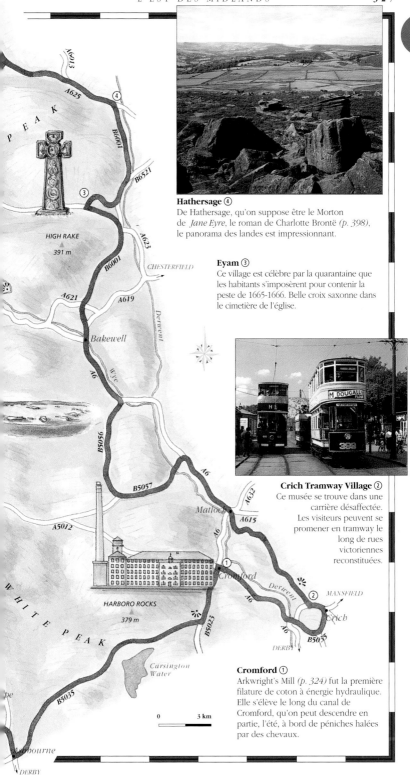

Hathersage ④
De Hathersage, qu'on suppose être le Morton de *Jane Eyre*, le roman de Charlotte Brontë *(p. 398)*, le panorama des landes est impressionnant.

Eyam ③
Ce village est célèbre par la quarantaine que les habitants s'imposèrent pour contenir la peste de 1665-1666. Belle croix saxonne dans le cimetière de l'église.

Crich Tramway Village ②
Ce musée se trouve dans une carrière désaffectée. Les visiteurs peuvent se promener en tramway le long de rues victoriennes reconstituées.

Cromford ①
Arkwright's Mill *(p. 324)* fut la première filature de coton à énergie hydraulique. Elle s'élève le long du canal de Cromford, qu'on peut descendre en partie, l'été, à bord de péniches halées par des chevaux.

Lincoln pas à pas ❼

Sculpture du *Chœur des Anges*

Au milieu du paysage plat des Fens, Lincoln dresse du haut d'une falaise, au-dessus du cours de la Witham, les trois tours de sa cathédrale. Ce sont les Romains *(p. 44-45)* qui ont fortifié la ville en 50 apr. J.-C. À l'époque de l'invasion normande *(p. 47)*, Lincoln était une des villes les plus importantes d'Angleterre (après Londres, Winchester et York). Elle devait sa richesse à sa situation stratégique pour l'exportation de la laine des collines crayeuses du Lincolnshire vers le continent. Beaucoup de beaux bâtiments médiévaux ont survécu, pour la plupart le long de Steep Hill, rue très en pente qui mène à la cathédrale.

Newport Arch (IIIᵉ s.)

Museum of Lincolnshire Life

WESTGATE

BAILGATE

CASTLE HILL

STEEP HILL

DRURY LANE

MICHAELGATE

Norman House (vers 1180)

★ Le château
Ce château normand primitif fut la prison de la ville de 1787 à 1878. Les bancs en forme de cercueil de la chapelle rappelaient leur châtiment aux criminels.

LÉGENDE

- - - Itinéraire conseillé

Jew's House
Au Moyen Âge, Lincoln avait une vaste communauté juive. Cette maison du XIIᵉ siècle, l'une des plus vieilles encore debout, appartenait à un marchand juif.

Stonebow Gate (XVᵉ s.), gare ferroviaire et gare routière

0   100 m

À NE PAS MANQUER

★ Le château

★ La cathédrale

MODE D'EMPLOI

Lincolnshire. 🏠 *90 000.*
✈ *Humberside, 48 km ;*
E Midlands, 82 km.
🚋 *St Mary St.* 🚌 *Melville St.*
ℹ *Castle Hill (01522 873213),*
The Cornhill (01522 873256)
Ⓦ *www.lincoln.gov.uk*

★ La cathédrale
*La façade ouest est un mélange harmonieux
de styles normand et gothique. À l'intérieur,
il faut remarquer le Chœur des Anges,
parmi lesquels figure le diablotin de Lincoln.*

**Alfred, Lord
Tennyson**
*Une statue du poète né
dans le Lincolnshire
(1809-1892)
se dresse dans
le parc.*

EASTGATE

POTTERGATE

MINISTER YARD

GREENSTONE PLACE

DANESGATE

LINDUM ROAD

TERRACE

Potter Gate
(XIVᵉ s.)

Arboretum

**Ruines du
palais épiscopal**

LES MISÉRICORDES

Ce support placé sous
le siège mobile d'une
stalle d'église permet aux
religieux de s'appuyer ou de
s'asseoir en ayant l'air d'être
debout. Celles des
stalles de la cathédrale de Lincoln,
dans le chœur d'un style gothique
primitif perpendiculaire, sont
les plus belles d'Angleterre. Parmi
la grande variété de sujets, des
mythes, des scènes bibliques et
des scènes de la vie quotidienne.

**Saint François
d'Assise**

Lion faisant partie d'une paire

Usher Art Gallery
*Regorgeant
d'horloges,
de porcelaine et
d'argenterie,
elle conserve
des œuvres de
Peter de Wint
(1784-1849) et
de Turner* (p. 93).

Burghley House ❽

**Portrait de
Newton, salle
de billard**

William Cecil, premier lord Burghley (1520-1598), fut 40 ans durant le confident et conseiller de la reine Élisabeth Ire. Il fit construire l'étonnante Burghley House en 1555-1587, probablement d'après ses propres dessins. Le toit est hérissé de pyramides, de cheminées déguisées en colonnes à l'antique et de clochetons en forme de poivrière. Vus de l'ouest, où se dresse encore l'un des nombreux tilleuls plantés par Capability Brown *(p. 23)* qui redessina le parc aux cerfs en 1760, ces toits paraissent simples et symétriques. Les murs et les plafonds sont abondamment ornés de fresques italiennes représentant des scènes mythologiques.

★ **Vieille cuisine**
Cette pièce voûtée a peu changé depuis l'époque Tudor. Des casseroles de cuivre bien astiquées sont suspendues aux murs.

Porte nord
Les entrées principales sont ornées de portails de fer ouvré du XIXe siècle assez chargés.

La salle de billard compte de nombreux portraits encastrés dans la boiserie.

Les coupoles
étaient très en vogue à la Renaissance.

Les cheminées
sont camouflées en colonnes à l'antique.

Les fenêtres à meneaux furent ajoutées en 1683, quand le verre devint moins coûteux.

L'entrée principale, flanquée de tourelles, est typique de l'architecture « prodigieuse » de l'époque Tudor *(p. 290)*.

Façade ouest
La façade ouest, où apparaissent les armes de Burghley, fut achevée en 1577 ; c'était l'entrée principale.

À NE PAS MANQUER

★ **La vieille cuisine**

★ **Chambre du Paradis**

★ **Escalier de l'Enfer**

MODE D'EMPLOI

A1 S.-E. de Stamford, Lincs. ☎ *01780 752451.* ☒ *Stamford.* ◯ *d'avr. à mi-oct. : 11 h à 16 h 30 du sam. au jeu.* ◯ *1 jour sept. (concours hippique).* W *www.burghley.com*

★ **Chambre du Paradis**
Les dieux descendent du ciel et des satyres et des nymphes gambadent sur les murs et le plafond de ce chef-d'œuvre d'Antonio Verrio (1639-1707).

Obélisque et horloge (1585)

Great Hall, qui a un haut plafond à caissons, était une salle des banquets sous Élisabeth Iʳᵉ.

Le rafraîchissoir à vin (1710) est sans doute le plus grand qui existe.

La chambre George IV, qui fait partie d'une suite, a des boiseries de chêne tachées de bière.

★ **Escalier de l'Enfer**
Sur le plafond, Verrio a représenté l'enfer sous la forme d'une gueule de chat pleine de damnés. L'escalier, en pierre du pays, date de 1786.

Stamford 9

Lincolnshire. 🏘 *18 000.* ☒ ☐ ℹ️ *27 St Mary's St (01780 755611).* ☖ *ven.* W *www.southwestlinks.com*

L a ville est connue pour ses églises et ses maisons georgiennes. Elle a gardé son réseau médiéval de rues tortueuses et pavées. Les flèches des églises médiévales (il en reste 5 sur 11) rappellent celles d'Oxford.

Barn Hill, qui monte jusqu'à All Saints Church, montre l'architecture georgienne de la ville dans toute sa variété. Plus bas s'étire Broad Street, où un **musée** évoque l'histoire de la ville. La pièce la plus célèbre en est une figure de cire de Daniel Lambert, l'homme le plus gros de Grande-Bretagne (336 kg), qui mourut en assistant aux courses à Stamford en 1809.

🏛 **Stamford Museum**
Broad St. ☎ *01780 766317.* ◯ *d'avr. à sept. : t.l.j. (dim. : a.-m.) ; d'oct. à mars : du lun. au sam.* ♿ *limité.* ☐ W *www. lincolnshire.gov.uk/stamfordmuseum*

Northampton 10

Northamptonshire. 🏘 *187 000.* ☒ ☐ ℹ️ *The Guildhall. St Giles Sq (01604 838800).* ☖ *du lun. au sam. (jeu. : antiquités).* W *www.northampton.gov.uk*

C ette ville de marché était autrefois un centre important de l'industrie de la chaussure. Le **Central Museum and Art Gallery** présente la plus importante collection de chaussures au monde. L'immeuble gothique victorien **Guildhall** témoigne également de ce prestigieux passé. À 8 km à l'ouest de la ville se dresse **Althorp House**, la maison natale de la princesse Diana. Les visiteurs peuvent faire le tour de la maison et des jardins et visiter une exposition.

🏛 **Central Museum and Art Gallery**
Guildhall Rd. ☎ *01604 238548.* ◯ *t.l.j. (dim. : après-midi).* ◯ *25 et 26 déc.* ♿ ☐
🏛 **Althorp House**
Great Brington (A428). ☎ *01604 770107.* ◯ *de juil. à sept. : t.l.j.* ◯ *31 août.* ♿ ☐ ☐ W *www.althorp.com*

Le Nord

PRÉSENTATION DU NORD 334-341
LE LANCASHIRE ET LES LACS 342-365
LE YORKSHIRE ET LA RÉGION DU HUMBER 366-399
LA NORTHUMBRIA 400-415

Le Nord d'un coup d'œil

Des côtes découpées, des randonnées et des ascensions spectaculaires, de belles demeures aristocratiques et des cathédrales stupéfiantes font l'attrait du nord de l'Angleterre, qui a connu la *pax romana*, l'invasion saxonne, les raids vikings et les escarmouches frontalières. Halifax, Liverpool et Manchester regorgent de témoignages de la révolution industrielle, tandis que les montagnes romantiques et les plans d'eau du Lake District invitent au repos de l'esprit.

Le mur d'Hadrien (p. 408-409), *construit vers 120 afin de protéger les Bretons romanisés contre les Pictes du Nord, traverse le paysage découpé du parc national du Northumberland.*

NORTHUMBRI (p. 400-415)

Northumberla

Durha

Dans le Lake District (p. 342-357) *alternent des pics superbes, des cours d'eau entrecoupés de chutes et des lacs, comme le Wast Water.*

Cumbria

Le Yorkshire Dales National Park (p. 370-372) *est un cadre idéal pour les randonnées à travers un paysage champêtre semé de délicieux villages comme Thwaite, dans le Swaledale.*

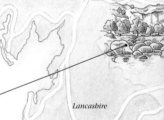

Lancashire

LANCASHIRE ET LES LACS (p. 342-365)

La Walker Art Gallery (p. 364-365) *de Liverpool, l'un des temples de l'art du Nord, conserve une collection connue dans le monde entier qui va des maîtres anciens à l'art moderne. Parmi les sculptures, la* Tinted Venus *(vers 1851-1856) de John Gibson.*

Manchester

Liverpool

◁ **Le château du XIᵉ siècle d'Alnwick, dans le Northumberland, vu de l'autre rive de l'Aln**

Fountains Abbey (p. 376-377), *l'un des plus beaux monuments religieux du Nord, fut fondée au XIIe siècle par des moines dans un souci de simplicité et d'austérité. L'abbaye connut par la suite une grande prospérité.*

La cathédrale de Durham (p. 414-415), *bâtiment normand impressionnant qui possède un chœur remarquable et de beaux vitraux, domine la ville depuis 995.*

Castle Howard (p. 384-385), *triomphe de l'architecture baroque, offre de superbes décors, parmi lesquels le Museum Room (1805-1810), œuvre de C. H. Tatham.*

Cleveland

North Yorkshire

ORKSHIRE
ET RÉGION
U HUMBER
. 366-399)

East Riding of Yorkshire

Leeds

York (p. 390-395) *est une ville riche en monuments historiques médiévaux ou georgiens. Sa magnifique cathédrale est ornée de nombreux vitraux et les murs de la cité médiévale sont bien conservés. Sans oublier les églises, les ruelles et d'intéressants musées.*

0   25 km

La révolution industrielle dans le Nord

Au XIXᵉ siècle, l'essor des mines de charbon et des industries textile et navale changea radicalement la physionomie du nord de l'Angleterre. Le Lancashire, le Northumberland et le West Riding *(p. 367)* du Yorkshire connurent une croissance rapide de la population en liaison avec un fort exode rural. Malgré les initiatives de certains industriels philanthropes pour améliorer l'habitat en milieu urbain, beaucoup de gens vivaient encore dans des conditions difficiles. À la suite du déclin ou de la disparition, faute de demande, des industries traditionnelles, une activité touristique a pris le relais dans beaucoup d'anciens sites industriels.

Des corons semblables à ces maisons d'Easington furent bâtis à partir de 1800 par les propriétaires de houillères. Ils comprenaient deux petites pièces (une chambre et une cuisine) et des toilettes à l'extérieur.

1815 Sir Humphrey Davis invente une lampe à huile de sûreté pour les puits. Une feuille cylindrique de gaze filtrant la lumière empêche la chaleur d'enflammer le méthane présent dans la mine. Cette invention sauva la vie à des milliers de mineurs.

Dans le nord de l'Angleterre, les mines de charbon employaient toute la famille : les femmes et les enfants travaillaient au côté des hommes.

1750	1800
AVANT LA VAPEUR	**ÂGE DE LA VAPEUR**
1750	1800

1781 Ouverture du canal de Leeds à Liverpool. En permettant le transport des matières premières et des produits finis, les canaux aidèrent fortement la mécanisation.

1830 Ouverture de la li
de chemin de
Liverpool-Manchester, re
deux des plus grandes v
après Londres. La
accueillait 1 200 passa
par n

Le Piece Hall de Halifax (p. 398-399), restauré en 1976, est le plus beau témoin de l'architecture industrielle du nord de l'Angleterre. C'est le seul marché aux tissus du XVIIIᵉ siècle préservé dans le Yorkshire. Les marchands taillaient leurs tissus par mesures appelées *pieces, dans les échoppes qui bordent l'intérieur des galeries.*

Hebden Bridge (p. 398), *cité textile typique du West Ridin implantée dans l'étroite Calder Valley, est un ensemble de maisons ouvrières entourant une filature centrale. La ville put tirer parti de sa situation lorsque le canal de Rochdale (1804) puis le chemin de fer (1841) empruntèrent cette voi relativement basse à travers les Pennines.*

Saltaire (p. 397), ci-contre vers 1870, est un village modèle édifié pour ses ouvriers par le riche marchand de tissu et propriétaire de filatures sir Titus Salt (1803-1876). Aux maisons venaient s'ajouter des magasins, des jardins et des terrains de sport, des hospices, un hôpital, une école et une chapelle. Homme strict, Salt prohiba de Saltaire l'alcool et les pubs.

George Hudson (1800-1871) construisit la première gare à York (p. 394) en 1840-1842. Dans les années 1840, il possédait plus du quart des voies ferrées et était surnommé « le roi du chemin de fer ».

1842 Le Coal Mine Act interdit le travail des femmes et des enfants dans les mines.

Port Sunlight (p. 365) fut fondé par William Hesketh Lever (1851-1925) afin de loger les ouvriers de l'usine de savon Sunlight. De 1889 à 1914, il fit bâtir 800 cottages et des équipements dont une piscine.

Les grèves pour l'amélioration des conditions de travail étaient courantes. En juillet 1893, le conflit éclata quand les propriétaires de houillères fermèrent les puits parce que la fédération des mineurs s'était opposée à une diminution de salaire de 25 %. Plus de 300 000 ouvriers luttèrent sans être payés jusqu'en novembre, où le travail reprit à l'ancien tarif.

1850	1900
MÉCANISATION	
1850	1900

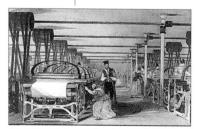

Les métiers à tisser mécaniques transformèrent l'industrie textile et réduisirent les artisans tisserands au chômage. Vers 1850, le West Riding comptait 30 000 métiers à tisser mécaniques, dans des filatures de coton ou de laine. La moitié des 79 000 ouvriers se trouvaient à Bradford.

...cale sèche de Furness fut construite ...rs 1890, quand les chantiers navals se déplacèrent vers le nord, ...n quête de main-d'œuvre bon marché ... matières premières, qu'ils trouvèrent à Barrow-in-Furness, Glasgow ... 502-505) et Tyne and Wear (p. 410).

Joseph Rowntree (1836-1925), ancien collaborateur de George Cadbury, fonda son usine de chocolat à York en 1892. Quakers, les Rowntree voulaient le bien-être social de leurs ouvriers (ils fondèrent un village modèle en 1904), et, avec la confiserie de Terry (1767), ils contribuèrent grandement à la prospérité d'York. Nestlé Rowntree est aujourd'hui la plus grande chocolaterie du monde et York est la capitale du chocolat en Grande-Bretagne.

Les abbayes du Nord

L e Nord compte certains des établissements religieux les plus beaux et les mieux conservés d'Europe. Lieux de prière, d'étude et de pouvoir au Moyen Âge, les plus importants d'entre eux sont les abbayes.

La plupart se trouvaient à la campagne, cadre propice à la vie contemplative. Aux VIIIe et IXe siècles *(p. 46-47)*, les Vikings détruisirent beaucoup de monastères anglo-saxons. Ce ne fut qu'avec la fondation par Guillaume le Conquérant de l'abbaye bénédictine de Selby que la vie monastique reprit vigueur dans le Nord. De nouveaux ordres, comme les augustiniens, vinrent du continent, et en 1500 le Yorkshire comptait 83 monastères.

Moine cistercien

Les ruines de Saint Mary's Abbey

Liberty of St Mary, tel était le nom que portait le territoire qui entourait l'abba pratiquement une ville dans la ville. L'abbé y avait son propre marché, sa foire, sa prise et son gibet, qui échappaient tous à l'autor de la ville.

ST MARY'S ABBEY

Fondée à York en 1086, cette abbaye bénédictine fut l'une des plus prospères d'Angleterre. Son activité dans le commerce de la laine à York, l'octroi de privilèges royaux et pontificaux et ses vastes domaines conduisirent à un relâchement de la règle au début du XIIe siècle. L'abbé avait même le droit de porter des vêtements épiscopaux, et le pape l'éleva à la dignité d' « abbé mitré ». Si bien que 13 moines partirent en 1132 fonder l'abbaye de Fountains *(p. 376-377)*.

Portail et église St Olave

Tour médiane

Tour-citerne

Hospice ou maison d'hôtes

LES MONASTÈRES ET LA VIE LOCALE

Grands propriétaires terriens, les monastères jouaient un rôle crucial dans l'économie locale. Ils fournissaient des emplois et tenaient le commerce de la laine, premier produit d'exportation au Moyen Âge. En 1387, les deux tiers de toute la laine exportée d'Angleterre passaient par St Mary's Abbey, premier marchand de laine d'York.

Moines cisterciens labourant

OÙ VOIR DES ABBAYES AUJOURD'HUI

Fountains Abbey *(p. 376-377)*, fondée par des moines bénédictins et reprise ensuite par des cisterciens, est la plus fameuse des nombreuses abbayes de la région. Rievaulx *(p. 379)*, Byland *(p. 378)* et Furness *(p. 356)* ont toutes été édifiées par des cisterciens, et Furness devint le second établissement cistercien le plus prospère d'Angleterre après Fountains. L'abbaye de Whitby *(p. 382)*, mise à sac par les Vikings, fut reconstruite par les bénédictins. Le Northumberland est connu pour ses églises anglo-saxonnes primitives telles que Ripon, Lastingham et Lindisfarne *(p. 404-405)*.

Mount Grace Priory (p. 380), *fondé en 1398, est l'établissement chartreux le mieux conservé d'Angleterre. Les anciens jardins individuels et les cellules des moines sont encore bien visibles.*

LA DISSOLUTION DES ORDRES MONASTIQUES (1536-1540)

Au début du XVIᵉ siècle, les monastères possédaient le sixième du territoire anglais et leur revenu était quatre fois supérieur à celui de la couronne. En 1536, Henri VIII ordonna la fermeture de tous les établissement religieux et s'attribua leurs biens, provoquant un soulèvement des catholiques du Nord, derrière Robert Aske. Cette rébellion échoua ; Aske et ses lieutenants furent exécutés pour conspiration. La dissolution continua sous l'impulsion de Thomas Cromwell, qui fut surnommé « le fléau des moines ».

Thomas Cromwell (v. 1485-1549)

La grande maison de l'abbé
témoigne du train de vie que les abbés avaient adopté à la fin du Moyen Âge.

La maison du chapitre, dans laquelle celui-ci se réunissait, était le bâtiment le plus important après l'église.

Cabinet

Cuisine

Le chauffoir était, à part la cuisine, la seule pièce du monastère à avoir une cheminée.

Le mur d'enceinte fut renforcé de créneaux en 1318 en prévision des raids des soldats écossais.

Réfectoire

Parloir commun

Cloître

Kirkham Priory, établissement augustinien des années 1120, jouit d'un site tranquille sur les rives de la Derwent, près de Malton. Le plus bel élément des ruines est l'avant-corps de bâtiment, qui date du XIIIᵉ siècle.

Kirkstall Abbey fut fondée en 1152 par des moines de Fountains Abbey. Les ruines bien conservées de cet établissement cistercien proche de Leeds comprennent l'église, la maison du chapitre, de style normand tardif, et le logis de l'abbé. Cette vue vespérale est due à Norman Girtin (1775-1802).

Easby Abbey s'élève au bord de la Swale, près de la jolie ville de Richmond. Parmi les ruines de cet établissement des prémontrés, fondé en 1155, signalons le réfectoire et les dortoirs du XIIIᵉ siècle et le portail du XIVᵉ siècle.

La géologie du Lake District

Le Lake District comprend quelques-uns des paysages les plus spectaculaires de Grande-Bretagne. On y découvre, sur 231 km², les sommets les plus élevés, les vallées les plus encaissées et les lacs les plus profonds. La chaîne pennine, qui limite à l'est la région, prolonge vers le nord la grande chaîne calédonienne. Elle fut le siège d'une calotte glaciaire pendant la période froide du Quaternaire. Le paysage a peu changé depuis la fin de la dernière glaciation, phase climatique majeure (- 10 000 ans env.). Les reliefs qui furent mis au jour lorsque les glaciers se retirèrent ont fait partie d'un ensemble plus vaste dont on retrouve des témoins en Amérique du Nord.

Ardoise du Lake District

Honister Pass *est un exemple très caractéristique de vallée glaciaire « en auge », aujourd'hui totalement libre de glace.*

HISTOIRE DES RELIEFS

Des roches sédimentaires se déposèrent au fond d'un ancien océan. Il y a 450 millions d'années, un vaste mouvement de plaques continentales entraîna la disparition de celui-ci.

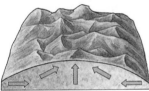

1 *La chaîne pennine est le résultat d'une compression de l'écorce terrestre. Des montées de magma eurent lieu au sein des couches sédimentaires.*

2 *Pendant la glaciation, des cirques furent excavés par les glaciers et les débris (moraines) transportés vers le fond des vallées.*

3 *Lors de la déglaciation, des lacs subsistèrent en arrière de cordons de moraines barrant les vallées. La végétation colonisa de nouveau les reliefs.*

LES LACS

La diversité des paysages lacustres doit beaucoup à la nature des roches sur lesquelles s'est exercée l'action érosive des glaciers. Au nord sont associés à l'ardoise tendre des reliefs émoussés, alors que la roche volcanique dure du centre donne naissance à des collines plus découpées.

Scafell Pike est le point culminant de l'Angleterre (960 m). Non loin se trouvent le Broad Crag et l'Ill Crag.

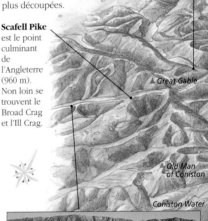

Great Gable

Old Man of Coniston

Coniston Water

Wast Water *est le plus profond des lacs. Les éboulis, situés au pied des escarpements de ses rives sud-est, sont grossis par les fragments qui se détachent des corniches lors du dégel printanier.*

L'HOMME ET LA MONTAGNE

Le fond des vallées jouit d'un climat plus doux et d'un sol fertile. Les fermes, les murs de pierre sèche, les pâturages et les enclos à moutons sont les éléments clés du paysage. Plus haut, arbres et fougères sont absents à cause du vent et du froid.
Mines et rails sont les vestiges d'industries autrefois florissantes.

Les plantations de conifères, très récentes, modifient l'écosystème, mais permettent de mieux fixer les terrains en pente.

Pâturages d'été

Mines de cuivre et de graphite

Sentiers

Murs de pierre sèche (p. 293)

L'ardoise du Lake District et la pierre du pays servent depuis longtemps à la construction des habitations.

400–500 m

Haies

300–400 m

Enclos d'hiver pour les moutons

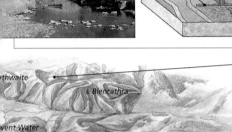

thwaite

Blencathra

vent Water

Helvellyn

Ullswater

Place Fell

High Street

Le Skiddaw est constitué par une ardoise issue de la compression de sédiments marins surgis d'un ancien océan.

Windermère

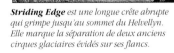

Striding Edge est une longue crête abrupte qui grimpe jusqu'au sommet du Helvellyn. Elle marque la séparation de deux anciens cirques glaciaires évidés sur ses flancs.

Les Langdale Pikes sont des témoins d'une ancienne activité volcanique. Ces roches magmatiques, dites de Barrowdale, ont mieux résisté à l'érosion que les ardoises tendres du Skiddaw, donnant ainsi une ligne de crête plus escarpée.

LE LANCASHIRE ET LES LACS

CUMBRIA · LANCASHIRE

L e peintre paysagiste John Constable (1776-1837) disait que le Lake District, visité chaque année par 18 millions de personnes, était « le plus beau paysage qu'on ait jamais vu ». Les Normands y fondèrent de nombreux monastères et Guillaume II y attribua leurs premiers fiefs aux barons anglais. Le National Trust en est aujourd'hui le premier propriétaire.

Dans un rayon de 45 km autour du Lake District se trouvent un grand nombre de lacs et de *fells*. Le Nord-Ouest paraît aujourd'hui paisible, mais, de l'antiquité au Moyen Âge, la région fut très convoitée. L'histoire a laissé des monuments celtes, des ruines romaines, de grandes demeures et des vestiges de monastères. Il est possible de pratiquer de nombreuses activités d'extérieur et de participer à des spectacles sportifs, comme la lutte de Cumberland, ou de partir en marchant à la découverte de la nature.

Parmi les centres d'intérêt du Lancashire, citons la jolie ville de Lancaster, chef-lieu du comté, la brillante Blackpool, avec ses illuminations d'automne et ses manifestations, ainsi que les paisibles bords de mer au sud. À l'intérieur des terres, les régions les plus séduisantes sont la forêt de Bowland, lande clairsemée peuplée de coqs de bruyère, et la vallée de Ribble. Plus au sud s'étendent les conurbations de Manchester et du Merseyside, qui offrent les attraits des grands centres urbains. Manchester compte de nombreux monuments victoriens, ainsi qu'un quartier industriel réhabilité, Castlefield. Liverpool, important port dont on rénove aujourd'hui les docks, est avant tout la ville des Beatles. Les clubs de musique sont nombreux et on y tourne de plus en plus de films. Ces deux villes possèdent des galeries d'art et des musées intéressants.

Ponton à Grasmere, l'une des régions les plus appréciées du Lake District

◁ L'Albert Dock, le long de la Mersey, à Liverpool

À la découverte du Lancashire et des lacs

Les paysages du Lake District éclipsent ses monuments. Les reliefs ont été largement façonnés par les glaces *(p. 340-341)*, et quatre pics dépassent 1 000 m. Les principales activités sont les carrières, les mines, l'agriculture et le tourisme.

L'été, la région des lacs est surtout fréquentée par les amateurs de canotage et de randonnées. Keswick et Ambleside sont les meilleurs points de départ, mais on trouve aussi de bons hôtels sur les rives des lacs de Windermere et d'Ullswater, et dans la région de Cartmel.

La forêt de Bowland et ses villages, dans le Lancashire, offrent de multiples promenades. Aux amateurs d'art, enfin, s'adressent les galeries et les musées de Liverpool et de Manchester.

Sports nautiques, ici sur le Derwentwater, dans le nord de la région des Fells et des lacs

CIRCULER

La plupart des visiteurs se rendent dans le Lake District par la M6, mais l'A6 est plus spectaculaire. On peut gagner Windermere par le train, mais il faut changer à Oxenholme, sur la ligne principale d'Euston à Carlisle. Penrith est aussi reliée aux lacs par le chemin de fer et l'autocar. L'al Ratty, chemin de fer miniature qui va à Eskdale, et la ligne Lakeside & Haverthwaite, qui rejoint la ligne à vapeur à Windermere, permettent

d'agréables excursions. Tous les principaux points de départ d'excursions sont reliés par autocar. Les minibus Mountain Goat, à Windermere et Keswick, sont parmi les plus efficaces.

Lancaster, Liverpool et Manchester sont situés sur les grandes voies routières et ferroviaires, et sont dotés d'aéroports. Pour Blackpool, il faut changer de train à Preston. La meilleure façon de visiter la région est encore de se déplacer à pied.

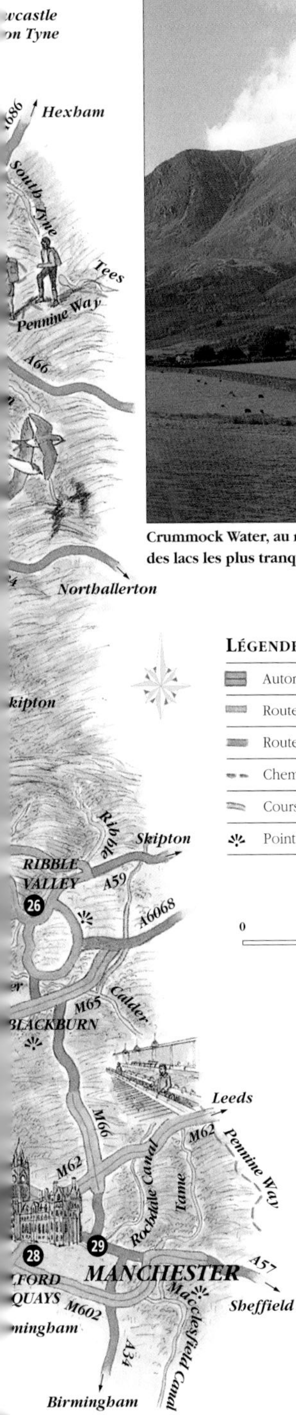

Crummock Water, au nord de Buttermere, est l'un des lacs les plus tranquilles

LÉGENDE

- Autoroute
- Route principale
- Route touristique
- Chemin pittoresque
- Cours d'eau
- Point de vue

0 20 km

LA RÉGION D'UN COUP D'ŒIL

Ambleside 16
Blackpool 27
Borrowdale 10
Buttermere 9
Carlisle 1
Cartmel 21
Cockermouth 7
Coniston Water 18
Dalemain 3
Duddon Valley 13
Eskdale 12
Furness Peninsula 20
Grasmere et Rydal 15
Kendal 19
Keswick 5
Lancaster 25
Langdale 14
Leighton Hall 24
Levens Hall 22
Liverpool p. 362-365 30
Manchester p. 360-361 29
Morecambe Bay 23
Newlands Valley 8
Les Northern Fells et les lacs p. 348-349 6
Penrith 2
Ribble Valley 26
Salford Quays 28
Ullswater 4
Wastwater 11
Windermere 17

VOIR AUSSI

- ***Hébergement*** p. 559-561
- ***Restaurants et pubs*** p. 595-597

Les docks anciens et le Liver Building à Liverpool

Carlisle ❶

Cumbria. 🏛 *102 000.* ✈ *privé.* 🚆
🚌 ℹ *The Old Town Hall, Green
Market (01228 625600).*
🌐 www.historic-carlisle.org.uk

Luguvalium, poste avancé du
mur d'Hadrien *(p. 408-409)*
et position défensive en raison
de la proximité de
la frontière de l'Écosse,
fut mis à sac à plusieurs
reprises par les Danois,
les Normands et ses
voisins immédiats.
Et Carlisle souffrit
d'être un bastion royaliste
sous Cromwell *(p. 52).*

Au centre de la capitale
de la Cumbria sont situés
le Guildhall à colombage
et la place du marché. Des
fortifications subsistent
autour des West Walls, des
portes flanquées de tours
rondes et du **château**
normand, qui abrite un
petit musée du régiment
King's Own Border. La
cathédrale date de 1122.
Sa fenêtre décorative,
à l'est, est une curiosité.
Le **Tullie House Museum**
évoque de manière
originale l'histoire de la
ville. Non loin, au milieu
des troupeaux, s'élèvent
les ruines de **Lanercost
Priory** (vers 1166) et les
vestiges de l'exceptionnel
Birdoswald Roman Fort.

**Épée de fer saxonne
du Tullie House Museum**

Façade de Hutton-in-the-Forest, avec sa tour médiévale à droite

♦ **Carlisle Castle**
(EH) Castle Way. 📞 *01228 591922.*
⏰ *t.l.j.* 🈲 🚻 *limité.* 🅿 ⬛

🏛 **Tullie House Museum**
Castle St. 📞 *01228 534781.*
⏰ *t.l.j. (dim. : après-midi).*
🈲 ♿ ⬛

♦ **Lanercost Priory**
(EH) Près de Brampton. 📞 *016977
3030.* ⏰ *d'avr. à oct. : t.l.j.*
🈲 ♿ *limité.* ⬛

♦ **Birdoswald Roman Fort**
(EH) Gilsland, Brampton. 📞 *016977
47602.* ⏰ *de mars à oct. : t.l.j.*
🈲 ♿ *limité.* ⬛ ⬛
🌐 www.birdoswaldromanfort.org.uk

Penrith ❷

Cumbria. 🏛 *15 000.* ℹ *Robinson's
School, Middlegate (01768 867466).*
🚌 *mar., sam., dim.*
🌐 www.visiteden.co.uk

Il faut voir les façades gauchies
des boutiques
de la place du marché et
le **château** du XIVe siècle.
Les pierres en dos d'âne
du cimetière de l'église

Saint-André seraient celles
de la tombe d'un géant. Du
sommet du phare (285 m), on
peut apercevoir les *fells*, au loin.

Aux environs
Au nord, à Little Salkeld, se
trouve un cercle de 70 pierres
levées de l'âge du bronze
surnommé **Long Meg et
ses Filles** *(p. 42-43).* À 9 km au
nord-ouest, **Hutton-in-the-
Forest** est une demeure dont la
partie la plus ancienne est une
tour du XIIIe siècle, édifiée pour
résister aux incursions
écossaises. Elle abrite un
magnifique escalier de style
italien, une grande galerie aux
somptueuses boiseries du
XVIIe siècle, une salle dite de
Cupidon, ornée de délicats stucs
(v. 1740) et plusieurs pièces
victoriennes. Le jardin clos, les
terrasses ornées d'arbres taillés
et les bois invitent à la
promenade.

♦ **Penrith Castle**
Ullswater Rd. ⏰ *t.l.j.* ♿ *dans les jardins.*

🏛 **Hutton-in-the-Forest**
B5305. 📞 *017684 84449.* **Maison**
⏰ *de Pâques à sept. : jeu., ven., dim.
et jours fériés (l'après-midi).* **Jardins**
⏰ *d'avr. à oct. : du dim. au ven.*
⬛ *25 déc.* 🈲 ♿ *limité.* ⬛ ⬛

Dalemain ❸

Penrith, Cumbria. 📞 *017684 86450.* 🚆
🚌 *Penrith, puis en taxi.* ⏰ *d'avr. à sept. :
du dim. au jeu.* 🈲 ♿ *limité.* 🅿 ⬛ ⬛
🌐 www.dalemain.com

Une façade d'allure
georgienne donne à
cette belle maison proche de
l'Ullswater un semblant d'unité,
mais dissimule une structure
médiévale et élisabéthaine qui
forme un étonnant labyrinthe.
Parmi les pièces de réception,
un salon chinois au papier

LES SPORTS TRADITIONNELS DE LA CUMBRIA

La lutte de Cumberland est l'un des sports les plus
intéressants à voir l'été. Les lutteurs, vêtus d'un maillot et
d'un pantalon de velours brodé, se saisissent au moyen
d'une clef du bras et cherchent à se renverser. La technique
et l'équilibre comptent plus que la force. La course de
fells est une épreuve de vitesse et d'endurance à travers
les montagnes. Lors des courses de chiens, les animaux
suivent des pistes anisées à travers les collines. L'été
ont lieu des courses
de chiens de berger,
des foires, des
expositions florales et
des gymkhanas.
L'Egremeont Crab
Fair, en septembre,
comprend des
épreuves comme
l'escalade
de mât graissé.

Lutte de Cumberland

Moutons à Glenridding, sur la rive ouest de l'Ullswater

peint à la main et un salon aux boiseries du XVIIIe siècle. Des bâtiments annexes abritent plusieurs musées. Dans le jardin poussent des rosiers arborescents et un magnifique sapin argenté.

Le somptueux salon chinois de Dalemain

Ullswater ❹

Cumbria. ☒ *Penrith.* ❱ *principal parc de stationnement, Glenridding, Penrith (017684 82414).* ⓦ www.lake-district.gov.uk

Ce lac, peut-être le plus beau de Cumbria, s'inscrit entre un paysage bucolique près de Penrith et des collines et rochers plus romantiques à son extrémité sud. La route principale, sur la rive ouest, est parfois encombrée. L'été,

deux vapeurs du XIXe siècle font la navette entre Pooley Bridge et Glenridding. L'une des plus belles promenades, sur la rive est, va de Glenridding à Halin Fell et à la lande de Martindale. Du côté ouest se trouve Gowbarrow, dont Wordsworth a décrit la floraison de « la multitude des narcisses d'or » *(p. 354)*.

Keswick ❺

Cumbria. 🏠 5 000. ❱ *Moot Hall, Market Sq (017687 72645).* ⓦ www.keswick.org

Fréquentée depuis l'époque victorienne, la ville compte des pensions de famille, un théâtre d'été, des boutiques d'équipements pour loisirs de plein air… et des embouteillages en haute saison. Le monument le plus remarquable est le **Moot Hall** de 1813, devenu l'office du tourisme. Née du commerce de la laine et du cuir, Keswick se convertit à l'industrie du crayon grâce aux gisements de graphite découverts sous les Tudors. Pendant la dernière guerre, on fabriqua des crayons creux pour cacher les cartes des espions. L'ancienne usine abrite le **Pencil Museum** où l'on peut voir d'intéressants montages

audiovisuels. Le **Keswick Museum and Art Gallery** expose des manuscrits d'écrivains de la région des Lacs, des pierres musicales et bien d'autres curiosités. À l'est de la ville, s'étend le cercle de pierres anciennes de Castlerigg qui serait plus ancien que celui de Stonehenge.

🏛 **Pencil Museum**
Carding Mill Lane. ❰ 017687 73626.
◯ t.l.j. ● 25, 26 déc., 1er janv. 🎫
🛗 🔊 ⓦ www.pencil.co.uk
🏛 **Keswick Museum and Art Gallery**
Fitz Park, Station Rd. ❰ 017687 73263. ◯ tél. pour les horaires.
🎫 🛗 🔊

Boutique d'équipements pour loisirs de plein air à Keswick

Les Northern Fells et les lacs ❻

L'écureuil roux, rare, est présent dans la région

Beaucoup apprécient le Lake District National Park pour ses paysages et son intérêt géologique (p. 340-341). C'est un pays idéal pour les marcheurs et, non loin du Derwentwater, le Thirlmere et le Bassenthwaite offrent des espaces infinis, des possibilités de randonnées et l'occasion de pratiquer les sports nautiques. De vastes régions voisines de Keswick (p. 347), capitale de la région, ne sont accessibles qu'à pied, en particulier l'imposant massif du Back of Skiddaw (entre Skiddaw et Calbeck) ou la chaîne de Helvellyn, à l'est de Thirlmere.

Le col de Whinlatter permet de passer facilement de Keswick aux environs de Lorton Vale. De là, la vue sur le lac de Bassenthwaite est belle, et on aperçoit Grisedale Pike.

Bassenthwaite est plus beau vu de la rive est. La route traverse Dodd Wood, au pied du Skiddaw.

Lorton Vale

Au sud de Cockermouth, la campagne verdoyante contraste avec les paysages montagneux plus austères du centre du Lake District. À Low Lorton se trouve Lorton Hall, manoir du XVᵉ siècle.

Derwentwater

Entouré de pentes et de fells boisés, ce beau lac ovale est semé d'îlots dont l'un fut habité par saint Herbert, disciple de saint Cuthbert (p. 405), qui vécut ici en ermite jusqu'en 687. De Keswick, un bateau propose une excursion sur le lac.

LES SOMMETS PRINCIPAUX

Les monts du Lake District sont les plus élevés d'Angleterre. Bien que petits par rapport aux Alpes, ils paraissent hauts dans le paysage. Quelques sommets importants, reconnaissables à leur silhouette particulière, apparaissent ci-contre. Cette coupe montre les Skiddaw Fells, au nord de Keswick.

LÉGENDE

De ① Blencathra
à ② Cockermouth
(ci-contre)

De ③ Grisedale Pike
à ④ l'Old Man of
Coniston (p. 350-351)

De ⑤ l'Old Man
de Coniston au ⑥
Windermere et au Tarn
Crag (p. 352-353)

Limite du parc national

MODE D'EMPLOI

Keswick, Cumbria. 🚉 Keswick.
🅸 Market Sq, Keswick. (017687
72645). **(NT) Castlerigg Stone
Circle** 🕓 t.l.j. 🆆 www.keswick.org

Skiddaw
*Avec 931 m, le Skiddaw est le quatrième
sommet d'Angleterre. Sa forme arrondie
en rend l'ascension possible en deux heures
pour quelqu'un qui est en bonne forme.*

Le Blencathra,
surnommé « la Selle » à
cause de ses sommets
jumeaux (868 m), est un
défi lancé aux alpinistes,
surtout l'hiver.

Saint John's in the Vale
*Dans cette vallée,
les grimpeurs apprécieront
les Castle Rocks.
Walter Scott (p. 498)
mit en scène
les vieilles légendes
de la région dans*
Le Mariage de Triermain.

Mosedale

BLENCATHRA OU
SADDLEBACK
868 m

A66
PENRITH

River Glendermackin

Glenderaterra beck

swick

A591

B5322

St John's Beck

Legburthwaite

THIRLMERE

**Le
Thirlmere**,
lac artificiel
destiné à
alimenter
Manchester,
date de 1879.

WINDERMERE

LÉGENDE

🅸 Renseignements

▬ Route principale

▬ Route secondaire

🔆 Point de vue

0   5 km

Castlerigg Stone Circle
*Décrites par Keats (p. 131) comme « un cercle
lugubre de pierres druidiques sur une lande
abandonnée », ces pierres levées regardent
Skiddaw, Helvellyn et Crag Hill.*

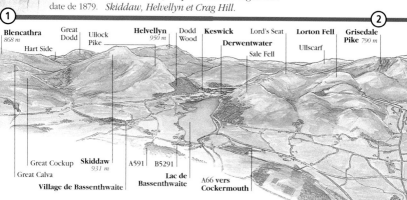

① Blencathra
868 m
Great
Dodd
Ullock
Pike
Helvellyn
950 m
Dodd
Wood
Keswick
Lord's Seat
Lorton Fell
**Grisedale
Pike** 790 m
②

Hart Side
Derwentwater
Ullscarf
Sale Fell

Great Cockup
Skiddaw
931 m
A591
B5291
A66 vers
Cockermouth
Great Calva

Village de Bassenthwaite
**Lac de
Bassenthwaite**

Crummock Water, l'un des « lacs de l'Ouest » les plus tranquilles

Cockermouth ❼

Cumbria. 🏠 8 000. 🚉 *Workington.*
🚌 ℹ️ *Town Hall, Market St
(01900 822634).*
🌐 *www.western-lakedistrict.co.uk*

L es maisons aux couleurs
pastel et les cottages
ouvriers restaurés font l'intérêt
de cette ville active qui
remonte au XIIᵉ siècle.
Il ne faut pas manquer
Wordsworth House, dans
la grand-rue, maison natale
du poète *(p. 354).* Ce beau
bâtiment georgien, qui
a conservé des souvenirs de

sa famille, est meublé dans le
style de la fin du XVIIIᵉ siècle.
Dans le *Prélude*, Wordsworth
évoque le superbe jardin
en terrasse qui domine
la Derwent. Dans l'église de
la paroisse se trouve un vitrail
à la mémoire du poète.
　Le **château** de
Cockermouth, en partie
en ruine, est toujours habité
et n'est pas ouvert au public.
La ville a de petits musées
de l'imprimerie et des jouets,
une collection de minéraux et
une galerie d'art. La **brasserie
Jennings** propose des visites
et des dégustations.

🏛 **Wordsworth House**
(NT) Main St. 📞 *01900 824805.*
⬡ *de mars à oct. : du lun. au sam.* ♿
📷 🌐 *www.wordsworthhouse.org.uk*
🍺 **Jennings Brewery**
Castle Brewery. 📞 *01900 821011.*
⬡ *du lun. au sam. (juil. et août : t.l.j.)*
📷 ✉️ 🌐 *www.lake-district.gov.uk*

Newlands Valley ❽

Cumbria. 🚉 *Workington, puis bus.* 🚌
Cockermouth. ℹ️ *Town Hall, Market
St, Cockermouth (01900 822634) ;
Market Sq, Keswick (017687 72645).*

D es rives boisées
du Derwentwater,
cette vallée semée de fermes
d'élevage s'élève rudement
jusqu'au sommet du col
à 335 m, où des marches
mènent à la cascade
de Moss Force. Grisedale
Pike, Grasmoor et Knott Rigg
sont des buts de promenade
à travers les *fells*, par
de grandes étendues
couvertes de fougères.
Les gisements de cuivre, de
graphite, de plomb et même
un peu d'or et d'argent ont
été intensément exploités
depuis le règne d'Élisabeth Iʳᵉ.
Beatrix Potter *(p. 355)* fit de
Little Town le décor de
*Madame Piquedru la
blanchisseuse.*

La cuisine de la maison de Wordsworth

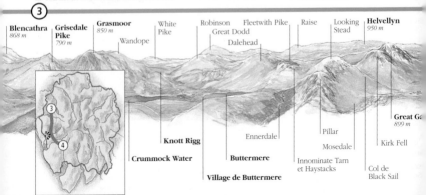

③

| Blencathra 868 m | Grisedale Pike 790 m | Grasmoor 850 m | White Pike | Robinson | Fleetwith Pike | Raise | Looking Stead | Helvellyn 950 m |

Wandope　　Great Dodd　Dalehead

Great Gable 899 m

Knott Rigg　　Ennerdale　　Pillar　　Kirk Fell

Crummock Water　　Buttermere　　Mosedale

Village de Buttermere　　Innominate Tarn et Haystacks　　Col de Black Sail

Buttermere 9

Cumbria. 🚉 *Penrith*. 🚌 *Cockermouth.*
🚌 *Penrith-Keswick ; Keswick-
Buttermere* 🛈 *Town Hall, Market St,
Cockermouth (01900 822634).*

À la limite entre
le Crummock Water
et le Loweswater, ce lac et ses
environs offrent quelques-uns
des paysages les plus
séduisants de la région.
Surnommés les « lacs
de l'Ouest », tous trois sont
suffisamment à l'écart pour ne
pas être envahis. Le Buttermere
est un joyau au milieu de *fells*
majestueux : High Stile,
Red Pike et Haystacks.

Le village de Buttermere,
avec sa poignée de maisons
et ses auberges, est le point
de départ de nombreuses
randonnées autour des trois
lacs. Entouré de bois et
de collines, le Loweswater,
le plus difficile d'accès, est
le plus tranquille. La Scale
Force voisine, la plus haute
chute du Lake District,
plonge de 36 m de haut.

La verte vallée de la Borrow, favorite des artistes

Borrowdale 10

Cumbria. 🚉 *Workington*. 🚌 *Cockermouth.* 🛈 *Town Hall, Market St,
Cockermouth (01900 822634).*

Cette jolie vallée, sujet
d'innombrables dessins
et aquarelles, s'étend à côté
des rives boisées du
Derwentwater, au pied de
rochers imposants. Elle offre
de nombreuses possibilités
de promenades et attire ceux
qui viennent de Keswick.
Le hameau de **Grange**,
à l'endroit où la vallée
se rétrécit brusquement pour
former les « Mâchoires
de Borrowdale », est l'un des
sites les plus remarquables.
Depuis le Castle Crag voisin,
la vue est superbe.

De Grange, on peut finir
le tour du Derwentwater par
la rive ouest ou bien aller au
sud vers la campagne dégagée
proche de Seatoller. En allant
vers le sud par la route,
un panneau du National Trust
(p. 25) indique **Bowder
Stone**, roc de 2 000 t en
équilibre, sans doute tombé
des *crags* au-dessus
ou déposé par un glacier
il y a un million d'années.
Rosthwaite et
Stonethwaite sont d'attrayants
hameaux. Watendath, village
à l'écart d'une petite route
proche du fameux **Ashness
Bridge**, vaut un détour,
de préférence à pied.

LA RANDONNÉE DANS LE LAKE DISTRICT

Échalier

Deux sentiers de grande randonnée
traversent les plus beaux paysages
des lacs. Le Cumbrian Way
(110 km) court de Carlisle à
Ulverston par Keswick et Coniston.
La partie ouest du Coast-to-Coast
Walk *(p. 33)* traverse la région. Des
centaines de promenades longent
les lacs et se prolongent par des
parcours de montagne plus ardus.
Il est conseillé de ne pas sortir
des itinéraires afin d'éviter l'érosion
et de s'informer des conditions
météo auprès des centres de
renseignements du National Park.

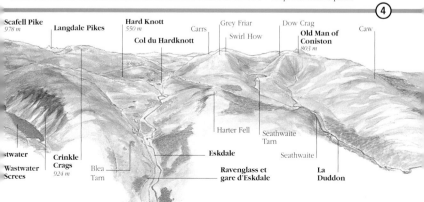

Scafell Pike
978 m

Langdale Pikes

Hard Knott
550 m

Col du Hardknott

Carrs

Grey Friar

Swirl How

Dow Crag

Old Man of
Coniston
803 m

Caw

Harter Fell

Seathwaite
Tarn

...twater

Crinkle
Crags
924 m

Blea
Tarn

Eskdale

Seathwaite

Wastwater
Screes

Ravenglass et
gare d'Eskdale

La
Duddon

La petite auberge de Wasdale Head (p. 561)

Wastwater ⓫

Cumbria. 🚆 *Whitehaven*. 🛈 *12 Main St, Egremont (01946 820693).*

Ce lac, dans les eaux sombres duquel se reflètent des paysages inquiétants, est mystérieux et évocateur. Le long de la rive est, des éboulis escarpés plongent de 600 m de haut dans des eaux d'un noir d'encre, quel que soit le temps. C'est le lac le plus profond d'Angleterre (80 m). Se promener sur les éboulis est possible, mais difficile et dangereux. Le canotage est interdit, mais le camp voisin du National Trust délivre des permis de pêche.

À **Wasdale Head** s'étend l'une des vues les plus majestueuses de Grande-Bretagne : la pyramide sévère de **Great Gable**, pièce maîtresse d'un beau massif montagneux d'où se détachent les imposants Scafell et **Scafell Pike**. Le paysage est préservé,

et les seuls bâtiments existants s'élèvent à l'autre bout du lac : une auberge et une petite église à la mémoire des alpinistes disparus. La route se termine là, ce qui oblige à faire demi-tour ou à continuer à pied en suivant les flèches vers Black Sail Pass et Ennerdale ou escalader les grands *fells* qui s'élèvent en face. Wasdale fut la toile de fond des exploits des premiers vrais alpinistes britanniques, qui, au XIXᵉ siècle, débarquaient ici, vêtus d'une simple veste de tweed, un rouleau de corde sur l'épaule.

Eskdale ⓬

Cumbria. 🚆 *Ravenglass, puis petit train jusqu'à Eskdale (de Pâques à oct. : t.l.j. ; de déc. à fév. : tél. pour les horaires).* 🛈 *12 Main St, Egremont (01946 820693).* Ⓦ *www.eskdale.info.co.uk*

C'est depuis **Hardknott Pass**, éprouvant à passer en voiture tant il est raide, qu'on a la meilleure vue sur les environs d'Eskdale. Une pause

au sommet (393 m) permet de visiter le **camp romain**, d'où l'on jouit d'un beau panorama de la vallée. En descendant vers Eskdale, on est surpris par les rhododendrons et les pins qui poussent au milieu des hameaux, des chemins de terre et des fermes. Les principales localités sont Boot et le village côtier de Ravenglass, avec leurs **moulins**.

Juste au sud de Ravenglass s'élève l'impressionnant **Muncaster Castle**, demeure richement meublée de la famille Pennington. Autre façon de découvrir le paysage, vous pouvez aussi emprunter le petit train (le La'l Ratty) qui va de Ravenglass à Dalegarth.

🏭 **Eskdale Mill**
Boot. 📞 *019467 23335.*
🕐 *d'avr. à sept. : du mar. au dim., jours fériés.* 🎫 ♿ 🅿
⛪ **Muncaster Castle**
Ravenglass. 📞 *01229 717614.*
Château 🕐 *de mi-mars à mi-nov. : du dim. au ven. (après-midi), jours fériés.* **Jardin** 🕐 *t.l.j.* 🎫
♿ *rez-de-chaussée et jardin.*
🅿 🛈 Ⓦ *www.muncaster.co.uk*

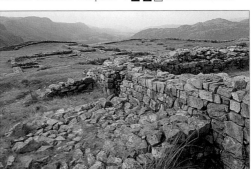

Vestiges du camp romain de Hardknott, à Eskdale

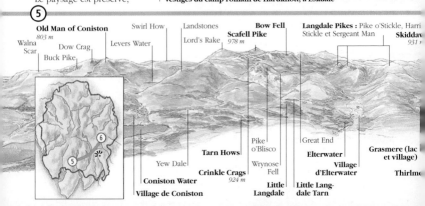

Vue de Seathwaite en automne, dans la vallée de la Duddon, rendez-vous des grimpeurs

Duddon Valley ⑬

Cumbria. 🚆 *Foxfield, Ulverston.*
🛈 *The Square, Broughton-in-Furness
(01229 716115 ; de Pâques à oct.
seul.).* 🔲 *www.lakelandgateway.info*

Cette petite région, appelée aussi Dunnerdale, a inspiré 35 sonnets à Wordsworth *(p. 354)*. Les sites les plus charmants se trouvent entre Ulpha et Cockley Beck. L'automne, les couleurs des landes semées de bouleaux sont magnifiques. Des pierres de gué et des ponts, dont le plus joli est Birk's Bridge, près de Seathwaite, franchissent le fleuve. À l'extrémité sud-ouest de la vallée, là où la Duddon se jette dans la mer à Duddon Sands, se trouve Broughton-in-Furness, joli village dont l'église date du XIᵉ siècle. Noter le pilori et les dalles de pierre de la grand-place, qui servent pour le marché au poisson.

Langdale ⑭

Cumbria. 🚆 *Windermere.* 🛈 *Market
Cross, Ambleside (015394 32582).*
🔲 *www.lakelandgateway.info*

Cette vallée double va de Skelwith Bridge, où le Brathay domine des chutes d'eau, jusqu'aux sommets du Great Langdale. Randonneurs et alpinistes s'y rassemblent au pied du **Pavery Ark**, du **Pike o'Stickle**, des **Crinkle Crags** et du **Bow Fell**.

Great Langdale, vallée la plus spectaculaire, est très souvent visitée, bien que **Little Langdale** soit elle aussi attrayante. En revenant vers Ambleside par le sud, il faut s'arrêter à Blea Tarn. L'**Elterwater** envahi de roseaux est un lieu pittoresque, site d'une ancienne usine de poudre à canon. Précédant Hardknott Pass, Wrynose Pass, à l'ouest de Little Langdale, culmine à 390 m. Au sommet se trouve la Three Shires Stone, ancienne borne frontalière entre les comtés de Cumberland, de Westmorland et de Lancashire.

⑥

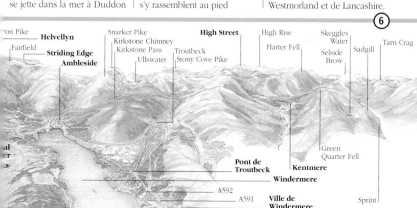

Le lac de Rydal, l'un des fleurons du Lake District

Grasmere et Rydal **⑮**

Cumbria. **Grasmere** 700.
Rydal 100. Grasmere.
Redbank Rd, Grasmere (015394 35245). www.lake-district.gov.uk

Wordsworth résida dans ces deux villages situés sur les rives de deux lacs. Le Fairfield, le Nab Scar et le Loughrigg Fell dominent les berges envahies de roseaux. Grasmere est prospère avec ses cottages, ses boutiques et ses restaurants. En août, ses jeux *(p. 346)* déplacent des foules. L'église Saint-Oswald abrite les tombes des Wordsworth, et la cérémonie annuelle au cours de laquelle on couvre le sol de joncs fraîchement coupés attire beaucoup de monde. C'est à **Dove Cottage** que le poète a passé ses années les plus fécondes. Derrière, une grange abrite un musée où sont exposés des souvenirs.

En 1813, les Wordsworth emménagèrent à **Rydal Mount**, vaste maison située à Rydal, où ils vécurent jusqu'en 1850.

Le parc comprend des cascades et un pavillon. Non loin de là, Dora's Field se couvre de narcisses au printemps, et Fairfield Horseshoe est une promenade un peu ardue.

🏛 Dove Cottage and the Wordsworth Museum
A591 près de Grasmere. 015394 35544. t.l.j. du 24 au 26 déc., de mi-janv. à mi-fév. www.wordsworth.org.uk
🏛 Rydal Mount
Rydal. 015394 33002. de mars à oct. : t.l.j. ; de nov. à fév. : du mer. au lun. 25 déc., janv. limité.

Ambleside **⑯**

Cumbria. 3 400.
Central Buildings, Market Cross (015394 32582). mer.
www.lakelandgateway.info

Ambleside, bien reliée par la route à toute la région des lacs, est un bon point de départ, surtout pour les montagnards. Son architecture est surtout victorienne et on y trouve des boutiques de vêtements, d'artisanat et de spécialités culinaires. Un petit cinéma et, l'été, un festival de musique classique animent les soirées. Les centres d'intérêt ne sont pas très nombreux : les restes du camp romain de Galava (79 apr. J.-C.), la chute d'eau de Stock Ghyll Force et la **Bridge House**, au-dessus de Stock Beck, devenue un centre d'information du National Trust.

Aux environs
La vallée boisée de Rothay, les **Touchstone Interiors** à Skelwith Bridge et le col abrupt de Kirkstone sont d'accès facile. À Troutbeck,

La petite Bridge House, au-dessus de Stock Beck, à Ambleside

WILLIAM WORDSWORTH (1770-1850)

Le poète romantique anglais le plus connu est né dans le Lake District et y a passé la majeure partie de sa vie. Il fréquenta l'école de Hawkshead et Cambridge, puis un héritage lui permit d'embrasser la carrière littéraire. Il s'établit à Dove Cottage avec sa sœur et épousa en 1802 une camarade de classe, Mary Hutchinson. Ils vivaient au milieu de leurs enfants, recevant la visite de Coleridge ou de Thomas de Quincey. Wordsworth a aussi écrit un des premiers guides sur la région des lacs.

BEATRIX POTTER ET LE LAKE DISTRICT

Ses livres pour enfants, qu'elle illustrait elle-même, ont pour héros Pierre Lapin ou Sophie Canétang Beatrix Potter (1866-1943) se battit pour la préservation du Lake District, où elle vivait depuis 1906. Après son mariage, elle se consacra à l'agriculture et devint spécialiste du mouton de Herdwick. Elle fit don de ses terres au National Trust.

Illustration de couverture de *Sophie Canétang* (1908)

Townend (1626) est une ferme où l'on a reconstitué un intérieur de la région des lacs.

🏛 Touchstone Interiors
Skelwith Bridge. 📞 *015394 34002.* ⭕ *t.l.j.* ⚫ *du 24 au 26 déc.* ♿ 🔲 🔲
🏛 Townend
(NT) Troutbeck, Windermere. 📞 *015394 32628.* ⭕ *d'avr. à oct. : du mar. au ven., dim. et lun. férié ; a.-m.* 🔲

Windermere ⓲

Cumbria. 🚉 *Windermere.* 🚌 *Victoria St.* ℹ️ *Victoria St (015394 46499) ou Glebe Rd, Bowness-on-Windermere (015394 42895).* 🌐 *www.lakelandgateway.info*

Long de 16 km, ce plan d'eau est le plus vaste d'Angleterre. Avant l'arrivée du chemin de fer, des magnats de l'industrie construisirent des résidences sur ses rives. La majestueuse **Brockhole**, devenue un office de renseignements du parc national, en est un exemple. Le chemin de fer, en 1847, permit aux ouvriers de s'y ruer les jours de congé.

Un ferry fait toute l'année la liaison entre les rives est et ouest du lac (de Ferry Nab à Ferry House) et, l'été, des vapeurs relient Lakeside, Bowness et Ambleside, dans l'axe nord-sud. Belle Isle, curieuse île boisée sur laquelle se dresse une unique maison ronde, est l'un des sites les plus attrayants, mais il est interdit d'y débarquer. **Fell Foot Park** se trouve à l'extrémité sud du lac, et la rive nord-ouest permet de belles promenades à pied. L'un des points de vue marquants est Orrest Head (238 m), au nord-est du village de Windermere.

Aux environs
Bowness-on-Windermere, sur la rive est, est très fréquentée. De nombreux bâtiments possèdent des éléments architecturaux

de style victorien. Saint Martin's Church date du XVe siècle.

Le **Steamboat Museum** expose une collection de bateaux de l'époque victorienne, dont un, l'*Osprey*, navigue encore régulièrement. Le **World of Beatrix Potter** fait revivre les personnages de cet auteur et un film raconte sa vie. Beatrix Potter a écrit nombre de ses livres à **Hill Top**, ferme du XVIIe siècle à Near Sawrey, au nord-ouest de Windermere. Hill Top est restée telle qu'elle était du vivant de sa propriétaire.

La **Beatrix Potter Gallery**, à Hawkshead, expose ses manuscrits et illustrations.

ℹ️ Brockhole Visitor Centre
A591. 📞 *015394 46601.* ⭕ *d'avr. à oct. : t.l.j.* ♿ 🔲 🔲
♣ Fell Foot Park
(NT) Newby Bridge. 📞 *015395 31273.* ⭕ *t.l.j.* ♿ 🔲
🏛 Windermere Steamboat Museum
Rayrigg Rd, Windermere. 📞 *015394 45565.* ⭕ *de fin mars à nov. : t.l.j.* 🔲 ♿ 🔲 🔲 🌐 *www.steamboat.co.uk*
🏛 World of Beatrix Potter
The Old Laundry, Crag Brow. 📞 *015394 88444.* ⭕ *t.l.j.* ⚫ *25 déc., 3 dernières semaines de janv.* 🔲 ♿ 🔲 🔲 🌐 *www.hap-skip-jump.com*
🚜 Hill Top
(NT) Près de Sawrey, Ambleside. 📞 *015394 36269.* ⭕ *d'avr. à oct : du sam. au mer.* 🔲 🔲
🏛 Beatrix Potter Gallery
(NT) The Square, Hawkshead. 📞 *015394 36355.* ⭕ *d'avr. à oct. : du sam. au mer.* 🔲 🔲

Barques échouées et amarrées le long de la rive à Ambleside, extrémité nord de Windermere

Le paisible lac de Coniston, cadre du roman d'Arthur Ransome, *Hirondelles et Amazones* (1930)

Coniston Water ⑱

Cumbria. 🚆 *Windermere, puis bus.*
🚌 *Ambleside, puis bus.*
🛈 *parc de stationnement de
Coniston, Ruskin Ave (015394 41533).*
W *www.coniston-net.com*

Il faut grimper pour avoir
la meilleure vue sur ce long
plan d'eau frontalier du Lake
District. John Ruskin, critique
d'art et écrivain du XIXᵉ siècle,
le contemplait depuis
Brantwood, sa maison,
où l'on peut voir ses peintures
et des souvenirs.

L'été, la promenade
sur le lac à bord du vapeur
Gondola part de Coniston Pier
et fait escale à Brantwood
et Park-a-Moor. C'est aussi
à Coniston que Donald
Campbell perdit la vie
en tentant de battre le record
de vitesse sur l'eau en 1967.
Ce village aux ardoises
vertes, qui vivait de
l'exploitation du cuivre,
est une étape idéale pour
les marcheurs.

Au nord-ouest,
Hawkshead, village interdit
à la circulation, se signale
par ses ruelles surannées
et ses maisons à colombage.
Au sud s'étend la vaste forêt
de Grisedale où l'on peut voir
des sculptures sur bois.

Au nord de Coniston Water
se trouve **Tarn Hows**,
lac artificiel entouré de bois.
L'ascension de l'Old Man
de Coniston (803 m)
est agréable.

🏛 Brantwood

B5285, près de Coniston. 📞 *015394
41396.* ⏲ *de mi-mars à mi-nov. : t.l.j. ;
de mi-nov. à mi-mars : du mer. au dim.*
🅿 🍴 🛒 🚻 **W** *www.brantwood.org.uk*

Kendal ⑲

Cumbria. 🏘 *26 000.* 🚆 🛈 *Town Hall,
Highgate (01539 725758).* 🛍 *du mer.
au sam.* **W** *www.kendaltown.org.uk*

Ville animée construite
en calcaire gris, la capitale
administrative de la région
est aussi la porte sud des lacs.

Kendal possède un centre
artistique dynamique, le
Brewery. L'**Abbot Hall** (1759)
conserve des peintures

**Le gâteau à la menthe de Kendal,
plein d'énergie pour les randonneurs**

de Turner et de Romney, ainsi
que des meubles de Gillows.
Ses écuries abritent le **Museum
of Lakeland Life**, dont
les ateliers vivants illustrent
l'artisanat et le commerce
locaux. Le **Museum of Natural
History and Archaeology**
présente des dioramas sur la
géologie et la vie sauvage.
À 5 km au sud de la ville
s'élève **Sizergh Castle**, du
XIVᵉ siècle, avec sa tour fortifiée,

ses cheminées sculptées et
son joli jardin.

🏛 Abbot Hall Art Gallery and Museum of Lakeland Life

Kirkland. 📞 *01539 722464.* ⏲ *de
mi-janv. au 20 déc. : du lun. au sam.* 🅿
⚑ *galerie.* 📷 *sur rendez-vous.* 🚻 🛍
W *www.abbothall.org.uk*

🏛 Kendal Museum of Natural History and Archaeology

Station Rd. 📞 *01539 721374.* ⏲ *de
mi-fév. au 24 déc. : du lun. au sam.*
🛍 **W** *www.kendalmuseum.org.uk*

♣ Sizergh Castle

(NT) A591 et A590. 📞 *015395 60070.*
⏲ *d'avr. à oct. : du dim. au jeu.* 🅿 ⚑
terrasses seulement. 🚻 🛍

Furness Peninsula ⑳

Cumbria. 🚆 🚌 *Barrow-in-Furness.*
🛈 *Forum 28 Duke St,
Barrow-in-Furness (01229 894784).*
W *www.barrowtourism.co.uk*

Barrow-in-Furness, foyer
d'industrie navale
(p. 337) en déclin, est
la ville principale de
la péninsule. Son **Dock
Museum** retrace de manière
vivante l'histoire de Barrow,
notamment à l'aide de
présentations interactives.

Les ruines de grès rouge
de **Furness Abbey**, dans le
Vale of Deadly Nightshade, et
une petite exposition sur la vie
monastique sont à voir. C'est
la cité d'Ulverston qui reçut,
en 1280, la charte de l'abbaye,

dont l'**Ulverston Heritage Centre** retrace l'histoire.

La ville vit également naître le comédien Stan Laurel, en 1890. Dans un **musée** dédié à sa mémoire sont projetés certains de ses films.

🏛 Dock Museum

North Rd, Barrow-in-Furness.
📞 01229 894444. ◯ de Pâques à oct. : du mar. au dim. ; de nov. à Pâques : du mer. au dim. (sam., dim. : après-midi) ; jours fériés.
◯ 25, 26 déc., 1ᵉʳ janv. 🔲 🔲 🔲

⛪ Furness Abbey

Vale of Deadly Nightshade. 📞 01229 823420. ◯ de Pâques à sept. : t.l.j. ; d'oct. à Pâques : du jeu. au lun. ◯ du 24 au 26 déc., 1ᵉʳ janv. 🔲 🔲 limité. 🔲

🏛 Ulverston Heritage Centre

Sir John Barrow Cottage. 📞 01229 583811. ◯ sam. et dim. ◯ 25 et 26 déc., 1ᵉʳ janv. 🔲 🔲 limité. 🔲

🏛 Laurel and Hardy Museum

Upper Brook St, Ulverston. 📞 01229 582292. ◯ t.l.j. ◯ 25 déc., janv. 🔲 🔲

L'escalier d'Holker Hall

Cartmel ㉑

Cumbria. 🚶 700. 🚹 Main St Grange-over-Sands (015395 34026).
🌐 www.grangetic@southlakeland.gov.uk

Le **prieuré** du XIIᵉ siècle de ce joli village est l'une des plus belles églises de la Cumbria. Il reste peu de chose du bâtiment d'origine, à part la jolie maison de gardien au centre du village, propriété du National Trust. L'église restaurée se signale par son vitrail est, une pierre tombale sculptée du XIVᵉ siècle et de magnifiques miséricordes. Cartmel, qui s'enorgueillit aussi d'un petit champ de courses, a donné son nom à une région vallonnée et verdoyante, parsemée de bois et de rochers calcaires.

Le riche mobilier, les cheminées en marbre, le superbe escalier de chêne, les jardins à la française et le parc aux cerfs font de **Holker Hall**, ancienne demeure des ducs de Devonshire, un des sites majeurs de la région.

🏠 Holker Hall

Cark-in-Cartmel. 📞 015395 58328.
◯ de mars à oct. : du dim. au ven. 🔲 🔲 limité. 🔲 sur rendez-vous. 🔲 🔲
🌐 www.holker-hall.co.uk

Levens Hall ㉒

Près de Kendal, Cumbria. 📞 015395 60321. 🚌 depuis Kendal ou Lancaster. ◯ d'avr. à mi-oct. : du dim. au jeu. 🔲 🔲 jardins seulement. 🔲 🔲
🌐 www.levenshall.co.uk

Ce manoir élisabéthain, surtout connu pour ses jardins ornementaux, ne manque pas lui-même d'intérêt. Construit autour d'une tour du XIIIᵉ siècle, il abrite une collection de meubles jacobites et d'aquarelles de Peter de Wint (1784-1849). À signaler : les moulures des plafonds, les chaises Charles II, le plus ancien ouvrage de *patchwork* anglais et les cœurs dorés sur les gouttières.

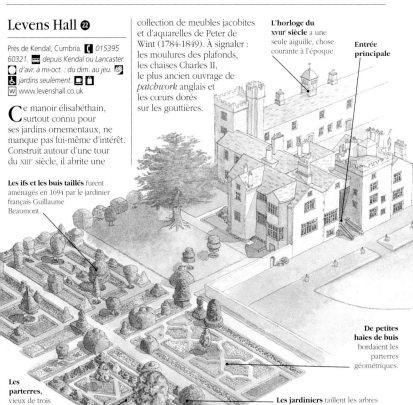

L'horloge du XVIIIᵉ siècle a une seule aiguille, chose courante à l'époque.

Entrée principale

Les ifs et les buis taillés furent aménagés en 1694 par le jardinier français Guillaume Beaumont.

De petites haies de buis bordaient les parterres géométriques.

Les parterres, vieux de trois cents ans, sont composés de plantes de différentes couleurs.

Les jardiniers taillent les arbres en forme de cône, de vis ou de pyramide. Certains mesurent 6 m de haut.

Morecambe Bay regarde au nord-ouest vers Barrow-in-Furness

Morecambe Bay ㉓

Lancashire. 🚉 *Morecambe.*
⛴ *Heysham (vers Isle of Man).*
🛈 *Marine Road (01524 582808).*
🌐 www.lancaster.gov.uk

P our découvrir Morecambe, mieux vaut prendre le train d'Ulverston à Arnside.
Il franchit une série de viaducs bas à travers des lagunes où vivent des milliers d'échassiers. Cette baie est l'une des plus grandes réserves d'oiseaux du pays. Du côté de la Cumbria, les résidences secondaires ont envahi Grange-over-Sands, paisible lieu de villégiature qui a pris son essor grâce au chemin de fer en 1857 et doit beaucoup à son cadre naturel. C'est de **Hampsfield Fell** et de **Humphrey Head Point** que les vues sur la baie sont les plus intéressantes.

Leighton Hall ㉔

Carnforth, Lancashire. 📞 *01524 734474,* 🚌 *vers Yealand Conyers (depuis Lancaster).* ⏰ *de mai à juil. et sept. : de 14 h à 17 h du mar. au ven. et jours fériés ; août : de 12 h à 17 h du mar. au ven., dim. et jours fériés.* 💰 ⛔ *rez-de-chaussée seul.* 🅿️ 📷 🍴
🌐 www.leightonhall.co.uk

C ette grande demeure date du XIIIᵉ siècle, mais l'essentiel du bâtiment actuel est du XIXᵉ siècle, y compris la pâle façade néo-gothique. Elle appartient à la famille Gillow, fondatrice de l'industrie du meuble à Lancaster. De belles pièces sont exposées, parmi lesquelles une boîte à ouvrage incrustée de scènes

bibliques. On peut aussi voir un élevage d'oiseaux de proie.

Lancaster ㉕

Lancashire. 🏠 *50 000.* 🚉 🚌 🛈 *Castle Hill (01524 32878).* 📅 *du lun. au sam.* 🌐 www.lancaster.gov.uk

C e chef-lieu de comté, petit comparé à Liverpool ou Manchester (elles-mêmes devenues comtés), a une longue histoire. Ce sont les Romains qui lui ont donné son nom, celui de leur camp sur la rive de la Lune. Ce port devint prospère en grande partie grâce au trafic d'esclaves. Son université et sa vie culturelle sont encore très actives.

Le **château** normand fut modifié aux XIVᵉ et XVIᵉ siècles. Il fut le siège d'un tribunal de la couronne et abrita une prison à partir du XVIIIᵉ siècle. Le Shire Hall est orné de 600 blasons. Certains fragments de la tour d'Adrien (collection d'instruments de torture) ont 2 000 ans.

Non loin, le prieuré de **Sainte-Marie**, sur Castle Hill, possède un portail saxon et des stalles sculptées du XIVᵉ siècle dans le chœur. Les **Judge's Lodgings** du XVIIᵉ siècle abritent un musée du meuble. Le **Maritime Museum**, dans la maison des douanes georgienne de Saint George's Quay, évoque l'histoire du port. Le **City Museum**, dans l'ancien hôtel de ville, est consacré à l'histoire de Lancaster. Les cinq grandes arches du **Lune Aqueduct** font passer le canal au-dessus de ce fleuve. Le **Williamson Park** contient l'Ashton Memorial de 1907, folie due au magnat local du linoléum et homme politique Lord Ashton. Du haut de son dôme de 67 m, la vue est superbe. En face se trouvent la volière de papillons tropicaux et un café.

Aigle fauve à Leighton Hall

LES SABLES DE MORECAMBE BAY

Plus d'un voyageur, qui, pour éviter de contourner l'estuaire du Kent, coupait à marée basse à travers les sables mouvants que provoque la remontée des eaux, y perdit la vie lorsque les brouillards dissimulaient le sentier. Des gens du pays se firent guides, et vous pouvez utiliser leurs services pour aller de Kents Bank à Hest Bank, près d'Arnside.

La Traversée des sables de Morecambe (anonyme)

🔺 Lancaster Castle
Castle Parade. 📞 01524 64998. ⬜
t.l.j. ⬤ 25 déc., 1ᵉʳ janv. 📷 🎫 seul.,
mais limitée lors des sessions de la
cour. 🅿 🆆 www.lancastercastle.com

🏛 Judge's Lodgings
Church St. 📞 01524 32808. ⬜ d'avr.
à juin et oct. : t.l.j. (sam. et dim. : a.-m.
seul.) ; de juil. à sept. : t.l.j. ⬤ de nov.
au ven. saint. 📷 🅿

🏛 Maritime Museum
Custom House, St George's Quay.
📞 01524 64637. ⬜ t.l.j. (de Pâques
à nov. : l'après-midi). ⬤ du 24 au
26 déc., 31 déc., 1ᵉʳ janv. 📷 ♿ 🖥
🅿 🆆 www.nettingthebay.org.uk

🏛 City Museum
Market Sq. 📞 01524 64637.
⬜ du lun. au sam. ⬤ du 24 déc.
au 2 janv. ♿ 🅿

🌿 Williamson Park
Wyresdale Rd. 📞 01524 33318.
⬜ t.l.j. 📷 ♿ limité. 🖥 🅿
🆆 www.williamsonpark.u-net.com

Ribble Valley ㉖

Lancashire. 🚉 Clitheroe. 🛈 Market
Place, Clitheroe (01200 425566).
📅 mar., jeu., sam.
🆆 www.ribblevalley.gov.uk

Clitheroe, petite ville
que domine un château,
est un bon point de départ
pour découvrir cette vallée,
ses rivières et ses vieux
villages comme Slaidburn
ou Waddington. À Ribchester,
on peut visiter les vestiges
d'un **musée romain** et
un musée. Whalley possède
une **abbaye cistercienne**.
À l'est, un tumulus de l'âge
du bronze couronne
Pendle Hill (560 m).

🏛 Roman Museum
Ribchester. 📞 01254 878261.
⬜ t.l.j. 📷 ♿
🎫 sur rendez-vous. 🅿

⛪ Whalley Abbey
Whalley. 📞 01254 828400. ⬜ t.l.j.
⬤ du 24 déc. au 2 janv. 📷 ♿
🖥 🅿 🆆 www.whalleyabbey.org

Blackpool ㉗

Lancashire. 🏚 150 000. ✈ 🚉 🚌
🛈 Clifton St (01253 478222).
🆆 www.visitblackpool.com

Le style des vacances a
changé en quelques
décennies, mais si Blackpool
a perdu son statut de perle

Sortie d'usine de L. S. Lowry (1930)

de la côte, son attrait demeure.
Salles de jeu, établissements
de loisirs, embarcadères,
petits restaurants se succèdent
le long de la plage et
des artistes de cabaret
se produisent à la lueur
des réverbères. En septembre
et octobre, les illuminations
de la Blackpool Tower
(158 m) attirent des milliers
de personnes.

Blackpool est un lieu
de villégiature depuis
le XVIIIᵉ siècle, mais elle a pris
son essor vers 1840,
grâce au chemin de fer.

**La Blackpool Tower, repeinte
lors du centenaire en 1994**

Salford Quays ㉘

Salford. 🚈 Harbour City (de
Manchester). 🛈 The Lowry, Pier 8 (0161
848 8601). 🆆 www.visitsalford.com

À l'ouest du centre
de Manchester, les quais
abritaient autrefois le terminal
des docks du **Manchester
Ship Canal**. Après
sa fermeture en 1982, le
secteur fut laissé à l'abandon
mais, depuis les années 1990,
de nouveaux quartiers
et équipements ont vu le jour.
Le **Lowry**, ouvert en 2000, est
un nouveau complexe culturel
spectaculaire composé
de théâtres et de musées,
dont l'un abrite la plus grande
collection d'œuvres de
L. S. Lowry, artiste originaire
de Salford. De l'autre côté du
pont piétonnier qui enjambe
le canal se trouve Trafford (le
terrain du Manchester United
Football Club à Old Trafford
est tout proche) qui abrite
l'**Imperial War Museum
North**, inauguré en 2002. Situé
dans un étonnant bâtiment dû
à l'architecte Daniel Libeskind,
il met l'accent sur la guerre
considérée du point de vue de
ceux qui y furent impliqués.

🏛 The Lowry
Pier 8, Salford Quays. 📞 0161 876
2000. ⬜ t.l.j. ⬤ 25 déc. ♿ 🖥
🅿 🆆 www.thelowry.com

🏛 Imperial War Museum North
Trafford Wharf. 📞 0870 220 3435.
⬜ t.l.j. ⬤ 25 et 26 déc. ♿ 🍴 🖥
🅿 🆆 www.iwm.org.uk/north

Manchester 🌀

**Enseigne
de la bibliothèque
Rylands**

L'histoire de Manchester a commencé en 79 apr. J.-C., lorsque les légions d'Agricola implantèrent le camp de Mancunium sur ce site. La ville prit son essor à la fin du XVIIIᵉ siècle, quand les métiers à filer mus à la vapeur de Richard Arkwright firent faire un bond à l'industrie du coton. Vers 1830, une première voie ferrée relia Manchester à Liverpool, et en 1894 le Ship Canal de Manchester *(p. 359)* permit aux cargos de remonter jusqu'à 55 km dans les terres. Grâce aux profits de l'industrie textile, de fiers bâtiments officiels s'élevèrent, tandis que s'étendaient les quartiers ouvriers surpeuplés. La question sociale conduisit les réformateurs à embrasser la cause libérale ou radicale. Il en résulta entre autres la fondation du *Manchester Guardian*, l'ancêtre de l'actuel *Guardian*. Dans les années 1950, la ville fut la première à raser des quartiers insalubres et à lutter contre la pollution de l'air.

À la découverte de Manchester

Manchester est une jolie ville dont le centre, compact, offre de nombreuses curiosités. Les nuits y sont animées, les restaurants variés et on y trouve l'un des plus grands quartiers chinois du monde. La rénovation du tramway a permis de résoudre les problèmes de transport et, après l'attentat à la voiture piégée de 1996, la municipalité a su donner un nouveau souffle aux quartiers commerçants et rationaliser l'aménagement de certaines rues. Les usines et les docks ont laissé un immense héritage architectural, largement utilisé pour un développement urbain inventif à l'ouest de la ville, dont **Salford Quays** *(p. 359)*. Parmi les beaux édifices du

Urbis, attraction interactive de la Vie urbaine

LE CENTRE DE MANCHESTER

Castlefield ②
Free Trade Hall ④
G-Mex Centre ③
John Rylands Library ⑤
Manchester Art Gallery ⑧
Museum of Science and
   Industry in Manchester ①
Royal Exchange ⑥
Town Hall ⑦

LÉGENDE

🚌 Station d'autobus
🚏 Gare routière
🚋 Tramway
— Ligne de tramway

🚈 Gare ferroviaire
P Parc de stationnement
ℹ Information touristique
✝ Église

(Carte du centre de Manchester avec les rues : BOLTON, BLACKFRIARS ST, M62, Gare de Victoria, Cathédrale, Chetham's Library, Urbis, ST MARY'S GATE, MARKET STREET, DEANSGATE, ST MARY'S PARSONAGE, M61, M6, BRIDGE STREET WEST, BRIDGE ST, ST ANNE'S ST, CROSS STREET, KING STREET, YORK STREET, SPRING GARDENS, FOUNTAIN STREET, PICCADILLY GARDENS, PARKER STREET, OLDHAM, LEEDS, AYTOUN STREET, Gare de Piccadilly, GARTSIDE STREET, QUAY STREET, DEANSGATE, CHARLOTTE ST, MOSLEY STREET, PORTLAND STREET, SACKVILLE STREET, CHORLTON STREET, BLOOM STREET, IRWELL STREET, HAMPSON STREET, WATSON ST, PETER STREET, WINDMILL ST, MOUNT STREET, PRINCESS STREET, OXFORD STREET, LOWER BYROM STREET, LIVERPOOL ROAD, LIVERPOOL Salford Quays, POTATO WHARF, GREAT BRIDGEWATER STREET, LOWER MOSLEY STREET, WHITWORTH STREET, WEST WHITWORTH STREET, Bridgewater Canal, Rochdale Canal, ALBION STREET, BRIDGEWATER VIADUCT, Medlock, ALTRINCHAM Aéroport de Manchester, University Whitworth Art Gallery)

0   250 m

L'hôtel de ville néogothique (1877) dessiné par Alfred Waterhouse

XIXᵉ siècle se trouvent le **Town Hall**, la **John Rylands Library**, fondée il y a plus d'un siècle par la veuve d'un milliardaire local du coton, le **Royal Exchange**, aujourd'hui un théâtre et un restaurant, et le **Free Trade Hall**, devenu le Radisson Edwardian Hotel. Derrière la cathédrale, la **Chetham's Library** est en partie abritée dans un ensemble bien conservé d'édifices de la fin du Moyen Âge. Fermée en 1969, la gare centrale est aujourd'hui le G-Mex Centre, vaste complexe accueillant expositions et conférences. Le site industriel autrefois à l'abandon de **Castlefield** est devenu un quartier florissant, proposant musées, promenades en péniche ; la première gare ferroviaire de transport passager abrite désormais le Museum of Science and Industry.

🏛 **Museum of Science and Industry in Manchester**
Liverpool Rd. ☎ 0161 832 2244.
🕐 t.l.j. ⬤ du 24 au 26 déc. ♿ ♿
🅿 🚻 W www.msim.org.uk
Ce musée, qui est l'un des plus grands dédiés aux sciences, évoque l'esprit d'entreprise et la puissance industrielle de Manchester. Parmi les salles intéressantes, Power Hall, collection de machines à vapeur, Electricity Gallery, qui retrace l'histoire de l'énergie domestique, et une exposition sur la voie ferrée de Liverpool à Manchester. L'Air and Space Gallery possède une belle collection d'appareils illustrant les étapes de l'aviation.

🏛 **Manchester Art Gallery**
Mosley St. et Princess St.
☎ 0161 235 8888. 🕐 du mar. au dim. ⬤ lun. sauf jours fériés, du 24 au 26 déc., 31 déc., 1ᵉʳ janv., ven. saint. ♿ ♿ 🚻 🅿 🛍
W www.manchestergalleries.org
Rouvert à l'été 2002, le musée a doublé son espace d'exposition après une extension réalisée par l'architecte sir Michael Hopkins. Le bâtiment initial fut conçu en 1824 par sir Charles Barry (1795-1860) et présente une très belle collection d'art britannique, notamment d'artistes préraphaélites tels Holman Hunt et Dante Gabriel Rossetti. Les écoles italienne, flamande et française sont également représentées. La Gallery of Craft & Design possède une belle collection d'arts décoratifs, de la Grèce à nos jours en passant par Picasso.

🏛 **Urbis**
Cathedral Gdns. ☎ 0161 6058200.
🕐 du mar. au dim. et lun. fériés.
⬤ 25 et 26 déc. 🎦 ♿ 🚻 ☎ 0161 6058282 🅿 🛍 W www.urbis.org.uk
Installé dans une tour en verre, le musée Urbis, ouvert en 2002, explore la vie de différentes villes du monde, par le biais d'expositions interactives. La visite commence par l'ascension d'une minute dans une cage vitrée d'ascenseur et se poursuit par des expositions thématiques sur 4 niveaux en cascade.

MODE D'EMPLOI

Manchester. 🚶 2,5 millions. ✈ M56, 18 km au S. de Manchester.
🚉 Piccadilly, Victoria, Oxford Road. 🚌 Chorlton St. 🛈 Lloyd St (0161 234 3157). 📅 t.l.j.
W www.visitmanchester.com

🏛 **Whitworth Art Gallery**
University of Manchester, Oxford Rd.
☎ 0161 275 7450. 🕐 t.l.j. (dim. : après-midi). ⬤ du 24 déc. au 2 janv., ven. saint. ♿ 🅿 🛍
W www.whitworth.man.ac.uk
Sir Joseph Whitworth, ingénieur et fabricant de machines-outils, légua les fonds nécessaires pour un musée, consacré à l'origine au design industriel afin de soutenir l'activité textile. C'est un beau bâtiment de brique rouge du début du XXᵉ siècle dont l'intérieur date des années 1960. À l'entrée se trouve *La Genèse*, un nu de Jacob Epstein. Le musée abrite une superbe collection d'art contemporain, de textiles et d'imprimés, ainsi que de belles aquarelles, notamment de Turner (p. 93) et de Girtin. Ne manquez pas les gravures sur bois japonaises et la collection de papiers peints modernes et anciens.

La Genèse (1930-1931) de Jacob Epstein, à la galerie Whitworth

LE MASSACRE DE PETERLOO

Les conditions de travail dans les usines de Manchester étaient si dures que, le 16 août 1819, 50 000 personnes s'assemblèrent à Saint Peter's Field pour protester contre les *Corn Laws*. D'abord pacifique, la foule s'échauffa et les troupes montées, peu entraînées, prirent peur et

chargèrent sabre au clair. Il y eut 11 morts et de nombreux blessés. On appela cet incident Peterloo (allusion à Waterloo). La même année furent votées des réformes comme le *Factory Act*.

Le massacre de Peterloo, par G. Cruikshank

Liverpool 🐦

L es traces de peuplement sur les rives de la Mersey
remontent au Ier siècle. En 1207, Jean sans Terre
accorda une charte à un village de pêcheurs, « Livpul ».
Sous les Stuarts, la ville ne comptait que mille habitants,
mais aux XVIIe et XVIIIe siècles, les profits tirés du commerce
des esclaves avec les Caraïbes permirent à Liverpool de
prospérer. Les premiers quais, ouverts en 1715, finirent
par border la Mersey sur 11 km. C'est en 1840
qu'un premier vapeur de haute mer appareilla
de Liverpool, et les candidats à l'émigration
vers le Nouveau Monde affluèrent de toute
l'Europe, en particulier des Irlandais victimes
d'une famine. Beaucoup se fixèrent à
Liverpool, qui devint une métropole.

Le port accueille toujours autant de cargos
que dans les années 50 et 60, mais les
porte-conteneurs accostent à Bootle. En
dépit des crises économiques et sociales,
l'esprit de Liverpool renaquit dans les
Swinging Sixties, quand « quatre garçons
dans le vent » inventèrent la musique
pop. C'est en hommage aux Beatles que
beaucoup de gens visitent Liverpool, qui
est aussi connue pour son orchestre
philharmonique, ses sports (le football
et le steeple-chase du Grand National)
et son université.

**Ouvrage en fer restauré et poli
de l'Albert Dock**

**Liver Bird, toit du
Royal Liver Building**

À la découverte de Liverpool

On reconnaît facilement
le front de mer, qui part
de Pier Head, gardé par les
deux légendaires *Liver Birds*
(des cormorans avec des
algues dans le bec) du **Royal
Liver Building**. Non loin de là
se trouvent l'embarcadère
de ferries sur la Mersey et
les docks, qui ont repris vie.

LE CENTRE DE LIVERPOOL

Beatles Story ⑥
Cavern Quarter ①
Merseyside Maritime
  Museum ⑧
Metropolitan Cathedral ⑤
Museum of Liverpool Life ⑨
Royal Liver Building ⑩

St George's Hall ④
Tate Liverpool ⑦
Town Hall ⑪
The Walker p. 364-365 ③
World Museum Liverpool ②

LÉGENDE

🚌 Station d'autobus
🚆 Gare ferroviaire
⚓ Embarcadère de ferries
P Parc de stationnement
ℹ Information touristique
✝ Église

0   250 m

À voir aussi, des musées de premier ordre et de belles galeries comme la Walker Art Gallery *(p. 364-365)*. Les amateurs d'architecture pourront admirer quelques-uns des plus beaux monuments néo-classiques de Grande-Bretagne, dans le centre, et deux cathédrales.

Albert Dock

ℹ️ *0151 708 7334.* ⏰ *t.l.j.* ● *25 déc. ; 1er janv.* 💷 *certaines attractions.* ♿

W *albertdock.com*

Les cinq entrepôts de l'Albert Dock ont été conçus par Jesse Hartley (1846). Les docks fermèrent en 1972. Après dix ans d'abandon, on restaura ces bâtiments classés Grade I, qui abritent désormais studios de télévision, musées, galeries, boutiques, restaurants et bureaux.

Quai de l'Albert Dock, le long de la Mersey

🏛 Merseyside Maritime Museum

Albert Dock. 📞 *0151 478 4499.* ⏰ *t.l.j.* ♿ *limité.* 📷 🚻 W *www. merseysidemaritimemuseum.org .uk*

Ce grand musée maritime, consacré à l'histoire du port de Liverpool, évoque les chantiers navals, les paquebots de la Cunard and White Star…

Cloche de bateau au Maritime Museum

Une nouvelle salle a été ouverte qui traite du commerce triangulaire. La bataille de l'Atlantique pendant la Deuxième Guerre mondiale est retracée par des maquettes et des documents. Une autre salle traite de l'émigration vers le Nouveau Monde. Le **HM Customs and Excise National Museum** retrace l'histoire des douanes et de la contrebande. De l'autre côté du quai ont été reconstruits Piermaster's House et le Cooperage.

🏛 Museum of Liverpool Life

Pier Head, Albert Dock. 📞 *0151 478 4080.* ⏰ *t.l.j.* ♿ 📷 🚻 W *www.museumofliverpoollife.org.uk*

Des expositions retracent l'histoire de la ville et de ses habitants et évoquent leur participation à la vie internationale. De nombreuses expositions interactives, agrémentées de récits sur la vie quotidienne, reviennent sur les événements sportifs et politiques marquants de 1880 à nos jours.

MODE D'EMPLOI

Liverpool. 🏙 *450 000.* ✈ *11 km au S.-E. de Liverpool.* 🚉 *Lime St.* 🚌 *Norton St.* ⛴ *depuis Pier Head jusqu'au Wirral, et croisières vers l'île de Man et l'Irlande du Nord.* ℹ️ *Queens Sq (09066 806886).* 🛒 *dim. (heritage market).* 🎭 *0906 6806886 ; Liverpool Show : mai ; River Festival : juin ; semaine Beatles : août.* W *www.visitliverpool.com*

🏛 Beatles Story

Britannia Vaults. 📞 *0151 709 1963.* ⏰ *t.l.j.* ● *25 et 26 déc.* 💷 ♿ 🚻 W *www.beatlesstory.com*

Ce musée propose une promenade qui retrace la fabuleuse histoire de ce groupe, de son premier disque *Love Me Do* à sa dernière apparition en scène en 1969 et sa séparation en 1970. On peut entendre les « tubes » qui ont électrisé toute une génération.

🏛 Tate Liverpool

Albert Dock. 📞 *0151 702 7400.* ⏰ *du mar. au dim., jours fériés.* ● *lun., ven. saint, du 24 au 26 déc., 1er janv.* 💷 *pour quelques expositions.* ♿ 🛗 *sur rendez-vous.* 📷 🚻 W *www.tate.org.uk/liverpool*

Elle abrite l'une des plus belles collections d'art contemporain après celle de Londres. Décoré de panneaux bleu et orange vif, cet ancien entrepôt transformé par l'architecte James Stirling devint en 1988 la première « filiale » de la Tate Gallery.

LES BEATLES

Liverpool a vu naître nombre de groupes et de chanteurs, d'acteurs et de comiques. Mais John Lennon, Paul McCartney, George Harrison et Ringo Starr les ont éclipsés, et les quelques lieux qui évoquent le groupe sont vénérés comme des temples. Des circuits à pied ou en autocar passent par l'asile de l'armée du Salut de Strawberry Fields, Penny Lane (à l'écart du centre) et les maisons natales des Beatles. L'endroit le plus visité est le Cavern Club, Matthew Street, près de la gare centrale, où résonnèrent pour la première fois les accents d'une musique nouvelle. Le lieu initial a été transformé en galerie commerçante, mais les briques d'origine ont été utilisées pour le reconstituer. Les statues des Beatles et d'*Eleanor Rigby* s'élèvent non loin de là.

La Walker Art Gallery de Liverpool

Plat italien
(vers 1500)

Cette galerie fondée en 1873 par sir Andrew Barclay Walker, maire de Liverpool et brasseur, conserve l'une des plus belles collections d'art du Nord : primitifs italiens et tableaux flamands, Rubens, Rembrandt, Poussin, toiles impressionnistes françaises comme *La Repasseuse* de Degas (vers 1892-1895). Le fonds est très riche en œuvres britanniques des XVIIIᵉ et XIXᵉ siècles. Ainsi sont conservées des peintures de Gainsborough (*La Comtesse de Sefton*, 1769), Millais et Turner. La production contemporaine est représentée par Hockney et Sickert ou des sculptures d'Henry Moore.

Coquillages *(1874)*
Albert Moore peignait des figures féminines d'après des statues antiques. Sa façon de traiter les ombres fut influencée par Whistler (p. 505).

Intérieur à Paddington
En 1951, Harry Diamond posa six mois pour son ami Lucian Freud, qui par ce tableau voulait « mettre l'être humain mal à l'aise ».

Rez-de-chaussée

1ᵉʳ étage

15

14

13

12

5

8

7

9

10

11

La façade
est de H. H. Vale et Cornelius Sherlock

Entrée principale

SUIVEZ LE GUIDE !
Toutes les collections de peinture sont au premier étage. Salles 1 et 2 : peinture médiévale et Renaissance ; salles 3 et 4 : œuvres flamandes, françaises, italiennes et espagnoles du XVIIᵉ siècle. Salles 5 à 9 : art britannique des XVIIIᵉ et XIXᵉ siècles ; salles 11 à 15 : art du XXᵉ siècle et art britannique contemporain ; et salle 10 : les impressionnistes et post-impressionnistes.

Berger endormi *(1835)*
Le plus grand sculpteur néo-classiq[ue] britannique du milieu du XIXᵉ siècle, John Gibson (1790-1866), faisait un usage classique de la couleur po[ur] donner à ses statues un aspect lisse.

MODE D'EMPLOI

William Brown St. **[** 0151 478
4199. **🚋** Lime St. **🚌** vers Empire
Theatre ou Lime St. **🕐** 10 h-17 h
lun.-sam. ; 12 h-17 h le dim. **●** 23-
26 déc., 1ᵉʳ janv. **&** sur rendez-vous.
W www.thewalker.org.uk

2

3

**Kingston Brooch, broche saxonne
du VIIᵉ s., World Museum Liverpool**

🏛 World Museum Liverpool

William Brown St. **[** 0151 478 4393.
🕐 de 10 h à 17 h du lun. au sam.,
de 12 h à 17 h dim. **●** du 23
au 26 déc., 1ᵉʳ janv. **& 📷 🏪**
W www.worldmuseumliverpool.org.uk
Les cinq étages de ce
remarquable musée
comprennent des collections
de monnaies antiques,
d'histoire naturelle,
d'archéologie, de l'espace
et temps. Points phares :
les zones d'exploration
sur le terrain, le planétarium,
le centre Découverte,
l'aquarium, la galerie
des cultures du monde et
la maison des insectes.

🛡 Anglican Cathedral

St James' Mount. **[** 0151 709 6271.
🕐 t.l.j. **& 📷 🏪**
W www.liverpoolcathedral.org.uk
Cet édifice de style gothique
ne fut achevé qu'en 1978.
Cette belle cathédrale en grès
rouge fut dessinée par
sir Giles Gilbert Scott. C'est
Édouard VII qui en posa la
première pierre en 1904, mais
les deux guerres mondiales
entravèrent les travaux. Les
nefs latérales sont construites
comme des tunnels à travers
les murs.

🛡 Metropolitan Cathedral of Christ the King

Mount Pleasant. **[** 0151 709 9222.
🕐 t.l.j. **Offrandes. & 🏪**
W www.liverpoolmetrocathedral.org.uk
La cathédrale catholique
marque l'abandon d'une
architecture traditionnelle
au profit d'un style moderne.
Les plans proposés par Pugin,
puis par Lutyens (p. 25) dans
les années 30, se révélèrent
trop coûteux. C'est le projet
de Sir Frederick Gibberd
qui fut retenu : un bâtiment
circulaire surmonté d'une
couronne d'épines de 88 m

de haut. Il fut édifié de 1962 à
1967. Les non-catholiques l'ont
surnommé « Paddy's Wigwam »
(de nombreux Irlandais,
surnommés Paddy, le
fréquentent). La lanterne
en vitrail de John Piper et
Patrick Reyntiens inonde la nef
circulaire d'une lumière
bleutée. Le beau Christ
en bronze de l'autel est l'œuvre
d'Elizabeth Frink (1930-1994).

Aux environs
Speke Hall, superbe manoir
à colombage (1490) doté d'un
joli parc, se trouve à 10 km à
l'est du centre. La partie la
plus ancienne comprend une
cour où s'élèvent deux ifs
taillés, Adam et Ève. À
présent, des tunnels routiers
et ferroviaires assurent le
passage. On y voit un prieuré
normand qui ouvre encore
ses portes le dimanche, et
Hamilton Square, château
conçu par J. Gillespie Graham,
l'un des architectes
de la New Town d'Édimbourg.
    Port Sunlight Village
(p. 337) est un village-jardin
victorien construit par William
Hesketh Lever, riche fabricant
de savon, pour ses ouvriers.
Il y a aussi créé la **Lady Laver
Art Gallery** pour sa collection
d'œuvres d'art.

🏛 Speke Hall

(NT) The Walk, Speke. **[** 0151 427
7231. **🕐** d'avr. à oct. : du mer. au dim.
(a.-m.) ; de nov. à mi-déc. : sam. et dim.
(a.-m.) ; jours fériés. **📷 🍴 &** limité. **▯**
W www.nationaltrust.org.uk
🏛 Port Sunlight Village & Heritage Centre
95 Greendale Rd, Port Sunlight, Wirral.
[0151 644 6466. **🕐** t.l.j. ; d'avr. à
oct. : de 10 h à 16 h ; de nov. à mars : de
11 h à 16 h. **●** semaine de Noël. **🏪 📷**
& 📷 W www.portsunlightvillage.com

**Entrée du manoir à colombage
de Speke Hall**

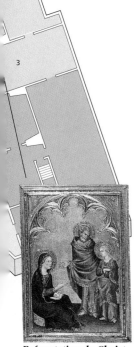

**Présentation du Christ
au Temple** (1342)
Dans un cadre gothique
travaillé, cette Sainte
Famille révèle tout l'art
de Simone Martini.

LÉGENDE

☐ Art européen, XIIIᵉ-XVIIᵉ s.

☐ Art britannique préraphaélite
et victorien, XVIIIᵉ-XIXᵉ s.

☐ Impressionnistes/Post-impressionnistes

☐ Art britannique
contemporain et XXᵉ s.

☐ Salle des sculptures

☐ Arts décoratifs et design

☐ Expositions temporaires

☐ Pièces utilitaires

Le Yorkshire et la région du Humber

Yorkshire du Nord · East Riding of Yorkshire

Cette région, au cœur de laquelle se trouve la vénérable ville d'York, est un pays de landes sauvages, de vallées verdoyantes et de jolis villages. Au nord s'étendent les Dales (vallées) et les Moors (landes) du Yorkshire ; à l'est, une côte de falaises et de plages peuplées d'oiseaux ; et au sud, de grasses prairies.

Trois comtés autrefois distincts (les anciens « Ridings ») constituent l'actuel Yorkshire. Humberside (la région du Humber) et Yorkshire s'étendent sur 12 950 km². Les paysages calcaires tourmentés de la partie nord furent modelés à l'époque glaciaire. Jusqu'au XIXᵉ siècle, cette région vivait principalement de ses ressources agricoles. Des murets de pierre sèche couraient le long des pentes et quadrillaient le terroir. Puis la révolution industrielle apporta son cortège de filatures aux cheminées noircies, de rails et de viaducs.

Le Humberside, au contraire, est traditionnellement tourné vers la mer, mais les ports de pêche sont aujourd'hui en déclin, sauf dans le Nord. Des prairies basses s'étendent à l'intérieur, et la côte exceptionnelle est, vers le nord, émaillée de vastes plages de sable et de petits ports actifs. Ce sont ces paysages contrastés, des landes battues par les vents, comme dans les romans des sœurs Brontë, jusqu'aux falaises abruptes proches de Whitby et à l'étendue plate de Sunk Island dans le Humberside, qui font le charme de la région.

York, qui conserve des vestiges attestant une occupation romaine, puis viking, est la ville de Grande-Bretagne la plus visitée après Londres. Le centre de cette agglomération représente sans aucun doute le pôle le plus attractif de la région. Cependant, on ne peut prétendre connaître le Yorkshire et le Humberside sans avoir parcouru la campagne alentour. D'excellentes routes touristiques et un réseau de sentiers permettent de suivre tranquillement le Cleveland Way ou d'escalader les rochers par le Pennine Way en partant du Pen-y-Ghent.

Casiers à homards sur le quai du petit port de pêche de Whitby

◁ La paisible vallée de Rosedale, dans les North York Moors

À la découverte du Yorkshire et de la région du Humbe

L e Yorkshire englobe les trois anciens comtés des
« Ridings ». Avant le développement du chemin de fer,
de la mine et de l'industrie de la laine au XIXe siècle,
l'économie reposait sur l'agriculture. Dans le Nord, des
murs de pierre sèche divisent les champs et pâturages où
se dressent encore les cheminées des anciennes
filatures. De prestigieuses abbayes, comme
Rievaulx et Fountains, s'y élèvent. La ville
médiévale d'York et les plages du Yorkshire
sont les deux pôles d'attraction
des touristes. La région du Humber
se signale par les paysages vallonnés
des Wolds et ses réserves naturelles.

Rosedale, village des North York Moors

LA RÉGION D'UN COUP D'ŒIL

Bempton et Flamborough
  Head **26**
Beverley **27**
Bradford **35**
Burton Agnes **25**
Burton Constable **28**
Castle Howard p. 384-385 **22**
Chemin de fer des
  North York Moors **18**
Coxwold **11**
Eden Camp **23**
*Fountains Abbey
  p. 376-377* **7**
Grimsby **31**
Halifax **38**
Harewood House **33**
Harrogate **3**
Haworth **36**
Hebden Bridge **37**
Helmsley **13**
Holderness et Spurn
  Head **30**
Hutton-le-Hole **16**

Kingston-upon-Hull **29**
Knaresborough **4**
Leeds **34**
Magna **41**
Mount Grace Priory **15**
National Coal Mining
  Museum **39**
Newby Hall **6**
North York Moors *(p. 381)* **17**
Nunnington Hall **12**
Rievaulx Abbey **14**
Ripley **5**
Ripon **8**
Robin Hood's Bay **20**
Scarborough **21**
Sutton Bank **9**
Whitby **19**
Wharram Percy **24**
York p. 390-395 **32**
Yorkshire Dales p. 370-372 **1**
Yorkshire Sculpture Park **40**

Excursions
La région de Malham **2**

Darlington
RICHMOND
Swale
Kendal
YORKSHIRE DALES
Ure
Ribble
Nidd
FOUNTAINS ABBEY
Wharfe
LA RÉGION
DE MALHAM
RIPLE
HARR
SKIPTON
A59
Clitheroe
Aire
HAREWOOD HO
Pennine Way
HAWORTH **36**
BRADFORD **35**
LEE
HEBDEN
BRIDGE **37**
Calder
HALIFAX **38**
NATIONAL COAL
MINING MUSEUM
M62 HUDDERSFIELD
Manchester
YORKSHIRE
SCULPTURE
PARK **40**
PEAK DISTRICT NATIONAL PAR
Manchester
SHEF
Chester

VOIR AUSSI

• *Hébergement* p. 562-563

• *Restaurants et pubs* p. 597-599

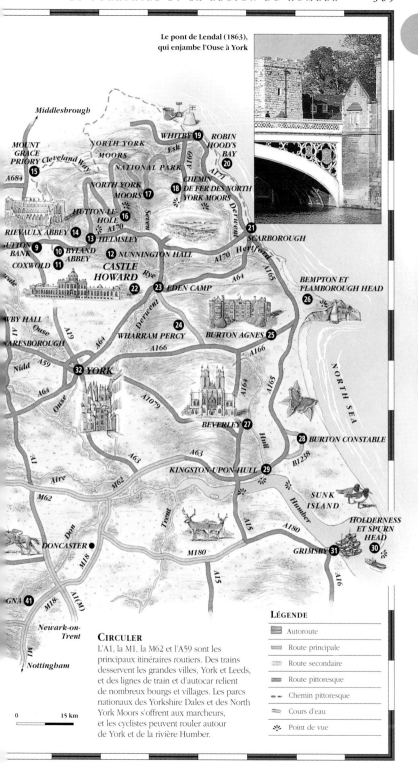

Le pont de Lendal (1863),
qui enjambe l'Ouse à York

Middlesbrough

MOUNT
GRACE
PRIORY **15**

A684

Cleveland Way

NORTH YORK
MOORS

WHITBY **19**   ROBIN
HOOD'S
BAY
20

Esk

NATIONAL PARK

NORTH YORK
MOORS **17**

HUTTON-LE-
HOLE **16**

RIEVAULX ABBEY **14**   **13** HELMSLEY

A170

SUTTON
BANK **9**

10 BYLAND
ABBEY

COXWOLD **11**

12 NUNNINGTON HALL

CASTLE
HOWARD

22   **23** EDEN CAMP

CHEMIN
DE FER DES NORTH
YORK MOORS **18**

Derwent

21
SCARBOROUGH

Hertford

Rye

A170

A64

A165

BEMPTON ET
FLAMBOROUGH HEAD
26

WBY HALL

Ouse

A19

A64

NARESBOROUGH

Nidd

A59

Derwent

24
WHARRAM PERCY

A166

BURTON AGNES **25**

A166

A164

A165

NORTH
SEA

32 YORK

A64

Ouse

A1079

BEVERLEY **27**

28 BURTON CONSTABLE

A1

Aire

A63

Hull

BI238

M62

KINGSTON-UPON-HULL **29**

M62

SUNK
ISLAND

Don

Trent

A15

Humber

A180

HOLDERNESS
ET SPURN
HEAD
30

DONCASTER ●

M180

GRIMSBY **31**

A16

A15

GNA **41**

M18

A1(M)

Newark-on-
Trent

M1

Nottingham

0   15 km

CIRCULER

L'A1, la M1, la M62 et l'A59 sont les
principaux itinéraires routiers. Des trains
desservent les grandes villes, York et Leeds,
et des lignes de train et d'autocar relient
de nombreux bourgs et villages. Les parcs
nationaux des Yorkshire Dales et des North
York Moors s'offrent aux marcheurs,
et les cyclistes peuvent rouler autour
de York et de la rivière Humber.

LÉGENDE

	Autoroute
	Route principale
	Route secondaire
	Route pittoresque
- -	Chemin pittoresque
	Cours d'eau
☀	Point de vue

Yorkshire Dales **❶**

L es Yorkshire Dales forment le cœur d'une région rurale doucement vallonnée. Swaledale, Wharfedale, Wensleydale et Deepdale en sont les principales vallées *(dales)*. Elles ont été dégagées lors de la dernière glaciation. Leur aspect verdoyant contraste avec la rudesse des hautes landes. Cependant, douze siècles de présence humaine ont agrémenté le paysage de cottages, de châteaux et de villages. Parc national depuis 1954, la région offre des distractions tout en répondant aux besoins des localités voisines.

Monk's Wynd, l'une des ruelles tortueuses de Richmond

À la découverte de la Swaledale

C'est la laine qui fit la prospérité de la vallée, ce que rappellent les troupeaux de moutons qui paissent sur les pentes sauvages par tous les temps. Le cours rapide de la Swale, qui a donné son nom à la vallée, traverse des landes mornes et se précipite en cascades magnifiques au milieu des pentes boisées, pour venir ensuite baigner le village de Reeth et la ville de Richmond.

♣ Richmond Castle

(EH) Tower Street. 📞 *01748 822493.* ⭕ *d'oct. à avr. : du jeu. au lun. ; de mai à sept. : t.l.j.* 🎫 ♿ limité. 📷
Le principal point d'accès à la Swaledale est le bourg médiéval de Richmond, avec sa grande place du marché pavée. Alan Rufus, premier comte normand de Richmond, entama la construction du château en 1071 ; certains pans du mur d'enceinte datent sans doute de cette époque. Les murs du beau donjon normand, haut de 30 m, atteignent 3,30 m d'épaisseur. Une arche du XIe siècle mène à la cour où s'élève Scolland's Hall (1080), l'un des plus vieux bâtiments d'Angleterre.

La place du marché est l'ancienne enceinte extérieure du château. Les ruelles capricieuses ont inspiré à Leonard McNally la chanson *The Lass of Richmond Hill* (1787), composée pour sa femme, élevée à Richmond Hill.

La région de Malham *(p. 373)*

LÉGENDE

━━ Route principale
╍╍ Route secondaire
═══ Autre route
━━ Limite du parc national

0   20 km

Le paysage onduleux et verdoyant de la Deepdale, près de Dent

Turner *(p. 93)* a souvent représenté cette ville. Le Georgian Theatre (1788) est le seul théâtre de cette époque aujourd'hui conservé.

🏛 Swaledale Folk Museum

Reeth Green. 🎫 *01748 884373.*
⏲ *de Pâques à oct. : t.l.j.* 🖼
Ce musée se trouve à Reeth, dont les mines de plomb apportèrent la prospérité à la région. Installé dans une ancienne école méthodiste (1830), il présente les activités de la mine et de l'industrie lainière (la laine des vigoureux moutons de la Swaledale était un des piliers de l'économie).

🌿 Buttertubs

Près de Thwaite, sur la B6270 vers Hawes, on peut voir une série de trous où s'engouffre le courant. Ils furent surnommés « pots à beurre », car les paysans qui se rendaient au marché y mettaient le beurre à rafraîchir.

Buttertubs, près de Thwaite

À la découverte de la Wensleydale

La plus grande vallée du Yorkshire était surtout connue par ses fromages. Récemment, c'est une série télévisée britannique, *All Creatures Great and Small*, qui l'a rendue célèbre. Les randonneurs y trouveront des itinéraires faciles.

🏛 Dales Countryside Museum

Station Yard, Hawes. 🎫 *01969 667450.* ⏲ *t.l.j.* ⏺ *du 24 au 26 déc., 1ᵉʳ janv.* 🖼 ♿ 🚻
L'ancienne gare de marchandises de Hawes,

Tonneaux à la brasserie Theakston

capitale de l'Upper Wensleydale, abrite un intéressant musée de la vie et des industries des XVIIIᵉ et XIXᵉ siècles dans les Upper Dales. La fabrication du fromage et du beurre y est à l'honneur. Ce sont les moines de l'abbaye voisine de Jervaulx qui inventèrent le fromage de la Wensleydale.

À Hawes se tient aussi un important marché. Chaque été, des milliers d'ovins et de bovins y sont vendus aux enchères.

🌿 Hardraw Force

🖼 *au Green Dragon Inn, à Hardraw.*
Hardraw, petit village voisin, possède la cascade la plus haute d'Angleterre : rien n'interrompt la chute d'eau sur 29 m. Elle a connu son heure de gloire à l'époque victorienne, quand le cascadeur Blondin la franchit sur une corde raide. Il est possible de passer contre le rocher derrière l'écran d'eau sans se faire mouiller.

🌿 Aysgarth Waterfalls

ℹ *National Pk Centre (01969 663424).* ⏲ *du ven. au dim.*
Depuis le vieux pont qui servait aux chevaux de trait, on peut regarder le cours placide de l'Ure se déverser tel un torrent furieux sur de larges dalles de pierre. Turner a peint les impressionnantes chutes inférieures en 1817.

🏛 Theakston Brewery

Masham. 🎫 *01765 680000.* ⏲ *t.l.j.* ⏺ *du 23 déc. à début janv.* 🖼 ♿ 🚻
🌐 *www.theakstons.co.uk*
À Masham est installée la brasserie qui produit la bière forte Old Peculier. Un centre d'accueil pour les visiteurs

MODE D'EMPLOI

North Yorkshire. 🚂 *Skipton.*
ℹ *01756 792809.*
🌐 *www.yorkshiredales.org*

retrace l'histoire de cette petite entreprise familiale depuis 1827. Sur la place du village, bordée de maisons des XVIIᵉ et XVIIIᵉ siècles, se tenaient autrefois les foires aux moutons. Remarquez aussi l'église médiévale.

♖ Bolton Castle

Castle Bolton, près de Leyburn.
🎫 *01969 623981.* ⏲ *t.l.j.*
⏺ *du 23 au 25 déc.* 🖼 ⬛ 🚻
🌐 *www. boltoncastle.co.uk*
Le château du village de Castle Bolton fut construit en 1379 par le premier Lord Crope, chancelier d'Angleterre, comme demeure d'agrément. En 1568-1569, Élisabeth Iʳᵉ *(p. 50-51)*, qui craignait une rébellion, y retint Marie Stuart *(p. 497)* prisonnière.

♖ Middleham Castle

Middleham, près de Leyburn.
🎫 *01969 623899.*
⏲ *d'avr. à sept. : de 10 h à 18 h t.l.j. ; d'oct. à mars : de 10 h à 16 h du jeu. au lun.* ⏺ *du 24 au 26 déc., 1ᵉʳ janv.* 🖼 🍴 🚻
Propriété de Richard Neville, comte de Warwick, ce château de 1170 est surtout connu comme résidence de Richard III *(p. 49)* lorsque celui-ci fut élevé au rang de Lord of the North. Cette place forte, l'une des plus puissantes du Nord, fut abandonnée au XVᵉ siècle, et ses pierres servirent de matériau.

Vestiges du château de Middleham, ancienne résidence de Richard III

Les vastes ruines du prieuré de Bolton, qui date de 1154

À la découverte de la Wharfedale

Des bourgs calmes se nichent le long des méandres de la rivière qui parcourt cette vallée de landes gréseuses. Grassington est une bonne base pour entreprendre une randonnée, mais l'on peut aussi partir des villages de Burnsall, au pied d'un *fell* de 506 m, et de Buckden, au pied du Buckden Pike (701 m).

C'est la région des Trois Pics : le Whernside (736 m), l'Ingleborough (724 m) et le Pen-y-Ghent (694 m), d'accès difficile, et connus pour leurs fondrières. C'est un véritable défi pour les grimpeurs les plus hardis que de les escalader tous les trois en une journée. En signant un registre avant le départ au café du Pen-y-Ghent à Horton-in-Ribblesdale pour prouver que les 32 km de course ont été parcourus en moins de 12 heures, ils peuvent devenir membres du club des Three Peaks of Yorkshire.

🏠 Burnsall

St Wilfrid's, Burnsall. 📞 *01756 720331.* ◯ *d'avr. à oct. : t.l.j. jusqu'au crépuscule.* 🚻

Dans le cimetière de l'église Saint-Wilfrid, on peut voir un pilori, des tombes de l'époque viking et la pierre tombale de la famille Dawson sculptée par Éric Gill (1882-1940). Le village, groupé autour d'un vieux pont à 5 arches, accueille en août la plus ancienne course de montagne de Grande-Bretagne.

🏛 Upper Wharfedale Museum

The Square, Grassington. ◯ *de mars à oct. : t.l.j. (après-midi).* 🚻 🚻 *limité.*

Ce musée des traditions populaires installé dans des cottages de mineurs du XVIIIe siècle évoque la vie quotidienne et économique de la région.

🏠 Bolton Priory

Bolton Abbey, près de Skipton. 📞 *01756 718009.* ◯ *t.l.j.* 🚻

L'un des plus jolis paysages de la Wharfedale s'étend autour de Bolton Abbey. Quarante-six km de sentiers, accessibles pour la plupart aux handicapés et aux enfants, permettent de parcourir ce site préservé.

Les ruines du prieuré de Bolton, fondé par des chanoines augustiniens en 1154 sur le site d'un manoir saxon, comprennent une église, une salle du chapitre, un cloître et la maison du prieur. Tous ces bâtiments sont empreints de la richesse acquise par les chanoines grâce à la laine de leurs moutons. La nef du prieuré tient lieu d'église paroissiale. Une autre curiosité de la région est le « Strid », endroit où la Wharfe se précipite dans une gorge, produisant une écume jaune et creusant la roche.

🦇 Stump Cross Caverns

Greenhow Hill, Pateley Bridge. 📞 *01756 752780 ou 01423 711282.* ◯ *d'avr. à oct. : t.l.j. : de nov. à mars : sam., dim. et jours fériés (tél. pour les horaires).* 🚻 🚻 🚻 🚻 www.stumpcrosscaverns.co.uk

En un demi-million d'années, ces grottes ont été façonnées en dédales de forme et de taille fantastiques par les eaux souterraines. Obstruées par la dernière glaciation, ces cavernes ne furent découvertes que vers 1850, lorsque des mineurs y débouchèrent en creusant une galerie.

⚓ Skipton Castle

High St, Skipton. 📞 *01756 792442.* ◯ *t.l.j. (dim. : après-midi)* ⬤ *25 déc.* 🚻 🚻 🚻 🚻 www.skiptoncastle.co.uk

Située hors du parc national, Skipton est toujours l'un des principaux centres de vente aux enchères et d'élevage du Nord. Son château du XIe siècle fut presque entièrement reconstruit par Robert de Clifford au XIVe siècle. La magnifique Conduit Court est un ajout d'Henry, Lord Clifford, sous Henri VIII. L'if central fut planté par Lady Anne Clifford en 1659, en souvenir de la restauration du château après les dégâts de la guerre civile.

La Conduit Court (1495) et l'if du château de Skipton

Excursion dans la région de Malham ❷

L a région de Malham, modelée par l'érosion glaciaire il y a 10 000 ans, est l'un des paysages calcaires les plus spectaculaires de Grande-Bretagne. La randonnée, en partant de Malham, peut durer plus de quatre heures si l'on prend le temps de faire un détour par la Gordale Scar. On peut aussi s'arrêter à Malham Cove, vaste amphithéâtre naturel formé

Bécasseau à Malham Tarn

par un effondrement géologique qui fait penser à l'empreinte d'un géant. Au-dessus, les profondes crevasses de Malham Lings abritent des plantes rares. D'autres poussent dans les eaux très calcaires du Malham Tarn. Cette rivière aurait inspiré à Charles Kingsley son roman *Les Bébés d'eau* (1863). L'été, ce lac est peuplé de foulques et de colverts, l'hiver de morillons.

Croisement du sentier et de la route ⑤
D'ici, un autobus rejoint Malham.

👫 Malham Tarn House

Ⓟ MALHAM ⑤

④

Malham Tarn ④
Second lac du Yorkshire par sa taille, il est situé à 305 m d'altitude, dans une réserve naturelle.

Malham Lings ③
Cet affleurement est lié à la déglaciation : les eaux de fonte des glaciers ont dissous une partie du calcaire qui le constituait.

SETTLE

③

Gordale Scar ⑥
Cette gorge bordée de falaises fut creusée par les eaux de fonte des glaciers.

⑥

②

Malham Cove ②
Cet escarpement de 76 m porte encore la trace d'une ancienne chute d'eau.

Malham Beck

Ⓟ ① *Gordale Beck*

SKIPTON

Malham ①
Le centre d'information de ce joli village au bord de la rivière donne des renseignements sur les randonnées.

LÉGENDE

▪▪ Circuit

═══ Route secondaire

🌿 Point de vue

Ⓟ Parc de stationnement

ℹ️ Renseignements

👫 Toilettes

0   1 km

CARNET DE ROUTE

Point de départ : *Malham.*
Comment y aller ? *Quitter la M65 par la sortie 14 et prendre l'A56 pour Skipton, puis suivre les panneaux Malham, voisin de l'A65.* ***Itinéraire :*** *11 km.* ***Difficulté :*** *Malham Cove est abrupt, la région du Tarn l'est moins.*
ℹ️ *01729 830363.*

Affiche des années 1920 vantant les eaux de Harrogate

Harrogate ❸

North Yorkshire. 69 000.
The Royal Baths, Crescent Rd (01423 537300).
www.harrogate.com

Près de 90 sources thermales firent d'Harrogate la principale ville d'eau du Nord, entre 1880 et la Grande Guerre. C'était une étape idéale pour les aristocrates qui désiraient se remettre d'une trépidante saison londonienne avant d'aller chasser la grouse en Écosse.

Les attraits de Harrogate résident dans cette atmosphère de ville d'eaux, son architecture, ses jardins publics et sa situation au cœur du Yorkshire du Nord et des Dales.

Les sources naturelles ne sont pas toujours en service ; rendez-vous alors aux bains turcs qui sont parmi les plus attrayants du pays. L'entrée du côté des Royal Assembly Rooms (1897) ne paie pas de mine, mais l'intérieur des **Harrogate Turkish Baths** est somptueusement décoré de céramique victorienne.

Le **Royal Pump Room Museum** retrace l'histoire de la ville. Au début du siècle, on pensait que les eaux étaient plus riches en fer le matin : entre 7 et 9 h, le bâtiment octogonal voyait affluer les riches curistes venus recueillir le précieux breuvage. Les plus pauvres pouvaient se servir à la pompe extérieure, toujours en usage. On peut goûter les eaux et visiter le musée, qui conserve une bicyclette Penny Farthing de 1874.

Les plates-bandes du **Stray**, parc public situé au sud du centre, sont fleuries à profusion, et les **Harlow Car Gardens**, jardin ornemental, appartiennent à la Northern Horticultural Society ; l'été et l'automne *(p. 63-64)* s'y tiennent deux festivals floraux spectaculaires. Les **Betty's Café Tea Rooms** *(p. 598)* proposent de délicieuses pâtisseries dans un cadre raffiné.

Harrogate Turkish Baths
The Royal Baths, Crescent Rd. *01423 556746.* ***Hommes*** *: lun., mer. et ven. : l'après- midi ; sam.* ***Femmes*** *: lun. : le matin ; mar. et jeu. : l'après-midi ; ven. : le matin ; dim.* ***Mixtes*** *(en maillot de bain) : mar. (matin) ; (couples en maillot de bain uniquement) : mer., ven. et dim. : le soir.*

Royal Pump Room Museum
Crown Pl. *01423 556188.* *t.l.j.* *du 24 au 26 déc., 1er janv.*

Harlow Car Gardens
Crag Lane. *01423 565418.* *t.l.j.* www.rhs.org.uk

Betty's Café Tea Rooms
1 Parliament St. *01423 502746.* *t.l.j.* *25 et 26 déc., 1er janv.* www.bettysandtaylors.co.uk

Knaresborough ❹

North Yorkshire. *14 000.*
depuis Harrogate.
9 Castle Courtyard, Market Place (01423 866886). *mer.*

Cette ville, l'une des plus vieilles d'Angleterre, citée dans le *Domesday Book* de 1086 *(p. 48)*, surplombe le cours de la Nidd. Les rues, qui relient l'église, le château en ruine de John of Gaunt et la place du marché à la rivière, sont maintenant bordées de maisons du XVIIIe siècle.

Non loin se trouve la **Mother Shipton's Cave**, sans doute l'attraction touristique la plus ancienne d'Angleterre.

La grotte de Mother Shipton et ses objets recouverts de calcaire

La façade sud de Newby Hall

Cette grotte acquit sa réputation en 1630 comme lieu de naissance d'Ursula Sontheil, célèbre prophétesse locale. À proximité, on peut voir une source qui, en quelques semaines, recouvre d'une couche de calcaire n'importe quel objet, que ce soit un parapluie ou un jouet.

🎭 Mother Shipton's Cave

Prophesy House, High Bridge. 📞 01423 864600. 🔵 de Pâques à oct. : t.l.j. ; nov. et de fév à Pâques. : sam. et dim. 🔴 25 déc. et janv. 🅿️ 🚻 🔲 🛗

Ripley ❺

North Yorkshire. 👥 150. 🚉 depuis Harrogate ou Ripon. ℹ️ 01423 537300. 🔲 www.harrogate.gov.uk

Depuis 1320 environ, époque où la première génération de la famille Ingilby vivait au château de Ripley, presque tous les villageois sont employés au château. L'empreinte la plus visible laissée par cette famille date du XIXᵉ siècle : vers 1820, sir William Amcotts Ingilby s'éprit d'un village de l'est de la France, et le fit reproduire avec son hôtel de ville.

C'est à **Ripley Castle**, dont le portail est du XVᵉ siècle, qu'Oliver Cromwell *(p. 52)* fit étape après la bataille de Marston Moor. La 28ᵉ génération d'Ingilby réside aujourd'hui dans cette demeure qui est ouverte au public. Le beau domaine comprend deux lacs et un parc aux cerfs, ainsi que des jardins plus classiques.

⚜️ Ripley Castle

Ripley. 📞 01423 770152. 🔵 de sept. à juin : mar., jeu. à dim. ; juil. et août : t.l.j. 🔴 25 déc. 🅿️ 🚻 🔲 🛗 🔲

Newby Hall ❻

Près de Ripon, North Yorkshire. 📞 01423 322583. 🔵 d'avr. à juin et sept. : du mar. au dim. ; juil. et août : t.l.j. 🅿️ 🚻 🔲 🛗 🔲 www.newbyhall.com

Édifié sur une propriété des Nubie au XIIIᵉ siècle, Newby Hall appartient à la même famille depuis 1748. La partie centrale du manoir actuel fut construite à la fin du XVIIᵉ siècle dans le style de sir Christopher Wren. Les jardins couvrent 10 ha et méritent une visite. Organisés le long d'une allée centrale, ils forment une série de vastes étendues distinctes, et chacun est planté de façon à être fleuri quelle que soit la saison. Des sculptures contemporaines sont exposées sur Woodland Discovery Walk. Pour les enfants, un jardin ludique propose plusieurs activités et un petit train longe la rivière Ure (promenades en bateau). Chaque année, des manifestations spéciales sont organisées, tels une foire aux fleurs, un rallye de voitures anciennes et deux expositions-ventes d'artisanat.

Fountains Abbey ❼

Voir p. 376-377.

Ripon ❽

North Yorkshire. 👥 14 000. 🚉 depuis Harrogate. ℹ️ Minster Rd (01765 604625). 🔵 jeu. 🔲 www.riponcity.info

Cette petite ville est surtout connue par sa cathédrale et par son *wakeman* (chevalier du guet) qui veille sur la population depuis la fin du Moyen Âge. En échange de sa protection, il lève une taxe annuelle de 2 pence par foyer. Il sonne du cor tous les soirs à 9 h, et tous les jeudis c'est une cloche qui annonce l'ouverture du marché.

La **cathédrale Saint-Pierre et Saint-Wilfrid** est construite sur une crypte saxonne, prétendument la plus ancienne d'Angleterre, de 3 m de haut et 2 m de large. La collection de miséricordes *(p. 329)* d'inspiration païenne et biblique est remarquable. Sir Nikolaus Pevsner (1902-1983), auteur d'un inventaire en trois volumes des monuments de Grande-Bretagne, considérait la façade ouest comme la plus belle d'Angleterre.

Le **Prison and Police Museum** qui se trouve dans la « maison de correction » de 1686 présente l'histoire de la police et les conditions de vie dans les prisons victoriennes.

🏛️ Prison and Police Museum

St Marygate. 📞 01765 690799. 🔵 d'avr. à oct. : t.l.j. 🔴 de nov. à mars. 🅿️ 🚻 🔲 🔲 www.riponmuseums.co.uk

Le *wakeman* de Ripon sonnant du cor place du marché

Fountains Abbey ❼

Les vastes ruines en grès de l'abbaye de Fountains et les pièces d'eau de Studley Royal se nichent dans la vallée boisée de la Skell. L'abbaye fut fondée par des moines bénédictins en 1132 et reprise par des cisterciens trois ans plus tard. Au milieu du XIIᵉ siècle, elle était la plus prospère de Grande-Bretagne, mais elle tomba en ruine après la dissolution des ordres monastiques *(p. 339)*. En 1720, John Aislabie, député de Ripon et chancelier de l'Échiquier, reprit les terres et la forêt. Il entreprit la création des fameux jardins d'eau et l'installation des statues et temples à l'antique dans le parc, qui contrastent avec la simplicité de l'abbaye. Son fils poursuivit son œuvre.

Fountains Hall
Construit par sir Stephen Proctor vers 1611 avec des pierres de l'abbaye, on l'attribue à l'architecte Robert Smythson. Le grand salon comprend une tribune des musiciens et l'entrée est flanquée de colonnes classiques.

L'ABBAYE
Elle fut fondée pour répondre aux aspirations cisterciennes de simplicité et d'austérité. Les pauvres, les malades et les voyageurs étaient toujours bien accueillis.

La chapelle des Neuf Autels, à l'est de l'église, fut construite de 1203 à 1247. Contrairement à la rigueur du reste de l'abbaye, son architecture répond à un souci d'ornementation ; en témoigne un vitrail de 18 m de haut.

Salle du chapitre
Résidence de l'abbé
Cloître
Cellier
Cuisine
Infirmerie des moines
Réfectoire
Infirmerie des frères convers
Réfectoire des convers

Le dortoir souterrain, soutenu par 19 piliers et long de 90 m, servait à emmagasiner les toisons que les moines vendaient aux marchands vénitiens et florentins.

Fountains Mill est l'un des plus beaux moulins à eau monastiques en Grande-Bretagne.

Vers le Visitor Centre et le parc de stationnement

La Skell

Chemins menant au parc

★ **L'abbaye**
Elle est en pierre de la vallée de la Skell.

À NE PAS MANQUER

★ L'abbaye

★ Le temple de la Piété

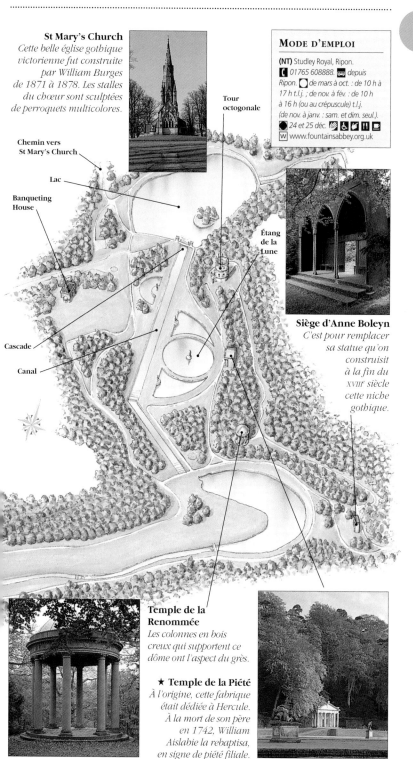

St Mary's Church
Cette belle église gothique victorienne fut construite par William Burges de 1871 à 1878. Les stalles du chœur sont sculptées de perroquets multicolores.

Tour octogonale

MODE D'EMPLOI

(NT) Studley Royal, Ripon.
📞 01765 608888. 🚌 depuis Ripon. ⬜ de mars à oct. : de 10 h à 17 h t.l.j. ; de nov. à fév. : de 10 h à 16 h (ou au crépuscule) t.l.j. (de nov. à janv. : sam. et dim. seul.). ⬤ 24 et 25 déc. 🅿 ♿ 🚻 🍴 🛍 📷
🔲 www.fountainsabbey.org.uk

Chemin vers
St Mary's Church

Lac

Banqueting
House

Étang
de la
Lune

Cascade

Canal

Siège d'Anne Boleyn
C'est pour remplacer sa statue qu'on construisit à la fin du XVIIIᵉ siècle cette niche gothique.

Temple de la Renommée
Les colonnes en bois creux qui supportent ce dôme ont l'aspect du grès.

★ **Temple de la Piété**
À l'origine, cette fabrique était dédiée à Hercule. À la mort de son père en 1742, William Aislabie la rebaptisa, en signe de piété filiale.

Le cheval blanc du XIXᵉ siècle, non loin de Sutton Bank

Sutton Bank ❾

North Yorkshire. 🚆 *Thirsk.*
ℹ️ *Sutton Bank (01845 597426).*

Très fréquentée par les motards qui en apprécient le relief accidenté, la région de Sutton Bank offre de vastes panoramas ; par temps clair, on peut voir du Vale of York au Peak District *(p. 326-327)*. C'est ce paysage qu'admira William Wordsworth en 1802, sur le chemin qui le menait chez sa future femme, Mary Hutchinson, à Brompton. Véritable curiosité, le cheval blanc de Sutton Bank est une figure de craie du XIXᵉ siècle. On peut en faire le tour à pied.

Byland Abbey ❿

(EH) Coxwold, York. 📞 *01347 868614.* 🚌 *depuis York ou Helmsley.* 🚆 *Thirsk.* ⭕ *d'avr. à juil. : du jeu. au lun. ; août : t.l.j.* 🎫 ♿ *limité.* 🆆 www.english-heritage.org.uk/yorkshire

Ce monastère cistercien fut fondé en 1177 par des moines de l'abbaye de Furness, dans la Cumbria. Son église était à l'époque la plus grande d'Angleterre (100 m de long, 41 m de large d'un transept à l'autre). L'agencement des bâtiments est encore visible : le grand cloître, la façade ouest de l'église, ainsi que le pavage en céramique vernie jaune et vert. Un petit musée conserve de belles pierres sculptées et des chapiteaux.

En 1322, la bataille de Byland se déroula non loin de là, et Édouard II *(p. 40)* faillit être capturé par les Écossais qui avaient appris qu'il dînait au monastère. Ses ennemis firent main basse sur toutes les richesses qu'il dut abandonner dans sa fuite.

Coxwold ⓫

North Yorkshire. 🏘️ *160.* ℹ️ *49 Market Place, Thirsk (01845 522755).* 🆆 www.herriotcountry.com

Juste à la limite du parc national des North York Moors *(p. 381)*, ce charmant village se niche au pied des Howardian Hills. Les maisons en pierre du pays entourent l'église du XVᵉ siècle caractérisée par une imposante tour octogonale et meublée de bancs fermés géorgiens.

C'est à Coxwold que résida l'écrivain Laurence Sterne (1713-1768), auteur de *La Vie*

Shandy Hall, maison de l'écrivain Laurence Sterne, devenue un musée

et les opinions de Tristram
Shandy et d'*Un voyage
sentimental en France et
en Italie*, qui, en 1760, vint
prendre en charge la paroisse.
Il loua une maison toute
biscornue qu'il baptisa
Shandy Hall, ce qui veut dire
« excentrique » en patois
du Yorkshire. Cette maison à
colombage et galerie ouverte
du XVᵉ siècle fut remaniée
au XVIIᵉ siècle, et Sterne y fit
ajouter plus tard une façade.
Sa tombe se trouve à côté
du porche de l'église.

Shandy Hall
Coxwold. 01347 868465.
de mai à sept. : mer. et dim.
(après-midi). limité.
Jardins du dim. au ven.

Nunnington Hall ⑫

(NT) Nunnington, York. 01439
748283. Malton, puis bus ou taxi.
de mars à mai, de sept. à oct. :
du mer. au dim. (après-midi) ;
de juin à août : du mar. au dim.,
jours fériés (après-midi).
rez-de-chaussée.

Nunnington Hall fut
une propriété de famille
jusqu'en 1952, lorsque
Mᵐᵉ Ronald Fife en fit don au
National Trust. Ce manoir du
XVIIᵉ siècle construit dans un
bel environnement mêle les
styles élisabéthain et Stuart. À
l'intérieur comme à l'extérieur,
l'architecte a eu recours au
fronton brisé (l'arc supérieur
n'a pas de clef de voûte).
On remarque les boiseries
de l'Oak Hall, autrefois peint,
qui se prolongent le long

Le salon miniature Queen Anne de Nunnington Hall

de la cloison à trois voûtes
jusqu'au grand escalier.
La collection de 22 pièces
miniatures, meublées chacune
dans un style différent,
est remarquable.
Pour la petite histoire,
c'est là que vécut, au milieu
du XVIᵉ siècle, le Dʳ Huickes,
médecin d'Henri VIII
(p. 50-51), connu pour avoir
déconseillé à Élisabeth Iʳᵉ,
alors âgée de 32 ans, d'avoir
des enfants.

Helmsley ⑬

North Yorkshire. 2 000.
depuis Malton ou Scarborough.
Town Hall, Market Place (01439
770173). ven.
www.ryedale.gov.uk/tourism

Cette jolie ville est
remarquable par son
château aux ruines
imposantes, construit de 1186
à 1227, dont le donjon, la tour
et le mur d'enceinte rappellent
la fonction défensive. Si le
donjon en forme de D a été
partiellement détruit pendant
la guerre civile *(p. 52)*,
il a cependant conservé
son aspect général. Le château

était si impressionnant que
les tentatives pour le prendre
d'assaut furent rares. En 1644
cependant, après un siège
de trois mois, la forteresse
fut vaincue et démantelée par
sir Thomas Fairfax, général
au service du Parlement.

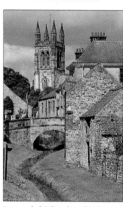
La tour de l'église de Helmsley

Rievaulx Abbey ⑭

(EH) Près de Helmsley, North Yorkshire.
01439 798228. Thirsk ou
Scarborough, puis bus ou taxi.
d'avr. à sept. : t.l.j. ; d'oct. à mars :
du jeu. au lun. limité.

Cette abbaye est sans doute
la plus belle de la région,
en partie grâce à sa situation
dans la vallée boisée de la Rye,
en partie grâce à l'importance
de ses vestiges. Le relief
escarpé qui l'entoure renforce
son isolement. C'est ici que les
moines de Clairvaux fondèrent
le premier grand monastère
cistercien de Grande-Bretagne
en 1132. Les bâtiments
principaux, dont la nef
de l'abbatiale, étaient achevés
en 1200. Ils témoignent de
la rigueur imposée à l'origine
à l'ordre cistercien.

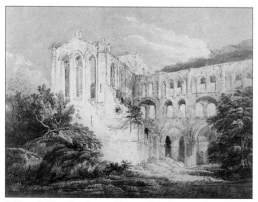
L'abbaye de Rievaulx peinte par Thomas Girtin (1775-1802)

Ruines du prieuré de Mount Grace, avec la ferme et les habitations au premier plan

Mount Grace Priory **⑮**

(EH/NT) A19, au N.-E. de Northallerton, North Yorkshire. **☎** 01609 883494. **☒** Northallerton, puis bus. **◯** d'avr. à sept. : t.l.j. ; d'oct. à mars : du jeu. au lun. **✆** **♿** terrasses et boutiques seulement. **☐** **W** www.english-heritage.org.uk/yorkshire

F ondé par Thomas Holland, duc de Surrey, et en activité de 1398 à 1539, c'est le monastère chartreux *(p. 338-339)* le mieux conservé d'Angleterre. La première communauté comptait 20 moines qui avaient fait vœu de silence et vivaient en cellule. Chacune était dotée d'un jardin et d'un guichet qui empêchait de voir celui qui apportait le repas. Les moines ne se réunissaient qu'aux matines, aux vêpres et aux repas de fête. Ceux qui tentaient de s'échapper étaient punis de prison. Les ruines comprennent l'ancienne prison, le corps de garde, des cellules et l'église (XIVᵉ s.), élément le mieux conservé. Celle-ci était de petite taille, car elle ne servait que rarement à l'ensemble de la communauté. Une cellule reconstituée donne un aperçu de la vie monastique.

Hutton-le-Hole **⑯**

North Yorkshire. **👥** 400. **☒** Malton, puis bus. **ℹ** The Ropery, Pickering (01751 473791). **W** www.ryedale.gov.uk/tourism

D ans ce village pittoresque, des moutons paissent dans un vaste pré entouré de maisons, d'une auberge et de boutiques. Ce ne sont pas les traditionnels ponts de pierre, mais des planches en bois blanc qui enjambent les cours d'eau des landes. Les cottages, dont la date de construction figure parfois au-dessus de la porte, sont en calcaire et recouverts de tuiles rouges.

Atelier de charron au Ryedale Folk Museum

Le **Ryedale Folk Museum**, dans le centre, évoque la vie de cette localité agricole grâce à des objets romano-bretons et des bâtiments reconstitués.

🏛 Ryedale Folk Museum
Hutton-le-Hole. **☎** 01751 417367. **◯** de mi-mars à mi-nov. : t.l.j. **✆** **♿** **☐**

Les North York Moors **⑰**

Voir p. 381.

Le chemin de fer des North York Moors **⑱**

Pickering, North Yorkshire. **☎** 01751 472508. **◯** d'avr. à oct. : t.l.j. ; de nov. à mars : certains week-ends (tél. pour les horaires). **☐** **✆** **♿** **☐** **W** www.northyorkshiremoorsrailway.com

T racée en 1831 le long de la vallée de l'Esk par George Stephenson pour relier Pickering et Whitby *(p. 382)*, cette voie ferrée fut considérée comme un exploit technique. Le budget ne permettant pas de creuser un tunnel, la voie dut emprunter la déclivité de 1,5 km entre Beck Hole et Goathland. Autour de Fen Bog, il fallut stabiliser le terrain à l'aide de poutres, de brandes, de broussailles et de peaux pour faire un remblai. Un cheval tirait les convois à 16 km/h. La vapeur le remplaça, et 130 ans durant le chemin de fer relia Whitby au reste du pays. Vers 1960, la ligne ferma faute de trafic, mais en 1967 des gens du pays en réclamèrent la réouverture, qui fut déclarée officiellement en 1973 par la duchesse de Kent. La ligne parcourt 29 km, *via* Levisham, Newtondale Halt et Goathland, avant de s'arrêter à Grosmont, au cœur des pittoresques North York Moors.

Les North York Moors ⓱

L a région entre Cleveland, le Vale of York et le Vale of Pickering constitue le parc national des North York Moors. Les vallées verdoyantes y alternent avec les landes *(moors)* désolées. L'agriculture est encore aujourd'hui la principale richesse, et avant l'introduction du charbon les villageois se chauffaient à la tourbe. Au XIXᵉ siècle apparurent des industries d'extraction (minerai de fer, chaux, charbon, pierre de taille).

Mallyan Spout
De Goathland, un sentier mène à cette cascade.

Farndale
Au printemps, cette vallée se couvre d'un tapis de jonquilles.

Croix blanche « Fat Betty »
Calvaires et pierres levées sont un spectacle fréquent dans les Moors.

Goathland
Point de départ des randonnées en forêt et dans les landes. Nombreux lieux d'hébergement.

THE MOORS CENTRE, DANBY

LEAEHOLM

Egton Bridge

West Beck

WHITBY

Wheeldale Gill

Thorgill

Seven

Hartoft Beck

Rutmoor Beck

Blawarth Beck

Dove

Rosedale Abbey
Ce joli village, qui doit son nom à un prieuré aujourd'hui disparu, conserve des vestiges de l'industrie du fer, florissante au XIXᵉ siècle.

Hutton-le-Hole
Dans ce joli village, se trouve l'intéressant Ryedale Folk Museum.

Spaunton

Lastingham
La crypte normande de l'église (1078) contient des sculptures en pierre.

Wade's Causeway
L'origine et la destination de cette route, également appelée voie romaine, sont inconnues. Sa construction, longtemps attribuée aux Romains, pourrait dater de la fin de l'occupation romaine.

0   2 km

MODE D'EMPLOI

North Yorkshire. 🚂 *Pickering.*
🚌 *Pickering.* **Moorsbus**
☎ 01845 597426. 🛈 *Eastgate,
Pickering (01751 473791) ;
Moors Centre (01287 660540).* Ⓦ
www.northyorkmoors-npa.gov.uk

Whitby ⓲

L'histoire de cette ville remonte au moins au VIIe siècle, époque de la fondation d'un monastère saxon, sur le site duquel fut édifiée au XIIIe siècle la fameuse abbaye de Whitby. Au XVIIIe et au début du XIXe siècle, Whitby devint un port industriel avec des chantiers navals, d'où les bateaux partaient pêcher la baleine. À l'ère victorienne, de petits ateliers, au pied de la colline, créaient bijoux et objets à partir du jais. Des boutiques d'artisanat les ont aujourd'hui remplacés ; elles proposent des pièces anciennes aux touristes.

Peigne en jais (vers 1870)

MODE D'EMPLOI

North Yorkshire. 🚶 13 500. ✈ Teeside, 80 km au N.-O. de Whitby. 🚉 Station Sq. ℹ Langbourne Rd (01723 383637). 🛒 mar., sam. 🎭 Whitby Festival : juin ; Angling Festival : avr. ; Lifeboat Day : juil. ou août ; Folk Week : 17-23 août ; Whitby Regatta : août. 🌐 www.discoveryorkshirecoast.com

À la découverte de Whitby

L'estuaire de l'Esk divise Whitby en deux. La vieille ville, avec ses rues pavées et ses maisons aux teintes pastel, se presse autour du port. St Mary's Church, dont l'intérieur en bois est l'œuvre de charpentiers de marine, la domine.

Les ruines de l'abbaye du XIIIe siècle, toute proche, servent encore de repère aux marins. De là, on a une belle vue sur le port attrayant, encore actif, où sèchent les filets colorés et que domine, au bord de la falaise, la statue en bronze du capitaine James Cook (1728-1779), qui débuta comme apprenti chez un armateur de Whitby.

Casiers à homards le long du quai du port de Whitby

Les arches médiévales de la nef de l'abbaye de Whitby

⚑ Whitby Abbey

(EH) Abbey Lane. 📞 01947 603568. 🕐 d'avr. à sept. : t.l.j. ; d'oct. à mars : du jeu. au lun. 🎫 ♿ 🅿

Le monastère pour hommes et femmes fondé en 657 fut mis à sac par les Vikings en 870. Reconstruit à la fin du XIe siècle, il échut aux bénédictins. Les ruines actuelles datent principalement du XIIIe siècle.

⛪ St Mary's Parish Church

East Cliff. 📞 01947 603421. 🕐 t.l.j.

Les remaniements, dans le style Stuart puis georgien, ont apporté à cette église normande un mélange d'éléments divers : colonnes torses en bois, labyrinthe de bancs fermés, chaire à trois étages (1778) équipée de cornets acoustiques…

🏛 Captain Cook Memorial Museum

Grape Lane. 📞 01947 601900. 🕐 de mars à oct. et 1re quinzaine de fév. : t.l.j. 🎫 🅿 🌐 www.cookmuseumwhitby.co.uk

Jeune apprenti, Cook dormait sous les combles de cette maison. Le mobilier d'époque a été reconstitué d'après les inventaires et aquarelles des artistes qui ont suivi Cook dans ses voyages.

🏛 Whitby Museum et Pannett Art Gallery

Pannett Park. 📞 01947 602908. 🕐 de mai à sept. : t.l.j. (dim. : après-midi) ; d'oct. à avr. : du mar. au dim. (dim. : après-midi) ● dim. matin, du 24 déc. au 2 janv. 🎫 musée. ♿ limité. 🅿

Le parc, le musée et la galerie ont été donnés à Whitby par un avocat de la ville, Robert Pannett (1834-1920), pour abriter sa collection d'art. Des objets illustrent l'histoire locale : bijoux de jais, fossiles, maquettes de bateaux et objets personnels du capitaine Cook.

En 2005, la Pannett Art Gallery s'est agrandie de trois étages. Cette nouvelle extension du musée abrite une galerie sur les costumes, ainsi que des collections de photographies et de cartes géographiques.

⛪ Caedmon's Cross

East Cliff. 📞 01947 603421.

Cette croix, proche du cimetière de l'abbaye, porte le nom d'un laboureur illettré qui y travaillait au VIIe siècle. Une vision lui inspira des cantiques en vers anglo-saxons qui se chantent encore.

La croix de Caedmon (1898)

Robin Hood's Bay ⑳

North Yorkshire. 🏠 1 400.
🚆 🚌 Whitby. 🛈 Langbourne Rd,
Whitby (01723 383636).
🌐 www.discoveryorkshirecoast.com

S elon la légende, Robin
des Bois *(p. 324)* y postait
ses bateaux en prévision
d'une éventuelle fuite. Le port
fut un centre de contrebande ;
de nombreuses maisons ont
d'ingénieuses cachettes dans
le sol ou les murs. La rue
principale pavée est si raide
qu'il faut laisser son véhicule
en bas. Dans le centre,
de jolies ruelles bordées de
maisons de pierre se serrent
le long d'un quai pittoresque.
Sur la plage, les enfants
peuvent jouer dans les creux
des rochers. À marée basse,
il faut 15 mn pour aller jusqu'à
Boggle Hole, au sud, mais
il faut prendre garde
à la marée montante.

**Ruelle pavée à Bay Town
dans Robin Hood's Bay**

Le bourg de Scarborough se serre autour du port de pêche

Scarborough ㉑

North Yorkshire. 🏠 54 000. 🚆 🚌
🛈 Pavilion House, Valley Bridge Rd
(01723 383636). 🚌 du lun. au sam.
🌐 www.discoveryorkshirecoast.com

F réquentée dès 1626,
Scarborough, surnommée
« la reine des villes d'eaux »
pendant la révolution
industrielle *(p. 336-337)*,
déclina après 1945. Deux
plages se distinguent :
les établissements de loisirs
de South Bay contrastent avec
le calme de North Bay.
Les premières des pièces
d'Alan Ayckbourn ont toujours
lieu au théâtre Stephen Joseph.

Anne Brontë *(p. 398)* est
enterrée à St Mary's Church.
Des vestiges de l'âge du bronze
et du fer ont été découverts
sur le site du **château**. Le
Wood End Museum présente
la géologie et l'histoire locales.
La **Rotunda** (1828-1829)
fut l'un des premiers bâtiments
à vocation de musée construits
en Grande-Bretagne.
La **Scarborough Art Gallery**
expose des œuvres de l'artiste
local Atkinson Grimshaw
(1836-1893). Au **Sea-Life
Centre**, on peut voir
des bébés phoques.

♠ **Scarborough Castle**
(EH) Castle Rd. 🕿 01723 372451. 🔾
de mi-mars à sept. : t.l.j. ; d'oct. à mi-mars :
du jeu. au lun. 🌑 24-26 déc. 🎟 👪 🅿
🏛 **Wood End Museum**
The Crescent. 🕿 01723 367326.
🔾 de juin à sept. : du mar. au dim. ;
d'oct. à mai : mer., sam., dim. et jours
fériés. 🎟 🅿
🏛 **Rotunda Museum**
Vernon Rd. 🕿 01723 374839. 🔾 de
juin à sept. : du mar. au dim. ; d'oct. à
mai : mar., sam., dim. et jours fériés.
🌑 25 et 26 déc., 1ᵉʳ janv. 🎟 🅿
🏛 **Scarborough Art Gallery**
The Crescent. 🕿 01723 374753. 🔾
de juin à sept. : du mar. au dim. ; d'oct.
à mai : jeu., ven., sam. et jours fériés.
🌑 25 et 26 déc., 1ᵉʳ janv 🎟 🖥 🅿
🐟 **Sea-Life and Marine
Sanctuary**
Scalby Mills Rd. 🕿 01723 376125.
🔾 t.l.j. 🌑 25 déc. 🎟 👪 🖥 🅿
🌐 www.sealifeeurope.com

LA VOGUE DES BAINS DE MER

Au XVIIIᵉ siècle, on se mit à considérer les bains de mer
comme une saine activité, et à partir de 1735 hommes
et femmes, sur des plages séparées,
se plongeaient dans l'eau depuis
des cabines, appelées
des « machines » ; la nudité était
alors admise. Le costume
de bain, vêtement à part entière,
apparut à l'époque victorienne. Au
XIXᵉ siècle, les ouvriers profitèrent
des premiers trains
à vapeur pour fréquenter
la côte les jours de congé.
C'est à cette époque que
les stations de bord de mer
comme Blackpool *(p. 359)*
et Scarborough prirent leur
essor.

Cabine de bain victorienne sur roues

Castle Howard ㉒

Chapiteau sculpté par Samuel Carpenter (Great Hall)

Charles Howard, 3ᵉ comte de Carlisle, commanda en 1699 les plans d'une demeure à sir John Vanbrugh, homme plein d'idées mais sans expérience de l'architecture. C'est l'architecte Nicholas Hawksmoor *(p. 24)* qui réalisa les grands projets de Vanbrugh en 1699, et le corps principal fut achevé en 1712. L'aile ouest vit le jour entre 1753 et 1759 selon les dessins de Thomas Robinson, gendre du 3ᵉ comte. Le château servit de décor à l'adaptation télévisée du roman d'Evelyn Waugh *Retour à Brideshead* (1945). Il est toujours la propriété de la famille Howard.

Temple des Quatre Vents
Cette fabrique typique du XVIIIᵉ siècle fut la dernière œuvre de Vanbrugh. Dans le parc, au bout de la terrasse, elle se distingue par son dôme et ses quatre portiques ioniques.

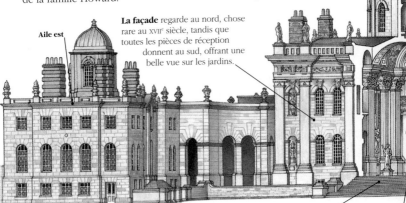

Aile est

La façade regarde au nord, chose rare au XVIIᵉ siècle, tandis que toutes les pièces de réception donnent au sud, offrant une belle vue sur les jardins.

Façade nord

★ Great Hall
Le grand hall de 515 m² s'élève à 20 m de haut sous le dôme. Il est orné de colonnes de Samuel Carpenter (1660-1713), de peintures murales de Pellegrini et d'une galerie circulaire.

SIR JOHN VANBRUGH

Vanbrugh (1664-1726) reçut une formation militaire, mais c'est comme dramaturge, architecte et membre de la noblesse whig qu'il est connu. Il collabora avec Hawksmoor aux plans de Blenheim Palace, mais ses idées hardies furent mal accueillies par la société de l'époque. Il mourut alors qu'il était en train de réaliser les fabriques et le parc de Castle Howard.

Vitrail de la chapelle
L'amiral Edward Howard modifia la chapelle entre 1870 et 1875. Les vitraux sont d'Edward Burne-Jones, réalisés par William Morris & Co.

Buste du 7ᵉ comte
Ce buste de J. H. Foley (1870) se trouve au sommet du grand escalier de l'aile ouest.

MODE D'EMPLOI

A64 depuis York. 01653 648333.
York puis bus, ou Malton puis taxi. **Maison** de mi-fév. à oct. : de 11 h à 16 h t.l.j. **Terrasses** de 10 h à 18 h 30 t.l.j.
 www.castlehoward.co.uk

★ Grande Galerie
Un grand nombre de portraits, dont certains de Lely ou Van Dyck, retracent la lignée de la famille Howard.

Aile ouest

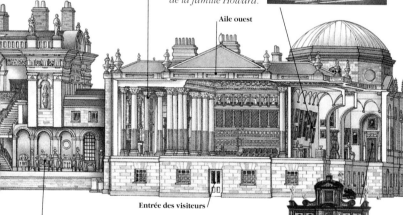

Entrée des visiteurs

Galerie des Antiques
Des antiquités rassemblées par plusieurs comtes de Carlisle aux XVIIIᵉ et XIXᵉ siècles y sont exposées. L'abondance de personnages mythologiques reflète l'intérêt de l'époque pour la civilisation antique.

À NE PAS MANQUER

★ **Great Hall**

★ **La Grande Galerie**

Museum Room
Parmi les meubles, des chaises Régence, des tapis persans et ce cabinet du XVIIᵉ siècle.

Eden Camp ㉓

Malton, North Yorkshire. 📞 *01653 697777.* 🚃 *Malton, puis taxi.* ⭘ *de mi-janv. à fin déc. : t.l.j.* 🗖 ♿ ◻️ 🗖 🗖
🌐 *www.edencamp.co.uk*

Ce musée original rend hommage au comportement du peuple britannique pendant la Deuxième Guerre mondiale. À Eden Camp, de 1939 à 1948, furent emprisonnés des soldats italiens et allemands. Aujourd'hui, les baraques construites par des Italiens en 1942 abritent un musée, avec des reconstitutions par périodes et un guide sonore. Chacune évoque la vie quotidienne en temps de guerre, depuis l'annonce à la radio de la déclaration de guerre par Chamberlain jusqu'au retour de la paix. Les visiteurs peuvent voir la bombe volante V1 qui s'abattit à côté du mess des officiers, prendre le thé à la cantine ou vivre une nuit sous le Blitz.

Les drapeaux britannique et américain à l'entrée d'Eden Camp

Wharram Percy ㉔

(EH) North Yorkshire. 📞 *01904 601901.* 🚃 *Malton, puis taxi.* ⭘ *t.l.j.*
🌐 *www.english-heritage.org.uk*

Wharram Percy est situé dans une jolie vallée, indiquée à partir de la B1248 à Burdale, au cœur des Wolds verdoyants et vallonnés. C'est l'un des sites médiévaux majeurs d'Angleterre. Des fouilles récentes ont mis au jour les traces d'une localité de 30 feux, deux demeures seigneuriales et les vestiges d'une église. Le bief d'un moulin couvert de fleurs sauvages au printemps en fait un lieu de pique-nique agréable, à 20 mn à pied du parc de stationnement.

Sculpture en albâtre de la cheminée de Burton Agnes

Burton Agnes ㉕

Près de Driffield, East Yorkshire. 📞 *01262 490324.* 🚃 *Driffield, puis bus.* ⭘ *d'avr. à oct. : t.l.j.* 🗖 ♿ *limité.* ◻️ 🗖
🌐 *www.burton-agnes.com*

C'est l'atmosphère familiale qui règne dans ce château élisabéthain en brique rouge qui distingue Burton Agnes Hall de toutes les grandes demeures situées dans la région.

Burton Agnes n'a pas changé de propriétaire ni même d'aspect depuis sa construction de 1598 à 1610. On peut voir dans Small Hall le portrait d'Anne Griffith, dont le père, sir Henry, fit construire la maison. L'église voisine abrite un monument à sa mémoire.

On pénètre dans la demeure par un corps de garde à tourelles ; la cheminée de l'entrée est remarquable par ses ornements en albâtre. L'escalier en chêne massif est un bel exemple d'ouvrage élisabéthain.

La bibliothèque conserve une collection de tableaux impressionnistes et post-impressionnistes (Renoir, Derain, Augustus John) qui tranche avec le style de la maison. Dans le vaste parc se trouve une aire de jeu pour les enfants.

Bempton et Flamborough Head ㉖

East Yorkshire. 🚶 *4 300.* 🚃 *Bempton.* 🚌 *Bridlington.* 🛈 *25 Prince St, Bridlington (01262 673474).*
🌐 *www.eastriding.gov.uk*

Falaises calcaires à pic s'étirant sur 8 km entre Speeton et Flamborough Head, Bempton est la plus grande colonie d'oiseaux de mer d'Angleterre. La paroi rocheuse abrite les nids de plus

Nid de fou de Bassan sur les falaises calcaires de Bempton

de 100 000 couples. Huit espèces, parmi lesquelles le cormoran huppé et la mouette tridactyle, nichent sur ces falaises classées Grade 1. Bempton est le seul asile non insulaire du fou de Bassan, dont est connue la technique de pêche spectaculaire. Mai, juin et juillet sont propices à l'observation des oiseaux.

Les falaises sont plus belles vues du côté nord de la péninsule de Flamborough Head, qui offre d'agréables possibilités de randonnées.

Beverley ㉗

East Riding of Yorkshire. 🏘 30 000.
🛈 34 Butcher Row (01482 867430).
🛒 sam. 🅆 www.visiteastyorkshire.com

L'histoire de cette ville remonte au VIIIᵉ siècle, quand John, futur évêque d'York, canonisé à la suite de guérisons miraculeuses, se retira à Old Beverley. Devenue lieu de pèlerinage, Beverley s'agrandit peu à peu. Comme York, c'est un agréable mélange d'architecture médiévale et georgienne.

Il est conseillé d'entrer par la dernière des cinq portes

médiévales de la ville, reconstruite en 1409-1410. Ces portes furent édifiées afin d'obliger les commerçants à payer une taxe sur les marchandises transportées.

Les tours jumelles de Beverley Minster dominent la cité. Un monastère *(minster)* fut fondé par Athelstan, roi de Wessex, sur le site de celui que John de Beverley avait choisi pour dernière demeure en 721. La nef (début du XIIIᵉ s.) est la partie conservée la plus ancienne. Les stalles du chœur du XVIᵉ siècle et les 68 miséricordes *(p. 329)* sont particulièrement remarquables. Parmi les nombreuses sculptures anciennes, un groupe de quatre représente des maladies (entre autres, rage de dents et lumbago). Au nord de l'autel se trouve une tombe gothique du XVIᵉ siècle richement sculptée, qui serait celle de Lady Idoine Percy, morte en 1365.

Également au nord, la chaise de la paix, ou Fridstol (v. 924-939, époque d'Athelstan) : elle garantissait 30 jours d'impunité à qui s'y asseyait.

Le pilier des Ménestrels de St Mary's Church

St Mary's Church, à l'intérieur de l'enceinte, abrite la plus belle collection de sculptures représentant des

Le fameux lapin pèlerin de St Mary's Church, à Beverley

instruments de musique d'Angleterre, en particulier le pilier des Ménestrels du XVIᵉ siècle, peint de couleurs vives. Le plafond lambrissé du chœur (XIIIᵉ s.) est orné des portraits de tous les souverains anglais depuis 1445. Sur le portail sculpté de St Michael's Chapel, le lapin souriant passe pour avoir inspiré à Lewis Carroll le lapin blanc d'*Alice au pays des merveilles*. Les **Beverley races** (courses de chevaux) constituent une excellente sortie. Des journées à thèmes sont proposées, ainsi que de très bons repas.

🔘 Beverley Races
York Rd. 📞 01482 867488.
🕐 20 dates d'avr. à sept. 🎦 ♿ 🍴
@ info@beverleyracecourse.co.uk

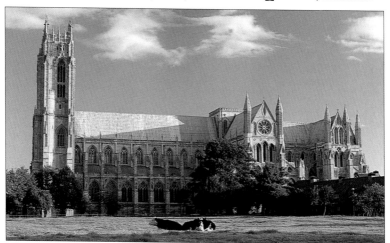

Beverley Minster, l'une des plus belles constructions gothiques d'Europe

Burton Constable

Près de Hull, East Yorkshire. 📞 01964 562400. 🚆 Hull, puis taxi. ◯ de Pâques à oct. : du sam. au jeu. 🏰♿📷📧🎁 🆆 www.burtonconstable.com

C'est une famille de grands propriétaires terriens remontant au XIIIᵉ siècle, les Constable, qui habite Burton Constable depuis sa construction en 1570. Elle en occupe aujourd'hui l'aile sud. Cette demeure élisabéthaine a été modifiée au XVIIIᵉ siècle par Thomas Lightholer, Thomas Atkinson et James Wyatt. Elle compte 30 pièces, certaines de style georgien, d'autres de style victorien, abrite une collection de meubles Chippendale et des portraits de famille conservés depuis le XVIᵉ siècle. L'essentiel de la collection d'imprimés, de textiles et de dessins appartient à la City Art Gallery de Leeds.

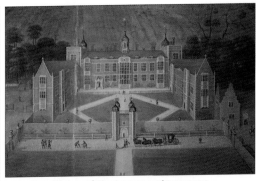

Burton Constable (vers 1690) peint par un artiste anonyme

anciens bureaux de la Hull Docks Company (1871), retrace l'histoire maritime de la ville. On y voit un os de baleine décoré, un banc en vertèbres et une exposition de nœuds de marins comme l'*eye splice* et le *midshipman's hitch*.

Hands on History, imposant bâtiment élisabéthain, raconte l'histoire de Hull à travers une collection d'objets appartenant à certaines de ses familles.

William Wilberforce House, au cœur de la vieille ville, est l'exemple d'une habitation de marchand. Les pièces du premier étage, couvertes de boiseries de chêne, datent du XVIIᵉ siècle. L'essentiel de la maison rappelle le souvenir des Wilberforce, car le grand-

père de l'abolitionniste s'y installa en 1732.

Non loin se trouve le **Streetlife Transport Museum**, musée très prisé des enfants. Il expose le plus ancien tramway de toute l'Angleterre.

Installé dans un magnifique bâtiment situé à l'embouchure de la rivière Hull, offrant un cadre spectaculaire, **The Deep** est le plus grand aquarium d'eau de mer au monde.

🏛 **Maritime Museum**
Queen Victoria Sq. 📞 01482 613903. ◯ t.l.j. (dim. : après-midi). ♿📧 🆆 www.hullcc.gov.uk/museums
🏛 **Hands on History**
South Churchside. 📞 01482 613952. ◯ t.l.j. (dim. : après-midi). ⚫ du 23 au 27 déc., 1ᵉʳ janv., ven. saint. ♿📷

Le Prince's Dock, dans le quartier des docks rénovés de Kingston-upon-Hull

Kingston-upon-Hull ㉙

Kingston-upon-Hull. 👥 270 000. 🚆✈ 🚢 🛈 Paragon St (01482 223559). 🛒 du lun. au sam. 🆆 www.hullcc.gov.uk

Hull offre bien plus que l'héritage d'une industrie de la pêche. Les docks restaurés du centre sont attrayants et la vieille ville au plan médiéval n'est que rues pavées sinueuses et maisons de brique biscornues. Les poissons de métal du « Seven Seas » Fish Trail, incrustés dans le sol, rappellent les variétés que les pêcheurs capturaient, de l'anchois au requin. Le **Maritime Museum**, Victoria Square,

WILLIAM WILBERFORCE (1758-1833)

Né à Hull dans une famille de marchands, il fit des études classiques à Cambridge. Il entra dans la politique et, en 1784, prononça l'un de ses premiers discours à York, où il donna la mesure de son talent oratoire, devant une assistance passionnée. À partir de 1785, porte-parole du gouvernement Pitt pour l'abolition de l'esclavage, il mena une campagne vigoureuse et habile. Mais ses prises de position lui valurent des inimitiés et, en 1792, les menaces d'un marchand d'esclaves le forcèrent à être escorté d'hommes en armes. Son décret abolissant le commerce des esclaves entra en vigueur en 1807.

Wilberforce, d'après une gravure du XIXᵉ siècle de J. Jenkins

🏛 **William Wilberforce House**

High St, Hull. 📞 *01482 613921*. ○ *t.l.j. (dim. : après-midi).* 🔲 ♿ *limité.*

🏛 **Streetlife Transport Museum**

High St, Hull. 📞 *01482 613956.* ○ *du lun. au sam., dim : a.-m.* ♿ 🔲

💥 **The Deep**

Hull (via Citadel Way). 📞 *01482 381000.* ○ *t.l.j.* ♿ 🔲 🔲 🔲 🅿
Ⓦ www.thedeep.co.uk

Holderness et Spurn Head ㉚

North Humberside. 🚆 *Hull (Paragon St), puis bus.* ℹ *120 Newbegin, Hornsea (01964 536404).*

Cette curieuse région plate à l'est de Hull, aux routes droites et aux champs d'avoine et d'orge délicatement ondulés, ressemble par bien des côtés à la Hollande, malgré ses moulins en ruine. Des plages s'étirent sur 46 km le long de la côte, où les stations principales sont **Withernsea** et **Hornsea**, connue par sa céramique.

Le paysage du Holderness a évolué sous l'action des courants marins. Vers 1560, ceux-ci auraient commencé à accumuler une importante quantité de sable. Ce phénomène s'est poursuivi au cours des siècles au point de former une île, Sonke Sand, attestée comme telle dès 1669 et reliée à la côte vers 1830. On peut désormais traverser en voiture l'étrange et sauvage Sunk Island et se diriger vers Spurn Head. Ce point est situé au bout de la péninsule de Spurn constituée par un cordon sableux de 6 km. Le Yorkshire Naturalists' Trust protège la flore et la faune de cette île depuis 1960. Le sol meuble donne parfois l'impression de se dérober sous les pieds des marcheurs.

À l'extrémité de Spurn Head, on découvre avec surprise une petite communauté de sauveteurs et pilotes toujours prêts à guider les navires vers le port de Hull ou à secourir les marins et bateaux en détresse.

Bateau de pêche au National Fishing Heritage Centre de Grimsby

Grimsby ㉛

North East Lincolnshire. 🏘 *92 000.* 🚆 ℹ 🔲 *42-43 Alexandra Rd (01472 323111).* Ⓦ www.nelincs.gov.uk

Fondée au Moyen Âge à l'embouchure de la Humber par un pêcheur danois du nom de Grim, Grimsby devint au XIXᵉ siècle l'un des plus importants ports de pêche du monde. Ses docks datent de 1800 et, grâce au chemin de fer, la ville s'assura le moyen de transporter ses prises à travers tout le pays. Malgré le déclin de la pêche traditionnelle depuis 1970, le réaménagement des docks prouve que Grimsby n'a pas renié son passé.

Le **National Fishing Heritage Centre** est un musée qui recrée l'atmosphère de la grande époque, dans les années 1950. Le visiteur s'engage comme matelot à bord d'un chalutier et, grâce à des montages interactifs, voyage des rues de Grimsby aux zones de pêche arctiques. En chemin, il peut sentir le roulis du bateau, l'odeur du poisson et la chaleur des machines. Le parcours s'achèvera par la visite guidée du *Ross Tiger*, chalutier restauré de la même époque.

Grimsby est aussi une cité animée où, en septembre, se déroule un festival international de jazz. Dans Abbeygate, rue commerçante victorienne typique, on trouvera un marché et nombre de restaurants. Les stations de bord de mer de Cleethorpes, Mablethorpe et Skegness ne sont pas loin.

🏛 **National Fishing Heritage Centre**

Heritage Sq, Alexandra Dock. 📞 *01472 323345.* ○ *de Pâques à oct. : t.l.j.* 📷 ♿ 🔲 🔲 🔲

Phare isolé à Spurn Head, à la pointe de la péninsule de Spurn

York pas à pas ③②

**Blason sur
Monk Bar**

York a conservé une grande partie
de son aspect médiéval, si bien que
le centre est un musée vivant à parcourir
à pied. Nombre des maisons à colombage
dominant les rues sinueuses,
comme les Shambles, sont classées.
Le centre-ville est interdit
aux voitures, mais les rues pavées
sont souvent encombrées par
les deux-roues des étudiants.
Bénéficiant de sa situation, York est devenu
un nœud ferroviaire au XIXe siècle.

★ York Minster
*Cette cathédrale médiévale
la plus vaste d'Angleterre
fut commencée en 1220
(p. 392-393).*

Stonegate
*Le diable rouge
du Moyen Âge est
l'emblème de cette rue.*

Thirsk ←   **Helmsley**

DEANGATE

HIGH PETERGATE   **LOW PETER**

ST LEONARDS PLACE

DUNCOMBE PLACE

STONEGATE

BLAKE STREET

DAVYGATE

**York City
Art Gallery**

St Mary's Abbey

**Le Yorkshire
Museum**
conserve une
belle
collection de
fossiles
découverts
à Whitby
au XIXe siècle.

MUSEUM STREET

LENDAL STREET

CONEY STREET

Lendal Bridge

OUSE

**Gare ferroviaire,
gare routière,
National
Railway
Museum
et Leeds**

**Ye Old Starre
Inne** est l'un
des plus vieux
pubs d'York.

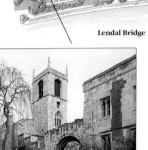

St Olave's Church
*Le comte de Northumbria fonda cette église
au XIe siècle, près du portail de St Mary's
Abbey (p. 338), en mémoire de saint Olaf,
roi de Norvège. À gauche se trouve
la chapelle St Mary on the Walls.*

Guildhall
*Ce bossage
médiéval
représentant
deux têtes orne*

*le Guildhall du XVe siècle, restauré après
les bombardements de la dernière guerre.*

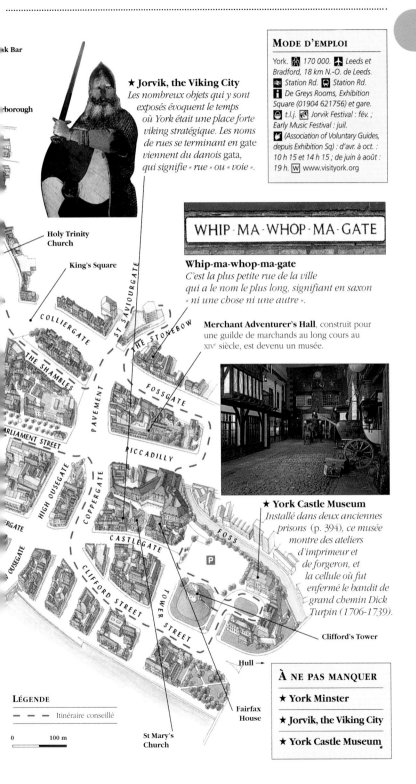

★ **Jorvik, the Viking City**
*Les nombreux objets qui y sont
exposés évoquent le temps
où York était une place forte
viking stratégique. Les noms
de rues se terminant en gate
viennent du danois gata,
qui signifie « rue » ou « voie ».*

MODE D'EMPLOI

York. 🚶 170 000. ✈ Leeds et
Bradford, 18 km N.-O. de Leeds.
🚆 Station Rd. 🚌 Station Rd.
ℹ De Greys Rooms, Exhibition
Square (01904 621756) et gare.
🎪 t.l.j. 🎭 Jorvik Festival : fév. ;
Early Music Festival : juil.
🎫 (Association of Voluntary Guides,
depuis Exhibition Sq) : d'avr. à oct. :
10 h 15 et 14 h 15 ; de juin à août :
19 h. 🌐 www.visityork.org

WHIP · MA · WHOP · MA · GATE

Whip-ma-whop-ma-gate
*C'est la plus petite rue de la ville
qui a le nom le plus long, signifiant en saxon
« ni une chose ni une autre ».*

Merchant Adventurer's Hall, construit pour
une guilde de marchands au long cours au
XIVᵉ siècle, est devenu un musée.

Holy Trinity Church

King's Square

COLLIERGATE
ST SAVIOURGATE
THE STONEBOW
THE SHAMBLES
PAVEMENT
FOSSGATE
PARLIAMENT STREET
PICCADILLY
HIGH OUSEGATE
COPPERGATE
...RGATE
CASTLEGATE
FOSS
... OUSEGATE
CLIFFORD STREET
TOWER STREET

★ **York Castle Museum**
*Installé dans deux anciennes
prisons (p. 394), ce musée
montre des ateliers
d'imprimeur et
de forgeron, et
la cellule où fut
enfermé le bandit de
grand chemin Dick
Turpin (1706-1739).*

Clifford's Tower

Hull →

Fairfax House

St Mary's Church

LÉGENDE

– – – Itinéraire conseillé

0   100 m

À NE PAS MANQUER

★ **York Minster**

★ **Jorvik, the Viking City**

★ **York Castle Museum**

York Minster

**Rosace centrale
de York Minster**

Cette cathédrale gothique, une des plus grandes d'Europe (158 m de long sur 76 m entre les transepts), possède le plus grand nombre de vitraux médiévaux de Grande-Bretagne *(p. 395)*. Le mot *minster* désigne normalement un monastère, mais à York le service fut toujours assuré par des prêtres séculiers. Sur ce site se succédèrent plusieurs cathédrales, dont une imposante construction normande du XIe siècle, sans doute bâties sur l'emplacement de la chapelle en bois dans laquelle le roi Edwin de Northumbria fut baptisé en 627. La cathédrale actuelle fut commencée en 1220 et achevée 250 ans plus tard. En juillet 1984, le feu détruisit le toit du transept sud, qui a été restauré.

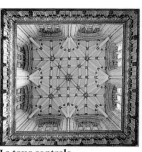

La tour centrale
Cette tour lanterne a été reconstruite de 1420 à 1465 (après un effondrement partiel en 1407) sur les plans du maître maçon William Colchester.

Grande verrière est *(p. 395)*

Le chœur a une entrée voûtée avec un bas-relief du XVe siècle, l'Assomption de la Vierge.

Entrée vers le transept sud

Rosace du XVIe siècle

★ **Jubé**
Entre le chœur et la nef, cet ouvrage de pierre du XVe siècle est orné des statues des rois d'Angleterre, de Guillaume Ier à Henri VI, sous un dais d'anges.

La nef, commencée en 1291, fut ravagée par le feu en 1840. Après une coûteuse reconstruction, elle rouvrit en 1844 dotée d'un nouveau carillon.

★ **Salle capitulaire**
Près de l'entrée de cette salle à voûte de bois (1260-1285), une inscription en latin dit :
« Comme la rose est la fleur des fleurs, cette maison est la maison des maisons. »

MODE D'EMPLOI

Deangate, York.
📞 01904 557216.
🕐 du lun. au sam. :
de 9 h à 16 h 45 ; dim. :
de 12 h à 15 h 45. Horaires
susceptibles de varier
en fonction des offices religieux.
● ven. saint, Pâques, 24 et 25 déc.
📷 cathédrale, crypte et tour.
✝ du lun. au sam. : 7 h 30,
7 h 45, 12 h 30, 17 h ;
dim. : 8 h, 10 h, 11 h 30, 16 h.
♿ limité. 🎦 🔱 🔅
W www.yorkminster.org

Les tours ouest, avec leurs
panneaux décoratifs du
XVe siècle et leurs pinacles
ornés, contrastent avec l'allure
plus simple du transept nord.
La tour sud-ouest sert
de clocher.

Grand portail ouest

Vitrail ouest

À NE PAS MANQUER

★ **Salle capitulaire**

★ **Jubé**

La charpente du Merchant Adventurers' Hall

🚪 Monk Bar

Cette porte médiévale,
située à l'extrémité
de Goodramgate, est une
des plus belles d'York. Elle
est voûtée sur trois étages, et
la herse fonctionne toujours.
Au Moyen Âge, les pièces
du haut étaient louées ;
la porte devint une prison
au XVIe siècle. Elle est décorée
de statues d'hommes jetant
des pierres sur les assaillants.

🏛 York City Art Gallery

Exhibition Sq. 📞 01904 697979.
🕐 t.l.j. ● du 24 au 26 déc., 1er janv.
📷 ♿ 🎦 🔱
W www.york.art/museum
Ce bâtiment de style italien,
construit en 1879, abrite
une vaste collection
de peintures d'Europe
occidentale. On y trouve
aussi des sculptures et
des céramiques, notamment
des œuvres de Bernard Leach,
William Staite Murray et Shoji
Hamada.

**Portrait de saint Antoine
(XVe siècle), York City Art Gallery**

🚪 Clifford's Tower

(EH) Clifford's St. 📞 01904 646940.
🕐 t.l.j. ● du 24 au 26 déc., 1er janv.
📷 🔱 W www.english-heritage.org
Cette tour du XIIIe siècle a été
édifiée au sommet de la motte
du château d'origine en bois
de Guillaume le Conquérant,
qui brûla durant des émeutes
contre les juifs en 1190. Bâtie
par Henry III, elle porte le
nom de la famille Clifford,
dont les membres étaient les
connétables du château.

🏛 ARC

St Saviourgate. 📞 01904 654324.
🕐 du lun. au ven. (et sam. en mai).
● de mi-déc. au 5 janv., ven. saint.
📷 ♿ 🔱 🔅
Situé près de la rue Shambles,
dans une église médiévale
restaurée, l'ARC est un centre
d'exploration archéologique.
Les visiteurs y découvriront
comment les archéologues ont
étudié l'histoire des Vikings
dans le York.

🚪 Merchant
Adventurers' Hall

Fossgate. 📞 01904 654818.
🕐 de Pâques à sept. : t.l.j. ;
d'oct. à Pâques : du lun. au sam.
● du 24 déc. au 3 janv. 📷 ♿
W www.theyorkcompany.co.uk.
Ce bâtiment fut construit
par la guilde des marchands
d'York, qui contrôlait le
commerce des étoffes du XVe
au XVIIe siècle. Le Great Hall
est sans doute le plus beau
d'Europe. Parmi les peintures,
une copie du portrait par
Van Dyck d'Henriette de
France, fille d'Henri IV et
femme de Charles Ier. Sous le
Great Hall se trouvent l'hôpital
utilisé par la guilde jusqu'en
1900 et une chapelle privée.

À la découverte d'York

L'histoire d'York est riche et pleine de rebondissements. L'implantation humaine sur le site est antérieure à l'arrivée des Romains, en 71 apr. J.-C., qui en firent la capitale de la province du Nord sous le nom d'Eboracum. C'est là que Constantin le Grand fut proclamé empereur en 306 et qu'il redécoupa la Grande-Bretagne en quatre provinces. Cent ans plus tard, les légions s'étaient retirées. Sous les Saxons, Eboracum devint Eoforwic, puis se convertit au christianisme. Les noms de rues danois rappellent la présence des Vikings qui, à partir de 867, en firent l'un de leurs grands ports de commerce. De 1100 à 1500, York fut la deuxième ville d'Angleterre. Son fleuron est sa cathédrale *(p. 392-393)*, mais elle compte 18 autres églises médiévales, 4,8 km de mur d'enceinte, d'élégants bâtiments du XVIIᵉ siècle et georgiens et de beaux musées.

Le grand escalier et le beau plafond en stuc de Fairfax House

Le Middleham Jewel, au Yorkshire Museum

🏛 York Castle Museum

The Eye of York. 📞 *01904 687687.* ⏲ *t.l.j.* ⬤ *du 24 au 26 déc.* 🈲 *rez-de-chaussée seulement.* 🚻 ♿ W www.york.castle.museum
Ce musée des traditions populaires, ouvert en 1938, est situé dans deux prisons du XVIIIᵉ siècle. Les collections furent rassemblées à partir de celle du Dʳ John Kirk. On peut voir, entre autres, les reconstitutions d'une salle à manger du XVIIᵉ siècle, d'un cottage des landes, d'une pièce typique des années 1950. La plus intéressante est celle d'une rue de l'époque victorienne, avec ses vitrines et un attelage. Sans oublier une vaste collection d'objets domestiques datant de 1700 à 2000. Ne manquez pas non plus l'un des trois seuls casques anglo-saxons connus, découvert en 1982.

🏛 York Minster

P. 392-393.

🏛 Jorvik, The Viking City

Coppergate. 📞 *01904 643211.* ⏲ *t.l.j.* ⬤ *25 déc.* 🈲 🚻 *tél. d'abord.* 🚻 W www.vikingjorvik.com
Ce centre est construit sur l'emplacement de la première implantation viking d'York, mise au jour à Coppergate. Il évoque la vie et l'histoire de la ville viking. Une exposition interactive permet de découvrir le monde des Vikings.

🏛 Yorkshire Museum et St Mary's Abbey

Museum Gardens. 📞 *01904 551800.* ⏲ *t.l.j.* 🈲 ♿ 🚻
Ce musée fit la une des journaux quand il acquit le Middleham Jewel (XVᵉ s.), l'un des chefs-d'œuvre d'orfèvrerie gothique anglaise trouvés au XXᵉ siècle. On y voit aussi des mosaïques romaines du IIᵉ siècle et une coupe anglo-saxonne en argent doré.
Tous les trois ans, les mystères d'York ont lieu à St Mary's Abbey *(p. 338)*, dans le parc au bord de l'eau.

🚇 Fairfax House

Castlegate. 📞 *01904 655543.* ⏲ *t.l.j. (dim. : après-midi, ven. : visite guidée seul. 11 h, 14 h).* ⬤ *du 6 janv. au 20 fév.* 🈲 🈲 ♿ *limité.* 🚻 W www.fairfaxhouse.co.uk
De 1755 à 1762, le vicomte Fairfax fit édifier pour sa fille cette maison georgienne, dessinée par John Carr *(p. 24)*. Elle fut restaurée vers 1980, après avoir successivement abrité un cinéma et une salle de danse de 1920 à 1965. À voir, la chambre d'Anne Fairfax et une belle collection de meubles, de porcelaines et d'horloges du XVIIIᵉ siècle.

🏛 National Railway Museum

Leeman Rd. 📞 *01904 621261.* ⏲ *t.l.j.* ⬤ *du 24 au 26 déc.* ♿ 🚻 🚻 W www.nrm.org.uk
Le plus grand musée du chemin de fer du monde retrace 200 ans d'histoire. Une salle interactive permet d'essayer la suspension ou les aiguillages et de comprendre ce qui fit le succès de la *Rocket* de Stephenson. Uniformes, voitures, dont celle de la reine Victoria dans le train royal, ainsi que les dernières innovations techniques sont également exposés.

Reproduction d'une locomotive et d'une voiture de première classe au National Railway Museum d'York

Les vitraux de la cathédrale d'York

La cathédrale *(minster)* d'York possède le plus grand nombre de vitraux médiévaux de Grande-Bretagne, certains datant de la fin du XIIᵉ siècle. En général, le verre était teinté dès le début à l'aide d'oxydes de métaux, puis découpé et taillé sur place conformément au modèle. On soulignait les détails avec une peinture

Détail d'un vitrail

à l'oxyde de fer qui s'incrustait dans le verre après cuisson dans un four. Le verre et le plomb étaient enfin assemblés pour former le vitrail.

C'est la variété des sujets qui caractérise les vitraux de cette cathédrale. Certains illustrent un sujet imposé par un donateur laïque, d'autres par le pouvoir religieux.

Le Miracle de saint Nicolas *(fin du XIIᵉ s.) fut placé dans la nef plus de cent ans après sa fabrication.*

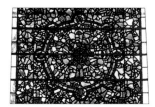

Les Cinq Sœurs *du transept nord sont le plus grand spécimen de vitrail en grisaille de Grande-Bretagne. Cette technique, répandue au XIIIᵉ siècle, consistait à dessiner un fin motif sur du verre blanc et à le décorer à l'émail noir.*

L'Arche de Noé *est facile à reconnaître dans la grande verrière est.*

Saint Jean l'Évangéliste, *sur la grande verrière ouest (vers 1338), tient un aigle, lui-même exemple de vitrail dont la peinture est grattée pour révéler le verre blanc.*

Édouard III *est un bel exemple du style de peinture estompé du XIVᵉ siècle, s'achevant en pointillé.*

La grande verrière est *(1405-1408), aussi grande qu'un court de tennis, est le plus grand vitrail médiéval peint du monde. Le doyen et le chapitre payèrent 4 shillings par jour au maître verrier John Thornton pour cet hymne à la création.*

Walter Skirlaw, *évêque révoqué en faveur de Richard Scrope, fit don de ce vitrail en 1408.*

Harewood House ㉝

Leeds. 📞 0113 2181010. 🚆 Leeds, puis bus. 🕐 de fév. à nov. : t.l.j. 🖼 ♿ 📷 sur rendez-vous. 🌐 www.harewood.org

Cette demeure d'allure palladienne conçue par John Carr en 1759 est la résidence du comte de Harewood dans le Yorkshire.

Sa décoration intérieure fut réalisée par Robert Adam et l'incomparable mobilier du XVIIIᵉ siècle fait sur mesure par Thomas Chippendale (1711-1779), natif du Yorkshire. La belle collection de peinture italienne et anglaise rassemble des œuvres de Reynolds et de Gainsborough, et deux salles récentes d'aquarelles. Dans le parc, dessiné par Capability Brown *(p. 22)*, le **Harewood Bird Garden** est peuplé d'espèces locales ou exotiques, ainsi que d'espèces menacées.

Étourneau de Bali, l'un des oiseaux rares de Harewood

Leeds ㉞

Leeds. 🏛 750 000. ✈🚆🚌 🛈 Leeds City Station (0113 2425242). 🛒 du lun. au sam. 🌐 www.leeds.gov.uk

La troisième ville d'Angleterre fut au sommet de sa prospérité à l'époque victorienne, ce dont témoignent les arcades commerçantes. C'est la reine Victoria qui inaugura en 1898 l'**hôtel de ville**, conçu par Cuthbert Brodrick. Ville industrielle, Leeds se signale aussi par l'Opera North, troupe du théâtre **The Grand**, l'une des meilleures du pays.

La **City Art Gallery** conserve une belle collection d'art britannique du XXᵉ siècle et des tableaux du XIXᵉ siècle dont des œuvres d'Atkinson Grimshaw (1836-1893), natif de la région. Parmi les œuvres françaises de la même époque sont exposées celles de Signac, Courbet et Sisley. Le Henry Moore Institute (1993) est consacré

à la sculpture de toutes les époques. Il comporte salle de lecture, centre d'étude, bibliothèque et vidéothèque, salles d'exposition et documents relatifs à Henry Moore et à d'autres sculpteurs d'avant-garde.

L'**Armley Mills Museum**, établi dans une filature de laine du XIXᵉ siècle, retrace, à l'aide d'objets, d'enregistrements et de modèles de vêtements d'ouvriers du XIXᵉ siècle, l'histoire de l'industrie du prêt-à-porter à Leeds.

Le développement des quais de l'Aire a attiré deux musées. Les collections du **Royal Armouries Museum** proviennent de la Tour de Londres : armes et armures du monde entier sont évoquées par des démonstrations, des films, la musique et la poésie. Le **Thackray Medical Museum** est le plus grand musée de ce genre en Europe, retraçant l'évolution de la médecine depuis l'époque victorienne jusqu'aux avancées scientifiques les plus récentes.

Les enfants ne seront pas non plus en manque de distractions. Le **Tropical World** comprend des bassins cristallins, une forêt tropicale humide, des papillons et des poissons tropicaux. Quant au parc de la **Temple**

La County Arcade, l'une des galeries marchandes restaurées de Leeds

Newsam House, il abrite une ferme et un élevage d'animaux rares ; cette demeure Tudor XVIIᵉ possède un remarquable mobilier Chippendale.

🏛 **City Art Gallery**
The Headrow. 📞 0113 2478248. 🕐 t.l.j. (dim. : après-midi). ♿ 🖥 🛒

🏛 **Armley Mills Museum**
Canal Rd, Armley. 📞 0113 2637861. 🕐 du mar. au dim. (dim. : après-midi), jours fériés. ● 25 et 26 déc., 1ᵉʳ janv. 🖼 ♿ 🛒

🏛 **Royal Armouries**
Armouries Drive. 📞 0113 2201999. 🕐 t.l.j. ● 24 et 25 déc. ♿ 🛈 🖥 🛒

🏛 **Thackray Medical Museum**
Beckett St. 📞 0113 2457084. 🕐 t.l.j. ● du 24 au 26 déc., 1ᵉʳ janv. 🖼 🛒

♣ **Tropical World**
Canal Gdns, Princes Ave. 📞 0113 2661850. 🕐 t.l.j. ● 25 et 26 déc. 🖼 ♿ 🖥 🛒

🏛 **Temple Newsam House**
Près de l' A63. 📞 0113 2647321. 🕐 du mar. au dim. ● 25 et 26 déc., janv. 🖥 🛒

Métier à tisser en activité, Armley Mills Museum de Leeds

L'Autre côté (1990-1993), de David Hockney, 1853 Gallery de Saltaire à Bradford

Bradford 🄴

Bradford. 🏙 492 000. ✈ 🚆 🚌
🛈 City Hall, Centenary Square (01274 433678). 🗓 du lun. au sam.
🖥 www.visitbradford.com

Si Bradford était déjà une active ville de marché au XVIe siècle, l'ouverture du canal en 1774 stimula encore le commerce. En 1850, c'était la capitale mondiale de la laine à tricot et à tapisserie. Nombre de ses bâtiments officiels ou industriels, bien préservés, datent de cette époque, comme le Wool Exchange de Market Street. Vers 1800, des filateurs allemands s'installèrent dans un quartier appelé aujourd'hui Petite Allemagne, où les maisons aux façades sculptées témoignent de la richesse de leurs occupants.

Le **National Museum of Photography, Film and Television**, fondé en 1983, est consacré à l'art et aux techniques des médias. Il est possible de regarder le programme de son choix (TV Heaven) ou de se voir présentant le journal télévisé. Sur un écran géant IMAX sont projetés des films dans le plus grand format du monde : un voyage dans l'espace, l'océan et la nature.

Le **Colour Museum** présente les techniques de teinture et l'impression sur tissu, de l'Égypte ancienne à nos jours, en utilisant surtout des techniques interactives. Le **Bradford Industrial Museum** est installé dans une ancienne filature où l'on peut voir fonctionner les métiers. Saltaire, village ouvrier du XIXe siècle (*p. 337*), est situé à l'extérieur de la ville. Construit par sir Titus Salt pour ses ouvriers, il fut achevé en 1873. La **1853 Gallery**, dans l'usine principale, expose la plus vaste collection d'œuvres de David Hockney, né à Bradford en 1937.

Appareil daguerréotype de Giroux (1839)

🏛 **National Museum of Photography, Film and Television**
Pictureville. 📞 01274 202030.
🕐 t.l.j. (vac. scol.) ; du mar. au dim., (pendant l'année scolaire) ; jours fériés. ● du 24 au 26 déc. 🚻 🅿
🖥 www.nmpft.org.uk

🏛 **Colour Museum**
1 Providence St. 📞 01274 390955.
🕐 du mar. au sam. ● du 24 déc. au 2 janv. 🎦 🚻 🅿
🖥 www.sdc.org.uk

🏛 **Bradford Industrial Museum**
Moorside Mills, Moorside Rd.
📞 01274 435900. 🕐 du mar. au sam., dim. après-midi, jours fériés.
● 25 et 26 déc. 🚻 🅿
🖥 visitbradford.com/attractions

🏛 **1853 Gallery**
Salts Mill, Victoria Rd. 📞 01274 531163. 🕐 t.l.j. ● 25 et 26 déc., 1er janv. 🚻 🅿 🍴 🅿
🖥 www.saltsmill.org.uk

LA COMMUNAUTÉ INDIENNE DE BRADFORD

Des immigrants du sous-continent indien vinrent dans les années 50 travailler dans les filatures de Bradford, mais, avec le déclin de cette industrie, beaucoup ouvrirent de petits commerces. Vers 1975, la région en comptait environ 1 400, dont un sur cinq dans la restauration. Ces établissements étaient à l'origine de simples cafés où se retrouvaient les immigrés. La cuisine indienne devenant à la mode, ces restaurants ont prospéré ; ils sont plus de 200 à servir des spécialités indiennes épicées.

Balti dans un restaurant de Bradford

Le presbytère de Haworth, foyer de la famille Brontë, devenu un musée

Haworth ㊱

Bradford. 🏠 5 000. 🚆 *Keighley*.
ℹ️ *2-4 West Lane (01535 642329).*
🌐 www.visithaworth.com

Dans les landes sévères des Pennines semées de fermes, Haworth n'a guère changé depuis l'époque des Brontë. Ce village qui fut le cadre d'un important essor économique vers 1840 (plus de 1 200 métiers à tisser à la main étaient alors en activité) est surtout connu comme berceau de la famille Brontë. Le **Brontë Parsonage Museum** est l'ancienne maison où vécurent, de 1820 à 1861, Charlotte, Emily, Anne, leur frère Branwell et leur père, le révérend Patrick Brontë. Cette demeure de 1778-1779 a conservé un décor des années 1850. Lettres, manuscrits, meubles et objets personnels sont exposés dans 11 pièces dont la salle d'étude

et la chambre de Charlotte.
Le **Keighley and Worth Valley Railway**, train de l'époque victorienne, traverse Haworth. Il s'arrête à Oakworth Station, où furent tournées des scènes de *The Railway Children*. La ligne s'achève au musée du chemin de fer (Railway Museum) d'Oxenhope.

🏛 **Brontë Parsonage Museum**
Church St. 📞 *01535 642323.*
⭘ *t.l.j.* ⭘ *du 24 au 27 déc., janv.*
📷 & *limité.* 🏠 🌐 www.bronte.info

**Le livre de contes écrit par
Charlotte Brontë pour sa sœur Anne**

LES SŒURS BRONTË

Au cours d'une enfance difficile, sans mère, Charlotte, Emily et Anne trouvèrent refuge dans la fiction. Adultes, elles durent travailler comme gouvernantes, mais elles publièrent cependant un recueil de poèmes en 1846. Seuls deux exemplaires de l'ouvrage furent vendus, mais l'année suivante, Charlotte remporta un vif succès avec *Jane Eyre*. Émily avec *Les Hauts de Hurlevent* et Anne avec

Charlotte Brontë (1816-1855)

Agnes Grey connurent à leur tour la notoriété. Après la mort de ses sœurs en 1848-1849, Charlotte publia son dernier roman, *Villette*, en 1852. Elle mourut peu après avoir épousé le révérend Arthur Albert Nicholls.

Hebden Bridge ㊲

Calderdale. 🏠 *12 500.* 🚆
ℹ️ *New Road (01422 843831).* 🏠 *jeu.*
🌐 www.hebdenbridge.co.uk

Dans cette jolie ville textile du South Pennines, entourée de collines abruptes et de filatures du XIXᵉ siècle, est implantée la dernière fabrique de sabots de Grande-Bretagne. À cause de la déclivité, chaque maison est faite de deux rez-de-chaussée et les deux niveaux supérieurs forment une autre unité. Pour définir le propriétaire légal de ces lots, il fallut un vote spécial du Parlement.
De Hebden Bridge, on a une belle vue sur **Heptonstall**, où repose la poétesse Sylvia Plath (1932-1963). Le village a une chapelle méthodiste wesleyenne (1764).

Halifax ㊳

Calderdale. 🏠 *88 000.* 🚆 🚍
ℹ️ *Piece Hall (01422 368725).*
🏠 *du jeu. au sam.*
🌐 www.calderdale.gov.uk

L'histoire de Halifax est liée au textile depuis le Moyen Âge, mais la plupart des vestiges de cette industrie datent du XIXᵉ siècle. William Blake en a décrit les « filatures noires et sataniques » dans son poème *Jérusalem* (1820). Le commerce de la laine aida les Pennines à devenir l'épine dorsale industrielle de l'Angleterre.
Jusqu'au milieu du XVᵉ siècle, la production de tissu resta modeste, mais suffisante pour inspirer la *Gibbet Law*, loi selon laquelle tout voleur de tissu risquait la pendaison. Au bas de Gibbet Street se trouve une réplique de la potence en question. Bien des bâtiments du XVIIIᵉ et du XIXᵉ siècle doivent leur existence aux négociants en laine. La famille Crossley demanda à sir Charles Barry (1795-1860), architecte du Parlement de Londres, de concevoir l'hôtel de ville. Elle fit aussi dessiner le People's Park par sir Joseph Paxton (1801-1865), auteur du Crystal Palace. Les négociants en laine vendaient leurs

Deux Grandes Formes (1966-1969), par Henry Moore, dans Bretton Country Park

coupons dans l'une des 315 « Merchants' Rooms » du **Piece Hall** du XVIIIᵉ siècle, œuvre de Thomas Bradley. Le marché de la ville se tient dans l'imposante cour à l'italienne, superbement restaurée. Le musée **Eureka !** conçu pour les enfants de moins de 12 ans propose des « aventures du savoir » avec des attractions comme la Bouche géante ou le Mur d'eau. Le **Shibden Hall Museum** est une belle maison datant en partie du XVᵉ siècle.

Aux environs
Sowerby Bridge fut un important centre textile du Moyen Âge jusqu'aux années 1960. Le village attire aujourd'hui de nombreux visiteurs qui apprécient les canaux.

🏛 **Eureka !**
Discovery Rd. 📞 01422 330069.
🕐 t.l.j. ⬤ du 24 au 26 déc.
🖼 ♿ 🖥 w www.eureka.org.uk
🏛 **Shibden Hall Museum**
Listers Rd. 📞 01422 352246.
🕐 t.l.j. (dim. : après-midi).
⬤ du 24 déc. au 2 janv. 🖼 🖥 🚻

National Coal Mining Museum 39

Wakefield. 📞 01924 848806. 🚆
Wakefield, puis bus. 🕐 t.l.j. (dernière visite : 15 h 15). Enfants de moins de 5 ans interdits dans les souterrains.
⬤ du 24 au 26 déc., 1ᵉʳ janv. ♿ 📷
🖥 🚻 w www.ncm.org.uk

Dans l'ancienne Caphouse Colliery, ce musée donne l'occasion de descendre dans un vrai puits de mine (se vêtir chaudement), à 137 m sous terre, équipé d'un casque et d'une lampe de mineur. Le musée décrit les conditions de travail des mineurs de 1820 à nos jours.

Yorkshire Sculpture Park 40

Wakefield. 📞 01924 830302.
🚆 Wakefield, puis bus. 🕐 t.l.j.
⬤ 24, 25, 29, 30 et 31 déc. ♿ 🖥 🚻
w www.ysp.co.uk

Situé sur un terrain de 200 hectares, ce site est l'un des musées de plein air les plus importants d'Europe. Il présente, entre autres, les travaux de Henry Moore, Anthony Caro, Eduardo Chillida, Barbara Hepworth et Antony Gormley. À l'intérieur, on peut admirer le « Visitor Centre », remarquable par son architecture, qui mène à la nouvelle galerie souterraine.

Magna 41

Rotherham. 📞 01709 720002.
🚆 Rotherham Central ou Sheffield puis le bus nº 69. 🕐 t.l.j.
⬤ 24 et 25 déc. 🖼 ♿ 🍴 🖥 🚻
w www.magnatrust.org.uk

Cette ancienne aciérie a été intelligemment convertie en un vaste centre ludique tourné vers la science, qui propose des expositions interactives et des spectacles destinés aux 4-15 ans. Trois pavillons (Air, Feu, Terre) permettent de suivre de près une tornade, de conduire de vraies pelleteuses ou de découvrir les effets de l'explosion d'une paroi rocheuse. Il y a également des expositions multimédia sur la vie des ouvriers métallurgistes, sur le fonctionnement d'un haut-fourneau et un spectacle de robots intelligents (IA) qui évoluent et apprennent tout en se pourchassant.

Le Visage d'acier ou l'histoire de l'acier, exposé à Magna

LA NORTHUMBRIA

NORTHUMBERLAND · COUNTY DURHAM

*L*a partie nord-est de l'Angleterre est une mosaïque de landes, de ruines, de châteaux, de cathédrales et de villages dispersés. L'intérêt principal de cette région est de présenter à la fois un passé chargé d'histoire et un superbe cadre naturel, notamment le parc national du Northumberland et le lac de Kielder Water.

Des collines paisibles et désertes, une vie sauvage intacte et les vues panoramiques du parc national du Northumberland font oublier une histoire troublée : combattants écossais et anglais, tribus de pillards, voleurs de bétail et trafiquants de whisky ont arpenté les chemins qui parcourent les Cheviot Hills. À la limite sud du parc serpente le mur d'Hadrien, vestige majeur des 400 ans de présence romaine et frontière septentrionale de l'empire.

Les conflits entre Écossais et Anglais durèrent 1 000 ans après le départ des Romains, et se poursuivirent après l'union entre les deux couronnes en 1603. Un chapelet de châteaux crénelés longe la côte, tandis que la plupart de ceux qui défendaient le flanc nord de l'Angleterre le long de la Tweed sont en ruine. Au VIIe siècle, la Northumbria fut, grâce à saint Aidan, un bastion du christianisme. Mais les incursions vikings, à partir de 793, dévastant les monastères, y mirent fin. Saint Cuthbert et Bède le Vénérable n'en sont pas moins enterrés dans la cathédrale de Durham.

Les effets de la révolution industrielle, concentrés autour de la Tyne, de la Wear et de la Tees, firent de Newcastle-upon-Tyne la capitale des industries minière et navale du Nord. La ville est renommée pour la mise en valeur de son patrimoine industriel et pour ses réalisations dans le domaine de l'urbanisme.

Tronçon du mur d'Hadrien, édifié par les Romains vers 120, vu depuis Cawfields

◁ **Les tours de la cathédrale de Durham dominent le cours de la Wear**

À la découverte de la Northumbria

L es sites historiques sont nombreux le long de la côte. Au sud de Berwick-upon-Tweed, une digue mène au prieuré en ruine et au château de Lindisfarne, et Bamburgh, Alnwick et Warkworth ont d'importants châteaux. L'arrière-pays est une région de grands espaces, où s'étend le parc national du Northumberland et où se dressent les vestiges du mur d'Hadrien. Durham, ville chargée de gloire, est établie au pied de son château et de sa cathédrale. Newcastle-upon-Tyne est réputée pour sa vie nocturne.

LA RÉGION D'UN COUP D'ŒIL

Alnwick Castle **5**
Bamburgh **4**
Barnard Castle **17**
Beamish Open Air Museum **13**
Berwick-upon-Tweed **1**
Cheviot Hills **8**
Corbridge **10**
Durham p. 414-415 **14**
Farne Islands **3**
Hexham **9**
Kielder Water **7**
Lindisfarne **2**
Middleton-in-Teesdale **16**
Mur d'Hadrien p. 408-409 **11**
Newcastle-upon-Tyne **12**
Warkworth Castle **6**

Excursion
Pennines du Nord **15**

VOIR AUSSI

- *Hébergement* p. 563-564
- *Restaurants et pubs* p. 599-601

Les vastes étendues sauvages des collines de l'Upper Coquetdale, dans les Cheviot Hills

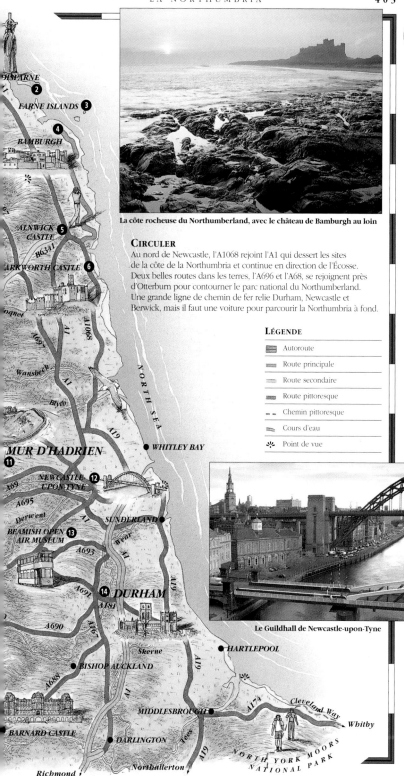

La côte rocheuse du Northumberland, avec le château de Bamburgh au loin

CIRCULER

Au nord de Newcastle, l'A1068 rejoint l'A1 qui dessert les sites
de la côte de la Northumbria et continue en direction de l'Écosse.
Deux belles routes dans les terres, l'A696 et l'A68, se rejoignent près
d'Otterburn pour contourner le parc national du Northumberland.
Une grande ligne de chemin de fer relie Durham, Newcastle et
Berwick, mais il faut une voiture pour parcourir la Northumbria à fond.

LÉGENDE

	Autoroute
	Route principale
	Route secondaire
	Route pittoresque
-- --	Chemin pittoresque
	Cours d'eau
❄	Point de vue

Le Guildhall de Newcastle-upon-Tyne

Les trois ponts de Berwick-upon-Tweed

Berwick-upon-Tweed ❶

Northumberland. 🏠 13 000.
🚋 ℹ️ 106 Mary Gate (01289
330733). 🚢 mer., sam.
🌐 www.berwickonline.org.uk

E ntre le XIIe et le XVe siècle, la
ville changea 14 fois de
mains, passant alternativement
aux Écossais et aux Anglais.
Située à l'embouchure du
fleuve qui sépare les deux
peuples, c'était un lieu
hautement stratégique.
   Les Anglais prirent
définitivement la ville en 1482
et en firent une place forte. Du
haut des remparts de 1555, on
a une belle vue sur la Tweed.
Les casernes du XVIIIe siècle
abritent à la fois le **King's
Own Scottish Borderers
Regimental Museum**, le
musée et la **galerie** de la ville
et le **By Beat of Drum**, qui

retrace l'histoire de l'infanterie
britannique.

🏛 **King's Own Scottish
Borderers Regimental
Museum**
The Barracks. 📞 01289 307427.
🕐 de Pâques à oct. : du lun. au
sam. ; de nov. à Pâques : du mer.
au sam. 🔴 du 22 déc. au 3 janv.,
jours fériés. 🌐 📷

Lindisfarne ❷

Northumberland. 🚋 Berwick-upon-
Tweed, puis bus. ℹ️ 106 Mary Gate,
Berwick-upon-Tweed (01289
330733). 🌐 www.lindisfarne.co.uk

D eux fois par jour, l'étroite
bande de terre qui relie
Lindisfarne à la côte disparaît
pour cinq heures sous les
eaux de la mer du Nord.
À marée basse, on peut
emprunter la digue pour se
rendre sur cette île rendue
célèbre par saint Aidan, saint

Cuthbert et l'Évangile de
Lindisfarne. Il ne reste rien du
monastère celtique, abandonné
en 875 après les attaques des
Vikings, mais les belles arches
du **prieuré** du XIe siècle
s'élèvent au milieu des friches.
   Après 1540, des pierres du
prieuré servirent à construire
Lindisfarne Castle, restauré
en 1903 par sir Edwin Lutyens
(p. 25), qui l'habita. Il
comprend un joli jardin clos
dû à Gertrude Jekyll (p. 23).

♠ **Lindisfarne Castle**
(NT) Holy Island. 📞 01289 389244.
🕐 de mars à oct. et 1re quinzaine
de fév. : du mar. au dim. (tél. pour
les horaires). 🌐

Farne Islands ❸

(NT) Northumberland. 🚢 depuis
Seahouses. ℹ️ 106 Mary Gate,
Berwick-upon-Tweed (01289 330733).

S elon la hauteur des eaux,
ce sont de 15 à 28 îles
qui émergent au large
de Bamburgh, à 16 km au sud
de Lindisfarne. Quelques
amoureux de la nature
et gardiens de phare y vivent
en compagnie de phoques,
de macareux et autres
oiseaux de mer.
   Les croisières au départ
de **Seahouses** ne peuvent
accoster qu'à Staple et Inner
Farne, site de la chapelle du
XIVe siècle de saint Cuthbert,
ou à Longstone, où est bâti
le phare de Grace Darling.

Lindisfarne Castle (1540)

La chrétienté celtique

Saint Cuthbert dans sa nef

En 635, le moine irlandais saint Aidan, souhaitant évangéliser le nord de l'Angleterre, quitta l'île d'Iona, à l'ouest de l'Écosse, pour la Northumbria. Il fonda à Lindisfarne un monastère qui devint l'un des lieux de culte les plus importants d'Angleterre. Cette communauté prospéra, progressant dans l'étude sans jamais renoncer à la pauvreté. Elle devint aussi un lieu de pèlerinage après que des miracles se furent produits sur le tombeau de saint Cuthbert, évêque le plus célèbre de Lindisfarne. Mais les moines ne purent résister aux attaques des Vikings au IXᵉ siècle.

Le monastère de saint Aidan s'agrandit au fil des siècles et devint le prieuré de Lindisfarne. Ce morceau de croix du VIIᵉ siècle s'orne de motifs d'animaux entrelacés.

Bède le Vénérable (673-735), l'un des plus fins lettrés du Moyen Âge, moine à Saint-Paul de Jarrow, est l'auteur de L'Histoire ecclésiastique des Angles (731).

Saint Aidan (600-651), missionnaire irlandais, fonda un monastère à Lindisfarne et devint évêque de Northumbria en 635. Cette sculpture de Kathleen Parbury (1960) se trouve dans le parc du prieuré.

Saint Cuthbert (635-687) fut le moine et l'auteur de miracles le plus vénéré. Il vécut en ermite à Inner Farne (où une chapelle fut élevée à sa mémoire) et devint évêque de Lindisfarne.

Le prieuré de Lindisfarne fut édifié par les bénédictins au XIᵉ siècle sur le site du monastère de saint Aidan.

L'ÉVANGILE DE LINDISFARNE

Ce livre d'histoires tirées de l'Évangile, richement illustré, est un chef-d'œuvre de la « Renaissance northumbrienne », qui influença durablement l'art chrétien. Les moines de Lindisfarne menèrent cette œuvre à bien vers 700 sous la direction de l'évêque Eadfrith. Ils sauvèrent le livre *(p. 47)* en l'emportant dans leur fuite devant les raids des Vikings en 875, alors que d'autres trésors disparurent.

Lettrine de l'Évangile selon saint Matthieu (vers 725)

Grace Darling, illustration de l'édition de 1881 du *Sunday at Home*

Bamburgh ❹

Northumberland. 🚶 1 100. 🚉 Berwick. ℹ Seahouses (01665 720884) ; 106 Mary Gate, Berwick-upon-Tweed (01289 330733).

En raison des hostilités opposant la Northumbria et les Écossais, les châteaux sont plus nombreux dans cette région que dans le reste de l'Angleterre. La plupart d'entre eux furent élevés par des seigneurs entre le xie et le xve siècle. Bamburgh est une place forte côtière en grès rouge, située sur une hauteur fortifiée depuis la préhistoire. Le premier véritable **château** fut édifié en 550 par un chef saxon, Ida la Flamebearer.

Entre 1095 et 1464, c'est à Bamburgh que les rois de Northumbria se firent couronner. Le château tomba ensuite dans l'oubli jusqu'en 1894 où il fut acquis par le magnat des armes de Newcastle, Mr. Armstrong, qui le restaura. Dans le Great Hall, très sombre, sont exposées des œuvres d'art, et le sous-sol abrite des armures et des objets du Moyen Âge.

Bamburgh possède aussi le **Grace Darling Museum**, à la gloire de cette jeune fille de 23 ans qui brava la tempête avec son père, gardien du phare de Longstone, pour porter secours aux neuf naufragés du vapeur *Forfarshire*.

Cheminée en marbre de Carrare (1840) du château d'Alnwick

🔱 **Bamburgh Castle**
Bamburgh. ☎ 01668 214515.
🕐 de mars à nov. : t.l.j. 🚻 👶 📷 🅿
🎦 ⓦ www.bamburghcastle.com
🏛 **Grace Darling Museum**
Radcliffe Rd. 🕐 de Pâques à oct. : t.l.j. 👶

Alnwick Castle ❺

Alnwick, Northumberland. ☎ 01665 510777. 🚉 🚌 Alnmouth. 🕐 d'avr. à oct. : t.l.j. 🚻 👶 limité. 📷 🅿 🎦 ⓦ www.alnwickcastle.com

Surnommé le « Windsor du Nord » au xixe siècle, c'est le fief des ducs de Northumberland, les Percy, qui y résident depuis 1309. Cette place forte frontalière qui a résisté à de nombreux assauts domine Alnwick, au bord de l'Aln, au milieu d'un parc dessiné par Capability Brown. L'extérieur médiéval est austère, mais l'intérieur, meublé dans le style des palais de la Renaissance, abrite une superbe collection de porcelaine de Meissen et des tableaux de Titien, Van Dyck et Canaletto. Dans Postern Tower est rassemblée une collection de vestiges bretons et romains. Abbot's Tower abrite le **Regimental Museum of Royal Northumberland Fusiliers**. On peut aussi voir le carrosse des Percy, le souterrain, la plate-forme à canons et un beau panorama des environs.

Warkworth Castle ❻

(EH) Warkworth, près d'Amble. ☎ 01665 711423. 🕐 de nov. à mars : du sam. au lun. ; d'avr. à oct. : t.l.j. ⚫ du 24 au 26 déc., 1er janv. 🚻 👶 limité. 📷

Perché sur une colline verte au-dessus du cours de la Coquet, ce château fut une des demeures des Percy. Shakespeare situe à Warkworth des scènes de sa pièce *Henri V*, entre le comte de Northumberland et son fils, Harry Hotspur. La plupart de ce qui subsiste date du xive siècle. L'étrange donjon à tourelles en forme de croix, ajout du xive siècle, est l'élément le plus intéressant.

Le château de Warkworth se reflète dans les eaux de la Coquet

Kielder Water ❼

Yarrow Moor, Falstone, Hexham.
☎ 0870 2403549. 🕐 t.l.j. 👶
ⓦ www.kielder.org

Ce lac, l'un des sites majeurs du Northumberland, est situé à proximité de la frontière écossaise, au milieu d'un paysage spectaculaire. C'est le lac artificiel le plus grand d'Europe (44 km de circonférence). On peut y pratiquer tous les sports nautiques et la pêche. L'été, l'*Osprey* effectue des croisières autour du lac en partant de Leaplish. La Kielder Water Exhibition, près du Tower Knowe Visitor Centre, retrace l'histoire de la vallée depuis la dernière glaciation.

Les Cheviot Hills ❽

Ces landes désolées au relief émoussé par la glaciation forment une frontière naturelle avec l'Écosse. Aucune autre région d'Angleterre n'est aussi sauvage. Cette partie reculée du parc national du Northumberland fut cependant le théâtre d'événements historiques. Les traces laissées par les légions romaines, les guerriers écossais, les voleurs de chevaux et contrebandiers de whisky anglais sont encore nombreuses.

MODE D'EMPLOI

Northumberland. 🚆 Hexham. 🛈 Wooler (01668 282123) Eastburn, South Park. 📞 01434 605555.

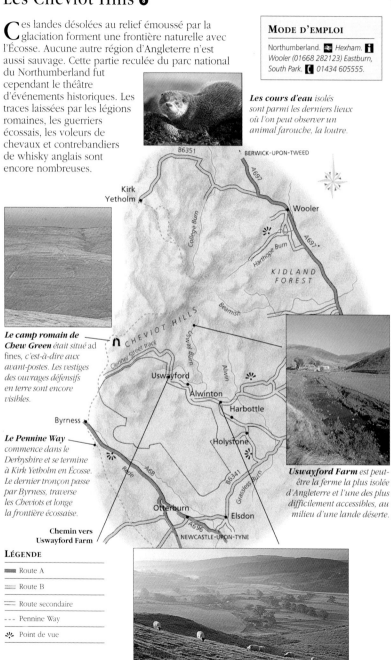

Les cours d'eau isolés sont parmi les derniers lieux où l'on peut observer un animal farouche, la loutre.

Le camp romain de Chew Green était situé ad fines, c'est-à-dire aux avant-postes. Les vestiges des ouvrages défensifs en terre sont encore visibles.

Le Pennine Way commence dans le Derbyshire et se termine à Kirk Yetholm en Écosse. Le dernier tronçon passe par Byrness, traverse les Cheviots et longe la frontière écossaise.

Chemin vers Uswayford Farm

Uswayford Farm est peut-être la ferme la plus isolée d'Angleterre et l'une des plus difficilement accessibles, au milieu d'une lande déserte.

LÉGENDE

▬▬	Route A
═══	Route B
══	Route secondaire
---	Pennine Way
🌿	Point de vue

0   5 km

Alwinton, un petit village blotti au fond de la vallée de la Coquet, est le point de départ de nombreuses randonnées parmi de vastes landes sauvages où pâturent de robustes moutons.

Hexham ❾

Northumberland. 🏛 *10 000*. 🚆 🚌
ℹ️ *The Manor Office, Hallgate (01434 605225).* 🛏 *mar.*

Cette ville active fondée au VIIe siècle se développa autour d'une église et d'un monastère fondés par saint Wilfrid, mais les Vikings la mirent à sac en 876. En 1114, les augustiniens entreprirent de construire un prieuré et une abbaye sur les ruines de l'église. Les tours de **Hexham** **Abbey** dominent toujours la place du marché. Il ne reste que la crypte saxonne de St Wilfrid's Church, construite avec les pierres de l'ancien fort romain de Corbridge. Dans le

Sculptures de l'abbaye de Hexham

transept sud de l'abbaye, un escalier du XIIe siècle mène au dortoir. Dans le chœur se trouve Frith Stool, trône saxon placé au milieu d'un cercle qui garantissait une protection aux fugitifs. Des ruelles médiévales, souvent bordées de boutiques georgiennes ou victoriennes, partent de la place du marché. Moot Hall est une ancienne chambre de conseil du XVe siècle, et la vieille prison abrite un musée de l'histoire de cette région frontalière.

Le mur d'Hadrien ❿

En 120, l'empereur Hadrien ordonna l'édification d'un mur long de 117 km afin de protéger la frontière nord de la province, frontière nord-ouest de l'Empire romain. Les troupes stationnaient dans des fortins placés à intervalles réguliers et des tours, qui devinrent des forts, s'élevaient tous les 8 km. Le mur fut abandonné en 383 quand l'Empire se disloqua, mais il en reste d'importants vestiges. Il est désormais la propriété de l'English Heritage.

Emplacement du mur d'Hadrien

Vindolanda *compte plusieurs forts. Le premier, en bois, date de 90 apr. J.-C., et le premier fort en pierre ne remonte qu'au IIe siècle. Le musée conserve des tablettes donnant des informations sur la vie quotidienne.*

Carvoran Fort est sans doute antérieur au mur. Peu de ces forts ont survécu. Le Roman Army Museum voisin retrace l'histoire de l'ouvrage.

Great Chesters Fort fut édifié face à l'est pour défendre Caw Gap, mais il en reste peu de chose. Au sud et à l'est se trouvent des traces d'installations civiles et des thermes.

Housesteads Settlement comprend les vestiges de boutiqu[es] ou de tavernes.

Cawfields, à 3 km au nord d[e] Haltwhistle, donn[e] accès au tronçon plus élevé et le plu[s] irrégulier du mur[.] À l'est, les ruines d'un fortin s'élève[nt] sur le Whin Sill Crag.

L'empereur Hadrien *(76-138), fin stratège, vint en Grande-Bretagne en 120 mettre en place un système de défense. La visite d'un empereur était souvent suivie de l'émisson d'une pièce de monnaie, comme ce sesterce de bronze.*

🔒 **Hexham Abbey**
Market Place. 📞 *01434 602031.*
⏰ *t.l.j.* ♿ 📷
🏛 **Border History Museum**
Old Jail, près de Hallgate.
📞 *01434 652349.* ⏰ *tél. pour*
les horaires. 🎬 📷 ♿

Corbridge ⑩

Northumberland. 🏠 *4 000.* 🚂
ℹ️ *Hill St (01434 632815).*

Plusieurs bâtiments
historiques de cette ville
calme ont été construits avec les
pierres de Corstopitum, ville de

Le presbytère fortifié du XIVᵉ siècle
à Corbridge

garnison romaine voisine : la
tour saxonne la plus imposante
de St Andrew's Church et la
tour fortifiée du XIVᵉ siècle
destinée à la protection du
prêtre. Les fouilles du
Corbridge Roman Site and
Museum ont mis au jour des
forts plus anciens, un grenier
bien conservé, des temples, des
fontaines et un aqueduc.

🏛 **Corbridge Roman**
Site and Museum
(EH) 📞 *01434 632349.* ⏰ *d'avr.*
à oct. : t.l.j. ; de nov. à mars :
sam. et dim. ● *du 24 au 26 déc.,*
1ᵉʳ janv. 🎬 ♿ *limité.* 📷 📷

LE MUR D'UNE CÔTE À L'AUTRE

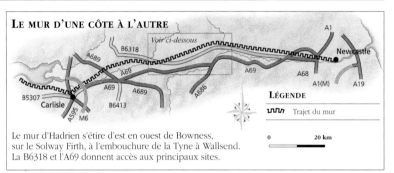

LÉGENDE

〰️〰️ Trajet du mur

0   20 km

Le mur d'Hadrien s'étire d'est en ouest de Bowness,
sur le Solway Firth, à l'embouchure de la Tyne à Wallsend.
La B6318 et l'A69 donnent accès aux principaux sites.

Carrawburgh Fort, une garnison de
500 hommes, contrôlait le Newbrough
Burn et l'accès au North Tyndale.

Limestone Corner Milecastle,
situé sur la partie la plus au nord du
mur, offre un splendide panorama
des Cheviot Hills *(p. 407).*

Sewingshields Milecastle, qui offre
une belle vue à l'ouest sur Housesteads,
est l'un des meilleurs lieux
de randonnée. Cette reconstitution
montre la disposition d'un fortin.

Chesters Fort était une
tête de pont sur la North
Tyne. Le musée conserve
des autels, des sculptures
et des inscriptions.

Chesters Bridge enjambait la
Tyne. Ce sont les ruines du
second pont, reconstruit en
207, que l'on peut encore voir.

Housesteads Fort, la partie
de l'ouvrage la mieux
préservée, commande un beau
panorama. Les fouilles ont mis
au jour la maison du
commandant et un hôpital.

0   500 m

Newcastle-upon-Tyne ⑫

🚶 273 000. ✈ 🚃 🚌 ⛴
ℹ️ *Railway Station ; 123 Oranger St
(0191 2610610).* ☎ *dim.*
🌐 www.visitnewcastlegateshead.com

La ville doit son nom au **château** normand fondé en 1080 par Robert Courteheuse, fils aîné de Guillaume le Conquérant *(p. 47)*. Mille ans plus tôt, les Romains avaient construit un pont sur la Tyne et un fort. Au Moyen Âge, la ville servit de base aux Anglais dans leurs expéditions contre les Écossais. Puis elle prospéra grâce au charbon et à l'exportation. Au XIXe siècle, elle se distingua par ses activités industrielles. Si l'industrie a décliné, les « Geordies », comme on appelle les habitants, ont encore des raisons de fierté : le centre commercial ultra-moderne Metro Centre de Gateshead, à 6 km au sud-ouest de la ville, et l'équipe de football Newcastle United.Les prestigieux témoins du passé sont le magnifique **Tyne Bridge** et **Earl Grey's Monument**. Les nobles façades du centre (Grey Street) reflètent aussi la grandeur passée. Le pont **Gateshead Millennium** permet d'accéder aux quais, où de nouveaux bâtiments à l'architecture spectaculaire ont été construits : le **Baltic**, centre d'art contemporain et le **Sage Gateshead**, centre international de musique.

Ponts franchissant la Tyne à Newcastle

♣ **Le château**
St Nicholas St. ☎ 0191 2327938. ⏰ *t.l.j.* 🚫
Construit en bois à l'origine, le « nouveau château » de Robert Courteheuse fut rebâti en pierre au XIIe siècle.

Beamish Open Air Museum ⑬

Emblème du tramway

Cet immense musée en plein air qui couvre 120 ha du comté de Durham donne une fidèle image de la vie familiale, professionnelle et sociale dans le Nord-Est au XIXe et au début du XXe siècle en se gardant de l'idéaliser : grand-rue typique, village minier, mine, école, chapelle et ferme. Tous les guides sont en costume d'époque. Un tramway restauré dessert tous les sites du musée.

La gare, qui date de 1913, comporte une plate-forme, un poste d'aiguillage et une passerelle de fer.

La Home Farm recrée l'atmosphère d'une ferme ancienne. On peut y voir des races de bétail que l'élevage de masse a rendues plus rares.

École

Les maisons de mineurs, qui appartenaient à la houillère, étaient petites, éclairées à la lampe à huile et dotées d'un potager.

Chapelle

Seuls le donjon crénelé et trapu et deux appartements royaux sont intacts. Des escaliers en spirale mènent aux chemins de ronde, d'où l'on voit la ville et la Tyne.

St Nicholas Cathedral

St Nicholas Sq. 0191 2321939. t.l.j.

L'une des plus petites cathédrales de Grande-Bretagne contient des vestiges de l'église normande originelle du XIe siècle sur laquelle elle fut construite aux XIVe et XVe siècles. On remarque surtout la tour lanterne ; il n'en existe que trois en Grande-Bretagne.

Bessie Surtees' House

41-44 Sandhill. 0191 2611585. du lun. au ven. du 25 déc. au 2 janv., jours fériés. limité Les maisons à colombage des XVIe et XVIIe siècles rappellent l'histoire de la belle et riche Bessie, qui vivait ici avant d'être enlevée par John Scott,

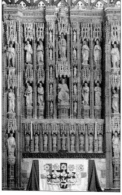

Retable des saints de la Northumbria, St Nicholas Cathedral

jeune homme sans le sou qui devint chancelier d'Angleterre (la fenêtre par laquelle elle s'enfuit a une vitre bleue).

Tyne Bridge

Newcastle-Gateshead. t.l.j. Inauguré en 1928, ce pont

métallique conçu par Mott, Hay et Anderson fut le plus long de ce type en Grande-Bretagne (162 m de travée). Il est devenu le symbole de la ville.

Earl Grey's Monument

Grey St. Dû à Benjamin Green, il honore le 2e comte Grey, Premier ministre libéral (1830-1834).

Baltic

The Centre for Contemporary Art, Gateshead. 0191 4781810. t.l.j. www.balticmill.com Cet ancien entrepôt de céréales a été reconverti par l'architecte Dominic Williams en un nouveau centre international d'art contemporain, l'un des plus importants d'Europe. Le restaurant situé sur le toit offre une vue imprenable sur Tyneside.

Dans la ville :
une confiserie, une
maison de la presse,
une étude d'avocat,
un cabinet de dentiste
et, bien sûr, un pub.

MODE D'EMPLOI

Beamish, Co. Durham. 0191 3704000. Durham, puis bus. d'avr. à oct. : de 10 h à 17 h t.l.j. (der. ent. : 15 h) ; de nov. à mars : High Street seul. de 10 h à 16 h du mar. au jeu., sam. et dim. www.beamish.org.uk

**La coopérative** proposait
tout ce dont une famille avait
besoin en 1900. On y voit
une gamme de produits
alimentaires de 1913.

Pockerley Manor

Voie ferrée datant de 1825

Treuil à vapeur

**La mine de Mahogany**
**Drift**, creusée dans les veines
de charbon près de la surface,
fut en activité de 1850 à 1958.
Des visites guidées sont
proposées dans les puits.

Entrée

Maisons construites par la London Lead Company à Middleton-in-Teesdale

Durham ⓮

Voir p. 414-415.

Excursion dans les Pennines du Nord ⓯

Voir p. 413.

Fromage de Cotherstone, spécialité de la région de Middleton

Middleton-in-Teesdale ⓰

Co. de Durham. 🏠 1 100. 🚃 Darlington. 🛈 10 Market Place (01833 641001). ⓦ www.visitteesdale.co.uk

Cette ville qui vivait de l'exploitation des mines de plomb s'étend à flanc de colline dans le paysage sauvage des Pennines, au bord de la Tees. Nombre des habitations de mineurs en pierre grise ont été construites par la London Lead Company. Cette entreprise paternaliste, dirigée par des quakers, intervenait dans tous les domaines de la vie quotidienne des ouvriers. Ceux-ci devaient respecter un principe de tempérance, envoyer leurs enfants à l'école du dimanche et se conformer aux nombreuses maximes de la compagnie. Fondée en 1753, celle-ci posséda bientôt virtuellement Middleton, qui correspondait à l'idée de « ville-entreprise » en vogue au XVIIIe siècle. Si toutes les mines de plomb de la Teesdale sont aujourd'hui fermées, on peut toujours voir à Middleton les bureaux de la compagnie.

Ne manquez pas de goûter le fromage de chèvre à pâte friable de Cotherstone, spécialité des vallées voisines, que proposent les boutiques.

Barnard Castle ⓱

Co. de Durham. 🏠 5 000. 🚃 Darlington. 🛈 Woodleigh, Flatts Rd (01833 690909). 🛒 mer. ⓦ www.visitteesdale.co.uk

Surnommée « Barney » dans la région, Barnard Castle est une petite ville de caractère avec ses vieilles vitrines et sa place du marché pavée que dominent les ruines du château normand auquel elle doit son nom. Le château d'origine fut construit vers 1125-1140, pour commander un gué, par Bernard Balliol, ancêtre du fondateur de Balliol College, à Oxford (p. 210). Une ville de marché naquit ensuite au pied des murailles.

Barnard Castle est connu par l'extraordinaire château de style français situé à l'est de la ville, entouré de vastes jardins à la française. Commandé en 1860 par John Bowes, aristocrate local, et sa femme Joséphine, artiste et actrice française, il fut conçu dès le début comme un musée et un bâtiment public. Achevé en 1892, après leur mort, le **Bowes Museum** reste un monument célébrant la fortune de l'un et l'extravagance de l'autre. Il conserve une splendide collection d'art espagnol où figurent les *Larmes de saint Pierre* du Greco (vers 1580) et *Don Juan Meléndez Váldez* de Goya (1797), sans compter les horloges, porcelaines, meubles, instruments de musique, jouets, tapisseries et un cygne mécanique en argent considéré comme la pièce maîtresse.

🏛 **Bowes Museum**
Barnard Castle. 📞 01833 690606. 🕐 t.l.j. 🚫 ♿ 📷 en été. 🚻 📶
ⓦ www.bowesmuseum.org.uk

Le Bowes Museum, château de style français proche de Barnard Castle

Excursion dans les Pennines du Nord ⑮

Ce circuit commence juste au sud du mur d'Hadrien et passe par la South Tyne Valley et l'Upper Weardale, à travers des landes parmi les plus sauvages d'Angleterre, avant de repartir vers le nord. Les hauteurs où paissent les moutons sont couvertes de bruyère et sillonnées de murs de pierre

**Mouton
sur la lande**

sèche. Des busards et autres oiseaux les survolent et les cours d'eau drainent les vallées où se blottissent les villages.

Celtes, Romains et autres colons y ont laissé leur empreinte. La région a dû depuis toujours sa prospérité à l'agriculture et à l'exploitation des mines de plomb et des carrières.

Haltwhistle ①
L'église de la Sainte-Croix (Church of the Holy Cross) abrite la tombe du frère de Nicholas Ridley, martyr anglican mort sur le bûcher en 1555 *(p. 210)*.

Haydon Bridge ③
Il y a de délicieuses promenades à faire autour de cette ville d'eaux où le peintre John Martin naquit en 1789. Le château voisin de Langley mérite une visite.

Hexham ④
Cette vieille cité pittoresque *(p. 408)* est dotée d'une belle abbaye.

Blanchland ⑤
Certaines maisons de ce bourg minier ont été bâties sur le site d'une abbaye du XIIᵉ siècle.

Bardon Mill ②
Au nord se trouvent le camp romain et la colonie civile de Vindolanda *(p. 408)*.

Allendale ⑦
Dans cette région aux paysages spectaculaires, on peut pratiquer la pêche à la truite aussi bien que la randonnée.

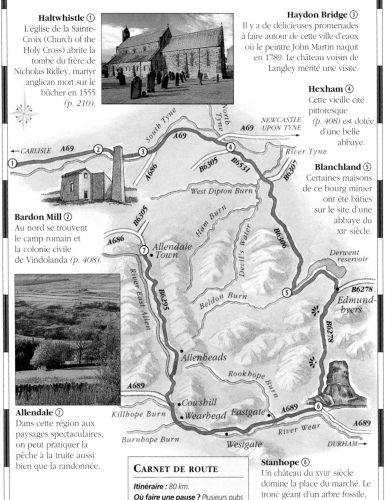

Stanhope ⑥
Un château du XVIIIᵉ siècle domine la place du marché. Le tronc géant d'un arbre fossile, vieux, dit-on, de 250 millions d'années, garde le cimetière.

CARNET DE ROUTE

Itinéraire : 80 km.
Où faire une pause ? *Plusieurs pubs de Stanhope proposent un buffet, et le Durham Dales Centre sert du thé toute l'année. L'hôtel Horsley Hall d'Eastgate sert des repas à toute heure. (Voir aussi p. 636-637.)*

Légende

▬▬ Itinéraire conseillé

═══ Autre route

⚡ Point de vue

0 — 5 km

Durham ⑭

C'est en 995 que la ville fut bâtie sur Island Hill ou « Dunholm », un éperon rocheux que contourne la Wear avant de se jeter dans la mer. Le site fut choisi par des moines pour ensevelir la dépouille de saint Cuthbert ; puis on apporta les reliques de Bède le Vénérable qui attirèrent de nouveaux pèlerins. En construisant la cathédrale, les architectes inaugurèrent un plan géométrique. Le château tint lieu d'évêché jusqu'en 1832, lorsque Mgr William Van Mildert en fit don, ainsi que d'une partie de ses revenus, pour fonder la troisième université britannique. Les 23 ha de ce site sont parcourus de sentiers et parsemés de monuments.

Heurtoir, sanctuaire de la cathédrale

★ **Cathédrale**
Bâtie de 1093 à 1274, elle est typiquement normande.

Old Fulling Mill, bâtiment en grande partie du XVIIIe siècle, abrite un musée d'archéologie.

Le pont de Prebend date de 1777. Une sculpture de Colin Wilbourn figure du côté « île ».

College Green

Cuisine des moines

Église St Mary-the-Less

Portail du collège   **Cour sud**   **Tombe de saint Cuthbert**

Vitrail du « Pain quotidien »
Ce vitrail moderne, au nord de la nef, fut offert par un grand magasin local en 1984.

Galilee Chapel
Les architectes de cette chapelle, commencée en 1170, s'inspirèrent de la grande mosquée de Cordoue, en Andalousie. L'évêque Langley (mort en 1437) la modifia. Sa tombe se trouve à la porte ouest.

À NE PAS MANQUER

★ **La cathédrale**

★ **Le château**

★ Le château

Commencé en 1072, c'est une belle forteresse normande. Le donjon fait à présent partie de l'université.

Hôtel de ville (1851)

St Nicholas' Church (1857)

Palace Green

MODE D'EMPLOI

Co. de Durham. 🚃 *Station Approach.*
ℹ️ *Millennium Pl (0191 384 3720).*
Cathédrale ⏲ *de 9 h 30 à 18 h 15 t.l.j. (dim. : jusqu'à 17 h).*
🖥️ *www.durhamcathedral.co.uk*
♿ **Château** 📞 *0191 334 3800.*
⏲ *vacances universitaires : t.l.j., sinon : lun., mer., sam. (après-midi).* 🎫 *sur r.-v.* 🖥️ *www.durhamcastle.com*

Tunstal's Chapel

À l'extrémité de la Tunstal's Gallery, la chapelle du château date d'environ 1542. Parmi ses belles sculptures sur bois, la miséricorde à la licorne (p. 329).

Corps de garde du château

L'arche extérieure porte des traces de sculptures normandes, tandis que les murs épais et la partie supérieure sont du XVIIIe siècle, ayant été reconstruits dans un style décrié pour sa lourdeur.

L'université fut édifiée par l'évêque John Cosin au XVIIe siècle.

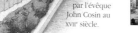

Église St Mary-le-Bow

Le pont de Kingsgate (1962-1963) mène à North Bailey.

L'ARCHITECTURE DE LA CATHÉDRALE

Les dimensions des colonnes, des piliers et des voûtes, vieux de 900 ans, les chevrons et les losanges géants, les colonnes sculptées en treillage ou en dent-de-chien sont les aspects les plus nouveaux de l'architecture. Les architectes des XIe et XIIe siècles, comme l'évêque Ranulph Flambard, semblent avoir tenté d'en unifier les parties, comme on le voit dans l'aile sud de la nef ci-dessous.

Les voûtes nervurées, qui montent des murs, sont devenues classiques dans les églises. Apport important du gothique, c'est à Durham qu'elles apparurent.

Le losange, motif utilisé pendant la préhistoire, ne l'avait encore jamais été dans une cathédrale.

Les chevrons de certaines colonnes de la nef sont d'influence mauresque.

LE PAYS DE GALLES

PRÉSENTATION DU PAYS DE GALLES 418-425
LE NORD DU PAYS DE GALLES 426-441
LE SUD ET LE CENTRE DU PAYS DE GALLES 442-461

Le pays de Galles d'un coup d'œil

Les paysages du pays de Galles, splendides et variés, invitent à de nombreuses activités : escalader les sommets, marcher dans la forêt, pêcher dans de larges cours d'eau ou profiter d'un littoral vierge sur des kilomètres. Les vacanciers anglais en apprécient depuis longtemps les nombreuses stations balnéaires. On ne compte pas les châteaux, les abbayes en ruine, les grandes demeures et les villes à l'architecture remarquable. Il ne faut surtout pas négliger la culture galloise profondément imprégnée de traditions celtiques.

Le château de Beaumaris (p. 424) *devait être un point clé de la « ceinture de fer » conçue par Édouard Ier pour contenir les rebelles gallois (p. 422). Commencé en 1295 et jamais achevé, il est doté d'un système de défense sans équivalent au pays de Galles.*

Anglesey

Caernarfonshire & Merionethshire

Portmeirion (p. 440-441), *village privé aux maisons pour le moins incongrues dans le paysage, concrétise l'ambition personnelle de l'architecte Sir Clough Williams-Ellis. Pour construire certains édifices, des éléments d'architecture furent prélevés sur d'autres sites.*

Cardi...

Carmarthenshi...

Pembrokeshire

St Davids *est la plus petite ville de Grande-Bretagne, mais sa cathédrale (p. 450-451) est la plus grande du pays de Galles, avec une nef remarquable par son plafond de chêne sculpté et son magnifique jubé. Le palais épiscopal, tout proche, est en ruine.*

◁ **Le quai coloré de Caernarfon**

Llanberis et le Snowdon (p. 437) forment une région connue pour ses pics élevés et dangereux, appréciés depuis longtemps par les alpinistes. C'est depuis Llanberis que l'accès au sommet du mont Snowdon est le plus facile. Son nom gallois, Yr Wyddfa Fawr, signifie « grande tombe » ; ce serait l'emplacement légendaire de la tombe d'un géant tué par le roi Arthur (p. 273).

Flintshire

berconwy
Colwyn   Denbighshire

**NORD DU PAYS
DE GALLES**
(p. 426-441)
                Wrexham

Le château de Conwy veille sur l'une des villes médiévales fortifiées les mieux conservées de Grande-Bretagne (p. 432-433). Construit par Édouard Ier, le château assiégé fut près de se rendre en 1294. Il céda à l'assaut des partisans d'Owain Glyndwr en 1401.

Powys

**SUD ET CENTRE DU
PAYS DE GALLES**
(p. 442-461)

Les Brecon Beacons (p. 454-455), belle région de montagnes, de forêts et de landes du Sud, appréciée des marcheurs et des naturalistes, sont un parc national. Le Pen-y-Fan en est l'un des principaux sommets.

**Au château de
Cardiff** (p. 458-459), la tour de l'Horloge fait partie des nombreuses modifications réalisées au XIXe siècle par l'architecte, excentrique mais doué, William Burges. Son style flamboyant fait l'étonnement des visiteurs.

Monmouthshire

Cardiff, Swansea
et leurs environs

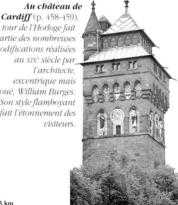

0   25 km

UNE IMAGE DU PAYS DE GALLES

Appréciés depuis longtemps par les vacanciers britanniques, les charmes du pays de Galles ne sont plus à vanter. Les paysages en font certes partie, mais aussi une culture vivace dont la poésie, les chœurs masculins et les sports d'équipe sont quelques aspects. Gouverné de Westminster depuis 1536, le pays de Galles conserve cependant sa propre identité celtique et a obtenu en 1999 une partielle autonomie.

La majeure partie du pays de Galles est constituée par la chaîne des monts Cambriens, frontière naturelle avec l'Angleterre. Le Gulf Stream lui procure un climat doux, plus pluvieux que dans le reste de la Grande-Bretagne. Les terres se prêtent moins aux labours qu'à l'élevage d'ovins et de bovins. Les sentiers par lesquels on conduisait les moutons vers l'Angleterre à travers les collines sont devenus des sentiers de randonnée. C'est en partie la rudesse du pays qui a permis aux Gallois de conserver leur identité et leur langue.

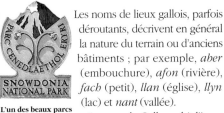

L'un des beaux parcs nationaux gallois

Le gallois est une langue expressive et musicale parlée seulement par un cinquième des 2,7 millions d'habitants, mais dans certaines régions du Nord c'est la langue de la conversation courante. La politique officielle est le bilinguisme : les panneaux routiers sont traduits dans les deux langues, même dans les régions où le gallois est peu parlé.

Les noms de lieux gallois, parfois déroutants, décrivent en général la nature du terrain ou d'anciens bâtiments ; par exemple, *aber* (embouchure), *afon* (rivière), *fach* (petit), *llan* (église), *llyn* (lac) et *nant* (vallée).

Le pays de Galles subit l'invasion romaine, mais non celle des Saxons. Le pays et ses habitants gardèrent ainsi leurs traditions domestiques et familiales pendant six siècles, jusqu'à la conquête normande en 1066. Ceci laissa le temps aux Gallois de se constituer en une nation distincte et homogène, qui est toujours une réalité aujourd'hui.

Les premiers rois normands soumirent le pays de Galles en chargeant les seigneurs des marches de tenir les régions frontalières. Un chapelet de solides châteaux rappelle l'époque à laquelle les soulèvements gallois étaient une menace constante. Ce n'est qu'en 1535 que le pays de Galles s'agrégea vraiment à la Grande-Bretagne. Aujourd'hui, à Londres, un ministre est en charge de ses affaires.

Le rugby, grand sport populaire

Le non-conformisme religieux et le radicalisme politique sont solidement ancrés dans les esprits. Saint David convertit le pays au VIe siècle. Au XIXe siècle, le méthodisme, le protestan-

Les terres se prêtent surtout à l'élevage ovin

Une *gorsedd* (assemblée) de druides à l'eisteddfod

goût bien connu des Gallois pour la musique vient des anciens bardes : ménestrels et poètes, peut-être associés aux druides. Les histoires des bardes, pleines de figures légendaires et de magie, faisaient partie de la tradition orale du haut Moyen Âge. Elles furent transcrites pour la première fois au XIVe siècle dans le *Mabinogion*, qui a inspiré nombre de poètes gallois jusqu'à Dylan Thomas au xxe siècle. Les chœurs masculins qui se produisent dans beaucoup de villes, de villages et d'usines, en particulier dans le Sud industriel, expriment la tradition musicale celte. Ils se mesurent au cours des *eisteddfods*, festivals de la culture galloise.

tisme et le fondamentalisme s'enracinèrent. Certains pubs sont fermés le dimanche (dans la péninsule de Llŷn, la vente d'alcool est tout simplement interdite). Une tradition ancienne a donné naissance à de nombreux orateurs, hommes politiques et acteurs. Les dirigeants gallois du parti travailliste ont joué un grand rôle dans l'histoire des syndicats et du socialisme britanniques.

La civilisation galloise s'exprime davantage à travers le chant, la musique, la poésie et les légendes que dans l'artisanat, à l'exception notable de la « cuillère d'amour » sculptée, récemment remise au goût du jour. Le

Cuillère d'amour

Au xixe siècle, l'exploitation du gisement de charbon du Sud à Glamorgan (qui fut le plus grand du monde) déclencha l'essor industriel et l'exode rural vers les hauts fourneaux et les aciéries. Cette prospérité ne dura pas ; après un bref répit dû à la Deuxième Guerre mondiale, le charbon connut un déclin irrémédiable, entraînant une crise économique sévère. La promotion du tourisme se fait aujourd'hui dans l'espoir que les richesses qu'il apporte pallieront la disparition du « roi Charbon ».

Le petit port coloré de Conwy, pittoresque ville médiévale ceinte de remparts

Histoire du pays de Galles

Saint David, patron du pays de Galles

L a présence humaine au pays de Galles remonte à la préhistoire. De nombreux facteurs, des invasions à la révolution industrielle, ont influencé le cours de son histoire. Si les Romains avaient établi des camps dans les montagnes, c'est encore une véritable nation celte qui résista à l'invasion saxonne du VIIIe siècle. Puis des siècles de raids frontaliers et de campagnes militaires suivirent, jusqu'à l'acte d'union de 1535 entre pays de Galles et Angleterre. Le Nord-Ouest, ancien bastion des princes gallois, maintient les coutumes et la langue galloises.

UNE NATION CELTE

Ornement de l'âge du bronze trouvé à Anglesey

D es vagues de migration peuplèrent le pays de Galles à la préhistoire. À l'âge du fer *(p. 42-43)*, des paysans celtes avaient établi des oppidums et implanté leur religion, le druidisme. Du Ier siècle apr. J.-C. au retrait des légions vers 400, les Romains construisirent des forts et des routes, et exploitèrent des mines de plomb, d'argent et d'or. Durant les deux siècles suivants, des missionnaires venus d'Europe convertirent le pays au christianisme. C'est saint David *(p. 450-451)*, dit-on, qui fit du poireau l'emblème national en conseillant aux Gallois de le porter sur leur casque pour se distinguer des Saxons pendant un combat.

Les Saxons *(p. 46-47)* ne purent conquérir le pays de Galles. En 770, leur roi Offa fit élever un rempart de terre le long de la frontière *(p. 447)*. De l'autre côté de l'Offa's Dyke, les peuples se nommèrent eux-mêmes *Y Cymry* (« ceux de l'autre pays ») et appelèrent leur pays *Cymru*. Les Saxons le baptisèrent « Wales », de *wealas*, « étrangers ». Il se divisait en royaumes dont les plus grands étaient Gwynedd au nord, Powys au centre et Dyfed au sud.

LES SEIGNEURS DES MARCHES

L'invasion de 1066 *(p. 47)* n'atteignit pas le pays de Galles, mais Guillaume le Conquérant concéda les marches du pays à trois puissants barons : Shrewsbury, Hereford et Chester, qui tenaient la majeure partie des basses terres. Les princes gallois

Édouard Ier proclame son fils prince de Galles en 1301

Owain Glyndŵr incarne l'opposition galloise à l'Angleterre

contrôlaient le Nord-Est montagneux et profitaient de la faiblesse des Anglais. Sous Llywelyn le Grand (mort en 1240), le Nord fut presque entièrement indépendant ; son petit-fils, Llywelyn le Dernier, fut reconnu prince de Galles par Henri III en 1267.

Édouard Ier, monté sur le trône d'Angleterre en 1272, fit construire des places fortes et partit à la conquête du pays de Galles. En 1283, Llywelyn périt au combat, coup fatal pour les Gallois. Le roi imposa les lois anglaises et proclama son fils prince de Galles *(p. 430)*.

LA RÉBELLION D'OWAIN GLYNDŴR

L e ressentiment des Gallois contre les seigneurs des marches devint rébellion. En 1400, Owain Glyndŵr (vers 1350-1416), descendant des princes de Galles, mit à sac les possessions anglaises. Reprenant le titre de ses ancêtres, il trouva des alliés celtes en Écosse, en Irlande, en France et en Northumbria. En 1404, il prit Harlech et Cardiff et réunit un parlement à Machynlleth *(p. 448)*. En 1408, les Français concluent une trêve avec Henri IV d'Angleterre. La rébellion échoua alors et Glyndŵr dut se cacher jusqu'à sa mort.

L'UNION AVEC L'ANGLETERRE

L e pays de Galles souffrit beaucoup de la guerre des Deux-Roses *(p. 49)*, car les York et les Lancaster se disputèrent les châteaux gallois. À la fin de la guerre, en 1485, le Gallois Henri Tudor, né à Pembroke, devint Henri VII. L'acte d'union de 1535 et d'autres lois supprimèrent les marches, donnant aux Gallois une représentation au Parlement de Londres. Les usages anglais remplacèrent les coutumes locales et l'anglais devint la langue des tribunaux et de l'administration. Le gallois survécut en partie grâce à l'Église et à la traduction de la Bible du Dʳ William Morgan (1588).

Bible en langue vernaculaire qui aida le gallois à survivre

INDUSTRIE ET RADICALISME

D ans le sud et l'est du pays de Galles, l'industrie naquit des mines de charbon de Wrexham et Merthyr Tydfil, vers 1760. Le développement des ports bien équipés et du chemin de fer la stimula. Dans la seconde moitié du XIXᵉ siècle, les puits de la Rhondda Valley supplantèrent les mines à ciel ouvert.

Les ouvriers et les paysans menaient une vie rude. Des émeutes *(Rebecca Riots)* dans le Sud entre 1839 et 1843, au cours desquelles les paysans, habillés en femmes, protestèrent contre les dîmes et les loyers, furent durement réprimées. Les chartistes, les syndicats et le parti libéral avaient de nombreux adhérents au pays de Galles.

L'essor du méthodisme *(p. 267)* suivit celui de l'industrie ; en 1851, 80 % de la population l'avait embrassé. Le gallois survécut malgré les efforts du gouvernement pour en décourager l'usage, y compris en punissant les enfants surpris à le parler.

LE PAYS DE GALLES AUJOURD'HUI

A u XXᵉ siècle, pour la première fois, les Gallois, jouèrent un rôle actif dans la politique britannique. David Lloyd George fut le premier chef du gouvernement issu d'une famille galloise. S'il n'était pas né au pays de Galles, du moins y avait-il été élevé. Aneurin Bevan, fils de mineur devenu ministre travailliste, participa à la fondation du National Health Service *(p. 59)*.

Le nationalisme continua de croître ; le Plaid Cymru, parti nationaliste gallois, fut fondé en 1926. En 1955, Cardiff fut reconnue capitale du pays de Galles *(p. 456)* et, quatre ans plus tard, l'ancien dragon rouge devint l'emblème du nouveau drapeau gallois. Le Plaid Cymru remporta deux sièges au Parlement en 1974, et lors du référendum de 1998, les Gallois choisirent l'autonomie partielle.

Le gallois a décliné ; alors que la moitié de la population le parlait en 1901, ce chiffre était tombé à 21 % 70 ans plus tard. Grâce au Welsh Language Act de 1967, cette langue est enseignée à l'école, et la chaîne de télévision S4C (Sianel 4 Cymru) diffuse de nombreux programmes en gallois.

Depuis 1960, le charbon et l'acier connaissent un réel déclin, avec le chômage pour conséquence . Les industries de pointe et le tourisme n'y ont qu'en partie remédié.

Mineurs du sud du pays de Galles en 1910

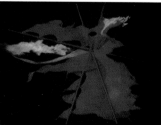

Logo de S4C, chaîne de télévision galloise

Les châteaux du pays de Galles

Le château de Conwy, miniature française (XVᵉ s.)

Les châteaux médiévaux sont nombreux au pays de Galles. Peu après la bataille d'Hastings *(p. 47)*, les Normands convoitèrent ce territoire. Ils édifièrent des places fortes de terre et de bois, que remplacèrent bientôt des châteaux en pierre. Les princes de Galles et les envahisseurs poursuivirent ces constructions. C'est sous Édouard Iᵉʳ *(p. 422)* qu'elles furent les plus nombreuses. À la fin du Moyen Âge, la paix revenue, certains châteaux devinrent des demeures d'agrément.

Le corps de garde nord devait mesurer 18 m de haut et offrir un confort royal, mais l'étage supérieur ne fut jamais construit.

L'enceinte intérieure était bordée d'une salle, d'un grenier, de cuisines et d'écuries.

Les tours rondes, présentant moins d'angles morts que les tours carrées, étaient plus sûres.

Meurtrière

BEAUMARIS CASTLE

Le dernier des châteaux d'Édouard Iᵉʳ *(p. 430)*, symétrique et concentrique, associait puissance et un certain confort. Il y avait de nombreux obstacles à franchir avant d'atteindre l'enceinte intérieure.

Fossé

Mur d'enceinte

OÙ VOIR DES CHÂTEAUX GALLOIS

Outre Beaumaris, le nord du pays de Galles comporte Caernarfon *(p. 430)*, Conwy *(p. 432)* et Harlech *(p. 440)*. Édouard Iᵉʳ construisit aussi Denbigh, Flint (près de Chester) et Rhuddlan (près de Rhyll). Dans le Sud et le Centre, Caerphilly (près de Cardiff), Kidwelly (près de Carmathen) et Pembroke datent du XIᵉ au XIIIᵉ siècle. Cilgerran (près de Cardigan), Criccieth (près de Porthmadog) et Carreg Cennen *(p. 454)* occupent des sites spectaculaires. Chirk, près de Llangollen, est le type même d'une place forte devenue résidence d'agrément.

Caerphilly, à 10 km au nord de Cardiff, place forte massive défendue par des enceintes concentriques de pierre et des douves, couvre 12 ha.

Harlech *(p. 440)* est connu pour son puissant corps de garde, ses tours jumelles et son escalier fortifié qui descend jusqu'à la mer. Ce fut le quartier général d'Owain Glyndûr *(p. 422)* de 1404 à 1408.

CASTELL-Ŷ-BERE
Llywelyn le Grand *(p. 422)*
fonda ce château au pied du
Cader Idris *(p. 440)* en
1221 pour protéger la
frontière intérieure
plutôt que pour
résister aux Anglais.

Entrée

La tour allongée, en
forme de D, est typique
des châteaux gallois.

La construction épouse
le rocher. L'enceinte
extérieure est trop basse
et trop faible pour être
vraiment sûre.

Pont-levis

a **Chapel Tower** abrite une
elle chapelle médiévale.

Le quai fortifié, sur un canal
qui rejoignait la mer, permettait
l'approvisionnement pendant
les sièges.

nceinte intérieure, qui
ite un passage, était plus
te que l'enceinte extérieure
de permettre un tir simultané.

**Corps de garde
à tours jumelles**

Édouard Ier
*(p. 422), roi
chevalier dont
les châteaux
permirent la
conquête du pays
de Galles.*

ÉDOUARD Ier ET JACQUES DE SAINT-GEORGES
En 1278, Édouard Ier fit venir
de Savoie un maître maçon
qui devint un grand architecte
militaire, Jacques de Saint-
Georges. Maître d'œuvre
d'au moins douze des châteaux
gallois d'Édouard Ier, il reçut
libéralités et pensions qui
témoignent de l'estime que le roi
lui portait.

*Plan du château de
Caernarfon montrant
comment le site, sur un
promontoire entouré d'eau,
a déterminé la forme et le
système de défense .*

Caernarfon (p. 430),
où naquit le
malheureux Édouard II
(p. 317), destiné à être
la résidence royale
officielle dans le nord
du pays de Galles,
possède des
appartements
somptueux.

*Castell Coch fut restauré en style
néo-gothique par Lord Bute et
William Burges (p. 458).
Beaucoup d'industriels victoriens
édifièrent des châteaux d'opérette.*

Conwy (p. 433), comme tant
d'autres châteaux, fut bâti
en recourant au travail forcé
sur une grande échelle.

LE NORD DU PAYS DE GALLES

ABERCONWY ET COLWYN · ANGLESEY · CAERNARFONSHIRE ET
MERIONETHSHIRE · DENBIGHSHIRE · FLINTSHIRE · WREXHAM

*L*e paysage du nord du pays de Galles est aussi tourmenté que son histoire. Pendant la préhistoire, Anglesey était le fief des druides. Les Romains et les Normands se concentrèrent le long des côtes, laissant aux Gallois les montagnes, qui sont restées le bastion de leurs coutumes et de leur langue.

Invasion et résistance sont les thèmes majeurs de l'histoire du pays. Le Nord a été le théâtre de luttes féroces entre princes de Galles et rois anglo-normands bien déterminés à faire régner la loi anglaise. Le chapelet de châteaux forts du nord du pays de Galles témoigne autant de la résistance galloise que de la puissance de l'envahisseur. Plusieurs forteresses imposantes, parmi lesquelles Beaumaris, Caernarfon et Harlech, cernent presque les hautes terres rudes de Snowdonia, région qui a gardé tout son caractère.

L'élevage est le fondement de l'économie rurale, mais les étendues boisées sont encore nombreuses. Le long de la côte, le tourisme est florissant. Llandudno, station balnéaire de l'époque victorienne, popularisa la côte sableuse du Nord au XIXe siècle. La région attire encore de nombreux visiteurs, surtout sur l'étroite bande côtière entre Prestatyn et Llandudno, laissant l'île d'Anglesey et la péninsule de Llŷn relativement à l'écart de ce développement. Cette dernière est un bastion du gallois, tout comme des localités isolées dans les terres, telles Dolgellau et Bala.

Aucune partie du nord du pays de Galles ne peut être qualifiée d'industrielle, bien que l'industrie ardoisière autrefois prospère de Snowdonia ait laissé des cicatrices grises au milieu de belles montagnes. Au pied du Snowdon (point culminant du pays de Galles), les villages de Beddgelert, Betws-y-Coed et Llanberis sont particulièrement fréquentés, servant de points de départ aux randonneurs qui viennent admirer les panoramas spectaculaires et la frappante beauté de cette magnifique région reculée.

Le château de Caernarfon, l'une des grandes places fortes édifiées pour Édouard Ier

◁ La Dee à Llangollen, dans une région dont la beauté naturelle est préservée

À la découverte du nord du pays de Galles

L e point culminant du Nord (et du pays de Galles) est le Snowdon. Le parc national de Snowdonia s'étend vers le sud du massif du Snowdon jusqu'après Dolgellau, avec ses vallées boisées, lacs de montagne, landes et estuaires. À l'est, les Clwydian Hills sont plus douces. Anglesey et la belle péninsule de Llŷn ont une côte intacte.

Phare perché sur les falaises d'Anglesey

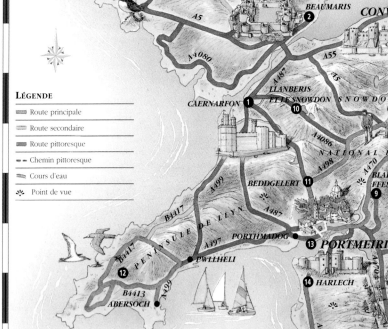

LLANDU

HOLYHEAD

A N G L E S E Y

BEAUMARIS
2

CONW

A5025

B5111

A5025

A5

A4080

A55

A5

A487

LÉGENDE

	Route principale
	Route secondaire
	Route pittoresque
	Chemin pittoresque
	Cours d'eau
	Point de vue

CAERNARFON **1**

LLANBERIS
ET LE SNOWDON
10

S N O W D O

A4086

N A T I O N A L   P

A498

A470

BEDDGELERT **11**

BLAE
FFES
9

A499

A487

B4417

P É N I N S U L E   D E   L L Ŷ N

A487

PORTHMADOG

A497

PWLLHELI

13 PORTMEIRI

B4417

12

B4413

A499

ABERSOCH

14 HARLECH

A496

DOLGELLAU

A493

A493

Aberysti

ABERDYFI **16**

Les monts et les landes du parc national de Snowdonia

CIRCULER

La principale route du nord-ouest de l'Angleterre est l'A55. Elle permet d'éviter plusieurs goulets d'étranglement, tels que Conwy. La région est également traversée par l'A5, de Shrewsbury à Holyhead, voie qui suit celle ouverte dans la montagne au XIXe siècle par l'ingénieur Thomas Telford *(p. 433)*. Le chemin de fer longe la côte jusqu'à Holyhead, d'où partent les ferries vers Dublin et Dun Laoghaire. Des lignes pittoresques vont de Llandudno Junction à Blaenau Ffestiniog (par Betws-y-Coed) et le long de la partie sud de la péninsule de Llŷn.

LA RÉGION D'UN COUP D'ŒIL

Aberdyfi ⑯
Bala ⑦
Beaumaris ②
Beddgelert ⑪
Betws-y-Coed ⑧
Blaenau Ffestiniog ⑨
Caernarfon ①
Conwy p. 432-433 ③
Dolgellau ⑮
Harlech ⑭
Llanberis et le Snowdon ⑩
Llandudno ④
Llangollen ⑥
Péninsule de Llŷn ⑫
Portmeirion p. 440-441 ⑬
Ruthin ⑤

RHYL

COLWYN BAY

A55

A525

A548

A55

A55

DENBIGH

Clwyd

Offa's Dyke Path

A543

A525

A544

A543

⑤ RUTHIN

A494

A55

Liverpool

Chester

A483

A525

A494

A525

WREXHAM

Dee

A5

A525

Dee

⑥ LLANGOLLEN

WS-Y-COED

15

A5

A4212

A494

⑦ BALA

0   10 km

A458 → Shrewsbury

VOIR AUSSI

• **Hébergement** p. 564-565

• **Restaurants et pubs** p. 601-602

L'imposant château de Conwy édifié par Édouard Ier au XIIIe siècle

Le château de Caernarfon, dont Édouard Ier fit le symbole de son pouvoir nouvellement conquis sur le pays de Galles

Caernarfon ❶

Caernarfonshire and Merionethshire (Gwynedd). 🚶 10 000. 🚆 🚌
Castle St (01286 672232). 🚢 *sam.*
ⓦ *www.gwynedd.gov.uk*

L'un des châteaux les plus célèbres du pays de Galles domine une ville active. Édouard Ier le fonda après la défaite du dernier prince de Galles, Llywelyn ap Gruffydd, ou Llywelyn le Dernier en 1283 *(p. 422).* Le mur d'enceinte de la ville est bordé de rues commerçantes qui partent du centre médiéval et débouchent sur la place du marché.

L'INVESTITURE

En 1301, le futur Édouard II devint le premier prince de Galles anglais *(p. 422)*, titre qui se transmet depuis au fils aîné du souverain. En 1969, 500 millions de téléspectateurs suivirent l'investiture du prince Charles (ci-dessus) au château de Caernarfon.

Dominant la ville et le port, **Caernarfon Castle** *(p. 425)*, avec ses tours polygonales, était le siège du gouvernement du Nord (North Wales). Caernarfon fut un port actif au XIXe siècle, et à cette époque l'architecte Anthony Salvin restaura les ruines du château. Celui-ci abrite à présent le Royal Welsh Fusilier Museum et une galerie qui retrace l'histoire des princes de Galles.

Sur la colline qui domine la ville se trouvent les ruines de **Segontium**, camp romain datant de 78 apr. J.-C. Une légende affirme que Constantin, premier empereur chrétien, y serait né en 280.

♣ Caernarfon Castle
Y Maes. 📞 *01286 677617.* ◯ *t.l.j.*
🖼 🎫 *tél. pour information.* ♿
⛪ Segontium
Beddgelert Rd. 📞 *01286 675625.*
◯ *du mar. au dim. (dim. : après-midi).*
● *24 et 26 déc., 1er janv.* ♿ *limité.*
♿ ⓦ *www.mmgw.ac.uk*

Beaumaris ❷

Anglesey (Gwynedd). 🚶 *2 000.* 🚆
🛈 *Llanfair PG, Station Site, Holyhead Rd, Anglesey (01248 713177).*
ⓦ *www.islandofchoice.com*

U n beau mélange d'architecture georgienne et victorienne donne à Beaumaris l'air d'une station de la côte sud de l'Angleterre. Les bâtiments témoignent encore de l'importance de ce qui fut le principal port d'Anglesey, avant que l'île ne soit reliée au continent par des ponts routiers et

ferroviaires, au-dessus du Menai Strait, au XIXe siècle. Dans ce site fut construit le dernier et peut-être le plus grand **château** d'Édouard Ier *(p. 424)*, pour contrôler cet accès maritime stratégique.

L'auberge **Ye Olde Bull's Head**, Castle Street, date de 1617. Samuel Johnson (1709-1784) et Charles Dickens *(p. 177)* en furent des habitués.

Le tribunal **(Courthouse)** édifié en 1614 est toujours utilisé, et la prison **(Gaol)** récemment restaurée a conservé sa salle de torture insonorisée et une énorme machine disciplinaire. Deux pendaisons publiques y eurent lieu. Richard Rowlands, le dernier condamné, clama son innocence jusqu'à la fin et, sur le chemin de la potence, lança une malédiction au clocher de l'église : jamais plus les quatre faces de l'horloge ne devaient indiquer la même heure. Et il en fut ainsi jusqu'à une révision complète de l'horloge en 1980.

Le **Museum of Childhood** conserve une collection de jeux et jouets datant des XIXe et XXe siècles.

♣ Beaumaris Castle
Castle St. 📞 *01248 810361.* ◯ *t.l.j.*
🖼 ♿ *www.cadw.wales.gov.uk*
🏛 Courthouse
Castle. 📞 *01248 810921.*
◯ *d'avr. à sept. : t.l.j.* 🖼 ♿ ♿
🏛 Gaol
Bunkers Hill. 📞 *01248 810921.* ◯
d'avr. à sept. : t.l.j. 🖼 ♿ *limité.*
🏛 Museum of Childhood
Castle St. 📞 *01248 712498.* ◯ *2 sem. avant Pâques-nov.. : t.l.j. (dim. : après-midi)* ♿ 🖼 ⓦ *www.aboutbritain.com /museumofchildhoodmemories.htm*

ALICE AU PAYS DES MERVEILLES

L'hôtel Gogarth Abbey de
Llandudno était la maison
de vacances des Liddell.
Charles Dodgson (1832-
1898), ami de la famille,
racontait à la petite Alice
l'histoire du lapin blanc
et du chapelier fou. Sous
le nom de Lewis Carroll,
Dodgson écrivit *Alice au
Pays des Merveilles* (1865)
et *De l'autre côté du miroir*
(1871).

**Illustration d'Arthur
Rackham (1907) pour
*Alice au Pays des Merveilles***

Conwy ❸

Voir p. 432-433.

Llandudno ❹

Gwynedd. 🏠 *19 000.* 🚉 📷
ℹ️ *1-2 Chapel St (01492 876413).*
🌐 *www.llandudno-tourism.co.uk*

La baie en demi-lune de Llandudno

Llandudno a gardé l'esprit
des lieux de villégiature
du XIXe siècle, alors que
le chemin de fer permettait
au plus grand nombre de
se rendre sur la côte. Sa **jetée**
de 700 m et ses promenades
couvertes rappellent la grande
époque. Llandudno doit son
atmosphère chaleureuse à la
fierté qu'elle a de ses racines
victoriennes, alors que bien
des villes balnéaires leur
ont préféré les néons du
XXe siècle. La ville entretient le
souvenir du passage de Lewis
Carroll, comme on peut le
voir en visitant **The Alice in
Wonderland Centre**, grotte
décorée de scènes grandeur
nature extraites de ses livres.

Afin de tirer le meilleur parti
de sa vaste plage, Llandudno
fut bâtie entre les deux caps
qui bornent celle-ci, Great
Orme's Head et Little Orme's
Head.

Great Orme's Head, parc
régional et réserve naturelle,
s'élève à 207 m. Son histoire
remonte à l'âge du bronze, où
l'on exploitait des **mines de
cuivre** que l'on peut toujours
visiter. L'**église** du cap fut
d'abord construite en bois par
saint Tudno, rebâtie en pierre
au XIIIe siècle, puis restaurée
en 1855. On y célèbre toujours
un office. Au sommet, un
centre d'information retrace
l'histoire et la vie sauvage de
Great Orme's Head.

Il est possible d'atteindre
sans effort le sommet en
empruntant soit le **Great
Orme Tramway**, l'un des
trois seuls tramways urbains
à câble du monde (avec
ceux de San Francisco et de
Lisbonne), soit le **Llandudno
Cable Car**. L'un et l'autre
ne fonctionnent que l'été.

🏛 **The Alice
in Wonderland Centre**
Trinity Sq. 📞 *01492 860082.*
⏰ *de Pâques à oct. : t.l.j. ; de nov.
à Pâques : du lun. au sam.* ⏺ *2 sem.
en nov., 25 et 26 déc., 1er janv.*
📷 ♿ 🚻 📷
⛰ **Great Orme Copper
Mines**
Près de l'A55. 📞 *01492 870447.*
⏰ *de fév. à oct. : t.l.j.* 📷 ♿ *limité.*

Ruthin ❺

Denbighshire (Clwyd). 🏠 *5 000.* 🚌 ℹ️
Craft Centre, Park Rd (01824 703992).
🛒 *1er mar. de chaque mois ; jeu.
(couvert).* 🌐 *www.borderlands.co.uk*

Les maisons médiévales
à colombage de Ruthin
reflètent la longue prospérité
de cette ville de marché.
En témoignent sur St Peter's
Square les banques National
Westminster et Barclays.
La première fut un ancien
palais de justice et une prison
du XVe siècle, la seconde fut
la maison de Thomas
Exmewe, lord-maire
de Londres en 1517-1518.
Le roi Arthur *(p. 273)* aurait,
dit-on, décapité Huail,
son rival en amour,
sur la **Maen Huail** (« pierre
de Huail »), devant la Barclays.

L'aile nord de **St Peter's
Church**, sur St Peter's Square,
fondée en 1310, est ornée
d'un plafond Tudor comportant
500 panneaux sculptés.
À côté du Castle Hotel
s'élève **The Seven Eyes**,
pub du XVIIIe siècle.
Sur sa toiture, 7 chiens-assis
au style hollandais inhabituel
portent le nom
d'« yeux de Ruthin ».

Les « yeux de Ruthin », élément inhabituel dans l'architecture galloise

Conwy pas à pas ❷

Cette ville, l'une des plus mésestimées de
Grande-Bretagne, ne fut connue jusque
vers 1990 que comme goulet d'étranglement
routier. Grâce à une déviation, on peut
désormais en apprécier l'architecture, sans
équivalent au pays de Galles. L'austère
château construit par Édouard Ier *(p. 424)*
la domine. Conwy se distingue des autres
villes médiévales par le bon état de son
mur d'enceinte. Renforcé de 21 tours et
de 3 portails, il fait presque le tour
complet de la ville.

Smallest House
*Ce cottage de pêcheur
sur le quai,
haut de 3 m,
passe pour la
plus petite
maison de
Grande-
Bretagne.*

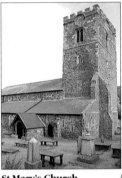

Plas Mawr, la
« Grande Maison »,
fut construite pour
un aristocrate,
Robert Wynne,
en 1576.

St Mary's Church
*Cette église médiévale,
dans un parc
tranquille, est
construite sur le site
d'une abbaye
cistercienne du
XIIe siècle.*

Bangor

BERRY STREET

CHAPEL STREET

HIGH STREET

LANCASTER SQUARE

CHURCH STREET

UPPER GATE STREET

ROSEMARY LANE

Upper Gate

Statue de Llywelyn
*Llywelyn le Grand
(p. 422) fut sans doute le
plus grand roi du pays
de Galles au Moyen Âge.*

Aberconwy House
*Cette maison restaurée
du XIVe siècle fut celle
d'un riche marchand.*

THOMAS TELFORD

La Grande-Bretagne doit à cet ingénieur
écossais (1757-1834) bien des routes,
des ponts et des canaux. Au pays
de Galles, le Menai Bridge
à Beaumaris *(p. 430)*, l'aqueduc
de Pontcysyllte *(p. 436)* et
le pont de Conwy sont ses
chefs-d'œuvre. Le gracieux pont
de Conwy a des qualités esthétiques et pratiques. Achevé
en 1826 au-dessus de l'estuaire de Conwy, il fut dessiné
pour être en harmonie avec le château. Avant la construction
du pont, seul un bac permettait de traverser l'estuaire.

MODE D'EMPLOI

Conwy. 🚶 8 000. 🚆 Conwy.
ℹ️ 01492 592248. **Aberconwy
House (NT)** 📞 01492 592246.
🕐 du mer. au lun. ● de nov. à
mars. **Conwy Castle** 📞 01492
592358. 🕐 t.l.j. ♿ 🏠 **Smallest
House** 📞 01492 593484.
🕐 d'avr. à oct. : t.l.j. ♿
🌐 www.stayinnorthwales.com

★ **Les remparts**
*Remarquablement
conservés depuis le
Moyen Âge, ils sont
longs de 1 280 m et
hauts de plus de 9 m.*

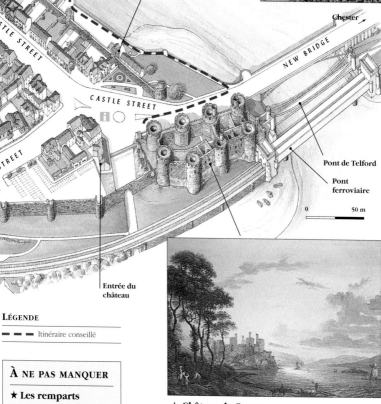

Chester

Pont de Telford

**Pont
ferroviaire**

0   50 m

**Entrée du
château**

LÉGENDE

— — — Itinéraire conseillé

À NE PAS MANQUER

★ **Les remparts**

★ **Le château de Conwy**

★ **Château de Conwy**
*Cette aquarelle représentant Conwy Castle
(vers 1770) est de Paul Sandby, de Nottingham.*

L'aqueduc de Pontcysyllte (1795-1805) porte le canal de Llangollen

Llangollen ❻

Denbighshire. 🏠 5 000. 🚉 ℹ️
Y Capel, Castle St (01978 860828).
🛥️ mar. 🌐 www.llangollen.org.uk

Cette jolie ville sur la Dee, que franchit un pont du XIVe siècle, est surtout fameuse par son festival *(Eisteddfod)* annuel. La ville s'est fait connaître au XVIIIe siècle lorsque deux Irlandaises excentriques, Lady Eleanor Butler et Sarah Ponsonby, les « dames de Llangollen », s'installèrent à **Plas Newydd**. Leur costume étrange et leur passion pour la littérature attirèrent des personnalités comme le duc de Wellington *(p. 150)* et William Wordsworth *(p. 354)*. Les ruines du **Castell Dinas Brân** (XIIIe s.) se dressent au sommet d'une colline qui domine la ville.

Aux environs
L'été, des bateaux partent de Wharf Hill sur le **Llangollen Canal** et franchissent les 300 m du spectaculaire aqueduc de Pontcysyllte, œuvre de Thomas Telford *(p. 433)*.

🏛️ Plas Newydd
Hill St. 📞 *01978 861314.* ⬜ *de Pâques à oct. : t.l.j.* 📷 ♿ *limité.* 🖼️

Bala ❼

Gwynedd. 🏠 2 000. 🚌 *Llangollen.*
ℹ️ *Penllyn, Pensarn Rd (01678 521021).* 🌐 www.visitnowdonia.info

Le Bala Lake, le plus grand lac naturel du pays de Galles, s'étend entre les monts Aran et Arenig, à la lisière du parc national de Snowdonia. Il permet les sports nautiques et abrite un poisson que l'on ne trouve nulle part ailleurs, le *gwyniad*, cousin du saumon.

La petite ville gallophone en pierre grise s'étire le long d'une seule rue à l'extrémité est du lac. Là vécut Thomas Charles (1755-1814), qui dirigea une église méthodiste. Une plaque sur son ancienne maison rappelle qu'une certaine Mary Jones fit, en 1800, 40 km pieds nus depuis Abergynolwyn pour acheter une bible, ce qui incita Charles à fonder la Bible Society, pour fournir des bibles à bon marché.

Le **Bala Lake Railway** à voie étroite suit la rive depuis Llanuwchllyn, à 6 km au sud-ouest.

Betws-y-Coed ❽

Conwy. 🏠 600. 🚉 ℹ️ *The Old Stables (01690 710426).* 🌐 www.betws.org.uk

Ce village proche des pics de Snowdonia attire les grimpeurs depuis le XIXe siècle. Aux **Swallow Falls**, à l'ouest, la Llugwy s'engouffre dans une gorge

LES CULTURES DU MONDE À LLANGOLLEN

La première quinzaine de juillet, le Llangollen International Eisteddfod *(p. 63)* attire musiciens, chanteurs et danseurs du monde entier. Inauguré après la guerre, en 1947, en signe d'unité, il rassemble pendant six jours près de 12 000 participants venus de 50 pays.

Choristes à l'Eisteddfod, festival populaire gallois

boisée. La curieuse **Ty Hyll** (« Maison laide ») est une *ty unnos* (« maison d'une nuit »). Ces maisons édifiées en une nuit sur un terrain commun échappaient à l'impôt foncier ; la distance à laquelle retombait une hache lancée depuis le seuil déterminait l'étendue du terrain que l'on pouvait enclore.

À l'est se trouve le **Waterloo Bridge** de Thomas Telford, bâti l'année de la victoire sur Napoléon Ier.

🏛️ Ty Hyll
Capel Curig. 📞 *01690 720287.*
Maison ⬜ *de Pâques à sept. : t.l.j.*
Parc ⬜ *de Pâques à sept. : t.l.j. ; d'oct. à Pâques : du lun. au ven.* 📷 ♿ *limité.*

Waterloo Bridge, construit en 1815 après la célèbre bataille

◁ **Beddgelert, pittoresque village du parc national de Snowdonia**

La région de Snowdonia vue du col de Llanberis, trajet le plus fréquent pour le mont Snowdon

Blaenau Ffestiniog ❾

Gwynedd. 🏠 *5 500.* 🚉 🛈 *Betws-y-Coed (01690 710426) ; de juin à sept. : 01766 830360.* 🏪 *mar. (de juin à sept.).*

Cette ancienne capitale de l'ardoise est située au cœur de montagnes creusées de carrières. Les **Llechwedd Slate Caverns**, au-dessus de Blaenau, se visitent depuis environ 1970, redonnant un second souffle à une ville en déclin. Le tramway électrique des mineurs conduit les passagers dans les grottes d'origine.

Le Deep Mine Tour permet de descendre, par la ligne de voyageurs la plus raide de Grande-Bretagne, jusqu'aux chambres souterraines, tandis que des effets sonores donnent l'impression que la carrière est toujours en activité.

À la surface ont lieu des démonstrations de taille d'ardoise. Un cottage et un village victorien ont été reconstitués, illustrant la vie des ouvriers de 1880 à 1945. Le **Ffestiniog Railway** *(p. 438-439)* à voie étroite va de Blaenau à Porthmadog.

🏛 Llechwedd Slate Caverns

Près de l'A 470.
📞 *01766 830306.* ⭕ *t.l.j.*
🚫 ♿ *sauf Deep Mine.* 🖥 🎦
🌐 www.gwynedd.gov.uk

Llanberis et le Snowdon ❿

Gwynedd. 🏠 *2 100.*
🛈 *High St, Llanberis (01286 870765).*
🌐 www.qwynedd.gov.uk

Le Snowdon, point culminant du pays de Galles (1 085 m), est le site majeur du parc national de Snowdonia, comprenant de vastes étendues de montagnes, de landes et de plages. Le **Llanberis Track** (8 km), chemin le plus facile pour accéder au sommet du Snowdon, part de Llanberis. Du Llanberis Pass partent aussi le Miners' Track (qu'empruntaient les mineurs de cuivre) et le Pyg Track. Prenez garde aux changements de temps ; ils sont parfois soudains. Le **Snowdon Mountain Railway,** chemin de fer à voie étroite, ouvert en 1896, est encore le moyen de transport le plus simple.

Llanberis était au XIXᵉ siècle une ville ardoisière, avec ses terrasses grises à flanc de colline. À voir aussi, les ruines de **Dolbadarn Castle** (XIIᵉ s.), sur une hauteur entre les lacs de Padarn et de Peris. Le **Power of Wales Museum** organise des visites de la plus grande station hydro-électrique à pompage d'Europe.

🏰 Dolbadarn Castle

Près de l'A4086 à proximité de Llanberis. 📞 *01286 870765.*
⭕ *t.l.j.*

🛈 Electric Mountain

Llanberis. 📞 *01286 870636.*
⭕ *d'avr. à oct. : t.l.j. ;*
en fév., mars, nov. et déc. :
du mar. au dim. 🚫 ♿ 🖥 🎦
🌐 www.fhc.co.uk

LA CAPITALE DE L'ARDOISE

Au XIXᵉ siècle, l'ardoise galloise couvrit les toitures des villes en expansion. En 1898, cette industrie employait 17 000 personnes, dont le quart à Blaenau Ffestiniog. Mais la concurrence étrangère et les nouveaux matériaux la détrônèrent. Des carrières comme Dinorwig, à Llanberis, et Llechwedd, à Blaenau Ffestiniog, vivent grâce au tourisme.

L'art en déclin de la taille de l'ardoise

Beddgelert, au milieu des monts de Snowdonia

Beddgelert ⓫

Gwynedd. 🚶 *500.* 🅸 *Canolsan Hebog (01766 890615).*
Ⓦ www.eryri-npa.gov.uk

Ce village jouit d'une belle situation dans un des paysages les plus spectaculaires de Snowdonia, au confluent de la Glaslyn et de la Cilwyn, à proximité de deux cols : le magnifique Nant Gwynant Pass, qui mène à la partie la plus élevée de Snowdonia, et l'Aberglaslyn Pass, gorge boisée qui joue le rôle de porte de la mer.

Au XIXᵉ siècle, Dafydd Pritchard, propriétaire du Royal Goat Hotel, transposa une vieille légende galloise à Beddgelert : Llywelyn le Grand *(p. 422)* aurait confié la garde de son fils à son chien Gelert. À son retour de la chasse, il trouva le berceau renversé et Gelert couvert de sang. Persuadé que le chien avait tué son enfant, il l'abattit, avant de découvrir son fils sain et sauf sous le berceau, près de la carcasse d'un loup que Gelert avait tué pour le protéger. Afin d'accréditer cette histoire, Pritchard éleva la **tombe de Gelert** *(bedd Gelert* en gallois), monticule de pierres au bord de la Glaslyn, au sud du village.

Aux environs

Les promenades agréables sont nombreuses dans la région : l'une mène à l'Aberglaslyn Pass et le long de la partie désaffectée de la voie de chemin de fer du Welsh Highland Railway. À la **mine de cuivre de Sygun**, à 1,5 km au nord-est de Beddgelert, des visites guidées, dans les galeries illuminées à flanc de montagne, recréent la vie des mineurs au XIXᵉ siècle.

🚇 Sygun Copper Mine

A498. 📞 *01766 890595 ou 01766 510100.* ◯ *de mars à oct. : t.l.j. ; de nov. à fév. : tél. pour les horaires.* 🅿️ ♿ *limité.* 🅿️ 🚻
Ⓦ www.syguncoppermine.co.uk

Le Ffestiniog Railway

Écusson de chemin de fer

Le train à voie étroite de Ffestiniog emprunte une pittoresque ligne de 22 km de Porthmadog Harbour aux montagnes et à la ville ardoisière de Blaenau Ffestiniog *(p. 437).* Conçu pour transporter l'ardoise des carrières jusqu'aux quais, il remplaçait alors un tramway à cheval qui datait de 1836. Après sa fermeture en 1946, il fut reconstruit par des bénévoles et rouvrit par tronçons de 1955 à 1982.

La traction à vapeur *apparut en 1863 sur la ligne de Ffestiniog. S'il existe quelques locomotives diesel, la plupart des trains utilisent encore la vapeur.*

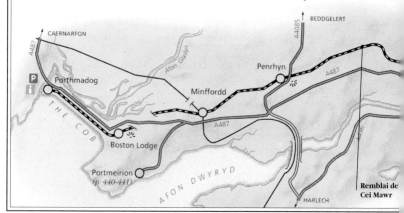

Péninsule de Llŷn ⑫

Gwynedd. 🚆 🚌 *Pwllheli*.
🚢 *depuis Aberdaron jusqu'à Bardsey Island.* ℹ️ *Min-y-don, Station Sq, Pwllheli (01758 613000).*
W www.nwt.co.uk

Cette langue de terre de 38 km de long s'avance dans la mer d'Irlande au sud-ouest de Snowdonia. Malgré quelques plages fréquentées, notamment à Pwllheli, Criccieth, Abersoch et Nefyn, l'ensemble de la côte est très préservé. C'est à l'extrême ouest et le long de la côte nord, bordée de montagnes, que les panoramas sont les plus captivants.

Braich-y-Pwll, cap battu par le vent à l'ouest d'Aberdaron, regarde vers Bardsey Island, l'« île aux 20 000 saints », lieu de pèlerinage depuis le VIᵉ siècle, époque où un monastère fut fondé. Des saints sont enterrés, dit-on, dans le cimetière de **St Mary's Abbey**, du XIIIᵉ siècle, en ruine. **Porth Oer**, petite baie voisine, est appelée aussi « Whistling Sands » (le sable est censé « siffler » sous les pieds).

À 6,5 km à l'est d'Aberdaron s'étend la baie de **Porth Neigwl**, la « Porte de l'enfer », où la traîtrise des courants causa de nombreux naufrages. À l'abri au-dessus de la baie de Porth Neigwl, à 1,5 km au nord-est d'Aberdaron, **Plas-yn-Rhiw** est un petit manoir médiéval remanié aux époques Tudor et georgienne.

Llithfaen, village minier « fantôme », niché au pied des falaises abruptes, est maintenant un centre d'étude de la langue galloise.

🏛 Plas-yn-Rhiw

(NT) B4413. ☎ *01758 780219.*
🕐 *d'avr. à mi-mai : du jeu. au lun. ; de mi-mai à sept. : du mer. au lun.*
📷 ♿ *limité.*

Llithfaen, village devenu un centre d'étude linguistique

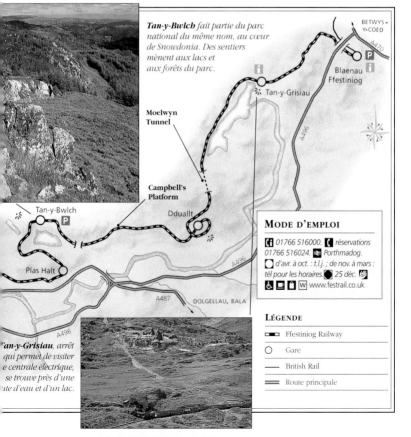

Tan-y-Bwlch fait partie du parc national du même nom, au cœur de Snowdonia. Des sentiers mènent aux lacs et aux forêts du parc.

BETWYS-Y-COED

A470

Blaenau Ffestiniog

Tan-y-Grisiau

A496

Moelwyn Tunnel

Campbell's Platform

Dduallt

Tan-y-Bwlch

Plas Halt

A496

A487

DOLGELLAU, BALA

Tan-y-Grisiau, arrêt qui permet de visiter e centrale électrique, se trouve près d'une ute d'eau et d'un lac.

Mode d'emploi

ℹ️ *01766 516000.* ☎ *réservations 01766 516024.* 🚆 *Porthmadog.*
🕐 *d'avr. à oct. : t.l.j. ; de nov. à mars : tél pour les horaires.* 🔴 *25 déc.* 📷
♿ 🛒 🚻 W www.festrail.co.uk

Légende

🚂	Ffestiniog Railway
⭕	Gare
—	British Rail
═══	Route principale

Portmeirion ⑬

Gwynedd. **☎** 01766 770000.
☲ Minffordd. **◯** t.l.j. **◯** 25 déc.
▨ ♿ limité. **❚❚ ▯ ⚲ ☕ ▯**
W www.portmeirion-village.com

*La statue d'Hercule, grandeur
nature, est proche de l'hôtel de ville.
Là, ses aventures sont représentées
sur un plafond du XVIIe siècle,
récupéré dans une maison
destinée à la démolition.*

Fountain Cottage est
l'endroit où le dramaturge
Noel Coward (1899-1973)
écrivit *Blithe Spirit*.

Piscine

**Les *Amis
Réunis***
est la réplique
en pierre d'un
bateau qui a
sombré dans
la baie.

*Le **Portmeirion Hotel**
contient de nombreux décors
exotiques. Le mobilier du Jaipur
Bar vient du Râjasthân.*

Cet étrange village au petit
air italien, situé sur une
presqu'île privée de la baie de
Cardigan, est l'œuvre de sir
Clough Williams-Ellis (1883-
1978). Cet architecte gallois
accomplissait un rêve d'enfant,
en construisant un village « à
(s)a façon et sur le site de (s)on
choix ». Une cinquantaine
de bâtiments de style
oriental aussi bien
que gothique
entourent une
place centrale.
Un hôtel luxueux
ou l'un des
charmants
cottages
accueillent
les visiteurs.
Portmeirion a
servi de décor à
des films et à la
série télévisée
des années 1960
Le Prisonnier.

**Sir Clough
Williams-Ellis à
Portmeirion**

Harlech ⑭

Gwynedd. **👥** 1 300. **☲ ℹ** High St
(01766 780658). **▦** dim. (en été).
W www.gwynedd.gov.uk

Le **château** médiéval
(*p. 424*) construit par
Édouard Ier de 1283 à 1289
domine cette jolie ville aux
belles plages. Perché sur un
escarpement, il commande
une belle vue sur Tremadog
Bay et la péninsule de Llŷn à

l'ouest, et le Snowdonia au
nord. À l'origine, la mer
atteignait un escalier fortifié
taillé dans la falaise, qui
permettait l'approvisionnement
par bateau. Un corps de garde
flanqué de tours protège la
cour, ceinte de murs et de
quatre tours rondes. En dépit
de ses défenses, le château
tomba en 1404 aux mains
d'Owain Glyndŵr (*p. 422*)
dont il abrita la cour, mais fut
repris par les Anglais quatre

ans plus tard. La chanson *Men
of Harlech* s'inspire, dit-on, de
la résistance héroïque de
Harlech Castle à huit ans de
siège pendant la guerre des
Deux-Roses (*p. 49*).

⚜ Harlech Castle
Castle Sq. **☎** 01766 780552. **◯** t.l.j.
▨ 🅿 W www.cadw.wales.gov.uk

Dolgellau ⑮

Gwynedd. **👥** 2 650. **ℹ** Eldon Sq
(01341 422888). **▦** ven. (alimentation).
W www.gwynedd.gov.uk

Une impression de solidité
se dégage de cette ville
construite en pierre sombre du
pays, où la langue et les
coutumes galloises sont
vivaces. Selon la légende,
quiconque passe une nuit au
sommet du Cader Idris
(892 m), qui la domine, se
réveille poète ou fou, ou ne se
réveille pas. Dolgellau connut
la fièvre de l'or au XIXe siècle,
quand on découvrit du minerai
de bonne qualité dans la
Mawddach Valley voisine. Mais

Le site stratégique du château de Harlech domine la montagne et la mer

L'arc de triomphe est l'entrée principale du village.

Place centrale

Pavillon de gardien

Campanile

Royal Dolphin Cottage

Bristol Colonnade

Plate-forme d'observation

Le Ship Shop vend la fameuse poterie fleurie de Portmeirion.

Le Panthéon fut édifié en 1958. Faute de fonds, le dôme ne put être réalisé en cuivre ; on utilisa du bois que l'on peignit en vert. La partie supérieure d'une cheminée, œuvre de Norman Shaw (p. 25), servit à la construction de sa curieuse façade.

Les bâtiments de pierre grise de Dolgellau paraissent petits au milieu des montagnes

l'or n'était pas en quantité suffisante pour qu'une activité minière intensive se maintienne durablement. Cependant jusqu'en 1999, une mine était encore en activité et la production d'or était transformée localement en bijoux.

Dolgellau est le point de départ de randonnées au cœur d'un paysage de vallées et de montagnes romantiques. Les **lacs de Cregennen** dominent l'**estuaire de la Mawddach**,

boisé, au nord-ouest ; avec les **landes de Rhinog**, au nord, se dessine l'un des derniers paysages gallois vraiment sauvages.

Aberdyfi ⑯

Gwynedd. 🏘 900. 🚉 🅸 *Wharf Gardens (01654 767321).* 🆆 www.gwynedd.gov.uk

Ce petit port de plaisance, à l'embouchure de l'estuaire de la Dyfi, tire bien

parti d'un site splendide mais exigu : chaque mètre carré de la bande de terre entre mer et montagne est occupé par des habitations. Au XIXᵉ siècle, on exportait l'ardoise du pays, et de 1830 à 1860 une centaine de navires furent construits à Aberdyfi. *Les cloches d'Aberdovey*, air de l'opéra *Liberty Hall* (1785) de Charles Didbin, raconte la légende de Cantref-y-Gwaelod, localité que l'on situait dans la région et que des digues protégeaient de la mer. Une nuit de tempête, le prince Seithenyn, ivre, laissa les vannes ouvertes et les eaux engloutirent le pays. On entend encore, dit-on, les cloches de l'église sonner sous les eaux.

Maison georgienne au bord de la mer à Aberdyfi

LE SUD ET LE CENTRE DU PAYS DE GALLES

CARDIFF, SWANSEA ET LEURS ENVIRONS · CARDIGANSHIRE
CARMARTHENSHIRE · MONMOUTHSHIRE · POWYS · PEMBROKESHIRE

L'e sud et le centre du pays de Galles présentent moins d'unité que le Nord. La majeure partie de la population vit dans le Sud-Est. À l'ouest se trouve le Pembrokeshire, la plus belle partie de la côte. Au nord, les vallées industrielles laissent place aux collines sauvages des Brecon Beacons et au cœur rural du Centre.

L'implantation humaine sur le littoral du sud du pays de Galles remonte à la préhistoire, comme en témoignent les sites préhistoriques du Vale of Glamorgan et du Pembrokeshire. Les Romains établirent un camp important à Caerleon et les Normands construisirent un chapelet de châteaux entre Chepstow et Pembroke. Aux XVIIIᵉ et XIXᵉ siècles, mines de charbon et hauts fourneaux apparurent dans les vallées du Sud, attirant des immigrants venus de toute l'Europe. De petites localités se sont développées en se vouant entièrement au commerce du charbon et Cardiff, paisible ville côtière, devint le premier port exportateur de charbon du monde.

Avec le déclin de ce combustible, les terrils se sont couverts de végétation et les villes des vallées cherchent de nouvelles ressources. Des mines comme le Big Pit de Blaenafon sont devenues des sites touristiques, dont la visite guidée est assurée par d'anciens mineurs donnant un aperçu de leurs conditions de vie avant la fermeture des puits.

Le pays de Galles rural commence à la frontière sud du parc national des Brecon Beacons. Dans cette région de petites villes, d'élevage de moutons, d'exploitation forestière et de lacs artificiels, la population est la moins dense de toute la Grande-Bretagne.

Plus on s'éloigne de l'Angleterre, plus la langue et les coutumes galloises sont vivaces, à l'exception d'une enclave anglaise dans le sud du Pembrokeshire.

Anciens mineurs devenus guides pour les visiteurs au Big Pit de Blaenafon

◁ **Le magnifique paysage côtier près de St Davids, dans le Pembrokeshire**

À la découverte du sud et du centre du pays de Galles

L e littoral du parc national du Pembrokeshire et les falaises
de la péninsule de Gower sont magnifiques, cependant que
les baies de Cardigan et de Carmarthen abritent de belles plages.
Les marcheurs apprécient la végétation rase des Brecon Beacons
et le paysage doux et verdoyant de la vallée de la Wye. Les villes
se concentrent dans le Sud-Est, et les anciens foyers miniers
implantés dans les vallées au nord de Cardiff, la capitale.

CIRCULER

L'autoroute M4 est la principale voie
reliant le sud de l'Angleterre au pays de
Galles, et de bonnes routes longent la
côte à partir de Swansea. L'A483 et
l'A488 relient les Midlands au centre
du pays de Galles. Des trains
fréquents assurent la liaison
entre Londres, Cardiff,
Swansea et Fishguard,
port de ferries.

**Falaises du parc national du
Pembrokeshire**

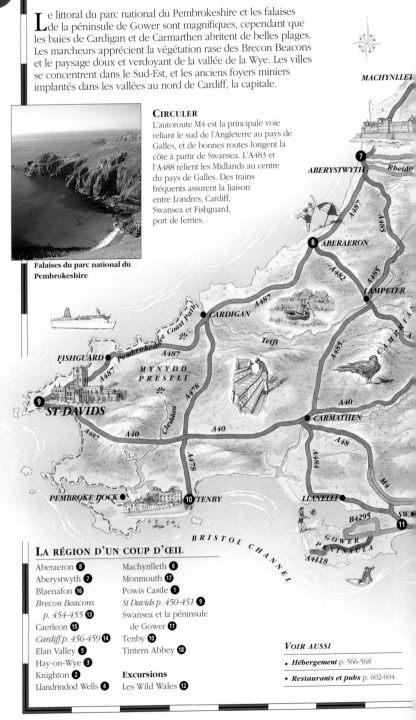

MACHYNLLETH

ABERYSTWYTH   Rheido

7

A487

485

8   ABERAERON

A482   A485

LAMPETER

CARDIGAN   A487

Teifi

A485   CAMBRIA

Pembrokeshire Coast Path

FISHGUARD   A487

MYNYDD
PRESELI

A487

A478

Cleddau

A40

9   ST DAVIDS

A487   A40

A40   A40

CARMATHEN

A48

A484

M4

A478

PEMBROKE DOCK

10   TENBY

LLANELLI

SWA
11

B4295

GOWER
PENINSULA

A4118

BRISTOL CHANNEL

LA RÉGION D'UN COUP D'ŒIL

Aberaeron **8**

Aberystwyth **7**

Blaenafon **16**

*Brecon Beacons
p. 454-455* **13**

Caerleon **15**

Cardiff p. 456-459 **14**

Elan Valley **5**

Hay-on-Wye **3**

Knighton **2**

Llandrindod Wells **4**

Machynlleth **6**

Monmouth **17**

Powis Castle **1**

St Davids p. 450-451 **9**

Swansea et la péninsule
de Gower **11**

Tenby **10**

Tintern Abbey **18**

Excursions

Les Wild Wales **12**

VOIR AUSSI

• *Hébergement* p. 566-568

• *Restaurants et pubs* p. 602-604

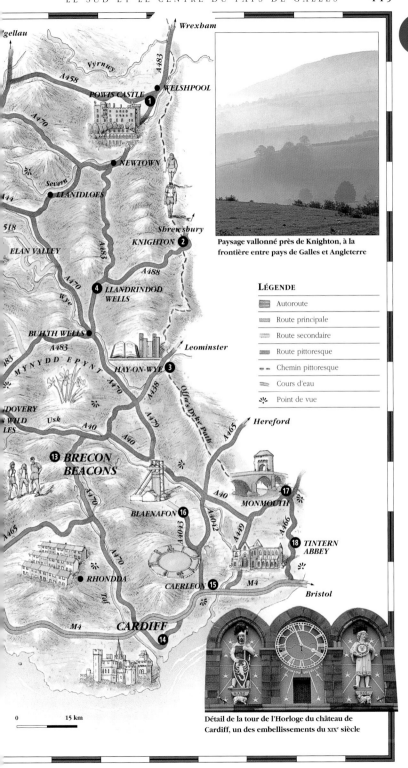

Wrexham

Vyrnuy

gellau

A458

A483

POWIS CASTLE ● **WELSHPOOL** ❶

A470

● **NEWTOWN**

Severn

A44

● **LLANIDLOES**

518

Shrewsbury

ELAN VALLEY

A483

KNIGHTON ❷

A488

❹ **LLANDRINDOD WELLS**

A470

Wye

BUILTH WELLS ●

A483

Leominster

A483

M Y N Y D D   E P Y N T

A470

HAY-ON-WYE ❸

A438

A479

Olfa's Dyke Path

IDOVERY

WILD
LES

Usk

A40

A40

A465

Hereford

❸ **BRECON BEACONS**

A470

A40

❶ **MONMOUTH**

A465

BLAENAFON ❶

A4043

A449

A466

❶ **TINTERN ABBEY**

A470

● **RHONDDA**

Td

CAERLEON ❶

M4

Bristol

M4

CARDIFF

❶

Paysage vallonné près de Knighton, à la
frontière entre pays de Galles et Angleterre

LÉGENDE

Autoroute

Route principale

Route secondaire

Route pittoresque

Chemin pittoresque

Cours d'eau

Point de vue

0   15 km

Détail de la tour de l'Horloge du château de
Cardiff, un des embellissements du XIXᵉ siècle

Les terrasses à l'italienne et les jardins à la française du château de Powis lui donnent un air méditerranéen

Powis Castle ❶

(NT) Welshpool, Powys. ☎ *01938 551944.* ☎ *Welshpool, puis bus.* ☉ *d'avr. à juin et de sept. à oct. : du mer. au dim. ; juil.-août : du mar au dim. et jours fériés.* 🌐 🚻 *limité.* ▣ 🅿 🆆 *www.castlewales.com/powis*

Bien que le nom du château dérive de celui des princes de Powys, il ne lui reste rien de ses origines militaires. Malgré ses faux créneaux et son site élevé, à 1,6 km au sud-ouest de Welshpool, ce magnifique édifice de pierre rouge sert de résidence d'agrément depuis des siècles. Au XIIIᵉ siècle, ce fut une place forte construite par les princes de Powys pour contrôler la frontière avec l'Angleterre.

Édifiée en 1283 par Owain de la Pole, la porte, flanquée de deux tours rondes, est l'un des rares vestiges médiévaux.

L'intérieur chargé n'a plus rien de guerrier. La **salle à manger** est ornée de belles boiseries du XVIIᵉ siècle et de portraits de famille. Le **grand escalier**, ajouté à la fin du XVIIᵉ siècle et abondamment sculpté

de fruits et de fleurs, mène aux grands appartements : une bibliothèque du début du XIXᵉ siècle, un **salon à boiseries de chêne** et la **grande galerie** élisabéthaine, dont les stucs ornés de la cheminée et du plafond datent de 1590 environ. Dans le **salon bleu**, trois tapisseries de Bruxelles du XVIIIᵉ siècle.

La famille Herbert acheta le château en 1587 et, fière de ses convictions jacobites, fit graver le monogramme royal dans la **chambre d'honneur**. Le château défendit Charles Iᵉʳ pendant

Le grand escalier richement sculpté du XVIIᵉ siècle

la guerre civile *(p. 52-53)*, mais tomba aux mains du Parlement en 1644. Le 3ᵉ baron Powis, fidèle à Jacques II, dut quitter le pays quand la reine Marie et Guillaume d'Orange montèrent sur le trône en 1688 *(p. 52-53)*.

Le **Clive Museum** comprend une section consacrée à « Clive of India » (1725-1774), général et homme d'État qui assura l'emprise britannique sur l'Inde au milieu du XVIIIᵉ siècle. Le lien de cette famille avec le château remonte au 2ᵉ lord Clive, qui épousa une Herbert et devint comte de Powis en 1804.

Les jardins, parmi les plus connus de Grande-Bretagne, ont des terrasses à l'italienne ornées de statues, de niches, de balustres et de jardins suspendus le long de la pente abrupte au pied du château. Réalisés entre 1688 et 1722, ce sont les seuls jardins à la française de cette période en Grande-Bretagne qui aient gardé leur forme d'origine *(p. 22-23)*.

Knighton ❷

Powys. 🏘 *3 500.* ≋ 🚻 *West St (01547 528753).* 🅰 *jeu.*
🆆 www.offasdyke.demon.co.uk

Son nom gallois, Tref y Clawdd (« la Ville sur la levée »), rappelle qu'elle fut la première localité de l'**Offa's Dyke**. Au VIIIe siècle, Offa, roi de Mercie (centre et sud de l'Angleterre), fit construire un fossé et une levée à la frontière de son territoire pour appliquer la loi saxonne qui disait : « Nul Gallois ne devra pénétrer en territoire anglais sinon accompagné d'un homme de l'autre côté qui le recevra à la levée et le ramènera sans qu'il ait commis aucun tort. » Certains tronçons les mieux conservés de cet ouvrage de terre de 6 m de haut sont situés dans les

L'horloge de Knighton

collines proches de Knighton. L'Offa's Dyke Footpath longe la frontière entre Angleterre et pays de Galles sur 285 km.

Knighton est construite à flanc de colline. Au pied, **St Edward's Church** (1877), avec sa tour médiévale ; au sommet, le site d'un château disparu. La grand-rue traverse la place du marché, où s'élève une tour d'horloge du XIXe siècle, puis longe **The Narrows**, une rue Tudor bordée de petites boutiques. **The Old House**, dans Broad Street, est une maison médiévale d'un style particulier ; son toit repose sur deux poutres courbes, et un trou dans le plafond sert de cheminée.

Hay-on-Wye ❸

Powys. 🏘 *1 300.* 🚻 *Oxford Rd (01497 820144).* 🅰 *jeu.*
🆆 www.hay-on-wye.co.uk

Les amateurs de livres du monde entier visitent cette petite ville frontalière des Black Mountains dont les 25 bouquinistes ont des millions de titres en réserve. Elle accueille au début de l'été un prestigieux festival de littérature. Cette passion pour les livres naquit vers 1960, quand Richard Booth, roi autoproclamé de l'*Independent Hay* et hôte de **Hay Castle** (demeure du XVIIe siècle bâtie dans le parc de l'ancien château du XIIIe siècle), ouvrit une librairie. La plus vieille auberge de Hay, les **Three Tuns** du XVIe siècle, dans Bridge Street, à la belle façade à colombage, est toujours un pub.

Aux environs
Hay s'étend sur les contreforts des Black Mountains, au milieu de jolies collines arrondies. Au sud s'élèvent le Hay Bluff et le Vale of Ewyas, où les ruines du **prieuré de Llanthony** (XIIe s., *p. 455*) témoignent encore de la beauté de l'ouvrage.

⚓ **Hay Castle**
🏰 *01497 820503.* 🅾 *t.l.j.* 🌑 *25 déc.* 🌿 *jardins seulement.* ♿

Llandrindod Wells ❹

Powys. 🏘 *5 000.* ≋ 🚻 *Memorial Gardens (01597 822600).* 🅰 *ven., der. jeu. du mois (marché paysan).*
🆆 www.visitllandrindod.co.uk

Ville d'eaux dès l'origine, elle fut au XIXe siècle le premier lieu de villégiature dans les terres du pays de Galles. Ses eaux riches

Une librairie de Hay-on-Wye

en soufre et en magnésium traitaient maladies de peau, calculs rénaux et bien d'autres maux. Cette ville victorienne type aux rues bordées d'auvents, ornements de fer ouvragé, villas à pignon et parcs ornementaux, tente de conserver ce caractère. Le lac et les **Rock Park Gardens** sont très bien entretenus. Chaque année, durant la dernière semaine d'août, les résidents revêtent des costumes d'époque dans la **Pump Room**, située dans les Temple Gardens et datant du XIXe siècle.

Le **Radnorshire Museum** évoque l'histoire de la cité ainsi que celle d'autres villes d'eaux comme Builth (aujourd'hui bourg agricole), Llangammarch (redevenue simple hameau) et **Llanwrtyd** (d'où partent des promenades à poney).

🏛 **Radnorshire Museum**
Memorial Gardens. 🏰 *01597 824513.* 🅾 *du mar. au sam. et jours fériés (et dim. après-midi d'avr. à oct.).* 🌑 *25 et 26 déc., 1er janv.* 🌿 ♿ *limité.*

Architecture victorienne de Spa Road, à Llandrindod Wells

Le Craig Coch, l'un des lacs artificiels de la vallée d'Elan

Elan Valley ❺

Powys. 🚆 Llandrindod. 🛈 Rhayader
(01597 810898). 🌐 www.elanvalley.org.uk

Un chapelet de lacs artificiels spectaculaires en a fait l'une des vallées les plus réputées du pays de Galles. **Caban Coch, Garreg Ddu, Pen-y-Garreg** et **Craig Coch** furent aménagés de 1892 à 1903 pour approvisionner en eau Birmingham, à 117 km de là. Sur une étendue de 14 km de long, ils retiennent 50 milliards de litres. Les ingénieurs de l'époque choisirent ces landes élevées des monts Cambriens à cause de l'abondance des précipitations (1 780 mm), mais, pour créer Caban Coch, il fallut déplacer plus de mille personnes.

À l'époque de leur aménagement, l'aspect esthétique fut naturellement pris en compte. Les pierres de taille qui les recouvrent leur donnent un air de grandeur, qui manque à l'énorme lac de **Claerwen**, ajouté vers 1950 afin de doubler la capacité totale. Retenu par un barrage de 1 165 m, il suit la B4518 sur 6 km dans Elan Valley et offre des vues magnifiques.

Les landes reculées et les bois qui entourent les lacs abritent une faune importante ; on y voit souvent, par exemple, le milan. Le **centre d'accueil des visiteurs d'Elan Valley**, proche du barrage de Caban Coch, relate l'aménagement des lacs et l'histoire de la vallée. **Elan Village**, près du centre, est un village ouvrier modèle conçu au début du siècle pour loger les ouvriers des barrages. À l'extérieur du centre s'élève la statue de Shelley (*p. 210*) ; en effet, le poète et sa femme Harriet vécurent dans la vallée en 1810, à la résidence de Nantgwyllt. La maison et tout le village dorment sous les eaux de Caban Coch.

Machynlleth ❻

Powys. 🏘 2 200. 🚆 🛈
Canolfan Owain Glyndŵr
(01654 702401). 🛒 mer.
🌐 www.exploremidwales.com

Les maisons à colombage et les façades georgiennes s'y mêlent aux maisons de pierre grise. C'est ici qu'Owain Glyndŵr, dernier chef gallois,

La passerelle entre Machynlleth et
Devil's Bridge, près d'Aberystwyth

réunit un parlement en 1404. **Parliament House**, restaurée, abrite une exposition qui lui est consacrée et un atelier de polissage du bronze.

En 1874, le marquis de Londonderry fit ériger la tour de l'Horloge ouvragée **(Clock Tower)**, au milieu de Maengwyn Street, pour célébrer la majorité de son héritier, Lord Castlereagh. Il habitait **Plas Machynlleth**, maison du XVIIe siècle située dans un parc au bord de la grand-rue, transformée en centre de la civilisation celte.

Aux environs
Dans une ancienne carrière d'ardoise à 4 km au nord, un « village du futur » est administré par le **Centre for Alternative Technology** (centre des technologies de rechange). Un funiculaire hydraulique conduit les visiteurs aux maisons à faible consommation d'énergie et aux jardins biologiques.

🏛 **Parliament House**
Maengwyn St. 📞 01654 702827. 🕐 de Pâques à sept. : du lun. au sam. ♿ 🛍

🏛 **Centre for Alternative Technology**
A487. 📞 01654 702400. 🕐 t.l.j. 🌑 début janv. 🍽 ✓ ♿ 🛍 🅿
🌐 www.tat.org.uk

Enseigne de la
Parliament House
à Machynlleth

Aberystwyth ❼

Ceredigion. 🏘 11 000. 🚆 🛈
🛈 Terrace Rd (01970 612125).
🌐 www.ceredigion.gov.uk

Cette ville balnéaire et universitaire revendique la position de capitale culturelle du centre du pays de Galles. Dans cette région rurale, « Aber » paraît une grande ville, d'autant que de nombreux étudiants viennent accroître sa population.

Au XIXe siècle, Aberystwyth était la « Biarritz du pays de Galles ». La promenade et ses hôtels à pignon n'ont guère changé. L'été, un train électrique le **Cliff Railway**, vous mènera au sommet de **Constitution Hill**, hauteur abrupte située au nord. Là, dans une **chambre obscure**, une lentille projette des vues de la ville. Le **château** (1277) en ruine se trouve au sud de la promenade. Dans le centre, le **Ceredigion Museum**, dans

Musiciens des rues à Aberystwyth

un ancien théâtre de variétés, retrace l'histoire de la ville. Au nord-est de celle-ci, la bibliothèque, **The National Library of Wales**, qui jouxte l'université, conserve une collection de manuscrits gallois.

Aux environs
L'été, le Vale of Rheidol Railway, chemin de fer à voie étroite, parcourt 19 km jusqu'au **Devil's Bridge**, où une série de chutes d'eau

L'HÔTEL DE SAVIN

À l'ouverture du Cumbrian Railway, en 1864, l'homme d'affaires Thomas Savin fit construire un hôtel à Aberystwyth pour le tourisme de masse. Il se ruina, mais des gens du pays rachetèrent ce bâtiment du front de mer aux tours néo-gothiques pour fonder une université galloise. L'université du bord de mer, aujourd'hui Theological College, ouvrit ses portes en 1872.

Tour ornée de mosaïques

spectaculaires se précipitent dans un ravin boisé et où un sentier à pic descend au fond de la vallée.

🏛 **Ceredigion Museum**
Terrace Rd. 🎧 *01970 633088.*
⬜ *du lun. au sam.* ⬛ *du 25 déc. au 2 janv., ven. saint.* ♿ 📷

Aberaeron ❽

Ceredigion. 🏠 *1 500.*
🚂 *Aberystwyth, puis bus.*
ℹ️ *The Quay (01545 570602).*
🆆 *www.tourism-ceredigion.gov.uk*

Au début du XIXᵉ siècle, son port bordé de maisons georgiennes se consacrait au commerce et à la construction navale. Les rues furent tracées à l'époque où les ports de la baie de Cardigan étaient particulièrement prospères, avant l'arrivée du chemin de fer. Le dernier navire est sorti des chantiers navals en 1994, et seuls les bateaux de plaisance fréquentent encore assidûment le port. On peut le traverser par une passerelle de bois. Sur le quai, le Honey Bee Ice Cream Parlor, glacier réputé, sert des glaces dont la renommée dépasse les frontières à une clientèle fidèle. La ville possède aussi un centre d'artisanat local, Clos Pengarreg.

Maisons georgiennes peintes de couleurs vives le long du port d'Aberaeron

St Davids ❾

Vers 550, saint David, patron du pays de Galles, fonda dans ce coin reculé du Sud-Ouest un monastère, qui devint l'un des lieux de culte chrétiens les plus importants. La cathédrale actuelle, édifiée au XIIe siècle, et le palais épiscopal, datant du XIe siècle, s'étendent dans une cuvette herbue au-dessous de St Davids, la plus petite ville du pays de Galles. Le 1er mars, on commémore la mort de saint David dans toute la région.

St Élisée, icône du transept sud

La cathédrale Saint-David, la plus grande du pays de Galles

★ Great Hall
L'évêque Gower (1328-1347) fit ajouter les arcatures ajourées et un parapet décoré pour réunir les parties du palais.

La chapelle privée, ajoutée à la fin du XIVe siècle, est construite, comme le reste du palais, au-dessus d'une série de voûtes.

Entrée

LE PALAIS ÉPISCOPAL
Construit de 1280 à 1350 et aujourd'hui en ruine, il avait des appartements somptueux.

Latrines du palais

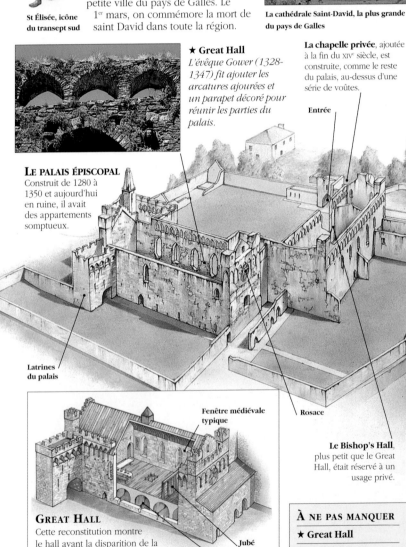

Fenêtre médiévale typique

Rosace

Le Bishop's Hall, plus petit que le Great Hall, était réservé à un usage privé.

GREAT HALL
Cette reconstitution montre le hall avant la disparition de la couverture en plomb du toit. On en attribue l'initiative à Barlow, premier évêque protestant du lieu (1536-1548).

Jubé en bois

Crypte

À NE PAS MANQUER
★ Great Hall

★ Plafond de la nef

★ Statue de saint David

★ Plafond de la nef
Un plafond de chêne du début du XVIᵉ siècle cache la charpente. Un magnifique jubé du XIVᵉ siècle sépare la nef du chœur.

MODE D'EMPLOI

Cathedral Close, St David's.
☎ 01437 720199.
🚌 Haverfordwest, puis bus.
🕙 de 9 h à 18 h t.l.j.
(sam., dim. : après-midi). ♿ 📷
W www.stdavidscathedral.org.uk

LA CATHÉDRALE
Saint David fut l'un des fondateurs du mouvement monastique, si bien que ce sanctuaire devint un lieu de pèlerinage ; trois visites ici valaient un pèlerinage à Jérusalem.

Vitraux
Huit panneaux des années 1950 rayonnent autour d'un vitrail central représentant la colombe de la paix.

St Mary's College Chapel

La Bishop Vaughan's Chapel a un beau plafond Tudor primitif en éventail.

Entrée

Plafond de la tour lanterne
À sa restauration vers 1870 par Sir George Gilbert Scott (p. 306), il fut orné des insignes épiscopaux.

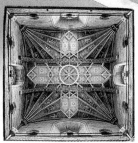

Stalles du chœur du XVIᵉ siècle
Le blason royal au-dessus d'une des stalles indique que le souverain est membre du chapitre de Saint-David. Trois stalles présentent d'intéressantes miséricordes (p. 329).

★ Statue de saint David
Elle se trouve près du tombeau. On dit qu'une colombe, symbole du Saint-Esprit, s'est posée sur l'épaule de saint David tandis qu'il s'adressait à un groupe d'évêques.

Tenby ⑩

Pembrokeshire. 5 000. *The Croft (01834 842402).*
www.tenbywales.co.uk

Malgré l'important afflux touristique, Tenby a trouvé un équilibre, refusant de perdre son caractère comme tant de villes balnéaires.
Les maisons georgiennes qui bordent le port précèdent une ville médiévale bien conservée au sommet de la falaise. La vieille ville était défendue par des fortifications aujourd'hui en ruine, sur le promontoire. Les murailles du XIIIe siècle et une porte fortifiée, les **Five Arches**, sont encore debout.

La **Tudor Merchant's House** (XVe siècle), remarquable par ses cheminées d'origine, témoigne de la prospérité maritime passée de Tenby.
Du port abrité partent régulièrement des croisières pour **Caldey Island**, à 5 km au large, où une communauté de moines fabrique du parfum à partir des fleurs sauvages qu'ils récoltent sur place.

Tudor Merchant's House
(NT) Quay Hill. *01834 842279.*
d'avr. à sept. : du jeu. au mar. ; oct. : jeu., ven., du dim. au mar. (dim. après-midi). *de nov. à mars.*
se renseigner par tél.

Restaurant voisin de la Tudor Merchant's House

Swansea et la péninsule de Gower ⑪

Swansea. 230 000. *Plymouth St (01792 468321).*
du lun. au sam.
www.swansea.gov.uk

La deuxième ville du pays de Galles s'étend le long d'une vaste baie incurvée. Le centre fut reconstruit après la Deuxième Guerre mondiale, mais l'atmosphère galloise prévaut toujours, en particulier au marché, où sont vendues des spécialités comme le *laverbread* *(p. 36)* et les coques pêchées sur la côte. Le projet du **Maritime Quarter** a transformé les docks et mérite une visite.

Une statue de John Henry Vivian (1779-1855), magnat du cuivre, domine le port de plaisance. Cette grande famille de Swansea a fondé la **Glynn Vivian Art Gallery** où sont exposées de belles céramiques et porcelaines locales. Le **Swansea Museum**, le plus vieux musée du pays de Galles (1838), traite de l'archéologie et de l'histoire galloises.

Le poète Dylan Thomas, le plus célèbre enfant de Swansea

Le centre **Dylan Thomas** rend hommage au poète natif de Swansea (1914-53) et présente des manuscrits originaux ainsi que divers objets. Un de ses premiers poèmes, *The Hunchback in the Park*, évoque **Cwmdonkin Park** ; dans son jardin aquatique, une pierre rappelle *Fern Hill*, une des œuvres les plus célèbres du poète.

L'austère **Guildhall** (1934) est orné de grands panneaux de sir Frank Bragwyn (1867-1956) illustrant le thème de l'Empire britannique. À l'origine destinés à la Chambre des lords, ils furent jugés trop colorés et incongrus.

La baie de Swansea mène aux **Mumbles**, centre de sports nautiques aux portes de

Cottages de pêcheurs à la station balnéaire des Mumbles

la péninsule de Gower (site naturel classé en 1956). Des baies abritées orientées au sud mène à Oxwich et Port-Eynon, plages jadis hantées par les contrebandiers.

De Port-Eynon, la falaise calcaire s'interrompt de façon spectaculaire à Rhossili et à Worm's Head, promontoire accessible à marée basse. La grande plage de Rhossili s'étend vers le nord de Gower et une côte parsemée de terriers profonds, de marais salants et de bancs de vase. Sur la presqu'île, on peut voir de nombreux sites préhistoriques comme **Parc Le Breose**, une chambre funéraire. Près de Camarthen, le **National Botanic Garden of Wales** présente des jardins structurés autour d'une grande serre.

Glynn Vivian Art Gallery
Alexandra Rd. *01792 516900.*
du mar. au dim. et jours fériés.
limité. *sur r.-v.*
www.glynnviviangallery.org

Swansea Museum
Victoria Rd. *01792 653763.* *du mar. au dim. et jours fériés.* *limité.*
www.swanseaheritage.net

Dylan Thomas Center
Somerset Pl. *01792 463980.*
du mar. au dim. et jours fériés.
sur r.-v.
www.dylanthomas.com

Guildhall
St Helen's Rd. *01792 635489.*
du lun. au ven. *jours fériés.*

National Botanic Garden of Wales
Middleton Hall, Llanarthne. *01558 668768.* *t.l.j.* *25 déc.*
www.gardenofwales.org.uk

Excursion dans les Wild Wales ⑫

C e circuit fait le tour des landes battues par le vent, des hauteurs et collines verdoyantes et des plateaux déserts des Cambrian Mountains. Des routes récentes mènent au grand Llyn Brianne Reservoir, au nord de Llandovery, et la vieille route du bétail vers Tregaron est goudronnée. Mais cette région est avant tout sauvage, avec ses hameaux cachés, fermes isolées et vieux bourgs tranquilles.

Llanidloes ⑥

Cette ville était un foyer d'agitation religieuse et sociale aux XVIIe et XVIIIe siècles (p. 423). Le marché Tudor est un exemple rare de halle couverte. L'église médiévale fut restaurée à la fin du XIXe siècle.

Devil's Bridge ④

Ce lieu romantique fréquenté possède des cascades, des rochers, des clairières et un vieux pont de pierre… construit par le diable, dit-on.

Elan Valley ⑤

Cette région de lacs a une faune sauvage importante (p. 448).

Strata Florida ③

Au Moyen Âge, cette fameuse abbaye en ruine était un centre religieux, politique et intellectuel.

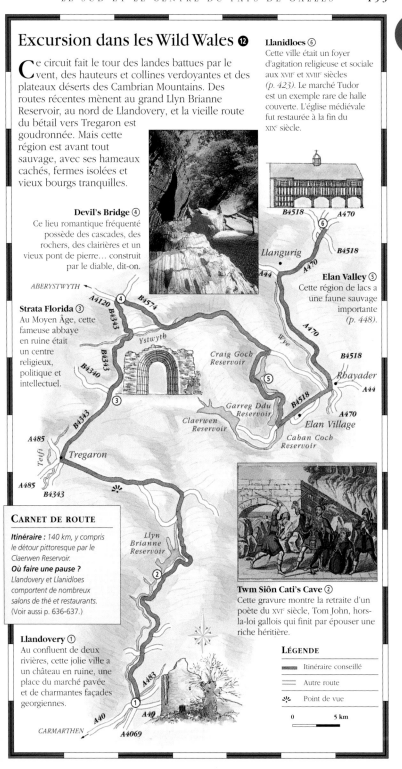

ABERYSTWYTH

Llangurig

Llanidloes
B4518 A470

B4518

A44 A470

Ystwyth

Craig Goch Reservoir

Wye

B4518

Rhayader

A44

Garreg Ddu Reservoir

Claerwen Reservoir

Elan Village

A470

Caban Coch Reservoir

A485 Teifi Tregaron

A485 B4343

CARNET DE ROUTE

Itinéraire : 140 km, y compris le détour pittoresque par le Claerwen Reservoir.
Où faire une pause ?
Llandovery et Llanidloes comportent de nombreux salons de thé et restaurants.
(Voir aussi p. 636-637.)

Llyn Brianne Reservoir

Twm Siôn Cati's Cave ②

Cette gravure montre la retraite d'un poète du XVIe siècle, Tom John, hors-la-loi gallois qui finit par épouser une riche héritière.

Llandovery ①

Au confluent de deux rivières, cette jolie ville a un château en ruine, une place du marché pavée et de charmantes façades georgiennes.

A40

CARMARTHEN

A4069

A483

A40

LÉGENDE

▬▬ Itinéraire conseillé

═══ Autre route

🔆 Point de vue

0   5 km

Les Brecon Beacons ⑬

Randonnée dans les Beacons

Le parc national des Brecon Beacons s'étend sur 1 345 km², depuis la frontière anglaise jusqu'aux environs de Swansea. Le parc englobe cinq chaînons montagneux : la Black Mountain (à l'ouest), le Fforest Fawr, les Brecon Beacons et les Black Mountains (à l'est). Il est essentiellement formé de hauts plateaux de grès rouge aux vallons herbus. La lisière sud comporte des escarpements calcaires, des gorges boisées, des cascades et des grottes. C'est le royaume des activités de plein air : pêche dans les nombreux lacs artificiels, randonnées à poney et à pied, spéléologie.

La Black Mountain, suite d'arêtes, de hauteurs et de landes désertes en partie inexplorées, occupe l'angle ouest du parc.

Llyn y Fan Fach
Ce fameux lac glaciaire est situé à 6,5 km de Llanddeusant.

La Fforest Fawr (« Grande Forêt ») était une terre de chasse royale au Moyen Âge.

Grottes de Dan-yr-Ogof
Les Brecon Beacons dissimulent un labyrinthe de grottes. Ici, deux d'entre elles se visitent.

Carreg Cennen Castle
Ce château fort (p. 424) en ruine se dresse sur une falaise calcaire escarpée, site spectaculaire proche du village de Trapp.

LÉGENDE

▬▬	Route A
▭	Route B
▭▭▭	Route secondaire
– –	Sentier
☆	Point de vue

Map labels: BUILTH WELLS, LAMPETER, Llandovery, A40, USK RESERVOIR, Sennybridge, Usk, A40, Cray, A4067, Senni, A4215, L, Llanddeusant, CARMARTHEN, Tywi, Llandeilo, Trapp, BLACK MOUNTAIN, A4069, YSTRADFELLT RESERVOIR, A4067, FFOREST FAWR, Mellte, A483, Twrch, Giedd, Tawe, Hepste, A4059, Llandybie, A476, LLANELLI, Ammanford, A4068, SWANSEA, Ystradgynlais, A4221, A4109, A465, NEATH, Hirwaun, 0   10 km

Hay Bluff
*À 677 m d'altitude,
il domine la région
frontalière. Une petite
route de montagne
va de Hay-on-Wye
au Gospel Pass,
puis redescend
vers Llanthony.*

MODE D'EMPLOI

Powys. 🚊 Abergavenny. **ℹ**
Brecon, Powys. 📞 01874 623366.
Carreg Cennen Castle, Trapp. 📞
01558 822291. ◯ t.l.j. 🅿️ **Dan-yr-Ogof Caves**, Abercraf. 📞
01639 730284. ◯ d'avr. à oct.
Llanthony Priory, Llanthony. 📞
01443 336106. ◯ t.l.j. **Tretower
Castle and Court**, Crickhowell.
📞 01874 730279. ◯ t.l.j.
⬤ de nov. à fév. ♿ 📷 🚻

Brecon est un
vieux bourg aux
belles constructions
georgiennes.

**Les Black
Mountains**
marquent la
frontière avec
l'Angleterre.

Prieuré de Llanthony
*Cet édifice du XIIᵉ siècle, en
ruine, se caractérisait par
l'élégante simplicité du
travail de la pierre.
Au XIXᵉ siècle, un petit
hôtel (toujours ouvert)
s'installa dans une
partie du prieuré.*

Tretower Castle and Court
comprennent un donjon
normand en ruine et un manoir
de la fin du Moyen Âge.

**Monmouthshire and
Brecon Canal**
*Ce canal achevé en 1812
servit au transport des
matières premières entre
Brecon et Newport. Ce sont
désormais les plaisanciers
qui le fréquentent.*

Pen y Fan
*Le sommet plat du point culminant du sud du pays
de Galles (886 m) est relié par des sentiers à Storey
Arms, sur l'A470. Un cimetière s'y trouvait à l'âge
du bronze (p. 42-43).*

Cardiff ⓮

Cardiff fut d'abord occupée par les Romains, qui y établirent un camp en 75 apr. J.-C. *(p. 44-45)*. Son histoire est ensuite obscure jusqu'à l'attribution d'un fief à Robert FitzHamon *(p. 458)*, chevalier au service de Guillaume le Conquérant, en 1093. Au XIIIᵉ siècle, la localité était assez grande pour obtenir une charte royale, mais ce n'est que vers 1830 que cette petite ville rurale devint un port, grâce à la famille Bute, qui avait hérité de terres dans la région. En 1913, il était le premier port d'exportation de charbon, grâce aux liaisons ferroviaires avec les mines du sud du pays de Galles. Cette prospérité permit d'élever des édifices grandioses, tandis que les docks se développaient. Cardiff devint en 1955 la première capitale du pays de Galles, alors que le déclin du port et des mines était amorcé. Commerçante et administrative, elle est aujourd'hui en pleine période de rénovation urbaine.

Détail de la cheminée de la salle des banquets du château *(p. 458-459)*

où sont exposés les projets visant à réunir centre administratif et quartier portuaire.

♣ Cardiff Castle

Voir p. 458-459.

▥ City Hall et Civic Center

Cathays Park. ▮ *029-2087 1727.* ☐ *du lun. au ven.* ◉ *jours fériés.* ♿ ▥

Les monuments néo-classiques en pierre blanche de Portland du centre administratif bordent les parcs et les avenues autour des Alexandra Gardens. Le City Hall (1905), l'un des plus anciens, est doté d'un dôme de 60 m de haut et d'un beffroi. Au premier étage, le Marble Hall aux colonnes de marbre de Sienne, orné de statues des grands hommes du pays de Galles, comme saint David *(p. 450-451)*, est ouvert à la visite. À la limite nord du quartier, le Crown Building abrite le Welsh Office, en charge des affaires du gouvernement gallois.

Le dôme de l'hôtel de ville orné du dragon, emblème gallois

À la découverte de Cardiff

Cardiff a deux pôles d'activité. Le centre d'abord, aux rues et aux jardins victoriens et édouardiens, avec un château néo-gothique et des bâtiments officiels néo-classiques, des passages commerçants et un **marché couvert** du XIXᵉ siècle. Des arcades bordées de boutiques, dont la **Royal Arcade**, datant de 1856, partent de la grand-rue.

Le **Millenium Stadium** (sur le site du Cardiff Arms Park, berceau du rugby gallois) a ouvert ses portes en 1999 à l'occasion de la coupe du monde de rugby et peut se visiter tous les jours.

Au sud du centre, les docks deviennent l'autre zone active grâce à l'aménagement d'un port de plaisance et du front de mer. Une nouvelle Cardiff naît, sutout autour de l'Inner Harbour. Le **Pier Head Building**, construit sur la baie en 1896 pour la compagnie de chemins de fer de Cardiff, rappelle la grande époque. Sa décoration compliquée et les éléments en terre cuite s'inspirent des bâtiments mogols de l'Inde. Ce quartier abrite aussi le **Techniquest**, musée des sciences où l'on peut faire des expériences.

L'église norvégienne **(Norwegian Church)** en bois de Waterfront Park fut élevée en 1898 pour les marins norvégiens qui acheminaient les poutrelles de bois destinées aux puits de mine du sud du pays de Galles. Autrefois entourée d'entrepôts, elle fut déplacée lors du remaniement des docks et abrite un centre culturel et le **Cardiff Bay Visitors' Centre**,

Le Pier Head Building domine le quartier rénové de la baie de Cardiff

🏛 National Museum and Gallery of Wales

Cathays Park. **☎** 029-2039 7951. ◯ *du mar. au dim. et jours fériés.* ● *24 et 25 déc.* ♿ ✉ *sur rendez-vous.* ▢ ▢ 🆆 *www.nmgw.ac.uk*

Ce musée ouvert en 1927 occupe un imposant bâtiment avec un portique à colonnade sur lequel veille une statue de David Lloyd George *(p. 423).* La belle collection de tableaux impressionnistes de Renoir, Monet et Van Gogh fut constituée par le don des sœurs Davies à leur ville.

🏛 Crafts in the Bay

The Flourish, Lloyd George Ave., Cardiff Bay. **☎** 029-2048 4611. ◯ *t.l.j.* ♿ ▢

Un grand centre d'artisanat, créé à l'initiative de la corporation des artisans du pays de Galles, a ouvert en 1996. Le bâtiment, qui a été entièrement rénové, propose une grande variété d'expositions et de manifestations d'artisanat incluant de nombreuses démonstrations, dont le tissage et la réalisation de céramique. En plus des collections permanentes, sont souvent présentées des expositions d'art thématiques. Les visiteurs peuvent circuler librement dans le centre ou participer à l'un des ateliers (www.makersguildinwales. org.uk).

Statue de David Lloyd George

Aux environs

Installé depuis les années 1940 à St Fagans, à la limite est de la ville, le **Museum of Welsh Life**, musée de la vie quotidienne en plein air, fut l'un des premiers du genre. Des bâtiments de tout le pays de Galles (alignements de cottages ouvriers, fermes, bureau de péage, galerie de boutiques, chapelle, école) ont été soigneusement reconstitués sur les 40 ha de ce parc, ainsi qu'un village celtique. On peut aussi visiter une demeure Tudor et ses jardins.

Une **cathédrale** s'élève dans une cuvette herbue au bord de la Taf à Llandaff, jolie banlieue rurale à 3 km du centre de Cardiff. D'abord médiévale, elle occupait le site d'un monastère du VIᵉ siècle. Restaurée après les sévères bombardements de la Deuxième Guerre mondiale et à nouveau ouverte en 1957, elle abrite l'immense *Christus* de sir Jacob Epstein, qui surmonte une arche de béton.

🏛 Museum of Welsh Life

St Fagans. **☎** 029-2057 3500. ◯ *t.l.j.* ♿ 🍴 🆆 www.nmgw.ac.uk

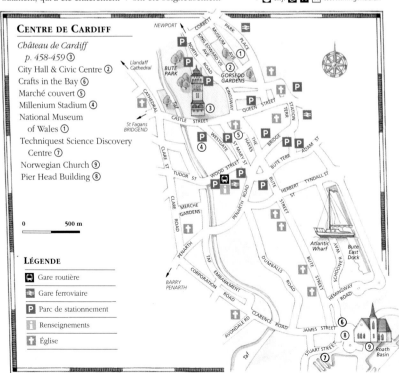

CENTRE DE CARDIFF

Château de Cardiff
    p. 458-459 ③
City Hall & Civic Centre ②
Crafts in the Bay ⑥
Marché couvert ⑤
Millenium Stadium ④
National Museum
    of Wales ①
Techniquest Science Discovery
    Centre ⑦
Norwegian Church ⑨
Pier Head Building ⑧

0 ————— 500 m

LÉGENDE

🚌 Gare routière

🚆 Gare ferroviaire

🅿 Parc de stationnement

ℹ Renseignements

✝ Église

Le château de Cardiff

À l'origine, un camp romain était établi sur le site. Ses vestiges sont séparés des ouvrages postérieurs par une rangée de pierres rouges. Au XIIe siècle, un donjon fut construit parmi les ruines romaines. Au cours des sept siècles suivants, le château appartint à plusieurs grandes familles, pour échoir en 1776 à John Stuart, fils du comte de Bute. Son arrière-petit-fils, le 3e marquis de Bute, fit appel au « génie excentrique » de l'architecte William Burges pour le transformer, de 1869 à 1881, en romantique demeure de style médiéval.

Pièce arabe
Le plafond doré, au décor oriental de marbre et de lapis-lazuli, date de 1881.

Animal Wall
Un lion et d'autres créatures gardent ce mur à l'ouest du château. Ils furent ajoutés entre 1885 et 1930.

Herbert Tower

★ Fumoir d'été
Situé dans Clock Tower, il faisait partie d'un appartement de célibataire qui comprenait aussi un fumoir d'hiver.

Clock Tower

Entrée principale des appartements

CHRONOLOGIE					
	1107 Mabel FitzHamon hérite du château. Son mari est fait Lord de Glamorgan		**1423-1449** La famille Beauchamp ajoute la tour octogonale et le plafond du Great Hall		**1869** Le 3e marquis de Bute commence la reconstruction
75 apr. J.-C. Construction du camp romain		**1183** Une incursion galloise l'endommage	**1445-1776** Il appartient tour à tour aux Neville, aux Tudors et aux Herbert		
1000	**1200**	**1400**		**1600**	**1800**
1093 Construction du premier château normand par Robert FitzHamon de Gloucester		**1308-1414** Il appartient à la famille Despenser			**1776** La famille Bute acquiert le château
			Salle des banquets, détail		**1947** Le château est confié à la ville de Cardiff

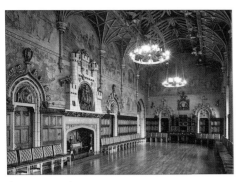

★ **Salle des banquets**
Dans cette pièce,
les peintures murales
et la cheminée en forme
de forteresse racontent
l'histoire du château.

La tour octogonale, ou
Beauchamp Tower, abrite
la Chaucer Room de
Burges, décorée de sujets
tirés des *Contes de*
Canterbury
(p. 174).

★ **Roof Garden**
Dallages, arbrisseaux
et fontaine centrale
donnent un air
méditerranéen à ce
jardin d'hiver que
Burges souhaitait la
pièce maîtresse des
appartements.

Dans Bute
Tower fut
aménagée en
1873 une suite
d'appartements
privés, dont une
salle à manger,
une chambre à
coucher et un
salon.

À NE PAS MANQUER

★ **Salle des**
banquets

★ **Bibliothèque**

★ **Fumoir d'été**

★ **Roof Garden**

★ **Bibliothèque**
Des scribes présentent les caractères des
anciens alphabets grec, assyrien, hébreu,
égyptien et gallois ornent la cheminée.

Vestiges de l'amphithéâtre de Caerleon, édifié au II⁰ siècle

Caerleon ⓯

Newport (Gwent). 👥 *11 000.*
ℹ️ *5 High St (01633 422656).*
🌐 *www.caerleon.net*

C aerleon fut, avec York
(p. 390-391) et Chester
(p. 298-299), l'un des trois
seuls camps romains
de Grande-Bretagne destinés
à des légions d'élite.
À partir
de 74 apr. J.-C.,
Caerleon (*Isca* pour
les Romains, du nom
de l'Usk qui arrose la
ville) fut la garnison
de la II⁰ légion
Augusta, envoyée
au pays de Galles
pour mater
les tribus silures. Les
vestiges de leur
camp se trouvent
maintenant sous la
ville moderne et le fleuve.
    Les fouilles de Caerleon
ont été riches d'enseignement
sur la vie sociale et militaire.
En effet, les Romains n'avaient
pas seulement construit un
camp pour les 5 500 soldats
de leurs troupes d'élite, mais
une ville entière. À en juger
par les fouilles effectuées
depuis la mise au jour d'un
amphithéâtre en pierre par
sir Mortimer Wheeler en 1926,
Caerleon est l'un
des sites militaires romains
les plus vastes et les plus
importants d'Europe.
Les défenses englobent, sur
20 ha, 64 rangées de casernes
disposées deux par deux,
un hôpital et des thermes.
    À l'extérieur du camp,
les fondations de l'amphithéâtre
sont très bien conservées.
Il pouvait accueillir

**Autel, Legionary
Museum de Caerleon**

6 000 spectateurs venus voir des
sports violents ou des combats
de gladiateurs. Les thermes,
qui se visitent depuis 1985, sont
plus impressionnants encore.
Somptueux, ils apportaient
tout le confort de la civilisation
à une armée postée aux
marches des contrées barbares :
une piscine découverte,
un terrain d'exercice, un
gymnase et une suite
de bains chaud, tiède
et froid.
    À côté se trouvent
les fondations des
seuls baraquements
de légionnaires
visibles en Europe.
Les nombreux objets
découverts sur le
site, parmi lesquels
une belle collection
de pierres gemmes
gravées, sont
exposés au **Roman
Legionary Museum**.

🏛 **Roman Legionary
Museum**
High St. 📞 *01633 423134.*
🔵 *du lun. au sam., dim. : après-midi.*
🔴 *du 24 au 26 déc., 1ᵉʳ janv.* ♿ 🚻
🌐 *www.nmgw.ac.uk*

**Le musée de la mine de Big Pit,
témoin d'une industrie disparue**

Blaenafon ⓰

Torfaen. 👥 *6 000.* ℹ️ *Blaenafon
Ironworks, North St.* 📞 *01495
792615.* 🌐 *www.blaenafontic.com*

L es mines de charbon des
vallées du sud du pays
de Galles sont presque toutes
désaffectées, alors qu'il y a
cent ans la prospection de
la houille agitait cette région.
Si l'on n'extrait plus de
charbon au **Big Pit**, le **Mining
Museum** entretient le
souvenir de cette puissante
industrie. Fermé en 1980,
le Big Pit rouvrit trois ans
plus tard comme musée. Un
parcours balisé à la surface
mène des bains des mineurs
à la forge, aux ateliers et à la
salle des machines. On y voit
aussi la réplique d'une galerie
souterraine, où les méthodes
de travail sont expliquées.
Mais le moment fort de
la visite se passe sous terre.
Équipé d'un casque de
mineur, d'une lampe et de
batteries de sécurité, on
descend dans une cage à
90 m au-dessous de la surface,
avant de suivre d'anciens
mineurs à travers les galeries
et les écuries souterraines.
    Blaenafon conserve aussi
des vestiges de l'industrie
sidérurgique ; de l'autre côté
de la vallée s'élèvent les hauts
fourneaux du XVIII⁰ siècle et les
cottages ouvriers qui faisaient
partie des **Blaenafon
Ironworks**. C'est aujourd'hui
un musée industriel.

🏛 **Big Pit Mining Museum**
Blaenafon. 📞 *01495 790311.* 🔵 *de
mi-fév. à nov. : t.l.j.* ♿ *tél. avant.*
🚻 📷 🚻 🌐 *www.nmgw.ac.uk*
🏛 **Blaenafon Ironworks**
North St. 📞 *01495 792615.*
🔵 *de mi-mars. à oct. : t.l.j.* 📷 🚻 🚻

Monmouth ⓱

Monmouthshire (Gwent).
👥 *12 000.* 🚉 ℹ️ *Shire Hall (01600
713899).* 🔵 *ven., sam.*
🌐 *www.visitwyevalley.com*

L'histoire de cette ville de
marché située au confluent
de la Wye et de la Monnow est
riche. Derrière Agincourt Square
se trouve le château du
XI⁰ siècle, à présent en ruine,
où naquit Henri V en 1387.

Le Monnow Bridge de Monmouth, ancienne tour de guet et prison

À côté, le **Regimental Museum**. Une statue d'Henri V se dresse sur la place, ainsi que celle de Charles Stewart Rolls, né non loin de là, à Hendre. Le cofondateur de l'entreprise de construction d'automobiles Rolls-Royce est mort dans un accident d'avion en 1910.

Lord Horatio Nelson (*p. 54*), le célèbre amiral, vint à Monmouth en 1802. Une intéressante collection réunie par Lady Llangattock, mère de Charles Rolls, conservée au **Nelson Museum**, en évoque le souvenir.

Monmouth était le chef-lieu du comté de Monmouthshire, comme le rappellent les élégants et opulents bâtiments georgiens, dont le **Shire Hall** raffiné, qui domine Agincourt Square. À l'entrée ouest se trouve le monument majeur de la ville ; l'étroit **Monnow Bridge**, du XIIIᵉ siècle, est sans doute le seul pont fortifié encore debout en Grande-Bretagne.

Du haut du Kymin (256 m), on a la meilleure vue sur les environs. Le **Naval Temple** qui le couronne date de 1801, quand la marine britannique « régnait sur les mers ».

🏰 Monmouth Castle and Regimental Museum

The Castle. 📞 *01600 772175.* 🕐 *d'avr. à oct. : t.l.j. (après-midi) ; de nov. à mars : sam. et dim. (après-midi).* ⬤ *25 déc.* ♿ 🆆 www.monmouth castlemuseum.org.uk

🏛 Nelson Museum

Priory St. 📞 *01600 710630.* 🕐 *t.l.j. (dim. : après-midi)* ♿ 🅿

Tintern Abbey ⑱

Monmouthshire (Gwent). 📞 *01291 689251.* 🚆 *Chepstow, puis bus.* 🕐 *t.l.j.* ⬤ *du 24 au 26 déc., 1ᵉʳ janv.* ♿🅿 🆆 www.cadw.wales.gov.uk

D epuis le XVIIIᵉ siècle, les paysages de la vallée profonde et boisée de la Wye et les ruines majestueuses de l'abbaye ont séduit bien des voyageurs et inspiré des poètes. Un sonnet de Wordsworth, *Lines composed a few miles above Tintern Abbey*, décrit cet endroit romantique :

[…] une fois encore
J'aperçois ces versants abrupts
  et altiers,
Qui à ce cadre sauvage
  et solitaire impriment
Des pensées d'une solitude
  plus profonde […]

L'abbaye fut fondée en 1131 par des moines cisterciens qui cultivaient les terres avoisinantes (aujourd'hui une forêt). Ils en firent un influent foyer religieux. Au XIVᵉ siècle, c'était l'abbaye la plus riche du pays de Galles, mais elle subit le sort des autres monastères en 1536 lors de la Dissolution. Ses ruines sont ouvertes à tous les vents, et les arcs et les fenêtres leur donnent une beauté et une grâce mélancoliques.

L'abbaye de Tintern, dans la vallée de la Wye, autrefois centre spirituel et intellectuel, est une ruine romantique

L'ÉCOSSE

PRÉSENTATION DE L'ÉCOSSE 464-475
LES LOWLANDS 476-509
LES HIGHLANDS ET LES ÎLES 510-535

L'Écosse d'un coup d'œil

Des riches terres agricoles des Borders jusqu'aux îles peuplées d'oiseaux des Shetland, à quelques degrés du cercle arctique, l'Écosse présente une variété de paysages sans équivalent en Grande-Bretagne. La majeure partie de la population se concentre dans les Lowlands (Basses Terres), mais les massifs anciens creusés de lacs glaciaires des Highlands (Hautes Terres) renferment de nombreux vestiges archéologiques.

Western Isles

LES HIGHLAND ET LES ÎLES *(p. 510-535)*

Skye (p. 520-521), *île des Hébrides intérieures, possède une côte spectaculaire. À l'est, une cascade dévale le Kilt Rock, falaise de basalte qui porte le nom de la célèbre jupe du costume national écossais.*

Argyll and Bute

Clyde Valley

Ayrshire

Les Trossachs (p. 480-481), *magnifique chaîne de collines creusée de lochs, s'étendent à la frontière entre Lowlands et Highlands. En leur cœur, les pentes boisées du Ben Venue s'élèvent au-dessus des eaux paisibles du loch Achray.*

Le Culzean Castle (p. 508-509) *se dresse au bord d'une falaise sur le Firth of Clyde. Entouré d'un vaste parc, ce château où se déploie tout le talent de l'architecte écossais Robert Adam (p. 24) est un des joyaux des Lowlands.*

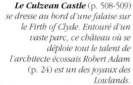

◁ **Le loch Lomond dans les Lowlands**

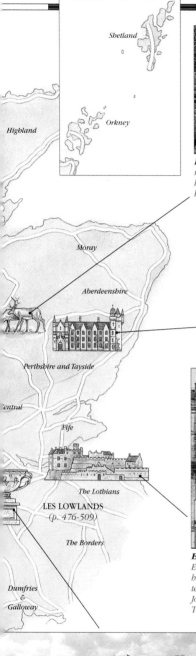

Les Cairngorms (p. 530-531), *montagnes surtout réputées pour leur beauté sauvage et la richesse de leur faune, sont également riches en vestiges historiques comme ce pont du XVIIIᵉ siècle à Carrbridge.*

La vallée de la Dee (p. 526-527), *dans les Grampians, abrite entre autres châteaux celui de Balmoral acheté par la reine Victoria en 1852.*

Edinburgh (p. 490-497) *est la capitale de l'Écosse. Entre son château médiéval et le Palace Holyroodhouse s'étend le Royal Mile bordé d'édifices historiques tels que l'ancien Parlement écossais et la maison de John Knox. Créé au XVIIIᵉ siècle, le quartier de New Town offre un bel exemple d'architecture georgienne.*

La Burrel Collection (p. 506-507), *superbe collection d'art d'un remarquable éclectisme, est exposée dans un spacieux bâtiment vitré inauguré en 1983 dans un parc à la périphérie de Glasgow.*

0   50 km

UNE IMAGE DE L'ÉCOSSE

T*erre marquée par l'histoire et un climat rigoureux, l'Écosse présente des paysages d'une extraordinaire diversité. Gorges isolées, lacs scintillants et ciels en perpétuel changement donnent au pays tout son caractère. Sa rudesse et sa beauté ont déterminé les qualités des habitants, fournissant à la Grande-Bretagne certains de ses meilleurs soldats et de ses plus audacieux explorateurs.*

Soumise à l'autorité du Parlement britannique depuis l'Acte d'Union avec l'Angleterre en 1707, l'Écosse conserve néanmoins des systèmes juridique et éducatif qui lui sont propres. Les Écossais sont très fiers de leur identité. En 1998, ils ont massivement choisi de posséder leur propre parlement.

Lancer du marteau aux Braemer Games

Obtenir l'indépendance, ou au moins une plus grande autonomie, demeure d'ailleurs le souhait de nombreux Écossais. Malgré leurs aspirations nationalistes, ceux-ci ne forment pas un peuple homogène. La principale division sépare les Lowlanders de culture anglo-saxonne et les Highlanders d'origine celte. Malgré la généralisation de la langue anglaise, le gaélique est encore parlé dans certaines régions, principalement dans les Western Isles, et présent dans de nombreux noms propres tels que ceux commençant par « Mac » qui signifie « fils de ». Sous domination scandinave pendant cinq siècles, les îles

Shetland ont gardé des traditions spécifiques comme la fête du Feu, Up Helly Aa, qui célèbre le retour du soleil.

Une institution concourt cependant à unir les deux grandes régions de l'Écosse : l'Église presbytérienne. Depuis sa fondation en 1560 par John Knox, un disciple de Calvin, elle défend âprement son indépendance et une vision austère de la religion face à l'Église anglicane. Cette prédominance du protestantisme n'empêche pas toutefois l'existence d'une forte minorité catholique. Ses membres habitent pour la plupart autour de Glasgow et dans les Western Isles, où s'est maintenu le mode de vie rural qui prévalait jadis dans tous les Highlands. C'est la région d'origine de la plupart des traits culturels considérés comme typiquement écossais, en particulier l'organisation en clans, la cornemuse ou des sports singuliers comme le lancement de troncs d'arbre *(tossing the caber)*. Ces sports, ainsi que les danses traditionnelles, restent pratiqués lors de jeux annuels *(p. 64)*.

Joueur de cornemuse

La rigueur du climat et la pauvreté des sols ont de tout temps contraint la population écossaise à se montrer ingénieuse et endurante, et elle a produit un nombre élevé d'inventeurs. Au XVIIIᵉ siècle, c'est James Watt qui adapte

La fête du Feu, Up Helly Aa, à Lerwick aux Shetland

Abri traditionnel dans l'île de Lewis

ce), les Écossais ont souvent brillé dans la finance, participant notamment à la création des banques centrales d'Angleterre et de France, alors qu'au XIXᵉ siècle Andrew Carnegie bâtit l'un des plus grands empires industriels des États-Unis. Ils entretinrent également une forte tradition littéraire avec des auteurs aussi célèbres que Walter Scott ou Robert Louis Stevenson. Le festival d'Edinburgh est aujourd'hui une des grandes manifestations culturelles européennes.

le moteur à vapeur aux besoins de l'industrie, tandis qu'Adam Smith établit les fondements de l'économie politique. Au siècle suivant, James Simpson découvre les propriétés anesthésiques du chloroforme, James Young crée la première raffinerie de pétrole du monde et Alexander Bell révolutionne les communications en inventant le téléphone. En 1928, Alexander Fleming découvre la pénicilline.

Décor du bureau du Fringe Festival d'Edimbourg

Ce sont toutefois ses vastes étendues sauvages et la richesse de sa faune qui attirent en Écosse la majorité des visiteurs. Au plaisir de découvrir de splendides paysages s'ajoutent ceux de la randonnée, de la pêche, de la chasse ou du ski. L'ouverture de la chasse à la grouse, le 12 août, est depuis des siècles un des grands événements de la vie locale.

Le climat de l'Écosse se montre peu clément et ses habitants le reconnaissent. Mais ils affirment que nulle part l'air n'est aussi pur que chez eux – et que c'est de devoir faire face à des conditions difficiles qui a forgé leur caractère si différent de celui de leurs voisins du Sud.

Habitués à se montrer économes en raison de maigres ressources (ce qui leur valut une fausse réputation d'avari-

Le loch Achray au cœur des Trossachs, au nord de Glasgow

Histoire de l'Écosse

Bonnie Prince Charlie, par G. Dupré

Dans leur conquête de la Grande-Bretagne, les Romains durent renoncer à l'Écosse dont ils ne purent soumettre les habitants. Cette résistance marque toute l'histoire d'un pays dont les frontières restent celles qu'avait en 1018 le royaume des Scots, un peuple celte venu d'Irlande. De longs siècles de conflits avec l'Angleterre se succédèrent, jusqu'à l'union des deux couronnes en 1603, puis celle des Parlements en 1707. En 1999, l'inauguration du Parlement écossais fut un événement spectaculaire.

Monolithe sculpté picte à Aberlemno, Angus

LES ORIGINES

De nombreux vestiges témoignent en Écosse d'un important peuplement préhistorique, notamment dans les Western Isles alors habitées principalement par des Pictes, Celtes originaires du continent. Au premier siècle après Jésus-Christ, c'est au moins à 17 tribus que doivent se confronter les envahisseurs romains, dont la conquête s'arrête aux vallées du Forth et de la Clyde au pied des Highlands. En 120, les Romains ont reculé à peu près jusqu'à l'actuelle frontière et l'empereur Hadrien fait construire une muraille courant d'une mer à l'autre pour protéger les territoires qu'il contrôle.

Celtes venus d'Irlande, les Scots, aussi appelés Gaëls, fondent au VIᵉ siècle un royaume en Écosse. Sous l'autorité de Kenneth McAlpin, ce royaume s'unit en 843 à celui des Pictes. Il incorpore en 1018 la région du Lothian peuplée par des Angles d'origine germanique et en 1034 le territoire des Britons, celtes eux aussi.

LA REVENDICATION ANGLAISE

Bien que Guillaume le Lion d'Écosse ait reconnu leur souveraineté par le traité de Falaise (1174), les rois normands, descendants de Guillaume le Conquérant, ne parviennent pas à étendre leur contrôle sur les Highlands et les îles. En 1296, John Wallace, soutenu par les Français (le début de l'Auld Alliance qui dura deux siècles), entame une guerre d'indépendance pendant laquelle Édouard Iᵉʳ d'Angleterre s'empare de la pierre sacrée de Scone *(p. 484)* et l'installe à l'abbaye de Westminster. Bien que n'ayant pu profiter de ses pouvoirs magiques, le roi Robert Bruce remporte en 1314 contre les Anglais la bataille décisive de Bannockburn.

Statue de John Knox, Edinburgh

LA VOIE VERS L'UNION

En 1503, Jacques IV d'Écosse épouse Marguerite Tudor, fille de son puissant voisin, le roi Henri VII. Malgré ce pas vers l'union, il entre en guerre en 1513 contre Henri VIII, monté sur le trône en 1509. Il meurt à la bataille de Flodden Field où les troupes écossaises sont écrasées. Son fils Jacques V épouse en secondes noces une princesse française, Marie de Guise, qui devient régente après sa mort en 1542. Quoique catholique fervente, elle ne

Bruce en combat singulier à Bannockburn (1906) par John Hassall

peut enrayer les progrès de la Réforme et, en 1560, le prêcheur John Knox fonde l'Église presbytérienne. L'année suivante, Marie Stuart assume le pouvoir. Veuve de François II de France, elle est aussi héritière du trône d'Angleterre, Élisabeth Ire n'ayant pas de descendance. Son catholicisme trop intransigeant et son mariage avec l'assassin de son deuxième mari soulèvent une telle hostilité qu'elle est contrainte à l'abdication en 1568. Réfugiée en Angleterre, elle est exécutée en 1587.

Les chantiers de la Clyde construisaient les grands navires du monde

UNION ET RÉVOLTE

À la mort sans descendance d'Élisabeth Ire en 1603, Jacques VI d'Écosse lui succède sur le trône d'Angleterre sous le nom de Jacques Ier et unit ainsi les deux couronnes. Tolérant, il réussit à contenir en Écosse les rivalités entre les membres de l'Église presbytérienne, les

Articles de l'Union entre l'Écosse et l'Angleterre, 1707

défenseurs de l'Église anglicane et les catholiques. En tentant d'imposer l'anglicanisme, son fils, Charles Ier, provoque une révolte qui culmine en 1638 par la signature à Edinburgh du National Covenant, document condamnant les doctrines catholique et anglicane. Des conflits de religions déchirent alors le pays, jusqu'à ce que Guillaume III, couronné roi d'Angleterre en 1689, accorde son autonomie à l'Église presbytérienne. En 1707, l'Acte d'Union officialise toutefois la dépendance de l'Écosse en supprimant son Parlement. En 1746, la tentative du

dernier des Stuarts, Bonnie Prince Charlie *(p. 521)*, pour reprendre le trône échoue à Culloden *(p. 523)*.

INDUSTRIALISATION ET BOULEVERSEMENTS SOCIAUX

La fin du XVIIIe siècle voit l'expulsion de nombreux fermiers des Highlands par des propriétaires terriens décidés à développer l'élevage. Ce mouvement, qui entraîna une terrible émigration, fut d'une telle ampleur qu'il prit le nom de Highland Clearances *(p. 517)*. À la même époque, l'industrialisation se développe dans les Lowlands, notamment l'exploitation minière, la sidérurgie et la construction navale.

Ces transformations n'apportent pas que des progrès et un puissant mouvement syndical voit le jour dans les populations défavorisées. En 1892, Keir Hardie, un mineur de l'Ayrshire, devient le premier socialiste élu au Parlement. Il fonde l'année suivante l'Independent Labour Party.

L'ÉCOSSE AUJOURD'HUI

La dépression qui toucha les pays occidentaux dans les années 1920 eut de graves conséquences pour la vallée

de la Clyde très industrialisée. La fondation en 1928 du Scottish Nationalist Party témoigne à la même époque d'un retour aux valeurs traditionnelles des Highlands. L'essor du tourisme dans une région qui accueille aujourd'hui 12 millions de visiteurs par an a contribué à le renforcer, ainsi que la découverte en 1970 de pétrole en mer du Nord. Avec la mise en place de la New Labour en 1997, ce sentiment n'a pu être ignoré plus longtemps et un référendum concernant l'autonomie du pays a été organisé. Lors du référendum de 1998, les Écossais choisirent d'avoir leur propre assemblée, le Parlement écossais fut inauguré en 1999.

Plate-forme pétrolière en mer du Nord

Clans et tartans

L'organisation de la société des Highlands en tribus rangées chacune sous l'autorité d'un patriarche remonte au moins au XIIᵉ siècle, époque où leurs membres s'habillaient déjà d'une pièce de tissu au dessin spécifique, qui prendra plus tard le nom de tartan. Tous les membres du clan portaient le nom du chef, sans avoir obligatoirement avec lui des liens de sang, et se tenaient prêts à partir en guerre à sa demande. La répression qui suivit la bataille de Culloden *(p. 523)* interdit toute identification aux clans, notamment le port du tartan.

Les Mackay, *aussi appelés clan Morgan, établirent leur réputation pendant la guerre de Trente Ans.*

Les MacLeod *sont d'origine nordique. Leur chef habite le château de Dunvegan (p. 520).*

Les MacDonald, *jadis le plus puissant des clans, portent le titre de Lords of the Isles.*

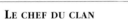

Les Mackenzie *reçurent leurs terres du Kintail (p. 516) de David II en 1362.*

LE CHEF DU CLAN

Patriarche, juge et commandant militaire, le chef exigeait une loyauté absolue des membres de son clan qui devaient, en échange de sa protection, le suivre au combat. Pour les y appeler, il envoyait un coureur portant une croix embrasée sillonner son territoire.

Les Campbell *étaient un clan redouté qui combattit les jacobites en 1746 (p. 523).*

Bonnet orné de plumes d'aigle, de l'écusson et de l'emblème végétal du clan.

Poignard

Sporran, poche en peau de blaireau.

Feileadh-mor, ou « grand plaid » (ancien kilt) drapé autour des hanches et de l'épaule.

Épée à garde coquille

La Black Watch, *fondée en 1729 pour maintenir l'ordre dans les Highlands, fut l'un des régiments où le tartan survécut. À partir de 1746, les civils risquaient une peine allant jusqu'à 7 ans d'exil s'ils le portaient.*

Les Sinclair, venus de France au XIe siècle, devinrent comtes de Caithness en 1455.

Les Fraser arrivèrent de Bretagne avec les troupes de Guillaume le Conquérant.

George IV, vêtu en Highlander, visita Edinburgh en 1822, année où le tartan revint en grâce. Beaucoup de motifs datent de cette époque, les originaux ayant été perdus.

Les Gordon étaient des soldats réputés et avaient pour devise : « Par courage et non par ruse. »

Les Stuarts, dynastie royale, avaient pour devise : « Personne ne me blesse impunément. »

LES TERRITOIRES DES CLANS

Leurs écussons situent ici les territoires de 10 clans importants. Ceux dont les tartans étaient très colorés en portaient de plus sombres pour la chasse.

Les Douglas jouèrent un rôle dans l'histoire écossaise, mais leur origine est inconnue.

EMBLÈMES VÉGÉTAUX

Chaque clan portait un emblème végétal au bonnet, notamment lors d'une bataille.

Le pin d'Écosse des MacGregor d'Argyll.

Les sorbes arborées par le clan Malcolm.

Le lierre du clan Gordon de l'Aberdeenshire.

Le chardon des Stuarts est devenu un emblème national.

Le lin des marais du clan Henderson.

LES CLANS DES HIGHLANDS AUJOURD'HUI

Jadis costume de tous les jours, le kilt ne se porte plus guère désormais que dans les grandes occasions. À l'original, le *feileadh-mor*, fabriqué avec environ 7 mètres de tissu et fixé sur le devant par une épingle en argent, a succédé le *feileadh-beag* ou « petit plaid ». Bien que leurs chefs aient perdu tout pouvoir, appartenir à un clan reste une grande source de fierté pour les Écossais, qu'ils continuent à habiter sur les territoires traditionnels de leurs ancêtres ou qu'ils soient les descendants de Highlanders contraints à l'émigration.

Costume highlander moderne

L'évolution du château écossais

L es îles Britanniques offrent peu de spectacles aussi romantiques que celui d'un château écossais au bord d'une côte escarpée ou d'un loch isolé. Édifices bâtis à l'origine pour la défense, ils évoluèrent à partir des premiers forts pictes, puis des donjons protégeant une basse-cour inspirés des Normands, jusqu'à donner au XIVᵉ siècle la maison-tour typiquement écossaise. Au XVIIᵉ siècle, la fin des luttes entre clans fait perdre à la tour son importance défensive, mais elle reste un important élément décoratif, tandis que les espaces d'habitation s'étendent et deviennent plus luxueux.

Détail de la façade baroque, Drumlanrig

DONJON ET BASSE-COUR

Ces châteaux apparurent au XIIᵉ siècle. Bâtis sur deux éminences voisines, ils étaient constitués d'un donjon servant de demeure au chef et dominant une enceinte entourée d'une palissade ou d'un fossé, la basse-cour, où vivaient les villageois. Il n'en subsiste guère plus aujourd'hui que les terrassements.

Donjon de défense où habitait le chef

Les ruines de Duffus Castle, Morayshire

Duffus Castle
(v. 1150), au nord d'Elgin, est un des rares châteaux de l'époque à avoir été construits en pierre.

Palissade entourant les habitations et les entrepôts

Motte de terre ou de roche parfois en partie artificielle

MAISON-TOUR PRIMITIVE

Conçues pour repousser l'attaque de voisins plutôt que celle d'une véritable armée, les maisons-tours apparurent au XIVᵉ siècle et se maintinrent pendant 400 ans. Elles avaient à l'origine un plan rectangulaire et possédaient 3 ou 4 niveaux. Les murs sans ornement comportaient peu d'ouvertures et étaient coiffés de structures défensives. Les adjonctions étaient elles aussi les plus verticales possible pour réduire l'espace à protéger lors d'un assaut.

Parapet crénelé

Murs nus percés de meurtrières

Claypotts Castle (v. 1570) possède des combles en surplomb uniques en leur genre

Braemar Castle (v. 1630), une juxtaposition de tours

Neidpath Castle, qui se dresse sur un rocher escarpé dominant la Tweed, est une maison-tour en forme de L de la fin du XIVᵉ siècle. Place forte de Charles II, elle porte toujours les traces d'un siège conduit par Oliver Cromwell (p. 52).

Entrée étroite et discrète

MAISON-TOUR TARDIVE

La diminution des problèmes de sécurité laissa la priorité au confort, mais le modèle de la maison-tour garda sa popularité. Au XVIIᵉ siècle, des ailes d'habitation complétèrent la tour originale (créant souvent une cour) et les éléments de fortification prirent une fonction décorative.

Drum Castle *(p. 527)*, résidence construite en 1619 autour d'un donjon du XIIIᵉ siècle

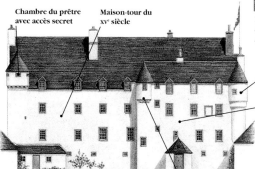

Chambre du prêtre avec accès secret

Maison-tour du XVᵉ siècle

Tour d'angle contenant un escalier

Adjonction du XVIᵉ siècle

Traquair House (p. 499), *au bord de la Tweed, serait la plus ancienne maison d'Écosse habitée sans interruption. Adjonctions à la maison-tour originale (XVᵉ siècle), la plupart des bâtiments datent du XVIᵉ siècle.*

Tourelle décorative en encorbellement

Blair Castle *(p. 529)* incorpore une tour médiévale

PALAIS CLASSIQUE

Au XVIIIᵉ siècle, les impératifs de défense avaient complètement disparu et les châteaux prirent la forme de somptueuses résidences de campagne largement ouvertes sur l'extérieur et marquées par des influences de toute l'Europe, notamment françaises, néo-Renaissance et néo-gothiques. La construction d'imitations d'édifices fortifiés se poursuivit toutefois jusqu'au XIXᵉ siècle.

Dunrobin Castle (v. 1840), Sutherland

Grande fenêtre

Balustrade remplaçant les créneaux

Coupole décorative

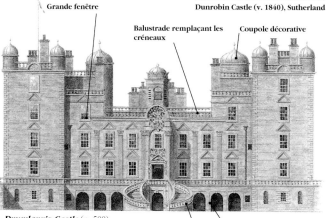

Drumlanrig Castle (p. 500), *construit au XVIIᵉ siècle, associe des éléments d'architecture typiquement écossais et une décoration de façade Renaissance.*

Colonnade Renaissance

Ecalier en fer à cheval baroque

Que manger et boire en Écosse ?

Le porridge, *avoine bouillie dans de l'eau et du lait, se mange sucré ou salé au petit déjeuner.*

L a cuisine écossaise accomode en général simplement, sans sauces élaborées, les richesses naturelles du pays : le gibier qui abonde dans les collines, les truites et saumons dont sont riches les rivières, et les animaux d'élevage. Le bœuf « Aberdeen Angus » est particulièrement réputé. Le climat de la région convenant mal à la culture du blé, c'est l'avoine qui entre dans la composition de nombreux plats traditionnels tels que le porridge, les oatcakes et, bien sûr, le haggis.

Les kippers, *harengs salés et fumés, se consomment aussi au petit déjeuner.*

Le saumon poché *cuit dans un court-bouillon d'eau, de vin, d'épices et de légumes. Il provient le plus souvent des rivières écossaises.*

Le scotch broth *est un bouillon léger de bœuf ou de mouton au tapioca et aux légumes.*

Le gibier *est faisandé une dizaine de jours puis mariné dans du vin, du vinaigre et des épices avant d'être rôti.*

Le haggis *est un hachis d'abats de mouton et de farine d'avoine servi avec de la purée de navets (neeps) ou de pommes de terre (tatties).*

LA MARMELADE

La marmelade d'oranges est née au XVIIIe siècle à Dundee *(p. 485)* d'une erreur commerciale. James Keiller ayant acheté une cargaison d'oranges amères qu'il n'arrivait pas à revendre, sa femme Janet en fit de la confiture. Sa délicieuse invention se déguste désormais dans le monde entier.

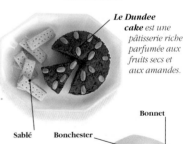

Le Dundee cake *est une pâtisserie riche parfumée aux fruits secs et aux amandes.*

Bonnet

Sablé   Bonchester

Marmelade d'oranges   **Raisin et gingembre**

Les oatcakes, *biscuits à la farine d'avoine, accompagnent les sucreries ou le fromage, de vache ou de brebis, qui se mange après le dessert.*

LA FABRICATION DU WHISKY

Il existe deux sortes de whisky (du gaélique *usquebaugh*, ou eau-de-vie), le *pure malt* produit à partir d'orge fermenté (le malt) et le *grain whisky* fabriqué avec plusieurs céréales. Les *blended whiskies* mélangent les deux dans des proportions propres à chaque marque. Si sa distillation ne demande que trois semaines environ, le whisky doit vieillir au moins trois ans en fût.

Épis d'orge

1 Le maltage commence par l'humidification des grains d'orge étalés sur une aire. Ils sont régulièrement retournés pour faciliter la germination qui stimule la production d'enzymes capables de transformer l'amidon en sucres fermentescibles.

2 Au bout de 12 jours, les grains sont séchés dans un four au-dessus d'un feu de tourbe. Sa fumée donne au malt un parfum qui influence le goût final du whisky. Débarrassé des germes, le malt est ensuite moulu.

3 Le pétrissage dans une vaste cuve, la mash tun, du malt moulu, ou grist, mélangé à de l'eau de source chaude, produit une solution sucrée appelée wort, *qui est ensuite mise à fermenter.*

4 La fermentation est provoquée dans des cuves en bois, les washbacks, *par l'apport de levures qui transforment les sucres en alcool. Brassé pendant des heures, le mélange donne un liquide clair appelé* wash.

5 La distillation, ou extraction de l'alcool par condensation, se fait en deux temps. Le wash est d'abord mis à bouillir dans un premier alambic en cuivre, le wash still, puis le résultat de cette distillation passe dans le spirit still, *d'où sort le whisky jeune qui titre 57 degrés d'alcool.*

6 Dernière étape, la maturation dure au moins trois ans dans des fûts de chêne. Ceux-ci ont généralement servi auparavant au vieillissement de sherry ou de porto pour s'alléger en tanin.

Coupes de dégustation, ou *quaichs*, en argent

Les blended whiskies sont le résultat de mélanges de *pure malt* et de grain whisky.

Les pure malt prennent un goût lié aux qualités de la tourbe et de l'eau de source locales.

LES LOWLANDS

CLYDE VALLEY · CENTRAL SCOTLAND · FIFE · THE LOTHIANS
AYRSHIRE · DUMFRIES AND GALLOWAY · THE BORDERS

*S*i l'image de l'identité écossaise s'enracine dans des traditions
d'origine celte propres aux Highlands, le sud du pays, anglo-
saxon, en a toujours été la partie la plus peuplée et le moteur économique. Après avoir assuré la richesse agricole de l'Écosse, les Lowlands
en constituent aujourd'hui le grand pôle industriel et commercial.

Leur voisinage avec l'Angleterre a fait des Lowlands le creuset de l'histoire écossaise. Pendant des siècles après la construction par les Romains du mur antonin *(p. 44)* entre les golfes du Forth et de la Clyde, des combats y firent rage et les châteaux qui parsèment les collines des Borders témoignent de la difficulté à habiter un territoire convoité par des voisins belliqueux. Les remparts de Stirling Castle ne dominent pas moins de sept champs de bataille différents où les Écossais défendirent leur indépendance.

Les ruines d'abbayes comme celle de Melrose rappellent également les risques d'une situation à proximité de l'Angleterre. Le commerce de la laine fondé par leurs moines prospère cependant toujours à Peebles et Hawick.

Au nord des Borders, Edinburgh, capitale culturelle et administrative de l'Écosse, s'étend près du Firth of Forth. Avec ses places georgiennes dominées par une forteresse médiévale, c'est une des plus élégantes villes d'Europe. Tandis que les arts et la littérature fleurissaient aux XVIIIe et XIXe siècles à Edinburgh, Glasgow devenait la deuxième cité commerciale de Grande-Bretagne après Londres. Son port, l'amélioration du moteur à vapeur vers 1840 par James Watt et les richesses minières de la région lui permirent de développer une puissante industrie.

Ces deux villes ont conservé leur dynamisme. Alors que Glasgow est présentée comme un exemple de reconversion économique réussie, Edinburgh organise chaque été l'un des plus grands festivals artistiques d'Europe.

Jongleur au festival d'Edinburgh

◁ **Avec ses tourelles, Glamis Castle présente à 19 km de Dundee un aspect typiquement écossais**

À la découverte des Lowlands

L es Lowlands occupent le territoire
situé au sud de la ligne de failles
orientée au nord-est entre le loch Lomond
et Stonehaven. Si la région porte le nom
de « Basses Terres », elle inclut cependant
de vastes espaces en altitude et offre le
meilleur exemple de la diversité des
paysages écossais. Aux vallées boisées et
aux rivières sinueuses des Borders
succèdent les landes dénudées des
Cheviots et des Lammermuirs. De petits
villages de pêcheurs s'accrochent aux
côtes rocheuses de l'Est, tandis que de
riantes stations balnéaires parsèment le
littoral du Firth of Clyde et de ses îles. Au
nord de Glasgow, les Trossachs dominent
le loch Lomond et attirent de nombreux
randonneurs (p. 32-33).

Le loch Lomond vu depuis le sommet du Ben
A'an dans les Trossachs

VOIR AUSSI

• **Hébergement** p. 568-570

• **Restaurants et pubs** p. 604-606

LA RÉGION
D'UN COUP D'ŒIL

Abbotsford House ⑳
Biggar ㉒
Burns Cottage ㉛
Culross ⑪
Culzean Castle p. 508-509 ㉚
Doune Castle ③
Drumlanrig Castle ㉗
Dundee ⑥
Dunfermline ⑩
East Neuk ⑧
Edinburgh p. 490-497 ⑯
Falkirk Wheel ⑬
Falkland Palace ⑨
Glamis Castle ⑤
Glasgow p. 502-507 ㉕
Hopetoun House ⑭
Linlithgow Palace ⑫
Melrose Abbey ⑲
New Lanark ㉔
Pentland Hills ㉓
Perth ④
Ponts de Forth ⑮
St Abb's Head ⑰
St Andrews ⑦
Sanquhar ㉖
Stirling p. 482-483 ②
Threave Castle ㉘
Traquair House ㉑
Trossachs p. 480-481 ①
Whithorn ㉙

Excursions
Les Borders ⑱

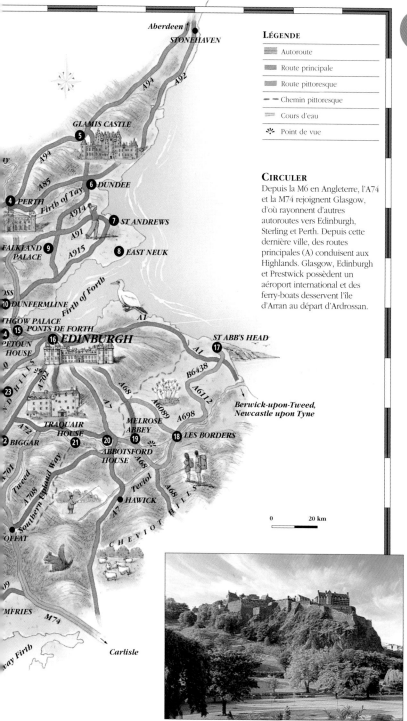

Aberdeen
STONEHAVEN

A94
A92

GLAMIS CASTLE
5

A94

A85

4 PERTH
Firth of Tay
6 DUNDEE

A914
7 ST ANDREWS
A91

A915
FALKLAND 9
PALACE
8 EAST NEUK

Firth of Forth

10 DUNFERMLINE

THGOW PALACE
4 15
PONTS DE FORTH
16 EDINBURGH
PETOUN
HOUSE

A1

ST ABB'S HEAD
17

A1

23

A702

A7
A68
A6089
A6112
B6438

TRAQUAIR
HOUSE
21
20
MELROSE
ABBEY
19
A698
*Berwick-upon-Tweed,
Newcastle upon Tyne*

2 BIGGAR
ABBOTSFORD
HOUSE
18 LES BORDERS

A701
Tweed
A72
A708
Southern Upland Way
Teviol
HAWICK
A7
A68

OFFAT

C H E V I O T   H I L L S

0	20 km

MFRIES
M74

ay Firth

Carlisle

CIRCULER

Depuis la M6 en Angleterre, l'A74 et la M74 rejoignent Glasgow, d'où rayonnent d'autres autoroutes vers Edinburgh, Sterling et Perth. Depuis cette dernière ville, des routes principales (A) conduisent aux Highlands. Glasgow, Edinburgh et Prestwick possèdent un aéroport international et des ferry-boats desservent l'île d'Arran au départ d'Ardrossan.

Edinburgh Castle vu depuis Princess Street

Les Trossachs ❶

Aigle royal

Highlands et Lowlands se rencontrent dans cette région de collines escarpées et de lochs scintillants où l'austérité des Grampians se marie avec le charme pastoral des Borders. Abritant une faune d'une grande richesse, comprenant notamment aigle royal, faucon pèlerin, cerf et chat sauvage, les Trossachs ont inspiré de nombreux écrivains, en particulier sir Walter Scott (p. 498) qui en fit le cadre de plusieurs de ses romans. C'est également là qu'au début du XVIIIᵉ siècle vécut et se cacha Rob Roy, héros si populaire qu'il devint de son vivant le sujet d'un roman attribué à Daniel Defoe.

Loch Katrine
Décor d'un roma[n] de sir Walter Sc[o] La Dame du lac (1810), ce lac pe[ut] se découvrir à bord du vapeur qui porte le nom du célèbre auteu[r] et part du Trossachs Pier.

Loch Lomond
Parsemé d'îles, le plus grand lac de Grande-Bretagne a inspiré bien des poèmes. Des bateaux-promenades partent du port de Balloch où l'on peut aussi louer des barques.

Luss
Entourés de vertes collines et occupant un superbe site sur la côte orientale du loch Lomond, ses cottages pittoresques font de Luss l'un de plus jolis villages des Lowlands.

FORT WILLIAM

Inveruglas

LOCH ARKLET

Tarbet

BEN LOMOND
▲
974 m

Kinloch

BEN UIRD
▲
596 m

B837

Luss

Balma

L O C H
L O M O N D

A811

Le West Highland Way est un sentier pédestre traversant la région.

LÉGENDE

🛈	Information touristique
▬	Route A
▭	Route B
═	Route secondaire
- -	Sentier
✻	Point de vue

Balloch

GLASGOW

0   5 km

Inchmahome Priory

Marie Stuart (p. 497) se cacha dans ce prieuré pour échapper aux armées d'Henri VIII (p. 498).

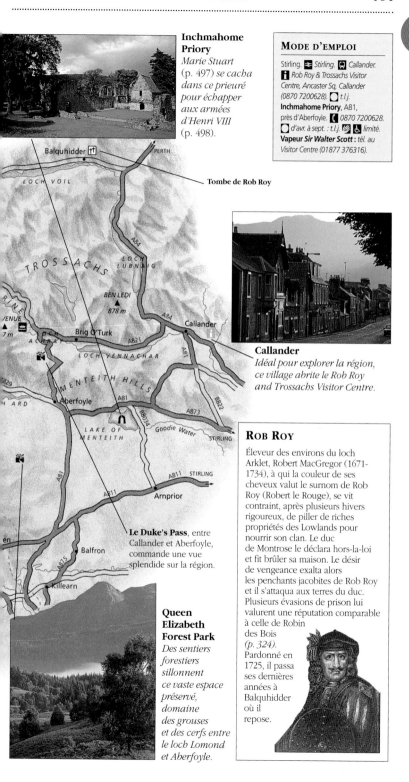

Balquhidder ⛪

Tombe de Rob Roy

Callander
Idéal pour explorer la région, ce village abrite le Rob Roy and Trossachs Visitor Centre.

ROB ROY

Éleveur des environs du loch Arklet, Robert MacGregor (1671-1734), à qui la couleur de ses cheveux valut le surnom de Rob Roy (Robert le Rouge), se vit contraint, après plusieurs hivers rigoureux, de piller de riches propriétés des Lowlands pour nourrir son clan. Le duc de Montrose le déclara hors-la-loi et fit brûler sa maison. Le désir de vengeance exalta alors les penchants jacobites de Rob Roy et il s'attaqua aux terres du duc. Plusieurs évasions de prison lui valurent une réputation comparable à celle de Robin des Bois (p. 324). Pardonné en 1725, il passa ses dernières années à Balquhidder où il repose.

Le Duke's Pass, entre Callander et Aberfoyle, commande une vue splendide sur la région.

Queen Elizabeth Forest Park
Des sentiers forestiers sillonnent ce vaste espace préservé, domaine des grouses et des cerfs entre le loch Lomond et Aberfoyle.

La demeure des ducs d'Argyll (XVIIᵉ s.) à Stirling

Stirling ❷

Stirling. 🚶 28 000. 🚉 🅿 ℹ
41 Dunbarton Rd (0870 720 0620).
🌐 www.visitscottishheartlands.org

E ntre les Ochil Hills et les
Campsie Fells, Stirling s'est
développé autour de son
château qui joua un rôle
essentiel dans l'histoire
écossaise. Au pied du rocher où
il se dresse, la vieille ville a
conservé les remparts construits
au XVIᵉ siècle pour protéger
Marie Stuart *(p. 497)* des
menées d'Henri VIII. Son fils,
Jacques VI, fut couronné en
1567 sur Castle Wynd dans la
Church of the Holy Rude,
église qui possède l'une des
dernières charpentes à blochets
en chêne d'Écosse. Il ne subsiste
que la façade Renaissance de
Mar's Wark, palais commandé
en 1570 par le premier comte de
Mar et détruit par les jacobites
(p. 523) en 1746. En face s'élève
la superbe demeure (XVIIᵉ siècle)
des ducs d'Argyll.

Aux environs
À trois kilomètres au sud de
Stirling, le **Bannockburn
Heritage Centre** se trouve
près du champ de bataille où
Robert Bruce vainquit les
Anglais *(p. 468)*. Après sa
victoire, il démantela le
château pour éviter qu'il ne
tombe à nouveau dans des
mains ennemies. Une statue
équestre en bronze rappelle la
mémoire de celui qui incarnait
l'indépendance écossaise.

ℍ Bannockburn Heritage Centre
(NTS) Glasgow Rd. ☎ 01786 812664.
🔓 d'avr. à sept. : de 10 h 30 à 18 h 30
t.l.j. ; d'oct à mars : de 11 h à 16 h 30
t.l.j.. ⬛ du 24 déc. à fév. ♿ ♿

Stirling Castle

O ccupant au-dessus de la ville une
position stratégique qui lui valut d'être
pendant des siècles l'enjeu d'âpres combats,
ce superbe édifice est un des plus beaux
exemples d'architecture Renaissance
d'Écosse. Selon la légende, le roi Arthur
(p. 273) aurait arraché aux Saxons le château d'origine,
mais rien ne confirme que le site ait été fortifié avant
1124. Le château actuel date des XVᵉ et XVIᵉ siècles et a
subi son dernier assaut, mené par des jacobites
(p. 523), en 1746. Garnison d'un bataillon de
Highlanders de 1881 à 1964, il ne remplit plus
aujourd'hui de fonction militaire.

Gargouille

Robert Bruce
*Sur l'esplanade, cette statue
moderne montre le vainqueur
de Bannockburn
remettant son épée
au fourreau après
la bataille.*

Prince's Tower

Fortification

Entrée

Stirling Castle à l'époque des Stuarts, peinture de Johannes Vorsterman **(1643-1699)**

★ Le palais
*La salle la plus intéressante
des appartements royaux
renferme de superbes
médaillons Renaissance
représentant, pense-t-on,
38 personnages de la cour.*

MODE D'EMPLOI

Castle Wynd, Stirling. 📞 01786
450000. 🕐 avr.-sept. : 9 h 30 -
18 h t.l.j. ; oct. - mars : 9 h 30 -
17 h t.l.j. (der. entrée 45 mn
avant la ferm.). 🔲 25 et 26 déc.,
1ᵉʳ et 2 janv. 🏷️ 📷 sauf musée.
🅿️ ♿ limité. 🎫 🍴 🚻
W www.historic-scotland.gov.uk

**Le King's Old
Building** abrite un
musée consacré au
régiment des Argyll and
Sutherland Highlanders.

★ La chapelle royale
*Des fresques peintes au
XVIIᵉ siècle par
Valentine Jenkins
ornent ce sanctuaire
reconstruit en 1594.*

Basse-cour

**Le Great
Hall**, bâti en
1500, a retrouvé
sa splendeur
d'antan.

À NE PAS MANQUER

★ Le palais

★ La chapelle royale

**L'Elphinstone
Tower** devint une plate-
forme d'artillerie en 1714.

LES BATAILLES DE STIRLING

Commandant l'accès aux Highlands, Stirling
occupait au plus haut point
navigable du Forth une
position clé dans les
défenses de l'Écosse, et
sept champs de bataille se
découvrent depuis son
château. À Abbey Craig, le
Wallace Monument, haut
de 67 m, commémore la
victoire de William Wallace
sur les Anglais à Stirling
Bridge en 1297. Elle
annonçait celle de Bruce
en 1314 (p. 468).

Le Wallace Monument

Batterie d'artillerie
*Sept canons occupent ce parapet construit
en 1708 lors d'un renforcement des
défenses après la révolution de 1688 (p. 53).*

Perth vu depuis la rive orientale de la Tay

Doune Castle ❸

Doune, Stirling. 【 *01786 841742.* 🚆
🚍 *Stirling, puis bus.* 🕐 *d'avr. à sept. :
de 9 h 30 à 18 h 30 t.l.j. ; d'oct. à mars :
de 9 h 30 à 16 h 30 du sam. au mer.
(der. entrée 30 mn. avant la fermeture).*
🚫 *21 déc. au 8 janv.* 📷 🚻 *limité.*
🌐 *www.historic-scotland.gov.uk*

Construit au XIVe siècle par
Robert, duc d'Albany,
le château de Doune fut une
forteresse Stuart jusqu'à ce qu'il
tombe en ruine au XVIIIe siècle.
Aujourd'hui complètement
restauré, il offre un superbe
aperçu, avec ses communs, ses
escaliers et ses passages étroits,
de la vie d'une famille
seigneuriale au Moyen Âge.

Le corps de garde dominant
l'entrée, jadis résidence
autonome avec sa propre
alimentation en eau, donne
accès à la cour centrale d'où
les visiteurs peuvent gagner
le Great Hall. Entièrement
reconstituée, cette vaste
salle jouxte le Lord's Hall

et une pièce qui servait à
l'usage privé du seigneur et a
conservé ses toilettes d'origine.

Perth ❹

Perthshire. 🏘 *45 000.* 🚆 🚍
ℹ *West Mill (01738 450600).*
🌐 *www.perthshire.co.uk*

Capitale de l'Écosse au
Moyen Âge, Perth a gardé
de beaux monuments qui
témoignent de son riche passé.
Ce fut dans l'**église Saint-Jean**,
fondée en 1126, que John Knox
(p. 469) adressa les prêches
enflammés qui conduisirent
à la destruction de nombreux
monastères de la région.
Remaniée dans le style
victorien, la **Fair Maid's House**
(v. 1600), sur le North Port, une
des plus anciennes maisons de
la ville, inspira sir Walter Scott
(p. 498). Il en fit l'habitation de
La Jolie Fille de Perth (1828).

Dans **Balhousie Castle**, un
musée rend hommage au
régiment de la Black Watch,

tandis que le **Perth Museum
and Art Gallery** évoque
l'histoire de la ville.

Aux environs
À 3 km au nord de Perth, le
Scone Palace, résidence néo-
gothique, se dresse sur le site
d'une abbaye détruite par les
disciples de John Knox en
1559. Du IXe au XIIIe siècle, elle
veilla sur la pierre de la
Destinée de Scone *(p. 468-
469)* qui servait au sacre des
rois écossais et se trouve à
Westminster Abbey depuis
plusieurs siècles *(p. 94-95)*.
Des broderies de Marie Stuart
(p. 497) y sont exposées.

♣ **Balhousie Castle**
RHQ Black Watch, Hay St.
【 *0131 310 8530.* 🕐 *du lun. au ven.*
🌐 *www.theblackwatch.co.uk*
🏛 **The Perth and Art Gallery**
78 George St. 【 *01738 632488.*
🕐 *de 10 h à 17 h du lun. au sam.* 🚻
♣ **Scone Palace**
A93 vers Braemar. 【 *01738 552300.*
🕐 *de Pâques à oct. : de 9 h 30
à 17 h t.l.j ; de nov. à Pâques :
ven. (parc seulement).* 📷 🚻
🌐 *www.scone-palace.co.uk*

Glamis Castle ❺

Forfar, Angus. 【 *01307 840242.* 🚆
🚍 *Dundee, puis bus.* 🕐 *t.l.j. ; de mi-
mars à oct. : de 10 h à 18 h ; de nov.
à déc. : tél. pour les horaires.* 📷 🚻
🌐 *www.glamis-castle.co.uk*

Ancien pavillon de chasse
royal entrepris au XIe siècle
mais très remanié au

Statues de Jacques VI (à gauche) et Charles Ier dans le parc de Glamis Castle

XVIIᵉ siècle, **Glamis Castle** évoque une forteresse médiévale et un château de la Loire. La reine mère Élisabeth y passa son enfance. Un portrait d'Henri de Laszlo (1878-1956), la représentant jeune, orne son ancienne chambre.

Derrière les remparts gris-rose, de nombreuses pièces sont ouvertes au public, notamment la plus ancienne, le Duncan Hall du donjon où Shakespeare situa le meurtre du roi dans *Macbeth*. Peintures, tapisseries, porcelaines et mobilier d'époque décorent les appartements. Dans le parc à l'italienne se dressent deux portails en fer forgé fabriqués pour le 80ᵉ anniversaire de la reine mère en 1980.

Dundee ❻

Dundee City. 🏙 *150 000.* ✈ 🚆 🚌
ℹ *21 Castle Street (01382 527527).*
🏪 *mar., du ven. au dim. ;*
3ᵉ sam. du mois (marché paysan).
🌐 *www.angusanddundee.co.uk*

Célèbre par son gâteau et sa marmelade *(p. 474)*, Dundee fut aussi un important centre de construction navale quand prospérait la pêche à la baleine aux XVIIIᵉ et XIXᵉ siècles, époque dont une promenade aux Victoria Docks permet de retrouver l'atmosphère. Construit en 1824 et conservé en l'état, l'**HMS Unicorn** est le plus ancien des navires de guerre britanniques encore à flot. Amarré au Riverside, le **Discovery** est l'un des derniers grands voiliers (1901) construits au Royaume-Uni.

St Andrews derrière les ruines de sa cathédrale

Installées dans un édifice néo-gothique, les **McManus Galleries** présentent des peintures, des vestiges archéologiques et une exposition sur l'histoire de Dundee. Au nord-est de City Square, le cimetière, **Howff Burial Ground**, renferme les tombes victoriennes portant de curieuses inscriptions.

🏛 **HMS Unicorn**
Victoria Docks. 📞 *01382 200900.*
🕐 *d'avr. à oct. : t.l.j. ;*
de nov. à mars : sam. et dim., du mer. au ven. a.-m. ⬤ *de fin déc. à début janv.* 🎫 ♿ *limité.*
🏛 **Discovery**
Discovery Point. 📞
01382 201245. 🕐 *t.l.j. (dim. : a.-m.).* 🎫 ♿
🌐 *www.rrsdiscovery.com*
🏛 **McManus Galleries**
Albert Sq. 📞 *01382 432350.*
🕐 *t.l.j. (dim. : après-midi).* ♿
🌐 *www.dundeecity.gov.uk*

Insigne de St Mary's College, St Andrews University

St Andrews ❼

Fife. 🏙 *14 000.* 🚆 *Leuchars.*
🚌 *Dundee.* ℹ *70 Market St (01334 472021).* 🌐 *www.standrews.co.uk*

La plus ancienne ville universitaire d'Écosse, **St Andrews**, est aujourd'hui la Mecque des golfeurs du monde entier *(voir ci-dessous).* Ses trois artères et de nombreuses ruelles bordées de maisons bancales, de vénérables édifices universitaires et d'églises médiévales convergent vers les ruines de la **cathédrale**. Entreprise au XIIᵉ siècle, elle fut mise à sac par les réformés. John Knox et ses disciples occupèrent pendant un an **St Andrew's Castle**, ancien palais épiscopal bâti en 1200. Pour une somme modique, les golfeurs pourront pratiquer leur sport favori sur les terrains qui se trouvent au nord de la ville, ou visiter le **British Golf Museum** qui retrace l'histoire du célèbre Royal and Ancient Golf Club fondé en 1754.

♣ **St Andrew's Castle**
The Scores. 📞 *01334 477196.* 🕐 *t.l.j. ;*
d'avr. à sept. : de 9 h 30 à 18 h 30 ;
d'oct. à mars : de 9 h 30 à 16 h 30.
⬤ *25 et 26 déc., 1ᵉʳ et 2 janv.* 🎫 ♿
🏛 **British Golf Museum**
Bruce Embankment. 📞 *01334 460046.* 🕐 *t.l.j. ; de Pâques à mi-oct. : de 9 h 30 à 17 h 30 ; de mi-oct. à Pâques : de 11 h à 15 h.* 🎫 ♿

LES ORIGINES DU GOLF

Né sur les dunes entourant St Andrews, le sport national écossais est mentionné dès 1457 quand Jacques II l'interdit parce qu'il distrait ses sujets de l'entraînement au maniement de l'arc. Bien qu'élevée en France, la reine d'Écosse Marie

Stuart *(p. 497)* adorait ce jeu, et elle se vit reprocher en 1568 de l'avoir pratiqué juste après l'assassinat de son second mari, Lord Darnley.

Marie Stuart à St Andrews en 1563

Cour intérieure de Falkland Palace

East Neuk ❽

Fife. 🚆 *Leuchars.* 🚌 *Glenrothes et Leuchars.* 🛈 *70 Market Street, St Andrews (01334 472021).*

Sur la péninsule de Fife, de jolis villages de pêcheurs jalonnent la côte de l'**East Neuk** (le « Coin est »). Les pignons d'inspiration flamande qui ornent nombre de leurs cottages rappellent qu'ils assuraient au Moyen Âge une grande partie des échanges commerciaux entre l'Écosse et le continent. La raréfaction des harengs en mer du Nord conduit un nombre croissant d'habitants à se détourner des activités traditionnelles pour s'orienter vers le tourisme. St Monans, une charmante bourgade aux rues tortueuses, continue cependant de fabriquer et de réparer des bateaux de pêche, tandis que Pittenweem possède encore une flotte importante. Cette ville est aussi connue par **St Fillan's Cave**, grotte d'un ermite du IXᵉ siècle dont les reliques auraient servi à bénir l'armée de Robert Bruce *(p. 468)* avant la

bataille de Bannockburn. Autre source de légende, la pierre posée près du portail de l'église du charmant village de Crail. Le diable l'aurait jetée là depuis l'île de May.

À Anstruther, des bâtiments édifiés du XVIᵉ au XIXᵉ siècle abritent le **Scottish Fisheries Museum** dont les expositions retracent l'histoire de la région grâce à la reconstitution d'intérieurs anciens, de bateaux et de souvenirs de marins. Du port partent des navires pour l'**Isle of May** (île de May), réserve d'oiseaux où prospère une colonie de phoques gris.

La statue d'Alexander Selkirk, à Lower Largo, rappelle le lieutenant de marine abandonné pour insoumission pendant plus de quatre ans sur une île déserte. Ses aventures inspirèrent le *Robinson Crusoé* (1719) de Daniel Defoe.

🏛 **Scottish Fisheries Museum**

St Ayles, Harbour Head, Anstruther. 📞 *01333 310628.* ⭕ *t.l.j.* ● *25 et 26 déc., 1ᵉʳ et 2 janv.* 🖼 ♿ 📷 🌐 www.scottish-fisheries-museum.org

LE TITRE DE KEEPER

Propriétaires d'un important patrimoine foncier et obligés de se déplacer en permanence à travers leurs terres, les rois du Moyen Âge installèrent dans chacun de leurs palais un gardien chargé de maintenir la demeure en état de les accueillir à tout moment avec leur suite : le Keeper. Ce titre offrait de nombreux avantages. Devenu héréditaire, il a survécu à la fonction.

Lit de Jacques VI dans la Keeper's Bedroom de Falkland Palace

Falkland Palace ❾

(NTS) Falkland, Fife. 📞 *01337 857397.* 🚆 🚌 *Ladybank, Kirkcaldy, puis bus.* ⭕ *de mars à oct. : de 10 h à 18 h t.l.j. (dim. après-midi).* 🖼 ♿ 📷 🌐 www.nts.org

Jacques IV Stuart entreprit en 1500 ce pavillon de chasse royal, mais c'est son fils, Jacques V *(p. 496)*, qui en fit le superbe palais Renaissance visible aujourd'hui. Sous l'influence de ses deux épouses françaises, Madeleine de France et Marie de Guise, il employa des artisans français pour construire l'aile est, incendiée en 1654, et l'aile sud dont la façade évoque les châteaux de la Loire. Le palais tomba en ruine à l'époque du Commonwealth *(p. 52)*, et Rob Roy *(p. 481)* l'occupa brièvement en 1715.

Après avoir acquis le domaine en 1887, le 3ᵉ marquis de Bute prit le titre de Keeper (litt. « Gardien ») et restaura les bâtiments dans leur état actuel. De superbes meubles et des portraits contemporains de membres de la dynastie des Stuarts ornent ses pièces aux riches boiseries. Le court de tennis aménagé dans le jardin pour Jacques V est le plus vieux de Grande-Bretagne.

Dunfermline ❿

Fife. 🏚 *45 000.* 🚆 🚌 🛈 *1 High St (01383 720999).* 🌐 www.standrews.com/fife

Capitale de l'Écosse jusqu'en 1603, Dunfermline s'étend au-dessous des vestiges de son abbaye et de son palais du XIIᵉ siècle. La ville fut la résidence de Malcolm III ; c'est ici qu'il épousa en 1070 la reine Margaret d'origine saxonne. Elle fonda un prieuré bénédictin à l'emplacement de l'actuelle **église abbatiale**. Dotée d'une nef normande du XIIᵉ siècle et d'un chœur du XIXᵉ siècle, celle-ci renferme les tombeaux de 22 rois et reines écossais.

Les ruines du **palais King Malcom's** dominent les jardins du Pittencrieff Park. Le plus célèbre enfant de Dunfermline, le philanthrope Andrew Carnegie (1835-1919), décida d'acheter le domaine pour l'offrir à la ville. Installé dans sa maison, le **Carnegie Birthplace Museum** retrace son histoire : émigré avec sa famille en Pennsylvanie en 1848, Andrew Carnegie fonda un des plus puissants empires industriels des États-Unis et le céda en 1901 pour consacrer une partie de sa richesse à la création de fondations et d'œuvres charitables.

🏛 Carnegie Birthplace Museum

Moodie St. 📞 01383 723638. ◯ d'avr. à oct. : t.l.j. (dim. : après-midi). 🖼 ♿ 🚻

Nef normande (XIIᵉ siècle) de l'abbatiale de Dunfermline

Culross ⓫

(NTS) Fife. 🚏 450. 🚆 Dunfermline. 🚌 Dunfermline. 🏨 NTS, The Palace (01383 880359). ◯ de Pâques à sept. : de 12 h à 17 h t.l.j. ; d'oct. à déc. : de 12 h à 16 h sam. et dim. **Jardin** ◯ de 10 h à la tombée de la nuit. 🖼 ♿ limité 🚻 🚻

S aint Mungo serait né en 512 à Culross, alors important centre religieux. Ce petit bourg connut une grande période de prospérité à partir du XVIᵉ siècle avec le développement des industries du sel et du charbon, notamment grâce à sir George Bruce, qui créa un système d'évacuation d'eau (« roue égyptienne ») drainant une mine longue de 1,5 km.

Après être entré en déclin, Culross se figea pour garder l'aspect qu'il avait au XVIIIᵉ siècle. Le National Trust entama la restauration des maisons en 1932 et il organise maintenant des visites guidées de la ville. Elles partent du **Visitors' Centre** installé dans l'ancienne prison.

Construit en 1597, le **palais** de Bruce présente le mélange de styles flamand et écossais. L'intérieur a conservé ses plafonds peints du début du XVIIᵉ siècle. Traversant la place, dépassez l'**Oldest House** (la « plus vieille maison ») bâtie en 1577 et dirigez-vous vers la **Town House** à l'ouest. Derrière la Back Causeway, une rue pavée possédant encore la partie surélevée jadis réservée à la noblesse, conduit au **Study** entrepris en 1610 pour loger l'évêque de Dunblane. Ouverte au public, la pièce principale mérite une visite pour son plafond norvégien. En continuant vers le nord en direction des ruines de l'abbaye, ne manquez pas la **House with the Evil Eyes** (« maison aux yeux malfaisants »), demeure à pignon hollandais.

Le palais construit au XVIᵉ siècle à Culross par sir George Bruce

Linlithgow Palace ⓬

Linlithgow, West Lothian. 📞 01506 842896. 🚆 🚌 ◯ d'avr. à sept. : de 9 h 30 à 18 h 30 t.l.j. ; d'oct. à mars : de 9 h 30 à 16 h 30 du lun. au sam., de 14 h à 16 h 30 dim. ● 25 et 26 déc., 1ᵉʳ et 2 janv. 🖼 ♿ limité. 🌐 www.historic-scotland.gov.uk

A u bord du loch Linlithgow se dressent les ruines du palais royal qu'entreprit Édouard Iᵉʳ en 1302. Les vestiges remontent au règne de Jacques V. Celui-ci fit notamment édifier l'aile sud. Restaurée, la belle fontaine de la cour fut installée en 1538 pour célébrer son mariage avec Marie de Guise. Leur fille Marie Stuart (*p. 497*), naquit en 1542 au château.

Falkirk Wheel ⓭

Lime Rd, Tamfourhill, Falkirk. 📞 01324 619888; réservations : 08700 500208. 🚆 Falkirk. ◯ de fév. à nov. **Excursions en bateau** de 9 h à 17 h t.l.j. **Visitor Centre** de 9 h à 18 h t.l.j. 🖼 excursions en bateau. 🚻 🚻 🌐 www.thefalkirkwheel.co.uk

C'est le premier ascenseur à bateaux rotatif, et la clé de voûte d'un programme de remise en service des canaux en Écosse. L'Union canal et le Forth and Clyde canal, importantes voies commerciales, ont vu leur trafic interrompu après la construction de nombreuses routes vers 1960. Aujourd'hui, Falkirk Wheel crée une liaison continue entre Glasgow et Édimbourg. La visite est assurée par un service de bateaux.

Falkirk Wheel, ascenseur rotatif à bateaux

Hopetoun House ⓮

West Lothian. ☎ *0131 331 2451.* 🚆 *Dalmeny, puis taxi.* ◯ *de mi-mars à mi-sept. : de 10 h à 16 h 30 t.l.j.* ♿ *limité.* *sur réservation pour les groupes.*
W www.hopetounhouse.com

Au bord du Firth of Forth, un vaste parc inspiré des jardins du château de Versailles sert d'écrin à l'une des plus belles résidences seigneuriales d'Écosse. De la demeure d'origine bâtie en 1707 ne subsiste que le corps central, que William Adam intégra à partir de 1721 dans un vaste édifice de style georgien. Des tableaux de maîtres décorent les appartements. Les salons, avec leurs stucs rococo et leurs cheminées ornementées, leur offrent un cadre impressionnant. La famille du marquis de Linlithgow, descendant du premier comte d'Hopetoun, habite toujours une partie de la maison.

L'Hopetoun House représentée sur un panneau peint de son escalier

Les ponts du Forth ⓯

Edinburgh. 🚆 🚌 *Dalmeny, Inverkeithing.* ℹ *Queensferry Lodge Hotel, N Queensferry (01383 417759).*

La petite ville de South Queensferry est dominée par deux immenses ponts qui traversent le Forth, à cet endroit d'une largeur de 1,6 km, pour rejoindre Inverkeithing sur l'autre rive. Premier grand ouvrage d'art en acier de ce type au monde, le spectaculaire pont ferroviaire ouvrit en 1890, un an après l'inauguration de la tour Eiffel. Il reste l'une des plus belles réussites techniques de l'ère victorienne. Plus de 8 millions de rivets assemblent les poutrelles de ses arches et ses surfaces peintes représentent quelque 55 hectares. D'où l'expression populaire « C'est comme peindre le Forth Bridge » pour décrire une tâche sans fin. Le pont routier voisin était le plus long hors des États-Unis lors de sa mise en service en 1964.

C'est la promenade de South Queensferry qui offre le meilleur point de vue sur les deux ouvrages d'art. La ville doit son nom à la pieuse épouse de Malcolm III, la reine Margaret *(p. 493)*, qui, au cours de ses trajets entre Edinburgh et le palais royal de Dunfermline *(p. 486)*, prenait ici le bac au XIᵉ siècle.

Les falaises de St Abb's Head

Edinburgh ⓰

Voir p. 490-497.

St Abb's Head ⓱

(NTS) Scottish Borders. 🚆 *Berwick-upon-Tweed.* 🚌 *à partir d'Edinburgh.*

Les falaises déchiquetées de St Abb's Head, la pointe sud-est de l'Écosse, s'élèvent jusqu'à 91 mètres au-dessus des eaux de la mer du Nord. Cette réserve naturelle de 80 hectares est un important lieu de nidification pour de nombreuses espèces d'oiseaux marins, et plus de 50 000 fulmars, guillemots, mouettes tridactyles et macareux, entre autres, viennent s'y reproduire en mai et juin. Depuis le village de pêcheurs de St Abbs, l'un des ports les plus authentiques encore en activité sur la côte orientale de la Grande-Bretagne, un sentier côtier permet de monter admirer leurs ballets aériens. Il part du **Visitors' Centre** où une exposition comprend des planches servant à l'identification des oiseaux.

ℹ Visitors' Centre
St Abb's Head. ☎ *018907 71443.* ◯ *de Pâques à oct. : de 10 h à 17 h t.l.j.*

Le Forth Bridge vu depuis South Queensferry

Excursion dans les Borders ⑱

L a zone frontalière entre l'Angleterre et l'Écosse est jalonnée de ruines laissées par les conflits entre les deux nations. Les plus poignantes sont celles des abbayes fondées au XIIᵉ siècle pendant le règne de David Iᵉʳ et détruites par Henri VIII (*p. 498*). La splendeur des vestiges témoigne de leur ancienne puissance spirituelle et politique.

Melrose Abbey ⑥
Le cœur de Robert Bruce (*p. 498*) aurait été déposé dans cette abbaye qui fut une des plus riches d'Écosse.

Kelso Abbey ①
La plus grande des abbayes des Borders était aussi la plus puissante institution ecclésiastique d'Écosse.

Floors Castle ②
Bâti par William Adam au XVIIIᵉ siècle, le château du duc de Roxburgh se visite en été.

Scott's View ⑤
Lors des funérailles de sir Walter Scott, le corbillard s'arrêta brièvement devant ce paysage comme l'écrivain l'avait fait tant de fois dans sa vie.

Dryburgh Abbey ④
Sur le bord de la Tweed, les ruines de ce monastère de prémontrés abritent la tombe de sir Walter Scott.

LÉGENDE

 Itinéraire conseillé

Autres routes

☆ Point de vue

CARNET DE ROUTE

Itinéraire : 50 km.
Où faire une pause ? Depuis Kelso, prenez la Cobby Riverside Walk pour déjeuner au restaurant du Floors Castle. (Voir aussi p. 636-637.)

0   5 km

Jedburgh Abbey ③
Fondée en 1138, elle incorpore des fragments architecturaux celtiques du IXᵉ siècle appartenant à une construction antérieure. Une exposition au Visitors' Centre évoque la vie qu'y menaient les augustins.

Edinburgh ⑯

Dominée par les collines volcaniques d'Arthur's Seat (« Siège d'Arthur ») au sud et de Calton Hill au nord, la capitale de l'Écosse juxtapose une cité médiévale et un quartier georgien dont le contraste en fait une des villes les plus remarquables d'Europe. Elle entretient depuis le XVe siècle une tradition artistique et culturelle qui lui valut le surnom d'Athènes du Nord et que perpétuent ses musées et son festival international *(p. 495)*, la plus importante manifestation artistique de Grande-Bretagne.

Soldats de la garnison du château

À la découverte d'Edinburgh

Grande artère commerçante de la ville, Princes Street sépare les deux quartiers formant le cœur de la cité. Au sud, l'Old Town s'accroche à une arête volcanique entre le château et Holyroodhouse Palace, et les ruelles rayonnant du Grassmarket et du Royal Mile offrent un résumé de l'histoire médiévale d'Edinburgh. Au nord, le développement de la New Town, entamé en 1767, suivit un plan d'urbanisme ambitieux avec ses places et ses avenues bordées de superbes immeubles georgiens.

🏛 National Gallery of Scotland

The Mound. 📞 *0131 624 6200.* ◯ de 10 h à 17 h du ven. au mer., de 10 h à 19 h jeu. ⚒ 📷 *sur rendez-vous.* W www.nationalgalleries.org
Cette collection d'art, une des plus belles d'Écosse, mérite une visite, ne serait-ce que pour ses peintures du XVe au XIXe siècle. Parmi les plus belles œuvres écossaises figurent des portraits réalisés par Allan Ramsay et Henry Raeburn, comme *Le Révérend Robert Walker patinant sur le loch Duddingston* (v. 1800), tandis que la collection de primitifs d'Europe du Nord comprend *Les Trois légendes de saint Nicolas* (v. 1500) par Gérard David. Le Tintoret, Titien et Raphaël, entre autres, représentent l'Italie, et la *Vieille Femme faisant frire des œufs* (1618) témoigne de l'intérêt de l'Espagnol Velázquez pour les scènes populaires. Une salle entière est consacrée aux *Sept sacrements* (v. 1640) de Nicolas Poussin. Le nouveau complexe souterrain Weston Link relie la galerie avec la Royal Scottish Academy. Salles de théâtre et de cinéma, boutiques, restaurants, cafés et une salle informatique sont à disposition des visiteurs.

Le Révérend R. Walker patinant sur le loch Duddingston par Raeburn

Entrée de la Georgian House au 7, Charlotte Square

🏛 Georgian House

(NTS) 7 Charlotte Sq. 📞 *0131 226 3318.* ◯ t.l.j. ● de mi-déc. à mi-janv. 📷 ⚒ limité. W www.nts.org.uk
Au cœur de la New Town, Charlotte Square est une réalisation particulièrement harmonieuse de l'époque georgienne ; le côté nord de cette place, entrepris en 1791, est un des chefs-d'œuvre de l'architecte Robert Adam *(p. 24-25).* Au n° 7, la Georgian House a retrouvé sa décoration intérieure et son ameublement de la fin du XVIIIe siècle, et offre un remarquable aperçu de la vie menée par les riches habitants de la ville neuve. Dans la salle à manger, la table est dressée avec de la vaisselle de Sheffield et de Wegwood, tandis que l'atmosphère intime du salon abritant des services de porcelaine du Staffordshire et de Spode contraste avec la majesté de la salle de réception.

Le Duncan's Monument sur Calton Hill et, à l'arrière-plan, le château

🏛 Scottish National Gallery of Modern Art et Dean Gallery

Belford Rd. 📞 0131 624 6200. 🕐 de 10 h à 17 h du lun. au sam. (jeu. : jusqu'à 19 h), de 12 h à 17 h dim. ♿
W www.national galleries.org

Dans une ancienne école du XIXᵉ siècle, ce musée présente des œuvres de la plupart des grandes écoles picturales du XXᵉ siècle (Vuillard, Picasso, Magritte ou Lichtenstein). La collection écossaise comprend des peintures de John Bellany. Des sculptures par Henry Moore et Eduardo Paolozzi décorent le jardin.

Pièces d'échecs médiévales, Museum of Scotland

In the Car par Roy Lichtenstein, **National Gallery of Modern Art**

🏛 Museum of Scotland

Chambers St. 📞 0131 247 4422. 🕐 de 10 h à 17 h du lun. au sam. (jeu. : jusqu'à 20 h), de 12 h à 17 h dim. ● 25 déc. ♿ 🛒 🍴 📷
W www.nms.ac.uk

Ce musée abrite les collections écossaises du Musée national d'Écosse. Des expositions illustrent l'histoire de l'Écosse, le pays et ses habitants, depuis ses origines jusqu'à nos jours.

Les œuvres clefs incluent le fameux *Lewis Chessmen* du Moyen Âge, les *Pictish Chains*, les plus anciens joyaux de la couronne écossaise, la locomotive *Ellsmere* et des objets représentatifs du XXᵉ siècle, sélectionnés par des Écossais célèbres et par le public. Livres et activités pour les enfants sont disponibles.

MODE D'EMPLOI

Edinburgh. 🏙 420 000. ✈ à 13 km à l'ouest d'Edinburgh. 🚆 North Bridge (Waverley Station). 🚌 St Andrew Sq. 🚹 3 Princes St (0131 473 3800). 🎭 Edinburgh International : août ; Military Tattoo : août ; Fringe : août.
W www.edinburg.org

🏛 Scottish National Portrait Gallery

1 Queen St. 📞 0131 556 8921. 🕐 de 10 h à 17 h du lun. au sam. (jeu. : jusqu'à 19 h), de 12 h à 17 h dim. ♿ 📷 sur rendez-vous.
W www.nationalgalleries.org

Ce musée retrace la turbulente histoire de l'Écosse à travers celle de la famille royale écossaise, de Robert Bruce *(p. 468)* à la reine Anne. Parmi les souvenirs liés à cette dynastie figurent des bijoux de Marie Stuart *(p. 497)* et une cantine de voyage en argent abandonnée par Bonnie Prince Charlie *(p. 521)* à Culloden *(p. 523)*.

La galerie supérieure présente des portraits d'Écossais célèbres, tel celui de Robert Burns *(p. 501)* peint par Alexander Nasmyth.

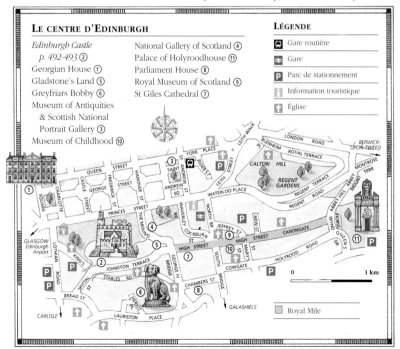

LE CENTRE D'EDINBURGH

Edinburgh Castle p. 492-493 ②
Georgian House ①
Gladstone's Land ⑤
Greyfriars Bobby ⑥
Museum of Antiquities & Scottish National Portrait Gallery ③
Museum of Childhood ⑩
National Gallery of Scotland ④
Palace of Holyroodhouse ⑪
Parliament House ⑧
Royal Museum of Scotland ⑨
St Giles Cathedral ⑦

LÉGENDE

🚌 Gare routière
🚆 Gare
🅿 Parc de stationnement
🚹 Information touristique
✝ Église

◻ Royal Mile

0   1 km

Edinburgh Castle

Coiffant le noyau granitique d'un ancien volcan, le château d'Edinburgh est composé de bâtiments construits du XIIᵉ au XXᵉ siècle au gré de ses nombreux changements de fonction : forteresse, palais royal, caserne, prison… Déjà occupé à l'âge du bronze, le site devrait son nom au roi de la Northumbria, Edwin, qui y édifia un fort au VIᵉ siècle. Siège de la cour de Malcolm III et de la reine Margaret à la fin du XIᵉ siècle, le château perd son rôle de résidence royale en 1603 avec l'Union des Couronnes (p. 469) le roi s'installant à Londres. Après l'Union des Parlements en 1707, les joyaux de la couronne (Regalia) sont enfermés pendant plus d'un siècle dans le palais. Le château possède la « Stone of Destiny », une relique ayant appartenu aux rois d'Écosse, saisie par les Anglais et finalement restituée en 1996.

Console de poutre du Great Hall

Couronne d'Écosse
Jacques V fit redessiner en 1540 la couronne aujourd'hui exposée dans le palais.

Prison militaire

Governor's House
Construit en 1742, cet édifice aux pignons à redents de style flamand abrite le mess des officiers de la garnison.

Old Back Parade

MONS MEG

Le duc de Bourgogne fit fabriquer en Belgique en 1449 cette bombarde capable de tirer un boulet à plus de 1 000 m et l'offrit à son neveu, Jacques II d'Écosse. Celui-ci s'en servit en 1455 contre le clan Douglas retranché dans sa forteresse de Threave Castle (p. 501). Jacques IV l'utilisa ensuite en Angleterre contre Norham Castle. Après avoir explosé lors d'une salve en l'honneur du duc d'York en 1682, Mons Meg resta dans la Tour de Londres jusqu'à son retour à Edinburgh, réclamé par sir Walter Scott, en 1829.

Cachots
Laissé par un détenu français en 1780, ce graffiti rappelle les conflits qui opposèrent l'Angleterre à la France aux XVIIIᵉ et XIXᵉ siècles.

À NE PAS MANQUER

★ Le Great Hall

★ Le palais

Argyle Battery
Ce mur fortifié commande une vue superbe sur la New Town.

★ Le palais
Marie Stuart (p. 497) mit au monde Jacques VI dans ce palais du XVe siècle abritant les joyaux de la couronne.

Entrée

Royal Mile →

L'Esplanade sert de cadre à la Military Tattoo *(p. 495)*.

L'Half Moon Battery est un bastion construit dans les années 1570 pour défendre l'aile nord du château.

St Magaret's Chapel
Probablement construite par David Ier en l'honneur de sa mère Margaret, l'épouse de Malcolm III représentée sur ce vitrail, cette chapelle est le plus ancien bâtiment du château.

★ Le Great Hall
Le Parlement écossais se réunit jusqu'en 1639 dans cette salle du XVe siècle à la charpente en voûte aujourd'hui restaurée.

À la découverte du Royal Mile : de Castle Hill à High Street

Aigle à l'extérieur de Gladstone's Land

Entre Edinburgh Castle et le Palace of Holyroodhouse, quatre rues, de Castle Hill à Cannongate, forment le Royal Mile, axe de circulation de la cité médiévale. Enfermée dans ses murs, celle-ci se développa en hauteur et certains de ses immeubles atteignirent 20 étages. Le passé reste vivant dans les 66 ruelles et impasses qui donnent dans le Royal Mile.

LE PALACE OF HOLYROODHOUS

EDINBURGH CASTLE

Carte de situation

Le Gladstone's Land est une maison de marchand du XVIIᵉ siècle.

Le Scotch Whisky Centre est consacré à la boisson nationale écossaise.

La Camera Obscura abrite un observatoire d'où l'on peut découvrir la ville.

LAWNMARKET

Edinburgh Castle

CASTLE HILL

La « Hub » (v. 1840) a la plus haute flèche de la ville.

Lady Stair's House
Cette maison du XVIIᵉ siècle abrite un musée consacré aux écrivains Burns, Scott (p. 498) et Stevenson.

Gladstone's Land
(NTS) 477B Lawnmarket. 0131 226 5856. *d'avr. à oct. : de 10 h à 17 h du lun. au sam. ; de 14 h à 17 h dim.*
Le nom de « land » était jadis donné à d'étroits immeubles bâtis sur des parcelles exiguës, notamment le long du Royal Mile. Le Gladstone's Land porte le nom du marchand qui le fit construire en 1617, Thomas Gledstanes. Récemment restauré, il plonge le visiteur dans la vie quotidienne d'une maison typique de la vieille ville avant que les notables d'Edinburgh n'aillent s'installer dans la New Town georgienne. L'édifice a conservé en particulier un plafond peint de motifs floraux scandinaves. Outre un mobilier d'époque, il renferme des objets usuels et évocateurs comme des galoches en bois portées pour protéger les souliers en cuir de la saleté des rues. Certains ont une histoire, tel le coffre de la belle Painted Chamber qu'un capitaine hollandais aurait offert à un marchand écossais pour l'avoir sauvé d'un naufrage. Un immeuble semblable, le Morocco Land, borde Cannongate (p. 497).

Parliament House
Parliament Sq, High St. 0131 2252595. *de 9 h à 17 h du lun. au ven. jours fériés. limité.*
Construit dans les années 1630 pour abriter les réunions du Parlement écossais, ce bel édifice d'inspiration italienne dont la façade date du XIXᵉ siècle est, depuis l'Acte d'Union de 1707 (p. 469), le siège de la Haute Cour écossaise. Il mérite une visite, ne serait-ce que pour le vitrail du Great Hall représentant l'inauguration de la cour par Jacques V en 1532 et le spectacle offert par les juges et avocats en perruque.

Chambre à coucher de Gladstone's Land

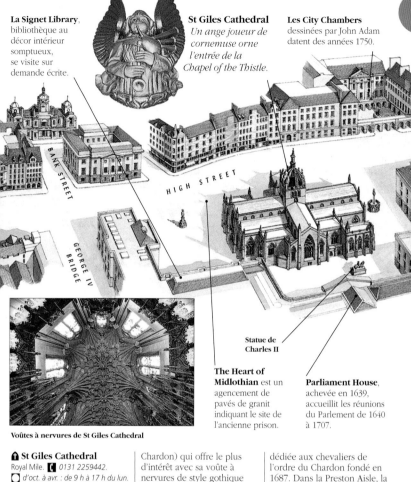

La Signet Library, bibliothèque au décor intérieur somptueux, se visite sur demande écrite.

St Giles Cathedral
Un ange joueur de cornemuse orne l'entrée de la Chapel of the Thistle.

Les City Chambers dessinées par John Adam datent des années 1750.

BANK STREET

HIGH STREET

GEORGE IV BRIDGE

Statue de Charles II

The Heart of Midlothian est un agencement de pavés de granit indiquant le site de l'ancienne prison.

Parliament House, achevée en 1639, accueillit les réunions du Parlement de 1640 à 1707.

Voûtes à nervures de St Giles Cathedral

St Giles Cathedral
Royal Mile. ☐ 0131 2259442.
☐ d'oct. à avr. : de 9 h à 17 h du lun. au sam. (dim. : après-midi) ; de mai à sept. : de 9 h à 19 h du lun. au ven. (dim. après-midi). ☐ 25, 26 déc., 1er janv. **Offrandes** appréciées.
☐ W www.stgiles.net
Il est paradoxal que St Giles, sanctuaire portant officiellement le nom de High Kirk (« Haute Église »), soit couramment appelé cathédrale, qualificatif normalement réservé à une église épiscopale. En effet, c'est de là que John Knox (p. 469) prêcha la Réforme en Écosse, jetant les fondements de l'Église presbytérienne qui dénie toute autorité aux évêques.
Si une église occupait probablement ce site dès le XIe siècle, le bâtiment actuel date pour l'essentiel du XVe siècle. À l'intérieur, c'est la Thistle Chapel (chapelle du

Chardon) qui offre le plus d'intérêt avec sa voûte à nervures de style gothique flamboyant et ses stalles ornées de blasons. Elle est

dédiée aux chevaliers de l'ordre du Chardon fondé en 1687. Dans la Preston Aisle, la reine a son banc sculpté pour assister à l'office.

LE FESTIVAL D'EDINBURGH

Chaque année à la fin de l'été (p. 63), la capitale écossaise accueille pendant trois semaines l'une des plus importantes manifestations culturelles du monde. Fondé en 1947, le festival officiel propose une remarquable programmation internationale d'opéra, de théâtre, de danse et de musique. Parallèlement, compagnies et artistes indépendants viennent proposer en marge du festival (Festival Fringe) leurs créations souvent novatrices. Toutes les formes d'art et de spectacle prennent possession de la ville. Au château se tient la célèbre parade des régiments écossais, le Military Tattoo. Le tout nouveau festival du livre d'Edinburgh se tient début août.

Artiste de rue de l'Edinburgh Festival Fringe

À la découverte du Royal Mile : de High Street à Canongate

Sur la deuxième partie du Royal Mile se dressent deux monuments de la Réforme : la maison de John Knox et le Tron Kirk. Cette dernière doit son nom à un bras de pesage *(tron)* qui se trouvait à proximité au Moyen Âge. Canongate était jadis un quartier autonome, propriété des chanoines de l'abbaye d'Holyrood. Résidentiel, il renferme de beaux immeubles dans ses impasses. Certains ont été magnifiquement restaurés. Huit cents mètres séparent Morocco Land du Palace of Holyroodhouse.

Carte de situation

HIGH STREET

SOUTH BRIDGE STREET

La Mercat Cross marque l'ancien centre de la ville et l'endroit où Bonnie Prince Charlie *(p. 521)* fut proclamé roi en 1745.

La Tron Kirk fut construite en 1630 pour les presbytériens qui quittèrent St Giles quand la cathédrale passa sous l'autorité de l'évêque d'Edinburgh.

🏛 Museum of Childhood

42 High St. 📞 *0131 529 4142.*
⭘ *de 10 h à 17 h du lun. au sam. (t.l.j. pendant le festival)* ⬤ *du 25 au 27 déc.* ♿ *limité.*
Fondé en 1955 par un conseiller municipal, Patrick Murray, qui affirmait adorer les enfants… servis au petit déjeuner, ce musée fut le premier du monde entièrement consacré aux joies et épreuves du jeune âge. Cette remarquable exposition comprend non seulement de nombreux jouets anciens, mais aussi des médicaments, des manuels scolaires ou des landaus. Son théâtre miniature, ses vieilles machines à sous et l'enthousiasme de ses jeunes

Entrée et façade orientale du Palace of Holyroodhouse

visiteurs lui ont valu la réputation d'être le musée le plus bruyant du monde.

🏰 Palace of Holyroodhouse

Extrémité est du Royal Mile. 📞 *0131 356 1096.* ⭘ *de 9 h 30 à 16 h 30 t.l.j.* 🎧 ♿ *limité.* 🖥 *www.royal.gov.uk*
Le nom de ce palais (« Sainte-Croix ») renvoie à une aventure de chasse qui serait advenue à David Ier en 1128. Menacé par un cerf, il aurait eu la vie sauve grâce à l'apparition miraculeuse d'une croix devant les bois de la bête.

Jacques V *(p. 487)* édifia en 1529 le palais actuel pour s'y installer avec son épouse française, Marie de Guise. Après un incendie en 1650,

Charles II le fit reconstruire dans le style Renaissance par sir William Bruce.

Sauf pendant les rares séjours de la reine dont c'est la résidence officielle en Écosse, le château se visite. Il faut voir notamment les appartements où Marie Stuart assista en 1566 à l'assassinat de son secrétaire italien, David Rizzio, meurtre probablement commandité par Lord Darnley qu'elle avait épousé l'année précédente dans la chapelle du palais.

De belles tapisseries ornent les appartements royaux dont les moulures des plafonds exigèrent dix ans de travail. Dehors s'étendent les ruines de l'abbaye.

Pierrot lunaire, automate (1880) du Museum of Childhood

John Knox's House
John Knox (p. 469)
*vécut à partir de 1561
dans cette maison bâtie
en 1490, la plus
ancienne de la ville.
Elle devrait réouvrir en
2005 après des travaux
de restauration.*

Morocco Land,
reconstitution d'un immeuble
du XVIIᵉ siècle, doit son nom à
la statue de Maure qui orne
son entrée.

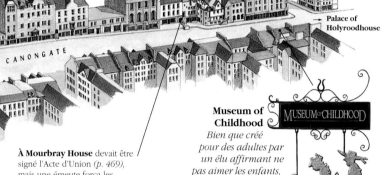

CANONGATE

**Palace of
Holyroodhouse**

À Mourbray House devait être
signé l'Acte d'Union *(p. 469)*,
mais une émeute força les
autorités à changer de lieu.

Museum of Childhood
*Bien que créé
pour des adultes par
un élu affirmant ne
pas aimer les enfants,
ce musée de l'Enfance
attire de
nombreux jeunes
visiteurs.*

MUSEUM OF CHILDHOOD

🏛 Royal Museum of Scotland

Chamber St. ☎ 0131 225 7534.
🕙 de 10 h à 17 h du lun. au sam.,
de 12 h à 17 h dim. ● 25 déc.
♿ ▯ 🍴 ▯ W www.nms.ac.uk
Un superbe édifice de verre et
d'acier construit en 1866 abrite
ce musée consacré aux arts
décoratifs, aux sciences et aux
techniques. Dans le hall
principal, une belle
collection de
sculptures asiatiques
comprend une statue
du XIIIᵉ siècle de la
déesse hindoue
Parvati. Le
premier
étage
présente
des
créations
europé-
ennes de
1200 à 1800
incluant des
meubles et des
tapisseries.
Parmi les
instruments
scientifiques
exposés au
deuxième étage

**Parvati, au Royal
Museum of
Scotland**

figure le plus ancien astrolabe
du monde. Le dernier étage
abrite un département d'arts
décoratifs orientaux et des
spécimens géologiques.

🐕 Greyfriars Bobby
Une vieille fontaine proche de
l'accès à Greyfriars Church

(église des Franciscains) porte la
statue du petit terrier de l'île de
Skye qui garda pendant 14 ans la
tombe de son maître, John Gray,
mort en 1858. Les habitants de la
ville le nourrirent tous les jours et
lui accordèrent la citoyenneté
pour lui permettre d'échapper au
sort des chiens errants.

MARIE Iʳᵉ STUART, REINE D'ÉCOSSE (1542-1587)

Née quelques jours avant la
mort de son père, Jacques V,
la jeune reine d'Écosse passe
son enfance en France où elle
épouse le dauphin en 1558. Il
meurt deux ans plus tard, peu
de temps après son
couronnement sous le nom de
François II. Elle retourne alors
à Holyroodhouse. Sa ferveur
catholique inquiète les
protestants aussi bien en
Écosse que dans l'Angleterre d'Élisabeth Iʳᵉ dont elle est
l'héritière. Les démêlés de sa vie privée renforcent ses
opposants menés par John Knox *(p. 469)*. Quand elle épouse
en 1567 le comte de Bothwell soupçonné du meurtre de son
deuxième mari, Lord Darnley, une révolte la contraint à
l'abdication. Réfugiée en Angleterre, elle complote contre
Élisabeth Iʳᵉ, qui la fait incarcérer pendant 20 ans, puis décapiter.

MARIE
REINE
D'ÉCOS.

Les ruines de Melrose Abbey vues du sud-ouest

Melrose Abbey ⑲

Abbey Street, Melrose, Scottish Borders.
☎ 01896 822562. ◯ d'oct. à mars :
de 9 h 30 à 16 h 30 du lun. au sam.,
de 14 h à 16 h 30 dim. ; d'avr. à sept. :
de 9 h 30 à 18 h 30 t.l.j. ● 25 et
26 déc., 1ᵉʳ et 2 janv. 🅿 🔗 limité.

L es ruines de pierre rose de ce qui fut une des plus belles et des plus riches abbayes des Borders *(p. 489)* témoignent des dévastations que les relations mouvementées entre l'Écosse et sa puissante voisine firent subir à la région. Fondée par David Iᵉʳ en 1136 pour des moines cisterciens du Yorkshire et pour remplacer un monastère du VIIᵉ siècle, Melrose subit les assauts répétés des armées anglaises,

notamment en 1322 et 1385. Le coup fatal vint en 1545 des troupes d'Henry VIII.

Il ne subsiste aujourd'hui que le pourtour du cloître, quelques bâtiments monastiques, notamment la cuisine, et les vestiges de l'église abbatiale richement sculptée et percée au transept d'une superbe fenêtre. L'extérieur de la façade sud présente, entre autres décorations, une gargouille en forme de cochon jouant de la cornemuse.

Le cœur embaumé retrouvé à Melrose en 1920 est probablement celui de Robert Bruce *(p. 468)* qui fit restaurer l'abbaye en 1326. Il avait demandé qu'on emporte la relique en croisade jusqu'en

Terre sainte, mais elle aurait été rapportée au monastère après la mort en Espagne de son dépositaire, sir James Douglas *(p. 501)*.

Abbotsford House ⑳

Galashiels, Scottish Borders. ☎ 01896
752043. 🚌 depuis Galashiels. ◯ de mi-
mars à mai et oct. : de 9 h 30 à 17 h t.l.j.
(dim. : de 14 h à 17 h) ; de juin à sept. :
t.l.j. 🅿 🔗 limité. 📧 W www.melrose.
bordernet.co.uk/abbotsford

P eu de maisons portent autant l'empreinte de leur propriétaire que celle où sir Walter Scott passa les 20 dernières années de sa vie et mourut en 1832. La ferme qu'il acheta ici en 1811 portait le nom de Clarteyhole (« Trou sale » en dialecte des Lowlands), mais il la rebaptisa peu après Abbotsford (« Gué des abbés ») en mémoire des moines de l'abbaye de Melrose qui franchissaient non loin la Tweed. Le succès de ses romans lui permit d'édifier l'ensemble composite de style seigneurial qui se visite aujourd'hui.

La bibliothèque de l'auteur d'*Ivanhoé* comprend plus de 9 000 livres rares. Ses collections d'objets historiques témoignent de sa fascination pour un passé héroïque. Le sabre de Rob Roy *(p. 481)* fait partie des armes et armures qui ornent les murs, tandis que les souvenirs des Stuarts incluent un crucifix ayant appartenu à Marie Stuart et une mèche de cheveux de Bonnie Prince Charlie *(p. 521)*.

SIR WALTER SCOTT

Issu d'une famille originaire des Borders, Walter Scott (1771-1832) naît à Edinburgh le 15 août 1771. Après des études de droit, il devient en 1799 shérif du Shelkirkshire, puis, en 1806, greffier de la Haute Cour. Ces activités lui permettront de poursuivre une carrière littéraire sans en dépendre financièrement. Ses premières œuvres sont des ballades, mais c'est avec son roman *Waverley*, publié en 1814, qu'il connaît un succès international. Celui-ci ne se démentira pas, et plus de quarante ouvrages apporteront une nouvelle dimension au récit historique. Ils réhabiliteront également les traditions et légendes des Highlands et contribueront à refaire du tartan le costume national écossais après la visite de George IV à Edinburgh *(p. 471)* en 1822. La faillite de son éditeur en 1826 oblige Walter Scott à consacrer les dernières années de sa vie à rembourser une dette de 114 000 £. Il repose à Dryburgh Abbey *(p. 489)*.

Le Great Hall d'Abbotsford, maison de sir Walter Scott

Traquair House ㉑

Peebles, Scottish Borders. 📞 01896
830323. 🚌 depuis Peebles. ⭕ de
Pâques à mai et sept. : de 12 h à 17 h
t.l.j. ; de juin à août : de 10 h 30 à 17 h
t.l.j. ; oct. : de 11 h à 16 h t.l.j. ; nov. : de
11 h à 16 h sam. et dim. 📷 ♿ limité.
🌐 www.traquair.co.uk

La plus ancienne demeure
d'Écosse habitée sans
interruption, à l'origine maison-
tour fortifiée, s'est transformé
pour devenir un beau
manoir au XVIIᵉ siècle
(p. 473). Bastion
des Stuarts pendant
cinq siècles, elle
reçut la visite de
27 souverains écossais,
notamment Marie Iʳᵉ
(p. 497) dont on peut
voir la chambre. Parmi
les objets exposés, des
lettres et une collection
de verrerie gravée du
parti jacobite (p. 523).
Le 5ᵉ comte décida
en effet en 1745,
après avoir reçu
Bonnie Prince
Charlie (p. 521), que   **Crucifix de**
le portail principal   **Marie Stuart,**
(Bear Gates)   **reine d'Écosse**
resterait fermé jusqu'au retour
d'un Stuart sur le trône. Un
vœu respecté depuis 250 ans.
    Un escalier secret conduit
à la chambre du prêtre, qui
atteste la clandestinité dans
laquelle les familles catholiques
pratiquaient leur religion
avant sa légalisation en 1829.
Dans le jardin, une brasserie
du XVIIIᵉ siècle produit
la Traquair House Ale, bière
qui n'est vendue que sur place.

Biggar ㉒

Clyde Valley. 👥 2 000. 🛈 High St
(01899 221066).

Cette ville de marché
typique des Lowlands
possède plusieurs musées
méritant une visite. Au
    **Gladstone Court
    Museum** est
      reconstituée une rue
      victorienne avec son
      imprimerie, son magasin de
      mode et sa bibliothèque
villageoise. Le **Gasworks
Museum** évoque le passé
industriel de la ville grâce à
des objets tels que des
moteurs et des lampes et
appareils à gaz. Fondée
en 1839, la Biggar
Gasworks est la seule
usine de production de
gaz de l'Écosse rurale à
avoir échappé à la
démolition.

🏛 **Gladstone Court Museum**
Northback Rd. 📞 01899 221573. ⭕
d'avr. à oct. : de 11 h à 16 h 30 du lun.
au sam., de 14 h à 16 h 30 dim. 📷 ♿
🏛 **Gasworks Museum**
Gasworks Rd. 📞 01899 221070.
⭕ de juin à sept. : de 14 h à 17 h t.l.j.

Pentland Hills ㉓

The Lothians. 🚆 Edinburgh puis bus.
🛈 Regional Park Headquarters,
Biggar Rd, Edinburgh (0131 4453383).

Les pentes douces des
Pentland Hills s'étendent
sur 26 km au sud-ouest
d'Edinburgh et offrent
certaines des plus belles
promenades à pied des
Lowlands. De nombreux
sentiers fléchés les sillonnent,
mais les randonneurs
ambitieux pourront aussi
suivre la piste de crête entre
Caerketton et West Kip, ou
emprunter en été le télésiège
de la station de ski de Hillend
pour gagner les hauteurs
depuis lesquelles on atteint le
sommet (493 m) de l'Allermuir.
    À l'est de l'A703, à l'abri des
Pentlands, se dresse la **Rosslyn
Chapel** dont l'intérieur
présente une extraordinaire
ornementation sculptée.
Entreprise au XVᵉ siècle par
William Sinclair, prince
d'Orkney, qui voulait en faire
une église, elle servit de lieu de
sépulture à ses descendants.
Selon la légende, découvrant le
plus beau pilier, l'Apprentice
Pillar torsadé, le maître-d'œuvre
aurait tué par jalousie l'apprenti
qui l'avait sculpté.

⛪ **Rosslyn Chapel**
Roslin. 📞 0131 4402159. ⭕ de
10 h à 17 h t.l.j. (dim. : a.-m.) 📷 ♿

Détail des voûtes de Rosslyn Chapel

New Lanark, ville nouvelle de la fin du XVIIIᵉ siècle au bord de la Clyde

New Lanark ㉔

Clyde Valley. 🚶 *185.* 🚆 🚌 *Lanark.*
ℹ️ *Horsemarket, Ladyacre Rd (01555 661661).* 🏛️ *lun. (avr. seulement).*
🌐 *www.newlanark.org*

L'entrepreneur David Dale fonda en 1785 le village de New Lanark près des superbes chutes de la Clyde, rivière qui alimentait en énergie sa filature.

DAVID LIVINGSTONE

Le grand missionnaire, médecin et explorateur écossais naquit en 1813 à Blantyre, où il travailla, dès l'âge de dix ans, dans une manufacture de coton. En 1840, il partit pour l'Afrique où il fonda écoles et missions. Il réussit la première traversée d'est en ouest du continent, découvrit les chutes Victoria et mourut en 1873 en cherchant la source du Nil. Il repose à Westminster Abbey *(p. 94-95).*

Celle-ci devint en 1800 la plus importante de Grande-Bretagne. Son gendre, George Owen, put appliquer ses idées charitables, créant crèches, écoles et coopérative pour améliorer les conditions de vie des ouvriers. La ville conservée permet de découvrir une des premières grandes réalisations sociales de l'ère industrielle. Au Visitor Centre, le **New Millennium Experience** est l'illustration de la vie menée par une petite fille travaillant aux filatures de 1820 au XXIIIᵉ siècle.

Aux environs

À 24 km au nord, dans la ville de Blantyre, la maison natale de David Livingstone a été transformée en mémorial.

🏛️ New Millennium Experience

New Lanark Visitor Centre. 📞 *01555 661345.* 🕐 *de 11 h à 17 h t.l.j.* 📷
♿ 🎫 *groupes seulement, sur r.-v.*

Glasgow ㉕

Voir p. 502-507.

Sanquhar ㉖

Dumfries and Galloway. 🚶 *2 500.* 🚆
🚌 ℹ️ *64 Whitesands, Dumfries (01387 253862).*

D essinée par William Adam *(p. 534),* la mairie-prison, ou **Tolbooth** (1735), de Sanquhar abrite un office du tourisme et un musée.

Inaugurée en 1763, la poste est la plus ancienne de Grande-Bretagne. Ce petit bourg présente un intérêt historique en raison de son rôle dans l'évolution des covenantaires *(p. 469).* C'est en effet sur la Mercat Cross que Richard Cameron placarda sa déclaration d'opposition à l'Église épiscopale (un obélisque de granit en marque aujourd'hui l'emplacement). Ses émules formèrent le Cameronian Regiment.

Drumlanrig Castle ㉗

Thornhill, Dumfries and Galloway.
📞 *01848 330248.* 🚆 🚌 *Dumfries, puis bus.* 🏞️ *Parc de Pâques à sept. : de 11 h à 17 h t.l.j. ;* **Château** *de mai au 21 août : de 12 h à 16 h t.l.j. (mai et juin : de sam. à jeu.)* 📷 ♿

C onstruit en grès rose entre 1676 et 1691 sur le site d'une forteresse des Douglas du XIᵉ siècle, ce manoir orné de nombreuses tourelles *(p. 473)* se dresse sur une plate-forme gazonnée. Il possède un très

L'escalier baroque de Drumlanrig Castle

beau mobilier et une riche collection d'art comprenant des tableaux d'Holbein, de Léonard de Vinci et de Rembrandt. Parmi les souvenirs jacobites figurent la cassette, l'écharpe et la bouilloire de campagne de Bonnie Prince Charlie. Portraits de famille, panneaux sculptés et candélabres d'argent décorent la salle à manger.

Emblème des Douglas, le cœur ailé représenté sur les stucs ou les tentures évoque sir James, surnommé « Black Douglas », qui emporta le cœur de Robert Bruce *(p. 468)* à la croisade, mais ne put atteindre la Terre sainte pour remplir le vœu du roi défunt.

L'austère Threave Castle sur une île de la Dee

Threave Castle ㉘

Castle Douglas, Dumfries and Galloway. 📞 07711 223101 ou 01556 502611. 🚆 Dumfries. ⏰ d'avr. à sept. : de 9 h 30 à 18 h 30 t.l.j. (dernier départ de l'île en bateau à 18 h) ; oct. : tél pour les horaires. 🅿️

F orteresse des Douglas, cette tour austère sur une île de la Dee protégeait au Moyen Âge un port fluvial. Les conflits opposant les Douglas aux Stuarts culminèrent en 1455 quand le château tomba après un siège de deux mois pendant lequel Jacques II fit donner contre les murailles la puissante bombarde Mons Meg *(p. 492)*. Threave subit son dernier assaut en 1640 quand des troupes covenantaires *(p. 469)* vainquirent ses défenseurs catholiques. Il fut ensuite démantelé.

À l'intérieur de la tour, que l'on atteint en barque, ne subsiste que la carcasse de la cuisine, de la salle de réception et de pièces d'habitation. Au-dessus de l'entrée datant du XVe siècle, le support de potence rappelle l'époque où les propriétaires de la forteresse se vantaient de ne jamais décrocher le nœud coulant.

Whithorn ㉙

Dumfries and Galloway. 🏘 1 000. 🚆 Stranraer. 🅿 ℹ Dashwood Sq, Newton Stewart (01671 402431). 🌐 www.dumfriesandgalloway.co.uk

C e village doit son nom, qui signifie « Maison blanche », à la chapelle élevée, dit-on, par saint Ninian en 397. Il n'en subsiste rien, mais une visite guidée des fouilles archéologiques révèle l'existence d'implantations northumbriennes, vikings et écossaises datant du Ve au XIXe siècle. Au Visitor Centre, **The Whithorn Story** propose une information audiovisuelle sur ces fouilles et rassemble une belle collection de pierres sculptées. L'une d'elle, dédiée à Latinus, date de 450 ; c'est le plus vieux vestige chrétien d'Écosse.

🏛 The Whithorn Story

The Whithorn Trust, 45-47 George St. 📞 01988 500508. ⏰ de Pâques à oct. : de 10 h 30 à 17 h t.l.j. 🅿️ ♿ 🎫 🌐 www.whithorn.com

Culzean Castle ㉚

Voir p. 508-509.

Robert Burns entouré de ses créations, par un artiste inconnu

Burns Cottage ㉛

Alloway, South Ayrshire. 📞 01292 443700. 🚆 Ayr, puis bus. ⏰ t.l.j. ; d'oct. à mars : de 10 h à 17 h ; d'avr. à sept. : de 9 h 30 à 17 h 30. ⏰ 25 et 26 déc., 1ᵉʳ et 2 janv. 🅿️ ♿ 🎫 🌐 www.burnsheritagepark.com

L e plus grand poète écossais, Robert Burns (1759-1796), naquit et passa les sept premières années de sa vie dans ce petit cottage à toit de chaume construit par son père et qui contient encore la majeure partie de son mobilier d'origine. Entre autres souvenirs, le musée attenant possède plusieurs manuscrits de l'auteur et certaines de ses premières éditions. À la sortie du bourg d'Alloway se dresse un monument en forme de temple grec érigé à sa mémoire.

Robert Burns compte tellement pour les Écossais qu'ils se réunissent dans le monde entier le 25 janvier, pour fêter son anniversaire.

TISSUS ÉCOSSAIS

La tradition textile des Borders remonte au Moyen Âge où des moines venus de Flandre établirent un fructueux commerce drapier avec le continent. La filature du coton devint une activité importante de la vallée de la Clyde au XIXe siècle avec le développement des machines. Réputées, les cotonnades colorées de Paisley s'inspirent de motifs indiens.

Un tissu de Paisley

Glasgow ㉕

Les armoiries de Glasgow

S i son nom celtique, *Glas cu*, signifie « cher endroit vert », la capitale économique de l'Écosse reste cependant associée dans bien des esprits à son passé industriel. Au XIXᵉ siècle en effet se multiplièrent entrepôts et usines au bord de la Clyde, tandis que s'édifiaient dans le centre d'imposants édifices victoriens. Depuis la crise des années 1970 qui l'a durement touchée, la ville a su se tourner vers des activités moins polluantes et réhabiliter son patrimoine. Élue capitale européenne de la culture en 1990, elle possède des musées remarquables.

La cathédrale de Glasgow vue depuis le sud-ouest

À la découverte de Glasgow
Glasgow est une ville de contraste et dans l'East End, que domine la cathédrale, l'étonnant marché aux puces des « Barras », qui se tient le week-end, ne se trouve qu'à quelques pas de George Square, place victorienne, et de la Merchant City en pleine rénovation. Plus opulent, le West End se développa au XIXᵉ siècle à l'instigation de riches marchands fuyant les rives industrialisées de la Clyde. Au sud de la rivière, près de l'affluent

Pollokshields, s'étend le Pollock Country Park, site de la Burrel Collection. Le métro permet de circuler aisément dans toute la cité.

🔒 Glasgow Cathedral
Cathedral Square. 🅲 0141 5526891
⭕ d'avr. à sept. : de 9 h 30 à 18 h du lun. au sam. ; de 13 h à 17 h dim. ; d'oct. à mars : de 9 h 30 à 16 h du lun. au sam., de 13 h à 16 h dim. 🅱
Seule cathédrale écossaise avec celle des Orcades (p. 514) à avoir échappé à la destruction pendant la Réforme, ce sanctuaire construit du XIIIᵉ au

XVᵉ siècle se dresse sur le site d'une chapelle bâtie par saint Mungo, patron de la ville. Évêque de Starthclyde au VIᵉ siècle, Mungo aurait, selon la légende, placé le corps d'un saint homme nommé Fergus dans un chariot attelé de deux taureaux en leur ordonnant de l'emporter dans le lieu choisi par Dieu. Il y édifia sa chapelle.
Occupant un terrain en pente, la cathédrale fut construite sur deux niveaux. L'église inférieure, la plus ancienne, contient le tombeau

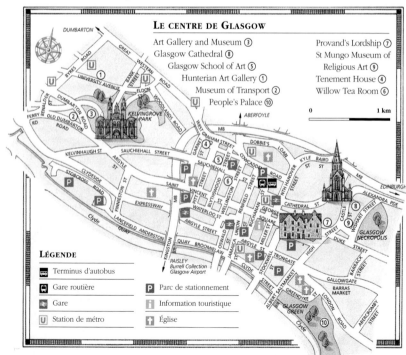

LE CENTRE DE GLASGOW

Art Gallery and Museum ③
Glasgow Cathedral ⑧
Glasgow School of Art ⑤
Hunterian Art Gallery ①
Museum of Transport ②
People's Palace ⑩

Provand's Lordship ⑦
St Mungo Museum of Religious Art ⑨
Tenement House ④
Willow Tea Room ⑥

DUMBARTON
GREAT WESTERN ROAD
BYRES ROAD
BANK STREET
UNIVERSITY AVENUE
DUMBARTON ROAD
FERRY RD
BENALDER
OLD DUMBARTON ROAD
KELVINGROVE PARK
ELDON
WOODLANDS ROAD
WEST GRAHAM STREET
ABERFOYLE
KELVINHAUGH ST
SAUCHIEHALL STREET
ARGYLE ST
GARNET STREET
DOBBIE'S LOAN
COWCADDENS ROAD
KYLE ST
BAIRD ST
HANOVER STREET
CLYDESIDE EXPRESSWAY
STOBCROSS ROAD
FINNIESTON ST
SAUCHIEHALL STREET
SAINT VINCENT STREET
BLYTHSWOOD STREET
WELLINGTON STREET
RENFIELD STREET
CATHEDRAL ST
EDINBURGH
ALEXANDRA PDE
MB
LANCEFIELD ANDERSON QUAY
CLYDE
KINGSTON
WATERLOO ST
ARGYLE STREET
OSWALD
JAMAICA
UNION
MILLER ST
GEORGE SQUARE
BUCHANAN
HIGH STREET
CASTLE STREET
WISHART STREET
GLASGOW NECROPOLIS
PAISLEY
Burrell Collection
Glasgow Airport
BROOMIELAW
CLYDE
STOCKWELL ST
SALT MARKET
TRONGATE
DUKE STREET
BARRACK STREET
GALLOWGATE
BARRAS MARKET
ALBERT BRIDGE
GREENDYKE STREET
GLASGOW GREEN
LONDON ROAD
ABERCROMBY ST

0   1 km

LÉGENDE

🚌 Terminus d'autobus

🚏 Gare routière

🚉 Gare

Ⓤ Station de métro

🅿 Parc de stationnement

ℹ Information touristique

🕆 Église

Le Christ de saint Jean de la Croix par Dali
au St Mungo Museum

de saint Mungo entouré d'une
forêt de piliers soutenant une
voûte à nervures. Dans l'église
supérieure, les sculptures
du jubé représentent les sept
péchés capitaux.

St Mungo Museum of Religious Life and Art

2 Castle St. **0141 5532557.**
◯ *de 10 h à 17 h t.l.j. (ven. : jusqu'à
11 h).* & ✔ *sur rendez-vous.* 🔲 🔲
Ce musée de la vie et de l'art
religieux est unique au monde
en ce qu'il présente un
panorama de toutes les

grandes religions
occidentales, orientales
et africaines, mettant
en parallèle leurs
approches différentes
de la foi. Parmi les
œuvres d'art exposées
figurent ainsi un Shiva
nataraja du XIXᵉ siècle,
une peinture
islamique, œuvre
d'Ahmed Moustafa,
intitulée *Attributs de la
divine perfection*
(1986) et *Le Christ de
saint Jean de la Croix*
de Dali (1951). Un
département illustre
l'histoire de la religion
à Glasgow, et les
visiteurs peuvent
également découvrir le
seul jardin zen
permanent de Grande-
Bretagne.

Tenement House

(NTS) 145 Buccleuch St.
0141 3330183. ◯ *de
mars à oct. : de 13 h à 17 h
t.l.j.* 🔲 ✔ *sur rendez-vous.*
Nombre des immeubles de
rapport *(tenements)* bâtis aux
époques victorienne et
édouardienne pour loger les
ouvriers venus travailler dans
les usines de Glasgow ont été
détruits au cours de la
rénovation de la ville.
Tenement House offre une
occasion unique de pénétrer
dans l'intimité d'un mode de
vie en cours de disparition,
celui d'un logement modeste
de Glasgow au début
de ce siècle.

MODE D'EMPLOI

City of Glasgow. 🏛 *735 000.*
✈ ➤ *Argyle St (Glasgow
Central).* 🚇 *Buchanan St.*
ℹ *11, George Square (0141
204 4400).* 🛍 *sam., dim.*
🌐 www.seeglasgow.com

**La cuisine édouardienne de
Tenement House**

Une certaine Agnes Toward
habita ce petit appartement
de 1911 à 1965. Il est resté
quasiment inchangé depuis
et, comme son occupante
répugnait à remplacer des
objets encore utilisables, il
renferme un véritable trésor
d'histoire sociale. Dans le
salon, le service à thé est
dressé sur une nappe de
dentelle blanche comme si
des invités allaient arriver et
dans la cuisine, lit clos,
cuisinière à charbon, moule à
gaufres, planche à laver ou
chaufferette évoquent des
gestes d'un autre âge.
Dans la salle de bains, les
médicaments et l'eau de
lavande de Miss Agnes sont
restés disposés comme si cette
dernière était sortie faire une
course il y a soixante-dix ans,
et avait oublié de rentrer.

La Kelvingrove Art Gallery et l'université de Glasgow vues du sud

Provand's Lordship, maison médiévale de Glasgow

🏛 Provand's Lordship

3 Castle St. 📞 0141 5528819.
⭘ de 10 h à 17 h du lun. au ven.
(11 h sam. et dim.)

Ancienne résidence de chanoine construite en 1471, la plus vieille maison de Glasgow abrite un musée. Ses plafonds bas et son austère mobilier en bois recréent le cadre de vie de notables du XVI⁰ siècle. Marie Stuart (p. 497) y aurait séjourné lorsqu'elle vint à Glasgow en 1566 rendre visite à son cousin et époux Lord Darnley.

🏛 Willow Tea Room

217 Sauchiehall St (et 97 Buchanan St). 📞 0141 332 0521. ⭘ de 9 h 15 à 16 h 15 du lun. au sam. ; de 11 h à 16 h dim. 🖥 www.willow tearooms.co.uk

C'est le seul survivant de la série de salons de thé créés par Charles Rennie Mackinstosh au début du siècle pour la célèbre restauratrice Kate Cranston. L'excentricité atteint son comble dans la **Room de Luxe** (1904) : un étonnant mobilier argenté et une verrerie colorée et flamboyante créent un cadre remarquable. Le salon installé au n° 97 de Buchanan Street a ouvert en 1997. Il reconstitue le décor d'origine du salon de thé de Kate Cranston situé sur Ingram Street.

L'intérieur du Willow Tea Room de Mackintosh

🏛 Museum of Transport

1 Bunhouse Rd. 📞 0141 2872720.
⭘ de 10 h à 17 h du lun. au jeu. et sam., de 11 h à 17 h ven. et dim. ♿ 🅿
📷 🖥 www.glasgowmuseums.com

Installé dans le Kelvin Hall, ce vaste musée témoigne de l'optimisme avec lequel Glasgow aborda l'ère industrielle. Locomotives à vapeur, véhicules de pompiers, tramways, automobiles, motos offrent un raccourci de l'histoire des modes de transports modernes, tandis que des maquettes de bateaux rappellent l'importance de la construction navale dans la vallée de la Clyde. La reconstitution complète d'une rue avec ses devantures Art déco, son cinéma et sa station de métro fait revivre le Glasgow de 1938.

Reconstitution d'une rue de 1938 au Museum of Transport

🎵 Glasgow Necropolis

Cathedral Sq. 📞 0141 2873961.
⭘ t.l.j. ♿ limité. 📷

Derrière la cathédrale, le réformateur John Knox (p. 469) surveille la ville depuis le sommet d'une colonne dorique dominant un cimetière victorien où s'érodent les monuments à la mémoire de riches familles de Glasgow.

CHARLES RENNIE MACKINTOSH

Motif floral par Mackintosh

Le plus célèbre des architectes et stylistes écossais, Charles Rennie Mackintosh (1868-1928) entra à la Glasgow School of Art à 16 ans. Remarqué après la réalisation des premiers Cranston's Tearooms, il devint un des inspirateurs du mouvement Art nouveau et développa un style original inspiré du gothique et du genre seigneurial écossais. Estimant qu'un bâtiment doit être une œuvre d'art complète, il dessinait également le mobilier et les éléments décoratifs des édifices qu'il construisait. Une démarche dont la Glasgow School of Art offre un superbe exemple. S'il fut surtout reconnu à l'étranger de son vivant, le travail de Mackintosh est devenu une grande source d'inspiration et ses motifs où droites et courbes composent un rythme raffiné ont influencé de nombreux créateurs de Glasgow.

🪕 People's Palace

Glasgow Green. **[** 0141 2712951.
○ de 10 h à 17 h du lun. au jeu. et
sam., de 11 h à 17 h ven. et dim. **& ▣**
📷 W www.glasgow.gov.uk

Ce « Palais du Peuple »
Renaissance fut construit en
1898 afin d'abriter un musée
consacré à l'histoire de la ville.
Comprenant vestiges
médiévaux, affiches et
reconstitutions de magasins,
l'exposition offre un aperçu
riche et varié de la vie de
Glasgow du XIIᵉ au XXᵉ siècle.
Une magnifique serre tropicale
abrite derrière le bâtiment
un jardin d'hiver.

🏛 Glasgow School of Art

167 Renfrew St. **[** 0141 3534500.
○ sur rendez-vous. **▨ ✔ &**
limité. **W** www.gsa.ac.uk

C'est à l'âge de 28 ans que
Charles Rennie Mackintosh
remporta le concours organisé
pour la construction de l'école
des Beaux-Arts de Glasgow.
Pour des raisons budgétaires,
les travaux se firent en deux
temps (de 1896 à 1899 et de
1907 à 1909) et la comparaison
entre la façade la plus
ancienne et l'aile ouest permet
d'observer l'évolution du style
de l'architecte qui réalisa ici un
de ses chefs-d'œuvre.

À l'intérieur, où vous guidera
un étudiant, chaque salle,
comme la Furniture Gallery ou
la Board Room, est une
recherche d'harmonie entre
proportions, éclairage et
décoration. Célèbre, la
bibliothèque est
particulièrement remarquable.
Ce que vous pourrez découvrir
de l'école dépendra toutefois
des cours donnés au moment
de votre visite.

🏛 Hunterian Art Gallery

82 Hillhead St. **[** 0141 3305431. **○**
de 9 h 30 à 17 h du lun. au sam. **●** du
24 déc. au 5 janv., jours fériés. **&** limité.
📷 W www.hunterian.gla.ac.uk

Construit pour accueillir les
tableaux légués à l'université
de Glasgow par un de ses
anciens étudiants, le médecin
William Hunter (1718-1783),
ce musée possède la plus
riche collection de gravures
d'Écosse et de belles
peintures anciennes, entre
autres une *Mise au tombeau*
de Rembrandt. Son
département d'art moderne

Japonaise à l'éventail par George Henry, Art Gallery and Museum

comprend un bel ensemble
d'œuvres écossaises du XIXᵉ et
du XXᵉ siècle, notamment par
William McTaggart (1835-
1906), mais ce sont les toiles
de James McNeill Whistler
(1834-1903) qui ont établi sa
réputation. La reconstitution
de la maison où vécut Charles
Rennie Mackintosh de 1906 à
1914 permet de découvrir les
meubles qu'il dessina.

Esquisse pour Annabel Lee par
Whistler, Hunterian Art Gallery

🏛 Kelvingrove Art Gallery and Museum

Argyle St, Kelvingrove. **[** 0141
2872699. **●** fermé jusqu'à mi-2006.
Galerie McLellan 270 Sauchiehall St.
[0141 5654137. **○** de 10 h à 17 h
du lun. au sam., de 11 h à 17 h ven. et
dim. **W** www.glasgowmuseums.com

Installé dans un imposant
édifice en grès rouge,
Kelkingrove, qui abrite une
magnifique collection
d'œuvres d'art, est le musée
le plus apprécié d'Écosse. Il
est actuellement fermé pour
travaux de rénovation, mais
on peut admirer plus de
200 de ses œuvres à McLellan
Galleries. Des tableaux
d'artistes anglais du XIXᵉ siècle,
comme Turner ou Constable,
sont exposés. L'art et le
design écossais sont
également représentés dans
des salles consacrées aux
coloristes écossais et à l'école
de Glasgow. On peut aussi y
voir deux œuvres de l'artiste
Charles Rennie Mackintosh :
une peinture sur panneau
ainsi qu'un secrétaire de 1904.

Pollok House, maison georgienne, vue du sud

🏛 Pollok House

(NTS) 2060 Pollokshaws Rd. 📞 *(0141)
616 6410.* 🕐 *de 10 h à 17 h t.l.j.*
🔴 *25 et 26 déc., 1er et 2 janv.* 🚫
d'avr. à oct. seul. 🖥 *www.nts.org.uk*

Les Maxwell ont vécu sur
ces terres depuis le milieu
du XIIIe siècle, mais c'est
en 1750 qu'a été construit
l'édifice actuel, manoir
dont le sobre extérieur néo-
classique cache l'exubérance
des stucs intérieurs. Dernier
descendant mâle de la lignée,
sir John Maxwell fit ajouter
le grand hall d'entrée à
la fin du XIXe siècle. Éminent
botaniste, il dessina une
grande partie des jardins
entourant la maison et
du parc qui s'étend au-delà.

Papiers peints à la main,
beaux meubles anciens,
argenterie, porcelaine et
cristaux du XVIIe siècle
décorent Pollok House,
offrant un cadre d'époque à
la collection Stirling Maxwell.
Celle-ci est riche en toiles
hollandaises et anglaises,
comprenant notamment
un tableau majeur de William
Blake, un des précurseurs
du romantisme : *Sir Geoffrey
Chaucer and the Nine and
Twenty Pilgrims.* Ce sont
toutefois les œuvres
espagnoles de maîtres comme
El Greco, Goya ou Murillo
qui en constituent le principal
intérêt ; Pollok House
rassemble une des plus belles
collections de peintures
espagnoles du pays. En 1966,
Mrs Anne Maxwell MacDonald
fit don à la ville de la maison
et de son domaine de 146 ha.
Le parc abrite aujourd'hui la
Burrell Collection.

Glasgow : la Burrell Collection

Riche armateur, sir William Burrell
amassa au cours de sa vie une
collection de près de 8 000 objets
d'art qu'il donna à la ville en 1944.
Conformément à ses vœux, ils sont
aujourd'hui présentés au milieu de la
nature dans un bâtiment vitré
construit à cet effet en 1983. Le soleil
y joue dans les vitraux, tandis que les
tapisseries semblent se confondre
avec les forêts environnantes.

Lohan
*Ce disciple de
Bouddha date
de la dynastie Ming
(1484).*

Salon d'Hutton Castle
*Le musée abrite la reconstitution de
plusieurs pièces de la demeure de
Burrell, Hutton Castle (XVIe siècle),
proche de Berwick-upon-Tweed.*

**Tête de
taureau**
*Ce bronze
du VIIe siècle
av. J.-C.
retrouvé
en Turquie
faisait partie
de la poignée
d'un chaudron.*

**Hornby
Portal**
*Détail d'un
portail de
pierre du
XIVe siècle
provenant de
Hornby Castle dans
le Yorkshire.*

**Entrée
principale**

À NE PAS MANQUER

★ **Les vitraux**

★ **Les tapisseries**

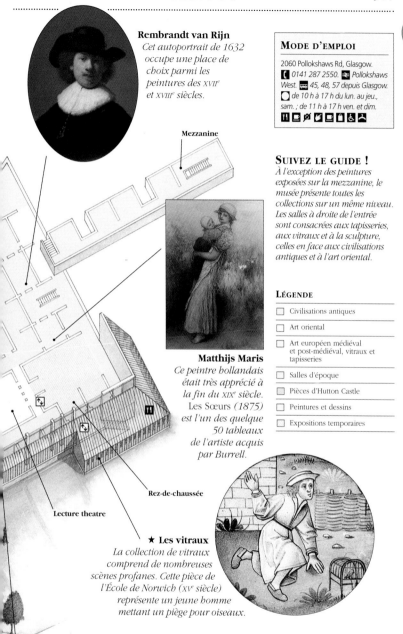

Rembrandt van Rijn
Cet autoportrait de 1632 occupe une place de choix parmi les peintures des XVIIe et XVIIIe siècles.

Mezzanine

SUIVEZ LE GUIDE !
À l'exception des peintures exposées sur la mezzanine, le musée présente toutes les collections sur un même niveau. Les salles à droite de l'entrée sont consacrées aux tapisseries, aux vitraux et à la sculpture, celles en face aux civilisations antiques et à l'art oriental.

LÉGENDE

☐ Civilisations antiques

☐ Art oriental

☐ Art européen médiéval et post-médiéval, vitraux et tapisseries

☐ Salles d'époque

☐ Pièces d'Hutton Castle

☐ Peintures et dessins

☐ Expositions temporaires

Matthijs Maris
Ce peintre hollandais était très apprécié à la fin du XIXe siècle. Les Sœurs *(1875) est l'un des quelque 50 tableaux de l'artiste acquis par Burrell.*

Rez-de-chaussée

Lecture theatre

★ Les vitraux
La collection de vitraux comprend de nombreuses scènes profanes. Cette pièce de l'École de Norwich (XVe siècle) représente un jeune homme mettant un piège pour oiseaux.

★ Les tapisseries
La collection comprend de nombreuses tapisseries dont ces Scènes de la vie du Christ et de la Vierge *tissées en Suisse vers 1450.*

Culzean Castle ㉚

Roger Adam par George Willison

L'architecte néo-classique Robert Adam *(p. 24)* agrandit et remania de 1777 à 1792 le château de Culzean (prononcer comme Cullayn), manoir du XVIᵉ siècle des comtes de Cassillis, donnant à chaque pièce une superbe décoration. Restauré dans les années 1970, le vaste ensemble de bâtiments occupe en bord de falaise un site exceptionnel au cœur d'un grand parc où le voisinage de jardins ornementaux et de terres cultivées reflète l'organisation traditionnelle d'un domaine seigneurial.

Vue de Culzean Castle (v. 1815), par Nasmyth

Les appartements de Lord Cassillis abritent un mobilier et une garde-robe typiques du XVIIIᵉ siècle.

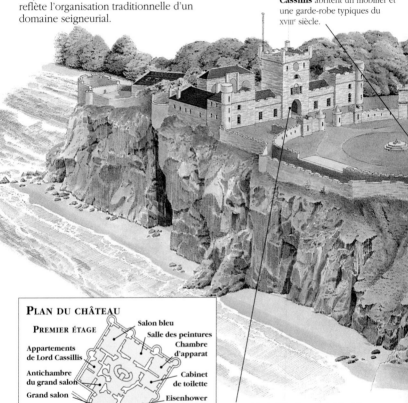

PLAN DU CHÂTEAU

PREMIER ÉTAGE

Salon bleu
Salle des peintures
Appartements de Lord Cassillis
Chambre d'apparat
Antichambre du grand salon
Cabinet de toilette
Grand salon
Salle de devant
Eisenhower Presentation
Entrée
Vieille salle à manger
Cuisine
Salle à manger
Arrière-cuisine
Armurerie
Salon d'exposition
Escalier ovale

REZ-DE-CHAUSSÉE

La tour de l'Horloge était à l'origine la maison des équipages. Elle reçut son horloge au XIXᵉ siècle et remplit aujourd'hui des fonctions résidentielles et éducatives.

À NE PAS MANQUER

★ Le grand salon

★ L'escalier ovale

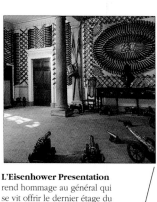

Armurerie
Sur les murs, la plus importante collection au monde de pistolets à pierre, utilisés par l'armée britannique et la garde nationale de 1730 à 1830 environ.

MODE D'EMPLOI

(NTS) 6 km à l'ouest de Maybole.
☎ 01655 760 269. ⊒ Ayr, puis bus. **Château** ◯ d'avr. à oct. : t.l.j. de 10 h à 17 h (der. entrée : 16 h). **Parc** ◯ du lever au coucher du soleil. 🖼 🚻 🎁 🍴 🛍

L'Eisenhower Presentation
rend hommage au général qui se vit offrir le dernier étage du château en remerciement de son rôle pendant la guerre.

Fountain Court
Ce jardin offre un point de départ à la visite de l'est du parc.

Chaussée

★ Le grand salon
Une restauration a rendu sa décoration du XVIIIe siècle à cet élégant salon aux sièges Louis XVI qui domine de 46 mètres le Firth of Clyde. Le tapis est une copie de celui que dessina Adam.

★ L'escalier ovale
Éclairé par une verrière, cet escalier à colonnes doriques et corinthiennes est considéré comme une des plus belles réussites d'Adam.

LES HIGHLANDS ET LES ÎLES

ABERDEENSHIRE · MORAY · ARGYLL AND BUTE · PERTH AND KINROSS
· SHETLAND · ORKNEY · WESTERN ISLES · HIGHLANDS · ANGUS

L a plupart des symboles de l'identité écossaise – clans et tartans, whisky et porridge, cornemuses et bruyère – appartiennent en réalité aux Highlanders. Leur culture d'origine celte, façonnée par la rudesse du climat et la pauvreté de terres montagneuses, faillit cependant être anéantie après la bataille de Culloden.

Les pierres dressées et les cairns laissés par les tribus qui habitaient le nord de l'Écosse à l'âge de la pierre témoignent d'une occupation de plus de 5 000 ans. Les Celtes, ou Gaëls, dont descendent les Highlanders actuels, arrivèrent d'Irlande aux Vᵉ et VIᵉ siècles. Parmi eux, saint Columba qui introduisit le christianisme. Celui-ci se propagea jusqu'aux Orkney Islands dominées jusqu'en 1468 par des envahisseurs scandinaves, où se dresse St Magnus Cathedral. Pendant plus d'un millénaire, la société des Highlands reposa sur un système de clans, tribus fondées sur l'obéissance à un chef. Ceux-ci soutinrent la tentative jacobite menée par Bonnie Prince Charlie *(p. 521)* pour reconquérir la couronne d'Angleterre.

Ils furent systématiquement brisés après la défaite de Culloden *(p. 470)*. Toute référence à leurs traditions fut interdite et le mode de fermage en vigueur depuis des siècles laissa place à de grands domaines d'élevage, ce qui poussa des familles entières à l'émigration. Les Hautes Terres se vidèrent et il fallut attendre le début du XIXᵉ siècle et les romans et ballades de sir Walter Scott, puis l'achat du château de Balmoral par la reine Victoria, pour qu'elles retrouvent une image positive. Les difficultés économiques demeurent toutefois. Aujourd'hui encore, la moitié des habitants des Highlands et des îles vivent en communautés de moins de 1 000 âmes. La pêche, le tourisme, le whisky et l'exploitation du pétrole de la mer du Nord ont cependant permis un nouvel accroissement de la population.

Le seul troupeau de rennes de Grande-Bretagne se trouve dans les Cairngorms

◁ Eilean Donan Castle, sur le loch Duich dans le Glen Shiel

À la découverte des Highlands et des îles

Au nord et à l'ouest de Stirling s'étendent les superbes montagnes creusées de ravins, les côtes déchiquetées et les îles sauvages qui sont le berceau de l'âme écossaise. Inverness, la capitale des Highlands, fera une bonne base pour découvrir le loch Ness et les Cairngorms, tandis que Fort Williams sera le point de départ d'une ascension du Ben Nevis. À l'ouest d'Aberdeen se trouvent la vallée de la Dee et ses châteaux et la vallée de la Spey, cœur du pays du whisky. Un court trajet en bateau conduira depuis Oban ou Ullapool jusqu'aux romantiques Hébrides.

0   25 km

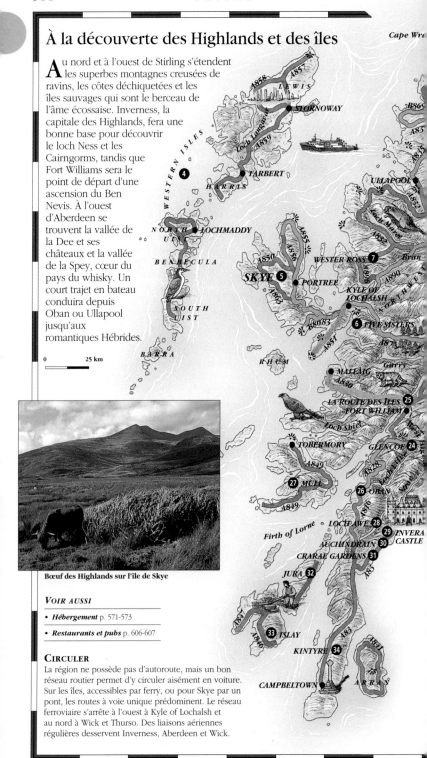

Cape Wr...

LEWIS

STORNOWAY

WESTERN ISLES

Loch Langavat

④

TARBERT

HARRIS

ULLAPOOL

NORTH UIST

LOCHMADDY

BENBECULA

SKYE ⑤

PORTREE

WESTER ROSS ⑦

KYLE OF LOCHALSH

SOUTH UIST

⑥ FIVE SISTERS

RHUM

BARRA

MALLAIG

LA ROUTE DES ÎLES ㉕ FORT WILLIAM

Loch Shiel

TOBERMORY

GLENCOE ㉔

㉗ MULL

㉖ OBAN

Firth of Lorne

LOCHAWE ㉘

㉙ INVERARAY CASTLE

AUCHINDRAIN ㉚

CRARAE GARDENS ㉛

JURA ㉜

㉝ ISLAY

KINTYRE ㉞

CAMPBELTOWN

ARRAN

Bœuf des Highlands sur l'île de Skye

VOIR AUSSI

- *Hébergement* p. 571-573
- *Restaurants et pubs* p. 606-607

CIRCULER

La région ne possède pas d'autoroute, mais un bon réseau routier permet d'y circuler aisément en voiture. Sur les îles, accessibles par ferry, ou pour Skye par un pont, les routes à voie unique prédominent. Le réseau ferroviaire s'arrête à l'ouest à Kyle of Lochalsh et au nord à Wick et Thurso. Des liaisons aériennes régulières desservent Inverness, Aberdeen et Wick.

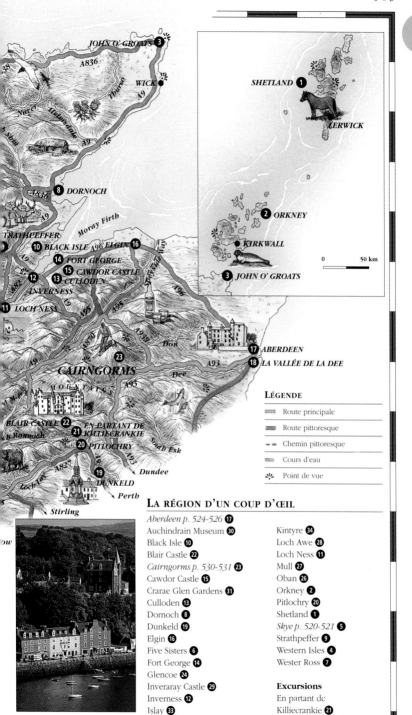

Légende

▬▬	Route principale
▬▬	Route pittoresque
‑‑	Chemin pittoresque
▬▬	Cours d'eau
☼	Point de vue

Maisons peintes du port de
Tobermory sur l'île de Mull

LA RÉGION D'UN COUP D'ŒIL

Aberdeen p. 524-526 **17**
Auchindrain Museum **30**
Black Isle **10**
Blair Castle **22**
Cairngorms p. 530-531 **23**
Cawdor Castle **15**
Crarae Glen Gardens **31**
Culloden **13**
Dornoch **8**
Dunkeld **19**
Elgin **16**
Five Sisters **6**
Fort George **14**
Glencoe **24**
Inveraray Castle **29**
Inverness **12**
Islay **33**
John o'Groats **3**
Jura **32**

Kintyre **34**
Loch Awe **28**
Loch Ness **11**
Mull **27**
Oban **26**
Orkney **2**
Pitlochry **20**
Shetland **1**
Skye p. 520-521 **5**
Strathpeffer **9**
Western Isles **4**
Wester Ross **7**

Excursions
En partant de
Killiecrankie **21**
La route des îles **25**
La vallée de la Dee **18**

Shetland ❶

Shetland. 🚶 *23 000.* ✈ ⛴ *depuis Aberdeen sur le continent, Stromness et Orkney.* 🛈 *Lerwick (01595 693434).* 🌐 *www.visitshetland.com*

À six degrés au sud du cercle arctique, l'archipel des Shetland comporte une centaine d'îles, dont une quinzaine habitées. Il appartint avec les Orcades à la couronne de Norvège jusqu'en 1469. À Lerwick, la ville principale, la fête du Feu, Up Helly Aa *(p. 466)*, rappelle chaque année cet héritage nordique. Elle s'achève par l'embrasement d'un drakkar. Le **Shetland Museum** de Lerwick retrace l'histoire d'un peuple dont la survie a toujours dépendu de la mer, y compris depuis la découverte du pétrole de la mer du Nord.

Depuis Sandwick, on peut aller visiter sur une île la tour du **Mousa Broch**, trésor archéologique de l'âge du fer. Sur le site archéologique de Jarlshof, occupé pendant 3 000 ans, un petit musée explique l'histoire des ruines bien conservées. Depuis Lerwick, un bateau part pour l'île de Noss, réserve naturelle où phoques gris et oiseaux de mer offrent un spectacle qu'on peut surtout apprécier en mai et juin.

🏛 **Shetland Museum**
The Hillhead, Lerwick. 📞 *01595 695057.* ⬤ *pour rénovation jusqu'à mi-2006.*

Orkney ❷

Orkney. 🚶 *19 800.* ✈ ⛴ *depuis John o'Groats (été seul.), Scrabster, Aberdeen.* 🛈 *Broad St, Kirkwall (01856 872856).*

Les vestiges préhistoriques jalonnant les îles des Orcades, ou Orkney Islands, en font un des grands sites archéologiques d'Europe. À l'ouest de Kirkwall, la ville principale, le cairn de **Maes Howe** abrite une chambre funéraire néolithique vieille de plus de 4 000 ans. Des Scandinaves revenant des croisades en 1150 auraient gravé les runes qui courent sur ses parois. Non loin se trouvent les **Standing Stones of Stenness** (les pierres levées de Stenness) et celles, dressées en cercle à l'âge du bronze, du **Ring of Brodgar**.

Dans la baie de Skail, une tempête déterra en 1850 le village de l'âge de la pierre de **Skara Brae** qui était resté enfoui sous le sable pendant 4 500 ans. Sept maisons disposées autour d'un foyer central sont particulièrement bien conservées.

À Kirkwall, un réseau de ruelles enserre **St Magnus Cathedral**. Bâtie en grès au XIIᵉ siècle, elle associe styles roman et gothique. Parmi les nombreux tombeaux intéressants qu'elle renferme figure celui de son saint patron. Non loin, le comte Patrick Stewart construisit au début du XVIIᵉ siècle **Earl's Palace**, aujourd'hui en ruine, considéré comme un des plus beaux édifices Renaissance d'Écosse.

À la pointe ouest de l'île, le port de Stromness possède un petit musée d'histoire locale et propose des expositions d'art au **Pier Arts Centre**.

🏰 **Earl's Palace**
Palace Rd, Kirkwall. 📞 *01856 871918.* ⬤ *d'avr. à sept. : de 9 h 30 à 18 h 30 t.l.j.* 🅿 ♿ *limité.*

🏛 **Pier Arts Centre**
Victoria St, Stromness. 📞 *01856 850209.* ⬤ *de 10 h 30 à 17 h du mar. au sam.*

John o'Groats ❸

Highland. 🚶 *500.* ✈ 🚆 🚌 *Wick* ⛴ *John o'Groats jusqu'à Burwick, Orkney.* 🛈 *John o'Groats (01955 611373).*

À plus de 1 400 km de Land's End, la pointe sud-ouest de la Grande-Bretagne, le village occupe la pointe nord-est face aux Orcades, à 13 km du Pentland Firth. Il fut ainsi baptisé parce qu'un Hollandais, John de Groot, s'y installa au XVᵉ siècle et, selon la légende, y construisit une maison octogonale dotée d'une porte pour chacun de ses huit héritiers. À quelques kilomètres à l'est, les falaises et les rochers de Duncansby Head sont superbes.

LES OISEAUX DE MER DES SHETLAND

Les falaises inaccessibles de sites comme Noss ou Hermaness sur l'île d'Unst offrent à des milliers d'oiseaux, en majorité migrateurs, un endroit sûr où nidifier. Si le spectacle qu'offrent leurs ballets se poursuit jusqu'en juillet, c'est en mai qu'il est le plus beau.

Macareux

Grand labbe

Fulmar

Guillemot noir

Pingouins torda

Goéland argenté

Façade normande de St Magnus Cathedral, Orkney

Western Isles

L'Écosse s'achève à l'ouest par une dentelle d'îles, les Hébrides extérieures, taillées dans certaines des plus vieilles roches de la Terre. D'innombrables lacs et cours d'eau y creusent des paysages presque sans arbres. De longues plages de sable blanc s'étendent sur leurs côtes occidentales, tandis qu'à l'est des tourbières composent la majorité du littoral. Elles ont permis pendant des siècles aux habitants de se chauffer. Car l'homme habite ces îles depuis 6 000 ans, tirant sa subsistance de la mer et des landes battues par les vents de l'Atlantique. Plus encore que sur le continent, la culture celte s'est maintenue et le gaélique reste une langue très vivante.

Le Black House Museum, une ferme traditionnelle à Lewis

Les Standing Stones of Callanish sur l'île de Lewis

Lewis et Harris

Western Isles. 22 000. Stornoway. Uig (Skye), Ullapool, Kyle of Lochalsh. Stornoway, Lewis (01851 703088). www.visithebrides.com

Black House Museum
01851 710395. du lun. au sam.

Lewis et Harris ne forment en fait qu'une seule île, la plus vaste des Western Isles, mais une bande montagneuse les sépare et leurs dialectes gaéliques diffèrent.

Depuis le centre administratif de **Stornoway**, au port animé, les **Standing Stones of Callanish** (pierres levées) ne se trouvent qu'à 26 km à l'est. Non loin de la route qui y conduit se dressent les ruines du **Carloway Broch**, une tour picte *(p. 468)* vieille de plus de 2 000 ans. Le **Black House Museum d'Arnol** permet de découvrir une histoire plus récente, celle de la vie menée par les petits fermiers écossais, les *crofters*, il y encore 50 ans.

En descendant vers le sud, les landes vallonnées de Lewis cèdent la place aux montagnes de Harris. À peine moins spectaculaires que les « Munros » (sommets de plus de 914 m) du continent et de l'île de Skye, elles sont un véritable paradis pour les randonneurs. Par temps clair, la vue porte depuis leurs crêtes jusqu'à l'île de St Kilda à 80 km à l'ouest.

Le port de Tarbert est installé sur un isthme étroit. Sur l'île, certains tisserands fabriquant le robuste tweed de Harris utilisent encore des teintures végétales. Depuis le port de Leverburgh, sur la pointe Harris, un ferry conduit à l'île de North Uist, d'où une chaussée conduit à Berenay.

Les îles d'Uist, de Benbecula et de Barra

Western Isles. 7 200. Barra, Benbecula. depuis Uig (Skye), Ullapool, Oban et Mallaig. Oban, Mallaig, Kyle of Lochalsh. Lochmaddy, North Uist (01876 500321) ; Lochboisdale, South Uist (01878 700286) ; Castlebay, Barra (01871 810336). www.visithebrides.com

Après les paysages spectaculaires de Harris, les terres basses des îles prolongeant l'archipel au sud peuvent paraître décevantes, mais elles recèlent des secrets méritant d'être découverts. De longues plages de sable jalonnent leur côte atlantique, bordées d'un des trésors naturels de l'Écosse : le sol riche en calcaire connu sous le nom de *machair*. Pendant les mois d'été, il se couvre de fleurs sauvages.

Depuis **Lochmaddy**, principal village de North Uist, l'A867 franchit une chaussée de 5 km pour rejoindre Benbecula, l'île d'où Flora MacDonald assura la fuite de Bonnie Prince Charlie *(p. 521)*. Une chaussée conduit à South Uist, aux belles plages dorées. Depuis Lochboisdale, un ferry conduit à la petite île de Barra. Il accoste dans Castlebay, qui offre une vue inoubliable sur **Kisimul Castle**, la forteresse du clan MacNeil de Barra.

Plage de sable de South Uist

Le flanc est des Five Sisters of Kintail vu depuis le Glen Shiel

Skye ❺

Voir p. 520-521.

The Five Sisters ❻

Skye et Lochalsh. 🚂 *Kyle of Lochalsh.* 🚌 *Glenshiel.* 🛈 *Bayfield Road, Portree, Isle of Skye (01478 612137).* 🌐 *www.visithighlands.com*

Dominant l'une des régions les plus austères d'Écosse, les impressionnants sommets des Cinq Sœurs de Kintail barrent le ciel au-dessus de l'extrémité nord du loch Cluanie à l'endroit où l'A87 pénètre dans le Glen Shiel. Le **Visitor Centre** de Morvich organise des randonnées guidées en été. Plus à l'ouest, la route passe près du romantique **Eilean Donan Castle** qu'une chaussée relie à la terre ferme. Bâti au XIIIᵉ siècle, il fut détruit par des navires anglais en 1719 et restauré en 1932.

🏰 **Eilean Donan Castle**
Près de l'A87, à proximité de Dornie. 🕿 *01599 555202.* ⏰ *d'avr. à oct. : de 10 h à 18 h t.l.j.* 🌐 *www.eileandonancastle.com*

Wester Ross ❼

Ross and Cromarty. 🚂 *Achnasheen, Strathcarron.* 🛈 *Visit Scotland (01445 712130).*

Laissant le loch Carron au sud, l'A890 s'enfonce dans la vaste région sauvage du Wester Ross. Le Torridon Estate, qui s'étend sur les deux flancs

de la vallée glaciaire du Glen Torridon, renferme certaines des plus vieilles montagnes de la planète (plus de 600 millions d'années) où vivent cerfs, chats sauvages et chèvres. Des faucons pèlerins et des aigles royaux nichent dans les hauteurs gréseuses du Beinn Eighe, au-dessus du village de Torridon. La vue y porte au-delà d'Applecross jusqu'à l'île de Skye. Le **Torridon Countryside Centre** organise des randonnées guidées en été et fournit des informations sur l'histoire naturelle de la région. Au nord, l'A832 traverse la Beinn Eighe National Nature Reserve où subsistent des vestiges de la forêt primitive écossaise sur les rives et les îles du loch Maree.

Sur la côte, les influences climatiques du Gulf Stream ont permis la création d'une série de jardins exotiques. Aménagés par Osgood Mackenzie (1842-1922) à partir de 1862, les **Inverewe Garden** sont les plus beaux. En mai et juin

Paysage typique des alentours de Torridon dans le Wester Ross

fleurissent les azalées et les rhododendrons, en juillet et août les bordures herbacées.

🏛 **Torridon Countryside Centre**
(NTS) Torridon. 🕿 *01445 791221.* ⏰ *de Pâques à sept. : de 10 h à 18 h du lun. au sam., de 14 h à 17 h dim.* 🅿 ♿ 🌐 *www.nts.org.uk*
🌷 **Inverewe Garden**
(NTS) Près de l'A832, à proximité de Poolewe. 🕿 *01445 781200.* ⏰ *t.l.j.* 🅿 ♿

Dornoch ❽

Sutherland. 👥 *2 200.* 🚂 *Golspie, Tain.* 🛈 *The Square, Dornoch (01862 810016).* 🌐 *www.visithighlands.com*

Avec ses terrains de golf réputés et ses longues plages de sable, Dornoch est une station balnéaire tranquille quoique fréquentée. Entreprise en 1223 et presque entièrement détruite lors d'un affrontement entre clans en 1570, sa cathédrale connut une importante restauration dans les années 1920 pour son 700ᵉ anniversaire. Au bout de River Street, côté plage, une pierre marque le lieu d'exécution en 1722 de Janet Horne, la dernière « sorcière » jugée en Écosse.

Aux environs
À 19 km au nord-est de Dornoch, **Dunrobin Castle**, manoir victorien incorporant une tour du XIVᵉ siècle, domine la mer au sein d'élégants jardins classiques. Résidence des comtes de Sutherland depuis le

XIII⁵ siècle, il est presque entièrement ouvert au public.

Au sud se trouve le paisible village de **Tain**. Lieu de pèlerinage au Moyen Âge, il devint après la bataille de Culloden *(p. 469)* l'un des centres administratifs des Highland Clearances. La mairie servit alors de prison. L'exposition du centre **Tain Through Time** relate ces sombres événements.

♣ Dunrobin Castle
Près de Golspie. 【 *01408 633177.*
◯ *de mars à oct. : t.l.j. (dim. : a.-m.)*
▨ Ⓦ *www.highlandescape.com*
🏛 **Tain Through Time**
Tower St. 【 *01862 894089.*
◯ *d'avr. à oct. : t.l.j.* ▨ ♿
Ⓦ *www.tainmuseum.org.uk*

La cathédrale restaurée du village de Dornoch

Strathpeffer ⑨

Ross and Cromarty. *1 400.*
🚊 *Dingwall, Inverness.* 🚌 *Inverness.*
ℹ *Visit Scotland (01463 731505 ; Pâques à oct.).*

À 8 km à l'est des chutes de Rogie et à l'est des Northwest Highlands, la ville de Strathpeffer a conservé le charme raffiné qui établit sa réputation de station thermale à l'époque victorienne. Les grands hôtels de Strathpeffer et ses dégagements élégants rappellent le temps où têtes couronnées européennes et simples mortels venaient y prendre les eaux ferrugineuses et sulfureuses supposées améliorer la condition des tuberculeux. Le **Water Tasting Pavilion**, au centre de la localité, permet encore aujourd'hui d'y goûter.

La côte de Black Isle sur le Moray Firth

The Black Isle ⑩

Ross and Cromarty. 🚊 🚌 *Inverness.*
ℹ *Visit Scotland (01463 731505 ; de Pâques à oct.).*

Si les plates-formes de forage du Cromarty Firth témoignent de l'importance du pétrole dans l'économie locale, la péninsule de Black Isle a conservé ses paysages ruraux et ses villages de pêcheurs.

Port important au XVIII⁵ siècle et centre d'une active production de dentelles et de cordages, **Cromarty** a gardé nombre de ses maisons de marchands. Le musée de **Cromarty Courthouse** organise des visites guidées de ce patrimoine. Le **Hugh Miller Museum** entretient le souvenir du géologue Hugh Miller (1802-1856) né ici. À proximité, la Miller House accueille des expositions. **Fortrose** renferme les ruines d'une cathédrale du XIV⁵ siècle, tandis qu'une stèle à Chanonry Point commémore le Brahan Seer, un prophète du XVII⁵ siècle brûlé vif dans un tonneau de goudron par la comtesse de Seaforth à qui il avait prédit l'infidélité de son mari. À Rosemarkie, le musée archéologique de **Groam House** mérite une visite.

🏛 **Cromarty Courthouse**
Church St, Cromarty.
【 *01381 600418.* ◯ *t.l.j.* ▨
🏛 **Hugh Miller Museum**
(NTS) Church St, Cromarty. 【 *01381 600245.* ◯ *de Pâques à sept. : de 12 h à 17 h t.l.j. ; oct. : de 12 h à 17 h du dim. au mer.* ▨ ♿ *limité.*
🏛 **Groam House Museum**
High St, Rosemarkie. 【 *01381 620961.*
◯ *de mai à sept. : de 10 h à 17 h t.l.j. ; d'oct. à avr. : sam. et dim (après-midi).*

LES HIGHLAND CLEARANCES

À l'époque des clans *(p. 470)*, les fermiers payaient à leur chef la location de la terre sous forme de service militaire. La destruction de la société clanique après la bataille de Culloden *(p. 523)* conduisit les propriétaires à exiger un loyer en argent, que ces petits exploitants ne pouvaient donner. Les terres passèrent peu à peu aux mains de Lowlanders et d'Anglais. En 1792, que l'on connaît comme « l'année du mouton », des milliers de fermiers furent

expulsés pour laisser la place à des troupeaux. Beaucoup émigrèrent, en Australie ou dans le Nouveau Monde, abandonnant derrière eux les ruines de leurs chaumières ou *crofts*.

Le Dernier du clan (1865) par Thomas Faed

L'île de Skye ❺

Loutre de la côte de Kylerhea

Un pont reliant Kyle of Lochalsh à Kyleakin permet de rejoindre la plus grande île des Hébrides intérieures. Des plateaux volcaniques érodés du Quiraing et du Storr au nord jusqu'aux pics des Cuillins culminant au sud-ouest à 913 m, une histoire géologique mouvementée lui a donné des paysages aussi spectaculaires que variés. Des fjords profonds s'enfoncent partout à l'intérieur des terres et aucun lieu n'est éloigné de la mer de plus de 8 km. Après la bataille de Culloden, Skye offrit asile à Bonnie Prince Charlie, mais elle eut à subir les Highland Clearances *(p. 517)* ; les ruines de *crofts* abandonnés parsèment les coteaux herbeux du sud devenus aujourd'hui le domaine des troupeaux.

À Skeabost, le cimetière d'une chapelle en ruine renferme des tombes médiévales.

Tombeau de Flora MacDonald

Kilm

WESTERN ISLES

Uig

LOCH SNIZORT

● Lusta

B886

Milovaig ●

A850

Dunvegan

B884

Skea

A863

B8

0   10 km

Portnalong ●

B8009

Talisker ●   Carbost

C U

SG
ALA

99
(3,2

Dunvegan Castle
Forteresse du clan MacLeod depuis plus de sept siècles, il abrite le Fairy Flag (« Drapeau de Fée »), pièce de soie magique censée protéger le clan.

La distillerie de Talisker produit un des meilleurs whiskies des Highlands, surnommé « la lave des Cuillins ».

Cuillins

Depuis Sligachan, il faut 3 heures de marche pour atteindre les plus belles montagnes de Grande-Bretagne. En été, des bateaux partent d'Elgol pour le loch Coruisk cerné de hauts pics. Alors qu'il fuyait dans les landes environnantes, Bonnie Prince Charlie se serait exclamé : « Même le Diable ne me suivra pas ici ! »

Légende

ℹ️	Information touristique
▨	Route A
▭	Route B
═	Route secondaire
✲	Point de vue

◁ **Lever de soleil sur les plateaux désolés du nord de Skye vus depuis le Quiraing**

Quiraing
Une série de glissements de terrain a révélé un dédale de tours et de flèches creusé dans ce plateau volcanique. On l'atteint aisément depuis la route reliant Uig et Staffin.

MODE D'EMPLOI

The Highlands. 🏠 11 500. 🚏 *Kyle of Lochalsh*. 🚌 *Portree*. 🚢 *depuis Mallaig ou Glenelg*. 🛈 *Bayfield House, Portree (0845 2255121)*. 🅦 *www.visithighlands.com*
Dunvegan Castle, Dunvegan. 📞 *01470 521206*. ◯ *t.l.j.* 🎫 🚻 *limité*. 🅦 *www.dunvegancastle.com*
Armadale Castle, Armadale. 📞 *01471 844227*. ◯ *d'avr. à oct. : t.l.j. (jardins toute l'année)* 🎫 🚻
Talisker Distillery, Carbost. 📞 *01478 614 308*. ◯ *t.l.j. (tél. pour les horaires)*. 🎫 🚻 *limité*. 🎫

Kilt Rock

Storr
Monolithe de 55 m de haut proche de la route de Portree, l'Old Man of Storr se détache du plateau basaltique.

Loch Coruisk

Portree
La capitale de Skye prit le nom de « port du roi » après une visite de Jacques V en 1540.

Luib possède une superbe chaumière vieille d'un siècle.

Pont vers le continent

KYLE OF LOCHALSH

Kyleakin

Des loutres sont visibles au refuge de Kylerhea.

Kylerhea

Armadale Castle Gardens and Museum of the Isles abrite le Clan Donald Visitor Centre.

Armadale

MALLAIG

Kilchrist Church
Ce sanctuaire réformé en ruine se trouvait jadis dans la région la plus peuplée de l'île. Il fut abandonné en 1843 après la construction d'une église à Broadford.

BONNIE PRINCE CHARLIE
Dernier prétendant de la dynastie à la couronne d'Angleterre, Charles Édouard Stuart (1720-1788), exilé en France avec son père, arrive en Écosse en 1745. Décidé à reprendre le trône, il obtient le soutien des jacobites, mais son armée est vaincue à Culloden *(p. 523)*. Traqué pendant cinq mois dans les Highlands, il s'enfuit à Skye en se faisant passer pour la servante d'une femme d'Uist, Flora MacDonald. Il réussit à regagner la France en septembre 1746 *(p. 532)* et meurt à Rome en 1788.
Deux ans plus tard, Flora est enterrée à Kilmuir, enroulée dans un drap du « joli » (*bonnie*) prince.

Le prince, déguisé en servante

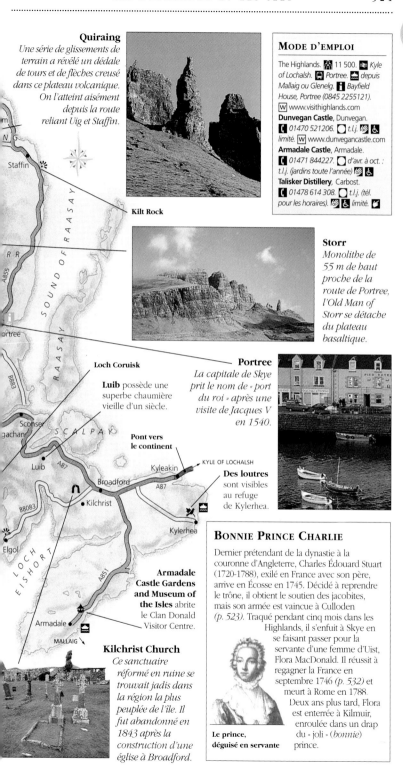

Les ruines d'Urquhart Castle sur la rive occidentale du loch Ness

Loch Ness ⓫

Inverness. 🚌 🚐 *Inverness*. 🛈 *Castle Wynd, Inverness (0845 2255121).* 🌐 www.loch-ness-scotland.com

Long de 39 km, large de 1,5 km et profond de 305 m, le **loch Ness** emplit le fond de la moitié nord du Great Glen, faille qui traverse les Highlands de Fort William à Inverness. Dessiné par l'ingénieur écossais Thomas Telford *(p. 433)*, le Caledonian

LE MONSTRE DU LOCH NESS

Aperçue pour la première fois au VIᵉ siècle par saint Columba, « Nessie » éveille une curiosité mondiale depuis son apparition dans les années 1930 sur des photos ambiguës. Les recherches par sonar ont donné des résultats énigmatiques. Plésiosaure, anguille géante et whisky font partie des explications les plus répandues. Il semblerait qu'un proche cousin de Nessie habite le loch Morar *(p. 532)*.

Canal le relie au loch Oich et au loch Lochy. Sur la rive occidentale, l'A82 longe les ruines d'**Urquhart Castle**, bâti au XVIᵉ siècle et détruit par des troupes gouvernementales en 1692 pour éviter qu'il ne passe sous contrôle jacobite. Un peu plus à l'ouest, **The Official Loch Ness Monster Exhibition Centre** propose des documents audiovisuels sur le monstre.

Fabricant de kilts et tartan des Stuarts

⛰ **Urquhart Castle**
Près de Drumnadrochit.
📞 *01456 450551.* ⭘ *t.l.j. ; de Pâques à sept. : de 9 h 30 à 18 h 30 ; d'oct. à Pâques : de 9 h 30 à 16 h 30.* 🗭 🌱 🛗

🏛 **The Official Loch Ness Monster Exhibition Centre**
Drumnadrochit. 📞 *01456 450573.*
⭘ *t.l.j. ; de Pâques à mai : de 9 h 30 à 17 h ; juin et sept. : de 9 h à 18 h ; juil. et août : de 9 h à 20 h ; oct. : de 9 h 30 à 17 h 30 ; de nov. à mars : de 10 h à 15 h 30.* 🗭 🛗 ⏹ 🛗

Inverness ⓬

Highland. 🏘 60 000. 🚌 🚐 🛈 *Castle Wynd, Inverness (0845 2255121).* 🌐 www.visithighlands.com

Capitale des Highlands, Inverness constitue une base idéale d'où partir à la découverte du loch Ness et des collines environnantes. Sa position stratégique lui a

toutefois valu d'être l'enjeu de nombreux conflits et de connaître bien des destructions. La majorité des édifices les plus anciens de la ville, tel le château aujourd'hui occupé par le tribunal, ne datent ainsi que du XIXᵉ siècle. L'**Inverness Museum and Art Gallery** abrite une exposition consacrée à l'histoire et aux coutumes des Highlands. Au **Scottish Kiltmaker Visitor Centre** et au **James Pringle Weavers of Inverness**, le visiteur pourra découvrir l'histoire et la tradition du kilt écossais.

Jacobite Cruises propose des croisières le long du Caledonian canal et sur le loch Ness.

🏛 **Museum and Art Gallery**
Castle Wynd. 📞 *01463 237114.*
⭘ *de 9 h à 17 h du lun. au sam.* 🛗 🌐 www.invernessmuseum.com
🏠 **James Pringle Weavers of Inverness**
Holm Woollen Mill, Dores Rd.
📞 *01463 223311.* ⭘ *t.l.j.* 🛗
🏛 **Scottish Kiltmaker Visitor Centre**
Huntly St. 📞 *01463 222781.* ⭘ *de mai à sept. : t.l.j. ; d'oct. à avr. : du lun. au sam.* ⬤ *25 déc., 1ᵉʳ janv.* 🗭
Jacobite Cruise
Glenurquhart Rd.
📞 *01463 233999.* ⭘ *t.l.j.* 🗭 🛗
🌐 www.jacobite.co.uk

Culloden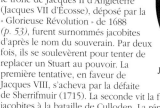

(NTS) Inverness. ⟨icons⟩ *Inverness.*
W www.nts.org.uk

L a lande désolée de Culloden
a gardé un aspect très
proche de celui qu'elle avait le
16 avril 1746, date de la
dernière bataille livrée sur le
sol britannique *(p. 469)*. Les
9 000 hommes commandés par
le duc de Cumberland, fils de
George II, y écrasèrent les
troupes jacobites conduites par
Bonnie Prince Charlie *(p. 521)*.
Sur place, le **NTS Visitor
Centre** propose une excellente
exposition sur ce thème.

Aux environs
Trois remarquables tumulus
néolithiques forment à 1,5 km
à l'est les **Clava Cairns**.

🛈 NTS Visitor Centre
Sur la B9006 à l'est d'Inverness. 📞 *01463
790607.* ⏱ *t.l.j. ; d'avr. à oct. : de 9 h à
18 h ; de nov. à mars : de 10 h à 16 h.*
⬤ *janv.* 🅿 ♿

Fort George ⓮

Inverness. 📞 *01667 460232.* ⟨icons⟩
Inverness, Nairn. ⏱ *de 9 h 30 à
18 h 30 du lun. au sam., de 14 h à 17 h
dim.* ⬤ *25 et 26 déc., 1ᵉʳ et 2 janv.* 🅿
♿ 📷 W www.historic-scotland.gov

B el ouvrage d'art militaire, le
Fort George se dresse sur
un promontoire rocheux battu
par les vents du Moray Firth.
Les Anglais le construisirent
après le soulèvement jacobite
pour contrôler Inverness et
pouvoir réprimer toute
nouvelle tentative de rébellion
des Highlanders. Les travaux
s'achevèrent en 1769, et la
garnison n'eut jamais en fait à

LE MOUVEMENT JACOBITE

Highlanders catholiques pour la
plupart, les partisans d'un retour sur
le trône de Jacques II d'Angleterre
(Jacques VII d'Écosse), déposé par la
« Glorieuse Révolution » de 1688
(p. 53), furent surnommés jacobites
d'après le nom du souverain. Par deux
fois, ils se soulevèrent pour tenter de
replacer un Stuart au pouvoir. La
première tentative, en faveur de
Jacques VIII, s'acheva par la défaite

**Jacques II, par Samuel
Cooper (1609-1672)**

de Sherrifmuir (1715). La seconde vit la fin des espoirs
jacobites à la bataille de Culloden. La répression qui suivit
dispersa les clans et interdit toute expression de la culture
des Highlands pendant plus d'un siècle *(p. 471)*.

**Le pont-levis de la façade est de
Cawdor Castle**

repousser un assaut. La
forteresse renferme le
Regimental Museum et
l'aménagement de certains de
ses baraquements reconstitue
les conditions de vie des
soldats il y a deux siècles. Le
Grand Magazine contient
une riche collection d'armes et
d'équipement militaire, tandis
que les remparts offrent un
excellent poste d'observation
pour admirer les dauphins
sauvages du Moray Firth.

Cawdor Castle ⓯

Sur la B9090 (depuis l'A96). 📞
01667 404401. ⟨icons⟩ *Nairn, puis bus
depuis Inverness.* ⏱ *de mai à mi-
oct. : de 10 h à 17 h t.l.j.* 🅿 ♿
jardins et rez-de-chaussée seulement.
🍴 W www.cawdorcastle.com

A vec son donjon à tourelles,
son fossé et son pont-
levis, ce château construit au
XVIIᵉ siècle autour d'une tour
du XIVᵉ siècle est une des plus
romantiques demeures
seigneuriales des Highlands.
Bien que Shakespeare en ait
fait le cadre du meurtre du roi
Duncan par Macbeth au
XIᵉ siècle, aucune preuve
historique d'un quelconque
séjour de ces personnages n'a
jamais été fournie.
Selon la légende, le houx
retrouvé dans une pièce
secrète serait celui sous lequel,
en 1372, l'âne chargé d'or du
baron William se serait arrêté
pour se reposer, indiquant ainsi
à son maître où édifier sa
forteresse. Après 600 ans
d'occupation continue, le
château, toujours habité par les
barons de Cawdor, regorge de
souvenirs familiaux,
notamment de superbes
tapisseries et des portraits
peints au XVIIIᵉ siècle par
Joshua Reynolds (1723-1792) et
George Romney (1734-1802).
Plusieurs pièces contiennent
des meubles de Chippendale et
Sheraton, et dans la cuisine
trône un impressionnant
fourneau victorien.
Le vaste parc du château
permet de belles promenades
et comprend un parcours de
golf de neuf trous.

La Bataille de Culloden (1746), par D. Campbell

Elgin **⑯**

Moray. 🚶 25 000. 🚊 🚌 **ℹ** 17 High St, Moray (01343 542666).

Avec sa place du marché pavée et ses ruelles tortueuses, le centre d'Elgin reste marqué par le plan de la ville médiévale. Près de King Street, il ne reste que les ruines de sa **cathédrale** bâtie au XIIIᵉ siècle, jadis l'une des plus belles d'Écosse. En 1390, un fils de Robert II, le Loup de Badenoch, la ravagea pour se venger de son excommunication par l'évêque de Moray. Reconstruite, elle fut désaffectée après la Réforme et, en 1576, le régent de Moray ordonna que l'on démonte son toit en plomb, laissant ainsi l'intérieur à la merci des intempéries. Le sanctuaire servit ensuite de carrière. La nef, où subsiste une dalle picte, a beaucoup souffert et ce sont les transepts, le chœur et une chapelle latérale dotée

Détail de la tour centrale de la cathédrale d'Elgin

d'une belle voûte à nervures qui offrent le plus d'intérêt.

L'**Elgin Museum** présente des collections d'anthropologie, de géologie et d'histoire locale, tandis que le **Moray Motor Museum** possède plus de 40 véhicules anciens.

🏛 Elgin Museum
1 High St. **C** 01343 543675. ◯ d'avr. à oct. : du lun. au sam. (tél. pour les horaires). 🏷 📷 🚻 limité.

🏛 Moray Motor Museum
Bridge St, Bishopsmill. **C** 01343 544933. ◯ de Pâques à oct. : de 11 h à 17 h, t.l.j. 🏷 🚻

Aberdeen **⑰**

Surnommée la « ville de granit », Aberdeen est aussi une des cités les plus fleuries de Grande-Bretagne, et les expositions florales organisées toute l'année dans ses jardins contrastent avec la sévérité des immeubles. Le centre moderne s'est développé à partir du port dont une grande part de l'activité dépend aujourd'hui de l'exploitation du pétrole en mer du Nord, même si la pêche reste importante. Le village pittoresque de Footdee, situé à 3 km de la ville, offre une jolie vue sur le port.

Les flèches des églises d'Aberdeen dominent l'horizon du port

À la découverte d'Aberdeen
Le centre-ville s'étend autour d'Union Street, artère commerçante et animée qui débouche à l'est sur la Mercat Cross. La croix se dresse près de Castlegate, ancien accès au château et place de marché. De là, la rue Shiprow sinue vers le port où se tient la criée, longeant la Provost Ross's House et son musée maritime (p. 526). Situé à 1,5 km du centre, l'Old Aberdeen a conservé le charme d'un village autonome avec ses ruelles pavées bordées de beaux monuments anciens. On s'y rend en bus.

🏰 King's College
College Bounds, Old Aberdeen. **C** 01224 273702. ◯ de 9 h 30 à 17 h du lun. au ven. ; de 11 h à 17 h sam. ● 24 déc. au 3 janv. 🚻 **W** www.abdn.ac.uk/kcc
La première université d'Aberdeen a été fondée en 1495. La tour de la chapelle comporte une superbe lanterne Renaissance reconstruite après une tempête en 1633. Des vitraux par Douglas Strachan apportent une touche contemporaine à l'intérieur. La chaire date de 1540 ; les effigies des Stuarts qui l'ornent furent ajoutées plus tard.

🔒 St Andrew's Cathedral
King St. **C** 01224 640290. ◯ de mai à sept. : de 10 h à 16 h du lun. au sam. 🚻 📷 sur rendez-vous.
C'est dans cette cathédrale que fut consacré en 1784 Samuel Seabury, premier évêque de l'Église épiscopalienne américaine. Un mémorial rappelle cet événement majeur de l'histoire religieuse des États-Unis. Mises en valeur par la blancheur des piliers et des parois, les armoiries des États américains ornent, avec celles des familles jacobites (p. 523) de l'Aberdeenshire, les plafonds des ailes nord et sud.

L'élégante lanterne de la tour de la chapelle de King's College

PROVOST SKENE'S HOUSE

Guestrow. ☎ 01224 641086. ◯ t.l.j. ⬤ 25, 26 et 31 déc., 1ᵉʳ et 2 janv.
ⓦ www.aagm.co.uk

Demeure du prévôt sir George Skene au XVIIᵉ siècle,
cette maison fut bâtie en 1545. Le duc de Cumberland y résida
avant la bataille de Culloden *(p. 523)*. Le mobilier d'époque
retrace 200 ans d'évolution des styles.

MODE D'EMPLOI

City of Aberdeen. ♦ 212 000.
✈ 🚆 🚌 Guild St.
ℹ Union St (01224 288828).
ⓦ www.aberdeen-grampian.com

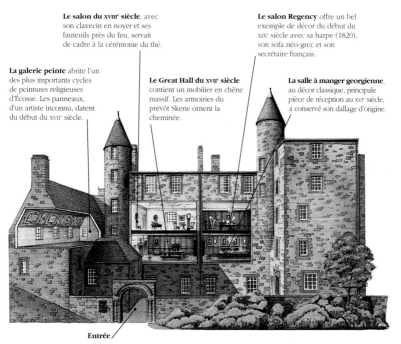

Le salon du XVIIIᵉ siècle, avec
son clavecin en noyer et ses
fauteuils près du feu, servait
de cadre à la cérémonie du thé.

Le salon Regency offre un bel
exemple de décor du début du
XIXᵉ siècle avec sa harpe (1820),
son sofa néo-grec et son
secrétaire français.

La galerie peinte abrite l'un
des plus importants cycles
de peintures religieuses
d'Écosse. Les panneaux,
d'un artiste inconnu, datent
du début du XVIIᵉ siècle.

Le Great Hall du XVIIᵉ siècle
contient un mobilier en chêne
massif. Les armoiries du
prévôt Skene ornent la
cheminée.

La salle à manger georgienne,
au décor classique, principale
pièce de réception au XVIᵉ siècle,
a conservé son dallage d'origine.

Entrée

LE CENTRE D'ABERDEEN

Aberdeen Art Gallery ①
Marischal College ④
Maritime Museum ⑦
Mercat Cross ⑥
Provost Skene's
House ③
St Andrew's
Cathedral ⑤
St Nicholas
Kirk ②

LÉGENDE

🚌 Gare routière

🚆 Gare

⛴ Embarcadère des ferries

🅿 Parc de stationnement

ℹ Information touristique

✝ Église

0   200 m

🏛 **Art Gallery**

Schoolhill. 📞 *01224 523700.* ⭘ *de 10 h à 17 h du lun. au sam. ; de 14 h à 17 h dim.* ⬤ *du 25 déc. au 2 janv.* ♿ 🌐 *www.aagm.co.uk*

Installé dans un édifice néoclassique construit à son intention en 1884, le musée d'art d'Aberdeen présente, dans son département d'arts décoratifs, un bel ensemble d'argenterie locale. Si le musée est riche, il est surtout réputé pour ses collections de peintures modernes, anglaises et écossaises bien entendu, mais aussi pour les œuvres d'artistes tels que Toulouse-Lautrec, Monet ou Bonnard. Léguée en 1900 par un marchand de granit, la collection Alex MacDonald comporte 92 autoportraits d'artistes britanniques. Le musée

Argenterie d'Aberdeen à l'Art Gallery

organise de temps en temps des lectures de poésie, des projections et des concerts.

🔒 **St Nicholas Kirk**

Union St. ⭘ *de mai à sept. : de 10 h à 16 h t.l.j. ; d'oct. à avr. : du lun. au ven. (matin).* ♿

Fondée au XIIᵉ siècle, St Nicholas est la plus grande église paroissiale d'Écosse. Abîmé pendant la Réforme, le bâtiment fut divisé en deux églises (East Church et West Church). Bien qu'il date de 1752, il renferme des objets plus anciens, tels les anneaux utilisés au XVIIᵉ siècle pour enchaîner les femmes accusées de sorcellerie (chapelle de l'East Church). Une certaine Mary Jameson (1597-1664) aurait réalisé les broderies décorant la West Church.

🏛 **Maritime Museum**

Shiprow. 📞 *01224 337700.* ⭘ *de 10 h à 17 h du lun. au sam, de 12 h à 15 h dim.* ♿ 📷 📱

Établi au-dessus du port dans l'une des plus anciennes maisons de la ville, la Provost Ross's House (1593), ce musée illustre différents aspects de l'histoire maritime d'Aberdeen tels que la pêche, le sauvetage en mer, la construction navale ou le fonctionnement des plates-formes pétrolières au large de l'Écosse.

🔒 **St Machar's Cathedral**

The Chanonry. 📞 *01224 485988* ⭘ *de 9 h à 17 h t.l.j.* ♿

Entreprise en 1357, la cathédrale St Machar dont les flèches dominent l'Old Aberdeen est le plus ancien édifice en granit de la ville. La nef sert désormais d'église paroissiale. Les armoiries de 48 papes, empereurs et princes de la chrétienté ornent son superbe plafond à caissons en chêne du XVIᵉ siècle.

Excursion dans la vallée de la Dee ⑱

Rivière riche en saumons, la Dee s'enfonce profondément dans les Grampians. Au plaisir de découvrir les beautés naturelles de sa vallée s'ajoute celui offert par ses nombreux châteaux. Le plus connu, Balmoral Castle, est la résidence d'été de la famille royale britannique depuis son acquisition en 1852 par la reine Victoria.

Muir of Dinnet Nature Reserve ④

Un centre d'information sur l'A97 constitue un excellent point de départ pour explorer cette superbe région boisée.

Balmoral ⑥

Acheté par la reine Victoria en 1852 après qu'une arête eut étouffé son propriétaire, le château fut reconstruit dans le style seigneurial écossais à la demande du prince Albert.

Ballater ⑤

Nombre de boutiques de Ballater, dont les eaux avaient au XIXᵉ siècle la réputation de soigner la tuberculose, portent des enseignes attestant qu'elles fournissent la famille royale.

Dunkeld ⓳

Perth and Kinross. *2 200.* *Birnam.* *The Cross (01350 727688).* www.perthshire.co.uk

Sur les rives de la Tay, ce charmant village fut presque entièrement détruit en 1689 lors de la bataille de Dunkeld, une défaite jacobite. Les **Little Houses** bordant Cathedral Street furent parmi les premières à être reconstruites.

Les ruines de la **cathédrale** se dressent dans un cadre enchanteur au bord de la rivière. Élevé au début du XIVe siècle, le chœur sert désormais d'église paroissiale. Un guichet perce son mur nord. Cette petite ouverture permettait jadis aux lépreux d'assister à l'office et de recevoir la communion sans se mêler au reste des fidèles. Le petit musée aménagé dans la salle capitulaire présente une belle pierre picte du IXe siècle.

Ruines de la cathédrale de Dunkeld

Pitlochry ⓴

Perth and Kinross. *2 500.* *22 Atholl Rd (01796 472215).* www.perthshire.co.uk

Au cœur des collines boisées de pins du centre des Highlands, Pitlochry acquit son renom quand la reine Victoria *(p. 56)* le décrivit comme l'un des plus agréables lieux de villégiature d'Europe. Au début de l'été, les saumons remontent le passage aménagé à leur intention et un hublot permet de les observer. Au **Power Station Visitor Centre**, une exposition décrit le système de barrages contenant les eaux du loch Faskally. La **Blair Atholl Distillery** produit le whisky Bell depuis 1798. Elle permet d'en découvrir les procédés de fabrication *(p. 475)*. En été, le programme du **Festival Theatre** change tous les jours.

Power Station Visitor Centre
Pitlochry. *01796 473152.* *d'avr. à oct. : de 10 h à 17 h 30 du lun. au ven. (juil. et août : t.l.j.).*

Blair Atholl Distillery
Perth Rd. *01796 482003.* *de Pâques à sept. : du lun. au sam. (et dim. a.-m. de juin à sept.).* *du 22 déc. au 3 janv.* *limité.* www.discovering-distilleries.com

Festival Theatre
Port-na-Craig. *01796 472680.* *t.l.j.*

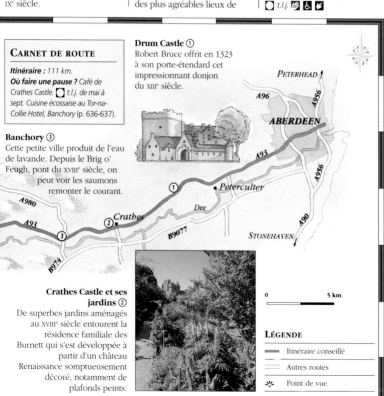

Carnet de route

Itinéraire : *111 km.*
Où faire une pause ? *Café de Crathes Castle.* *t.l.j. de mai à sept. Cuisine écossaise au Tor-na-Collie Hotel, Banchory* (p. 636-637).

Drum Castle ①
Robert Bruce offrit en 1323 à son porte-étendard cet impressionnant donjon du XIIIe siècle.

Banchory ③
Cette petite ville produit de l'eau de lavande. Depuis le Brig o' Feugh, pont du XVIIIe siècle, on peut voir les saumons remonter le courant.

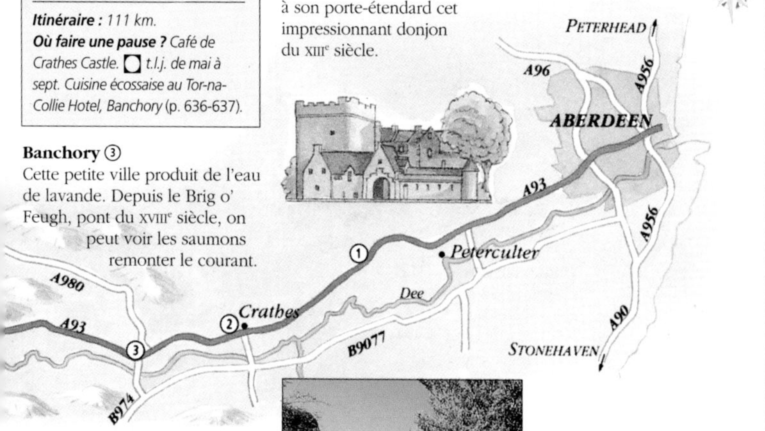
Peterhead
A96
A956
Aberdeen
A93
①
Peterculter
A956
Dee
A980
② Crathes
A93
③
B9077
A90
Stonehaven
B974

Crathes Castle et ses jardins ②
De superbes jardins aménagés au XVIIIe siècle entourent la résidence familiale des Burnett qui s'est développée à partir d'un château Renaissance somptueusement décoré, notamment de plafonds peints.

0 — 5 km

Légende

- Itinéraire conseillé
- Autres routes
- Point de vue

Excursion en partant de Killiecrankie ㉑

Dans le cadre où les Highlanders remportèrent en 1689 la bataille de Killiecrankie, cette promenade suit un sentier relativement plat pour une région aussi accidentée. Jalonné de sites idéaux pour pique-niquer, il serpente en effet dans une gorge boisée. L'arrivée au loch Faskally offre néanmoins un large panorama de Blair Atholl. Longeant la Tummel pour revenir vers son point de départ, le parcours traverse ensuite une des régions que préférait la reine Victoria.

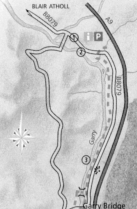

Killiecrankie ①
Le Visitor Centre présente une documentation sur la bataille de Killicrankie (1689).

Linn of Tummel ⑦
Le sentier rejoint un trou d'eau au pied des chutes de la Tummel, puis s'enfonce dans la forêt.

Coronation Bridge ⑥
Ce pont piétonnier sur la Tummel fut bâti en 1860 en l'honneur de George IV.

Soldier's Leap ②
Poursuivi par des jacobites pendant la bataille, Donald Macbean franchit d'un bond ce Saut du Soldat.

Killicrankie Pass ③
Une route militaire construite au XVIIᵉ siècle par le général Wade suit la gorge.

Memorial Arch ⑤
Elle garde la mémoire des ouvriers tués pendant la construction du Clunie Dam (barrage de Clunie).

Clunie Foot Bridge ④
Ce pont franchit le loch Faskally, un lac artificiel créé dans les années 50 par le barrage de la rivière Garry.

BLAIR ATHOLL

Garry Bridge

Faskally House

TUMMEL FOREST PARK

LOCH FASKALLY

PITLOCHRY

LÉGENDE

- ▪ ▪ Itinéraire conseillé
- ▬ Route principale
- ═ Route B
- ═ Route secondaire
- 🌿 Point de vue
- 🅿 Parc de stationnement
- ℹ Information touristique

0   1 km

CARNET DE ROUTE

Point de départ : NTS Visitor Centre Killiecrankie. 📞 01796 473233.
Comment y aller : En bus depuis Pitlochry ou Aberfeldy.
Itinéraire : 16 km.
Difficulté : Très facile.

Les Trois Sœurs, Glencoe, à la fin de l'automne

Blair Castle ②

Blair Atholl, Perthshire. 01796 481207. Blair Atholl. d'avr. à oct. : de 9 h 30 à 17 h 30 t.l.j. limité. www.blair-castle.co.uk

Ce château disposé autour de son donjon du XIIIᵉ siècle, la Cumming's Tower, a connu tant de remaniements en 700 ans d'occupation qu'il offre un aperçu unique de l'histoire de l'aristocratie des Highlands. Somptueusement meublée, l'aile du XVIIIᵉ siècle ornée de stucs élégants abrite une exposition de souvenirs jacobites, dont des gants et une pipe de Bonnie Prince Charlie *(p. 521)*. Les portraits de famille retracent trois siècles de généalogie et comprennent des œuvres de Johann Zoffany, Jacob de Wet et sir Peter Lely.

La reine Victoria fit au château un séjour de convalescence en 1844 et accorda à ses propriétaires, les ducs d'Atholl, l'autorisation de posséder une armée privée. Les Atholl Highlanders existent toujours.

Les Cairngorms ㉓

Voir p. 530-531.

Glencoe ㉔

Highland. Fort William. Glencoe. Visit Scotland (01397 703781).

Le décor grandiose offert par cette vallée sauvage entourée de hautes montagnes et les événements tragiques qui s'y déroulèrent *(encadré ci-contre)* ont conduit Dickens à la comparer au « lieu de sépulture d'une race de géants ». Les falaises à pic du Buachaille Etive Mor et la crête escarpée de l'Aonach Eagach (deux sommets de plus de 900 m) opposent même aux montagnards expérimentés un difficile défi.

Glencoe est néanmoins propice à de superbes randonnées. De bonnes chaussures et un strict respect des consignes de sécurité s'avèrent toutefois nécessaires. D'une promenade d'une demi-heure au Signal Rock jusqu'à l'ascension, longue de 10 km, du Devil's Staircase, le **NTS Visitor Centre** fournit des itinéraires aux marcheurs et organise en été des excursions guidées.

NTS Visitor Centre
Ballachulish. 01855 811307. de mars à oct. : de 10 h à 17 h t.l.j.

LE MASSACRE DE GLENCOE

En 1692, le chef des MacDonald de Glencoe prêta avec cinq jours de retard le serment d'allégeance à Guillaume III. Le gouvernement prit prétexte de ce délai pour exterminer ce nid de partisans jacobites *(p. 523)*. Pendant dix jours, les MacDonald reçurent les 130 soldats de Robert Campbell, mais à l'aube du 13 février ceux-ci s'abattirent par surprise sur leurs hôtes, massacrant 38 membres du clan. Nombre de ceux qui s'étaient réfugiés en montagne ne purent résister aux rigueurs de l'hiver. La tuerie provoqua un véritable scandale politique, mais il fallut attendre trois ans avant les premières réprimandes officielles.

Détail du *Massacre de Glencoe* par James Hamilton

Les Cairngorms ❷❸

Chèvre égarée

L a plus haute chaîne de montagne de Grande-Bretagne culmine à 1 309 m au Ben Macdhui. C'est là que se trouve la plus importante station de ski du pays ; un funiculaire gravit les pentes du Cairn Gorm, le sommet qui a donné son nom à la région bien qu'il n'en soit que le deuxième en hauteur (1 245 m). Grand centre de production de whisky, la vallée de la Spey aujourd'hui très touristique vivait encore récemment de son agriculture, et de nombreux domaines proposent aux visiteurs de découvrir les modes d'exploitation traditionnels des Highlands.

Strathspey Steam Railway
Ce train à vapeur relie Aviemore et Broomhill depuis 1863.

Depuis Aviemore, centre commercial des Cairngorms, des bus partent pour les pistes de ski situées à 13 km.

Kincraig Highland Wildlife Park
Dans ce parc naturel à parcourir en voiture voisinent bisons, loups et sangliers, jadis la faune indigène des Highlands.

Les Cairngorms vus d'Aviemore

Rothiemurchus Estate
Les bœufs des Highlands font partie des animaux à découvrir dans ce domaine qui propose aux visiteurs des promenades guidées et un aperçu de la vie rurale.

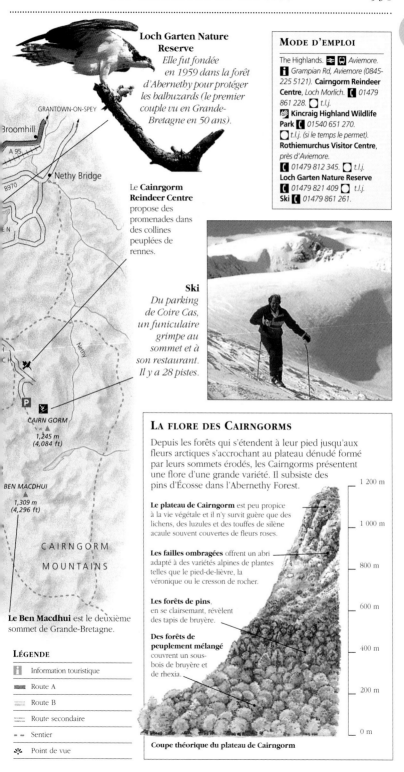

GRANTOWN-ON-SPEY

Broomhill

A 95

Nethy Bridge

B970

EN

CH

P

CAIRN GORM

▲
1,245 m
(4,084 ft)

BEN MACDHUI

▲
1,309 m
(4,296 ft)

CAIRNGORM

MOUNTAINS

Le Ben Macdhui est le deuxième sommet de Grande-Bretagne.

Loch Garten Nature Reserve

Elle fut fondée en 1959 dans la forêt d'Abernethy pour protéger les balbuzards (le premier couple vu en Grande-Bretagne en 50 ans).

MODE D'EMPLOI

The Highlands. 🚆 🚌 *Aviemore.*
🛈 *Grampian Rd, Aviemore (0845-225 5121).* **Cairngorm Reindeer Centre,** *Loch Morlich.* 📞 *01479 861 228.* 🕐 *t.l.j.*
🦌 **Kincraig Highland Wildlife Park** 📞 *01540 651 270.*
🕐 *t.l.j. (si le temps le permet).*
Rothiemurchus Visitor Centre, *près d'Aviemore.*
📞 *01479 812 345.* 🕐 *t.l.j.*
Loch Garten Nature Reserve
📞 *01479 821 409* 🕐 *t.l.j.*
Ski 📞 *01479 861 261.*

Le **Cairngorm Reindeer Centre** propose des promenades dans des collines peuplées de rennes.

Ski

Du parking de Coire Cas, un funiculaire grimpe au sommet et à son restaurant. Il y a 28 pistes.

LA FLORE DES CAIRNGORMS

Depuis les forêts qui s'étendent à leur pied jusqu'aux fleurs arctiques s'accrochant au plateau dénudé formé par leurs sommets érodés, les Cairngorms présentent une flore d'une grande variété. Il subsiste des pins d'Écosse dans l'Abernethy Forest.

Le plateau de Cairngorm est peu propice à la vie végétale et il n'y survit guère que des lichens, des luzules et des touffes de silène acaule souvent couvertes de fleurs roses.

Les failles ombragées offrent un abri adapté à des variétés alpines de plantes telles que le pied-de-lièvre, la véronique ou le cresson de rocher.

Les forêts de pins, en se clairsemant, révèlent des tapis de bruyère.

Des forêts de peuplement mélangé couvrent un sous-bois de bruyère et de rhexia.

1 200 m

1 000 m

800 m

600 m

400 m

200 m

0 m

Coupe théorique du plateau de Cairngorm

LÉGENDE

🛈	Information touristique
▬▬	Route A
▭▭	Route B
▭ ▭	Route secondaire
- -	Sentier
🔆	Point de vue

Excursion de la route des îles ㉕

Ce trajet jusqu'au port de Mallaig et ses ferries pour les îles de Skye, Rhum et Eigg passe au pied de sommets majestueux, traverse de petits villages et longe de spectaculaires plages de sable blanc. Il est jalonné de souvenirs de l'épopée jacobite *(p. 523).*

CARNET DE ROUTE

Itinéraire : 72 km.
Où faire une pause ? Documents et rafraîchissements au NTS Visitors' Centre de Glenfinnan (01 397 722 250) ; excellente cuisine écossaise à l'Arisaig House Hotel. (Voir aussi p. 636-637.)

Mallaig ⑦
Actif petit port de pêche, Mallaig est aussi l'un des principaux points d'embarquement pour l'île de Skye *(p. 520-521).*

Morar ⑥
Dans une région réputée pour la blancheur de ses plages, la route longe le loch Morar qu'habiterait un monstre de 12 m de long.

Prince's Cairn ⑤
Au fond du loch Nan Uamh sur la péninsule d'Ardnish, un cairn marque l'endroit d'où Bonnie Prince Charlie quitta l'Écosse pour la France en 1746.

Oban ㉖

Argyll and Bute. 🏙 8 500. 🚆 🚌 🚢 🛈 *Argyll Sq (01631 563122).* 🌐 www.visitscotland.com

Situé sur le Firth of Lorne, ce petit port touristique d'où partent les ferries pour les îles de Mull, de Barra et de South Uist commande une vue superbe sur la côte de l'Argyll. Imitation inachevée du Colisée, la McCaig's Tower, entreprise en 1897 par un banquier pour lutter contre le chômage, domine la ville. Le monument manque d'intérêt esthétique, mais le panorama marin justifie les 10 mn d'escalades nécessaires pour l'atteindre. Dans le centre-ville, vous pourrez assister à la fabrication de verre soufflé, de céramique et de whisky *(p. 475).* La distillerie d'Oban produit un « pure malt » réputé. Le **Scottish Sealife Sanctuary** s'occupe de la protection des phoques et propose des expositions sur la vie aquatique. Un port très actif abrite des ferry-boats reliant les îles Barra, Uist sud, Mull, Tiree et Colonsay.

🏛 **Scottish Sealife Sanctuary**
Barcaldine. 📞 *01631 720386.* ⏰ *t.l.j.* 🔒 *25 déc., 1ᵉʳ janv.* 🎫 ♿ 🍴 🛍

Mull ㉗

Argyll and Bute. 🏙 2 800. 🚢 depuis Oban, Kilchoan, Lochaline. 🛈 Main Street, Tobermory (01688 302182).

La plupart des routes de cette île à la beauté sauvage suivent sa côte découpée, offrant de larges panoramas. Depuis Craignure, un petit train dessert **Torosay Castle**. Une allée bordée de statues traverse les jardins de cette demeure du XIXᵉ siècle décorée de meubles et de peintures d'époque. À quelques kilomètres à l'est, **Duart Castle**, résidence du clan Maclean, se dresse sur un promontoire. La visite permet de découvrir la salle de banquet et les appartements du donjon du XIIIᵉ siècle. Dans ses cachots croupirent les marins d'un galion de l'Invincible Armada coulé à quai par Donald Maclean en 1588.

Tobermory Bay sur l'île de Mull

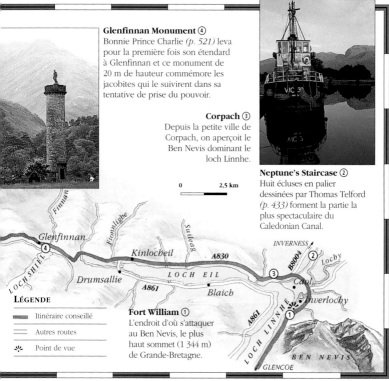

Glenfinnan Monument ④
Bonnie Prince Charlie *(p. 521)* leva
pour la première fois son étendard
à Glenfinnan et ce monument de
20 m de hauteur commémore les
jacobites qui le suivirent dans sa
tentative de prise du pouvoir.

Corpach ③
Depuis la petite ville de
Corpach, on aperçoit le
Ben Nevis dominant le
loch Linnhe.

Neptune's Staircase ②
Huit écluses en palier
dessinées par Thomas Telford
(p. 433) forment la partie la
plus spectaculaire du
Caledonian Canal.

0   2,5 km

LÉGENDE

▬▬▬ Itinéraire conseillé

═══ Autres routes

⚡ Point de vue

Fort William ①
L'endroit d'où s'attaquer
au Ben Nevis, le plus
haut sommet (1 344 m)
de Grande-Bretagne.

Aux environs
Depuis Fionnphort, un ferry
dessert **Iona** où l'on peut voir
les ruines du premier
monastère d'Écosse en 563.
Au nord, l'îlot de Staffa abrite
la **grotte de Fingal**.

♠ Torosay Castle
A849, près de Craignure. █ 01680
812421. **Château** ◯ de Pâques à oct. :
t.l.j. **Jardins** ◯ t.l.j. ; d'avr. à sept. : de
9 à 19 h ; d'oct. à mars : du lever à la
tombée du jour. ◪ & ◪ groupes.

♠ Duart Castle
A849, près de Craignure. █ 01680
821309. ◯ d'avr. à mi-oct. : de
10 h 30 à 17 h 30 t.l.j. ◪

Loch Awe ㉘

Argyll and Bute. ⬚ ⬚ *Dalmally.* █
Inveraray (01499 32063).

Le plus long (40 km) des
lacs d'Écosse s'étend au
fond d'une vallée glaciaire du
sud-ouest des Highlands. À
quelques kilomètres au nord
du village de Lochawe se
dressent les vestiges de
Kilchurn Castle (XVe siècle),

Les ruines de Kilchurn Castle sur la rive nord du loch Awe

abandonné après qu'il eut été
frappé par la foudre au
XVIIIe siècle. Les ruines
paraissent minuscules au pied
du Ben Cruachan, dont on
atteint le sommet par l'étroit
col de Brander où Robert
Bruce *(p. 468)* combattit le
clan MacDougal en 1308.
Depuis l'A85, un tunnel
conduit à la Cruachan Power
Station, centrale électrique
installée au cœur de la

montagne. Près du village de
Taynuilt, à Bonawe, le Lorn
Furnace (« Four abandonné »)
témoigne de l'époque où
l'industrie de la fonderie
entraîna la destruction d'une
grande partie des forêts.
Signalés, des cairns
préhistoriques jalonnent l'A816
entre Kilmartin et Dunadd Fort,
colline fortifiée où les Scots
venus d'Irlande établirent leur
capitale au VIe siècle *(p. 468)*.

Inveraray Castle  29

Inveraray, Argyll and Bute. 🚋
Arrochar, puis bus. 📞 01499
302203. ☐ en avr. et mai : de 10 h
à 17 h 45 du sam. au jeu (fermé de
13 h à 14 h ; dim. : ouvert à partir de
13 h) ; de juin à sept. : de 10 h à 17 h
45 t.l.j. (dim. : a.-m.) ; der. entrée à
17 h. 📷 ♿ limité. ✓ 🖥 🛈
☑ www.inveraray-castle.com

Sur le site d'un château du
XVᵉ siècle dont subsistent
des ruines, Roger Morris et
William Adam construisirent
en 1745 ce palais néo-
gothique, demeure des chefs
du clan Campbell, ducs
d'Argyll depuis 1701. Les tours
d'angle à toiture conique
furent ajoutées en 1877 après
un incendie. Conçue à la fin
du XVIIIᵉ siècle par l'architecte
Robert Mylne, la superbe
décoration intérieure sert
d'écrin à une riche collection
de porcelaines orientales et
européennes, de meubles
Regency et d'œuvres de
Ramsay, Gainsborough et
Raeburn. Dans l'Armoury Hall
sont exposées les armes qui
servirent aux Campbell à
combattre les jacobites
(p. 523).

Inveraray Castle, résidence néo-gothique des Campbell

Auchindrain Museum 30

Inveraray, Argyll and Bute.
📞 01499 500235. 🚌 Inveraray,
puis bus. ☐ d'avr. à sept. :
de 10 h à 17 h t.l.j. 📷 ♿ limité. 🛈
☑ www.auchindrainmuseum.org.uk

Le premier musée en
plein air inauguré en
Écosse entretient le souvenir
d'une forme d'organisation
rurale très répandue dans les
Highlands jusqu'à la fin du
XIXᵉ siècle : les communautés
agricoles. Constitué d'une
vingtaine de chaumières
réunissant pour la plupart sous
un même toit étable et espaces
d'habitation,
Auchindrain resta
exploité jusqu'en

1962. Les visiteurs découvrent
des méthodes de travail liées à
une agriculture de subsistance
aujourd'hui révolue, et le
décor quotidien, avec ses lits
clos, d'une vie simple dont
une tradition ancestrale fixait
les relations à la terre et à la
propriété.

Ancienne charrue à l'Auchindrain Museum

Crarae Gardens 31

Crarae, Argyll and Bute. 📞 01546
866614 ou NTS (01852 200366). 🚌
Inveraray, puis bus. ☐ de 9 h 30 au
coucher du soleil t.l.j. 📷 ♿ limité.
☑ www.crarae-gardens.org

Considéré par beaucoup
comme le plus séduisant
des jardins de l'ouest des
Highlands, le **Crarae Gardens**
fut créé dans les années 1920
par Lady Grace Campbell. C'est
son neveu, l'explorateur
Reginald Farrer, qui rapporta du
Tibet les spécimens à l'origine
de sa collection de plantes
exotiques. Dans un décor
évoquant un ravin de haute

montagne, rhododendrons
himalayens et espèces
végétales originaires de
Tasmanie, de Nouvelle-Zélande
et d'Amérique du Nord
profitent d'un climat humide,
tempéré par l'influence du Gulf
Stream. Des collectionneurs
continuent à enrichir ce jardin,
particulièrement beau au
printemps et au début de l'été.

Jura 32

Argyll and Bute. 👥 200. 🚢 depuis
Kennacraig à Islay, puis d'Islay à Jura.
🛈 Bowmore (01496 810254).

La seule route de cette île
montagneuse et désolée
relie l'unique village,
Craighouse, à l'embarcadère
des ferries pour Islay. Bien
que la circulation à pied soit
limitée d'août à octobre
pendant la saison de la chasse
au cerf, Jura offre de superbes
itinéraires de randonnée,
notamment sur les pentes de
ses trois principaux sommets,
les Paps of Jura qui culminent
à 784 m au Beinn an Oir.
    Au large de la pointe nord
de l'île se creusent les fameux
tourbillons de Corryvreckan.
Venu à Jura, travailler à son
dernier roman, *1984*,
l'écrivain George Orwell faillit
s'y noyer en 1946. Selon une
légende, le prince Breackan
tenta, pour gagner la main de
l'élue de son cœur, de
maintenir son bateau au

Sur Islay, la distillerie Lagavulin produit un des meilleurs whiskies d'Écosse

Coucher de soleil sur les Paps of Jura vus depuis l'autre rive du loch Tarbert

centre du tourbillon pendant trois jours. Des cordages renforcés par des cheveux de jeunes vierges lui servaient d'amarres. Un seul rompit, causant la mort du prince ; il contenait les cheveux d'une infidèle.

Islay ❸

Argyll and Bute. 🏠 3 500. 🚢 depuis Kennacraig. 🛈 The Square, Bowmore (0870 7200617). 🖥 www.isle-of-islay.com

La plus méridionale des Western Isles possède huit distilleries. Elles produisent des « pure malt » au fort parfum de tourbe, comme le Lagavulin ou le Laphroaig, qui ont une réputation méritée. La plus ancienne des distilleries se trouve dans le village géorgien de Bowmore, dont l'église fut construite sur un plan circulaire afin, dit-on, de ne laisser au diable aucun recoin où se cacher.

À Port Charlotte, le **Museum of Islay Life** rassemble une riche documentation sur l'histoire naturelle et sociale de l'île. À 11 km à l'est de Port Ellen se dresse la Kildalton Cross (VIIIᵉ s.) sculptée de scènes de l'Ancien Testament, l'une des plus belles croix celtiques de Grande-Bretagne. Autre site archéologique

d'intérêt, **Finlaggan**, l'ancienne forteresse des Lords of the Isles, anciens rois des Gaëls, est en cours d'excavation. La réserve naturelle de Gruinart permet d'observer les nombreux oiseaux de mer qui nichent le long des plages d'Islay.

🏛 **Museum of Islay Life**
Port Charlotte. 📞 01496 850358. 🕐 de Pâques à oct. : de 10 h à 17 h du lun. au sam., de 14 h à 17 h dim. 🗓 ♿

Kintyre ❹

Argyll and Bute. 🏠 6 000. 🚢 Oban. 🚌 Campbeltown. 🛈 MacKinnon House, The Pier, Campbeltown (01586 552056).

La longue péninsule de Kintyre s'étend au sud-ouest de Glasgow et commande de superbes panoramas des îles de Gigha, Islay et Jura. Inauguré en 1801, le Crinan Canal est une

ravissante voie navigable intérieure longue de 14 km, et de nombreux bateaux de plaisance se pressent en été devant ses 15 écluses. La ville de Tarbert, dont le nom signifie « isthme » en gaélique, occupe l'étroite bande de terre qui relie la péninsule au reste de l'Argyll. C'est le roi viking Magnus Barfud qui le premier la franchit avec son drakkar en 1198 ; un traité lui accordait tout le territoire qu'il pourrait contourner en bateau.

Au sud de Campbeltown, la B842 continue jusqu'au cap appelé Mull of Kintyre, un nom que Paul McCartney rendit célèbre en adaptant un morceau de cornemuse traditionnel portant ce titre. À l'ouest, vers l'Irlande, se trouve l'îlot de Rathlin où Robert Bruce (p. 468) se replia et apprit la patience dans sa lutte contre les Anglais.

Le port de Tarbert, péninsule de Kintyre

LES BONNES ADRESSES

HÉBERGEMENT 538-573

RESTAURANTS ET PUBS 574-611

HÉBERGEMENT

Comparé à la France, l'hébergement est coûteux en Grande-Bretagne, mais il existe une forte tradition de logement chez l'habitant (*Bed and Breakfast*, chambres à la ferme...) et l'éventail des possibilités devrait vous permettre de vous loger en fonction de vos moyens, de vos besoins et de vos goûts. Du manoir au camping en passant par les anciens relais de poste ou la location d'appartements ou de maisons, formule particulièrement intéres-

Portier du Hilton à Londres

sante pour les familles, les pages 538 à 541 détaillent les différentes formes d'hébergement disponibles. Elles expliquent de surcroît les systèmes de classification appliqués par les autorités touristiques du Royaume-Uni.

Les pages 542 à 573 proposent une sélection de plus de 350 hôtels et *Bed and Breakfast* dans tout le pays. Nous avons effectué ce choix dans une large gamme de tarifs en tenant compte de la qualité des prestations, du cadre et du rapport qualité-prix.

LES *COUNTRY-HOUSE HOTELS*

Comme les hôtelleries en France, ces établissements de standing installés à la campagne se sont multipliés ces 15 dernières années et certains hôteliers ont cherché à profiter de la vogue en justifiant par quelques aménagements néo-rustiques l'utilisation dans leurs brochures du terme « country-house ».

Gérées pour certaines par leurs propriétaires, tel Cheddington Court *(p. 551)*, et pour d'autres par des chaînes comme **Historic House Hotels**, les véritables *country-houses* sont toutefois faciles à reconnaître : les bâtiments présentent toujours un intérêt architectural et ils renferment antiquités et beaux meubles. Souvent, un vaste parc les entoure. Le visiteur y trouvera confort, luxe... et tarifs en rapport.

LES CHAÎNES HÔTELIÈRES

Dans des catégories de prix généralement élevées, les établissements gérés par de grandes sociétés internationales comme **Sheraton** intègrent pour la plupart une très large gamme de commodités, notamment un restaurant gastronomique, une piscine et un centre de remise en forme. La personnalité et le charme qui leur manquent sont compensés par leur confort et leur caractère fonctionnel.

Les plus grandes chaînes, telle **Forte Crest**, ont des succursales dans toutes les villes importantes. Sauf exception, les prix s'appliquent à la chambre et non par personne. Ils ne comprennent pas toujours le petit déjeuner. Certains de ces hôtels offrent des réductions pour les séjours en week-end réservés à l'avance.

L'Atholl Palace Hotel *(p. 573)*

HÔTELS TRADITIONNELS ET RELAIS DE POSTE

Dans la gamme des hébergements à prix moyens, les hôtels traditionnels, souvent familiaux, se révèlent en général confortables. Certains des plus modernes offrent en ville un rapport qualité-prix intéressant.

En Angleterre et au pays de Galles ont subsisté d'anciens relais de poste *(coaching inns)*, comme le Swan dans le Suffolk *(p. 548)*. Ces auberges où chevaux et voyageurs trouvaient jadis gîte et couvert occupent pour la plupart de jolis édifices historiques et possèdent un décor traditionnel et un bon restaurant. Dans les villages, ils sont souvent le centre de la vie sociale, ce qui leur donne une atmosphère animée et conviviale.

Le Buckland Manor *(p. 556)*, Worcestershire

◁ **Les ruines de Corfe Castle (xɪᵉ siècle) dans le Dorset**

Le Swan *(p. 548)*, un ancien relais de poste dans le Suffolk

services disponibles, les catégories vont de « *listed* » (« enregistré »), la plus basse, à 5 couronnes. L'office du tourisme local effectue chaque année une inspection pour vérifier que l'établissement remplit toujours les critères de sa catégorie. Ces critères ne tiennent toutefois pas compte de la qualité des services offerts et la BTA a institué un deuxième système de classification par « *quality gradings* » évaluant des éléments tels que la chaleur de l'accueil ou le confort de l'ameublement. Les mentions « *approved* », « *commended* », « *highly commended* » et « *de luxe* » complètent ainsi le nombre de couronnes. Un B&B proposant des services d'une grande qualité mais en nombre restreint peut donc n'avoir qu'une couronne mais être « *de luxe* ».

BED AND BREAKFAST ET GUESTHOUSES

L e panneau « B&B » accroché sur une maison indique que ses propriétaires pratiquent la forme d'hébergement à domicile connue sous le nom de *Bed and Breakfast* (lit. : « lit et petit déjeuner »), un des moyens les plus économiques de se loger en Grande-Bretagne.

Sauf rare exception, les *Bed and Breakfast* ne louent que quelques chambres et refusent les paiements par chèques de voyage ou cartes bancaires. De nombreux offices du tourisme publient un *Bed & Breakfast Touring Map* recensant ceux qu'ils ont inspectés. Souvent un peu plus chères, les *guesthouses* sont des pensions de famille.

WOLSEY LODGES

C ette association porte le nom du cardinal Wosley qui voyagea dans tout le pays au XVIe siècle en faisant grand cas de la qualité de l'accueil qu'il recevait. Elle regroupe des propriétaires proposant un hébergement de standing dans des résidences privées généralement situées à la campagne.

Les membres des Wolsey Lodges ont pour objectif de donner l'impression à leurs hôtes qu'ils sont reçus comme des invités et non comme des clients. Petit déjeuner anglais compris, les prix varient de 20 £ à 45 £ par personne pour une chambre double avec bain. Le repas du soir se prend en commun avec la famille qui vous accueille. Les adresses s'obtiennent auprès des offices du tourisme ou du bureau des Wolsey Lodges (*voir Carnet d'adresses p. 541*).

LES CATÉGORIES

L a British Tourist Authority a appliqué à plus de 17 000 hôtels, pensions de famille, motels, auberges, *Bed and Breakfast* et chambres à la ferme une classification par couronnes. Attribuées en fonction des commodités et

SUPPLÉMENTS SURPRISE

L a pratique du pourboire devient de plus en plus rare ; vous ne serez censé en donner que dans les établissements les plus huppés ou si le personnel vous a rendu un service particulier ou s'est montré spécialement attentif.
Le téléphone se révèle fréquemment le supplément le plus coûteux à l'hôtel. Avant de vous lancer dans de longues conversations depuis votre chambre, vérifiez les tarifs appliqués. L'écart justifie souvent l'effort d'utiliser un téléphone public.

L'**Hintlesham Hall** *(p. 548)* dans le Suffolk

TARIFS ET RÉSERVATIONS

Dans les hôtels, les prix s'entendent normalement pour la chambre et incluent taxes et service. Si vous voyagez seul et que l'établissement ne possède pas de chambres pour une personne, vous paierez en général presque aussi cher qu'un couple.

Les tarifs des palaces les plus luxueux ne sont jamais inférieurs à 200 £ et ne comprennent pas toujours de petit déjeuner. À Londres, dans un hôtel moyen, une chambre pour deux personnes avec salle de bains et petit déjeuner coûtera entre 70 £ et 150 £. Hors de la capitale, vous dépenserez pour une prestation similaire entre 50 £ et 90 £.

La folie de Doyden Castle, en Cornouailles, se loue auprès du National Trust

L'entrée raffinée du Gore Hotel à Londres *(p. 542)*

Les prix des *Bed and Breakfast* (hors de Londres) dépendent de la saison et vont de 12,5 £ à 35 £ par personne et par nuit. Toujours hors de Londres, une chambre pour une personne et une nuit reviendra au minimum à 20 £ dans une *guesthouse*. L'hébergement à la ferme comprend presque toujours un dîner substantiel. En pension complète, les hôtes paient entre 19 £ et 30 £ par personne et par nuit.

Certains établissements demandent de verser des arrhes lors de la réservation. Sauf si vous les réglez en donnant le numéro de votre carte bancaire, vous devriez pouvoir en récupérer une partie en cas d'annulation effectuée suffisamment tôt.

LES LOCATIONS

De l'appartement de luxe à la cabane en bois en passant par des moulins ou des granges entièrement réaménagés, la Grande-Bretagne offre un très large choix de locations, une forme d'hébergement, en général à la semaine, particulièrement adaptée aux personnes soucieuses de préserver leur indépendance, ou à celles qui voyagent avec des enfants et un budget serré. Les offices du tourisme locaux en tiennent les listes les plus complètes et les plus à jour. Ils peuvent en outre assurer des réservations.

La **British Tourist Authority** applique aux locations un système de classification semblable à celui des hôtels *(p. 539)*. Les hébergements inspectés reçoivent de une à cinq clés selon leur niveau d'équipement et une appréciation indiquant leur qualité.

Enseigne d'un Bed-and-Breakfast

En Écosse, des couronnes remplacent les clés des catégories, mais le système de recommandation est le même. Les autorités du pays de Galles, quant à elles, associent les deux classifications pour n'en faire qu'une seule : des dragons indiquent à la fois l'éventail de commodités proposées et leur qualité.

Le **Landmark Trust** est une organisation qui a sauvé de nombreux édifices anciens et les loue au public pour des week-ends ou à la semaine. Réserver tôt s'impose.

Le **National Trust** *(p. 25)* possède un département locations qui gère un parc de bâtiments historiques.

CAMPING, CARAVANING ET CAMPING-CARS

L'office du tourisme britannique (BTA) diffuse une publication en anglais, *Britain's Best Caravan/Camping Parks*, qui recense un grand nombre des campings que possède la Grande-Bretagne. Ils sont pour la plupart ouverts de Pâques à octobre. Certains n'acceptent pas les tentes. Beaucoup proposent des caravanes en location. Pendant la haute saison, en été, mieux vaut réserver, en particulier près des sites touristiques. En cas de doute, les offices du tourisme locaux devraient être en mesure de vous renseigner sur les places disponibles. Un emplacement pour une tente ou une caravane coûte de 6 £ à 10 £ par nuit. Le **Caravan Club** et le **Camping and Caravanning Club** publient chacun un guide des terrains de camping appartenant à leur organisation, et il peut se révéler intéressant d'adhérer. Tous deux utilisent leur propre système de classification.

Le camping-car (*motor home* en anglais) reste de loin le moyen offrant le plus de liberté dans les déplacements et la brochure de la BTA *Britain : Vehicle Hire* donne des renseignements détaillés sur les possibilités de location. Un véhicule avec six couchettes et un équipement pouvant aller du groupe électrogène au four à micro-ondes en passant par un téléviseur coûte de 500 £ à 800 £ par semaine. Sur demande, il sera mis à disposition à l'aéroport ou au port de débarquement.

POUR LES HANDICAPÉS

Les panneaux « *Tourism for All* » (Tourisme pour tous) signalent les lieux d'hébergement répondant à des critères d'accessibilité spécifiques. **RADAR** (Royal Association for Disability and Rehabilitation) publie chaque année un guide pour les handicapés désireux de venir

Camping à Ogwen Valley, Snowdonia

en vacances dans les îles britanniques intitulé *Holidays in the British Isles : A Guide for Disabled People*. Il peut se commander par courrier auprès de leurs bureaux ou de grandes librairies. **Holyday Care Service** pourra également vous renseigner sur les hébergements et les moyens de transport. Nous avons indiqué dans notre sélection d'hôtels ceux qui possèdent un accès en fauteuil roulant.

En camping, les équipements sont

généralement mieux adaptés sur les terrains les plus modernes. Le Camping and Caravanning Club et le Caravan Club vous indiqueront tous les campings affiliés possédant des toilettes et des sanitaires conçus pour des handicapés.

En Écosse, le **Scottish Tourist Board** précise dans ses principales brochures les conditions d'accès aux sites touristiques et aux lieux d'hébergement. Le **Disability Scotland Information Service** publie un guide gratuit pour les handicapés.

CARNET D'ADRESSES

Pour toute information sur tous les modes d'hébergement, consultez le site
W www.visitbritain.com

HÔTELS
Accor Hotel
(Ibis, Novotel)
C 020-8237 7474.
W www.accorhotels.com

Best Western
Amy Johnson Way,
Clifton Moor,
York, YO30 4GP.
C 08457 747474
(centrale de réservation).
W www.bestwestern.co.uk

Hilton International
Hilton Reservations.
Worldwide, 4 Cadogan Sq.,
Cadogan St,
Glasgow G2 7PH
C 00800 888 44 888.
W www.hilton.co.uk

Hotel du Vin
12 Southgate Street,
Winchester, Hants, SO23 9EF.
C 01962 841414.
W www.hotelduvin.com

Pride of Britain
Cowage Farm, Foxley
Wiltshire, SN16 OJH.
C 0870-609 3012.
W www.
prideofbritainhotels.com

Wolsey Lodges
9 Market Place, Hadleight,
Ipswich, Suffolk IP7 5DL.
C 01473 822058.
W www.wolsey-
lodges.co.uk

CAMPING, CARAVANING ET CAMPING-CARS

Camping and Caravanning Club
Westwood Way, Coventry,
West Midlands CV4 8JH.
C 0247 669 4995.
W www.campingand
caravanningclub.co.uk

Forestry Commission
231 Corstorphine Road,
Edinburgh, EH12 7AT.
C 0131 334 0303.
W www.forestry.gov.uk

Motor Caravaners' Club
Freepost, TK1292
Twickenham TW2 5BR.
C 020-8893 3883.
W www.motorcaravanners.
org.uk

LOCATIONS

Landmark Trust
Shottesbrooke, Maiden-
head, Berkshire SL6 3SW.
C 01628 825925.
W www.landmarktrust.
org.uk

National Trust (Holiday Bookings)
PO Box 39, Bromley, Kent
BR1 3XL.
C 0870 458 4000.
W www.nationaltrust.
org.uk

National Trust for Scotland
Wemis Hse, 28 Charlotte
Square, Edinburgh EH2 4ET.
C 0131 243 9000.
W www.nts.org.uk

Snowdonia Tourist Services
High Street, Porthmadog,
Gwynedd LL49 9PG
C 01766 513829.
W www.sts-holidays.com

POUR LES HANDICAPÉS

Holiday Care
7th flr, Sunley Hse,
4 Bedford Park, Croydon
CR02AP.
C 0845 124 9971.
W www.holidaycare.org.uk

RADAR
Unit 12, City Forum,
250 City Road, London,
EC 1V 8AF.
C 020-7250 3222.
W www.radar.org.uk

Choisir un hôtel

Nous avons sélectionné ces établissements dans une large gamme de prix pour leur localisation ou la qualité de leurs prestations. Beaucoup comportent un restaurant. En commençant par Londres, ils sont présentés par régions différenciées par un code couleur. Pour les restaurants, voir les pages 574 à 607.

	CARTES BANCAIRES	RESTAURANT	ENFANTS BIENVENUS	JARDIN OU TERRASSE	NOMBRE DE CHAMBRES
LONDRES					
PADDINGTON : *Delmere*. **Plan** 2 E1. W www.delmerehotels.com £££ 130 Sussex Gardens W2. 020 7706 3344. FAX 020 7262 1863. Un hôtel accueillant bien tenu qui se démarque dans une rue foisonnant d'établissements bon marché. Chambres petites mais soignées.	AE DC MC V	■			36
PADDINGTON : *Mornington*. **Plan** 2 E1. W www.bestwestern.com £££ 12 Lancaster Gate, W2. 020 7262 7361. FAX 020 7706 1028. Dans cet hôtel suédois, qui propose un buffet (*Smorgasbord*) au petit déjeuner, la sobriété des chambres contraste avec l'ambiance club du bar.	AE DC MC V		●		66
PADDINGTON : *Hempel*. **Plan** 2 E1. W www.the-hempel.co.uk £££££ 31 Craven Hill Gardens, W2. 020 7298 9000. FAX 020 7402 4666. La création ultra-chic d'Anouska Hempel marie une décoration originale, un service irréprochable et une technologie de pointe.	AE DC MC V	■	●		46
NOTTING HILL : *Abbey Court*. **Plan** 1 B2. W www.abbeycourthotel.co.uk £££ 20 Pembridge Gardens, W2. 020 7221 7518. FAX 020 7792 0858. Une demeure victorienne près de Notting Hill Gate, aux chambres calmes, agrémentées de livres et de quelques touches personnelles.	AE DC MC V		●	■	24
NOTTING HILL : *Pembridge Court*. **Plan** 1 B2. W www.pemct.co.uk ££££ 34 Pembridge Gardens, W2. 020 7229 9977. FAX 020 7727 4982. Hôtel familial foisonnant de peintures et d'antiquités victoriennes. Un chat roux, Churchill, accueille les clients.	AE DC MC V		●		20
NOTTING HILL : *Portobello*. **Plan** 1 A2. W www.portobello-hotel.co.uk £££££ 22 Stanley Gardens, W11. 020 7727 2777. FAX 020 7792 9641. Cet hôtel délicieusement excentrique, décoré dans le style victorien et édouardien, offre une ambiance exotique et raffinée. ● *du 23 déc. au 1ᵉʳ janv.*	AE MC V	■	●		24
KENSINGTON : *Abbey House*. **Plan** 1 C3. W www.abbeyhousekensington.com £ 11 Vicarage Gate, W8. 020 7727 2594. FAX 020 7727 1873. Ancienne maison de famille victorienne, ce Bed & Breakfast propose des chambres spacieuses meublées avec simplicité (sans salle de bains attenante).			●		16
KENSINGTON : *Kensington House*. **Plan** 2 D5. W www.kenhouse.com £££ 15–16 Prince of Wales Terrace, W8. 020 7937 2345. FAX 020 7368 6700. Installé dans une maison de ville, cet élégant hôtel vient d'ouvrir. Il associe le charme de l'ancien à la sobriété du style contemporain.	AE DC MC V	■	●		41
KENSINGTON : *The Gore*. **Plan** 2 D5. W www.gorehotel.com £££££ 189 Queen's Gate, SW7. 020 7584 6601. FAX 020 7589 8127. Cet hôtel victorien singulier se trouve au-dessus d'un restaurant très chic. Chambres pour une personne, et très grandes chambres de style Tudor, décorées de tribunes des musiciens. Service courtois.	AE DC MC V	■	●		53
KNIGHTSBRIDGE : *Basil Street*. **Plan** 5 A3. W www.thebasil.com £££££ 8 Basil St, SW3. 020 7581 3311. FAX 020 7581 3693. À quelques pas de Sloane Street, cet hôtel de caractère, dont le succès ne s'estompe pas, s'enorgueillit d'une longue histoire. Magnifique bar à vin-brasserie. Excellent rapport qualité-prix pour une adresse si prestigieuse.	AE DC MC V	■	●		80
KNIGHTSBRIDGE : *Beaufort*. **Plan** 5 A3. W www.thebeaufort.co.uk £££££ 33 Beaufort Gardens, SW3. 020 7584 5252. FAX 020 7589 2834. Un nid douillet et aristocratique aux chambres joliment décorées, sur une place calme. Room service.	AE DC MC V		●		29
KNIGHTSBRIDGE : *Halkin*. **Plan** 5 A3. W www.halkin.co.uk £££££ 5 Halkin St, SW1. 020 7333 1000. FAX 020 7333 1100. Avec son élégant design italien, agrémenté d'une touche orientale, et un excellent restaurant thaï qui donne sur une cour verdoyante, cet hôtel fait vivre aux clients une expérience inoubliable.	AE DC MC V	■	●	■	41

		Les prix correspondent à une nuit en chambre double, service, taxes et petit déjeuner compris.			

Les prix correspondent à une nuit en chambre double, service, taxes et petit déjeuner compris.

£ moins de 50 £
££ de 50 à 100 £
£££ de 100 à 150 £
££££ de 150 à 200 £
£££££ plus de 200 £

RESTAURANT
Sauf indication contraire, le restaurant ou la salle à manger accueille d'autres clients que les hôtes.

ENFANTS BIENVENUS
Berceaux, lits d'enfants et baby-sitting. Certains restaurants proposent menus enfants et chaises hautes.

JARDIN OU TERRASSE
Hôtel possédant un jardin, une cour intérieure ou une terrasse. Souvent, possibilité de manger dehors.

CARTES BANCAIRES
Cartes acceptées : AE = American Express ; DC = Diners Club ; MC = Master Card/Access ; V = Visa.

	CARTES BANCAIRES	RESTAURANT	ENFANTS BIENVENUS	JARDIN OU TERRASSE	NOMBRE DE CHAMBRES
SOUTH KENSINGTON : *Five Sumner Place.* **Plan** 2 E5. £££ 5 Sumner Place, SW7. 020 7584 7586. **FAX** 020 7823 9962. **W** www.sumnerplace.com Un petit hôtel lauréat de plusieurs distinctions, bien équipé, à l'accueil paisible et courtois. Journaux gratuits au petit déjeuner.	AE MC V		●		13
SOUTH KENSINGTON : *Blakes.* **Plan** 2 E5. **W** www.blakeshotels.com £££££ 33 Roland Gardens, SW7. 020 7370 6701. **FAX** 020 7373 0442. Dans ce somptueux hôtel, les chambres sont décorées d'objets d'art anciens. Jardin paisible et restaurant de style oriental.	AE MC V	■	●	■	49
VICTORIA : *Morgan House.* **Plan** 5 B4. **W** www.morganhouse.co.uk £ 120 Ebury St, SW1. 020 7730 2384. **FAX** 020 7730 8442. Un B&B élégant et bon marché, dans un bâtiment georgien. Décoration sobre et moderne. Seules quatre chambres ont des salles de bains privées.	MC V		●		11
VICTORIA : *Tophams Belgravia.* **Plan** 5 B4. **W** www.zolahotels.com £££ 28 Ebury St, SW1. 020 7730 8147. **FAX** 020 7823 5966. Établissement familial occupant plusieurs maisons de ville adjacentes. Les pièces communes sont confortables et décorées d'objets personnels.	AE DC MC V	■	●		39
VICTORIA : *Windermere.* **Plan** 5 C4. **W** www.windermere-hotel.co.uk £££ 142–144 Warwick Way, SW1. 020 7834 5163. **FAX** 020 7630 8831. Hôtel accueillant, bon marché, situé à dix minutes à pied de Victoria Station. Chambres lumineuses et soigneusement tenues. Service prévenant.	AE MC V	■	●		22
VICTORIA : *Goring.* **Plan** 5 B4. **W** www.goringhotel.co.uk £££££ 15 Beeston Place, SW1. 020 7396 9000. **FAX** 020 7834 4393. Bel hôtel de Belgravia à l'ameublement élégant et à l'accueil chaleureux. Le jardin soigneusement entretenu offre un cadre agréable.	AE DC MC V	■		■	74
WESTMINSTER : *Dolphin Square.* **Plan** 6 D5. ££££ Chichester St, SW1. 020 7834 3800. **W** www.dolphinsquarehotel.co.uk Situé dans l'enceinte d'un jardin paisible près de la Tamise et près de la Tate Britain, cet hôtel luxueux abrite également le restaurant Allium, qui vient d'ouvrir.	AE DC	■	●	■	148
ST JAMES'S : *22 Jermyn Street.* **Plan** 6 D1. **W** www.22jermyn.com £££££ 22 Jermyn St, SW1. 020 7734 2353. **FAX** 020 7734 0750. Complexe luxueux réunissant des suites et des studios. Service 24h/24, vidéothèque et accès à un club de remise en forme.	AE DC MC V		●		18
MAYFAIR : *Chesterfield.* **Plan** 6 D1. **W** www.redcarnationhotels.com £££££ 35 Charles St, W1. 020 7491 2622. **FAX** 020 7491 4793. Hôtel calme et bien tenu, près de Berkeley Square, à la décoration riche en fruits et en fleurs. Chambres de grand standing, personnel accueillant.	AE DC MC V	■	●		110
MAYFAIR : *Brown's.* **Plan** 6 D1. **W** www.roccofortehotels.com £££££ Albemarle St, W1. 020 7493 6020. **FAX** 020 7493 9381. Ce vieil hôtel traditionnel et élégant fait partie à présent de la prestigieuse chaîne hôtelière Rocco Forte.	AE DC MC V	■	●		118
OXFORD STREET & SOHO : *Edward Lear.* **Plan** 3 5A. **W** www.edlear.com ££ 28–30 Seymour St, W1. 020 7402 5401. **FAX** 020 7706 3766. L'ancienne maison du célèbre écrivain victorien Edward Lear est aujourd'hui un charmant B&B, simple et bien tenu, qui reçoit volontiers les personnes voyageant seules et les familles.	AE MC V		●		31
OXFORD STREET & SOHO : *Durrants.* **Plan** 3 A4. £££ George St, W1. 020 7935 8131. **FAX** 020 /487 3510. **W** www.durrantshotel.co.uk Cet hôtel georgien, décoré de bois et de cuir ancien, a conservé des allures de relais d'antan. Chambres traditionnelles très simples.	AE MC V	■	●		92

Légende des symboles, voir rabat de couverture

Les prix correspondent à une nuit en chambre double, service, taxes et petit déjeuner compris.

£ moins de 50 £
££ de 50 à 100 £
£££ de 100 à 150 £
££££ de 150 à 200 £
£££££ plus de 200 £

RESTAURANT
Sauf indication contraire, le restaurant ou la salle à manger accueille d'autres clients que les hôtes.

ENFANTS BIENVENUS
Berceaux, lits d'enfants et baby-sitting. Certains restaurants proposent menus enfants et chaises hautes.

JARDIN OU TERRASSE
Hôtel possédant un jardin, une cour intérieure ou une terrasse. Souvent, possibilité de manger dehors.

CARTES BANCAIRES
Cartes acceptées : AE = American Express ; DC = Diners Club ; MC = Master Card/Access ; V = Visa.

	CARTES BANCAIRES	RESTAURANT	ENFANTS BIENVENUS	JARDIN OU TERRASSE	NOMBRE DE CHAMBRES
OXFORD STREET & SOHO : *Hazlitt's.* **Plan** 3 A4. £££££ 6 Frith St, W1. 020 7434 1771. FAX 020 7439 1524. W www.hazlittshotel.com Au cœur de Soho, trois maisons du XVIIIᵉ siècle offrent un refuge paisible aux tempéraments d'artistes. L'hôtel est meublé d'antiquités victoriennes.	AE DC MC V				23
OXFORD STREET & SOHO : *Sanderson.* **Plan** 3 A4. £££££ 50 Berners St, W1. 020 7300 1400. FAX 020 7300 1401. W www.lanschragerhotels.com L'un des hôtels les plus chatoyants de Londres. Un décor accrocheur, avec une cour, des fontaines et des chambres très stylées.	AE DC MC V	▪	●	▪	150
BLOOMSBURY : *Generator.* **Plan** 4 D3. W www.the-generator.co.uk £ 37 Tavistock Place, WC1. 020 7388 7666. FAX 020 7388 7644. À mi-chemin entre la science-fiction et le chic industriel, cette *guesthouse* récemment rénovée propose un hébergement bon marché.	MC V	▪	●		200
BLOOMSBURY : *Academy.* **Plan** 4 D3. W www.theetoncollection.com £££ 21 Gower St, WC1. 020 7631 4115. FAX 020 7636 3442. Dans le quartier de l'université, cinq maisons de ville georgiennes accueillent cet hôtel à la décoration raffinée et discrète.	AE DC MC V		●		49
BLOOMSBURY : *Charlotte Street.* **Plan** 4 E4. £££££ 15 Charlotte St, W1. 020 7806 2000. W www.firmdale.com Dans le plus pur style « Bloomsbury », des œuvres d'art originales ornent les spacieux espaces publics. Dans les chambres, écrans de télévision miniature dans le granit des salles de bains et autres équipements high-tech.	AE DC MC	▪	●	▪	52
COVENT GARDEN & STRAND : *Fielding.* **Plan** 4 F5. ££ 4 Broad Court, Bow St, WC2. 020 7836 8305. W www.the-fielding-hotel.co.uk Hôtel avec peu d'équipements, mais bien tenu, près du Royal Opera House. Bon rapport qualité-prix. Pas de repas. Les enfants de moins de 12 ans ne sont pas admis.	AE DC MC V				24
COVENT GARDEN & STRAND : *Covent Garden.* **Plan** 4 E5. £££££ 10 Monmouth St, WC2. 020 7806 1000. FAX 020 7806 1100. W www.firmdale.com Installé dans l'une des rues les plus intéressantes de Covent Garden, ce cinq-étoiles discret est aussi un lieu théâtral fascinant, véritable chef-d'œuvre en matière de décoration intérieure spectaculaire.	AE MC V	▪	●		58
COVENT GARDEN & STRAND : *One Aldwych.* **Plan** 4 F5. £££££ Aldwych, WC2. 020 7300 1000. FAX 020 7300 1001. W www.onealdwych.com Regorgeant d'œuvres d'art contemporaines, cet hôtel fait preuve d'une créativité débordante, jusque dans ses moindres recoins. Chambres bien conçues. Dans la piscine, de la musique classique est diffusée sous l'eau.	AE DC MC V	▪	●		105
COVENT GARDEN & STRAND : *Savoy.* **Plan** 4 F5. £££££ Strand, WC2. 020 7836 4343. FAX 020 7240 6040. W www.the-savoy.com Flamboyant hôtel Art déco offrant de superbes vues du fleuve. Tout le charme de l'ancien associé au confort moderne.	AE DC MC V	▪	●	▪	263
REGENTS PARK & MARYLEBONE : *Dorset Square.* **Plan** 3 A3. £££££ 39–40 Dorset Sq, NW1. 020 7723 7874. FAX 020 7724 3328. W www.dorsetsquare.co.uk Maison de ville Régence magnifiquement restaurée, meublée d'objets anciens. Les chambres ont du cachet. Service chaleureux.	AE MC V	▪	●		38
WATERLOO & SOUTHWARK : *Travel Inn County Hall.* **Plan** 6 F3. £ Belvedere Rd, SE1. 0870 238 3300. FAX 020 7902 1619. W www.premiertravelinn.com Excellent rapport qualité-prix pour cet hôtel situé près du London Eye. Chambres bien aménagées. Pas de petit déjeuner. Réserver à l'avance.	AE MC V	▪	●		313
WATERLOO & SOUTHWARK : *Novotel London Waterloo.* **Plan** 6 F3. £££ 113 Lambeth Rd, SE1. 020 7931 1010. FAX 020 7793 0202. W www.novotel.com Hôtel de chaîne aux chambres spacieuses convenant parfaitement aux voyageurs d'affaires et aux familles. Chambres avec vue sur Westminster.	AE DC MC V	▪	●		187

CITY : *Novotel Tower Bridge*. **Plan** 8 E3. W www.novotel.com   £££££
10 Pepys St, EC3. 020 7265 6000. FAX 020 7265 6060.
Cet hôtel de chaîne vient d'ouvrir dans un quartier intéressant. Chambres
bien équipées. Bon rapport qualité-prix pour les familles. | AE DC MC V | 203

CITY : *Great Eastern*. **Plan** 8 E2. W www.great-eastern-hotel.co.uk   £££££
Liverpool St, EC2. 020 7618 5000. FAX 020 7618 5001.
Le majestueux hôtel de la gare de Liverpool Street a subi une rénovation, et
propose désormais d'élégants restaurants et de jolies chambres. | AE DC MC | 267

CITY : *Rookery*. **Plan** 8 E2. w www.rookeryhotel.com   £££££
Peter's Lane, Cowcross St, EC1. 020 7336 0931. FAX 020 7336 0932.
B&B joliment rénové, occupant plusieurs maisons de ville du XVIIIᵉ siècle,
près du marché de Smithfield. Beaux meubles anciens. | AE DC MC V | 33

CANARY WHARF : *Four Seasons Canary Wharf*   £££££
46 Westferry Circus, E14. 020 7510 1999. W www.fourseasons.com
Étonnant complexe offrant de superbes vues du fleuve et de bons équipements.
Le centre de loisirs de Holmes Place est à deux pas. | AE DC MC V | 142

HAMPSTEAD : *La Gaffe* W www.lagaffe.co.uk   ££
107–111 Heath St, NW3. 020 7435 8965. FAX 020 7794 7592.
Restaurant italien familial et accueillant qui propose quelques chambres
simples mais jolies, au centre du village de Hampstead. | AE MC V | 18

LES DOWNS ET LES CÔTES DE LA MANCHE

BATTLE : *Fox Hole Farm*   £
Kane Hythe Rd, Battle, E Sussex TN33 9QU. & FAX 01424 772053.
Séjourner dans ce B&B, installé dans une ravissante ferme en pleine campagne
dans le Sussex, est une expérience délicieusement bucolique et élégante.
Cottages indépendants, équipés d'une cuisine. ● Noël. | MC V | 3

BEAULIEU : *Master Builder's House* W www.themasterbuilders.co.uk   ££££
Buckler's Hard, Beaulieu, Hampshire SO42 7XB. 01590 616253. FAX 01590 616297.
Ancienne maison d'un constructeur de bateaux jouissant d'une situation
idéale en bord de mer. Intérieur confortable et charmant. Les chambres dans
le bâtiment principal ne manquent pas de cachet. | AE MC V | 25

BILLINGSHURST : *Old Wharf* @ david.mitchell@farming.co.uk   ££
Newbridge, Wisborough Green, Billingshurst, W Sussex RH14 0JG. &FAX 01403 784096.
Un fascinant entrepôt au bord du canal reconverti en B&B, avec goût et
imagination. Chambres impeccables, avec vue sur un paysage reposant.
Piscine, tennis, pêche. Paiement par chèques ou espèces. ● Noël et 1ᵉʳ janv. | | 3

BRIGHTON : *Dove Waldorf* W www.thedovehotel.co.uk   ££
18 Regency Sq, Brighton, E Sussex BN1 2FG. 01273 779222. FAX 01273 746912.
Ravissante *guesthouse* claire et accueillante, située sur une élégante place
près du bord de mer. Plusieurs chambres. Les meilleures sont celles donnant
sur la mer. | AE MC V | 9

BRIGHTON : *Pelirocco* W www.hotelpelirocco.co.uk   £££
10 Regency Sq, Brighton, E Sussex BN1 2 FG. 01273 327055. FAX 01273 733845.
Cette maison de ville georgienne, à l'atmosphère non-conventionnelle, attire
une clientèle branchée. Chambres à la décoration thématique et fantaisiste.
Personnel jeune et dynamique. | AE MC V | 19

CANTERBURY : *Magnolia House* W www.magnoliahousecanterbury.co.uk   ££
36 St Dunstans Terrace, Canterbury, Kent CT2 8AX. & FAX 01227 765121.
Coquet B&B de très bon standing. En hiver, dîners sur demande. | AE MC V | 7

CANTERBURY : *The Falstaff* W www.corushotels.com/thefalstaff   £££
8–10 St Dunstan's St, Canterbury, Kent CT2 8AF. 01227 462138. FAX 01227 463525.
Auberge du XVᵉ siècle proche de la West Gate, modernisée avec style.
Décoration colorée et contemporaine. Services affaires. | AE DC MC V | 47

EASTBOURNE : *Grand* W www.grandeastbourne.com   ££££
King Edwards Parade, Eastbourne, E Sussex BN21 4EQ. 01323 412345. FAX 01323 412233.
Splendide établissement, récemment rénové, dont l'excellence ne fléchit pas.
Piscine intérieure et extérieure, spa, sauna et hammam. Table réputée et
personnel accueillant. | AE DC MC V | 152

Légende des symboles, voir rabat de couverture

Les prix correspondent à une nuit en chambre double, service, taxes et petit déjeuner compris.

£ moins de 50 £
££ de 50 à 100 £
£££ de 100 à 150 £
££££ de 150 à 200 £
£££££ plus de 200 £

RESTAURANT
Sauf indication contraire, le restaurant ou la salle à manger accueille d'autres clients que les hôtes.

ENFANTS BIENVENUS
Berceaux, lits d'enfants et baby-sitting. Certains restaurants proposent menus enfants et chaises hautes.

JARDIN OU TERRASSE
Hôtel possédant un jardin, une cour intérieure ou une terrasse. Souvent, possibilité de manger dehors.

CARTES BANCAIRES
Cartes acceptées : AE = American Express ; DC = Diners Club ; MC = Master Card/Access ; V = Visa.

	CARTES BANCAIRES	RESTAURANT	ENFANTS BIENVENUS	JARDIN OU TERRASSE	NOMBRE DE CHAMBRES
EAST GRINSTEAD : *Gravetye Manor* W www.gravetyemanor.co.uk **£££££** Vowels Lane, East Grinstead, W Sussex RH19 4LJ. 01342 810567. FAX 01342 810080. Magnifique *country house*, entouré de splendides jardins et meublé avec goût. À réserver pour les grandes occasions – une expérience mémorable en raison de l'excellente cuisine proposée. 🔲 TV P	AE MC V	■	●	■	18
GUILDFORD : *Angel Posting House* W www.angelpostinghouse.com **££££** 91 High St, Guildford, Surrey GU1 3DP. 01483 564555. FAX 01483 533770. Auberge historique sur la route des diligences reliant Londres à Portsmouth. Intérieur traditionnel et élégant ; ambiance agréable. 🔲 TV ↻ ⇆	AE DC MC V		●		21
LEWES : *Millers* W www.hometown.aol.com/millers134 **££** 134 High St, Lewes, E Sussex BN7 1XS. 01273 475631. B&B singulier, installé dans une maison du XVIᵉ siècle en plein centre-ville. Deux chambres seulement : il est donc recommandé de réserver. 🔲 TV ⇆				■	2
LEWES : *Shelleys* W www.shelleys-hotel.com **££££** 137 High St, Lewes, E Sussex BN7 1XS. 01273 472361. FAX 01273 483152. Ancien manoir d'aristocrates, *Shelleys* est bien plus qu'un hébergement chic, notamment durant la saison de l'opéra de Glyndebourne. Baby-sitting possible. 🔲 TV ⇆ P	AE DC MC V	■	■	■	19
NEW MILTON : *Chewton Glen* W www.chewtonglen.com **£££££** New Milton, Hampshire BH25 6QS. 01425 275341. FAX 01425 272310. Tout est fait pour dorloter le client dans ce luxueux *country hotel* situé en pleine forêt : spa, club de remise en forme, golf et tennis, piscine intérieure et extérieure. Cuisine merveilleuse. 🔲 TV P ♿	AE DC MC V	■	●	■	58
RINGLESTONE : *Ringlestone Inn & Farmhouse Hotel* W www.ringlestone.com **£££** Ringlestone, près de Harrietsham, Maidstone, Kent ME17 1NX. 01622 859900. FAX 01622 859966. Confortable auberge de village, très appréciée pour sa cuisine et son charme d'antan (le restaurant est ouvert aux non-résidents). Les chambres sont situées dans l'annexe de l'hôtel. Jardins spacieux et très agréables. 🔲 TV ⇆ P	AE DC MC V	■	●	■	3
RINGWOOD : *Moortown Lodge* W www.moortownlodge.co.uk **££** 244 Christchurch Rd, Ringwood, Hampshire BH24 3AS. 01425 471404. FAX 01425 476527. Charmant hôtel offrant un accueil chaleureux et un hébergement de type B&B de bon standing. Bien situé pour visiter Bournemouth et New Forest. Toutes les chambres sont équipées d'un accès à Internet. 🔲 TV P	MC V		●		7
ROYAL TUNBRIDGE WELLS : *Hotel du Vin* W www.hotelduvin.com **£££** Crescent Rd, Tunbridge Wells, Kent TN1 2LY. 01892 526455. FAX 01892 512044. Hôtel dynamique et élégant qui contraste avec l'image guindée et conservatrice de la ville. Intérieur contemporain branché et atmosphère toujours trépidante. La cuisine et les vins sont excellents. 🔲 TV ↻ P	AE DC MC V	■		■	35
RYE : *Jeake's House* W www.jeakeshouse.com **££** Mermaid St, Rye, E Sussex TN31 7ET. 01797 222828. FAX 01797 222623. Ce ravissant B&B, situé dans l'une des rues les plus pittoresques de la ville, occupe un temple des quakers du XVIIᵉ siècle. Chambres de caractère. Pour les soirées détente, profitez du petit salon garni de boiseries. 🔲 TV P	MC V		●		11
RYE : *Old Vicarage* W www.oldvicaragerye.co.uk **££** 66 Church Sq, Rye, E Sussex TN31 7HF. 01797 222119. FAX 01797 227466. Ambiance chaleureuse dans ce joli cottage georgien, situé près de l'église. L'intérieur est décoré de meubles de campagne et de nombreuses antiquités. Délicieux petits déjeuners et sherry en soirée. ● Noël. 🔲 TV ⇆ P					4
SANDGATE : *Sandgate* W www.sandgatehotel.com 01303 220444. **££** 8–9 Wellington Terrace, The Esplanade, Sandgate, Folkestone, Kent CT20 3DY. FAX 01303 220496. Charmant hôtel en bord de mer, à dix minutes en voiture du tunnel sous la Manche. Chambres impeccables, service parfait. Abrite deux restaurants et un bar. Le week-end, petit déjeuner servi jusqu'à midi. 🔲 TV ↻ P ♿	AE MC V	■	●	■	15

SEAVIEW : *Seaview* W www.seaviewhotel.co.uk £££ | AE DC MC V | 17
High St, Seaview, Isle of Wight PO34 5EX. (01983 612711. FAX 01983 613729.
Cet hôtel ancien, proche du bord de mer, occupe une modeste villa victorienne.
L'accueil est chaleureux et le personnel très expérimenté. Deux restaurants,
deux bars et une brasserie. Succulents fruits de mer. ● Noël. 🔲 TV ☷ P

SWAY : *Nurse's Cottage* W www.nursescottage.co.uk £££ | AE MC V | 4
Station Rd, Sway, Lymington, Hampshire SO41 6BA. (& FAX 01590 683402.
Pavillon sans prétention qui s'est fait connaître grâce à son excellent restaurant
et à son hébergement de qualité. Chambres équipées de lecteurs CD et
magnétoscopes. ● 3 sem. en nov., 2 sem. en mars. 🔲 TV ☷ P 🔶 excellent.

WINCHESTER : *Wykeham Arms* W www.wykehamarms@accommodating-inns.co.uk £££ | AE DC MC V | 14
75 Kingsgate St, Winchester, Hamphire SO23 9PE. (01962 853834. FAX 01962 854411.
Un mélange réussi entre auberge historique, bar-restaurant stylé et hôtel
chic, situé en centre-ville, derrière la cathédrale. Intérieur de caractère,
meublé de nombreux objets souvenirs. ● 25 déc. 🔲 TV ☷ P

YARMOUTH : *George* W www.thegeorge.co.uk ££££ | MC V | 15
Quay St, Yarmouth, Isle of Wight PO41 0PE. (01983 760331. FAX 01983 760425.
Située à proximité du terminal des ferries de Lymington, sur la place
de la vieille ville, cette élégante auberge historique du XVIIe siècle contient
un excellent restaurant et une brasserie sans prétention. 🔲 TV ☷

L'EAST ANGLIA

ALDEBURGH : *Wentworth* W www.wentworth-aldeburgh.com £££ | AE DC MC V | 35
Wentworth Rd, Aldeburgh, Suffolk IP15 5BD. (01728 452312. FAX 01728 454343.
Cet hôtel victorien, situé en bord de mer, propose un service de qualité, des
chambres coquettement décorées et des dîners savoureux. 🔲 TV ☷ P 🔶

BLAKENEY : *White Horse* W www.blakeneywhitehorse.co.uk ££ | MC V | 9
4 High St, Blakeney, Holt, Norfolk NR25 7AL. (01263 740574. FAX 01263 741303.
Ambiance conviviale dans ce pub récemment rénové, situé dans un village
huppé de la côte. Cuisine de bonne qualité. ● 2e et 3e sem. de janv. 🔲 TV 🔲

BUCKDEN : *Lion* W www.lionhotel.co.uk ££ | AE DC MC V | 15
High Street, Buckden, Cambridgeshire PE19 5XA. (01480 810313. FAX 01480 811070.
Bâtiment ancien, situé à proximité de l'A1, décoré de boiseries de chêne.
Chambres agréablement meublées. ● 2e et 3e sem. de janv. 🔲 TV P 🔶

BURNHAM MARKET : *Hoste Arms* W www.hostearms.co.uk £££ | DC MC V | 43
The Green, Burnham Mkt, King's Lynn, Norfolk PE31 8HD. (01328 738777. FAX 01328 730103
Cette auberge géorgienne de première qualité participe grandement à l'activité
économique de ce charmant village des Norfolk. Elle propose un grand choix
de plats de style bistro et des chambres meublées avec goût. 🔲 TV P

BURY ST EDMUNDS : *Ounce House* W www.ouncehouse.co.uk £££ | AE DC MC V | 3
Northgate St, Bury St Edmunds, Suffolk IP33 1HP. (01284 761779. FAX 01284 768315.
B&B très raffiné, tenu par une famille, situé à deux pas du centre historique.
Mobilier élégant ; accueil chaleureux. 🔲 TV ☷ P

CAMBRIDGE : *Meadowcroft* W www.meadowcrofthotel.co.uk £££ | AE MC V | 18
Trumpington Rd, Cambridge CB2 2EX. (01223 346120. FAX 01223 346138.
Hôtel victorien élégamment meublé, proche du centre. La décoration met en
valeur les objets anciens. ● Noël et 1er janv. 🔲 TV ☷ P 🔶

CAMPSEA ASHE : *Old Rectory* W www.theoldrectorysuffolk.com ££ | DC MC V | 8
Campsea Ashe, Woodbridge, Suffolk IP13 0PU. (& FAX 01728 746524.
Ce confortable *country house hotel*, décoré avec goût et entouré de beaux
jardins, propose un accueil de type *Welsey Lodge*. Excellente cuisine.
Chambres spacieuses et agréables. ● Noël. 🔲 ☷ P

COGGESHALL : *White Hart* W www.whitehart-coggeshall.com ££ | AE DC MC V | 18
Market End, Coggeshall, Essex CO6 1NH. (01376 561654. FAX 01376 561789.
Cette charmante auberge, installée dans une maison des corporations du XVe siècle,
propose une bonne cuisine italienne. Intérieur décoré d'antiquités. 🔲 TV P

DEDHAM : *Dedham Hall* W www.dedhamhall.demon.co.uk ££ | MC V | 6
Brook St, Dedham, Colchester, Essex CO7 6AD. (01206 323021. FAX 01206 323293.
Dans le décor idyllique du pays de Constable, hôtel convivial datant en partie
du XVe siècle. Il propose des séjours à thèmes artistiques, un logement très
confortable et des dîners à prix fixe raffinés. ● Noël. 🔲 TV P 🔶

Légende des symboles, voir rabat de couverture

<table>
<tr><td>

Les prix correspondent à une nuit en chambre double, service, taxes et petit déjeuner compris.

£ moins de 50 £
££ de 50 à 100 £
£££ de 100 à 150 £
££££ de 150 à 200 £
£££££ plus de 200 £

</td><td>

RESTAURANT
Sauf indication contraire, le restaurant ou la salle à manger accueille d'autres clients que les hôtes.

ENFANTS BIENVENUS
Berceaux, lits d'enfants et baby-sitting. Certains restaurants proposent menus enfants et chaises hautes.

JARDIN OU TERRASSE
Hôtel possédant un jardin, une cour intérieure ou une terrasse. Souvent, possibilité de manger dehors.

CARTES BANCAIRES
Cartes acceptées : AE = American Express ; DC = Diners Club ; MC = Master Card/Access ; V = Visa.

</td></tr>
</table>

	CARTES BANCAIRES	RESTAURANT	ENFANTS BIENVENUS	JARDIN OU TERRASSE	NOMBRE DE CHAMBRES
DEDHAM : *Maison Talbooth* [W] www.talbooth.com £££££ Stratford Rd, Dedham, Colchester, Essex CO7 6HN. ☎ 01206 322367. FAX 01206 322752. Hôtel au somptueux décor, dans le style *country house*. Son restaurant, *Le Talbooth*, est l'une des meilleures adresses de Dedham. 🚗 TV P	AE DC MC V	▨	●	▨	10
DUNWICH : *Ship Inn* [W] www.shipinndunwich.co.uk ££ St James St, Dunwich, Suffolk IP 17 3DT. ☎ 01728 648219. FAX 01728 648675. Ce pub de village en brique, abritant des bars confortable et une véranda, est très apprécié. Jolies chambres, au charme rustique, avec vue sur la mer. Succulents petits déjeuners. ● 25 déc. 🚗 TV P	MC V	▨		▨	3
GREAT DUNMOW : *The Starr* [W] www.the-starr.co.uk £££ Market Place, Great Dunmow, Essex CM6 1AX. ☎ 01371 874321. FAX 01371 876337. La cuisine est le point fort de cette auberge historique du XVIᵉ siècle. Chambres luxueuses dans l'ancienne écurie attenante. ● 1ᵉʳ sem. de janv. 🚗 TV 🍴 P &	AE DC MC V	▨	●		8
GRIMSTON : *Congham Hall* [W] www.conghamhallhotel.co.uk ££££ Lynn Rd, Grimston, King's Lynn, Norfolk PE32 1AH. ☎ 01485 600250. FAX 01485 601191. Cet hôtel de type *country house* georgien, entouré d'un vaste parc, est tout simplement majestueux. L'ambiance y est détendue et reposante. 🚗 TV 🍴 P	AE DC MC V	▨	●	▨	14
HINTLESHAM : *Hintlesham Hall* [W] www.hintleshamhall.com £££ George St, Hintlesham, Ipswich, Suffolk IP8 3NS. ☎ 01473 652268. FAX 01473 652463. Mélange d'architecture georgienne et Tudor, cet hôtel situé dans un parc de 90 hectares sert une cuisine de première qualité dans un cadre luxueux. Nombreux loisirs, dont un golf 18 trous. Aire d'atterrissage pour hélicoptères. 🚗 TV P	AE MC V	▨	●	▨	33
HUNTINGDON : *Old Bridge* [W] www.huntsbridge.com £££ 1 High St, Huntingdon, Cambridgeshire PE29 3TQ. ☎ 01480 424300. FAX 01480 411017. Il est difficile de ne pas remarquer cette belle bâtisse du XVIIIᵉ siècle située sur le pont surplombant la rivière Ouse. Intérieur spacieux et chic. Ses jardins attrayants le protègent des bruits de la circulation. 🚗 TV 🍴 P &	AE DC MC V	▨	●	▨	24
IPSWICH : *Salthouse Harbour Hotel* [W] www.salthouseharbour.co.uk £££ 1 Neptune Quay, Ipswich, Suffolk IP4 1AS. ☎ 01473 226789. FAX 01473 226927. Ce nouvel hôtel quatre étoiles, situé en centre-ville, occupe un ancien entrepôt donnant sur la marina. 🚗 TV 🛗 🍴 P &	AE DC MC V	▨			43
LAVENHAM : *Lavenham Priory* [W] www.lavenhampriory.co.uk £££ Water St, Lavenham, Suffolk CO10 9RW. ☎ 01787 247404. FAX 01787 248472. Ce ravissant B&B classé au patrimoine historique offre des chambres de caractère, magnifiquement meublées. ● Noël, 1ᵉʳ janv. 🚗 TV 🍴 P	MC V			▨	6
LAVENHAM : *Swan* [W] www.theswanatlavenham.co.uk £££ High St, Lavenham, Suffolk CO10 9QA. ☎ 01787 247477. FAX 01787 248286. Chambres élégantes et confortables dans cette auberge réputée, construite grâce au commerce de la laine. 🚗 TV 🍴 P	AE MC V	▨		▨	50
LOWESTOFT : *Ivy House Farm* [W] www.ivyhousefarm.co.uk ££ Ivy Lane, Oulton Broad, Lowestoft, Suffolk NR33 8HY. ☎ 01502 501353. FAX 01502 501539. Située dans un coin tranquille, cette ferme reconvertie abrite des chambres sophistiquées, au charme rustique. Excellente cuisine. 🚗 TV 🍴 P &	AE DC MC V	▨	●	▨	19
NORTH WALSHAM : *Beechwood* [W] www.beechwood-hotel.co.uk £££ 20 Cromer Rd, North Walsham, Norfolk NR28 0HD. ☎ 01692 403231. FAX 01692 407284. Ce petit hôtel élégant offre un accueil enthousiaste et un service attentif. Idéal pour visiter le nord-ouest des Norfolk et les Broads. 🚗 TV 🍴 P	MC V	▨		▨	10
NORWICH : *By Appointment* ££ 25–29 St George's St, Norwich, Norfolk NR3 1AB. ☎ 01603 630730. La cuisine est irrésistible dans cet hôtel-restaurant délicieusement excentrique, aux nombreuses touches personnelles. Chambres dotées de tout le confort nécessaire pour se sentir bien. 🚗 TV 🍴 P	MC V	▨			5

NORWICH : *Catton Old Hall* W www.catton-hall.co.uk (£)(£) | AE DC MC V | | | | 7
Lodge Lane, Catton, Norwich, Norfolk NR6 7HG. (01603 419379. FAX 01603 400339.
Cette ancienne ferme du XVIIᵉ siècle, de caractère, fourmille de souvenirs
de famille. Ambiance accueillante. Bons dîners, sur demande. 🛏 TV ⌁ P

PETERBOROUGH : *Express by Holiday Inn* W www.hiexpress.co.uk (£)(£) | AE DC MC V | | ● | | 80
East of England Way, Alwalton, Peterborough PE2 6HE. (0870 720 1197. FAX 0870 720 1198.
Charmant hôtel de chaîne situé à proximité de la grande foire de la région Est
de l'Angleterre. Bon rapport qualité-prix, surtout pour les familles partageant
une même chambre. Animaux domestiques acceuillis. 🛏 TV ⌁ P &

SOUTHWOLD : *Swan* W www.adnams.co.uk (£)(£)(£) | MC V | ▓ | ● | ▓ | 43
Market Place, Southwold, Suffolk IP18 6EG. (01502 722186. FAX 01502 724800.
Hôtel élégant et confortable, à côté de la fameuse brasserie d'Adnams.
Chambres dotées de jardins communs. 🛏 TV ⇅ P &

SWAFFHAM : *Strattons* W www.strattonshotel.com (£)(£)(£) | MC V | ▓ | ● | ▓ | 8
4 Ash Close, Swaffham, Norfolk PE37 7NH. (01760 723845. FAX 01760 720458.
Cet hôtel primé, respectueux de l'environnement, occupe un pavillon néo-
classique proche du centre-ville. L'intérieur est décoré avec brio. La carte
propose des produits locaux. ● *Noël.* 🛏 TV ⌁ P

WELLINGHAM : *Manor House Farm* (£)(£) | | | | ▓ | 4
Wellingham, près de Fakenham, Norfolk PE32 2IH. (01328 838227. FAX 01328 838348.
B&B, installé dans une ferme du XVIIIᵉ siècle, offrant de belles vues sur la
campagne. Cuisine à base de produits locaux. Possibilité de balades à cheval
dans le proche voisinage. Les familles, de préférence sans jeunes enfants,
sont les bienvenues. 🛏 TV ⌁ P &

WOODBRIDGE : *Seckford Hall* W www.seckford.co.uk (£)(£)(£) | AE DC MC V | ▓ | ● | ▓ | 32
Woodbridge, Suffolk IP13 6NU. (01394 385678. FAX 01394 380610.
Proche de l'A12, cette maison élisabéthaine présente un grand intérêt
historique, tout en offrant un confort très moderne. ● *25 déc.* 🛏 TV ⌁ P

LA VALLÉE DE LA TAMISE

AYLESBURY : *Hartwell House* W www.hartwell-house.com (£)(£)(£)(£)(£) | AE MC V | ▓ | ● | ▓ | 46
Oxford Rd, près d'Aylesbury, Buckinghamshire HP17 8NL. (01296 747444. FAX 01296 747450.
Impeccablement restauré, ce *country house* royal a su garder une sobriété
raffinée. Les superbes jardins sont l'œuvre de Capability Brown *(p. 22)*. Spa,
piscine intérieure, courts de tennis. 🛏 TV ⇅ ⌁ P &

BURFORD : *Burford House* W www.burfordhouse.co.uk (£)(£) | AE MC V | ▓ | ● | ▓ | 8
99 High St, Burford, Oxfordshire OX18 4QA. (01993 823151. FAX 01993 823240.
Bâtiment en pierre dorée et en bois, de style classique. Intérieur élégant. Repas
légers à midi et thés traditionnels. ● *25 et 26 déc., 2 sem. en janv.* 🛏 TV ⌁

CHIPPERFIELD : *Two Brewers* W www.twobrewers.com (01923 265266. (£)(£) | AE MC V | ▓ | | ▓ | 20
The Common, Chipperfield, King's Langley, Hertfordshire WD4 9BS. FAX 01923 261884.
Dans un paysage anglais typique, cet hôtel occupe plusieurs cottages.
Intérieur au charme bucolique, feu de cheminée et bars à plafond bas.
Les chambres sont d'un calme parfait. ● *25 et 26 déc.* 🛏 TV P &

CLANFIELD : *Plough at Clanfield* W www.theplough.tablesir.com (£)(£)(£) | AE DC MC V | ▓ | | ▓ | 12
Bourton Rd, Clanfield, Bampton, Oxfordshire OX18 2RB. (01367 810222.
Majestueux manoir élisabéthain : mobilier de campagne traditionnel, poutres
apparentes et parquet ancien. Table réputée. ● *Noël.* 🛏 TV ⌁ P &

GREAT TEW : *Falkland Arms* W www.falklandarms.org.uk (£)(£) | AE MC V | ▓ | | ▓ | 5
Great Tew, Chipping Norton, Oxfordshire OX7 4DB. (01608 683653. FAX 01608 683656.
Ce pub en pierre, à la façade ornée de lierre, au charme d'antan, offre des
chambres douillettes et sert une bonne cuisine maison. 🛏 TV ⌁ P

HARPENDEN : *Harpenden House* (£)(£)(£)(£) | AE DC MC V | ▓ | ● | ▓ | 76
18 Southdown Rd, Harpenden, Hertfordshire AL5 1PE. (01582 449955.
FAX 01582 769858. W www.corushotels.com/harpendenhouse
Cet hôtel occupe une élégante maison georgienne, proche de la rocade nord
de Londres. Idéal pour les hommes d'affaires. 🛏 TV ⌁ P &

HENLEY-ON-THAMES : *Red Lion* W www.redlionhenley.co.uk (£)(£)(£) | AE MC V | ▓ | ● | | 26
Hart St, Henley-on-Thames, Oxfordshire RG9 2AR. (01491 572161. FAX 01491 410039.
Surplombant la Tamise, cette ancienne bâtisse est l'une des principales
curiosités de Henley. À l'intérieur, on peut admirer de nombreuses antiquités
et des objets anciens reliés à la pratique de l'aviron. 🛏 TV P

Légende des symboles, voir rabat de couverture

Les prix correspondent à une nuit en chambre double, service, taxes et petit déjeuner compris.

£ moins de 50 £
££ de 50 à 100 £
£££ de 100 à 150 £
££££ de 150 à 200 £
£££££ plus de 200 £

RESTAURANT
Sauf indication contraire, le restaurant ou la salle à manger accueille d'autres clients que les hôtes.

ENFANTS BIENVENUS
Berceaux, lits d'enfants et baby-sitting. Certains restaurants proposent menus enfants et chaises hautes.

JARDIN OU TERRASSE
Hôtel possédant un jardin, une cour intérieure ou une terrasse. Souvent, possibilité de manger dehors.

CARTES BANCAIRES
Cartes acceptées : AE = American Express ; DC = Diners Club ; MC = Master Card/Access ; V = Visa.

	CARTES BANCAIRES	RESTAURANT	ENFANTS BIENVENUS	JARDIN OU TERRASSE	NOMBRE DE CHAMBRES
KINGSTON BAGPUIZE : *Fallowfields* W www.fallowfields.com ££££ Farringdon Rd, Southmoor, Kingston Bagpuize, Abingdon, Oxfordshire OX13 5BH. 01865 820416. FAX 01865 821275. *Country house* occupant un bâtiment rénové avec goût. Sert une cuisine préparée avec des produits maison. Neuf chambres avec jacuzzis. Animaux domestiques accueillis. ▪ TV ▪ P	AE MC V	▪	●	▪	10
LONG CRENDON : *Angel* www.angelsrestaurant.co.uk ££ 47 Bicester Rd, Long Crendon, Aylesbury, Buckinghamshire HP18 9EE. 01844 208268. FAX 01844 202497. La cuisine est le point fort de cette auberge du XVIe siècle. À l'étage, chambres pittoresques, au plancher ancien et inégal, très prisées (réservez). ▪ TV ▪ P	MC V	▪	●	▪	3
MARLOW : *Compleat Angler* W www.compleatangler-hotel.co.uk £££££ Marlow Bridge, Marlow, Buckinghamshire SL7 1RG. 0870 400 8100. FAX 01628 486388. Cette auberge traditionnelle, avec une vue impressionnante sur le barrage de Marlow, attire les foules. Bon rapport qualité-prix. ▪ TV ▪ ▪ P	AE DC MC V	▪	●	▪	64
MOULSFORD : *Beetle & Wedge* W www.beetle&wedgehotel.co.uk ££££ Ferry Lane, Moulsford on Thames, Wallingford, Oxfordshire OX10 9JF. 01491 651381. Havre de paix idyllique en bord de mer. Les visiteurs sont séduits par sa cuisine sophistiquée et ses chambres décorées avec élégance. Pour jouir des meilleures vues, réservez les chambres du bâtiment principal. ▪ TV ▪ P ▪	AE DC MC V	▪	●	▪	10
OXFORD : *Burlington House* W www.burlington-house.co.uk ££ 374 Banbury Rd, Oxford OX2 7PP. 01865 513513. FAX 01865 311785. Ce B&B très chic, situé au nord d'Oxford, a su fidéliser sa clientèle grâce à ses excellents petits déjeuners et à ses prix raisonnables. ▪ TV ▪ P ▪	AE MC V			▪	11
OXFORD : *Old Bank* W www.oldbank-hotel.co.uk ££££ 92–94 High St, Oxford OX1 4BN. 01865 799599. FAX 01865 799598. Intérieur contemporain, décoration stylée et élégante pour cet hôtel installé dans une ancienne banque. ● 25 et 26 déc. ▪ TV ▪ ▪ P ▪	AE DC MC V	▪	●	▪	42
OXFORD : *Old Parsonage* W www.oldparsonage-hotel.co.uk ££££ 1 Banbury Rd, Oxford OX2 6NN. 01865 310210. FAX 01865 311262. Bâtiment ancien, à la façade revêtue de plantes rampantes, situé dans le centre. Décoration élégante. Malgré les tarifs élevés, on résiste difficilement au charme de cet hôtel. ● 25 et 26 déc. ▪ TV ▪ P	AE DC MC V	▪	●	▪	30
ST ALBANS : *Comfort* W www.choicehotels.com 01727 848849. ££ Ryder House, Holywell Hill, St Albans, Hertfordshire AL1 1HG. FAX 01727 812210. Cet hôtel en centre-ville occupe un beau bâtiment ancien. Cuisine simple ; service efficace. ▪ TV ▪ ▪ P ▪	AE DC MC V	▪			60
SHEFFORD WOODLANDS : *Fishers Farm* W www.fishersfarm.co.uk 01488 648466 £ Ermin St, Shefford Woodlands, Hungerford, Berks RG17 7AB. FAX 01488 648706. B&B accueillant, installé dans une ferme familiale. Belle vue sur les vastes champs depuis la cuisine. Piscine intérieure. ▪ ▪ P			●	▪	3
STADHAMPTON : *Crazy Bear* W www.crazybeargroup.co.uk £££ Bear Lane, Stadhampton, près d'Oxford OX44 7UR. 01865 890714. FAX 01865 400481. Pub de campagne original, richement décoré, servant une cuisine thaï ou moderne. Chambres à la décoration fantaisiste et raffinée. ▪ TV P	AE MC V	▪		▪	18
WINDSOR : *Sir Christopher Wren's House* W www.wrensgroup.com £££££ Thames St, Windsor, Berkshire SL4 1PX. 01753 861354. FAX 01753 860172. Situé au bord de la rivière, près de Eton Bridge et du château de Windsor, cet hôtel de luxe (1676), doté de tout le confort moderne, est l'œuvre de Christopher Wren. ▪ TV ▪ P *payant ; sur réservation.*	AE DC MC V	▪	●	▪	92
WOODSTOCK : *Feathers* W www.feathers.co.uk ££££ Market St, Woodstock, Oxfordshire OX20 1SX. 01993 812291. FAX 01993 813158. Situé en centre-ville, cet élégant hôtel du XVIIe siècle offre une décoration vivante et gaie. Cuisine britannique moderne. Institut de beauté. ▪ TV	AE DC MC V	▪	●	▪	20

YATTENDON : *Royal Oak* W www.corushotels.com/royaloak ⓔⓔⓔ | AE DC MC V | | | | 5
The Square, Yattendon, Thatcham, Berks. RG18 0UG. ☏ 01635 201325. FAX 01635 201926.
Atmosphère élégante mais détendue dans ce pub de campagne, situé dans un joli village. Chambres impeccables. Restaurant primé. 🖼 TV 🎴 P

LE WESSEX

ABBOTSBURY : *Abbey House* W www.theabbeyhouse.co.uk ⓔ | | | | | 5
Church St, Abbotsbury, Dorset DT3 4JJ. ☏ 01305 871330. FAX 01305 871088.
Charmante *guesthouse*, qui abritait autrefois l'hôpital de l'abbaye bénédictine. Restaurant le midi (d'avril à octobre). Concerts. 🖼 TV 🎴 P

BATH : *Villa Magdala* W www.villamagdala.co.uk ⓔⓔⓔ | AE MC V | | | | 18
Henrietta Rd, Bath BA2 6LX. ☏ 01225 466329. FAX 01225 483207.
Villa victorienne donnant sur le magnifique parc Henrietta de Bath. La vue et le calme en font un endroit idéal pour se reposer. ● sem. de Noël. 🖼 TV 🎴 P

BATH : *Royal Crescent* W www.royalcrescent.co.uk ⓔⓔⓔⓔⓔ | AE DC MC V | | | | 45
16 Royal Crescent, Bath BA1 2LS. ☏ 01225 823333. FAX 01225 339401.
Un établissement Régence : l'extérieur ultra discret cache un intérieur somptueux (*p. 246*). Personnel chaleureux ; spa luxueux. 🖼 TV 🎴 ♿ 🎴 P

BATHFORD : *Eagle House* W www.eaglehouse.co.uk ⓔⓔ | MC V | | | | 8
Church St, Bathford, Bath BA1 7RS. ☏ 01225 859946. FAX 01225 859430.
Élégant hôtel georgien, à la périphérie de Bath. Ambiance familiale. Court de tennis en gazon. Petit déjeuner payant. ● du 15 déc. au 8 jan. 🖼 TV 🎴 P

BOURNEMOUTH : *Miramar* W www.miramar-bournemouth.com ⓔⓔⓔ | AE MC V | | | | 43
East Overcliff Dr, Bournemouth, Dorset BH1 3AL. ☏ 01202 556581. FAX 01202 291242.
Les magnifiques vues sur les falaises et le mobilier classique donnent tout son charme à cet élégant hôtel édouardien. 🖼 TV 🎴 ♿ 🎴 P

BRADFORD-ON-AVON : *Bradford Old Windmill* ⓔⓔⓔ | MC V | | | | 3
4 Masons Lane, Bradford-on-Avon, Wiltshire BA15 1QN.
☏ 01225 866842. FAX 01225 866648. W www.bradfordoldwindmill.co.uk
B&B installé dans un moulin à vent du XIXe siècle, avec des chambres à la déco originale. ● de Noël à fév. 🖼 TV 🎴 P

BRISTOL : *Hotel du Vin* W www.hotelduvin.com ⓔⓔⓔ | AE DC MC V | | | | 40
Sugar House, Narrow Lewins Mead, Bristol BS1 2NU. ☏ 0117 925 5577. FAX 0117 9251199.
Hôtel-restaurant branché installé dans plusieurs entrepôts reconvertis. Décor pimpant, équipements impeccables et cuisine de bistro. 🖼 TV 🎴 ♿ P

CALNE : *Chilvester Hill House* W www.chilvesterhillhouse.co.uk ⓔⓔ | AE DC MC V | | | | 3
Calne, Wiltshire SN11 0LP. ☏ 01249 813981. FAX 01249 814217.
Accueil raffiné pour cet établissement traditionnel, à l'atmosphère familiale et reposante, situé juste à côté de l'A4. Bonne table. 🖼 TV P

DORCHESTER : *Casterbridge* W www.casterbridgehotel.co.uk ⓔⓔ | AE MC V | | | | 14
49 High East St, Dorchester, Dorset DT1 1HU. ☏ 01305 264043. FAX 01305 260884.
Ce B&B familial, installé dans une maison de ville georgienne, offre un service élégant. Le petit déjeuner est servi dans la véranda. ● 25 et 26 déc. 🖼 TV ♿ 🎴

DULVERTON : *Ashwick House* W www.ashwickhouse.co.uk ⓔⓔⓔ | | | | | 6
Dulverton, Somerset TA22 9QD. ☏ & FAX 01398 323868.
Dans un cadre calme, maison édouardienne au cœur d'Exmoor. L'été, c'est un véritable délice de prendre le petit déjeuner en terrasse. 🖼 TV 🎴 P

EVERSHOT : *Summer Lodge* W www.summerlodgehotel.com ⓔⓔⓔⓔⓔ | AE DC MC V | | | | 24
9 Fore St, Evershot, Dorset DT2 0JR. ☏ 01935 83424. FAX 01935 482040.
Magnifique manoir georgien au cœur de la campagne. Parfait pour un séjour reposant. La cuisine est merveilleuse et le service attentionné. 🖼 TV ♿ P

GILLINGHAM : *Stock Hill Country House* W www.stockhillhouse.co.uk ⓔⓔⓔⓔ | MC V | | | | 8
Stock Hill, Gillingham, Dorset SP8 5NR. ☏ 01747 823626. FAX 01747 825628.
Séjourner dans cette ancienne gentilhommière du XIXe siècle est un pur plaisir. Intérieur flamboyant, élégamment rénové. Très bonne cuisine 🖼 TV 🎴 P

GLASTONBURY : *Number 3* W www.numberthree.co.uk ⓔⓔⓔ | AE MC V | | | | 5
3 Magdalene St, Glastonbury, Somerset BA6 9EW. ☏ 01458 832129. FAX 01458 834227.
Ancienne demeure de la mère de Winston Churchill, ce B&B installé dans une maison georgienne jouit d'un très bon emplacement, dans le centre de Glastonbury. ● de déc. à janv. 🖼 TV 🎴 P

Légende des symboles, voir rabat de couverture

Les prix correspondent à une nuit en chambre double, service, taxes et petit déjeuner compris. £ moins de 50 £ £ £ de 50 à 100 £ £ £ £ de 100 à 150 £ £ £ £ £ de 150 à 200 £ £ £ £ £ £ plus de 200 £	**RESTAURANT** Sauf indication contraire, le restaurant ou la salle à manger accueille d'autres clients que les hôtes. **ENFANTS BIENVENUS** Berceaux, lits d'enfants et baby-sitting. Certains restaurants proposent menus enfants et chaises hautes. **JARDIN OU TERRASSE** Hôtel possédant un jardin, une cour intérieure ou une terrasse. Souvent, possibilité de manger dehors. **CARTES BANCAIRES** Cartes acceptées : AE = American Express ; DC = Diners Club ; MC = Master Card/Access ; V = Visa.	**CARTES BANCAIRES**	**RESTAURANT**	**ENFANTS BIENVENUS**	**JARDIN OU TERRASSE**	**NOMBRE DE CHAMBRES**

Établissement	CARTES BANCAIRES	RESTAURANT	ENFANTS BIENVENUS	JARDIN OU TERRASSE	NOMBRE DE CHAMBRES
KIMMERIDGE : *Kimmeridge Farmhouse* @ kimmeridgefarmhouse@hotmail.com £ Kimmeridge, Wareham, Dorset BH20 5PE. 01929 480990. FAX 01929 481503. Joli B&B dans une ferme en exploitation, parfait pour explorer Purbeck et le sentier côtier. Certaines parties datent du XIVe siècle. ● Noël.				■	3
LACOCK : *At the Sign of the Angel* w www.lacock.co.uk £ £ £ 6 Church St, Lacock, Wiltshire SN15 2LB. 01249 730230. FAX 01249 730527. Ancienne auberge à colombage (autrefois, une maison de marchands de laine) dans un village typique du Wiltshire. Le restaurant est le point fort. Les chambres pittoresques ont du cachet. ● du 23 au 31 déc.	AE DC MC V	■	●		6
MIDDLE WINTERSLOW : *The Beadles* w www.guestaccom.co.uk/754.htm £ Middleton, Middle Winterslow, Salisbury, Wiltshire SP5 1QS. 01980 862922. Charmante *guesthouse* près de Salisbury. La maison est de style néo-georgien. Les dîners sont servis sur demande.	MC V			■	3
PORLOCK WEIR : *Andrews on the Weir* w www.andrewsontheweir.co.uk £ £ £ Porlock Weir, Minehead, Somerset TA24 8PB. 01643 863300. FAX 01643 863311. Situé dans un hameau pittoresque, à l'endroit où Exmoor rejoint la mer, cet élégant hôtel-restaurant offre de jolies chambres. ● janv.	DC MC V	■			5
SHEPTON MALLET : *Charlton House* w www.charltonhouse.com £ £ £ £ Charlton Rd, Shepton Mallet, Somerset BA4 4PR. 01749 342008. FAX 01749 346362. Manoir du XVIIe siècle, décoré avec beaucoup de grâce : tissus somptueux et couleurs audacieuses. Cuisine de première qualité.	AE DC MC V	■			25
SHIPTON GORGE : *Innsacre Farmhouse* w www.innsacre.com £ £ Shipton Gorge, Bridport, Dorset DT6 4LJ. 01308 456137. FAX 01308 421844. Charmante *guesthouse* installée dans une ferme. Grandes cheminées à l'ancienne. Cuisine variée et inventive. Les chambres sont décorées de façon rustique. Baignoires sans douche. ● 24 déc et 3 janv.	MC V	■		■	4
TAUNTON : *Bartlett's Farm* w www.bartlettsfarm.net £ Isle Brewers, près de Taunton, Somerset TA3 6QN. & FAX 01460 281423. Accueil chaleureux dans cette ferme du duché de la Cornouailles, située à proximité des Somerset Levels. Proche de Barrington Court et d'autres propriétés classées monument historique par le National Trust. ■ 1 ch.	M C V		●	■	3
TEFFONT EVIAS : *Howard's House* w www.howardshousehotel.co.uk £ £ £ Teffont Evias, Salisbury, Wiltshire SP3 5RJ. 01722 716392. FAX 01722 716820. Gentilhommière du XVIIe siècle entourée de jolis jardins. Les dîners, d'excellente qualité, vous laisseront un souvenir marquant. ● Noël.	AE MC V	■	●	■	9
WAREHAM : *Priory* w www.theprioryhotel.co.uk £ £ £ £ Church Green, Wareham, Dorset BH20 4ND. 01929 551666. FAX 01929 554519. Dans un cadre magnifique au bord de la rivière, prieuré entouré de somptueux jardins. Cuisine recherchée dans un restaurant convivial.	DC MC V	■		■	18
WEYMOUTH : *Seaham Guesthouse* w www.theseaham.co.uk £ 3 Waterloo Place, Weymouth, Dorset DT4 7NU. 01305 782010. Coquet B&B, tenu par des propriétaires charmants. Chambres douillettes, avec vue sur la mer (pour certaines). ● Semaine de Noël.	AE MC V				5
WIMBORNE MINSTER : *Beechleas* w www.beechleas.com £ £ 17 Poole Rd, Wimborne Minster, Dorset BH21 1QA. 01202 841684. FAX 01202 849344. Maison de ville georgienne. Salle de restaurant élégamment meublée. Chambres calmes dans l'annexe. ● du 24 déc. au 12 jan.	AE DC MC V	■	●	■	9
WOOKEY HOLE : *Glencot House* w www.glencothouse.co.uk £ £ Glencot Lane, Wookey Hole, Wells, Somerset BA5 1BH. 01749 677160. FAX 01749 670210. Château victorien, de style jacobéen, entouré d'un vaste parc. L'intérieur, orné de boiseries, de meubles anciens et de bibelots en tout genre, est fascinant.	AE MC V	■	●	■	13

LE DEVON ET LES CORNOUAILLES

ASHBURTON : *Tugela* @ paul@tugelahotel.freeserve.co.uk £ 68 East St, Ashburton, Devon TQ13 7AX. *01364 652206.* FAX *01364 652 477.* Familles et enfants sont reçus avec enthousiasme dans cet élégant hôtel installé dans une maison de ville georgienne. Cuisine maison savoureuse. Nombreux jeux et jouets à disposition. ● *Noël et 3 sem. en janv.* TV P	MC V	■	●	■	7
BIGBURY-ON-SEA : *Burgh Island* W www.burghisland.com £££££ Bigbury-on-Sea, Kingsbridge, Devon TQ7 4BG. *01548 810514.* FAX *01548 810243.* Hôtel Art déco romantique situé sur une île de l'estuaire, accessible en bateau. Le séjour est un véritable voyage dans le monde des années 1930. Les prix incluent des suites de luxe et un dîner somptueux. ● *3 1res sem. de janv.* P	MC V	■	●	■	23
BISHOP'S TAWTON : *Halmpstone Manor* W www.halmpstonemanor.co.uk £££ Bishop's Tawton, Barnstaple, Devon EX32 0EA. *01271 830321.* FAX *01271 830826.* Élégant *country house hotel*, offrant un service charmant et compétent. (Chiens acceptés). ● *Noël et Nouvel An.* TV P	AE DC MC V	■	●	■	5
BOSCASTLE : *The Old Rectory* W www.stjuliot.com ££ St Juliot, Boscastle, Cornwall PL35 0BT. *et* FAX *01840 250 225.* Thomas Hardy séjourna dans cet ancien presbytère victorien, situé à proximité de la plage. Petits déjeuners préparés avec des produits du jardin. TV P	MC DC V		●	■	4
BOTALLACK : *Botallack Manor* £ Botallack, St Just, Penzance, Cornwall TR19 7QG. *01736 788525.* Joyce Cargeeg reçoit avec un savoir-faire inimitable dans ce B&B installé dans une maison de granit près de Land's End. ● *Noël.* TV P				■	3
BRIXHAM : *Smuggler's Haunt Hotel* W www.smugglershaunt-hotel-devon.co.uk ££ Church Hill East, Brixham, Devon TQ5 8HH. *01803 853050.* FAX *01803 858738.* Situé en centre-ville, cet hôtel familial pittoresque offre des chambres confortables et de copieux petits déjeuners. Chiens acceptés. TV	AE MC V	■	●		14
CHILLATON : *Quither Mill* W www.quithermill.co.uk ££ Quither, Tavistock, Devon PL19 0PZ. & FAX *01822 860160.* Logement installé dans un ancien moulin. Les savoureux dîners, servis dans le style de la maison, se prennent à une seule table. TV P	MC V	■		■	4
CRACKINGTON HAVEN : *Manor Farm* ££ Crackington Haven, Bude, Cornwall EX23 0JW. *01840 230 304.* Ferme historique située à un endroit spectaculaire de l'Heritage Coast. Intérieur magnifiquement meublé et dîners délicieux. ● *Noël et Nouvel An* P		■		■	5
EXETER : *Barcelona* W www.barcelona@aliashotels.com £££ Magdalen St, Exeter, Devon EX2 4HY. *01392 281000.* FAX *01392 281001.* Ancien hôpital reconverti, décoré dans un style très actuel. Le bistro animé est fréquenté par une clientèle branchée. TV P	AE DC MC V	■	●	■	46
FOWEY : *Marina* W www.themarinahotel.co.uk £££ 17 The Esplanade, Fowey, Cornwall PL23 1HY. *01726 833315.* FAX *01726 832779.* Magnifiques vues sur l'estuaire depuis cet ancien palais épiscopal, très élégant, servant une bonne cuisine. TV P	AE MC V	■	●	■	13
GITTISHAM : *Combe House* W www.thishotel.com £££ Gittisham, près de Honiton, Devon EX14 3AD. *01404 540400.* FAX *01404 46004.* Étonnant *country house* entouré d'un parc, meublé d'antiquités et d'objets anciens, offrant un accueil chaleureux et une cuisine recherchée. TV P	DC MC V	■	●	■	15
HELSTON : *Nansloe Manor* W www.nansloe-manor.co.uk £££ Meneage Rd, Helston, Cornwall TR13 0SB. *01326 574691.* FAX *01326 564680.* Installé dans un grand bâtiment georgien, cet hôtel très calme se démarque par sa convivialité, sa bonne cuisine et son atmosphère décontractée. TV P	AE MC V	■		■	8
ILFRACOMBE : *Altro Hotel* W www.altrohotel.co.uk £ Fore St, Ilfracombe, North Devon EX34 9MN. *01271 862096.* FAX *01271 867728.* Dans une ambiance chaleureuse et détendue, profitez des animations et des soirées dansantes. L'arrière de l'hôtel donne sur la mer. TV	AE	■		■	42
KINGSWEAR : *Nonsuch House* W www.nonsuch-house.co.uk ££ Church Hill, Kingswear, Devon TQ6 0BX. *01803 752829.* FAX *01803 752357.* Cette *guesthouse* édouardienne d'un bon standing offre une vue à couper le souffle sur Dartmouth. Décor élégant. Accueil familial et chaleureux. TV	MC V	■		■	3

Légende des symboles, voir rabat de couverture

Les prix correspondent à une nuit en chambre double, service, taxes et petit déjeuner compris. ⓔ moins de 50 £ ⓔⓔ de 50 à 100 £ ⓔⓔⓔ de 100 à 150 £ ⓔⓔⓔⓔ de 150 à 200 £ ⓔⓔⓔⓔⓔ plus de 200 £	**RESTAURANT** Sauf indication contraire, le restaurant ou la salle à manger accueille d'autres clients que les hôtes. **ENFANTS BIENVENUS** Berceaux, lits d'enfants et baby-sitting. Certains restaurants proposent menus enfants et chaises hautes. **JARDIN OU TERRASSE** Hôtel possédant un jardin, une cour intérieure ou une terrasse. Souvent, possibilité de manger dehors. **CARTES BANCAIRES** Cartes acceptées : AE = American Express ; DC = Diners Club ; MC = Master Card/Access ; V = Visa.	CARTES BANCAIRES	RESTAURANT	ENFANTS BIENVENUS	JARDIN OU TERRASSE	NOMBRE DE CHAMBRES

	CARTES BANCAIRES	RESTAURANT	ENFANTS BIENVENUS	JARDIN OU TERRASSE	NOMBRE DE CHAMBRES
LANDEWEDNACK : *Landewednack House* ⓔⓔ Church Cove, Landewednack, The Lizard, Cornwall TR12 7PQ. ☎ 01326 290909. FAX 01326 290192. @ landewednackhouse@amserve.com Profitez du calme dans cet ancien presbytère georgien proche de la mer, entouré de magnifiques jardins et offrant des chambres élégamment meublées. Piscine extérieure chauffée. Plats servis sur commande. ● *Noël.* ⌂ TV ≋ ₽	MC V	■		■	3
MAWNAN SMITH : *Meudon* Ⓦ www.meudon.co.uk ⓔⓔⓔⓔ Mawnan Smith, Falmouth, Cornwall TR11 5HT. ☎ 01326 250541. FAX 01326 250543. Accueil classique et traditionnel dans cet hôtel familial. Les jardins subtropicaux donnant sur la mer offrent un cadre remarquable. Excellent rapport qualité-prix pour les personnes voyageant seules. ● *janv.* ⌂ TV ⌁ & ₽	AE DC MC V	■	●	■	29
MEMBURY : *Lea Hill* Ⓦ www.leahill.co.uk ⓔⓔ Membury, Axminster, Devon EX13 7AQ. ☎ 01404 881881. Dans un cadre idyllique, cet hôtel occupe plusieurs chaumières. Décoration harmonieuse. Service irréprochable. Succulents petits déjeuners. ⌂ TV ≋ ₽			●	■	4
MORTEHOE : *Cleeve House* Ⓦ www.cleevehouse.co.uk ⓔⓔ North Morte Rd, Mortehoe, Woolacombe, Devon EX34 7ED. ☎ 01271 870719. Situé à un endroit magnifique du littoral, cette maison moderne agrandie propose un accueil raffiné. Thé l'après-midi et le matin, petits déjeuners avec des œufs maison. ● *de nov. à mars.* ⌂ TV & ≋ ₽	MC V	■		■	6
NEWQUAY : *Sands* Ⓦ www.sandsresort.co.uk ⓔⓔⓔ Watergate Rd, Porth, Newquay, Cornwall TR7 3LX. ☎ 01637 872864. FAX 01637 876365. Hôtel bien équipé situé près des plages de surf du nord des Cornouailles. Chambres claires et spacieuses. Loisirs pour les enfants. ⌂ TV & ≋ ₽	MC V	■	●	■	70
PELYNT : *Jubilee Inn* Ⓦ www.jubileeinn.com ⓔⓔ Jubilee Hill, Pelynt, près de Looe, Cornwall PL13 2JZ. ☎ 01503 220312. FAX 01503 220920. Pub convivial et sans prétention, avec chambres. La carte propose un large choix de plats, que l'on peut déguster parfois dans le *beer garden* (petit jardin couvert). Les chambres sont décorées dans le style cottage. ⌂ TV ₽	MC V	■	●	■	11
PENZANCE : *Summer House* Ⓦ www.summerhouse-cornwall.com ⓔⓔ Cornwall Terrace, Penzance, Cornwall TR18 4HL. ☎ 01736 363744. FAX 01736 360959. Cuisine méditerranéenne et chambres élégantes dans ce charmant hôtel, proche de la promenade du front de mer. ● *de nov. à fév.* ⌂ TV ≋ ₽	MC V	■		■	5
PERRANUTHNOE : *Ednovean Farm* Ⓦ www.ednoveanfarm.co.uk ⓔⓔ Perranuthnoe, près de Penzance, Cornwall TR20 9LZ. ☎ 01736 711883. FAX 01736 710480. Ce B&B, avec vue sur le mont St Michael, se démarque par son intérieur aménagé avec savoir-faire et ses sublimes petits déjeuners. ● *Noël.* ⌂ TV ≋ ₽	AE MC V			■	3
PLYMOUTH : *Athenaeum Lodge* Ⓦ www.athenaeumlodge.com ⓔ 4 Athenaeum St, The Hoe, Plymouth, Devon PL1 2RQ. ☎ & FAX 01752 665005. Situé près du célèbre terrain de boules de Drake, ce coquet B&B propose des chambres décorées avec goût. ● *Noël et 1ᵉʳ janv.* ⌂ TV ≋ ₽	MC V		●		9
ROCK : *St Enodoc* Ⓦ www.enodoc-hotel.co.uk ⓔⓔⓔⓔ Rock, près de Wadebridge, Cornwall PL27 6LA. ☎ 01208 863394. FAX 01208 863970. Ambiance joyeuse dans cet hôtel au design épuré et élégant, donnant sur l'estuaire Camel. La direction assure une prestation de qualité. Cuisine « New World » (inspirée des plats caraïbes et latino-américains). ● *de janv. à mi-fév.* ⌂ TV ≋ ₽	AE MC V	■	●	■	20
ST BLAZEY : *Nanscawen Manor* Ⓦ www.nanscawen.com ⓔⓔ Prideaux Rd, Luxulyan Valley, St Blazey, Cornwall PL24 2SR. ☎ 01726 814488. B&B isolé, entouré de jardins, dont le luxe évoque l'Eden Project, situé non loin. La façade de style cottage cache un intérieur spacieux et raffiné. ⌂ TV ≋ ₽	MC V			■	3

St Hilary : *Ennys* w www.ennys.co.uk   (£)(£) | MC V | | | | 5
Trewhella Lane, St Hilary, Penzance, Cornwall TR20 9BZ. 📞 01736 740262. 𝖥𝖠𝖷 01736 740055.
B&B idyllique situé à la campagne, dans une ferme du XVIIᵉ siècle, entourée
de charmants jardins et d'une piscine. ● de nov à mars. 🚗 TV 📶 P

St Keyne : *Well House* w www.wellhouse.co.uk   (£)(£)(£) | MC V | | | | 9
St Keyne, Liskeard, Cornwall PL14 4RN. 📞 01579 342001. 𝖥𝖠𝖷 01579 343891.
Dans la paisible Looe Valley, cette maison de planteur de thé de style
victorien offre un cadre raffiné, propice au repos. Cuisine de qualité et
bonne carte des vins ; tennis et piscine. 🚗 TV P

St Mawes : *Rising Sun* w www.risingsunmawes.com   (£)(£)(£) | MC V | | | | 8
The Square, St Mawes, Truro, Cornwall TR2 5DJ. 📞 01326 270233. 𝖥𝖠𝖷 01326 270198.
Situé sur le port, pub élégant en harmonie avec l'atmosphère huppée de
St Mawes. Les chambres sont décorées dans un style décontracté chic. 🚗 TV P

St Mawes : *Hotel Tresanton* w www.tresanton.com   (£)(£)(£)(£)(£) | AE MC V | | | | 29
St Mawes, Truro, Cornwall TR2 5DR. 📞 01326 270055. 𝖥𝖠𝖷 01326 270053.
Ce sublime hôtel, réaménagé en 1997, offre de magnifiques points de vue.
L'atmosphère y est raffinée et détendue. Excellent restaurant. 🚗 TV P

Salcombe : *Soar Mill Cove* w www.makepeacehotels.co.uk   (£)(£)(£)(£)(£) | AE MC V | | | | 20
Soar Mill Cove, Salcombe, Devon TQ7 3DS. 📞 01548 561566. 𝖥𝖠𝖷 01548 561223.
Difficile de trouver un havre plus paisible sur le littoral. Cet hôtel sert
une excellente cuisine et offre un confort absolu. ● janv. 🚗 TV & 📶 P

Teignmouth : *Thomas Luny House* w www.thomas-luny-house.co.uk   (£)(£) | MC V | | | | 4
Teign St, Teignmouth, Devon TQ14 8EG. 📞 01626 772976.
Installé dans une charmante maison Régence, ce B&B calme, chic et bien
tenu, a beaucoup de cachet. L'été, petit déjeuner dans le jardin. 🚗 TV 📶 P

Veryan : *Nare* w www.narehotel.co.uk   (£)(£)(£)(£)(£) | MC V | | | | 39
Carne Beach, Veryan, Truro, Cornwall TR2 5PF. 📞 01872 501111. 𝖥𝖠𝖷 01872 501856.
Hôtel bien situé. Au choix : détente dans l'une des deux piscines
ou farniente dans les jardins. Chiens acceptés. 🚗 TV 🔄 & P

Widegates : *Coombe Farm* w www.coombefarmhotel.co.uk   (£)(£) | AE MC V | | | | 3
Widegates, Looe, Cornwall PL13 1QN. 📞 01503 240223.
Grands espaces verts, nombreux animaux, activités variées et accueil
chaleureux dans cette *guesthouse* rurale. 🚗 TV & 📶 P

LE CŒUR DE L'ANGLETERRE

Armscote : *Fox & Goose* w www.aboveaverage.co.uk   (£)(£) | AE MC V | | | | 4
Armscote, Stratford-upon-Avon, Warwickshire CV37 8DD. 📞 & 𝖥𝖠𝖷 01608 682293.
Ce ravissant pub de village ne cesse d'améliorer ses prestations depuis le
changement de propriétaire. Ambiance vivante. ● 25 et 26 déc. 🚗 TV P

Bibury : *Swan* w www.cotswold-inns-hotels.co.uk   (£)(£)(£)(£) | AE DC MC V | | | | 18
Bibury, Cirencester, Gloucestershire GL7 5NW. 📞 01285 740695. 𝖥𝖠𝖷 01285 740473.
Auberge au bord de l'eau. Intérieur confortable et chambres bien équipées.
🚗 TV 📶 P

Birmingham : *Hotel du Vin & Bistro* w www.hotelduvin.com   (£)(£)(£) | AE DC MC V | | | | 66
25 Church St, Birmingham B3 2NR. 📞 0121-200 0600. 𝖥𝖠𝖷 0121-236 0889.
Un monument de raffinement dans un ancien hôpital désaffecté reconverti
en un hôtel-brasserie, à l'ambiance chic et décontractée. 🚗 TV 🔄 & 📶

Blackwell : *Blackwell Grange* w www.blackwellgrange.co.uk   (£)(£) | AE MC V | | | | 3
Blackwell, Shipston-on-Stour, Warwickshire CV36 4PF. 📞 01608 682357. 𝖥𝖠𝖷 01608 682856.
Dans l'environnement paisible des Costwolds, ancienne ferme reconvertie
en maison familiale, très joliment meublée. ● Noël. 🚗 TV & 📶 P

Blockley : *Old Bakery*   (£)(£)(£) | AE MC V | | | | 3
High St, Blockley, Moreton-in-Marsh, Gloucestershire GL56 9EU. 📞 & 𝖥𝖠𝖷 01386 700408.
Hôtel convivial installé dans un cottage victorien entouré du beau paysage des
Costwolds. Dîners inclus dans le prix. ● de déc. à fév., 2 sem. en juin. 🚗 TV 📶 P

Broad Campden : *Malt House* w www.malt-house.co.uk   (£)(£)(£) | AE MC V | | | | 7
Broad Campden, Chipping Campden, Gloucestershire GL55 6UU. 📞 01386 840295.
Dans le cadre idyllique des Costwolds, *guesthouse* entourée de ravissants
jardins. Copieux petits déjeuners préparés avec des produits maison.
Chambres élégantes. ● du 23 au 27 déc. 🚗 TV 📶 P

Les prix correspondent à une nuit en chambre double, service, taxes et petit déjeuner compris.

£ moins de 50 £
££ de 50 à 100 £
£££ de 100 à 150 £
££££ de 150 à 200 £
£££££ plus de 200 £

RESTAURANT
Sauf indication contraire, le restaurant ou la salle à manger accueille d'autres clients que les hôtes.

ENFANTS BIENVENUS
Berceaux, lits d'enfants et baby-sitting. Certains restaurants proposent menus enfants et chaises hautes.

JARDIN OU TERRASSE
Hôtel possédant un jardin, une cour intérieure ou une terrasse. Souvent, possibilité de manger dehors.

CARTES BANCAIRES
Cartes acceptées : AE = American Express ; DC = Diners Club ; MC = Master Card/Access ; V = Visa.

	CARTES BANCAIRES	RESTAURANT	ENFANTS BIENVENUS	JARDIN OU TERRASSE	NOMBRE DE CHAMBRES
BROADWAY : *Barn House* £ 152 High St, Broadway, Worcestershire WR12 7AJ. & FAX 01386 858633. Paisible B&B, entouré d'un beau et vaste parc, à la lisière d'un village populaire des Costwolds. Chambres simples, de style cottage. Piscine. TV 🔗 P			●	▨	4
BUCKLAND : *Buckland Manor* W www.bucklandmanor.com £££££ Buckland, Broadway, Gloucestershire WR12 7LY. 01386 852626. FAX 01386 853557. Ce manoir typique des Costwolds entouré de splendides jardins date du XIe siècle. Intérieur aménagé dans le style *country house*. 🔗 TV P	AE DC MC V	▨		▨	13
CHELTENHAM : *Georgian House* W www.georgianhouse.net ££ 77 Montpellier Terrace, Cheltenham, Glos. GL50 1XA. 01242 515577. FAX 01242 545929. Installé dans une maison *terrace* en grès, ce B&B de style georgien allie prix raisonnables et petits déjeuners copieux. ● de Noël au 1er janv. 🔗 TV 🔗 P	AE DC MC V				3
CHELTENHAM : *Kandinsky* W www.hotelkandisky.com ££ Bayshill Rd, Cheltenham, Gloucestershire GL50 3AS. 01242 527788. FAX 01242 226412. L'extérieur est conventionnel, de style Régence, mais l'intérieur, gai et vivant, regorge d'objets excentriques. Service discret. Fait aussi pizzeria. 🔗 TV 🔗 & P	AE DC MC V	▨	●	▨	48
CHIPPING CAMPDEN : *Cotswold House* W www.cotswoldhouse.com ££££ The Square, Chipping Campden, Glos. GL55 6AN. 01386 840330. FAX 01386 840310. Maison de ville dans le paysage attrayant des Costwolds. Le restaurant, très fréquenté, est ouvert aux non-résidents. Ravissants jardins. 🔗 TV 🔗 P	AE MC V	▨	●	▨	21
EVESHAM : *Evesham* W www.eveshamhotel.com £££ Cooper's Lane, près de Waterside, Evesham, Worcestershire WR11 1DA. 01386 765566. Hôtel animé et non conventionnel, à l'ambiance familiale, où les chambres ont une décoration à thème. Nombreuses activités dans le parc. Piscine intérieure. Très prisé les week-ends (réservez). ● 25 et 26 déc. 🔗 TV 🔗 P	AE DC MC V	▨	●	▨	40
GLEWSTONE : *Glewstone Court* W www.glewstonecourt.com £££ Glewstone, Ross-on-Wye, Herefordshire HR9 6AW. 01989 770367. FAX 01989 770282. Ambiance détendue dans ce *country house* surplombant la vallée de la Wye. Bonne cuisine régionale ; produits biologiques. ● du 25 au 27 déc. 🔗 TV P	AE MC V	▨	●	▨	8
HEREFORD : *Castle House* W www.castlehse.co.uk ££££ Castle St, Hereford HR1 2NW. 01432 356321. FAX 01432 365909. Cet hôtel dynamique occupe deux pavillons georgiens légèrement isolés. L'intérieur est d'un luxe extravagant. Spécialités locales. 🔗 TV 🔗 & P	AE MC V	▨	●	▨	15
HOPWAS : *Oak Tree Farm* ££ Hints Rd, Hopwas, Tamworth, Staffordshire B78 3AA. & FAX 01827 56807. Situé non loin de la M42, cette ferme reconvertie donne sur la campagne. Le B&B offre un service de première qualité : chambres impeccables, excellents petits déjeuners et piscine intérieure. ● Noël et 1er janv. 🔗 TV 🔗 P	AE MC V			▨	7
ILMINGTON : *Howard Arms* W www.howardarms.com ££ Lower Green, Ilmington, Shipston-on-Stour, Warwickshire CV36 4LT. & FAX 01608 682226. Pub élégant dans un charmant village des Costwolds. Le bâtiment est ancien et l'intérieur décoré avec goût. Bières blondes (*ales*) et bons vins. 🔗 TV 🔗 P	MC V	▨		▨	3
IRONBRIDGE : *Library House* W www.libraryhouse.com £ Severn Bank, Ironbridge, Shropshire TF8 7AN. 01952 432299. FAX 01952 433967. Ancienne bibliothèque convertie en charmant B&B de style georgien, tapissé de livres. Proche du célèbre pont en fonte. Joli jardin. ● jan. 🔗 TV 🔗	£			▨	4
LEDBURY : *Feathers* W www.feathers-ledbury.co.uk ££ High St, Ledbury, Herefordshire HR8 1DS. 01531 635266. FAX 01531 638955. Auberge confortable et traditionnelle. Les chambres donnant sur la rue sont bruyantes. Salle de remise en forme et piscine intérieure. 🔗 TV P	AE DC MC V	▨	●	▨	19

LEYSTERS : *Hills Farm* w www.thehillsfarm.co.uk (£)(£)
Leysters, Leominster, Herefordshire HR6 0HP. 01568 750205.
Ce charmant B&B, installé dans une ferme, est parfait pour se détendre.
Quantité de livres, jeux de société et magazines sont mis à disposition.
de nov. à fév., 2 sem. en juin.
— MC V — 5

LITTLE MALVERN : *Holdfast Cottage* w www.holdfast-cottage.co.uk (£)(£)
Marlbank Rd, Little Malvern, Worcestershire WR13 6NA. 01684 310288. FAX 01684 311117.
Country cottage par excellence, en pleine campagne, avec vue sur les
Malvern Hills. Chambres douillettes.
— MC V — 8

LUDLOW : *Mr Underhill's* w www.mr-underhills.co.uk (£)(£)(£)
Dinham Weir, Ludlow, Shropshire SY8 1EH. & 01584 874431.
Très bonne adresse. Dans un ancien moulin sur la rivière Teme, des
chambres simples et impeccables offrent de jolies vues. Sert une cuisine
européenne moderne exquise. sem. de Noël et 1 sem. en janv.
— MC V — 6

MALVERN WELLS : *Cottage in the Wood* w www.cottageinthewood.co.uk (£)(£)(£)
Holywell Rd, Malvern Wells, Worcestershire WR14 4LG. 01684 575859. FAX 01684 560662.
Entouré par la campagne vallonnée et les forêts, ce manoir georgien, géré
par une famille, est un endroit idéal pour visiter Malvern.
— AE MC V — 31

NORTON : *Hundred House* w www.hundredhouse.co.uk (£)(£)(£)
Bridgnorth Rd, Norton, Shropshire TF11 9EE. 01952 730353. FAX 01952 730355.
Auberge familiale, décorée avec beaucoup de soin et de simplicité. La brasserie
propose des menus variés et des bières blondes (*ales*) maison.
— MC V — 10

OAKAMOOR : *Bank House* w www.smoothhound.co.uk/hotels/bank.html (£)(£)
Farley Rd, Oakamoor, Stoke-on-Trent, Staffordshire ST10 3BD. 01538 702810.
Merveilleux B&B dans la paisible Churnet Valley près du parc à thème Alton
Towers, entouré d'un splendide et vaste jardin. sem. de Noël.
— DC MC V — 3

PAINSWICK : *Painswick* w www.painswickhotel.com (£)(£)(£)
Kemps Lane, Painswick, Gloucestershire GL6 6YB. 01452 812160. FAX 01452 814059.
Majestueux presbytère de style palladien dans un ravissant village proche de
Gloucester. Ambiance décontractée. Bon restaurant.
— AE MC V — 19

PRESTBURY : *White House Manor* w www.thewhitehouse.uk.com (£)(£)(£)
New Rd, Prestbury, Macclesfield, Cheshire SK10 4HP. 01625 829376. FAX 01625 828627.
Dans un village pittoresque, hôtel offrant des chambres romantiques et une
cuisine élaborée. 25 et 26 déc.
— AE MC V — 11

SHREWSBURY : *Albright Hussey* w www.albrighthussey.co.uk (£)(£)(£)
Ellesmere Rd, Shrewsbury, Shropshire SY4 3AF. 01939 290571. FAX 01939 291143.
Manoir historique à meneaux, entouré de douves. Propose une grande
variété de plats internationaux et des chambres originales.
— AE DC MC V — 26

STRATFORD-UPON-AVON : *Victoria Spa Lodge* (£)(£)
Bishopton Lane, Bishopton, Stratford-upon-Avon, Warwickshire CV37 9QY. 01789 267985.
FAX 01789 204728. w www.stratford-upon-avon.co.uk/victoriaspa.htm
B&B convivial au bord de l'eau, installé dans une maison à pignons avec de
grandes cheminées. Chambres claires meublées d'objets d'époque.
— MC V — 7

SUTTON COLDFIELD : *New Hall* w www.newhallhotel.net (£)(£)(£)(£)(£)
Walmley Rd, Sutton Coldfield, West Midlands B76 1QX. 0121 378 2442. FAX 0121 378 4637.
Refuge romantique à l'extrémité nord de Black Country. Ce manoir à douves
entouré d'un splendide domaine offre un intérêt historique.
— AE DC MC V — 60

TEWKESBURY : *Abbey Antiques* (£)
61 Church St, Tewkesbury, Gloucestershire GL20 5RZ. 01684 298145.
Ce B&B, qui est aussi une boutique d'antiquités, fourmille de mille bibelots
intéressants. Les cloches de l'abbaye carillonnent non loin.
— 3

ULLINGSWICK : *The Steppes* w www.steppeshotel.co.uk (£)(£)
Ullingswick, Hereford HR1 3JG. 01432 820424. FAX 01432 820042.
Cette ferme de caractère, habilement réaménagée, a tout le charme de
l'ancien. Elle sert de délicieux plats maison. Un endroit calme, idéal pour
visiter la campagne du Herefordshire. de nov. à mi-fév.
— MC V — 6

WILMCOTE : *Pear Tree Cottage* w www.peartreecot.co.uk (£)
Church Rd, Wilmcote, Stratford-upon-Avon, Warwickshire CV37 9UX. 01789 205889.
B&B installé dans un splendide cottage en bois, meublé d'objets de l'époque
de Shakespeare. Bons petits déjeuners. Superbes jardins. Appartements
équipés de cuisine. du 23 déc. au 1er janv.
— 5

Légende des symboles, voir rabat de couverture

	CARTES BANCAIRES	RESTAURANT	ENFANTS BIENVENUS	JARDIN OU TERRASSE	NOMBRE DE CHAMBRES

Les prix correspondent à une nuit en chambre double, service, taxes et petit déjeuner compris.

£ moins de 50 £
££ de 50 à 100 £
£££ de 100 à 150 £
££££ de 150 à 200 £
£££££ plus de 200 £

RESTAURANT
Sauf indication contraire, le restaurant ou la salle à manger accueille d'autres clients que les hôtes.

ENFANTS BIENVENUS
Berceaux, lits d'enfants et baby-sitting. Certains restaurants proposent menus enfants et chaises hautes.

JARDIN OU TERRASSE
Hôtel possédant un jardin, une cour intérieure ou une terrasse. Souvent, possibilité de manger dehors.

CARTES BANCAIRES
Cartes acceptées : AE = American Express ; DC = Diners Club ; MC = Master Card/Access ; V = Visa.

	CARTES BANCAIRES	RESTAURANT	ENFANTS BIENVENUS	JARDIN OU TERRASSE	NOMBRE DE CHAMBRES
WINCHCOMBE : *Wesley House* w www.wesleyhouse.co.uk (££) High St, Winchcombe, Gloucestershire GL54 5LJ. (01242 602366. FAX 01242 609046. Hôtel-restaurant ancien dans une belle ville des Costwolds. Chambres très petites, mais élégantes et confortables. 🛏 TV ⚡	AE MC V	▦	●	▦	6

L'EST DES MIDLANDS

	CARTES BANCAIRES	RESTAURANT	ENFANTS BIENVENUS	JARDIN OU TERRASSE	NOMBRE DE CHAMBRES
ASWARBY : *Tally Ho Inn* (£) Aswarby, Sleaford, Lincolnshire NG34 8SA. (01529 455205. FAX 01529 455773. Cette auberge installée dans une ancienne grange offre des chambres calmes. Plats de qualité. Jolis jardins. Proche des marais du Lincolnshire. 🛏 TV P	MC V	▦	●	▦	6
BABWORTH : *The Barns* w www.thebarns.co.uk (£) Morton Fram, Babworth, Retford, Nottinghamshire DN22 8HA. (01777 706336. Décor champêtre. B&B accueillant dans une charmante ferme reconvertie, près de l'A1. Bon rapport qualité-prix. Chambres élégantes. 🛏 TV ⚡ P	AE DC MC V		●	▦	6
BASLOW : *Cavendish* w www.cavendish-hotel.net (££££) Baslow, Bakewell, Derbyshire DE45 1SP. (01246 582311. FAX 01246 582312. Hôtel situé dans le grand domaine de Chastworth, où les antiquités se mêlent aux objets modernes. Vue remarquable. Excellente cuisine. 🛏 TV ⚡ P	AE DC MC V	▦	●	▦	24
BIGGIN-BY-HARTINGTON : *Biggin Hall* w www.bigginhall.co.uk (££) Biggin, Buxton, Derbyshire SK17 0DH. (01298 84451. FAX 01298 84681. Maison du XVIIe siècle en pierre située dans le Peak District National Park, offrant de belles vues. Intérieur clair et calme. Cheminées. 🛏 TV ♿ limité. ⚡ P	AE MC V	▦		▦	19
BUXTON : *Buxton's Victorian Guesthouse* w www.buxtonvictorian.co.uk (£) 3A Broad Walk, Buxton, Derbyshire SK17 6JE. (01298 78759. FAX 0101298 74732. Élégant B&B dominant les jardins Pavilion Gardens, à deux pas du centre-ville. Décoration inspirée des comédies musicales de Gilbert et Sullivan. 🛏 TV ⚡ P	MC V		●		9
CASTLE ASHBY : *Falcon* w www.falconhotel-castleashby.com (£££) Castle Ashby, Northamptonshire NN7 1LF. (01604 696200. FAX 01604 696673. Auberge située dans un ancien village au milieu d'un grand domaine. Grands jardins. Décor raffiné. Chambres de style cottage. 🛏 TV ♿ P	AE MC V	▦	●	▦	16
EAST BARKWITH : *Bodkin Lodge* (£) Grange Farm, Torrington Lane, East Barkwith, Lincolnshire LN8 5RY. (& FAX 01673 858249. Merveilleuse hospitalité dans ce B&B donnant sur les plateaux du Lincolnshire. La *Grange farmhouse*, située non loin, est gérée par la même famille. Les enfants sont les bienvenus. Dîner léger. ● Noël et Nouvel An. 🛏 TV ⚡ P		▦		▦	2
GLOSSOP : *Wind in the Willows* w www.windinthewillows.co.uk (£££) Derbyshire Level, Glossop, Derbyshire SK13 7PT. (01457 868001. FAX 01457 853354. Hôtel spacieux et accueillant, entouré de grands jardins, avec vue sur le Snake Pass. Cuisine traditionnelle anglaise. 🛏 TV P	AE DC MC V	▦		▦	12
HOPE : *Underleigh House* w www.underleighhouse.co.uk (££) Près d'Edale Road, Hope, Derbyshire S33 6RF. (01433 621272. FAX 01433 621324. Dominant Edale, cet accueillant B&B offre des panoramas d'une beauté apaisante. Chambres claires et fleuries. ● Noël et Nouvel An. 🛏 TV ⚡ P	MC V			▦	6
LANGAR : *Langar Hall* w www.langarhall.com (££££) Langar, Nottingham NG13 9HG. (01949 860559. FAX 01949 861045. Accueil chaleureux dans cette charmante maison de style Régence située dans un village. Chambres simples, élégantes. Cuisine excellente. 🛏 TV ♿ ⚡ P	AE DC MC V	▦	●	▦	12
LINCOLN : *D'Isney Place* w www.disneyplacehotel.co.uk (££) Eastgate, Lincoln LN2 4AA. (01522 538881. FAX 01522 511321. B&B de premier ordre dans une belle maison du XVIIIe siècle située tout près de la cathédrale. Jardins clos. Pas de pièces communes. Petit déjeuner servi dans des chambres confortables. Service accueillant et discret. 🛏 TV ⚡ P	AE DC MC V		●	▦	17

MATLOCK BATH : *Hodgkinson's* W www.hodgkinsons-hotel.co.uk £)£) | AE | | | | 7
150 South Parade, Matlock Bath, Derbyshire DE4 3NR. (01629 582170. FAX 01629 584891. | MC
Hôtel au charme singulier, meublé dans le style victorien, bien situé, géré | V
par un chef italien. Jolis jardins. ● *du 24 au 26 déc.* 🖪 TV 🖪

NOTTINGHAM : *Greenwood Lodge* W www.greenwoodlodgecityguesthouse.co.uk £)£) | MC | | | | 6
Third Ave, Sherwood Rise, Nottingham NG7 6JH. (& FAX 0115-962 1206. | V
Située non loin du centre-ville, cette *guesthouse* isolée date du XIXᵉ siècle.
Elle est meublée d'objets anciens. Propriétaires très accueillants. 🖪 TV 🖪 P

NOTTINGHAM : *Lace Market* W www.lacemarkethotel.co.uk (0115-852 3232. £)£)£) | AE | | | | 42
29–31 High Pavement, The Lace Market, Nottingham NG1 1HE. FAX 0115-852 3223. | DC
Cet hôtel contemporain abrite un restaurant branché. Chambres très colorées | MC
et équipées d'installations-gadgets en tout genre. 🖪 TV 🖪 🖪 limité. | V

OAKHAM : *Barnsdale Lodge* W www.barnsdalelodge.co.uk (01572 724678. £)£) | AE | | | | 45
The Avenue, Rutland Water North Shore, Rutland LE15 8AH. FAX 01572 724 961. | DC
Cette ancienne ferme en pierre abrite un hôtel dynamique bien équipé, | MC
idéal pour visiter Rutland Water et Burghley. 🖪 TV 🖪 🖪 P | V

OAKHAM : *Lord Nelson's House* W www.nelsons-house.com £)£) | MC | | | | 4
11 Market Place, Oakham, Rutland LE15 6DT. (& FAX 01572 723199. | V
Restaurant chic et décontracté installé dans un bâtiment à colombage, à
l'architecture originale. Quelques chambres. Service prévenant. 🖪 TV 🖪 P

PAULERSPURY : *Vine House* W www.vinehouse-hotel.com £)£) | MC | | | | 6
100 High St, Paulerspury, Northamptonshire NN12 7NA. (01327 811267. FAX 01327 811309. | V
Le restaurant est inégalable et les chambres sont charmantes et personnalisées
avec élégance. Proche de Northampton et de l'A5, cet endroit accueillant jouit
d'une bonne situation pour visiter la région. ● *du 24 déc. au 7 janv.* 🖪 TV 🖪 P

SARACEN'S HEAD : *Pipwell Manor* W www.smoothhound.co.uk/hotels/pipwell £) | | | | | 4
Washway Rd, Saracen's Head, Holbeach, Lincolnshire PE12 8AL. (& FAX 01406 423119.
B&B installé dans une maison du début de l'époque géorgienne, agencée
avec style. Chambres simples et élégantes. Excellents petits déjeuners ; beaux
jardins. Idéal pour explorer les marais du Norfolk. ● *Noël et 1ᵉʳ janv.* 🖪 🖪

STAMFORD : *George of Stamford* W www.georgehotelofstamford.com £)£)£) | AE | | | | 47
71 St Martins, Stamford, Lincolnshire PE9 2LB. (01780 750750. FAX 01780 750701. | DC
Cette ancienne auberge attire des voyageurs de la Great North Road depuis le | MC
Moyen-Âge. Intérieur élégant et éclectique Chambres spacieuses. 🖪 TV 🖪 P | V

UPPER HAMBLETON : *Finch's Arms* W www.finchsarms.co.uk £)£) | AE | | | | 6
Oakham Rd, Upper Hambleton, Oakham, Rutland LE15 TL. (01572 756575. | DC
Ce pub haut de gamme faisant aussi hôtel est situé dans un charmant village | MC
près de Rutland Water. Cuisine aux interprétations intéressantes. 🖪 TV 🖪 P | V

UPPINGHAM : *Lake Isle* W www.lakeisle.com £)£) | AE | | | | 12
16 High St East, Uppingham, Rutland LE15 9PZ. (& FAX 01572 822951. | DC
Hôtel-restaurant accueillant installé dans une maison de ville georgienne. | MC
Certaines chambres se trouvent dans les cottages annexes. 🖪 TV P | V

LE LANCASHIRE ET LES LACS

AMBLESIDE : *Drunken Duck* W www.drunkenduckinn.co.uk £)£)£) | AE | | | | 16
Barngates, Ambleside, Cumbria LA22 0NG. (015394 36347. FAX 015394 36781. | MC
Dans le sud de la région des lacs, ce pub animé offre des chambres élégantes | V
et accueillantes. Thé de l'après-midi inclus dans le prix. ● *25 déc.* 🖪 TV P

AMBLESIDE : *Wateredge Inn* W www.wateredgeinn.co.uk £)£)£) | AE | | | | 21
Waterhead Bay, Ambleside, Cumbria LA22 0EP. (015394 32332. FAX 015394 31878. | MC
Située à l'extrémité nord du lac Windermere, cette auberge propose des | V
chambres claires et propres et une cuisine de bonne qualité. 🖪 TV 🖪 🖪 P

BASSENTHWAITE : *Pheasant* W www.the-pheasant.co.uk £)£)£) | MC | | | | 15
Bassenthwaite Lake, Cockermouth, Cumbria CA13 9YE. (017687 76234. FAX 017687 76002. | V
Le petit bar cosy de l'arrière-salle est l'un des points forts de cette auberge
très appréciée, disposant d'un salon spacieux et de chambres rénovées,
claires et soignées. Sert une cuisine de qualité. ● *25 déc.* 🖪 🖪 P

BLACKPOOL : *Raffles* W www.raffleshotelblackpool.co.uk £) | MC | | | | 19
73–77 Hornby Rd, Blackpool, Lancashire FY1 4QJ. (01253 294713. FAX 01253 294240. | V
Proche de la tour, ce B&B offre un intérieur soigné et des chambres
rénovées. Dîners traditionnels et salon de thé. 🖪 TV 🖪 🖪 P

Légende des symboles, voir rabat de couverture

Les prix correspondent à une nuit en chambre double, service, taxes et petit déjeuner compris.

£ moins de 50 £
££ de 50 à 100 £
£££ de 100 à 150 £
££££ de 150 à 200 £
£££££ plus de 200 £

RESTAURANT
Sauf indication contraire, le restaurant ou la salle à manger accueille d'autres clients que les hôtes.

ENFANTS BIENVENUS
Berceaux, lits d'enfants et baby-sitting. Certains restaurants proposent menus enfants et chaises hautes.

JARDIN OU TERRASSE
Hôtel possédant un jardin, une cour intérieure ou une terrasse. Souvent, possibilité de manger dehors.

CARTES BANCAIRES
Cartes acceptées : AE = American Express ; DC = Diners Club ; MC = Master Card/Access ; V = Visa.

	CARTES BANCAIRES	RESTAURANT	ENFANTS BIENVENUS	JARDIN OU TERRASSE	NOMBRE DE CHAMBRES
BOWNESS-ON-WINDERMERE : *Lindeth Fell* £££ Lyth Valley Rd, Bowness-on-Windermere, Cumbria LA23 3JP. W www.lindethfell.co.uk 015394 43286. FAX 015394 47455. L'intérieur gai et harmonieux donne du cachet à ce *country house hotel* offrant de magnifiques vues sur la région des lacs. Très beaux jardins.	MC V	▦	●	▦	14
BOWNESS-ON-WINDERMERE : *Linthwaite House* ££££ Crook Rd, Bowness-on-Windermere, Cumbria LA23 3JA. W www.linthwaite.com 015394 88600. FAX 015394 88601. Les vues éblouissantes sur Windermere mettent en valeur le beau parc de ce *country house hotel*. Menus sophistiqués. Pêche et croquet.	AE DC MC V	▦	●	▦	27
BUTTERMERE : *Wood House* W www.wdhse.co.uk ££ Buttermere, Cockermouth, Cumbria CA13 9XA. 017687 70208. FAX 017687 70241. Paisible domaine, classé monument historique par le National Trust, situé sur les rives de Crummock Water. Décoration intérieure raffinée. Bonne cuisine maison servie avec convivialité. ● *de mi-nov. à mi-fév.*		▦		▦	3
CARLISLE : *Number Thirty-One* W www.number31.freeservers.com ££ 31 Howard Place, Carlisle, Cumbria CA1 1HR. & FAX 01228 597080. Superbe maison de ville victorienne, gérée avec dynamisme. Le décor simple ne manque pas de panache. Chambres insonorisées.	AE MC V	▦		▦	3
COCKERMOUTH : *The Trout* £££ Crown St, Cockermouth, Cumbria CA13 0EJ. W www.trouthotel.co.uk 01900 823591. FAX 01900 827514. Dans un cadre exceptionnel, bâtiment du XVIIᵉ siècle entouré de jardins, sur les rives de la River Derwent, non loin de Cockermouth. *limité.*	AE MC V	▦	●	▦	43
CONISTON : *Bankground* W www.bankground.com ££ Bankground Farm, East of Lake Rd, Coniston, Cumbria LA21 8AA. 015394 41264. FAX 015394 41900. Installé dans une ferme du XVᵉ siècle en face du lac de Coniston, ce B&B tenu par une famille offre de beaux points de départ pour les randonnées.	MC V		●	▦	7
COWAN BRIDGE : *Hipping Hall* W www.kirby-lonsdale.com ££ Cowan Bridge, Kirkby Lonsdale, Carnforth, Lancashire LA6 2JJ. 015242 71187. *Country house* élégant et éclectique, joliment meublé, entouré de beaux jardins. Recettes recherchées à base de produits locaux. ● *Noël.*	AE MC V	▦	●	▦	7
GRANGE-IN-BORROWDALE : *Borrowdale Gates* £££ Grange-in-Borrowdale, Keswick, Cumbria CA12 5UQ. 01768 777204. FAX 017687 77254. W www.borrowdale-gates.com Hôtel lauréat de distinctions, offrant de remarquables vues. Décor spacieux et élégant. Le prix inclut un dîner d'excellente qualité.	AE MC V	▦	●	▦	29
GRASMERE : *Howfoot Lodge* ££ Town End, Grasmere, Cumbria LA22 9SH. W www.howfoot.co.uk 015394 35366. FAX 015394 35268. Villa victorienne, gérée par le Wordsworth Trust, meublée d'objets anciens et entourée de jardins sculptés. Belles balades dans les environs.	MC V	▦	●	▦	6
KESWICK : *The Grange* W www.grangekeswick.com ££ Manor Brow, Keswick, Cumbria CA12 4BA. & FAX 017687 72500. B&B bien établi, à la périphérie de la ville. Jolies vues et jardins. ● *mi-nov.-mi-mars.*	MC V			▦	10
LORTON : *New House Farm* W www.newhouse-farm.co.uk ££ Lorton, près de Cockermouth, Cumbria CA13 9UU. & FAX 01900 85404. La vallée de Lorton donne du caractère à cette ferme reconvertie en *guesthouse*. Les thés se prennent dans la grange. Dîners succulents.	MC V	▦		▦	5

MANCHESTER : *Eleven Didsbury Park* ⓔⓔⓔ
11 Didsbury Park, Didsbury Village, Manchester M20 5LH.
w elevendidsburypark.com 📞 0161 448 7711. FAX 0161 448 8282.
Maison de ville victorienne au décor contemporain dans une banlieue
préservée. Pas de restaurant, mais des dîners légers. 🛏 TV ☎ P

AE		●	▦	17
DC				
MC				
V				

MANCHESTER : *Crowne Plaza Midland* ⓔⓔⓔⓔ
Peter St, Manchester M60 2DS. 📞 0161 236 3333. FAX 0161 932 4100.
w www.manchester-themidland.crowneplaza.com
Somptueux hôtel, rappelant l'époque dorée des voyages en train, de style
néo-classique, Louis XIII et Art nouveau. 🛏 TV 🛁 & ☎ P

AE	▦	●		303
DC				
MC				
V				

MANCHESTER : *The Lowry* w www.thelowryhotel.com ⓔⓔⓔⓔⓔ
50 Dearmans Pl, Chapel Wharf, Salford, Manchester M3 5LH. 📞 0161 827 4000.
Situé au cœur de la ville, ce luxueux hôtel contemporain offre un cadre calme,
au bord de la rivière. Le chef est Marco Pierre White. 🛏 TV 🛁 & ☎ P

AE	▦	●		165
DC				
MC				
V				

MELLOR : *Millstone* w www.shirehotels.co.uk ⓔⓔ
3 Church Lane, Mellor, Blackburn, Lancashire BB2 7JR. 📞 01254 813333. FAX 01254 812628.
Ancienne auberge jouissant d'une situation idyllique dans la campagne du
Lancashire. Les chambres sont propres et fonctionnelles. 🛏 TV & ☎ P

AE	▦	●		24
DC				
MC				
V				

MUNGRISDALE : *Mill Hotel* w www.themillhotel.com ⓔⓔ
Mungrisdale, Penrith, Cumbria CA11 0XR. 📞 017687 79659. FAX 017687 79155.
À ne pas confondre avec le Mill Inn voisin. Séjourner dans cet hôtel est très
agréable. Bon restaurant. Chiens acceptés. ● de nov. à fév. 🛏 TV P

| | ▦ | ● | ▦ | 8 |

NEWLANDS : *Swinside Lodge* w www.swinsidelodge-hotel.co.uk ⓔⓔⓔ
Grange Rd, Newlands, Keswick, Cumbria CA12 5UE. 📞 & FAX 017687 72948.
Hôtel isolé dans un superbe cadre. Intérieur d'une élégance raffinée, tapissé
de livres et de cartes. Excellente cuisine (dîner compris). 🛏 TV ☎ P

| MC | ▦ | | ▦ | 7 |
| V | | | | |

PENRITH : *North Lakes* w www.shirehotels.co.uk ⓔⓔⓔ
Ullswater Rd, Penrith, Cumbria CA11 8QT. 📞 01768 868111. FAX 01768 868291.
Cet immeuble moderne à côté de la M6 cache un charmant intérieur de style
chalet. Piscine intérieure et centre de remise en forme. 🛏 TV 🛁 & ☎ P

AE	▦	●	▦	84
DC				
MC				
V				

SEATOLLER : *Seatoller House* w www.seatollerhouse.co.uk ⓔⓔ
Seatoller, Borrowdale, Keswick, Cumbria CA12 5XN. 📞 017687 77218. FAX 017687 77189.
Près de Honister Pass, ravissant hôtel propice à la détente, bien situé pour
faire des promenades. Les repas sont collectifs. ● de déc. à fév. 🛏 P

| MC | ▦ | ● | ▦ | 10 |

SELSIDE : *Low Jock Scar* @ ljs@avmail.co.uk ⓔ
Selside, Kendal, Cumbria LA8 9LE. 📞 et FAX 01539 823259.
Au nord de Kendal, hôtel isolé mais facilement accessible, idéalement situé
pour visiter les lacs du sud. Superbes jardins. Dîners savoureux. Chambres
simples et confortables. ● de nov à mi-mars. 🛏 & limité. ☎ P

| MC | ▦ | | ▦ | 5 |
| V | | | | |

ULLSWATER : *Sharrow Bay* w www.sharrow-bay.com ⓔⓔⓔⓔⓔ
Ullswater, Penrith, Cumbria CA10 2LZ. 📞 017684 86301. FAX 017684 86349.
Le premier vrai *country house hotel* d'Angleterre reste une légende dans
la région des lacs. Cadre incroyable. Intérieur exquis. Service irréprochable
et cuisine somptueuse. ● de déc. à fév. 🛏 TV & P

AE	▦			26
MC				
V				

ULVERSTON : *Bay Horse* w www.furness.co.uk/bayhorse ⓔⓔⓔ
Canal Foot, Ulverston, Cumbria LA12 9EL. 📞 01229 583972. FAX 01229 580502.
À l'extrémité de Morecambe Bay, cette auberge élégante et confortable offre
des chambres équipées de jumelles pour observer les oiseaux. Cuisine
remarquable (dîner inclus dans le prix). 🛏 TV ☎ P

AE	▦			9
MC				
V				

WASDALE HEAD : *Wasdale Head* w www.wasdale.com 📞 019467 26229. ⓔⓔ
Wasdale Head, près de Gosforth, Seascale, Cumbria CA20 1EX. FAX 019467 26334.
Cette auberge isolée, célèbre pour ses sites d'escalade, se fond dans un décor
impressionnant. Micro-brasserie sur place. Beaucoup de cachet. 🛏 ☎ P

AE	▦	●	▦	14
MC				
V				

WHITEWELL : *Inn at Whitewell* ⓔⓔⓔ
Whitewell, Forest of Bowland, Clitheroe, Lancashire BB7 3AT. 📞 01200 448222. FAX 01200 448298.
Auberge sophistiquée au bord de l'eau, idéale pour profiter de la Ribble
Valley. Cuisine et vins de très bonne qualité. 🛏 TV P

| MC | ▦ | ● | ▦ | 23 |
| V | | | | |

WINDERMERE : *Westbury House B&B* w www.windermerebnb.co.uk ⓔ
27 Broad St, Windermere, Cumbria LA23 2AB. 📞 015392 46839.
Ce B&B, parfait pour les couples en séjour court, occupe une maison de style
victorien en centre-ville, à vingt minutes à pied du lac Windermere. 🛏 ☎ TV

AE				5
MC				
V				

Les prix correspondent à une nuit en chambre double, service, taxes et petit déjeuner compris.

£ moins de 50 £
££ de 50 à 100 £
£££ de 100 à 150 £
££££ de 150 à 200 £
£££££ plus de 200 £

RESTAURANT
Sauf indication contraire, le restaurant ou la salle à manger accueille d'autres clients que les hôtes.
ENFANTS BIENVENUS
Berceaux, lits d'enfants et baby-sitting. Certains restaurants proposent menus enfants et chaises hautes.
JARDIN OU TERRASSE
Hôtel possédant un jardin, une cour intérieure ou une terrasse. Souvent, possibilité de manger dehors.
CARTES BANCAIRES
Cartes acceptées : AE = American Express ; DC = Diners Club ; MC = Master Card/Access ; V = Visa.

	CARTES BANCAIRES	RESTAURANT	ENFANTS BIENVENUS	JARDIN OU TERRASSE	NOMBRE DE CHAMBRES
WINDERMERE : *Gilpin Lodge* w www.gilpinlodge.com **£££££** Crook Rd, Windermere, Cumbria LA23 3NE. 015394 88818. FAX 015394 88058. Hôtel élégant et confortable, à la fois spacieux et agréablement meublé, entouré d'un vaste terrain. Suites en duplex avec jacuzzis. 🛏 TV P	AE DC MC V	▦		▦	14

LE YORKSHIRE ET LA RÉGION DU HUMBER

	CARTES BANCAIRES	RESTAURANT	ENFANTS BIENVENUS	JARDIN OU TERRASSE	NOMBRE DE CHAMBRES
AMPLEFORTH : *Shallowdale House* w www.shallowdalehouse.co.uk **££** Ampleforth, près de York YO62 4DY. 01439 788325. FAX 01439 788885. *Guesthouse* raffinée, à proximité des abbayes de Rievaulx et de Byland. Chambres simples et élégantes. Jolie vue. ● *Noël et Nouvel An.* 🛏 TV ≠ P	MC V	▦		▦	3
BRADFORD : *Beeties* w www.beeties.co.uk 01274 581718. **£** 7 Victoria Rd, Saltaire Village, Shipley, Bradford, W Yorkshire BD18 3LA. FAX 01274 582118. Hôtel-restaurant bien placé pour visiter le village de Saltaire, très tendance. Chambres meublées avec goût. 🛏 TV	AE MC V	▦			5
EAST WITTON : *Blue Lion* w www.thebluelion.co.uk **££** East Witton, Leyburn, N Yorkshire DL8 4SN. 01969 624273. FAX 01969 624189. Élégante auberge proche des ruines de l'abbaye de Jervaulx. Cuisine de qualité. Très fréquenté le week-end. Les chambres à l'avant sont plus calmes. 🛏 TV P	MC V	▦	●	▦	12
FLAMBOROUGH : *Manor House* w www.flamboroughmanor.co.uk **££** Flamborough, Bridlington, E Yorkshire YO15 1PD. & FAX 01262 850943. Cette élégante maison georgienne est une maison privée, de type *Wolsey Lodge* (réservez). Au menu, produits de la mer locaux. ● *Noël.* 🛏 TV ≠ P	MC V	▦		▦	2
GRASSINGTON : *Ashfield House* w www.ashfieldhouse.co.uk **££** Summers Fold, Grassington, N Yorkshire BD23 5AE. & FAX 01756 752584. Installé dans plusieurs cottages du XVIIᵉ siècle, cet hôtel est idéal pour visiter le village de Malhamdale. Intérieur élégant. Chambres simples. 🛏 TV ≠ P	AE MC V	▦		▦	7
HALIFAX : *Holdsworth House* w www.holdsworthhouse.co.uk **£££** Holdsworth Rd, Holmfield, Halifax, W Yorkshire HX2 9TG. 01422 240024. FAX 01422 245174. Les objets d'époque sont intacts dans ce manoir jacobéen de la Calder Valley, près de Halifax. Les chambres, situées dans une aile plus moderne, sont aussi attrayantes que le reste du bâtiment. Menus élaborés. 🛏 TV ⚫ ≠ P	AE DC MC V	▦	●	▦	40
HARROGATE : *Balmoral* w www.balmoralhotel.co.uk **£££** Franklin Mount, Harrogate, N Yorkshire HG1 5EJ. 01423 508208. FAX 01423 530652. Les nombreux objets-souvenirs excentriques décorent l'intérieur de cet hôtel de style imitation Tudor lui valent son succès. Services affaires. 🛏 TV ⚫ P	AE MC V	▦	●	▦	21
HEBDEN BRIDGE : *White Lion Hotel* w www.whitelionhotel.net **££** Bridge Gate, Hebden Bridge, Yorks HX7 8EX. 01422 842197. FAX 01422 846619. Cet hôtel familial et accueillant situé en centre-ville occupe un bâtiment classé. Pub et cuisine maison. Idéal pour les promeneurs. 🛏 TV ≠ ⚫ P	MC V	▦	●	▦	10
HELM : *Helm* w www.helmyorkshire.com **££** Helm, près de Askrigg, Leyburn, N Yorkshire DL8 3JF. 01969 650443. Cette *guesthouse* occupe un élégant bâtiment dans un des villages célèbres de Wensleydale. Chambres très bien tenues. ● *de mi-nov. à déc.* 🛏 TV ≠ P	MC V			▦	3
HELMSLEY : *Feversham Arms* **££££** 178 High St, Helmsley, Yorks YO62 5AG. 01439 770766. Confortable auberge dans l'ancienne bourgade proche du château Howard (*p. 384-385*). Piscine et salle de remise en forme. Dîner compris. 🛏 TV ≠ P w www.fevershamarmshotel.com	AE MC V	▦	●	▦	22
INGLEBY GREENHOW : *Manor House Farm* **££** Ingleby Greenhow, près de Great Ayton, N Yorkshire TS9 6RB. 01642 722384. Charmante ferme isolée, à l'extrémité du parc national North York Moors. Chambres de style cottage offrant de belles vues. Dîners inclus. ● *déc.* 🛏 ≠ P		▦		▦	3

LEEDS : *Malmaison Leeds* W www.malmaison.com £££ | DC MC V | | | | 100
1 Swinegate, Leeds LS1 4AG. (0113 398 1000. FAX 0113 398 1002.
Cet hôtel contemporain occupant un ancien entrepôt de tramways abrite une brasserie. Chambres à thèmes équipées d'un accès Internet. ⊟ TV ⬆ ⅋ ⚡

OSMOTHERLY : *Three Tuns* ££ | AE MC V | | | | 3
9 South End, Osmotherley, N Yorkshire DL6 3BN. (01609 883301.
Récemment reconvertie en un hôtel-restaurant original et attrayant, cette ancienne auberge se trouve près du Mount Grace Priory. ⊟ TV ⚡ P

PICKERING : *White Swan* W www.white-swan.co.uk £££ | AE MC V | | | | 23
Market Place, Pickering, N Yorkshire YO18 7AA. (01751 472288. FAX 01751 475554.
Auberge georgienne à la décoration intérieure moderne. Chambres simples et bien agencées. Idéal pour visiter le North York Moors Railway. ⊟ TV ⚡ P

RAMSGILL : *Yorke Arms* W www.yorke-arms.co.uk ££££ | AE DC MC V | | | | 14
Ramsgill-in-Nidderdale, N Yorkshire HG3 5RL. (01423 755243. FAX 01423 755330.
Cet hôtel-restaurant, installé dans un ancien pavillon de chasse pittoresque, propose une excellente cuisine et des chambres élégantes. ⊟ TV ⚡ P

REETH : *Arkleside* W www.arklesidehotel.co.uk ££ | MC V | | | | 10
Reeth, près de Richmond, N Yorkshire DL11 6SG. (et FAX 01748 884200.
Dans un ravissant village de Swaledale, cette *guesthouse* plaira aux marcheurs. Chambres élégantes, mais de qualité inégale. ● 24 et 25 déc., janv. ⊟ TV ⚡ P

ROYDHOUSE : *Three Acres Inn* W www.3acres.co.uk ££ | AE MC V | | | | 20
Roydhouse, Shelley, Huddersfield, W Yorkshire HD8 8LR. (01484 602606. FAX 01484 608411.
Auberge avec vue sur Moorland, près du Yorkshire Sculpture Park et du National Coal Mining (*p. 399*). Bar-restaurant. Les chambres, meublées d'objets anciens, ont du cachet. ● 25 et 31 déc ; 1ᵉʳ janv. ⊟ TV ⅋ ⚡ P

SCARBOROUGH : *Interludes* W www.interludeshotel.co.uk £ | MC V | | | | 5
32 Princess St, Scarborough, N Yorkshire YO11 1QR. (01723 360513. FAX 01723 368597.
Guesthouse raffinée située dans la vieille ville. Certaines chambres donnent sur la mer. Dîners simples servis avant les représentations au théâtre. ⊟ TV ⚡

WHITBY : *White Horse & Griffin* W www.whitehorseandgriffin.co.uk ££ | MC V | | | | 17
Church St, Whitby, N Yorkshire YO22 4BH. (& FAX 01947 604857.
Vieille auberge meublée d'antiquités, située dans la rue principale pavée. Au menu, poisson local. ⊟ TV

WINTERINGHAM : *Winteringham Fields* W www.winteringhamfields.com £££ | AE MC V | | | | 10
Winteringham, Scunthorpe, Lincolnshire DN15 9PF. (01724 733096. FAX 01724 733898.
L'hôtel-restaurant le plus élégant à proximité de Humber Bridge. Recommandable pour sa bonne cuisine. Les chambres aussi méritent le détour. ● der. sem. de mars et d'oct., 1ʳᵉ sem. d'août, 2 sem. à Noël. ⊟ TV ⚡ P

YORK : *The Hazelwood* W www.thehazelwoodyork.com ££ | MC V | | | | 12
24–25 Portland St, York YO21 7EH. (01904 626548. FAX 01904 628032.
Installé dans une maison de ville, ce B&B offre un service discret, très efficace. Chambres spacieuses. Petit jardin à l'arrière. ⊟ TV ⚡ P

YORK : *Middlethorpe Hall* W www.middlethorpe.com ££££ | MC V | | | | 29
Bishopthorpe Rd, York YO23 2GB. (01904 641241. FAX 01904 620176.
Sompteux *house hotel* situé à proximité de l'hippodrome, mêlant antiquités et objets de luxe. Restaurant gastronomique. Spa. Croquet. ⊟ TV ⬆ P

LA NORTHUMBRIA

BERWICK-UPON-TWEED : *Number One Sallyport* (& FAX 01289 308827. ££ | AE MC V | | | | 3
Près de Bridge St, Berwick-upon-Tweed TD15 1EZ. W www.sallyport.co.uk
Charmant B&B du XVIIᵉ siècle dans le centre de Berwick. Le propriétaire sert une délicieuse cuisine française provençale. ⊟ TV ⚡ P

CHESTER-LE-STREET : *Lumley Castle* W www.lumleycastle.com ££££ | AE DC MC V | | | | 59
Chester-le-Street, Durham DH3 4NX. (0191 389 1111. FAX 0191 387 1437.
Magnifique bâtiment à tourelles de style normand. Les banquets élisabéthains attirent beaucoup de visiteurs. Non loin se trouve le Beamish Museum (*p. 410-411*). ● 25 et 26 déc., 1ᵉʳ janv. ⊟ TV P

CROOKHAM : *Coach House* W www.coachhousecrookham.com ££ | MC V | | | | 11
Crookham, Cornhill-on-Tweed, Northumberland TD12 4TD. (01890 820293. FAX 01890 820284.
Proche des Borders, cette accueillante *guesthouse* offre un cadre paisible, un confort sans prétention et une cuisine maison généreuse. ⊟ TV ⅋ P

Légende des symboles, voir rabat de couverture

	CARTES BANCAIRES	RESTAURANT	ENFANTS BIENVENUS	JARDIN OU TERRASSE	NOMBRE DE CHAMBRES

Les prix correspondent à une nuit en chambre double, service, taxes et petit déjeuner compris.

€ moins de 50 £
€€ de 50 à 100 £
€€€ de 100 à 150 £
€€€€ de 150 à 200 £
€€€€€ plus de 200 £

RESTAURANT
Sauf indication contraire, le restaurant ou la salle à manger accueille d'autres clients que les hôtes.

ENFANTS BIENVENUS
Berceaux, lits d'enfants et baby-sitting. Certains restaurants proposent menus enfants et chaises hautes.

JARDIN OU TERRASSE
Hôtel possédant un jardin, une cour intérieure ou une terrasse. Souvent, possibilité de manger dehors.

CARTES BANCAIRES
Cartes acceptées : AE = American Express ; DC = Diners Club ; MC = Master Card/Access ; V = Visa.

	CB	R	EB	JT	NC
DURHAM : *Georgian Town House* w www.thegeorgiantownhouse.co.uk €€ 11 Crossgate, Durham DH1 4PS. & FAX 0191 386 8070. Accueillant B&B au cœur de la ville. Certaines chambres donnent sur la cathédrale. Pancakes maison. Café à l'étage inférieur. ● Noël et 1er janv. TV				■	3
HALTWHISTLE : *Centre of Britain* w www.centre-of-britain.org.uk €€ Main St, Haltwhistle, Northumberland NE49 0BH. 01434 322422. FAX 01434 322655. Cette tour défensive du xve siècle habilement reconvertie, située près de Hadrian's Wall, abrite aujourd'hui un hôtel. Pierres et poutres apparentes. Les chambres sont claires et élégantes. TV P	AE DC MC V	■	●		9
HEXHAM : *Langley Castle* w www.langleycastle.co.uk €€€ Langley-on-Tyne, Hexham, Northumberland NE47 5LU. 01434 688888. FAX 01434 684019. Forteresse médiévale décorée dans le style baronial. Les chambres situées dans la *coach house* sont moins chères et tout aussi confortables. TV P	AE DC MC V	■	●	■	18
NEWCASTLE-UPON-TYNE : *Clifton House Hotel* w www.cliftonhousehotel.com €€ 46 Clifton Rd, Newcastle-upon-Tyne NE4 6XH. et FAX 0191 273 0407. Ce séduisant *country house hotel* victorien, récemment rénové, situé à dix minutes en voiture de la ville et à vingt minutes de la côte, propose de grandes chambres. Chiens acceptés. TV	MC		●	■	12
NEWCASTLE-UPON-TYNE : *Malmaison Newcastle* €€€€ 104 Quayside, Newcastle-upon-Tyne NE1 3DX. w www.malmaison.com 0191 245 5000. FAX 0191 245 4545. Ancien entrepôt reconverti en hôtel, situé sur le front de mer, à côté du Millenium Bridge, en face de Baltic *(p. 410).* TV	AE DC MC V	■	●		120
ROMALDKIRK : *Rose & Crown* w www.rose-and-crown.co.uk €€€ Romaldkirk, Barnard Castle, Durham DL12 9EB. 01833 650213. FAX 01833 650828. Ravissante auberge située près du pré communal, dans un décor typiquement anglais, à la lisière de Teesdale. L'intérieur est traditionnel et élégant. Cuisine de qualité. ● Noël. TV P	MC V	■	●		12
SEAHOUSES : *Olde Ship* w www.seahouses.co.uk €€ 7–9 Main St, Seahouses, Northumberland NE68 7RD. 01665 720200. FAX 01665 721383. Auberge avec vue sur le port et les embarcations à destination des Farne Islands *(p. 404).* Les meilleures chambres sont dans l'annexe. ● déc. et jan. TV P	JCB MC V			■	18
STANNERSBURN : *Pheasant* w www.thepheasantinn.com €€ Stannersburn, Kielder Water, Northumberland NE48 1DD. 01434 240382. FAX 01434 240382. Auberge proche du *Visitor Centre* de Kielder Water *(p. 406).* Un endroit convivial offrant des chambres confortables dans une grange adjacente reconvertie. Bonne cuisine (produits régionaux). ● 25 déc. TV P	MC V	■	●	■	8

LE NORD DU PAYS DE GALLES

	CB	R	EB	JT	NC
ABERDYFI : *Penhelig Arms* w www.penheligarms.com €€ Aberdyfi, Gwynedd LL35 0LT. 01654 767215. FAX 01654 767690. Auberge blanchie à la chaux, en bord de mer. La plupart des chambres donnent sur l'estuaire. Les chambres situées dans l'annexe de l'hôtel ont des terrasses privées. ● 25 et 26 déc. TV P	MC V	■	●	■	14
ABERDYFI : *Trefiddian* w www.trefwales.com €€€ Tywyn Rd, Aberdyfi, Gwynedd LL35 0SB. 01654 767213. FAX 01654 767777. Ce grand hôtel offre de belles vues sur le littoral. Il y règne une ambiance dynamique et chaleureuse. Nombreuses activités proposées. ● 3 sem. en nov. et déc. TV P	MC V	■	●	■	59
ABERSOCH : *Porth Tocyn* w www.porth-tocyn-hotel.co.uk €€€ Bwylch Tocyn, Abersoch, Gwynedd LL53 7BU. 01758 713303. FAX 01758 713538. Accueil familial et cuisine traditionnelle dans ce *country house hotel* confortable. Piscine chauffée ; court de tennis. ● de mi-nov. à mars. TV P	MC V	■	●	■	17

BEAUMARIS : *Olde Bull's Head* W www.bullsheadinn.co.uk ⓔⓔ
Castle St, Beaumaris, Anglesey LL58 8AP. 📞 *01248 810329.* FAX *01248 811294.*
Cette ancienne auberge proche du château est idéale pour visiter l'île d'Anglesey.
Mobilier victorien. Cuisine inventive. ● *25 et 26 déc., 1er janv.*
AE MC V — 13

BEDDGELERT : *Sygun Fawr* W www.sygunfawr.co.uk ⓔⓔ
Beddgelert, Caernarfon, Gwynedd LL55 4NE. 📞 & FAX *01766 890258.*
Cette gentilhommière du XVIIe siècle offre de sublimes panoramas,
une bonne cuisine et des chambres confortables. ● *janv.*
— 9

CAPEL GARMON : *Tan-y-Foel* W www.tyfhotel.co.uk ⓔⓔⓔ
Capel Garmon, Betws-y-Coed, Conwy LL26 0RE. 📞 *01690 710507.* FAX *01690 710681.*
Dans une région boisée, havre de paix offrant de jolies vues sur la Conwy
Valley. Intérieur contemporain élégant. ● *de mi-déc. à mi-janv.*
MC V — 6

CRICCIETH : *Mynydd Ednyfed* W www.criccieth.net ⓔⓔ
Caernarfon Rd, Criccieth, Gwynedd LL52 0PH. 📞 *01766 523269.* FAX *01766 522929.*
Situé à proximité de la mer, ce *country house* isolé entouré d'un parc existe
depuis 400 ans. L'intérieur est rustique et les chambres sont de style cottage.
Salle de gym et court de tennis. ● *du 23 déc. au 4 jan.*
MC V — 9

GANLLWYD : *Plas Dolmelynllyn* W www.dolly-hotel.co.uk ⓔⓔⓔ
Ganllwyd, Dolgellau, Gwynedd LL40 2HP. 📞 *01341 440273.* FAX *01341 440640.*
Ce *country house* ancien, situé dans la paisible campagne des environs de
Dolgellau, a tout le confort victorien. Très appréciable. ● *janv.*
AE DC MC V — 10

HARLECH : *Castle Cottage* W www.castlecottageharlech.co.uk ⓔⓔ
Pen Llech, Harlech, Gwynedd LL46 2YL. 📞 *01766 780479.* FAX *01766 781251.*
Hôtel-restaurant au charme d'antan situé à proximité du château, avec vue
sur la mer et les montagnes. Cuisine talentueuse. ● *3 sem. en janv.*
MC V — 7

LLANABER : *Llwyndu Farmhouse* W www.llwyndu-farmhouse.co.uk ⓔⓔ
Llanaber, Barmouth, Gwynedd LL42 1RR. 📞 *01341 280144.* FAX *01341 281236.*
Ferme magnifiquement restaurée. L'intérieur, en pierre et en bois, est
meublé d'objets anciens et insolites. ● *25 et 26 déc.*
MC V — 7

LLANARMON DYFFRYN CEIRIOG: *West Arms* W www.thewestarms.co.uk ⓔⓔⓔ
Llanrmon Dyffryn Ceiriog, Llangollen, Wrexham LL20 7LD. 📞 *01691 600665.* FAX *01691 600622.*
Ambiance accueillante dans cette paisible auberge située dans la Ceiriog Valley.
Chambres confortables ornées de poutres. + 10 % pour le service.
MC V — 15

LLANBERIS : *The Heights Hotel* W www.heightshotel.co.uk ⓔ
74 High St, Llanberis, Gwynedd. 📞 *01286 871179.*
Cette confortable *guesthouse* faisant également pub accueille les groupes
dans des dortoirs. Accès direct au lac, idéal pour les marcheurs.
AE DC V — 11

LLANDRILLO : *Tyddyn Llan* W www.tyddynllan.co.uk ⓔⓔⓔ
Llandrillo, Corwen, Denbigh LL21 0ST. 📞 *01490 440264.* FAX *01490 440414.*
Spacieuse maison georgienne proche de Bala Lake. Intérieur meublé avec
goût. Cuisine à base de produits locaux de qualité.● *2 sem. en janv.*
DC MC V — 12

LLANDUDNO : *St Tudno* W www.st-tudno.co.uk ⓔⓔⓔ
Promenade, Llandudno, Conwy LL30 2LP. 📞 *01492 874411.* FAX *01492 860407.*
Hôtel accueillant au bord de la mer. De grands bow-windows offrent des vues
sur la baie. Chambres colorées et spacieuses. Piscine intérieure.
AE DC MC V — 19

LLANDUDNO : *Bodysgallen Hall* W www.bodysgallen.com ⓔⓔⓔⓔ
Llandudno, Conwy LL30 1RS. 📞 *01492 584466.* FAX *01492 582519.*
Imposant *country house hotel* offrant de remarquables vues. Intérieur et
extérieur impeccable et raffiné. Très bonne table.
MC V — 21

LLANFACHRETH : *Ty Isaf Farmhouse* W www.tyisaf78.freeserve.co.uk ⓔ
Llanfachreth, près de Dolgellau, Gwynedd LL40 2EA. 📞 & FAX *01341 423261.*
Maison du XVIIe siècle au charme champêtre. Ambiance chaleureuse et
chambres confortables. Dîners gallois servis collectivement sur une table de
chêne. Des lamas occupent une partie du parc. ● *de mi-déc. à janv.*
— 3

PENMAENPOOL : *George III* W www.george-3rd.co.uk ⓔⓔ
Penmaenpool, Dolgellau, Gwynedd LL40 1YD. 📞 *01341 422525.* FAX *01341 423565.*
Ancien complexe réunissant un magasin de bateaux, une gare et un pub,
reconverti en un hôtel inhabituel situé en bord de mer. Bar au sous-sol,
et salle de restaurant aux poutres apparentes.
MC V — 11

Légende des symboles, voir rabat de couverture

Les prix correspondent à une nuit en chambre double, service, taxes et petit déjeuner compris.

£ moins de 50 £
££ de 50 à 100 £
£££ de 100 à 150 £
££££ de 150 à 200 £
£££££ plus de 200 £

RESTAURANT
Sauf indication contraire, le restaurant ou la salle à manger accueille d'autres clients que les hôtes.

ENFANTS BIENVENUS
Berceaux, lits d'enfants et baby-sitting. Certains restaurants proposent menus enfants et chaises hautes.

JARDIN OU TERRASSE
Hôtel possédant un jardin, une cour intérieure ou une terrasse. Souvent, possibilité de manger dehors.

CARTES BANCAIRES
Cartes acceptées : AE = American Express ; DC = Diners Club ; MC = Master Card/Access ; V = Visa.

	CARTES BANCAIRES	RESTAURANT	ENFANTS BIENVENUS	JARDIN OU TERRASSE	NOMBRE DE CHAMBRES
PENMAENPOOL : *Penmaenuchaf Hall* W www.penhall.co.uk £££ Penmaenpool, Dolgellau, Gwynedd LL40 1YB. 01341 422129. FAX 01341 422787. Calme et détente assurés dans cet élégant château victorien. Cuisine recherchée et vue magnifique sur Snowdonia.	DC MC V	▦		▦	14
PORTMEIRION : *Portmeirion* W www.portmeirion-village.com £££ Portmeirion, Penrhyndeudraeth, Gwynedd LL48 6ET. & FAX 01766 770000. Bâtiment original, d'architecture méditerranéenne, situé dans un estuaire boisé dominant Cardigan Bay. Complexe de style villageois comprenant un somptueux hôtel, des appartements indépendants dans un cottage et des chambres dans un château (*p. 440*). ● *du 6 janv. au 1ᵉʳ fév.*	AE DC MC V	▦	●	▦	68
TALSARNAU : *Maes-y-Neuadd* W www.neuadd.com ££££ Talsarnau, Gwynedd LL47 6YA. 01766 780200. FAX 01766 780211. *Country house* reposant et élégant, entouré de splendides jardins, installé dans un bâtiment du XIVᵉ siècle, fait de pierre et de verre.	AE DC MC V	▦	●	▦	16
TYN-Y-GROES : *Groes Inn* W www.groesinn.com £££ Tyn-y-Groes, Conwy LL32 8TN. 01492 650545. FAX 01492 650855. Ancienne auberge de caractère, meublée de bibelots. Le service est détendu et efficace. Les repas au bar offrent un bon rapport qualité-prix.	AE DC MC V	▦		▦	14

LE SUD ET LE CENTRE DU PAYS DE GALLES

	CARTES BANCAIRES	RESTAURANT	ENFANTS BIENVENUS	JARDIN OU TERRASSE	NOMBRE DE CHAMBRES
ABERYSTWYTH : *Conrah Country House* W www.conrah.co.uk £££ Chancery, Aberystwyth, Cered SY23 4DF. 01970 617941. FAX 01970 624546. *Country house hotel* traditionnel, entouré d'un grand parc boisé et de beaux jardins. Beaux panoramas et piscine intérieure. ● *Noël.*	AE DC MC V	▦		▦	17
BRECON : *Cantre Selyf* W www.cantreselyf.co.uk £ 5 Lion St, Brecon, Powys LD3 7AU. 01874 622904. FAX 01874 622315. Maison de ville raffinée située dans le vieux centre de Brecon. Intérieur en bois du XVIIᵉ siècle. Le soir, les hôtes peuvent choisir leur menu. ● *déc. et janv.*		▦	●	▦	3
BROAD HAVEN : *Druidstone* W www.druidstone.co.uk ££ Druidston Haven, Broad Haven, Pembrokeshire SA62 3NE. 01437 781221. Dominant une plage calme, cet hôtel légèrement bohème offre un service très dévoué. Chambres loft avec salle de bains attenante et 5 cottages.	AE MC V	▦			11
CARDIFF : *Big Sleep* W www.thebigsleephotel.com £ Bute Terrace, Cardiff CF10 2FE. 029 2063 6363. FAX 029 2063 6364. Élégant hôtel installé au dixième étage d'un bâtiment de bureaux. Intérieur de style contemporain. Prix intéressants. ● *25 et 26 déc.*	AE DC MC V		●		81
CARDIFF : *St David's* W www.thestdavidshotel.com £££££ Havannah St, Cardiff CF10 5SD. 029 2045 4045. FAX 029 2031 3075. Ce luxueux hôtel-spa apporte une touche contemporaine aux rives de Cardiff Bay. Équipements de remise en forme ultra-modernes.	AE DC MC V	▦	●	▦	132
CLYTHA : *Clytha Arms* W www.clytha-arms.com ££ Clytha, Abergavenny, Monmouth NP7 9BW. 01873 840206. FAX 01873 840209. La cuisine inventive est le point fort de ce charmant country pub, situé près d'Abergavenny. Chambres décorées avec goût. ● *25 déc.*	AE DC MC V	▦		▦	3
CRICKHOWELL : *Gliffaes Country House* W www.gliffaeshotel.com £££ Crickhowell, Powys NP8 1RH. 01874 730371. FAX 01874 730463. Dans le cadre splendide de la Usk Valley, *country house* victorien entouré de beaux jardins. Intérieur spacieux et raffiné.	AE DC MC V	▦		▦	23
EGLWYSFACH : *Ynyshire Hall* W www.ynyshire-hall.co.uk ££££ Eglwysfach, Machynlleth, Powys SY20 8TA. 01654 781209. FAX 01654 781366. Ce beau château georgien, à l'embouchure de Dovey, entouré de jardins anciens très soignés, appartenait autrefois à la reine Victoria.	AE DC MC V	▦		▦	9

FISHGUARD : *Manor Town House* £ — MC V — 6
11 Main St, Fishguard, Pembroke SA65 9HG. 📞 et 📠 01348 873260.
Excellente *guesthouse*, au cœur du quartier de Fishguard, offrant de
magnifiques vues sur le port. 🌙 une partie de l'hiver. 🛏 📺 ⚡

LAKE VYRNWY : *Lake Vyrnwy* W www.lakevyrnwy.com £££ — AE DC MC V — 35
Lake Vyrnwy, Llanwddyn, Powys SY10 0LY. 📞 01691 870692. 📠 01691 870259.
Ancien pavillon de pêche victorien. La plupart des chambres donnent sur le
lac. De nombreuses activités de plein air ont proposées. 🛏 📺 ⚡ 🅿

LLANDEILO : *Cawdor Arms* W www.cawdor-arms.co.uk £ — MC V — 17
Rhosmaen St, Llandeilo, Carmarthen SA19 6EN. 📞 01558 823500. 📠 01558 822399.
Auberge georgienne située à l'ouest du parc national des Brecon Beacons.
Cuisine de qualité et chambres élégantes. 🛏 📺 ⚡ 🅿

LLANFIHANGEL-YNG-NGWYNFA : *Cyfie Farm* W www.cyfiefarm.co.uk ££ — AE MC V — 5
Llanfihangel, Llanfyllin, Powys SY22 5JE. 📞 01691 648451. 📠 01691 648363.
B&B de première qualité, installé dans une ferme du xvɪɪe siècle, avec des
vues spectaculaires sur Meifold Valley. 🌙 janv. et fév. 🛏 📺 ⚡ 🅿

LLANGAMMARCH WELLS : *Lake Country House* ££££ — AE DC MC V — 30
Llangammarch Wells, Powys LD4 4BS. 📞 01591 620202. W www.lakecountryhouse.co.uk
Bâtiment en grande partie édouardien situé dans un terrain de 26 hectares.
Intérieur élégant, chaleureux et accueillant. Piscine, spa, pêche. 🛏 📺 ♿ ⚡ 🅿

LLANIGON : *Old Post Office* W www.oldpost-office.co.uk £ — — 3
Llanigon, Hay-on-Wye, Powys HR3 5QA. 📞 01497 820008.
Ravissant B&B installé dans un cottage, dans le paisible village d'un parc
national, près de Hay. Petit et simple, mais chic. 🛏 ⚡ 🅿

LLANTHONY : *Llanthony Priory* W www.llanthonypriory.supanet.com £ — AE DC MC V — 5
Llanthony, Abergavenny, Monmouthshire NP7 7NN. 📞 01873 890487. 📠 01873 890844.
Havre de paix jouissant d'une très belle situation, au milieu des collines. Une
partie de l'hôtel est un prieuré augustinien du xɪɪe siècle. Chambres accessibles
par un escalier en colimaçon. Bières (*ales*) authentiques et cuisine maison. ⚡

LLANWRTYD WELLS : *Carlton House* W www.carltonrestaurant.co.uk ££ — MC V — 6
Dolycoed Rd, Llanwrtyd Wells, Powys LD5 4RA. 📞 01591 610248.
Cuisine excellente pour cet hôtel-restaurant situé dans une station thermale
de Cambrian. Ambiance détendue et gaie. 🌙 du 10 au 28 déc. 🛏 📺

LLYSWEN : *Llangoed Hall* W www.llangoedhall.com £££££ — AE DC MC V — 23
Llyswen, Brecon, Powys LD3 0YP. 📞 01874 754525. 📠 01874 754545.
Majestueux manoir, en partie jacobéen, appartenant à sir Bernard Ashley
(veuf de Laura). Intérieur récemment rénové. 🛏 📺 🅿

MILEBROOK : *Milebrook House* W www.milebrookhouse.co.uk ££ — MC V — 10
Milebrook, Knighton, Powys LD7 1LT. 📞 01547 528632. 📠 01547 520509.
À côté de Offa's Dyke et de la rivière Teme, cette maison en pierre
georgienne est entourée de beaux jardins. 🛏 📺 ♿ ⚡ 🅿

THE MUMBLES : *Hillcrest House* W www.hillcresthousehotel.com ££ — AE MC V — 6
1 Higher Lane, Langland, The Mumbles, Swansea SA3 4NS. 📞 01792 363700.
Petit hôtel accueillant, situé dans un cadre tranquille et décoré avec goût,
dont les chambres ont une décoration à thème originale. 🛏 📺 ⚡ 🅿

NANTGAREDIG : *Cwmtwrch Farm* W www.tourlink.co.uk ££ — MC V — 3
Nantgaredig, Carmarthen SA31 7NY. 📞 01267 290238. 📠 01267 290808.
Séjour à la campagne agréable garanti dans cette ferme réaménagée avec
élégance. Salle de gym et piscine intérieure. 🌙 du 23 au 28 déc. 🛏 📺 ⚡ 🅿

NEWPORT : *Cnapan* W www.online-holidays.netcnapan ££ — MC V — 5
East St, Newport, Pembroke SA42 0SY. 📞 01239 820575.
Accueil chaleureux dans cette maison georgienne. Les chambres rustiques
sont remplies de livres intéressants. 🌙 25 et 26 déc., janv. et fév. 🛏 📺 ⚡ 🅿

PENALLY : *Penally Abbey* W www.penally-abbey.com £££ — AE MC V — 17
Penally, Tenby, Pembroke SA70 7PY. 📞 01834 843033. 📠 01834 844714.
Les ornements d'architecture néo-gothique donnent du cachet à ce beau
country house, situé sur la côte du Pembrokeshire, près de Tenby. 🛏 📺 ♿ 🅿

PORTHKERRY : *Egerton Grey* W www.egertongrey.co.uk £££ — AE MC V — 10
Porthkerry, Barry, Glamorgan CF62 3BZ. 📞 01446 711666. 📠 01446 711690.
Manoir victorien original et raffiné, situé à proximité de l'aéroport de Cardiff.
Menus et service traditionnel. 🛏 📺 ⚡ 🅿

Légende des symboles, voir rabat de couverture

	CARTES BANCAIRES	RESTAURANT	ENFANTS BIENVENUS	JARDIN OU TERRASSE	NOMBRE DE CHAMBRES

Les prix correspondent à une nuit en chambre double, service, taxes et petit déjeuner compris.

£ moins de 50 £
££ de 50 à 100 £
£££ de 100 à 150 £
££££ de 150 à 200 £
£££££ plus de 200 £

RESTAURANT
Sauf indication contraire, le restaurant ou la salle à manger accueille d'autres clients que les hôtes.

ENFANTS BIENVENUS
Berceaux, lits d'enfants et baby-sitting. Certains restaurants proposent menus enfants et chaises hautes.

JARDIN OU TERRASSE
Hôtel possédant un jardin, une cour intérieure ou une terrasse. Souvent, possibilité de manger dehors.

CARTES BANCAIRES
Cartes acceptées : AE = American Express ; DC = Diners Club ; MC = Master Card/Access ; V = Visa.

Établissement	CARTES BANCAIRES	RESTAURANT	ENFANTS BIENVENUS	JARDIN OU TERRASSE	NOMBRE DE CHAMBRES
REYNOLDSTON : *Fairyhill* W www.fairyhill.net ££££ Reynoldston, Swansea SA3 1BS. 01792 390139. FAX 01792 391358. *Country house* isolé dans une région boisée, parfait pour se détendre. Service attentif et cuisine intéressante. ● Noël, du 1er au 18 janv. 🛏 TV P	MC V	▦		▦	8
ST BRIDES WENTLOOGE : *West Usk Lighthouse* ££ Lighthouse Rd, St Brides Wentlooge, Newport NP10 8SF. 01633 810126. FAX 01633 815582. W www.westusklighthouse.co.uk Ce B&B installé dans un phare garantit un accueil chaleureux. Intérieur confortable et simple. Soins de remise en forme. ● Noël. 🛏 TV ⚡ P	AE MC V		●	▦	4
ST BRIDES WENTLOOGE : *Inn at the Elm Tree* W www.the-elm-tree.co.uk £££ St Brides Wentlooge, Newport NP10 8SQ. 01633 680225. FAX 01633 681035. Auberge installée dans une grange du XIXe siècle reconvertie dans un style contemporain original. Cuisine très réputée. 🛏 TV ♿ ⚡ P	MC V	▦	●	▦	10
SPITTAL : *Lower Haythog Farm* W www.lowerhaythogfarm.co.uk £ Spittal, Haverfordwest, Pembroke SA62 5QL. & FAX 01437 731279. Ce B&B installé dans une ferme en exploitation offre un excellent rapport qualité-prix. Bonne cuisine maison et chambres de style cottage. 🛏 TV ⚡ P		▦	●	▦	6
TINTERN : *Parva Farmhouse* W www.hoteltintern.co.uk ££ Tintern, Chepstow, Monmouth NP16 6SQ. 01291 689411. FAX 01291 689557. Idéale pour explorer l'abbaye de Tintern et la vallée de la Wye, cette ancienne ferme du XVIIe siècle est meublée dans le style rustique. 🛏 TV ⚡ P	AE MC V	▦			9
WHITEBROOK : *Crown at Whitebrook* W www.crownatwhitebrook.co.uk £££ Whitebrook, Monmouth NP25 4TX. 01600 860254. FAX 01600 860607. Hôtel-restaurant situé sur une étendue verdoyante de la vallée de la Wye. Très bonne cuisine. Intérieur spacieux et confortable. ● Noël et 1er janv. 🛏 TV ⚡ P	V	▦		▦	8
WOLF'S CASTLE : *The Wolfe* W www.the-wolfe.co.uk ££ Wolf's Castle, Haverfordwest, Pembroke SA62 5LS. 01437 741662. FAX 01437 741676. Auberge typique en pierre, proche de St David. Intérieur de style italien, agrémenté d'une touche de fantaisie. 🛏 TV ⚡ P	MC V	▦	●	▦	2

LES LOWLANDS

Établissement	CARTES BANCAIRES	RESTAURANT	ENFANTS BIENVENUS	JARDIN OU TERRASSE	NOMBRE DE CHAMBRES
ABERDOUR : *Hawkcraig House* £ Hawkcraig Point, Aberdour, Fife KY3 0TZ. 01383 860335. Dans un cadre ravissant au bord de l'eau, charmante auberge installée dans une maison de batelier. Excellents dîners (réservez). ● de nov. à avr. 🛏 TV ⚡ P		▦	●	▦	2
ALLOWAY : *Ivy House* W www.theivyhouse.uk.com £££ 2 Alloway, Ayrshire KA7 4NL. 01292 442336. FAX 01292 445572. Restaurant avec chambres, récemment rénové, près du cottage du poète Robbie Burns. Le château Culzean est à quelques kilomètres. 🛏 TV ⚡ P	AE MC V	▦	●	▦	5
AUCHTERARDER : *Gleneagles* W www.gleneagles.com £££££ Auchterarder, Perth & Kinross. 01764 662231. FAX 01764 662134. Luxueux hôtel de style château, dans l'ambiance familiale. Service excellent. Restaurant étoilé au guide Michelin. Terrains de golf et spa. 🛏 TV 🏊 ♿ ⚡ P	AE DC MC V	▦	●	▦	273
BALQUHIDDER : *Monachyle Mhor* W www.monachylemhor.com £££ Balquhidder, Lochearnhead, Stirling FK19 8PQ. 01877 384622. FAX 01877 384305. Dans un somptueux décor à l'extrémité d'une vallée isolée au bord d'un loch, ferme meublée de chambres rustiques élégantes. Séjourner dans cet endroit est une expérience inoubliable. 🛏 TV ♿ ⚡ P	MC V	▦		▦	10
BLAIRGOWRIE : *Kinloch House* W www.kinlochhouse.com £££££ By Blairgowrie, Perth & Kinross PH10 6SG. 01250 884237. FAX 01250 884333. *Country house hotel* traditionnel, dans un vaste parc, idéal pour se reposer. Piscine intérieure chauffée. Dîner inclus. ● du 18 au 30 déc. 🛏 TV ♿ P	MC V	▦	●	▦	18

CALLANDER : *Leny House* W www.lenyestate.com £££ | MC V | 3
Leny Estate, Callander, Perthshire FK17 8HA. 🄲 et FAX 01877 331078.
Ce ravissant B&B du XVIᵉ siècle, rénové dans le style victorien, est idéal pour
explorer les Trossachs. Intérieur luxueux et chic. ● *d'oct. à avr.* 🔒 TV 🗲 P

CLINTMAINS : *Clint Lodge* W www.clintlodge.co.uk ££ | MC V | 5
Clintmains, St Boswells, Borders TD6 0DZ. 🄲 01835 822027. FAX 01835 822656.
Guesthouse victorienne avec vue sur la rivière Tweed, près de l'abbaye Melrose.
Ambiance reposante. Très bons petits déjeuners. ● *25 déc., 1ᵉʳ janv.* 🔒 TV P

CUPAR : *Peat Inn* W www.thepeatinn.co.uk ££££ | AE MC V | 8
Peat Inn, Cupar, Fife KY25 5LH. 🄲 01334 840206. FAX 01334 840530.
Initialement réputé pour sa cuisine, le Peat Inn possède également de
luxueuses installations dans un bâtiment annexe. Décor romantique, idéal pour
découvrir Saint Andrews. ● *25 et 26 déc., dim. et lun.* 🔒 TV & P

DOLLAR : *Castle Campbell* W www.castle-campbell.co.uk ££ | AE DC MC V | 8
11 Bridge St, Dollar, Clackmannan FK14 7DE. 🄲 01259 742519. FAX 01259 743742.
Un bâtiment georgien simple, mais d'une belle dignité, situé en centre-ville,
décoré avec soin de tapisseries de tartan et de cuir. 🔒 TV 🗲 P

DUNOON : *Enmore* W www.enmorehotel.co.uk £££ | AE MC V | 10
Marine Parade, Dunoon, Argyll & Bute PA23 8HH. 🄲 01369 702230. FAX 01369 702148.
Cuisine écossaise dans cette charmante maison georgienne, avec vue
sur le Firth of Clyde. Plusieurs chambres avec jacuzzis. ● *de mi-nov. à mi-fév.*
🔒 TV P

EDINBURGH : *7 Danube Street* W www.sevendanubestreet.com £££ | MC V | 5
7 Danube St, Edinburgh EH4 1NN. 🄲 0131 332 2755. FAX 0131 343 3648.
Situé dans un quartier tranquille proche du centre, B&B primé installé dans
une maison de ville georgienne, alliant mobilier ancien et confort moderne.
Chambres équipées d'un accès Internet. ● *25 et 26 déc.* 🔒 TV 🗲 *partout.*

EDINBURGH : *The Bonham* W www.thebonham.com ££££ | AE DC MC V | 48
35 Drumsheugh Gardens, Edinburgh EH3 7RN. 🄲 0131 226 6050. FAX 0131 226 6080.
Maison de ville très chic : somptueux décor intérieur. Le restaurant, garni de
boiseries de chêne, sert une cuisine européenne moderne de qualité.
Chambres luxueuses, équipées d'installations ultra modernes. 🔒 TV 📺 & 🗲

EDINBURGH : *The Scotsman* W www.thescotsmanhotel.co.uk £££££ | AE DC MC V | 69
20 North Bridge, Edinburgh EH1 1YT. 🄲 0131 556 5565. FAX 0131 652 3652.
Hôtel installé dans les somptueux bureaux édouardiens du journal *The
Scotsman*. Club de loisirs et cuisine de brasserie branchée. 🔒 TV 📺 & P

EDNAM : *Edenwater House* W www.edenwaterhouse.co.uk ££ | MC V | 4
Ednam, Kelso, Borders TD5 7QL. 🄲 01573 224070. FAX 01573 226615.
Guesthouse tranquille dans une maison en pierre située à la lisière du village.
Dîners appétissants. Bonne carte des vins. ● *du 1ᵉʳ au 14 janv.* 🔒 TV 🗲 P

GLASGOW : *Langs* W www.langshotels.co.uk £££ | AE DC MC V | 100
2 Port Dundas Place, Glasgow G2 3LD. 🄲 0141 333 1500. FAX 0141 333 5700.
Cet hôtel chic, très soucieux de la décoration, abrite une boutique et deux
restaurants branchés. Chambres confortables. Gym. 🔒 TV 📺 & 🗲 P

GLASGOW : *One Devonshire Gardens* ££££ | AE DC MC V | 35
1 Devonshire Gardens, Glasgow G12 0UX. 🄲 0141 339 2001.
FAX 0141 337 1663. W www.onedevonshiregardens.com
Le chic suprême en pleine ville : décor somptueux, excellente cuisine.
Chambres équipées de nombreuses installations ultra modernes. Idéal pour
un événement important. 🔒 TV

GLENROTHES : *Balbirnie House* W www.balbirnie.co.uk ££££ | AE DC MC V | 30
Balbirnie Park, Markinch, Glenrothes, Fife KY7 6NE. 🄲 01592 610066. FAX 01592 610529.
Élégante demeure, où l'on cultive l'art de vivre en toute sobriété. De
nombreuses conférences et réunions d'affaires se tiennent dans un bâtiment
séparé. Chambres luxueuses, à la décoration personnalisée. 🔒 TV & P

GULLANE : *Golf Inn* ££ | AE MC V | 14
Main St, Gullane, East Lothian EH31 2AB. 🄲 01620 843259. FAX 01620 842066.
Auberge de village rénovée avec élégance, décorée de couleurs vives et de
meubles en pin. Elle est même dotée d'une petite peinture en trompe l'œil.
Menus simples et appétissants. Bon rapport qualité-prix. 🔒 TV 🗲

Légende des symboles, voir rabat de couverture

Les prix correspondent à une nuit en chambre double, service, taxes et petit déjeuner compris. £ moins de 50 £ ££ de 50 à 100 £ £££ de 100 à 150 £ ££££ de 150 à 200 £ £££££ plus de 200 £	**RESTAURANT** Sauf indication contraire, le restaurant ou la salle à manger accueille d'autres clients que les hôtes. **ENFANTS BIENVENUS** Berceaux, lits d'enfants et baby-sitting. Certains restaurants proposent menus enfants et chaises hautes. **JARDIN OU TERRASSE** Hôtel possédant un jardin, une cour intérieure ou une terrasse. Souvent, possibilité de manger dehors. **CARTES BANCAIRES** Cartes acceptées : AE = American Express ; DC = Diners Club ; MC = Master Card/Access ; V = Visa.	CARTES BANCAIRES	RESTAURANT	ENFANTS BIENVENUS	JARDIN OU TERRASSE	NOMBRE DE CHAMBRES

Établissement	CARTES BANCAIRES	RESTAURANT	ENFANTS BIENVENUS	JARDIN OU TERRASSE	NOMBRE DE CHAMBRES
GULLANE : *Greywalls* w www.greywalls.co.uk £££££ Muirfield, Gullane, E Lothian EH31 2EG. 01620 842144. FAX 01620 842241. Magnifique manoir de Lutyens en pierre dorée, donnant sur le fameux terrain de golf, entouré de somptueux jardins dessinés par Gertrude Jekyll. Intérieur raffiné. Beau panorama. ● *de mi-oct à mi-avr.*	AE DC MC V	■	●	■	23
HEITON : *Roxburghe* w www.roxburghe.net ££££ Heiton, Kelso, Borders TD5 8JZ. 01573 450331. FAX 01573 450611. Propriété de style jacobéen, entourée d'un grand parc. Haut lieu traditionnel des Borders. Nombreuses activités de plein air proposées.	AE DC MC V	■	●	■	22
INVERSNAID : *Inversnaid Lodge* w www.inversnaidphoto.com ££ Inversnaid, Aberfoyle, Stirling FK8 3TU. 01877 386254. Hôtel sur la rive est du loch Lomond, idéal pour faire de belles photos, très prisé des photographes (les gérants sont eux-mêmes de la profession). Chambres simples de style cottage et dîners sans prétention. ● *de nov. à mars.*		■		■	9
JEDBURGH : *Hundalee House* w www.accommodation-scotland.org £ Jedburgh, Borders TD8 6DA. & FAX 01835 863011. Ce B&B raffiné occupe une élégante demeure georgienne, entourée d'un grand jardin. Intérieur classique et accueil chaleureux. Très bon rapport qualité-prix. ● *de nov. à mars.*			●	■	5
KIRKCUDBRIGHT : *Gladstone House* w www.kircudbrightgladstone.co.uk £ 48 High St, Kirkcudbright, Dumfrs & Gall DG6 4JX. & FAX 01557 331734. Ce charmant B&B occupe une maison de ville georgienne. Intérieur spacieux et élégant. Excellents petits déjeuners ; dîners sur demande.	MC V			■	3
LINLITHGOW : *Champany Inn* w www.champany.com £££ Champany, Linlithgow, W Lothian EH49 7LU. 01506 834532. FAX 01506 834302. Cet hôtel-restaurant offre un hébergement élégant. Décor et mobilier classique ; salles de bains modernes et pimpantes. ● *25 et 26 déc., 1ᵉʳ et 2 janv.*	AE DC MC V	■	●	■	16
PEEBLES : *Traquair House* w www.traquair.co.uk ££££ Innerleithen, Peebles, Scottish Borders H44 6PW. 01896 830323. FAX 01896 830639. Cette maison historique (*p. 499*) offre une expérience unique. L'été, le restaurant de style cottage ouvre ses portes.	MC V		●	■	3
ST ANDREWS : *Old Course* w www.oldcoursehotel.co.uk £££££ Old Station Rd, St Andrews, Fife KY16 9SP. 01334 474371. FAX 01334 477668. Ce luxueux hôtel est situé dans le légendaire terrain de golfe en bord de mer (*links*). Si l'extérieur, datant des années 1960, est sans grâce, l'intérieur marie élégance et efficacité. ● *Noël.*	AE DC MC V	■	●		134
ST BOSWELLS : *Dryburgh Abbey* w www.dryburgh.co.uk £££ St Boswells, Melrose, Borders TD6 0RQ. 01835 822261. FAX 01835 823945. Dans un décor évocateur, hôtel près des ruines de l'abbaye et de la Tweed. Restaurant assez chic. Chambres confortables et spacieuses.	AE MC V	■	●	■	38
ST FILLANS : *Four Seasons* w www.thefourseasonshotel.co.uk ££ St Fillans, Perthshire PH6 2NF. 01764 685333. FAX 01764 685444. Hôtel accueillant en bord de mer. Salle à manger et salon confortables. Chambres bien agencées, dans six chalets. ● *janv. et fév.*	AE MC V	■	●	■	18
TROON : *Lochgreen House* w www.costleyhotels.co.uk ££££ Monktonhill Rd, Southwood, Troon, S. Ayrshire KA10 7EN. 01292 313343. FAX 01292 318661. Élégant hôtel, orné de nombreux objets anciens. Excellente cuisine servie dans un restaurant moderne, au style baronial. Chambres luxueuses.	AE MC V	■		■	44
YARROW : *Tibbie Shiels Inn* w www.tibbieshielsinn.com £ Yarrow, by Selkirk TD7 5LH. 01750 42231. FAX 01750 42302. Sir Walter Scott aimait séjourner dans cette auberge du XVIIIᵉ siècle jouissant d'une situation magnifique au bord du loch St Mary. Bonne cuisine et accueil chaleureux.	MC V	■		■	5

LES HIGHLANDS ET LES ÎLES

Établissement	Cartes				N°
ABERDEEN : *Marcliffe at Pitfodels* W www.marcliffe.com £££££ North Deeside Rd, Aberdeen AB15 9YA. (01224 861000. FAX 01224 868860. Hôtel haut de gamme entouré d'un vaste jardin, à dix minutes en voiture du centre-ville. Intérieur coquet, ambiance chaleureuse.	AE DC MC V	▦	●	▦	39
ACHILTIBUIE : *Summer Isles* W www.summerisleshotel.co.uk ££££ Achiltibuie, Ullapool, Highland IV26 2YG. (01854 622282. FAX 01854 622251. Cet hôtel isolé au charme discret, situé dans un cadre pittoresque, offre une vue à couper le souffle sur les Summer Isles. Chambres ravissantes, bien équipées. Excellent restaurant. ● d'oct. à Pâques.	MC V	▦		▦	13
ARISAIG : *Old Library Lodge* W www.oldlibrary.co.uk ££ Arisaig, Highland PH39 4NH. (01687 450651. FAX 01687 450219. Modeste restaurant avec quelques chambres donnant sur la route des îles (*Road to the Isles*). Chaque menu est composé au minimum de cinq plats différents. Chambres spacieuses et calmes dans l'annexe arrière de la maison.	AE MC V	▦		▦	6
AULDEARN : *Boath House* W www.boath-house.com ££££ Auldearn, Nairn, Highland IV12 5TW. (01667 454896. FAX 01667 455469. Près du Moray Firth, cette imposante demeure georgienne isolée est entourée d'un domaine de 20 hectares. Intérieur spacieux remarquablement décoré dans un style contemporain. Excellente cuisine bio. ● sem. de Noël.	AE MC V	▦	●	▦	6
BALLATER : *Balgonie Country House* W www.balgonie-hotel.co.uk £££ Braemar Place, Ballater, Aberdeen AB35 5NQ. (013397 55482. FAX 013397 55497. Ce *country house hotel* familial situé dans un cadre paisible et isolé offre une excellente cuisine écossaise, des chambres lumineuses et confortables et une merveilleuse hospitalité. ● de jan. à mi-fév.	AE DC MC V	▦	●	▦	9
BALLATER : *Darroch Learg* W www.darrochlearg.co.uk £££ Braemar Rd, Ballater, Aberdeen AB35 5UX. (013397 55443. FAX 013397 55252. Deux maisons victoriennes au cœur de jardins vallonnés. Cuisine de première qualité. Chambres très confortables. Magnifique vue sur le Lochnagar. Excellente carte des vins. ● Noël et 3 sem. en janv.	AE DC MC V	▦	●	▦	17
CLACHAN-SEIL : *Willowburn* W www.willowburn.co.uk ££££ Clachan-Seil, Isle of Seil, Oban, Argyll & Bute PA34 4TJ. (01852 300276. FAX 01852 300597. Situé au sud d'Oban, sur un petit îlot relié au continent par un pont, ce cottage est un véritable havre de paix. Vues sur le Loch, décoration simple et colorée. Dîner inclus. Excellents fruits de mer. ● déc.-fév.	MC V	▦	●	▦	7
CRINAN : *Crinan* W www.crinanhotel.com £££££ Crinan, Lochgilphead, Argyll & Bute PA31 8SR. (01546 830261. FAX 01546 830292. Hôtel sans prétention, mais la vue sur le loch Fyne et le Jura Sound vaut à elle seule le détour. Fruits de mer. Dîner inclus. ● Noël.	MC V	▦	●	▦	20
DUNKELD : *The Pend* W www.thepend.com ££ 5 Brae St, Dunkeld, Perth & Kinross PH8 0BA. (01350 727586. FAX 01350 727173. Cet hotel, situé dans une maison de ville georgienne près de la rue principale, offre un service de grande qualité. Intérieur impeccable, décoré de meubles et d'objets anciens. Petits déjeuners savoureux.	AE DC MC V	▦	●		3
DUNKELD : *Kinnaird* W www.kinnairdestate.com £££££ Kinnaird Estate, Dunkeld, Perth & Kinross PH8 0LB. (01796 482440. FAX 01796 482289. Situé sur un immense domaine sportif proche de la Tay, ce magnifique manoir offre un cadre reposant. Intérieur très chic, ambiance détendue. Excellent restaurant. Dîner inclus.	AE MC V	▦	●	▦	9
ERISKA : *Isle of Eriska* W www.eriska-hotel.co.uk £££££ Eriska, Ledaig, Oban, Argyll & Bute PA37 1SD. (01631 720371. FAX 01631 720531. Situé sur une île de l'estuaire de Lorne, cet hôtel est un petit nid familial et convivial, décoré dans le style baronial écossais, offrant de nombreux loisirs. Cuisine élaborée. ● janv.	AE MC V	▦	●	▦	22
FORRES : *Milton of Grange Farm* W www.forres-accommodation.co.uk ££ Forres, Moray IV36 2TR. (& FAX 01309 676360. Ferme familiale accueillante donnant sur la réserve naturelle de Findhorn. Le village de Findhorn est à 3 kilomètres et propose de nombreuses activités : sports nautiques, plages, golf, observation des dauphins. Pain fait maison. ◆ partout.	MC V		●	▦	3

Légende des symboles, voir rabat de couverture

Les prix correspondent à une nuit en chambre double, service, taxes et petit déjeuner compris.

ⓕ moins de 50 £
ⓕⓕ de 50 à 100 £
ⓕⓕⓕ de 100 à 150 £
ⓕⓕⓕⓕ de 150 à 200 £
ⓕⓕⓕⓕⓕ plus de 200 £

RESTAURANT
Sauf indication contraire, le restaurant ou la salle à manger accueille d'autres clients que les hôtes.

ENFANTS BIENVENUS
Berceaux, lits d'enfants et baby-sitting. Certains restaurants proposent menus enfants et chaises hautes.

JARDIN OU TERRASSE
Hôtel possédant un jardin, une cour intérieure ou une terrasse. Souvent, possibilité de manger dehors.

CARTES BANCAIRES
Cartes acceptées : AE = American Express ; DC = Diners Club ; MC = Master Card/Access ; V = Visa.

	CARTES BANCAIRES	RESTAURANT	ENFANTS BIENVENUS	JARDIN OU TERRASSE	NOMBRE DE CHAMBRES
FORT WILLIAM : *Ashburn House* Ⓦ www.highland5star.co.uk ⓕⓕ 4 Achintore Rd, Fort William, Highland PH33 6RQ. 📞 01397 706000. 📠 01397 702024. Attendez-vous à un accueil typique des Highlands dans ce B&B de style victorien donnant sur le loch Linnhe. Petit déjeuner savoureux. Chambres bien équipées garantissant un séjour très agréable. ● *25 déc.* 🛏 TV 🍴 *partout.* P	AE MC V	●	■		7
GAIRLOCH : *Rua Reidh Lighthouse Hotel* Ⓦ www.ruareidh.co.uk ⓕⓕ Melvaig, Gairloch, Ross-shire IV21 2EA. 📞 & 📠 01445 771263. Construit en 1910 par un cousin de Robert Louis Stevenson, cette ancienne maison de gardien propose un hébergement confortable et une bonne cuisine maison. Magnifiques étendues sauvages environnantes. Cuisine en self-service et deux dortoirs disponibles. 🛏 *quelques ch.* 🍴 P	MC V	■	●	■	8
GLENLIVET : *Minmore House* Ⓦ www.minmorehousehotel.com ⓕⓕⓕ Glenlivet, Moray AB37 9DB. 📞 01807 590378. 📠 01807 590472. Élégant château situé sur le domaine de Glenlivet (l'ex-demeure du fondateur de la distillerie), entourée par la magnifique vallée de la Spey. Chambres traditionnelles et confortables. 🛏 🍴 P	AE MC V	■	●	■	11
GRANTOWN-ON-SPEY : *Culdearn House* Ⓦ www.culdearn.com ⓕⓕⓕⓕ Woodlands Terrace, Grantown-on-Spey, Highland PH26 3JU. 📞 01479 872106. Cette maison victorienne située sur la « route du whisky » de la Speyside offre un accueil chaleureux. Chambres confortables et bien équipées. Dîners copieux et savoureux. Repas inclus. ● *déc. et janv.* 🛏 TV 🦽 *limité.* 🍴 *partout.* P	AE MC V	■		■	7
INVERNESS : *Glenmoriston Town House* Ⓦ www.glenmoriston.com ⓕⓕⓕ 20 Ness Bank, Inverness, Highland IV2 4SF. 📞 01463 223777. 📠 01463 712378. Hôtel situé au bord de l'eau. Décoration moderne, meubles de luxe. Chambres de grand standing, avec baignoires en marbre. 🛏 TV 🍴 🦽 P	AE DC MC V	■	●	■	30
ISLE OF HARRIS : *Leachin House* Ⓦ www.leachin-house.com ⓕⓕⓕ Tarbert, Isle of Harris HS3 3AH. 📞 & 📠 01859 502157. Situé sur les bords du West Loch Tarbert, cet édifice de style victorien a tout le charme de l'ancien. Bon site pour la chasse et la pêche. 🛏 TV P	MC V			■	3
ISLE OF IONA : *Argyll* Ⓦ www.argyllhoteliona.co.uk ⓕⓕ Isle of Iona, Argyll & Bute PA76 6SJ. 📞 01681 700334. 📠 01681 700510. Ce charmant hôtel propose des chambres simples, bien exposées, ainsi qu'une verrière donnant sur le Sound. Bonne cuisine locale. ● *déc. et janv.* 🛏 P	MC V	■	●	■	16
ISLE OF LEWIS : *Galson Farm* Ⓦ www.galsonfarm.co.uk ⓕⓕ South Galson, Isle of Lewis, Western Isles HS2 0SH. 📞 & 📠 01851 850492. Petite exploitation agricole côtière datant du XVIIIᵉ siècle. Hébergement simple et chaleureux, et des chambres propres. Cuisine maison de bonne qualité. Un bâtiment-dortoir permet de loger huit personnes. 🛏 TV 🍴 P	MC V	■	●	■	4
ISLE OF MULL : *Druimard Country House* Ⓦ www.druimard.co.uk ⓕⓕ Dervaig, Tobermory, Isle of Mull PA75 6QW. 📞 01688 400345. 📠 01688 400345. Paisible hôtel victorien dans un décor vallonné. Son jardin abrite le Little Theatre of Mull. Bonne cuisine. Service irréprochable. ● *janv.* 🛏 TV 🦽 🍴 P	MC V	■	●	■	7
ISLE OF SKYE : *Duisdale* Ⓦ www.duisdale.com ⓕⓕ Sleat, Isle Ornsay, Isle of Skye IV43 8QW. 📞 01471 833202. 📠 01471 833404. Cette charmante maison victorienne offre une vue sur le Sound of Sleat. Décoration flamboyante. Cuisine de qualité assurée. ● *de nov. à mi-mars.* 🛏 🍴 P	AE MC V	■	●	■	19
ISLE OF SKYE : *Three Chimneys* Ⓦ www.threechimneys.co.uk ⓕⓕⓕⓕⓕ Colbost, Dunvegan, Isle of Skye IV55 8ZT. 📞 01470 511258. 📠 01470 511358. Ces anciennes exploitations agricoles reconverties en cottages sont situées en bord de mer. Elle jouissent d'une vue spectaculaire, proposent une cuisine exceptionnelle et des chambres d'une modernité saisissante. Un des hôtels les plus en vue de toutes les îles. La perfection sans prétention. ● *3 sem. en janv.* 🛏 TV 🦽 🍴 *partout.* P	AE MC V	■	●	■	6

KILLIECRANKIE : Killiecrankie ⓦ www.killiecrankiehotel.co.uk ££££ MC V — 10
Killiecrankie, Pitlochry, Perth & Kinross PH16 5LG. 01796 473220. FAX 01796 472451.
Un lieu reposant, à l'ambiance décontractée, près des falaises boisées de
Killicrankie Pass (réserve d'oiseaux). Cuisine réputée, repas allégés proposés.
Dîner inclus. ● de janv. à mi-fév., la moitié de la sem. en nov et mars.

KINGUSSIE : The Cross ⓦ www.thecross.co.uk £££ MC V — 8
Tweed Mill Brae, Ardbroilach Road, Kingussie, Highland PH21 1LB. 01540 661166.
Situé près des Cairngorms, cet ancien moulin à laine reconverti en hôtel-
restaurant offre un service réputé. L'intérieur foisonne de peintures
modernes. Excellente cuisine. ● du 23 déc. à janv.

LOCHINVER : Albannach ⓦ www.thealbannach.co.uk £££££ MC V — 5
Baddidarroch, Lochinver, Highland IV27 4LP. 01571 844407. FAX 01571 844285.
Hôtel accueillant à l'ambiance chaleureuse, offrant une belle vue. La carte
propose des produits locaux maison et des fruits de mer de Lochinver. Dîner
inclus dans le prix. ● lun.; de mi.nov. à mi-mars. partout.

LOCHRANZA : Apple Lodge ££ — 4
Lochranza, Isle of Arran KA27 8HJ. & FAX 01770 830229.
Charmant hôtel situé sur l'île d'Arran, près du ferry pour Kintyre. Vues sur le
château voisin. Jolies chambres à la décoration florale. Plusieurs se trouvent
dans un cottage annexe. Excellente cuisine. ● Noël et 1er janv.

MUIR OF ORD : The Dower House ⓦ www.thedowerhouse.co.uk £££ MC V — 5
Highfield, Muir of Ord, Ross-shire IV6 7XN. & FAX 01463 870090.
Charmant petit hôtel, joliment décoré. Chambres agréables. Excellent
restaurant. limité.

ORKNEY ISLANDS : Foveran ⓦ www.foveranhotel.co.uk ££ MC V — 8
St Ola, Kirkwall, Orkney KW15 1SF. 01856 872389. FAX 01856 876430.
Hôtel-restaurant familial offrant une belle vue sur Scapa Flow. Il allie
fonctionnalité et chic. Bonne cuisine maison.

PITLOCHRY : Atholl Palace ⓦ www.athollpalace.com ££££ AE MC V — 108
Pitlochry, Perthshire PH16 5LY. 01796 472400. FAX 01796 473036.
Hôtel majestueux dont l'architecture est typiquement baroniale écossaise.
Chambres spacieuses. Spa et piscine intérieure.

POOLEWE : Pool House ⓦ www.poolhousehotel.com £££££ AE MC V — 5
Poolewe, by Achnasheen, Highland IV22 2LD. 01445 781272. FAX 01445 781403.
Cette bâtisse aux allures traditionnelles, au bord du loch, propose des suites
luxueuses, idéales pour une lune de miel ou un événement important.
De l'autre côté de la baie se trouve l'Inverewe Garden. ● janv.

PORT APPIN : Airds ⓦ www.airds-hotel.com £££££ MC V — 12
Port Appin, Appin, Argyll & Bute PA38 4DF. 01631 730236. FAX 01631 730535.
La vue sur le loch Linnhe est à couper le souffle depuis cette auberge
élégante, où logeaient autrefois les passagers des ferries. Meubles country
house et antiquités savamment agencées. Excellente cuisine.

SPEAN BRIDGE : Old Pines ⓦ www.oldpines.co.uk ££££ MC V — 8
Spean Bridge, Fort William, Highland PH34 4EG. 01397 712324. FAX 01397 712433.
Installé au milieu des pins écossais, dans une maison scandinave,
cet hôtel-restaurant propose des chambres propres et agréables. Excellente
cuisine à base de produits bio. Dîner inclus.

STRONTIAN : Kilcamb Lodge ⓦ www.kilcamblodge.com £££ MC V — 11
Strontian, Highland PH36 4HY. 01967 402257. FAX 01967 402041.
Confortable country house hotel, décoré avec beaucoup de soin et de goût.
Situé sur la péninsule d'Ardnamurchan, il offre un point de vue remarquable
sur le loch et un cadre paisible, idéal pour se reposer. Excellente cuisine.

TORLUNDY : Inverlochy Castle ⓦ www.inverlochycastlehotel.com £££££ AE MC V — 17
Torlundy, Fort William, Highland PH33 6SN. 01397 702177. FAX 01397 702953.
Grand manoir entouré de somptueux espaces verts. Intérieur fastueux,
classique et traditionnel. Cuisine d'excellente qualité. Service de grand luxe.
Pêche, tennis et croquet dans le parc. ● janv. et fév.

ULLAPOOL : Tanglewood House ⓦ www.tanglewoodhouse.co.uk ££ MC V — 3
Ullapool, Highland IV26 2TB. & FAX 01854 612059.
Cette maison moderne meublée avec goût, dans un style unique, offre une
splendide vue sur le loch Broom depuis ses fenêtres panoramiques. Dîners
inventifs disponibles sur demande. ● Noël et 1er janv.

RESTAURANTS ET PUBS

Hostile à la jouissance des sens, la tradition puritaine a longtemps marqué la cuisine britannique, et plus d'un visiteur a pu se demander en contemplant son assiette pourquoi l'on avait infligé un sort aussi cruel à des ingrédients qui ne le méritaient pas. La situation s'est toutefois grandement améliorée ces dernières années, notamment sous l'influence de chefs étrangers. Il est désormais possible de bien manger partout en Grande-Bretagne sans se ruiner dans un établissement gastronomique français. Les grandes villes ont vu se multiplier

**Au Bibendum,
à Londres**

les restaurants proposant des cuisines du monde entier et, surtout, les maîtres queux anglais ont relevé le défi, remettant au goût du jour de savoureuses recettes régionales ou inventant de nouveaux mets où se marient produits locaux et influences internationales. Pour vous restaurer à bon marché, pensez aux pubs, qui servent souvent des plats simples à midi, et aux kiosques vendant des *fish and chips* (beignets de poisson et frites). Nous avons sélectionné aux *pages 578-607* certaines des meilleures tables du Royaume-Uni.

CHOISIR SON MENU

Les grandes villes britanniques, et en particulier Londres, offrent la possibilité de faire un véritable tour du monde des saveurs, de la haute gastronomie française à la cuisine chinoise en passant par le Mexique, les Caraïbes, l'Italie, l'Europe Centrale, la Grèce, la Turquie ou l'Indonésie. La cuisine indienne est particulièrement bien représentée, du restaurant bon marché à des adresses de très haut niveau.

L'aspiration à un retour aux sources a toutefois remis à la mode une tradition culinaire britannique où prédominent des mets consistants comme le *steak and kidney pie* ou le *treacle pudding (p. 37).* De plus en plus de jeunes chefs les abordent cependant avec un esprit novateur, les adaptant aux normes diététiques actuelles. Leurs créations associent souvent produits du terroir et saveurs méditerranéennes ou orientales, si bien qu'il devient difficile de clairement cerner la différence entre cuisine « *Modern British* » et cuisine « *Modern-International* ». Cette dénomination recouvre une très large palette de recettes. Elles sont le plus souvent d'inspiration française, méditerranéenne ou asiatique et apprêtent en général simplement des ingrédients de qualité.

LE PETIT DÉJEUNER

La sagesse populaire affirmait jadis que la meilleure façon d'apprécier la cuisine britannique était de prendre trois fois par jour un petit déjeuner. Véritable repas, celui-ci commence traditionnellement par des céréales additionnées de lait et suivies d'œufs au bacon parfois accompagnés de saucisses ou de boudin noir (dans le Nord et en Écosse). Il se conclut sur une note sucrée avec du pain de mie grillé nappé de marmelade et arrosé de thé. Vous pourrez cependant prendre partout un *continental breakfast* : café ou thé, jus d'orange et croissants ou toasts. Dans les hôtels, le petit déjeuner est généralement compris dans le prix de la chambre.

LE DÉJEUNER

Excepté le dimanche où ils se retrouvent en famille autour d'un poulet ou d'un rôti, les Britanniques mangent peu à midi, se contentant de sandwichs, de salade ou d'un plat simple comme le *ploughman's lunch* servi dans les pubs. De nombreux restaurants proposent néanmoins des menus à prix fixe de deux plats offrant le choix entre une entrée et un dessert.

Un célèbre restaurant hongrois de Londres *(p. 578)*

LE THÉ DE L'APRÈS-MIDI

Un séjour en Grande-Bretagne ne saurait être complet sans avoir sacrifié au rite de l'*afternoon tea (p. 36)* et si possible dans un des temples de la tradition que sont, à la campagne, certaines hôtelleries de classe et à Londres de grands hôtels comme le Ritz ou Browns. L'assortiment de douceurs accompagnant la décoction varie selon les régions. Comprenant toujours des *scones* (petits pains au lait) nappés de crème caillée, de beurre et de marmelade, le « *cream tea* » du West Country est particulièrement réputé, mais la tranche de tarte aux pommes du Nord, servie chaude et couverte d'une lame de fromage, a aussi ses adeptes.

Gâteau, *scones* et sandwichs pour l'*afternoon tea*

LE DÎNER

Principal repas de la journée, le dîner comprend dans les plus grands restaurants jusqu'à cinq ou six plats, mais ceux-ci peuvent pour certains se réduire à un simple sorbet ou à un café accompagné de petits fours. Le fromage se mange en général après le dessert. Dans le nord de l'Angleterre et en Écosse, le déjeuner est parfois appelé « *dinner* » et le dîner « *tea* ».

Les Britanniques mangeant tôt le soir, il se révèle souvent difficile, hors des grandes villes, de trouver un établissement servant après 21 h. La cuisine ferme même parfois dès 20 h.

Il existe de bons pubs et restaurants sur les Leith Docks d'Edinburgh

OÙ MANGER ?

Salons de thé, cafés, pizzerias, bars à tapas, brasseries, bars à vin ou bistros d'inspiration française, il existe en dehors des restaurants une grande variété d'établissements où manger. De nombreux pubs servent des plats simples et bon marché *(p. 608-611)*.

BRASSERIES, BISTROS ET CAFÉS

Les cafés-brasseries à la française deviennent de plus en plus populaires en Grande-Bretagne. Ouverts en général sans interruption, ils servent dans un décor adapté à une clientèle plutôt jeune et urbaine des snacks et des plats simples qu'une sélection de bières et de vins permet d'accompagner. Les boissons alcoolisées sont parfois proscrites à certaines heures du jour et cocktails ou alcools d'importation peuvent

Le café de la Tate St Ives en Cornouailles *(p. 591)*

se révéler onéreux.

Proposant eux aussi plats simples et en-cas, les bars à vin offrent pour certains l'occasion de découvrir des crus anglais *(p. 148)*, des bières traditionnelles *(real ale)* ou un large choix de cidres *(p. 34)*. Comme leurs modèles français, les bistros servent des repas complets à midi et le soir dans une ambiance plus détendue et à des prix moins élevés (entre 12 £ et 30 £) que ceux des restaurants classiques.

LES RESTAURANTS AVEC CHAMBRES ET LES HÔTELS

La plupart des hôtels-restaurants servent d'autres clients que leurs hôtes. Ils se révèlent souvent chers, mais comprennent certaines des meilleures tables du pays. En zone rurale, ils tendent depuis peu à prendre la forme d'un restaurant louant quelques chambres mais proposant surtout une cuisine recherchée pour un prix relativement élevé.

LES USAGES

En règle générale, plus le restaurant est cher et mieux il faut s'habiller – bien que peu d'établissements exigent encore le port de la cravate. En cas de doute, renseignez-vous par téléphone.

S'il existe dans la plupart des cas, une zone fumeurs et une zone non-fumeurs, certains endroits interdisent complètement de fumer.

Le Manoir aux Quat'Saisons *(p. 586)* de Raymond Blanc, l'une des auberges gastronomiques les plus réputées

LES BOISSONS ALCOOLISÉES

Après avoir longtemps été l'une des plus restrictives d'Europe, en particulier quant aux heures d'ouverture, la réglementation britannique des débits de boissons s'est récemment assouplie. Certains établissements continuent pourtant à ne servir d'alcool qu'à certaines heures et en accompagnement de repas, tandis que quelques restaurants, dépourvus de toute licence, autorisent leurs clients à apporter leurs propres bouteilles. Ils prélèvent en général un petit supplément. L'Écosse a sa propre législation. Les pubs, notamment, ferment plus tard.

EN-CAS ET SNACKS

Si des chaînes de fast-foods telles que McDonald's, Burger King et Pizza Hut sont partout implantées en Grande-Bretagne, de petits kiosques indépendants continuent de vendre le snack britannique le plus traditionnel : le *fish and chips*, un beignet de cabillaud ou de colin aspergé de vinaigre et accompagné d'un cornet de frites bien épaisses *(p. 36)*. Des cafés populaires surnommés *greasy spoons* (cuillères grasses) proposent également des plats simples et bon marché, souvent à base

d'œufs. Les bars à sandwichs offrent eux-aussi un bon rapport qualité-prix, d'autant que certains disposent de tables où s'asseoir. Pâtisseries et glaciers permettront dans la journée de combler un petit creux.

Le Betty's Café à Harrogate *(p. 598)*

PLATS VÉGÉTARIENS

La Grande-Bretagne est un des pays d'Europe où il est le plus facile de s'abstenir de manger de la viande. La plupart des restaurants végétariens de notre sélection proposent néanmoins quelques plats destinés aux carnivores. De nombreuses cuisines exotiques, notamment celle de l'Inde du Sud, ont une tradition végétarienne qui a donné naissance à de délicieuses spécialités.

RÉSERVER

Il est toujours plus sûr de réserver sa table, en particulier en ville où certains des établissements gastronomiques les plus réputés affichent parfois complets des mois à l'avance. Si vous projets changent, prenez la peine de prévenir le restaurant. Par savoir-vivre tout d'abord, mais aussi parce que beaucoup d'entre eux fonctionnent avec des marges bénéficiaires suffisamment faibles pour que la perte de quelques clients les mette en danger.

LA NOTE

La loi oblige les restaurants à afficher en devanture leurs prix TVA *(VAT)* incluse en spécifiant, s'il y a lieu, le montant du service et du couvert. Le vin est toujours cher, à l'instar, souvent, de boissons comme le café ou l'eau minérale. Certains établissements élégants possèdent une brasserie pratiquant des tarifs moins élevés.

Si le total à payer comprend le service (généralement d'un montant de 10 % ou 15 %) et que vous êtes mécontent de celui-ci, vous avez le droit de le déduire de l'addition. Si le service n'est pas compris, la coutume veut que vous laissiez de 10 à 15 %, mais rien ne vous y oblige. Dans ce but, le personnel laisse parfois en blanc la case « montant » des factures des cartes bancaires. Un procédé tout à fait injustifié si le service est compris.

La plupart des restaurants acceptent cartes bancaires et eurochèques, mais c'est encore le liquide qui a cours dans les pubs et les cafés.

LES HORAIRES

L'heure du petit déjeuner peut grandement varier : de 6 h 30 au plus tôt dans un hôtel pour hommes d'affaires (encore que la majorité des établissements consentiront à bousculer leurs habitudes si vous avez un avion à prendre ou une autre raison contraignante de partir à l'aube) à 10 h 30 au plus tard dans un *country-house* à l'ambiance détendue. Peu d'hôteliers apprécient cependant de faire frire du bacon aussi tard et ils fixent pour la plupart 9 h comme dernière limite. Les lève-tard trouveront cependant toujours à se restaurer en ville, d'autant que de plus en plus de Britanniques se convertissent aux joies américaines du *brunch*, repas du dimanche tenant du petit déjeuner anglais et du déjeuner léger.

À midi, restaurants et pubs servent normalement à manger de 12 h à 14 h 30, mais mieux vaut commander avant 13 h 30 sous peine de voir le choix se restreindre. Dans les quartiers touristiques, les cafés ou fast-foods servant des snacks à toute heure sont nombreux. L'*afternoon tea* se déguste de 15 h à 17 h et on prend traditionnellemnt son dîner entre 19 h et 22 h. En ville, beaucoup d'endroits, notamment des restaurants orientaux, restent néanmoins ouverts beaucoup plus tard. À la campagne, en revanche, la cuisine ferme parfois dès 20 h. Certains *Bed and Breakfast*, pensions de famille ou petits hôtels servent le dîner à heure fixe, quelquefois fort tôt.

L'Artiste Musclé *(p. 578),* **bistro-bar à vin de Londres**

MANGER AVEC DES ENFANTS

Sortir en famille est une habitude récente en Grande-Bretagne, et les restaurants, excepté les fast-foods et les établissements italiens, espagnols et indiens, ne commencent que depuis peu à trouver normal d'accueillir des enfants. Certains parmi les plus chic imposent d'ailleurs encore des limites d'âge pour le dîner. Mieux vaut se renseigner.

De nombreux restaurants proposent en revanche désormais des portions réduites et des chaises hautes. Même les pubs *(p. 608-611)*, jadis strictement réservés aux adultes, assouplissent aujourd'hui leurs règles pour accueillir les familles, mettant même parfois à la disposition

Enseigne de glacier

des jeunes générations une salle ou une aire de jeu.

LES PERSONNES HANDICAPÉES

S'il reste des progrès à accomplir, la situation s'améliore dans les restaurants britanniques en ce qui concerne l'accès en fauteuil roulant et l'aménagement des toilettes. La plupart des établissements modernes, notamment, ont pris en compte ces problèmes. Mieux vaut cependant toujours vérifier par téléphone avant de se déplacer.

PIQUE-NIQUER

Si vous le demandez la veille, votre hôtel, votre pension de famille ou les propriétaires de votre *Bed and Breakfast* devraient vous préparer un pique-nique. Et si vous vous décidez à la dernière minute, sachez que les épiceries et boulangeries britanniques ne ferment généralement pas à midi.

Le meilleur endroit où acheter fruits et produits du terroir reste le marché, mais de grands magasins comme Marks & Spencer et des supermarchés tels que Sainsbury's et Tesco proposent un large choix de sandwichs et d'en-cas préemballés. Il existe en général dans chaque grande ville plusieurs bars ou comptoirs vendant sandwichs et pizzas. Le *fish and chips* constitue aussi un moyen simple et économique de manger sur le pouce.

Repas en plein air dans la région des lacs

Choisir un restaurant

L es restaurants de cette sélection ont été choisis dans une large gamme de prix pour la qualité de leur cuisine, leur rapport qualité-prix ou parce qu'ils occupent un site exceptionnel. Ils sont présentés par régions que différencient des codes couleur identiques à ceux des pages décrivant ces régions dans le corps du guide.

	CARTES BANCAIRES	ENFANTS BIENVENUS	MENUS À PRIX FIXE	SPÉCIALITÉS VÉGÉTARIENNES	REPAS À L'EXTÉRIEUR
LONDRES					
BAYSWATER & PADDINGTON : *40 Degrees at Veronicas*. **Plan** 1 C2. £)£) 3 Hereford Rd, W2. 020 7229 5079. www.veronicasrestaurant.co.uk Dans un décor victorien et moderne, dégustez une cuisine contemporaine internationale, sur des tables ornées de nappes en cuir.	AE MC V	●	■	●	
NOTTING HILL : *Lucky Seven* **Plan** 1 B1. £)£) 127 Westbourne Park Rd, W2. 020 7727 6771. Ouvert en 2001 par Tom Conran, cet élégant restaurant, très apprécié des familles, propose une cuisine d'inspiration américaine. Les hamburgers y sont délicieux, ainsi que les salades et les pancakes.	MC V	●			
NOTTING HILL : *Mandola* **Plan** 1 C1. www.mandolacafe.com £)£) 139–143 Westbourne Grove W11. 020 7229 4734. Restaurant soudanais, proposant notamment une entrée composée de sept salades différentes. Décor typique, rappelant l'ambiance de Khartoum.	MC V	●		●	
KENSINGTON : *Sticky Fingers* **Plan** 2 D2. £)£) 1a Phillimore Gdns, W8. 020 7938 5338. www.stickyfingers.co.uk Dans un décor d'objets évoquant les Rolling Stones, les clients dégustent des plats typiquement américains, dont les classiques hamburgers.	AE DC MC V	●		●	
KENSINGTON : *Kensington Place* **Plan** 1 C4. £)£)£) 201–209 Kensington Church St W8. 020 7727 3184. www.kensingtonplace.co.uk Dans un décor minimaliste, une foule d'habitués vient déguster une excellente cuisine internationale moderne. Excellente mousse au poulet.	AE DC MC	●	■	●	
KENSINGTON : *Wódka* **Plan** 1 C4. www.wodka.co.uk £)£)£) 12 St Alban's Grove W8. 020 7937 6513. Restaurant polonais où l'on déguste une cuisine traditionnelle relevée de touches de modernité dans un décor chaleureux. Grand choix de vodkas.	AE MC V		■	●	
KENSINGTON : *Bombay Brasserie* **Plan** 2 D5. 020-7370 4040 £)£)£)£) Courtfield Close, Courtfield Rd SW7. www.bombaybrasserielondon.com Restaurant réputé pour la qualité de sa cuisine. Atmosphère coloniale, avec un pianiste, une verrière et un bar à cocktails. Cuisine régionale et de Bombay.	AE DC MC V	●		●	
KNIGHTSBRIDGE & VICTORIA : *Olivetto* **Plan** 5 B4. £)£) 49 Elizabeth St SW1. 020 7730 0074. Situé à cinq minutes à pied de Sloane Square, dans une rue animée, ce restaurant propose une excellente cuisine italienne, dont de délicieuses pizzas.	AE MC	●		●	
KNIGHTSBRIDGE & VICTORIA : *Fifth Floor* **Plan** 5 A2. £)£)£) Harvey Nichols, 109-125 Knightsbridge, SW1. 020 7235 5250. www.harveynichols.com Au dernier étage de l'un des magasins les plus en vogue de Londres, dégustez une cuisine européenne moderne, dans un cadre design. Abrite également un café, un restaurant de sushi et une supérette. ● 25 et 26 déc, dim. de Pâques.	AE DC MC V	●	■	●	
KNIGHTSBRIDGE & VICTORIA : *Boisdale* **Plan** 5 B4. £)£)£)£) 15 Eccleston St, SW1. 020 7730 6922. www.boisdale.co.uk Ambiance club pour ce restaurant au décor classique, servant de la cuisine britannique. Spécialités écossaises, comme le haggis et le saumon.	AE DC MC V	●	■	●	
KNIGHTSBRIDGE & VICTORIA : *L'Incontro* **Plan** 5 B4. £)£)£)£) 87 Pimlico Rd, SW1. 020 7730 3663. www.lincontro-restaurant.com Découvrez les trésors de la cuisine italienne, et notamment de la cuisine vénitienne, servis dans un cadre élégant et contemporain, typiquement italien.	DC MC V	●	■	●	
KNIGHTSBRIDGE & VICTORIA : *Pétrus* **Plan** 5 C4. £)£)£)£)£) The Berkeley Hotel, Wilton Place SW1. 020 7235 1200. www.petrus-restaurant.com Restaurant français très chic, tenu par le chef Marcus Wareing et co-géré par Gordon Ramsay. On attend des hôtes qu'ils s'habillent pour le dîner (cravate pour les hommes). ● dim., jours fériés.	AE DC MC V	●	■	●	

	CARTES BANCAIRES	ENFANTS BIENVENUS	MENUS À PRIX FIXE	SPÉCIALITÉS VÉGÉTARIENNES	REPAS À L'EXTÉRIEUR

Catégories de prix pour un repas avec entrée et dessert, une demi-bouteille de vin de la maison, couvert, taxe et service compris :
£ moins de 15 £
££ de 15 £ à 25 £
£££ de 25 £ à 35 £
££££ de 35 £ à 50 £
£££££ plus de 50 £

ENFANTS BIENVENUS
Restaurants servant des portions réduites et disposant de chaises hautes. Certains proposent des menus enfants.
MENU À PRIX FIXE
Menu en général de trois plats proposé au déjeuner et/ou au dîner.
SPÉCIALITÉS VÉGÉTARIENNES
Choix de spécialités végétariennes à la carte pour les plats principaux et parfois les entrées.
CARTES BANCAIRES
Cartes acceptées : AE = American Express ; DC = Diners Club ; MC = Master Card/Access ; V = Visa.

KNIGHTSBRIDGE & VICTORIA : *Zafferano* **Plan** 5 B3. £££££ 15 Lowndes St SW1. ☎ 020-7235 5800. W www.atoz.com L'une des meilleures adresses de Londres pour déguster une cuisine italienne moderne (plats de truffes blanches). Grappa comprise dans la carte des vins. ☗	AE DC MC V	●	■	●	
CHELSEA & FULHAM : *Chutney Mary* ££££ 535, Kings Rd SW10. ☎ 020-7351 3113. W www.realindianfood.com Le « Chutney Mary » sert un délicieux mélange de cuisine indienne et occidentale. Décor colonial Raj très réussi. ☗	AE DC MC V		■	●	
CHELSEA & FULHAM : *Bluebird* ££££ 350 King's Rd SW3. ☎ 020-7559 1000. W www.conran.com Ancien garage reconverti en restaurant, alliant des éléments de style classique, néo-georgien et Art déco. Gibier et crustacés. ● 25 et 26 déc, 1er janv.	AE DC MC	●	■	●	
CHELSEA & FULHAM : *Aubergine* £££££ 11 Park Walk SW10. ☎ 020-7352 3449. Décor provençal, service avenant et cuisine irréprochable. Salade de caille, foie gras, ris d'agneau, et sauce aux truffes. ● dim., du 23 déc au 1er lun de janv. ☗	AE DC MC V		■		
CHELSEA & FULHAM : *Bibendum* £££££ 1st Floor, Michelin House, 81 Fulham Rd, SW3. ☎ 020-7589 1480. W www.bibendum.co.uk Vitrine rétro-chic de la cuisine britannique moderne, proposant des plats de brasserie, du gibier et des abats. Bar à huîtres et café au rez-de-chaussée. ☗ ☗	AE DC MC V	●	■		
PICCADILLY & MAYFAIR : *L'Artiste Musclé* **Plan** 5 C1. ££ 1 Shepherd Mkt, W1. ☎ 020-7493 6150. Bistro français servant du bœuf bourguignon, de la saucisse de Toulouse, dans un décor classique, avec des tables en terrasse donnant sur Shepherd Market.	AE MC V			●	■
PICCADILLY & MAYFAIR : *Sofra* **Plan** 2 D2. ££ 18 Shepherd St W1. ☎ 020-7493 3320. W www.sofra.co.uk L'une des chaînes de restaurants turcs les plus connues de Londres. ☗	AE MC V	●	■	●	■
PICCADILLY & MAYFAIR : *Carluccio's* **Plan** 3 B5. £££ 3-5 Barrett St, St Christopher's Pl, W1. ☎ 020-7935 5927. W www.carluccios.com Des plats italiens authentiques servis toute la journée. Le cadre chaleureux abrite aussi une boutique. Plusieurs succursales dans Londres. ☗	AE MC V	●		●	
PICCADILLY & MAYFAIR : *Chor Bizarre* **Plan** 5 C1. £££ 16 Albemarle St W1. ☎ 020-7629 9802. W www.chorbizarrerestaurant.com Entouré d'antiquités indiennes, on mange des plats du Cachemire (gostaba : émincé d'agneau à la cardamome et au yaourt). ● 25 et 26 déc, 1er jan. ☗ ☗	AE DC MC V	●	●	●	
PICCADILLY & MAYFAIR : *Hard Rock Café* **Plan** 5 B1. £££ 150 Old Park Lane W1. ☎ 020-7629 0382. W www.hardrock.com Pas de réservations : il y a donc la queue. Cuisine classique nord-américaine, vidéos et objets-culte du monde de la musique. ● 25 déc. ☗	AE DC MC V	●		●	■
PICCADILLY & MAYFAIR : *The Wolseley* **Plan** 6 D1. £££ 160 Piccadilly W1. ☎ 020-7499 6996. W www.thewolseley.com Intérieur Art déco et ambiance glamour pour ce restaurant-brasserie, où l'on rencontre des stars. Ouvert à partir de 7h (9h le dimanche). ● 25 déc.	AE MC V	●		●	
PICCADILLY & MAYFAIR : *Momo* **Plan** 5 C1. ££££ 25 Heddon St, W1. ☎ 020-7434 4040. W www.momoresto.com Dans un magnifique « ancien palais marocain », on déguste une cuisine nord-africaine. ● 25 déc, 1er jan. ☗	AE DC MC V		■	●	■
PICCADILLY & MAYFAIR : *Quaglino's* **Plan** 5 C1. ££££ 16 Bury St, SW1. ☎ 020-7930 6767. W www.conran.com Cuisine européenne moderne : plats classiques comme le foie de veau au bacon ou la pintade rôtie aux épinards et aux amandes. ● 25 et 26 déc, 1er janv.	AE DC MC V	●	■	●	

Légende des symboles, voir rabat de couverture

	CARTES BANCAIRES	ENFANTS BIENVENUS	MENUS À PRIX FIXE	SPÉCIALITÉS VÉGÉTARIENNES	REPAS À L'EXTÉRIEUR
PICCADILLY & MAYFAIR : *Veeraswamy* Plan 3 C5. 020-7734 1401. £££££ Mezzanine Floor, Victory House, 99 Regent St, W1. www.realindianfood.com Le plus ancien restaurant indien de Londres (fondé en 1927) est aussi l'un des plus modernes. Cuisine inspirée, plats indiens originaux et authentiques. Excellent service.	AE DC MC V	●	■	●	
PICCADILLY & MAYFAIR : *Deca* Plan 3 C5. £££££ 23 Conduit St, W1. 020-7493 7090. www.decarestaurant.com Dans ce nouveau décor d'une grande élégance, le grand chef Nico Ladenis exerce son talent artistique et propose une gastronomie française classique. ● jours fériés.	AE DC MC V	●	■	●	
PICCADILLY & MAYFAIR : *Le Gavroche* Plan 5 C1. £££££ 43 Upper Brook St, W1. 020-7408 0881. La cuisine française classique et moderne portée à son apogée, dans un décor raffiné. Élégant bar pour prendre l'apéritif et salon pour déguster le café et fumer le cigare. Tenue correcte exigée. ● Noël.	AE DC MC V		■		
PICCADILLY & MAYFAIR : *Green's Restaurant & Oyster Bar* £££££ Plan 5 C1. 36 Duke St, St James's, SW1. 020-7930 4566. www.greens.org.uk Dans un décor classique de « club pour gentleman », on déguste des plats britanniques typiques, la spécialité étant le poisson et les huîtres.	AE DC MC V	●	■	●	
PICCADILLY & MAYFAIR : *The Grill Room* Plan 2 D2. £££££ The Dorchester Hotel, Park La, W1. 020-7317 6336. Dans un somptueux décor, dégustez une cuisine britannique traditionnelle (le bœuf Angus rôti est la spécialité de la maison). Menu végétarien proposé.	AE DC MC V	●	■	●	
PICCADILLY & MAYFAIR : *Nobu* Plan 5 B1. £££££ 19 Old Park Lane, W1. 020-7447 4747. www.noburestaurants.com Restaurant avec vue sur Hyde Park, servant une cuisine inouïe, fusion du Japon et de l'Amérique du Sud. Service de grande qualité.	AE DC MC V	●	■	●	
REGENT'S PARK & MARYLEBONE : *Blandford St Restaurant* ££££ Plan 3 B4. 5-7 Blandford St, W1. 020-7486 9696. Cuisine britannique fine, élégante et moderne (filet de venaison écossais mariné). Le menu change tous les jours. ● dim.	AE DC MC V	●		●	■
SOHO : *Yo! Sushi* Plan 4 E5. £ 52-53 Poland St, W1. 020-7287 0443. Sushi, sashimi, salades, soupes et nouilles sont acheminés sur un tapis roulant, dans un cadre moderne. Bar au sous-sol. Plusieurs succursales. ● 25 déc.	AE MC V	●		●	
SOHO : *Mildred's* Plan 4 D5. ££ 45 Lexington St, W1. 020-7494 1634. Cuisine végétarienne du monde. Tous les vins sont bio. ● dim., jours fériés.				●	■
SOHO : *Gay Hussar* Plan 4 E5. £££ 2 Greek St, W1. 020-7437 0973. Le monde de la politique, des médias et des lettres aime ce décor « club » chic et décontracté. Soupe de cerises sauvages, chou farci de Transylvanie. ● jours fériés.	AE DC MC V		■	●	
SOHO : *Sri Siam* Plan 4 E5. £££ 16 Old Compton St, W1. 020-7434 3544. L'adresse idéale pour s'initier à la cuisine thaïe : les saveurs pimentées sont atténuées, mais les parfums demeurent puissants. Fruits de mer, sauce satay et currys.	AE DC MC V			●	
SOHO : *Alastair Little* Plan 4 E5. ££££ 49 Frith St, W1. 020-7734 5183. Cuisine européenne. L'accent est mis sur les saveurs italiennes. ● dim., jours fériés.	AE DC V	●	■	●	
SOHO : *Floridita* Plan 4 E5. ££££ 100 Wardour St, W1. 020-7314 4000. Célèbre établissement de Soho appartenant à Terence Conran. Restaurant de style havanais. Bar exceptionnel. ● midi, dim., 25 et 26 déc.	AE DC MC V		■	●	

COVENT GARDEN & STRAND : *Belgo Centraal* **Plan** 4 F5. €€
50 Earlham St, WC2. (020-7813 2233.
Un ascenseur industriel conduit les clients à ce sous-sol moderne et monastique, décoré de banquettes, où l'on sert une cuisine belge. &
AE DC MC V

COVENT GARDEN & STRAND : *Bertorelli* **Plan** 4 F5. €€€
44a Floral St, WC2. (020-7836 3969.
Cuisine italienne moderne, servant des plats traditionnels, tels que la pizza, les pâtes, la viande et les mets au poisson. Ambiance détendue et chaleureuse. ● *dim.* ✂ ▮
AE DC MC V

COVENT GARDEN & STRAND : *Joe Allen* **Plan** 4 F5. €€€
13 Exeter St, WC2. (020-7836 0651.
Célèbre restaurant en sous-sol situé dans le quartier des théâtres. Excellente cuisine. Menu spécial servi avant les représentations théâtrales de 17 h à 18 h 45.
AE MC V

COVENT GARDEN & STRAND : *Simpson's-in-the-Strand* **Plan** 4 F5. €€€
100 Strand, WC2. (020-7836 9112.
Une authentique ambiance britannique, dans un majestueux décor victorien. On y sert un superbe petit déjeuner anglais. Élégant bar à cocktails.
AE DC MC V

COVENT GARDEN & STRAND : *The Ivy* **Plan** 4 F5. €€€€
1 West St, WC2. (020-7836 4751.
Il faut réserver des semaines à l'avance pour dîner dans ce restaurant de style Art déco. La salade de canard et les gâteaux de poisson sont des classiques. ▮
AE DC MC V

COVENT GARDEN & STRAND : *Orso* **Plan** 4 F5. €€€€
27 Wellington St, WC2. (020-7240 5269.
Lieu de rendez-vous pour les spectateurs des théâtres, proposant une cuisine italienne. Murs en terre cuite, nappes de lin blanc et peintures italianisantes. ✂ ▮
AE MC V

COVENT GARDEN & STRAND : *Rules* **Plan** 4 F5. €€€€
35 Maiden La, WC2. (020-7836 5314.
Le plus ancien restaurant de Londres, décoré dans un style édouardien, sert depuis 1798 une cuisine traditionnelle britannique. ● *25 et 26 déc.* ✂
AE DC MC V

BLOOMSBURY & FITZROVIA : *Wagamama* **Plan** 4 E4. €
4 Streatham St, WC1. (020-7323 9223.
Un réfectoire moderne installé dans un sous-sol animé et spacieux, servant différents types de nouilles sous toutes les formes. La queue avance rapidement. Plusieurs restaurants dans Londres. ● *25 et 26 déc.* ✂
AE DC MC V

BLOOMSBURY & FITZROVIA : *Villandry* **Plan** 3 C4 €€€
170 Great Portland St, W1. (020-7631 3131.
Épicerie fine de produits européens. Abrite également un restaurant élégant et moderne. Le bar propose un menu du jour servi toute la journée. ✂
AE DC MC V

BLOOMSBURY & FITZROVIA : *Hakkasan* **Plan** 4 D4. €€€€
8 Hanway Pl, W1. (020-7907 1888.
Des *Dim sum* sont servis toute la journée ; le soir, on dîne à la carte. Le bar propose des repas légers le soir. Décor exotique et moderne. ● *24 et 25 déc.* & ▮
AE MC V

SPITALFIELDS & CLERKENWELL : *Quality Chop House* €€€
94 Farringdon Road, EC1. (020-7837 5093.
Magnifique restaurant victorien au décor original de 1869, où l'on déguste des plats succulents, comme les saucisses à la purée ou les gâteaux de saumon. ✂
AE MC V

SPITALFIELDS & CLERKENWELL : *St John* €€€
26 St John St, EC1. (020-7251 0848.
Le premier des deux St John's (voir ci-dessous), ce bar-restaurant sert une excellente cuisine britannique moderne. ● *sam. midi, dim.* ▮
AE MC V

SPITALFIELDS & CLERKENWELL : *St John Bread and Wine* €€€
94–96 Commercial St, E1. (020-7247 8724.
L'une des adresses les plus prisées du quartier. Cuisine délicieuse (voir ci-dessus). Ouvert à l'heure du petit déjeuner. Pain et vin à emporter. ● *dim. soir.* ▮
AE MC V

CITY & SOUTHBANK : *Wine Wharf at Vinopolis* **Plan** 8 D4. €€
Stoney Street, Borough Market, SE1. (020-7940 8335.
Grignotez au bar ou optez pour un menu plus consistant dans cet ancien entrepôt victorien. Les vins sont excellents. ● *dim., 25 et 26 déc, 1er janv.* ▮
AE DC MC V

CITY & SOUTHBANK : *Club Gascon* **Plan** 7 C2. €€€
57 West Smithfield, EC1. (020-7796 0600.
Cuisine du sud-ouest de la France. Au bar, en-cas de type tapas. ● *dim.* & ▮
AE MC V

Légende des symboles, voir rabat de couverture

	CARTES BANCAIRES	ENFANTS BIENVENUS	MENUS À PRIX FIXE	SPÉCIALITÉS VÉGÉTARIENNES	REPAS À L'EXTÉRIEUR
Catégories de prix pour un repas avec entrée et dessert, une demi-bouteille de vin de la maison, couvert, taxe et service compris : £ moins de 15 £ ; ££ de 15 £ à 25 £ ; £££ de 25 £ à 35 £ ; ££££ de 35 £ à 50 £ ; £££££ plus de 50 £. **ENFANTS BIENVENUS** Restaurants servant des portions réduites et disposant de chaises hautes. Certains proposent des menus enfants. **MENU À PRIX FIXE** Menu en général de trois plats proposé au déjeuner et/ou au dîner. **SPÉCIALITÉS VÉGÉTARIENNES** Choix de spécialités végétariennes à la carte pour les plats principaux et parfois les entrées. **CARTES BANCAIRES** Cartes acceptées : AE = American Express ; DC = Diners Club ; MC = Master Card/Access ; V = Visa.					

CITY & SOUTHBANK : *Anchor & Hope* **Plan** 7 B4.   £££
36 The Cut, SE1. 020-7928 9898.
Pub gastronomique très apprécié, situé à proximité des théâtres de South Bank. Propose des plats britanniques traditionnels de saison, comme les côtes de bœuf et le riz au lait. ● *lun. midi, dim.*

	CARTES BANCAIRES	ENFANTS BIENVENUS	MENUS À PRIX FIXE	SPÉCIALITÉS VÉGÉTARIENNES	REPAS À L'EXTÉRIEUR
Anchor & Hope	MC V			●	
Tate Britain Restaurant	AE DC MC V	●	▥	●	▥
The Oxo Tower	AE DC MC V	●	▥	●	▥
Le Pont de la Tour	AE DC MC V	●	▥	●	▥
River Café	AE DC MC V				▥
Queen's Room, Amberley Castle	AE DC MC V		▥	●	
Eastwell Manor	AE DC MC V	●	▥	●	▥
Food for Friends	DC MC V	●	▥	●	▥
Terre à Terre	AE DC MC V	●		●	▥
Simply Poussin	AE MC V	●	▥		
Comme Ça	AE DC MC V	●	▥	●	▥
West Stoke House	DC MC V	●	▥	●	

CITY & SOUTHBANK : *Tate Britain Restaurant* **Plan** 7 C3.   £££
Tate Britain, Millbank, SE1. 020-7887 8825.
Cuisine britannique moderne, plus de 300 vins proposés. Les peintures murales réalisées par Rex Whistler datent de 1925 et créent un cadre ravissant.

CITY & SOUTHBANK : *The Oxo Tower* **Plan** 7 B3.   ££££
Oxo Tower Wharf, Barge House St, SE1. 020-7803 3888.
Installé au huitième étage d'un célèbre bâtiment des années 1930, ce restaurant offre une vue exceptionnelle sur la Tamise et sert une cuisine européenne moderne. ● *du 24 au 26 déc.*

CITY & SOUTHBANK : *Le Pont de la Tour* **Plan** 8 F4.   £££££
Butlers Wharf, SE1. 020-7403 8403.
Petite merveille au bord de l'eau, avec de magnifiques vues, un bar à crustacés et un pianiste en soirée. Cuisine française. Décor classique signé Terence Conran.

EN DEHORS DU CENTRE : *River Café*   £££££
Thames Wharf Studios, Rainville Rd W6. 020-7386 4200.
Restaurant moderne avec vue sur la rivière. Sert des plats italiens aux interprétations intéressantes.

LES DOWNS ET LES CÔTES DE LA MANCHE

AMBERLEY : *Queen's Room, Amberley Castle*   ££££
Sur la B2139, Amberley, W Sussex. 01798 831992. www.amberleycastle.co.uk
Installé dans une magnifique forteresse médiévale, ce restaurant offre un cadre majestueux et romantique pour savourer une cuisine britannique « royale ».

BOUGHTON LEES : *Eastwell Manor* www.marstonhotels.com   ££££
Eastwell Park, Boughton Lees, près de Ashford, Kent. 01233 219955.
Entouré de grands espaces verts, cet hôtel-restaurant dynamique propose un service formel mais chaleureux.

BRIGHTON : *Food for Friends*   ££
17–18 Prince Albert St, Brighton. 01273 202310. www.foodforfriends.com
Découvrez les recettes imaginatives de ce restaurant végétarien situé dans les Lanes. Service parfait au milieu des pins et des plantes vertes. ● *25 et 26 déc.*

BRIGHTON : *Terre à Terre*   £££
71 East St, Brighton. 01273 729051.
Situé à proximité du Pavillon, de la jetée et des Lanes, ce restaurant végétarien propose une cuisine internationale recherchée. ● *du lun. au mer. midi.*

BROCKENHURST : *Simply Poussin*   ££
The Courtyard, Brookley Rd, Brockenhurst, Hants. 01590 623063.
Cuisine provençale française. Au menu, des produits de New Forest tels que la venaison et le porc sauvage. ● *dim., lun.*

CHICHESTER : *Comme Ça*   £££
67 Broyle Rd, Chichester, W Sussex. 01243 788724.
Situé à côté du Festival Theatre, ce restaurant français propose des menus avant et après les spectacles. La spécialité est le poisson. ● *Noël.*

CHICHESTER : *West Stoke House*   £££
Downs Rd, West Stoke, Chichester. 01243 575226.
Situé à côté du Festival Theatre, ce restaurant propose des menus avant et après les spectacles. ● *dim. soir, lun. et mar.*

CUCKMERE : *Golden Galleon*   €€   MC V
Exceat Bridge, Cuckmere Haven, E Sussex. 01323 892247.
Ce pub-restaurant possède sa brasserie et son fumoir. Laissez-vous tenter par le saumon fumé et le filet de canard. Verrière et terrasse, vue sur la mer.

EAST GRINSTEAD : *Gravetye Manor*   €€€€€   MC V
Vowels Lane, East Grinstead, W Sussex. 01342 810567. W www.gravetyemanor.co.uk
Installé dans un magnifique manoir élisabéthain, entouré d'un somptueux parc, cet hôtel de luxe propose une cuisine classique.

EDENBRIDGE : *Moulin Blanc*   €€€   MC V
87 High St, Edenbridge, Kent. 01732 866757. W www.honoursmill.co.uk
Ce restaurant chaleureux et reposant sert une cuisine française traditionnelle, aux interprétations audacieuses et créatives. ● dim. soir, lun.

EMSWORTH : *36 on the Quay*   €€€€€   AE DC MC V
47 South St, Emsworth, Hants. 01243 375592. W www.36onthequay.co.uk
Hôtel-restaurant au bord de l'eau. Cuisine novatrice, préparée avec rigueur. La carte propose du poisson local. ● dim., lun., jours fériés (sauf ven. saint).

FERNHURST : *King's Arms*   €€€   MC V
Midhurst Road, Fernhurst, Surrey. 01428 652005.
Dans un décor champêtre, ce pub-restaurant du XVIIe siècle propose une cuisine britannique moderne. ● dim. soir, 25 déc., 1er janv.

HAMPTON HILL : *Monsieur Max*   €€€€   AE DC MC V
133 High St, Hampton Hill, Middx. 020-8979 5546. @ monsmax@aol.com
Ce restaurant français propose une très bonne cuisine, préparée avec des ingrédients de première qualité. ● sam. midi.

HASTINGS : *The Coach House Restaurant*   €€€   MC V
60a All Saints St, Old Town, Hastings, E Sussex. 01424 428080.
Situé dans la vieille ville, ce restaurant récemment rénové sert une cuisine britannique éclectique (fruits de mer et viande d'Écosse). ● du lun. au mer.

HAYWARDS HEATH : *Jeremy's at Borde Hill* 01444 441102.   €€€   AE DC MC V
Balcombe Rd, Haywards Heath, W. Sussex. W www.jeremysrestaurant.com
Restaurant contemporain et raffiné, donnant sur un jardin clos. Cuisine européenne moderne remarquable. ● dim. soir, lun.

HURSTBOURNE TARRANT : *Esseborne Manor* 01264 736444.   €€€   AE DC MC V
Sur la A343, N of Hurstbourne Tarrant, Hants. W www.essebornemanor.com
Dans ce manoir victorien élégant, dégustez une cuisine britannique savoureuse et raffinée. Bon rapport qualité-prix.

JEVINGTON : *Hungry Monk* W www.hungrymonk.co.uk   €€€   AE MC V
Entre Polegate et Eastbourne, E Sussex. 01323 482178.
Le succès de ce restaurant est en partie dû à son décor XVe siècle, ainsi qu'à sa cuisine innovatrice, préparée avec des produits maison. ● du lun. au sam. midi.

NEW MILTON : *Marryat, Chewton Glen*   €€€€€   AE DC MC V
Christchurch Rd, New Milton, Hants. 01425 275341. W www.chewtonglen.com
Ce *country house hotel* au cœur de New Forest est un haut lieu de la gastronomie. La verrière du restaurant donne sur de très jolis jardins.

RICHMOND : *Nightingales* W www.petershamhotel.co.uk   €€€€   AE DC MC V
Petersham Hotel, Nightingale Lane, Richmond upon Thames, Surrey. 020 8939 1084.
Dégustez une cuisine britannique traditionnelle dans cet hôtel victorien, offrant une superbe vue sur la Tamise. ● dim. soir.

RIPLEY : *Drake's*   €€€€€   AE MC V
High St, Ripley, Surrey. 01483 224777.
Les menus, de grande qualité, varient selon les saisons. Décor pittoresque. En été, possibilité de boire un verre dans le jardin. ● sam. midi, dim. soir, lun.

RYE : *Landgate Bistro*   €€€   MC V
5–6 Landgate, Rye, E Sussex. 01797 222829. W www.landgatebistro.co.uk
La carte de ce charmant restaurant propose des plats préparés avec des produits locaux, tels que l'agneau ou le poisson tout frais pêché. ● dim. et lun.

STORRINGTON : *Sawyards*   €€€€   MC V
Manleys Hill, Storrington, W Sussex. 01903 742331.
Cuisine européenne moderne, service efficace et ambiance détendue. Les fruits de mer sont la spécialité de la maison. ● dim soir, lun. et mar. midi.

	CARTES BANCAIRES	ENFANTS BIENVENUS	MENUS À PRIX FIXE	SPÉCIALITÉS VÉGÉTARIENNES	REPAS À L'EXTÉRIEUR
Catégories de prix pour un repas avec entrée et dessert, une demi-bouteille de vin de la maison, couvert, taxe et service compris : **ⓔ** moins de 15 £ **ⓔⓔ** de 15 £ à 25 £ **ⓔⓔⓔ** de 25 £ à 35 £ **ⓔⓔⓔⓔ** de 35 £ à 50 £ **ⓔⓔⓔⓔⓔ** plus de 50 £	**ENFANTS BIENVENUS** Restaurants servant des portions réduites et disposant de chaises hautes. Certains proposent des menus enfants. **MENU À PRIX FIXE** Menu en général de trois plats proposé au déjeuner et/ou au dîner. **SPÉCIALITÉS VÉGÉTARIENNES** Choix de spécialités végétariennes à la carte pour les plats principaux et parfois les entrées. **CARTES BANCAIRES** Cartes acceptées : AE = American Express ; DC = Diners Club ; MC = Master Card/Access ; V = Visa.				

TUNBRIDGE WELLS : *Sankeys* Ⓦ www.sankeys.co.uk **ⓔⓔⓔ** 39 Mount Ephraim, Tunbridge Wells, Kent. ◖ *01892 511422.* Un bar à vins élégant spécialisé dans les fruits de mer venus de toute la Grande-Bretagne, de l'Écosse aux Cornouailles. ● *25 et 26 déc.* & ⚡ ☏	MC V	●	▦	●	▦
TUNBRIDGE WELLS : *Thackeray's* **ⓔⓔⓔⓔ** 85 London Rd, Tunbridge Wells, Kent. ◖ *01892 511921.* Ⓦ www.thackeraysrestaurant.com La maison du romancier a été reconvertie en restaurant et bar à vin, où les spécialités locales sont cuisinées avec une touche française. ● *dim. soir, lun.* ☏	AE DC MC V	●	▦	●	▦
WHITSTABLE : *Whitstable Oyster Fishery Co* **ⓔⓔⓔⓔ** Royal Native Oyster Stores, Whitstable, Kent. ◖ *01227 276856.* Bâtiment victorien situé sur la plage, où l'on peut déguster de nombreux plats de poisson ainsi que des huîtres. ● *lun.* &	AE DC MC V	●		●	▦
WICKHAM : *Old House* **ⓔⓔⓔⓔ** The Square, Wickham, Hants. ◖ *01329 833049.* Ⓦ www.oldhousehotel.co.uk Cuisine d'inspiration britannique et européenne avec des touches exotiques, servie dans l'ancienne écurie d'une maison georgienne, charpentée de bois. ● *dim. soir.* ⚡	AE MC V	●	▦		

L'EAST ANGLIA

ALDEBURGH : *Regatta* **ⓔⓔ** 171–173 High St, Aldeburgh, Suff. ◖ *01728 452011.* Ⓦ www.regattaaldeburgh.com Décor marin dans ce restaurant où l'on déguste des spécialités au poisson, toujours cuisinées avec soin. Parfois, gibier proposé au menu. Les ingrédients sont toujours de première qualité. Service accueillant. ● *dim. soir.* & ☏	AE MC V	●	▦	●	
BURNHAM MARKET : *Fishes'* **ⓔⓔⓔ** Market Pl, Burnham Market, Norf. ◖ *01328 738588.* Situé sur le terrain de golf d'un village du XVIIIᵉ siècle, ce restaurant sert des spécialités de poisson : excellent rapport qualité-prix. ● *dim. soir, lun.* & ☏	MC V	●	▦		
BURY ST EDMUNDS : *Maison Bleu* **ⓔⓔ** 31 Churchgate St, Bury St Edmunds, Suff. ◖ *01284 760623.* Ce restaurant très fréquenté propose des fruits de mer tout frais du marché. Menu très varié et bonne carte des vins. ● *dim. lun.* & ⚡	AE MC V	●	▦	●	
CAMBRIDGE : *Restaurant Twenty-two* **ⓔⓔⓔ** 22 Chesterton Rd, Cambs. ◖ *01223 351880.* Dans un décor victorien, dégustez une cuisine inventive. Le menu, composé de trois plats, change tous les mois. Service cordial. ● *midi, dim. et lun.* ⚡ ☏	AE DC MC V		▦		
CAMBRIDGE : *Midsummer House* **ⓔⓔⓔⓔⓔ** Midsummer Common, Cambs. ◖ *01223 369299.* Un restaurant intime servant une cuisine très élaborée. Menus à prix fixe. Les puddings sont succulents et raffinés. ● *dim. et lun.* ⚡ ☏	AE MC V		▦	●	▦
COLCHESTER : *Warehouse Brasserie* **ⓔⓔ** 12A Chapel St North, Colchester, Essex. ◖ *01206 765656.* Un restaurant convivial proposant des plats britanniques et continentaux faits maison. Sert également des plats principaux plus légers. ● *dim.-lun.* & ⚡	MC V	●	▦	●	
DEDHAM : *Le Talbooth* **ⓔⓔⓔⓔⓔ** Gun Hill, Dedham, près de Colchester, Essex. ◖ *01206 323150.* @ talbooth@milsomhotels.com Ce restaurant traditionnel situé près de la rivière Stour et décoré dans le style Tudor sert une cuisine de première qualité, créative, très appréciée des gens du pays et des visiteurs. ☏	AE DC MC V	●		●	▦
DISS : *Weaver's Wine Bar* **ⓔⓔ** Market Hill, Diss, Norf. ◖ *01379 642411.* Dans un cadre ravissant, ce restaurant joliment orné de poutres apparentes propose une bonne cuisine. ● *sam. midi, dim., lun. midi, jours fériés.* ⚡ ☏	AE DC MC V	●	▦	●	

ELY : *Old Fire Engine House* £££ | MC V
25 St Mary's St, Ely, Cambs. 01353 662582. w www.theoldfireenginehouse.co.uk
Cuisine britannique typique, à base de produits locaux, dans une ancienne caserne
de pompiers à côté de la cathédrale. Atmosphère chaleureuse et simple.

FRESSINGFIELD : *Fox and Goose* £££ | MC V
Sur la B1116, Fressingfield, Suff. 01379 586247. w www.foxandgoose.net
Ce pub en pleine campagne sert une grande variété de plats britanniques et
iinternationaux. Les enfants sont les bienvenus.

HARWICH : *Pier at Harwich* £££ | AE DC MC V
The Quay, Harwich, Essex. 01255 241212. w www.milsomhotels.com
Situé sur le port, ce restaurant très fréquenté sert d'excellents poissons, dans un
décor marin. Chambres confortables.

HINTLESHAM : *Hintlesham Hall* ££££ | AE MC V
Sur la A1071, Hintlesham, Suff. 01473 652268. w www.hintleshamhall.com
À l'ouest d'Ipswich, hôtel réputé dont le succès tient au grand savoir-faire
de la maison. Excellent plateau de fromages. ● *sam. midi.*

HUNTINGDON : *Old Bridge* £££ | AE DC MC V
1 High St, Huntingdon, Cambs. 01480 424300. w www.huntsbridge.com
Charmante auberge au bord de la rivière, proposant une cuisine britannique
et méditerranéenne. Excellents fromages anglais et très bons thés.

ICKLINGHAM : *Red Lion* £££ | MC V
The Street, Icklingham, Suff. 01638 717802.
Ambiance attrayante dans cette séduisante auberge du XVIᵉ siècle, chauffée au
feu de bois. Grand choix de fruits de mer, gibier et sanglier. ● *25 déc.*

KELSALE : *Harrison's* £££ | MC V
Main Road (A12), Kelsale, Suff. 01728 604444.
Installé dans une ravissante chaumière près d'Aldeburgh, ce restaurant propose
une cuisine britannique à base de produits locaux. ● *dim. et lun.*

NORWICH : *Adlard's* ££££ | AE MC V
79 Upper St Giles St, Norwich, Norf. 01603 633522. w www.adlards.co.uk
Dans un décor élégant et simple, excellente cuisine britannique moderne,
préparée avec beaucoup de style et une touche française. ● *dim. et lun.*

ORFORD : *Butley Orford Oysterage* £££ | MC V
Market Hill, The Square, Orford, Woodbridge, Suff. 01394 450277.
Café-restaurant disposant d'un fumoir et d'une huîtrière. Grignotez un en-cas ou
dégustez un repas plus consistant. ● *d'oct. à mars : ven. et sam. soir.*

SNAPE : *Plough and Snail* w www.snapemaltings.com £££ | AE DC MC V
Snape Maltings Riverside Centre, Snape, Suff. 01728 688413.
Ce pub-restaurant populaire sert des sprats, ainsi que d'autres poissons de
la région.

SUDBURY : *Great House Hotel* w www.greathouse.co.uk £££ | MC V
Market Place, Lavenham, Sudbury, Suff. 01787 247431.
Ce restaurant familial allie cuisine française et continentale. Très joli jardin clos.
Excellent plateau de fromages. Chambres disponibles. ● *dim. soir, lun.*

SWAFFHAM : *Stratton House* ££££ | AE MC V
4 Ash Close, Swaffham, Norf. 01760 723845. w www.strattonshotel.com
Lady Hamilton fut un jour l'hôte de cette maison du XVIIIᵉ siècle, qui abrite
un hôtel. Le menu change et inclut des produits locaux bio. ● *25 et 26 déc.*

THORPE MARKET : *Green Farm Restaurant* 01263 833602. £££ | AE MC V
North Walsham Road, Thorpe Market, Norf. w www.greenfarmhotel.co.uk
Installé dans une ferme du XVIᵉ siècle, cet excellent restaurant propose des plats
de première qualité cuisinés avec des produits locaux.

WELLS-NEXT-THE-SEA : *The Crown* 01328 710209. ££ | MC V
The Crown, The Butlands, Wells-Next-The-Sea, Norf. w www.thecrownhotelwells.co.uk
Restaurant victorien, avec vue sur les ravissants jardins Butlands. Propose une
cuisine britannique moderne, à base de produits locaux variés.

WOODBRIDGE : *Captain's Table* ££ | MC V
3 Quay Street, Woodbridge, Suff. 01394 383145. w www.captainstable.co.uk
Installé dans un bâtiment du XVIᵉ siècle, ce restaurant propose une cuisine
britannique et européenne éclectique stylée. ● *dim. soir, lun. (sauf jours fériés).*

Légende des symboles, voir rabat de couverture

<table>
<tr><td>

Catégories de prix pour un repas avec entrée et dessert, une demi-bouteille de vin de la maison, couvert, taxe et service compris :
£ moins de 15 £
££ de 15 £ à 25 £
£££ de 25 £ à 35 £
££££ de 35 £ à 50 £
£££££ plus de 50 £

</td><td>

ENFANTS BIENVENUS
Restaurants servant des portions réduites et disposant de chaises hautes. Certains proposent des menus enfants.
MENU À PRIX FIXE
Menu en général de trois plats proposé au déjeuner et/ou au dîner.
SPÉCIALITÉS VÉGÉTARIENNES
Choix de spécialités végétariennes à la carte pour les plats principaux et parfois les entrées.
CARTES BANCAIRES
Cartes acceptées : AE = American Express ; DC = Diners Club ; MC = Master Card/Access ; V = Visa.

</td></tr>
</table>

LA VALLÉE DE LA TAMISE

	Cartes bancaires	Enfants bienvenus	Menus à prix fixe	Spécialités végétariennes	Repas à l'extérieur
BRAY : *Waterside Inn* £££££ Ferry Rd, Bray, Windsor & Maidenhead. 01628 620691. www.waterside-inn.co.uk Dans un cadre idyllique, au bord de la rivière, adresse renommée proposant une cuisine française. Excellents menus le midi. ● *lun., janv ; de juin à août : mar. midi.*	AE DC MC V	●	▨	●	
CHINNOR : *Sir Charles Napier* ££££ Spriggs Alley, près de Chinnor, Oxon. 01494 483011. Service décontracté et cuisine honorable dans ce pub-restaurant de Chiltern. Le jardin est décoré de statues originales. ● *dim. soir, lun.*	AE MC V	●	▨	●	▨
COOKHAM : *Manzano's* £££ 19–21 Station Hill Parade, Cookham. 01628 525775. Restaurant à l'atmosphère chaleureuse, proposant des spécialités comme le cochon de lait et l'agneau rôti. Tapas à emporter. ● *sam. midi, dim., jourés fériés.*	AE MC V	●	▨	●	▨
DINTON : *La Chouette* ££££ Westlington Green, Dinton, Bucks. 01296 747422. Découvrez la gastronomie belge, préparée avec savoir-faire, dans cette belle bâtisse du xvie siècle. Sélection de bières belges et trappistes. ● *sam. midi, dim.*	MC V	●	▨		▨
EASINGTON : *Mole & Chicken* £££ Easington Terrace, Chilton Rd, Bucks. 01844 208387. www.moleandchicken.co.uk Recettes inventives dans ce restaurant réputé, notamment le caneton à l'orange. Atmosphère conviviale, service efficace. Fait également Bed&Breakfast.	AE MC V	●	▨	●	▨
GODSTOW : *Trout Inn* £££ Godstow, Wolvercote, Oxon. 01865 302071. Au nord d'Oxford, charmant pub médiéval au bord d'un ruisseau à truites. Façade décorée de lierre, intérieur très raffiné.	MC V	●		●	▨
GORING : *Leatherne Bottel* ££££ On B4009, Goring, Oxon. 01491 872667. www.leathernebottel.co.uk Au bord de la rivière, ce restaurant sert des plats à base de produits frais locaux, avec une touche de cuisine des pays du Pacifique. ● *dim. soir.*	AE MC V		▨	●	▨
GREAT MILTON : *Le Manoir aux Quat'Saisons* £££££ Church Rd, Great Milton, Oxon. 01844 278881. www.manoir.com Dans un cadre idyllique, à la campagne. Le chef Raymond Blanc sert une cuisine savoureuse, inventive, à base de produits frais. Une expérience gastronomique coûteuse, mais inoubliable. Chambres luxueuses.	AE DC MC V	●	▨	●	
GREAT MISSENDEN : *La Petite Auberge* ££££ 107 High St, Great Missenden, Bucks. 01494 865370. Un restaurant intime proposant une cuisine provençale française. Le service est efficace et discret. ● *midi, dim., jours fériés.*	DC MC V	●			
HADDENHAM : *Green Dragon* £££ 8 Church Way, Haddenham, Bucks. 01844 291403. www.eatatthedragon.co.uk Situé dans un village, ce pub propose une grande variété de plats britanniques, tels que les *scallops* (coquilles Saint-Jacques). ● *dim. soir.*	AE MC V		▨	●	▨
KINTBURY : *Dundas Arms* ££ 53 Station Rd, Kintbury, Newbury. 01488 658263. www.dundasarms.co.uk Dégustez des repas légers très créatifs et des plats plus traditionnels dans ce vieux pub au bord de la rivière. Poisson frais livré tous les jours. ● *dim., lun. soir.*	AE MC V	●		●	▨
LONG CRENDON : *Angel Restaurant* £££ Bicester Rd, Long Crendon, Bucks. 01844 208268. www.angelrestaurant.co.uk Monument classé historique, cette ancienne auberge du xvie siècle reconvertie sert du poisson frais, des spécialités du jour affichées sur ardoise, des puddings alléchants et des vins d'un bon rapport qualité-prix. ● *dim., soir.*	MC V	●	▨	●	▨

MELBOURN : *Pink Geranium* Ⓦ www.pinkgeranium.co.uk £££££
Station Rd, Melbourn, près de Royston, Herts. 〖 01763 260215.
Très jolie chaumière tout de rose décorée, située près de l'église, où l'on sert
une bonne cuisine. Atmosphère chaleureuse. ● *dim. soir, lun.* ♿ *limité.* 🛇 ▶

AE
MC
V

MOULSFORD : *Beetle and Wedge* ££££
Ferry Lane, Moulsford, Oxon. 〖 01491 651381. Ⓦ www.beetleandwedge.co.uk
Sur la Tamise, mangez dans un hangar à bateaux à l'ambiance décontractée,
ou dans la salle de restaurant plus sophistiquée. Réservation obligatoire. ♿ 🛇 ▯

AE
DC
MC
V

OXFORD : *Nosebag* £
6–8 St Michael's St, Oxford. 〖 01865 721033.
Lieu de rendez-vous des étudiants, situé à l'étage supérieur d'un bâtiment
pittoresque. Excellentes salades, soupes et repas légers inventifs. ● *25 et 26 déc.* 🛇

MC
V

OXFORD : *Al-Shami* ££
25 Walton Crescent, Oxford. 〖 01865 310066. Ⓦ www.al-shami.co.uk
Restaurant libanais trépidant, où l'on peut manger des *falafel, tabouleh, ful
medammas* et autres spécialités, et des desserts typiques. ♿ ▶

MC
V

OXFORD : *Browns* £££
5–11 Woodstock Rd, Oxford. 〖 01865 511995. Ⓦ www.browns-restaurant.com
Restaurant vivant, décontracté. Grand choix de repas légers et de repas plus
complets. Intérieur en bois courbé, orné de plantes vertes. ● *25 déc.* ♿ ▶

AE
MC
V

OXFORD : *Cherwell Boathouse* £££
Bardwell Rd, Oxford. 〖 01865 552746. Ⓦ www.cherwellboathouse.co.uk
Ce restaurant romantique accessible en petite barque, sur la rivière Cherwell, sert
une cuisine britannique avec une touche européenne. Menus à prix fixe. ♿ 🛇 ▯

AE
DC
MC
V

SHINFIELD : *L'Ortolan* Ⓦ www.l'ortolan.co.uk £££££
Old Vicarage, Church Lane, Shinfield, Reading. 〖 0118 9883783.
L'une des meilleures tables d'Angleterre, dans un décor somptueux. Le prix des
plats français et britanniques est très élevé. Les menus et les déjeuners sont d'un
meilleur rapport qualité-prix. ● *dim. soir, lun.* 🛇 ▯

AE
DC
MC
V

SPEEN : *Old Plow* £££
Flowers Bottom, Speen, Bucks. 〖 01494 488300.
Charmant bistro dans un ancien pub pittoresque. La plupart des recettes sont
faites maison. Tous les produits sont frais. ● *sam. midi, dim. soir, lun.* ♿ *limité.* 🛇 ▯

AE
MC
V

STREATLEY : *The Swan at Streatley* £££
High St, Streatley, Berks. 〖 01491 878800. Ⓦ www.theswanatstreatley.com
Hôtel-restaurant au bord de la Tamise, dans un cadre charmant, proposant de
nombreux loisirs à la clientèle. Cuisine délicate, à base de produits locaux. ♿ ▯

AE
DC
MC
V

WINDSOR : *Al Fassia* ££
27 St Leonards Rd, Windsor, Berks. 〖 01753 855370.
Restaurant marocain très apprécié, décor nord-africain traditionnel. Goûtez les
préparations au poulet et aux amandes. Bonne carte végétarienne. ♿ ▯

AE
DC
MC
V

WINDSOR : *La Taverna* £££
2 River St, Windsor, Berks. 〖 01753 863020.
Restaurant moderne et lumineux, servant une cuisine italienne authentique.
Les pâtes maison sont recommandées. ● *sam. midi, dim., 2 sem. en août.* ♿ ▯

AE
DC
MC
V

WOBURN : *Paris House* £££££
Woburn Park, Woburn, Beds. 〖 01525 290692. Ⓦ www.parishouse.co.uk
Cuisine française moderne dans ce bâtiment de style Tudor situé dans le
Woburn Deer Park. Excellent soufflé aux framboises. ● *dim. soir, lun., 2 1res sem. de fév.*

AE
MC
V

WOBURN SANDS : *Spooners* Ⓦ www.spooners.co.uk £££
61 High St, Woburn Sands, Milton Keynes, Bucks. 〖 01908 584385.
Cette terrasse victorienne constitue un endroit agréable pour un déjeuner léger ou
un dîner plus consistant. La viande de bœuf est particulièrement savoureuse.
Atmosphère chaleureuse et accueillante. ● *dim., lun.* ♿ 🛇 ▯

AE
MC
V

LE WESSEX

AVEBURY : *The Circle Restaurant* £
Avebury, Wilts. 〖 01672 539514
Les adeptes de cuisine bio raffolent des plats végétariens de ce restaurant-buffet
situé à proximité de l'ancien cromlech. Délicieuses soupes. Plats adaptés aux
régimes végétaliens et sans gluten. ● *soir.* ♿ 🛇

MC
V

Légende des symboles, voir rabat de couverture

<table>
<tr><td colspan="2">

Catégories de prix pour un repas avec entrée et dessert, une demi-bouteille de vin de la maison, couvert, taxe et service compris :
£ moins de 15 £
££ de 15 £ à 25 £
£££ de 25 £ à 35 £
££££ de 35 £ à 50 £
£££££ plus de 50 £

</td><td colspan="5">

ENFANTS BIENVENUS
Restaurants servant des portions réduites et disposant de chaises hautes. Certains proposent des menus enfants.
MENU À PRIX FIXE
Menu en général de trois plats proposé au déjeuner et/ou au dîner.
SPÉCIALITÉS VÉGÉTARIENNES
Choix de spécialités végétariennes à la carte pour les plats principaux et parfois les entrées.
CARTES BANCAIRES
Cartes acceptées : AE = American Express ; DC = Diners Club ; MC = Master Card/Access ; V = Visa.

</td></tr>
<tr>
<th></th>
<th>CARTES BANCAIRES</th>
<th>ENFANTS BIENVENUS</th>
<th>MENUS À PRIX FIXE</th>
<th>SPÉCIALITÉS VÉGÉTARIENNES</th>
<th>REPAS À L'EXTÉRIEUR</th>
</tr>
<tr>
<td>

BARWICK : *Little Barwick House*   £££
Près de l'A37, Barwick, Som. (01935 423902. W www.littlebarwickhouse.co.uk
Installé dans un petit manoir georgien, cet hôtel-restaurant propose une excellente cuisine britannique moderne. Restaurant ouvert aux non-résidents. ⌖ limité. ▨

</td>
<td>AE
MC
V</td><td>●</td><td>▥</td><td>●</td><td></td>
</tr>
<tr>
<td>

BATH : *Hole in the Wall*   £££
16 George St, Bath, B & NE Som. (01225 425242. W www.theholeinthewall.co.uk
Ce célèbre restaurant, installé dans une cave à vins, a retrouvé son dynamisme. Excellente cuisine britannique. ● dim. soir, jours fériés. ▨ ▯

</td>
<td>MC
V</td><td>●</td><td></td><td>●</td><td></td>
</tr>
<tr>
<td>

BATH : *Moon and Sixpence*   £££
6A Broad St, Bath, B & NE Som. (01225 460962. W www.moonandsixpence.co.uk
Ce bistro et bar à vins très populaire sert de bons déjeuners et dîners. Bon rapport qualité-prix. La verrière est très agréable en été. ● 26 déc., 1er janv. ▯ ▸

</td>
<td>AE
MC
V</td><td>●</td><td>▥</td><td>●</td><td>▥</td>
</tr>
<tr>
<td>

BATH : *The Bath Priory*   £££££
Weston Rd, Bath, B & NE Som. (01225 331922. W www.thebathpriory.co.uk
Atmosphère détendue dans ce *country house hotel* luxueux, entouré de très beaux jardins. Le restaurant, cité au guide Michelin, sert une cuisine française et britannique dans des salles à thème. ⌖ ▨ ▯

</td>
<td>AE
DC
MC
V</td><td>●</td><td>▥</td><td>●</td><td>▥</td>
</tr>
<tr>
<td>

BEAMINSTER : *Bridge House*   £££
3 Prout Bridge, Beaminster, Dorset. (01308 862200. W www.bridge-house.co.uk
Installé dans un ancien clergé, ce restaurant sert des plats traditionnels et des recettes plus inventives. Décor raffiné. ⌖ ▨ ▯

</td>
<td>AE
MC
V</td><td></td><td>▥</td><td></td><td></td>
</tr>
<tr>
<td>

BOURNEMOUTH : *Chez Fred*   £
10 Seamoor Rd, Westbourne, Bournemouth. (01202 761023. W www.chezfred.co.uk
Restaurant connu pour ses célèbres *fish and chips* et ses délicieux desserts. Le service est chaleureux et l'atmosphère animée. ● dim. midi. ⌖ ▯

</td>
<td>MC
V</td><td>●</td><td>▥</td><td>●</td><td></td>
</tr>
<tr>
<td>

BRADFORD-ON-AVON : *Woolley Grange*   ££££
Woolley Green, Bradford-on-Avon, Wilts. (01225 864705. W www.woolleygrange.com
Dans une ambiance décontractée, charmant *country house hotel* proposant un large choix de plats. Le service est excellent. ⌖ ▨ ▯

</td>
<td>AE
DC
MC
V</td><td>●</td><td>▥</td><td>●</td><td>▥</td>
</tr>
<tr>
<td>

BRISTOL : *Riverstation*   £££
The Grove, Bristol. (01179 144434. W www.riverstation.co.uk
Situé en bord de rivière sur les docks, près du centre-ville, ce restaurant clair et spacieux, installé dans les murs d'un ancien poste de police, propose une cuisine européenne moderne. Abrite également une épicerie. ● 25 et 26 déc. ⌖ ▨ ▯

</td>
<td>DC
MC
V</td><td>●</td><td>▥</td><td>●</td><td>▥</td>
</tr>
<tr>
<td>

BRISTOL : *Lords*   ££££
43 Corn Street, Bristol. (01179 262658.
Au rez-de-chaussée d'un bâtiment abritant une banque, ce restaurant sert une délicieuse cuisine aux influences française et méditerranéenne. Excellents poissons et desserts. ● sam. midi, dim., du 25 déc. au 2 janv., w.e de Pâques, 2 dern. sem. d'août. ▨ ▯

</td>
<td>AE
MC
V</td><td>●</td><td></td><td>●</td><td></td>
</tr>
<tr>
<td>

CLEVEDON : *Junior Poon*   £££
16 Hill Rd, Clevedon, Som. (01275 341900. W www.juniorpoon.com
Situé dans un bâtiment georgien classé, ce restaurant et bar à vins décontracté, sert des plats de Pékin et du Setchouan. ● dim. ⌖

</td>
<td>AE
MC
V</td><td>●</td><td>▥</td><td>●</td><td></td>
</tr>
<tr>
<td>

COLERNE : *Lucknam Park*   £££££
Près de l'A420, Colerne, Wilts. (01225 742777. W www.lucknampark.co.uk
Passez un moment inoubliable dans ce luxueux *country house hotel*. La cuisine y est délicieusement raffinée. Ambiance discrète et distinguée. Veste de costume et cravate pour les hommes. ● du lun. au sam. midi. ⌖ ▨ ▯

</td>
<td>AE
DC
MC
V</td><td></td><td></td><td>●</td><td></td>
</tr>
<tr>
<td>

LACOCK : *At the Sign of the Angel*   ££££
6 Church St, Lacock, Wilts. (01249 730230. W www.lacock.co.uk
Hôtel du XIVe siècle avec boiseries et feu de cheminée. Cuisine britannique savoureuse, notamment les tourtes à la viande. ● lun. midi. ⌖ ▯

</td>
<td>AE
DC
MC
V</td><td>●</td><td></td><td>●</td><td>▥</td>
</tr>
</table>

MAIDEN NEWTON : *Le Petit Canard* £££ | AE MC V
Dorchester Rd, Maiden Newton, Dorset. (01300 320536. W www.le-petit-canard.co.uk
Goûtez une cuisine britannique moderne, préparée avec des produits frais locaux, dans ce restaurant éclairé à la bougie. ● *lun., du mar. au sam. midi, 2e et 4e dim. du mois.*

LUN.TACUTE : *The King's Arms Inn* £££ | AE MC V
Près de l'A303, Som. (01935 822513. W www.greenkinginn.co.uk
Cette auberge du xvie siècle abrite le restaurant primé Abbey Room, offrant une cuisine britannique moderne dans une ambiance confortable.

POOLE : *The Mansion House* £££ | AE DC MC V
Thames St, Poole, Dorset. (01202 685666. W www.themansionhouse.co.uk
Situé dans une ruelle pavée à côté de Poole Quay, cette maison de ville de style georgien abrite un restaurant. Cuisine britannique moderne de bonne qualité, préparée avec des produits locaux.

SALISBURY : *Harpers* W www.harpersrestaurant.co.uk £££ | AE DC MC V
6–7 Ox Row, Market Place, Salisbury, Wilts. (01722 333118.
Restaurant familial, convivial et spacieux, avec vue splendide sur la place du marché historique. Rôtis, ragoûts et plats du jour. ● *dim. (oct-mai).*

SHAFTESBURY : *La Fleur de Lys* ££££ | AE MC V
Bleke St, Shaftesbury, Dorset. (01747 853717. W www.lafleursdelys.co.uk
Restaurant au charme discret, dans un ancien grenier entièrement décoré de boiseries. Excellente cuisine. ● *dim. soir, lun. midi, mar., 2 sem. janv.*

SHEPTON MALLET : *Bowlish House* £££ | AE MC V
Wells Rd, Shepton Mallet, Som. (01749 342022. W www.bowlishhouse.com
Maison marchande georgienne, entourée de jardins. Dîners conviviaux, salon de thé l'après-midi. Cuisine britannique moderne.

STON EASTON : *Ston Easton Park* ££££ | AE DC MC V
On A37, Ston Easton, Som. (01761 241631. W www.stoneaston.co.uk
Ce splendide *country house hotel* propose des menus classiques et une cuisine européenne moderne de très bonne qualité. Le prix est donc justifié.

STURMINSTER NEWTON : *Plumber Manor* W www.plumbermanor.com ££££ | AE DC MC V
Hazelbury Bryan Rd, Sturminster Newton, Dorset. (01258 472507.
Dégustez une cuisine savoureuse dans une salle ornée de belles peintures à l'huile. Le poisson et les desserts sont excellents. ● *du lun. au sam. midi.*

TAUNTON : *Castle* ££££ | AE DC MC V
Castle Green, Taunton, Som. (01823 272671. W www.the-castle-hotel.com
Hôtel à la façade décorée de glycine, où l'on déguste une cuisine britannique moderne toujours aussi excellente. Atmosphère distinguée et discrète.

WARMINSTER : *Bishopstrow House* ££££ | AE DC MC V
Sur la B3414, Warminster, Wilts. (01985 212312. W www.vonessenhotels.com/bishopstrow
Déjeunez et dînez léger dans cet élégant *country house hotel* georgien.

WEST BAY : *Riverside* ££ | MC V
Près de l'A35, près de Bridport, Dorset. (01308 422011. W www.riverside-restaurant.co.uk
Restaurant traditionnel servant des plats de poisson. Nombreux en-cas à déguster en toute simplicité. Réservation recommandée. ● *dim. soir, lun., de déc. à mi-fév.*

WEST BEXINGTON : *Manor Hotel* £££ | AE DC MC V
Beach Rd, West Bexington, Dorset. (01308 897785. W www.themanorhotel.com
Situé à proximité de Chesil Beach, ce bar-restaurant, installé dans les murs d'une ancienne auberge en pierre, propose une grande variété de plats. Jolies chambres d'hôte et jardin pour les enfants. ● *25 déc. soir.*

LE DEVON ET LES CORNOUAILLES

AVONWICK : *Avon Inn* £££ | AE MC V
Avonwick, près de South Brent, Devon. (01364 73475.
Pub sur les berges de l'Avon. Plats britanniques, avec une touche de cuisine continentale. Viande et poisson du pays. Également B&B, récemment rénové.

BARNSTAPLE : *Lynwood House* (01271 343695. £££ | AE MC V
Bishops Tawton Rd, Barnstaple, Devon. W www.thelynwood.freeserve.co.uk
Maison victorienne, tenue par une famille, offrant une cuisine maison. La soupe de poisson et les plats de fruits de mer sont particulièrement bons. Chambres confortables.

Légende des symboles, voir rabat de couverture

Catégories de prix pour un repas avec entrée et dessert, une demi-bouteille de vin de la maison, couvert, taxe et service compris :
£ moins de 15 £
££ de 15 £ à 25 £
£££ de 25 £ à 35 £
££££ de 35 £ à 50 £
£££££ plus de 50 £

ENFANTS BIENVENUS
Restaurants servant des portions réduites et disposant de chaises hautes. Certains proposent des menus enfants.

MENU À PRIX FIXE
Menu en général de trois plats proposé au déjeuner et/ou au dîner.

SPÉCIALITÉS VÉGÉTARIENNES
Choix de spécialités végétariennes à la carte pour les plats principaux et parfois les entrées.

CARTES BANCAIRES
Cartes acceptées : AE = American Express ; DC = Diners Club ; MC = Master Card/Access ; V = Visa.

	CARTES BANCAIRES	ENFANTS BIENVENUS	MENUS À PRIX FIXE	SPÉCIALITÉS VÉGÉTARIENNES	REPAS À L'EXTÉRIEUR
CHAGFORD : *22 Mill Street* ££££ 22 Mill St, Chagford, Devon. 01647 432244. Cuisine moderne exquise. Au menu, lasagnes de crabe, loup de mer rôti, accommodé au basilic et au gingembre. ● dim., 2ᵉ sem. de janv., 1ᵉʳ w.e de juin.	MC V		■	●	
CHAGFORD : *Gidleigh Park* £££££ Chagford, Devon. 01647 432367. Le restaurant de ce *country house hotel* de première qualité se distingue par ses touches créatives et innovantes. Prestations élevées ; idéal pour célébrer une occasion spéciale.	AE DC MC V		■	●	
DARTINGTON : *Cott Inn* ££ Dartington, Devon. 01803 863777. Auberge du XIVᵉ siècle reconvertie en restaurant. Cuisine britannique honorable, avec un menu différent chaque jour. Joli jardin. Également des chambres.	MC V			●	■
DARTMOUTH : *Café Câché* ££ 24 Duke St, Dartmouth, Devon. 01803 833804. www.cafecache.co.uk Bâtiment ancien dans le centre de Dartmouth. Cuisine préparée avec des produits locaux de qualité. Le poisson frais est la spécialité.	MC V	●	■	●	■
DODDISCOMBSLEIGH : *Nobody Inn* £££ Doddiscombsleigh, près de Exeter, Devon. 01647 252394. Pub-restaurant traditionnel, décoré de poutres apparentes. Carte des vins exceptionnelle et choix impressionnant de fromages du pays.	AE MC V			●	■
EXETER : *Thai Orchid* ££ 5 Cathedral Yard, Exeter, Devon. 01392 214215. Bâtiment du XVᵉ siècle, classé. Aujourd'hui, restaurant thaï servant une cuisine authentique avec beaucoup de savoir-faire. Les orchidées fraîches décorent chaque table ajoutent à l'élégance du lieu. ● dim., 25 et 26 déc, 1ᵉʳ janv.	MC V	●	■	●	
KINGSBRIDGE : *Buckland-Tout-Saints Hotel* ££££ Goveton, Kingsbridge, Devon. 01548 853055. Cuisine servie dans une charmante maison Queen Anne, au milieu d'un parc. Produits britanniques cuisinés avec finesse. ● 3 sem. en janv. limité.	MC V	●	■	●	■
LEWDOWN : *Lewtrenchard Manor* ££££ Près de l'A30, Lewdown, Devon. 01566 783256. Profitez d'une retraite romantique dans cet hôtel situé dans un manoir jacobéen proposant des menus à prix fixe tout à fait succulents.	AE DC MC V		■	●	■
LIFTON : *Arundell Arms* ££££ Près de l'A30, Lifton, Devon. 01566 784666. Auberge chic et agréable située dans un village tranquille. Poisson et gibiers du pays sont proposés dans les menus à prix fixe. Au bar, repas légers servis à midi et le soir. Atmosphère conviviale.	AE DC MC V	●	■	●	■
LYNMOUTH : *The Rising Sun* £££ Harbourside, Lynmouth, Devon. 01598 753223. Cet ancien repaire de contrebandiers datant du XIVᵉ siècle sert chaque jour du poisson frais, mais il excelle également dans d'autres plats.	MC V		■	●	■
PADSTOW : *Seafood Restaurant* £££££ Riverside, Padstow, Corn. 01841 532700. Emplacement idéal, sur le port, pour ce restaurant très prisé des amateurs de poisson. Le St Petroc's House, succursale du restaurant, sert une cuisine moins élaborée, mais tout aussi bonne. ● 25 et 26 déc, 1ᵉʳ mai, 1ᵉʳ dim. de juil.	MC V		■	●	
PENZANCE : *Harris's* £££ 46 New St, Penzance, Corn. 01736 364408. Au menu, gibier (lorsque c'est la saison), viande d'élevage du pays et poisson. Le menu de midi offre un bon rapport qualité-prix. ● dim., lun. (hiver). limité.	AE MC V			●	

POLPERRO : *Kitchen* £££ The Coombes, Polperro, Corn. 01503 272780. Petit restaurant dont la spécialité est le poisson frais local, un repas sain, idéal pour les nombreux voyageurs visitant Polperro l'été. ● midi. 🖼 💺	MC V			●	
PORT ISAAC : *Slipway* £££ Harbour Front, Port Isaac, Corn. 01208 880264. En saison, cet ancien shipchandler du XVIᵉ siècle propose des recettes au North Cornwall's fishy fare. ● de janv. à mi-fév. ; de mi-fév. à Pâques : sam. et dim. 🖼 💺	AE MC V			●	■
PORTREATH : *Tabb's* ££ Déplacé à Portreath en 2006 – tél. pour tout rens. Portreath, Corn. 01209 842488. Petit restaurant dans une ancienne forge. Tous les délicieux plats figurant sur le menu sont faits maison. ● du lun. au sam. midi, mar. soir, 26 déc, 1ᵉʳ jan. 🔶 🖼 💺	MC V	●	■		
ST IVES : *Tate St Ives Coffee Shop and Restaurant* ££ Porthmeor Beach, St Ives, Corn. 01736 791122. Admirez la vue magnifique depuis cette brasserie, qui fait également office de galerie d'art. Cuisine bio. ● soir, lun. (hiver). 🔶 🖼	MC V	●	■	●	■
ST IVES : *Russets* £££ 18A Fore St, St Ives, Corn. 01736 794700. Restaurant de fruits de mer situé dans la rue principale de St Ives. Ambiance conviviale, décontractée et vivante à la fois. Café au rez-de-chaussée. ● jan. 🔶 🖼	AE MC V	●		●	
ST MAWES : *Hotel Tresanton* ££££ Lower Castle Rd, St Mawes, Corn. 01326 270055. Ce restaurant est aussi l'un des meilleurs hôtels de Cornwall, spécialisé dans les plats de poissons locaux. Splendide vue sur la mer depuis la terrasse. 🔶 💺	AE MC V		■	●	■
TAVISTOCK : *The Horn of Plenty* www.thehornofplenty.co.uk £££££ Gulworthy, Tavistock, Devon. et FAX 01822 832528. Bâtiment vieux de 200 ans, situé sur trois hectares de terrain. Le chef est Peter Gorton, animateur d'une émission de télé. ● lun. midi, du 23 au 26 déc. 🖼 🔶 💺	AE MC V		■	●	
TORQUAY : *Mulberry House* £££ 1 Scarborough Rd, Torquay, Torbay. 01803 213639. Ce charmant restaurant, qui dispose également de chambres, propose des repas légers et de délicieux déjeuners (dîners servis du vendredi au dimanche). Goûtez le pain et les gâteaux. ● lun. et mar. (résidents seulement). 🔶 🖼			●		●
TOTNES : *Waterside Bistro* ££ The Plains, Totnes, Devon. 01803 864069. www.watersidebistro.com Bistro, café et bar dans un ancien entrepôt reconverti sur les rives de la rivière Dart. Terrasse au bord de l'eau. Spécialités culinaires à base de produits locaux. 🔶 🖼 💺	AE DC V	●		●	■
TOTNES : *Willow* ££ 87 High St, Totnes, Devon. 01803 862605. Restaurant éclectique et cosmopolite servant une cuisine végétarienne venue des quatre coins du monde. Plats mexicains, indiens, caribéens et italiens. Atmosphère chaleureuse et accueillante. ● dim., lun. soir, mar. soir. 🔶 🖼 💺		●		●	■
TREBURLEY : *Springer Spaniel* £££ Treburley, près de Launceston, Cornwall. 01579 370424. www.wagtailsinns.com Pub-restaurant convivial et attrayant, décoré de poutres apparentes. Le menu change régulièrement, reflétant l'exigence du propriétaire, soucieux de n'utiliser que des produits locaux. Les légumes et les salades sont du jardin. 🔶 limité. 🖼	MC V	●		●	■

LE CŒUR DE L'ANGLETERRE

ABBERLEY : *The Elms* £££££ Stockton Rd, Abberley, Worcs. 01299 896666. www.theelmshotel.com Dégustez des produits biologiques du jardin, très fins, et des spécialités locales, dans cet élégant manoir Queen Anne. Charmant décor et jolies chambres. 🔶 🖼 💺	AE DC MC V	●	■	●	■
BIRMINGHAM : *Chung Ying Garden* ££ 17 Thorp St, Birmingham. 0121 6666622. www.chungying.co.uk Véritable palais de la cuisine cantonaise. Très grande variété de spécialités, dont des *dim sums*. Un karaoké est disponible sur demande. 🔶 ▶	AE DC MC V	●	■	●	
BISHOP'S TACHBROOK : *Mallory Court* £££££ Près de la B4087, près de Leamington Spa, Warw. 01926 330214. www.mallory.co.uk Cet hôtel installé dans un manoir sert une cuisine française et britannique des plus exquises. Magnifiques jardins. 🔶 🖼 💺	AE DC MC V		■	●	■

Légende des symboles, voir rabat de couverture

	Catégories de prix / légende	CARTES BANCAIRES	ENFANTS BIENVENUS	MENUS À PRIX FIXE	SPÉCIALITÉS VÉGÉTARIENNES	REPAS À L'EXTÉRIEUR

Catégories de prix pour un repas avec entrée et dessert, une demi-bouteille de vin de la maison, couvert, taxe et service compris :
£ moins de 15 £
££ de 15 à 25 £
£££ de 25 à 35 £
££££ de 35 à 50 £
£££££ plus de 50 £

ENFANTS BIENVENUS
Restaurants servant des portions réduites et disposant de chaises hautes. Certains proposent des menus enfants.
MENU À PRIX FIXE
Menu en général de trois plats proposé au déjeuner et/ou au dîner.
SPÉCIALITÉS VÉGÉTARIENNES
Choix de spécialités végétariennes à la carte pour les plats principaux et parfois les entrées.
CARTES BANCAIRES
Cartes acceptées : AE = American Express ; DC = Diners Club ; MC = Master Card/Access ; V = Visa.

BRIMFIELD : *The Roebuck Inn* £££   MC V
Brimfield, Here. 01584 711230. W www.theroebuckinn.com
Un décor moins simple qu'il n'y paraît (aux apparences de pub de village). Atmosphère conviviale et cuisine britannique très sophistiquée.

BURTON-UPON-TRENT : *Dovecliff Hall* 01283 531818. £££££   AE MC V
Dovecliff Rd, Stretton, Burton-upon-Trent, Staffs. W www.dovecliffhallhotel.co.uk
Country house de style georgien, entouré d'un parc, au bord de la Dove River. Cadre élégant. Cuisine britannique. ● sam. midi, dim. soir, lun. midi, jours fériés.

CAREY : *The Cottage of Content* ££   MC V
Carey, Here. 01432 840242.
Situé dans un petit village, ce bâtiment installé dans trois cottages et vieux de cinq cent ans offre de splendides points de vue. Le pub-restaurant sert des produits du pays, dont du gibier et de la venaison. ● dim. soir.

CHELTENHAM : *Le Champignon Sauvage* £££££   AE DC MC V
24 Suffolk Rd, Cheltenham, Glos. 01242 573449.
Deux étoiles au guide Michelin, ce restaurant sert une cuisine d'inspiration française, très raffinée. ● dim., lun., du 24 déc au 3 jan, 3 sem. en juin.

CHESTER : *Francs* £££   AE MC V
14 Cupping St, Chester, Ches. 01244 317952. W www.francs.co.uk
Brasserie très courue depuis toujours, où l'on déguste de savoureux plats du jour sur fond de rock français. La clientèle du dimanche se compose essentiellement de familles. Gratuit pour les enfants le dimanche.

COVENTRY : *Browns* £   DC MC V
Earl St, Coventry. 024 76221100. W www.brownsindependentbar.com
Situé près de la cathédrale Coventry, ce bar-restaurant sert une cuisine internationale très variée. Soirées au bar et concerts live les vendredi et samedi soirs. ● dim. soir, 25 déc.

COVENTRY : *Ryton Organic Gardens Restaurant* W www.hdra.org.uk ££   MC V
Henry Doubleday Research Assoc., Ryton Organic Gardens, près de l'A45. 024 76307142.
Situé dans 5 hectares de jardins de cultures biologiques, ce restaurant sert des plats végétariens. ● du 24 déc au 2 janv.

DORRINGTON : *The Swan at Frodesley* £££   MC V
Frodesley, Dorrington, près de Shrewsbury, Shrops. 01694 731208.
Cuisine britannique simple, dans un cadre agréable. Le bœuf Angus d'Aberdeen, acheté à la boucherie du quartier, est délicieux. ● du lun. au mer. midi.

KENILWORTH : *Restaurant Bosquet* ££££   AE MC V
97A Warwick Rd, Kenilworth, Warw. 01926 852463.
Cette maison victorienne sert une cuisine française de qualité, avec des sauces riches et des produits de saison frais. ● sam. midi, dim., lun.

LEAMINGTON SPA : *Flynns* ££   AE MC V
14 The Parade, Leamington Spa, Warw. 01926 421620.
Cette brasserie, à l'atmosphère détendue, sert principalement des plats italiens. Décor élégant.

LEAMINGTON SPA : *Piccolino's Pizzeria* ££   MC V
9 Spencer St, Leamington Spa, Warw. 01926 422988.
Ambiance familiale pour ce restaurant servant des plats italiens typiques faits maison : pizzas, pâtes, ainsi que d'autres plats à des prix très intéressants.

LOWER SLAUGHTER : *Lower Slaughter Manor* £££££   AE MC V
Près de l'A429, Lower Slaughter, Glos. 01451 820456. W www.lowerslaughter.co.uk
Magnifique manoir dans les Costwolds, abritant un restaurant renommé. Au menu, plats français et britanniques classiques, agrémentés des dernières nouveautés venues du monde entier. Nous recommandons vivement cette adresse.

LUDLOW : *Unicorn Inn* £££
66 Corve St, Ludlow, Shrops. (01584 873555. W www.theunicorninn.com
Situé dans les murs d'une ancienne auberge du XVIIe siècle, ce restaurant met
l'accent sur les produits locaux. Les puddings maison sont savoureux. On peut
également déguster de bons plats au bar.

	AE				
	MC	●			●	▦
	V				

LUDLOW : *Merchant House* ££££
62 Lower Corve St, Ludlow. (01584 875438. W www.merchanthouse.co.uk
Table réputée située dans un charmant bâtiment jacobéen
donnant sur la Corve River. Cuisine bio éclectique.
Pour les végétariens, il est recommandé de réserver à l'avance.
● *dim., lun., du mar. au jeu. soir.*

MC	●	▦
V		

PRESTBURY : *White House* £££
The Village, Prestbury, Ches. (01625 829376.
Cuisine cosmopolite haut de gamme dans un décor chic et élégant. Par les
chaudes soirées d'été, dînez sous la verrière. Jolies chambres.
● *dim. soir, lun. midi.*

AE	●	▦	●	▦
MC				
V				

ROSS-ON-WYE : *Meader's* ££
1 Copse Cross St, Ross-on-Wye, Here. (01989 562803.
Restaurant convivial, géré par des Hongrois, où l'on peut déguster des plats
hongrois authentiques, tels que le goulash et la *galuska* (boulettes de pâtes) à
des prix très raisonnables. ● *dim., lun.*

MC	●	▦	●
V			

SHREWSBURY : *Floating Thai Restaurant* (01743 243123. ££
Welsh Bridge, Frankwell, Shrewsbury.
Proche du centre-ville, ce restaurant thaï situé sur un bateau – comme son nom
l'indique – propose un large choix de fruits de mer. Réservation recommandée.
● *midi.*

AE		▦	●
MC			
V			

SHREWSBURY : *Cromwells Hotel* £££
11 Dogpole, Shrewsbury. (01743 361440.
Restaurant-bar à vins situé dans un petit hôtel du centre-ville, en face du Guildhall.
 partout.

AE		▦	●	▦
MC				
V				

STRATFORD-UPON-AVON : *The Oppo* ££
13 Sheep St, Stratford-upon-Avon, Warw. (01789 269980.
Petit restaurant, de style bistro, animé. Dîners servis avant les spectacle.
Les menus du jour sont écrits à la craie sur des ardoises. ◗ *(ven.-sam.).*

MC	●		●	▦
V				

STRATFORD-UPON-AVON : *Russons* £££
8 Church St, Stratford-upon-Avon, Warw. (01789 268822.
L'intérieur délicieusement rustique, typique du XVIe siècle, est en harmonie avec
l'atmosphère de la ville de Shakespeare. Menu varié, dont le poisson est la
spécialité. Dîners et déjeuners servis avant les spectacles. Divers plats à
petits prix. ● *dim., lun.*

AE			●
MC			
V			

TETBURY : *Gumstool Inn* £££
Calcot Manor, Tetbury, Glouc. (01666 890391. W www.calcotmanor.co.uk
Le bar donne sur la salle à manger dans ce pub-restaurant très apprécié.
Menu cosmopolite : saucisses du pays à la bière, mais aussi spécialités
marocaines.

AE	●		●	▦
DC				
MC				
V				

L'EST DES MIDLANDS

BAKEWELL : *Renaissance* £££
Bath St, Bakewell, Derbs. (01629 812687.
Dégustez une cuisine d'inspiration française dans cette maison traditionnelle
décorée de quelques plats riches (truffes
et foie gras), les prix sont plutôt raisonnables. ● *dim. soir, lun., du 1er au 15 janv.,
début août.*

AE	●	▦	●
MC			
V			

BASLOW : *Fischer's at Baslow* £££££
Baslow Hall, Calver Rd, Baslow, Derbs. (01246 583259. W www.fischers-baslowhall.co.uk
Ce restaurant étoilé au guide Michelin sert une cuisine de premier ordre. Une
visite de la Chatsworth House, située à proximité, et de ses jardins, s'impose
(p. 322-323).

AE		▦	●
DC			
MC			
V			

BECKINGHAM : *Black Swan* ££
Hillside, Beckingham, Lincs. (01636 626474.
Auberge du XVIIe siècle au cadre intimiste. Restaurant primé. Menu
gastronomique, excellente cuisine britannique moderne. Le service est très
accueillant et efficace. ● *lun., dim. soir.*

MC		▦	●
V			

Catégories de prix pour un repas avec entrée et dessert, une demi-bouteille de vin de la maison, couvert, taxe et service compris :
£ moins de 15 £
££ de 15 £ à 25 £
£££ de 25 £ à 35 £
££££ de 35 £ à 50 £
£££££ plus de 50 £

ENFANTS BIENVENUS
Restaurants servant des portions réduites et disposant de chaises hautes. Certains proposent des menus enfants.

MENU À PRIX FIXE
Menu en général de trois plats proposé au déjeuner et/ou au dîner.

SPÉCIALITÉS VÉGÉTARIENNES
Choix de spécialités végétariennes à la carte pour les plats principaux et parfois les entrées.

CARTES BANCAIRES
Cartes acceptées : AE = American Express ; DC = Diners Club ; MC = Master Card/Access ; V = Visa.

	CARTES BANCAIRES	ENFANTS BIENVENUS	MENUS À PRIX FIXE	SPÉCIALITÉS VÉGÉTARIENNES	REPAS À L'EXTÉRIEUR
BIRCH VALE : *Waltzing Weasel* ££££ New Mills Rd, Birch Vale, High Peak, Derbs. (01663 743402. Dégustez une excellente cuisine britannique avec une vue panoramique sur le Kinder Scout. Chambres agréables.	AE MC V	●	▦	●	▦
BOTTESFORD : *Paul's Contemporary Cuisine* £££ 1 Market St, Bottesford, Leics. (01949 842375. Ce bistro doit sa réputation en partie au gibier de saison, provenant de la région. La décoration, avec ses poutres en bois apparentes, est également très appréciée des clients. ● *dim. soir, lun.*	MC V	●	▦	●	
BURTON ON THE WOLDS : *Langs* £££ 147 Melton Rd, Burton on the Wolds, Leics. (01509 880980. W www.langsrestaurant.com Ce restaurant, installé dans une ancienne grange rénovée, propose une cuisine inventive. Plats traditionnels à base de poisson et de viande. ● *dim. soir.*	AE MC V	●	▦	●	▦
CASTLETON : *Castle Inn* £££ Castle St, Castleton, Derbs. (01433 620578. Pub-restaurant à l'ambiance décontractée au cœur du Peak District. Cuisine britannique traditionnelle aux influences méditerranéennes, servie dans une salle à manger aux poutres apparentes en chêne.	AE MC V	●		●	▦
COLSTON BASSETT : *Martins Arms Inn* £££ School Lane, Colston Bassett, Notts. (01949 81361. Situé dans une ancienne ferme, ce pub anglais abrite une confortable salle à manger et sert une cuisine britannique sophistiquée. ● *dim. soir, 25 déc.*	AE MC V			●	
EMPINGHAM : *White Horse* ££ Empingham, Rutland. (01780 460221. W www.the-white-horse.co.uk Ancien tribunal datant du XVIIe siècle, cette charmante bâtisse en pierre abrite aujourd'hui un bar et un petit restaurant. Croissants pour le petit déjeuner et thés l'après-midi.	AE DC MC V	●	▦	●	▦
GAUNTON NEWARK : *Gaunton Beck* £££ Main St, Gaunton Newark, Notts. (01636 636793. Cuisine britannique traditionnelle à base de produits locaux dans ce bâtiment des années 1750, aux poutres apparentes. L'été, profitez du patio.	AE DC MC V	●	▦	●	▦
HAMBLETON : *Hambleton Hall* £££££ Près de l'A606, près de Oakham, Rutland. (01572 756991. W www.hambletonhall.com Ce restaurant offre une vue splendide sur Rutland Water. Excellente cuisine. Prix élevés pour une expérience gastronomique mémorable. Très élégant.	AE MC V	●	▦	●	▦
KEYSTON : *The Pheasant Inn* £££ Près de l'A14, Keyston, Northants. (01832 710241. W www.huntsbridge.co.uk Optez pour le menu léger ou le menu plus complet dans cette auberge chaumière. La carte est variée et moderne ; glaces maison exquises. *limité.*	AE DC MC V	●		●	▦
LEICESTER : *Bobby's* ££ 154–156 Belgrave Rd, Leicester. (0116 2660106. W www.eatatbobbys.com Cuisine végétarienne du Gujarat et de l'Inde du Sud. Bon rapport qualité-prix. Les recettes aux épices fraîches font de ce restaurant un endroit unique. Vous pouvez apporter votre propre vin. ● *lun.*	MC V	●	▦	●	
LEICESTER : *The Case* ££££ 4–6 Hotel St, Leicester. (01162 517675. W www.thecase.co.uk Restaurant élégant, spacieux, servant une cuisine européenne moderne. ● *dim., du 24 au 27 déc., 1er et 2 janv.*	AE DC V	●		●	
LINCOLN : *Wig and Mitre* £££ 30–32 Steep Hill, Lincoln. (01522 535190. W www.wigandmitre.com Ce restaurant fonctionne sur le même mode que le Gaunton Beck à Newark. Cuisine française et britannique.	AE DC MC V	●	▦	●	

LINCOLN : *Jew's House* (£)(£)(£)
15 The Strait, Lincoln. 📞 *01522 524851.* W *www.thejewshouse.co.uk*
Vieux bâtiment très imposant proche de la cathédrale, servant une cuisine
européenne et internationale. Onctueux chocolats maison. ● *dim. et lun.* 🍴

		AE			
		DC			
		MC			
		V			

NEWARK : *Gannets Café* (£)
35 Castlegate, Newark, Notts. 📞 *01636 702066.*
À proximité du château, café avec un jardin. Décor simple et prix abordables.
Personnel très chaleureux et atmosphère bohème. ● *soir, 25 et 26 déc, 1er janv.* 🍴

NOTTINGHAM : *Saagar* (£)(£)
473 Mansfield Rd, Sherwood, Nottingham. 📞 *0115 9622014.*
Cuisine nord-indienne du Pendjab, Cachemire et Pakistan. Les menus changent
régulièrement et de nouvelles recettes pimentent le choix. ● *dim. midi.* 🍴

		AE			
		MC			
		V			

NOTTINGHAM : *Sonny's* (£)(£)(£)
3 Carlton St, Hockley, Nottingham. 📞 *0115 9473041.*
Dégustez des collations légères au bar et une cuisine européenne moderne avec
une touche orientale au restaurant. Ambiance décontractée et branchée. 🍴

		AE			
		MC			
		V			

PAULERSPURY : *Vine House* (£)(£)(£)(£)
100 High St, Paulerspury, Northnts. 📞 *01327 811267.* W *www.vinehousehotel.com*
Maison du XVIIe siècle. Cuisine inhabituelle, aux influences britanniques modernes.
Chambres simples et agréables. ● *sam. midi, dim., du lun. au mer. midi.* 🍴

		MC			
		V			

PLUMTREE : *Perkins Restaurant* (£)(£)(£)
Old Railway Station, Plumtree, Notts. 📞 *0115 9373695.* W *www.perkinsrestaurant.co.uk*
Dans ce bistro, dégustez une cuisine entre tradition française et modernité
britannique, préparée avec des produits locaux. ● *dim. soir, lun.* 🍴

		AE			
		DC			
		MC			
		V			

REDMILE : *Peacock* (£)(£)(£)(£)
Church Corner, Redmile, Leics. 📞 *01949 842554.*
Excellent pub où vous pourrez goûter une cuisine britannique et européenne,
traditionnelle et moderne. Le menu change régulièrement. 🍴

		MC			
		V			

RIDGEWAY : *Old Vicarage* (£)(£)(£)(£)
Ridgeway Moor, Ridgeway, Derbs. 📞 *0114 2475814.* W *www.theoldvicarage.co.uk*
Maison en pierre de style victorien, où l'on déguste une viande de grande qualité,
des légumes assaisonnés d'herbes fraîches au goût savoureux. Menus composés
de trois ou quatre plats, belle carte végétarienne. ● *dim. soir, lun.* 🍴

		MC			
		V			

ROADE : *Roade House* W *www.roadehousehotel.co.uk* (£)(£)(£)
16 High St, Roade, Northnts. 📞 *01604 863372.*
Ce restaurant tenu par une famille offre une cuisine britannique de saison.
Sauces raffinées. En hiver, sert du gibier. ● *sam. midi, dim.* 🍴

		AE			
		MC			
		V			

STOKE BRUERNE : *Bruerne's Lock* (£)(£)(£)(£)
5 The Canalside, Stoke Bruerne, Northnts. 📞 *01604 863654.* W *www.bruerneslock.co.uk*
Restaurant moderne au bord du Grand Union Canal, qui ne cesse de s'améliorer.
Le service impeccable constitue son point fort. ● *sam. midi, dim. soir, lun.* 🍴

		AE			
		MC			
		V			

STRETTON : *Ram Jam Inn* W *www.rutnet.co.uk/customers/ramjam* (£)(£)
Great North Rd, Stretton, Rutland. 📞 *01780 410776.*
Ce havre de paix, situé en bord de route, offre l'hospitalité depuis 1750. Repas
légers mais consistants et plats chauds toute la journée, 7 j/7. ● *25 déc.* 🍴

		AE			
		MC			
		V			

LE LANCASHIRE ET LES LACS

AMBLESIDE : *Sheila's Cottage* (£)(£)
The Slack, Ambleside, Cumbria. 📞 *015394 33079.*
Dégustez des plats cuits au four dans cette charmante grange d'antan reconvertie
en cottage. Pains et biscuits pour thé (tea bread) agrémentent des plats savoureux
tels que le jambon caramélisé de Cumbrian et le ramequin Westmorland.
Menus pour enfants servis uniquement à midi. ● *25 et 26 déc, 2 sem. en janv.* 🍴

		MC			
		V			

AMBLESIDE : *Zeffirelli's* (£)(£)
Compston Rd, Ambleside, Cumbria. 📞 *015394 33845.* W *www.zeffirellis.co.uk*
Complexe étonnant composé d'un café, d'un cinéma et d'une pizzeria branchée.
Au menu, pizzas, salades et pâtes. ● *25 et 26 déc.* 🍴

		MC			
		V			

AMBLESIDE : *Rothay Manor* (£)(£)(£)(£)
Rothay Bridge, Ambleside, Cumbria. 📞 *015394 33605.* W *www.rothaymanor.co.uk*
Cet élégant hôtel Régence sert principalement des plats anglais traditionnels.
Les déjeuners et les thés sont d'un bon rapport qualité-prix. 🍴

		AE			
		DC			
		MC			
		V			

Légende des symboles, voir rabat de couverture

Catégories de prix pour un repas avec entrée et dessert, une demi-bouteille de vin de la maison, couvert, taxe et service compris :
£ moins de 15 £
££ de 15 £ à 25 £
£££ de 25 £ à 35 £
££££ de 35 £ à 50 £
£££££ plus de 50 £

ENFANTS BIENVENUS
Restaurants servant des portions réduites et disposant de chaises hautes. Certains proposent des menus enfants.
MENU À PRIX FIXE
Menu en général de trois plats proposé au déjeuner et/ou au dîner.
SPÉCIALITÉS VÉGÉTARIENNES
Choix de spécialités végétariennes à la carte pour les plats principaux et parfois les entrées.
CARTES BANCAIRES
Cartes acceptées : AE = American Express ; DC = Diners Club ; MC = Master Card/Access ; V = Visa.

	CARTES BANCAIRES	ENFANTS BIENVENUS	MENUS À PRIX FIXE	SPÉCIALITÉS VÉGÉTARIENNES	REPAS À L'EXTÉRIEUR
APPLETHWAITE : *Underscar Manor* ££££	AE MC V		■		
BLACKPOOL : *September Brasserie* £££	AE DC MC V	●	■		
BOWNESS-ON-WINDERMERE : *Porthole Eating House* £££	AE DC MC V	●		●	■
BRAITHWAITE : *Ivy House* £££	AE DC MC V			●	
CARTMEL : *Uplands* £££	AE MC V		■	●	
CARTMEL : *L'Enclume* £££££	AE DC MC V	●	■		■
COCKERMOUTH : *Quince and Medlar* £££	MC V			●	
GRASMERE : *White Moss House* ££££	MC V	●	■	●	
KENDAL : *Bridge House* ££	MC V		■	●	
KENDAL : *Moon* £££	MC V	●		●	
LANGHO : *Northcote Manor* £££££	AE MC V	●	■	●	
LIVERPOOL : *Left Bank* £££	AE MC V	●	■	●	

APPLETHWAITE : *Underscar Manor* ££££
Près de l'A66, près de Keswick, Cumbria. 017687 75000.
Dans une somptueuse maison de style italien entourée de jardins, savourez une cuisine recherchée. Chambres magnifiquement décorées. ● *1er w.e. de janv.*

BLACKPOOL : *September Brasserie* £££
15–17 Queen St, Blackpool. 01253 623282. @ pat.wood@cyberscape.net
Parmi les restaurants ordinaires de Blackpool, cette brasserie se distingue par la qualité de son service et de sa cuisine. Fidèle à son style simple et plaisant, elle propose une cuisine offrant un bon rapport qualité-prix. ● *lun., dim.*

BOWNESS-ON-WINDERMERE : *Porthole Eating House* £££
3 Ash St, Bowness-on-Windermere, Cumbria. 015394 42793.
Les tables de ce restaurant italien sont toujours aussi prisées l'été. Style sans prétention et bon rapport qualité-prix. ● *midi, janv.*

BRAITHWAITE : *Ivy House* £££
Près de l'A66, près de Keswick, Cumbria. 017687 78338. www.ivy-house.co.uk
Situé en plein centre-ville, hôtel georgien dans un décor impressionnant. Les dîners ne manquent pas de panache. Logement confortable. ● *janv.*

CARTMEL : *Uplands* £££
Haggs Lane, Cartmel, Cumbria. 015395 36248. www.uplands.uk.com
Cet hôtel tranquille sert des dîners d'un excellent rapport qualité-prix, à base de produits locaux ; les vues sur Morecambe Bay sont splendides. Un endroit où l'on aime revenir, année après année. ● *lun, du mar. au jeu midi.*

CARTMEL : *L'Enclume* £££££
Cavendish St, Cartmel, Cumbria. 015395 36362. www.lenclume.co.uk
Ce restaurant, étoilé au guide Michelin, est tenu par le chef Simon Rogan. Il sert une cuisine continentale moderne. Petit déjeuner. ● *lun., 2 1res sem. de janv.*

COCKERMOUTH : *Quince and Medlar* £££
13 Castlegate, Cockermouth, Cumbria. 01900 823579.
Cuisine végétarienne audacieuse dans cette modeste maison près du château. Le menu, récompensé par des prix, mérite d'être goûté. ● *midi, dim., lun.*

GRASMERE : *White Moss House* ££££
Sur la A591 à Rydal Water, Cumbria. 01539 435295. www.whitemoss.com
Dîners élégants servis avec simplicité dans ce confortable *country house hotel*. Décor traditionnel et service attentif. ● *midi, dim.*

KENDAL : *Bridge House* 01539 738855. ££
1 Bridge St, Kendal, Cumbria. www.bridgehousekendal.co.uk
Installé dans un bâtiment georgien situé à proximité du centre-ville et donnant sur la rivière Kent, ce petit restaurant intime est spécialisé dans les combinaisons culinaires fraîches et de qualité, cuisinées avec simplicité. ● *dim. et lun.*

KENDAL : *Moon* 01539 729254. £££
129 Highgate, Kendal, Cumbria. @ moon@129highgate.freeserve.co.uk
Cuisine moderne contemporaine utilisant des produits locaux. Ambiance très agréable, cordiale et détendue. ● *25 et 26 déc.*

LANGHO : *Northcote Manor* £££££
Sur la A59, près de Blackburn, Blackb with Darwen. 01254 240555. www.northcotemanor.com
Nigel Howarth cuisine des plats régionaux avec talent et propose également diverses spécialités du Lancashire. Le soir, la carte offre plus de choix. Les vins et la cuisine sont de très grande qualité.

LIVERPOOL : *Left Bank* £££
1 Church Rd, Liverpool. 0151 734 5040. www.theleftbankrestaurant.co.uk
Restaurant français situé à proximité de Penny Lane, dans un décor intime tout en boiseries. Le week-end, réservation recommandée. ● *sam. soir.*

LIVERPOOL : *60 Hope St* €€€€ — MC V
60 Hope St, Liverpool. [0151 707 6060. FAX 0151 707 6016. W www.60hopestreet.com
Bâtiment georgien haut de trois étages, intérieur moderne. Service de qualité.
Excellente cuisine. ● *dim., lun., 25 et 26 déc, 1er janv., jours fériés.*

LONGRIDGE : *The Longridge Restaurant* €€€€ — AE DC MC V
104–106 Higher Rd, Longridge, Lancs. [01772 784969. W www.heathcotes.co.uk
Le style détendu de ce restaurant britannique est trompeur, tant la cuisine est
préparée avec rigueur, finesse et un savoir-faire innovateur. ● *lun. midi.* limité.

MANCHESTER : *Siam Orchid* €€ — AE MC V
54 Portland St, Manchester. [0161 236 1388.
Le meilleur restaurant thaï de Manchester. Grande variété de plats, dont un grand
choix de plats végétariens. Influences, entre autres, du sud-est de l'Asie. Faites
attention aux sauces très épicées : dégustez-les avec de la bière Singha.
● *sam. midi, dim. midi.*

MANCHESTER : *Restaurant Bar & Grill* €€€ — AE MC V
14 John Dalton St, Manchester. [0161 839 1999.
Ce restaurant moderne sert des plats européens modernes dans un décor
impressionnant. Murs en verre. À l'étage inférieur, immense bar. ● *25 et 26 déc.*

MANCHESTER : *Moss Nook* €€€€€ — AE MC V
B5166 près de l'aéroport, Manchester. [0161 437 4778. W www.mossnookrestaurant.co.uk
Moss Nook offre un superbe éventail de plats gastronomiques divers et variés.
Tentez le menu surprise, ou l'un des nombreux desserts. ● *sam. midi, dim., lun.*

MELMERBY : *Village Bakery* €€ — DC MC V
Sur la A686, près de Penrith, Cumbria. [01768 881811. W www.village-bakery.com
Ancienne grange du XVIIIe siècle abritant désormais un magasin et un restaurant.
Cuisine bio et végétarienne servie toute la journée. ● *soir.*

NEAR SAWREY : *Ees Wyke* €€€ — MC V
Sur la B52, près de Hawkshead, Cumbria. [015394 36393. W www.eeswyke.co.uk
Ce *country house hotel* offre de belles vues sur Esthwaite Water. L'accueil,
l'efficacité du service et le bon rapport qualité-prix vous charmeront. Vous
n'oublierez pas cet endroit de si tôt. ● *midi.*

POULTON-LE-FYLDE : *River House* €€€€ — MC V
Skippool Creek, Thornton-le-Fylde, Lancs. [01253 883497. W www.theriverhouse.org.uk
Ce restaurant, très ancien, est réputé pour son excellente cuisine. Chambres.
● *midi, dim. ; 25 et 26 déc.*

SADDLEWORTH : *The Old Bell Inn Hotel* €€€ — AE MC V
Huddersfield Rd, Delph, Oldham. [01457 870130.
Le restaurant sert un menu différent suivant les saisons. Au bar, dégustez des
plats légers et des en-cas.

ULLSWATER : *Sharrow Bay* €€€€€ — MC V
Près de Pooley Bridge, Ullswater, Cumbria. [017684 86301. W www.sharrowbay.co.uk
L'un des meilleurs *country house hotel* d'Angleterre. Les thés sont divins.

WATERMILLOCK : *Rampsbeck Country House Hotel* €€€€€ — MC V
Sur la A592, près de Pooley Bridge, Cumbria. [017684 86442.
Country house hotel occupant une grande partie de la berge en bord de lac.
Bonne cuisine britannique moderne. Service agréable. Réservation recommandée
à l'heure du déjeuner. ● *du 4 janv. à mi-fév.*

WHITEWELL : *Inn at Whitewell* €€€ — MC V
Whitewell, Forest of Bowland, Clitheroe, Lancs. [01200 448222.
Très animé et très chaleureux, le restaurant de cette ancienne auberge sert une
cuisine plus qu'honorable, composée essentiellement de spécialités anglaises.

WINDERMERE : *Miller Howe* €€€€€ — AE MC V
Rayrigg Rd, Windermere, Cumbria. [015394 42536. W www.millerhowe.com
Ce restaurant - également un magnifique hôtel - doit son succès à sa cuisine
raffinée, aux préparations de plats spectaculaires.

WITHERSLACK : *Old Vicarage* €€€ — AE MC V
Church Rd, Witherslack, Cumbria. [015395 52381.
W www.oldvicarage.com
Les dîners servis dans ce splendide *country house hotel*, préparés avec des
produits du terroir, sont succulents. Réservez à l'avance. Pour les plus prévoyants,
le dîner est à moitié prix jusqu'à 19h. ● *midi.*

Catégories de prix pour un repas avec entrée et dessert, une demi-bouteille de vin de la maison, couvert, taxe et service compris :
£ moins de 15 £
££ de 15 à 25 £
£££ de 25 à 35 £
££££ de 35 à 50 £
£££££ plus de 50 £

ENFANTS BIENVENUS
Restaurants servant des portions réduites et disposant de chaises hautes. Certains proposent des menus enfants.

MENU À PRIX FIXE
Menu en général de trois plats proposé au déjeuner et/ou au dîner.

SPÉCIALITÉS VÉGÉTARIENNES
Choix de spécialités végétariennes à la carte pour les plats principaux et parfois les entrées.

CARTES BANCAIRES
Cartes acceptées : AE = American Express ; DC = Diners Club ; MC = Master Card/Access ; V = Visa.

LE YORKSHIRE ET LA RÉGION DU HUMBER

	CARTES BANCAIRES	ENFANTS BIENVENUS	MENUS À PRIX FIXE	SPÉCIALITÉS VÉGÉTARIENNES	REPAS À L'EXTÉRIEUR
ASENBY : *Crab and Lobster* £££ Près de l'A168, près de Thirsk, N Yorks. ☎ 01845 577286. 🌐 www.crabandlobster.com Ambiance trépidante et excellents fruits de mer. Le menu, affiché sur une ardoise, dépend de la pêche du jour. Chambres disponibles. ♿ 🚭 🍷	AE MC V		●	●	■
BOLTON ABBEY : *Devonshire Arms Country House Hotel* £££££ Près de l'A59, près de Ilkley, N Yorks. ☎ 01756 710441. 🌐 www.thedevonshirearms.co.uk Luxueux *country house hotel*, composé d'une clientèle très hétéroclite, appréciant la cuisine raffinée de l'élégant restaurant. Excellents repas servis au bar et thés exquis. ● *du lun. au sam. midi.* ♿ 🚭 🍷	AE DC MC V	●	●	●	
BRADFORD : *Omar Khans* £ 30 Little Horton Lane, Bradford. ☎ 01274 390777. Dans le centre de Bradford. Restaurant indien spécialisé dans la cuisine de la région du Cachemire, installé dans un bâtiment classé au patrimoine historique, très bien conservé. Cuisine de qualité, prix raisonnables. ● *sam. et dim. midi.* 🚭 🍷	AE DC MC V		■	●	
BRADFORD : *Guide Post Hotel* £££ Common Rd, Low Moor, Bradford BD12 0ST. ☎ 01274 607866. 🌐 www.guideposthotel.net L'emplacement de ce restaurant n'est certes pas idéal – au milieu d'entrepôts – mais il mérite vraiment le détour pour sa cuisine britannique et continentale et son service de qualité. ● *sam. midi, dim. soir.* ♿ 🍷	AE DC MC V	●		●	
BREARTON : *The Malt Shovel* £ Brearton, N Yorks. ☎ 01423 862929. Menu varié, proposant une cuisine britannique, européenne et orientale, servie dans un pub du XVIe siècle. ● *lun., dim. soir, 25 et 26 déc.* ♿		●		●	■
ELLAND : *La Cachette* ££ 31 Huddersfield Road, Elland, Calderdale. ☎ 01422 378833. Cuisine britannique moderne servie dans un intérieur édouardien. Menu proposant un large choix de plats : *deep-fried brie* (brie frit), côtes de bœuf, gibier et pudding au caramel (*sticky toffee pudding*). ● *dim., lun. fériés, 2 der. sem. d'août.*	MC V		■	●	
HARROGATE : *Betty's* ££ 1 Parliament St, Harrogate, N Yorks. ☎ 01423 502746. 🌐 www.bettysandtaylors.co.uk Le Betty's sert des petits déjeuners, déjeuners et dîners et propose un choix impressionnant de gâteaux, thés et cafés, le tout dans un décor édouardien et une ambiance raffinée. ● *25, 26 déc, 1er janv.* ♿ 🚭	MC V	●		●	
HARROGATE : *Drum and monkey* ££ 5 Montpellier Gardens, Harrogate, N Yorks. ☎ 01423 502650. Pub situé en centre-ville qui a acquis une bonne réputation grâce à ses excellents fruits de mer. Au menu, essentiellement des plats de poisson. ● *dim.*	MC V	●			
HAWORTH : *Weaver's* ££ 15 West Lane, Haworth, W Yorks. ☎ 01535 643822. 🌐 www.weaversmallhotel.co.uk Le Weaver's sert une cuisine typique du Yorkshire, agrémentée d'une touche de modernité, pour le plus grand plaisir des amateurs de littérature venus en pèlerinage sur les traces de Heathcliff. ● *dim. soir, lun., du 26 déc au 1er janv.* 🚭	AE DC MC V	●	■	●	
HEADINGLEY : *Bryan's* £ 9 Weetwood Lane, Headingley, Leeds. ☎ 0113 2785679. *Fish and chips* traditionnel, typique du Yorkshire. Plats de *beef dripping* (graisse de bœuf) et poisson frais sont les secrets de cette cuisine parfaite. Desserts traditionnels appétissants. ♿ 🚭 🍴	MC V	●	■	●	
HETTON : *Angel Inn* ££££ Près de la B6265, près de Skipton, N Yorks. ☎ 01756 730263. 🌐 www.angelhetton.co.uk Ce restaurant convivial, aux poutres apparentes, est plus qu'un pub de village. Au bar et dans la brasserie, cuisine classique. Chambres. ● *25 déc.* ♿ 🚭 🍷	AE MC V	●	■	●	

ILKLEY : *Box Tree* £££££ | AE MC V
35–37 Church St, Ilkley, W Yorks. **(** 01943 608484. **w** www.theboxtree.co.uk
Cuisine haut de gamme dans cette maison du XVIIIe siècle, récemment dynamisée par un nouveau chef créatif. Les desserts et les fromages sont particulièrement recommandés. **●** dim. soir, lun. **& ⚡ ▮ ▶**

KNARESBOROUGH : *Carriages Wine Bar* ££££ | MC V
89 High St, Knaresborough, N Yorks. **(** 01423 867041. **w** www.carriageswinebar.co.uk
L'été, le chef et propriétaire australien de ce restaurant sert une cuisine venue des pays du Pacifique et l'hiver, une cuisine française et méditerranéenne. Un charmant jardin donne sur une gare tranquille et sur le viaduc surplombant Nidd Gorge. **●** 25 et 26 déc, 1er janv. **&** limité. **▮**

LEEDS : *Leodis* ££ | DC V
Victoria Mill, Sovereign St, Leeds. **(** 0113 2421010.
Ce moulin victorien reconverti en restaurant sur les berges de la rivière, situé dans le centre-ville, propose un large éventail de cuisine européenne moderne. **●** sam. midi, dim. **&**

LEEDS : *Haley's* £££ | AE MC V
Shire Oak Rd, Headingley, Leeds. **(** 0113 2784446. **w** www.haleys.co.uk
Hôtel victorien tranquille situé dans le quartier de l'université. Cuisine franco-anglaise très joliment présentée. Chambres claires, spacieuses et modernes. **●** midi. **&** limité. **⚡**

RIPLEY : *Boar's Head* £££ | AE DC MC V
Ripley Castle Estate, Ripley, N Yorks. **(** 01423 771888. **w** www.boarsheadripley.co.uk
Cette auberge offre un logement luxueux. Bonne cuisine et bistro. Belle carte des vins et grand choix de bières. **& ⚡ ▮**

SHEFFIELD : *Greenhead House* ££££ | AE MC V
84 Burncross Rd, Chapeltown, Sheffield. **(** 0114 2469004.
Dans une maison tout en pierre, dégustez des menus à quatre plats. Cuisine à tendance française. Les soupes faites maison sont la spécialité. **●** du dim. au mar., mer. midi, jeu. midi, sam. midi. **& ⚡ ▮**

WATH IN NIDDERDALE : *Sportsman's Arms* £££ | MC V
Wath in Nidderdale, Pateley Bridge, près de Harrogate, N Yorks. **(** 01423 711306.
Ce restaurant avec chambres a aussi un bar. Bonne cuisine très appréciée des clients. Produits locaux. **●** 25 déc. **& ⚡**

WHITBY : *Magpie Café* £ | MC V
14 Pier Rd, Whitby, N Yorks. **(** 01947 602058. **w** www.magpiecafe.co.uk
Cette maison à côté du port sert de très bons *fish and chips* dans une ambiance conviviale. Ne manquez pas de déguster les divers puddings, aux saveurs inhabituelles. **●** de janv. à début fév. **⚡**

WINTERINGHAM : *Winteringham Fields* £££££ | AE MC V
Winteringham, N Lincs. **(** 01724 733096. **w** www.winteringhamfields.com
Restaurant servant une cuisine britannique moderne succulente, dans un décor victorien grandiose. Chambres (p. 563). **●** dim., lun. **& ⚡ ▮**

YORK : *Little Betty's* ££ | MC V
46 Stonegate, York. **(** 01904 622865. **w** www.bettysbypost.com
Grande variété de spécialités du Yorkshire et de Suisse. Gâteaux faits maison et déjeuners légers sont servis dans cette bâtisse médiévale. **⚡**

YORK : *Melton's* £££ | MC V
7 Scarcroft Rd, York. **(** 01904 634341. **w** www.meltonsrestaurant.co.uk
Ce restaurant installé dans une maison victorienne offre un bon rapport qualité-prix. Service accueillant. Cuisine anglo-française. **●** dim., lun. midi. **&** limité. **⚡ ▮**

LA NORTHUMBRIA

BELFORD : *The Blue Bell Hotel* ££ | AE MC V
Market Place, Belford, Northld. **(** 01668 213543. **w** www.bluebellhotel.com
Ancienne auberge entourée de jardins clos. Au menu, produits bios du jardin, viande et poisson du pays. La carte change avec les saisons. **⚡**

CONSETT : *Pavilion* ££ | AE DC MC V
Iveston, Consett, Durham. **(** 01207 503388.
Copieuses portions dans ce restaurant cantonais très animé. Large choix de plats chinois. Atmosphère conviviale. Bon rapport qualité-prix.
● 25 et 26 déc, 1er janv. **& ⚡**

Légende des symboles, voir rabat de couverture

Catégories de prix pour un repas avec entrée et dessert, une demi-bouteille de vin de la maison, couvert, taxe et service compris :
£ moins de 15 £
££ de 15 à 25 £
£££ de 25 à 35 £
££££ de 35 à 50 £
£££££ plus de 50 £

ENFANTS BIENVENUS
Restaurants servant des portions réduites et disposant de chaises hautes. Certains proposent des menus enfants.

MENU À PRIX FIXE
Menu en général de trois plats proposé au déjeuner et/ou au dîner.

SPÉCIALITÉS VÉGÉTARIENNES
Choix de spécialités végétariennes à la carte pour les plats principaux et parfois les entrées.

CARTES BANCAIRES
Cartes acceptées : AE = American Express ; DC = Diners Club ; MC = Master Card/Access ; V = Visa.

	CARTES BANCAIRES	ENFANTS BIENVENUS	MENUS À PRIX FIXE	SPÉCIALITÉS VÉGÉTARIENNES	REPAS À L'EXTÉRIEUR
DARLINGTON : Cottage Thai £££ 94–96 Parkgate, Darlington, Durham. 01325 361717. Proche de la gare et des théâtres, ce restaurant à la décoration simple sert une cuisine thaï classique. Soupes *tom yum*, recettes aux currys rouges et verts.	AE MC V		●	●	
DURHAM : Bistro 21 £££ Aykley Heads House, Aykley Heads, Durham. 0191 3844354. Cuisine moderne éclectique dans une atmosphère détendue. Le menu est suffisamment varié pour satisfaire tous les goûts. ● *dim., 25 déc., jours fériés.*	AE DC MC V	●	▨	●	
DURHAM : Shaheens Indian Bistro @ shaheens_durham@yahoo.com ££ Old Post Office, 48 North Bailey, Durham. 0191 386 0960. Ce petit restaurant indien est situé dans le quartier historique de Durham. Sert une grande variété de plats traditionnels indiens. ● *midi.*	DC MC V	●		●	
EAST BOLDON : Forsters W www.forsters-restaurant.co.uk £££ 2 St Bedes, Station Rd, East Boldon, Tyne and Wear. 0191 5190929. Restaurant familial, dans la grande tradition britannique. Ambiance accueillante, sans manières, très étincelante. La cuisine n'est jamais décevante. ● *dim., lun., du mar. au sam. midi.*	AE DC MC V		▨	●	
GATESHEAD : Eslington Villa £££ Sur la A6127, Low Fell, Gateshead. 0191 4876017. Cuisine classique de qualité dans ce charmant hôtel, décoré avec raffinement. Les hôtes sont reçus avec simplicité et convivialité. ● *sam. midi, dim. soir.*	AE DC MC V	●	▨	●	
HAYDON BRIDGE : General Havelock Inn ££ Radcliffe Rd, Haydon Bdge, Northum. 01434 684376. W www.northumberlandrestaurants.co.uk Ce restaurant sert une bonne cuisine. Les prix du menu du soir, proposant quatre plats différents, et de midi sont raisonnables. ● *lun., dim. soir.*	DC MC V	●	▨	●	▨
HEXHAM : The Valley Connection 301 £££ 19 Market Pl, Hexham, Northum. 01434 601234. W www.thevalleyrestaurant.co.uk Dans un décor luxueux, dégustez une cuisine indienne de première qualité, des préparations originales et inhabituelles aux herbes et aux épices. Jolies vues sur l'abbaye Hexham, éclairée la nuit. ● *lun., 25 et 26 déc.*	MC V		▨	●	
NEWCASTLE-UPON-TYNE : Café 21 W www.cafetwentyone.co.uk £££ 19–21 Queen St, Princes Wharf, Quayside, Newcastle-upon-Tyne. 0191 2220755. Ce bistro est bien plus qu'un simple café. Ambiance chaleureuse et conviviale. Le menu change tous les jours. Service impeccable. ● *dim.*	AE DC MC V			●	
NEWCASTLE-UPON-TYNE : Treacle Moon ££££ 5–7 The Side, Newcastle-upon-Tyne. 0191 2325537. W www.treaclemoonrestaurant.com Cette brasserie sert une cuisine moderne internationale, savoureuse et colorée. Au menu, viande fraîche du pays, gibier et poissons exotiques dans une ambiance décontractée, sur fond de musique jazz. ● *midi, dim.* limité.	AE MC V		▨	●	
NEWCASTLE-UPON-TYNE : Fisherman's Lodge £££££ Jesmond Dene, Jesmond, N'castle-upon-Tyne. 0191 2813281. W www.fishermanslodge.co.uk Situé au milieu du parc Jesmond Dene, ce restaurant sert une cuisine de premier ordre. La spécialité est le poisson. ● *dim., 25 et 26 déc., jours fériés.*	AE MC V	●	▨	●	▨
ROMALDKIRK : Rose and Crown £££ Sur la B6277, près de Barnard Castle, Durham. 01833 650213. W www.rose-and-crown.co.uk Cette élégante auberge mélange une atmosphère de pub, où l'on peut déguster des repas d'un bon rapport qualité-prix et une ambiance de restaurant de qualité. Sa cuisine vaut le détour. Choix intéressant de bières. ● *du 24 au 26 déc.*	MC V	●	▨	●	
SEATON BURN : Horton Grange 01661 860686. ££££ Près de l'A1 vers Ponteland, Northum. W www.hortongrangehotel.sageweb.co.uk Ce charmant *country house hotel* sert des produits anglais locaux. Le décor et la cuisine sont raffinés, légers et élégants. ● *midi, dim.*	AE MC V		▨	●	

STOKESLEY : *Chapters* £££ — AE DC MC V
27 High St, Stokesley, N Yorks. 01642 711888. www.chaptershotel.co.uk
Ambiance à la fois décontractée et sérieuse. Plats essentiellement français, aux accents de cuisine du monde. ● dim., 25 déc, 1er janv.

LE NORD DU PAYS DE GALLES

ABERDYFI : *Penhelig Arms* £££ — MC V
Aberdyfi, Gwynedd. 01654 767215. www.penheligarms.com
Au menu de cet hôtel-restaurant en bord de mer, du poisson fraîchement pêché.
● 25 et 26 déc.

ABERSOCH : *Riverside Hotel* £££ — MC V
Sur la A499, près de Pwllheli, Gwynedd. 01758 712419. www.riversideabersoch.co.uk
Café le matin, repas légers à midi et thé l'après-midi sont servis dans le salon du bar et le jardin. Le soir, repas aux influences méditerranéennes. ● du 24 au 26 déc.

ABERSOCH : *Porth Tocyn* ££££ — MC V
Abersoch, Gwynedd. 01758 713303. www.porth-tocyn-hotel.co.uk
Peu restent indifférents au charme de cet hôtel sur le littoral. Quelques plats en dehors du menu. ● de nov au w.e. avant Pâques.

BEAUMARIS, ANGLESEY : *Ye Olde Bulls Head* ££££ — AE MC V
Castle St, Beaumaris, Anglesey. 01248 810329. www.bullsheadinn.co.uk
Cette charmante auberge a un restaurant et une brasserie, où l'on sert de délicieuses spécialités au poisson. Réservez à l'avance. brasserie seul.

CAPEL COCH : *Tre-Ysgawen Hall* £££ — AE MC V
Sur la B5111, près de Llangefni, Anglesey. 01248 750750. www.treysgawen-hall.co.uk
Dans un majestueux *country house hotel*, dégustez une cuisine française, préparée dans le respect de la tradition. Service courtois et attentionné.

COLWYN BAY : *Café Niçoise* £££ — AE MC V
124 Abergele Rd, Colwyn Bay, Conwy. 01492 531555.
Dans ce petit restaurant, musique française et décor parisien. Cuisine européenne moderne. ● lun., mar. midi, dim.

CONWY : *Old Rectory* www.oldrectorycountryhouse.co.uk ££££ — MC V
Llanrwst Rd, Llansanffraid Glan, Glan Conwy. 01492 580611.
Les menus du soir sont élaborés avec beaucoup de soin. Nombreuses peintures et antiquités. Chambres disponibles. ● dim. soir, de mi-déc à mi-janv.

DEGANWY : *Paysanne* ££ — MC V
Station Rd, Deganwy, Conwy. 01492 582079.
Ce bistro français très fréquenté sert des spécialités du jour et des dîners provinciaux à quatre plats. ● midi, dim., lun.

DOLGELLAU : *Dylanwad Da* £££
2 Ffôs-y-Felin, Dolgellau, Gwynedd. 01341 422870. www.dylanwad.da.co.uk
Cuisine de style bistro. Le menu change. Dans la journée, café et petits gâteaux.
● de nov. à avr. : du dim. au mer. ; en fév. et de mai à oct : dim. et lun. limité.

EYTON : *The Plassey Shippon Restaurant* ££ — DC MC V
Eyton, près de Wrexham. 01978 780905. www.theplassey.co.uk
Spécialités à déguster au bar dans ce restaurant installé au milieu de fermes du début du XXe siècle et d'ateliers d'artisans. Parmi les spécialités, goûtez l'agneau de la région (Welsh lamb) rôti lentement, un délice. ● dim. et lun. midi.

GLANWYDDEN : *Queen's Head* www.queensheadglanwydden.co.uk ££ — MC V
Près de la B5115, près de Llandudno Junction, Conwy. 01492 546570.
Country pub très populaire. Agneau gallois, moules et soupe du pays. Parmi la longue liste de desserts proposés, goûtez les puddings traditionnels. limité.

HARLECH : *Castle Cottage* £££ — MC V
Pen Llech, Harlech, Gwynedd. 01766 780479. www.castlecottageharlech.co.uk
L'un des plus anciens bâtiments de Harlech. Cuisine galloise et britannique, à base de produits locaux. Chambres disponibles. ● midi, janv.

LLANARMON DYFFRYN CERIOG : *West Arms Hotel* ££££ — MC V
Llanarmon Dyffryn Ceriog, près de Llangollen, Denbighs.
01691 600665. www.thewestarms.co.uk
Installé dans une superbe auberge du XVIe siècle, ce restaurant sert une excellente cuisine. Présentation parfaite et cadre idyllique. Les spécialités de la région au poisson sont très bonnes. Thés servis l'après-midi. limité.

Catégories de prix pour un repas avec entrée et dessert, une demi-bouteille de vin de la maison, couvert, taxe et service compris :
£ moins de 15 £
££ de 15 £ à 25 £
£££ de 25 £ à 35 £
££££ de 35 £ à 50 £
£££££ plus de 50 £

ENFANTS BIENVENUS
Restaurants servant des portions réduites et disposant de chaises hautes. Certains proposent des menus enfants.

MENU À PRIX FIXE
Menu en général de trois plats proposé au déjeuner et/ou au dîner.

SPÉCIALITÉS VÉGÉTARIENNES
Choix de spécialités végétariennes à la carte pour les plats principaux et parfois les entrées.

CARTES BANCAIRES
Cartes acceptées : AE = American Express ; DC = Diners Club ; MC = Master Card/Access ; V = Visa.

	CARTES BANCAIRES	ENFANTS BIENVENUS	MENUS À PRIX FIXE	SPÉCIALITÉS VÉGÉTARIENNES	REPAS À L'EXTÉRIEUR
LLANBERIS : *Y Bistro* £££ 43–45 High St, Llanberis, Gwynedd. 01286 871278. www.ybistro.co.uk Restaurant ancien. Grande variété de cuisine britannique moderne, servie en quantités généreuses. L'agneau du domaine est une spécialité. *midi, dim.*	MC V	●		●	
LLANDRILLO : *Tyddyn Llan* ££££ Sur la B4401, près de Corwen, Denbigh. 01490 440264. www.tyddynllan.co.uk *Country house hotel* georgien. Cuisine de grande qualité. Produits locaux, tels que le *Black beef* gallois et le poisson. *lun. midi.*	MC V	●	▦	●	
LLANDUDNO : *Richard's* £££ 7 Church Walks, Llandudno, Conwy. 01492 877924. Ce bistro installé dans une maison victorienne est très apprécié, à juste titre. Le menu propose un large choix de recettes. *midi, dim. et lun., 25 et 26 déc.*	AE DC MC V	●	▦	●	
LLANGOLLEN : *Gales* ££ 18 Bridge St, Llangollen, Denbighs. 01978 860089. www.galesofllangollen.co.uk Bar à vins, restaurant et pension de famille. Le menu cosmopolite change tous les jours. *dim., du 25 déc au 2 janv.* limité.	AE DC MC V			●	
NORTHOP : *Soughton Hall* ££££ Près de l'A5119, Northop, Flint. 01352 840811. www.soughtonhall.co.uk Dégustez une excellente cuisine dans un cadre royal : un ancien palais épiscopal du XVIIIᵉ siècle entouré d'un parc. Bar et hôtel-restaurant.	AE MC V	●		●	▦
PORTMEIRION : *Hotel Portmeirion* www.portmeirionvillage.com ££££ Près de l'A487, indiqué depuis Minffordd, Portmeirion. 01766 770000. Élégant restaurant dans un hôtel chic en bord de mer. Au menu, cuisine britannique moderne, préparée avec des produits du pays. La brasserie Castell Deudreath, située à proximité, est une succursale.	AE DC MC V	●		●	▦
PWLLHELI : *Plas Bodegroes* ££££ Nefyn Rd, Pwllheli, Gwynedd. 01758 612363. www.bodegroes.co.uk Élégant *country house hotel* georgien, où l'on déguste le meilleur de la cuisine britannique, préparée avec d'excellents produits du terroir. Le soir, menu à trois plats. Délicieux poisson. *du lun. au sam. midi, dim. soir, lun.*	MC V	●	▦		

LE SUD ET LE CENTRE DU PAYS DE GALLES

	CARTES BANCAIRES	ENFANTS BIENVENUS	MENUS À PRIX FIXE	SPÉCIALITÉS VÉGÉTARIENNES	REPAS À L'EXTÉRIEUR
ABERAERON : *Hive on the Quay* ££ Cadwgan Pl, Aberaeron, Cardiganshire. 01545 570445. www.hiveonthequay.co.uk La glace au miel est la spécialité de ce café d'été, qui sert également des en-cas à l'heure du thé et des déjeuners (dîners au plus chaud de l'été) dans un décor accueillant, entouré de pins et de nombreuses plantes vertes. *de mi-sept à mai.*	MC V	●		●	▦
BRECHFA : *Ty Mawr* £££ Brechfa, Carmarthen. 01267 202332. www.tymawrhotel.co.uk Petit hôtel champêtre luxueux. Bonne cuisine. Cuisine internationale.	MC V		▦	●	▦
BROAD HAVEN : *Druidstone Hotel* www.druidstone.co.uk £££ Druidston Haven, Broad Haven, Pembroke. 01437 781221. Hôtel familial. Cuisine locale, relevée d'épices du monde. Installé dans un vaste parc. Vue sur les sommets des falaises. *dim. soir (tél. pour les ouv. d'hiver).*	AE MC V	●		●	▦
CARDIFF : *La Brasserie/Champers/Le Monde* ££ 60–62 St Mary St, Cardiff. 029 20234134. www.le-monde.co.uk Brasserie française animée. Poisson et grillades. Bar à tapas et restaurant de fruits de mer. Ambiance chaleureuse et bonne carte des vins.	AE DC MC V				
CARDIFF : *Woods Brasserie* £££ Pilotage Building, Stuart St, Cardiff. 029 20492400. www.oldpost-office.com Décor minimaliste, mais confortable. Cuisine britannique moderne, avec un accent sur le poisson et les produits gallois. *dim. soir, 25, 26 et 31 déc, 1ᵉʳ janv.*	AE DC MC V	●		●	▦

CLYTHA : *Clytha Arms* £££ · AE DC MC V
Près de Abergavenny, Monmouth. 01873 840206. www.clytha-arms.com
Country pub. Cuisine au confluent entre la France et le pays de Galles, servant du gâteau d'algues aux huîtres aux poireaux. *dim. soir, lun.*

COWBRIDGE : *Off the Beeton Track* ££ · DC MC V
1 Town Hall Sq, Cowbridge, V of Glam. 01446 773599.
Gâteaux faits maison, déjeuners simples et thé l'après-midi. *dim. et lun.*

CRICKHOWELL : *Nantyffin Cider Mill Inn* £££ · AE MC V
Brecon Rd, Crickhowell, Powys. 01873 810775. www.cidermill.co.uk
Auberge en pierre du XVIe siècle. Sert une cuisine britannique moderne, des plats européens, du gibier et des fruits de mer de la région. *lun. ou mar. (tél.).*

CRICKHOWELL : *The Bear* £££ · AE MC V
High St, Crickhowell, Powys. 01873 810408. www.bearhotel.co.uk
Cuisine britannique traditionnelle. Spécialités locales, comme le poisson et le gibier. Chambres disponibles. *25 déc.* *limité.*

FISHGUARD : *Three Main Street* ££££
3 Main St, Fishguard, Pembroke. 01348 874275.
Dans un bâtiment sur le port, cuisine britannique moderne proposant des plats comme le soufflé au crabe ou le filet de pintade. *dim. et lun., fév., 2 sem. fin nov.*

GWAUN VALLEY, PRÈS DE FISHGUARD : *Tregynon Country Farmhouse* ££££ · MC V
Près de la B4313, Gwaun Valley, Newport. 01239 820531. www.online-holidays.net/tregynon
Cuisine délicieuse et préparée avec soin (bacon fumé maison et cuisine diététique). Uniquement sur réservation. *du dim. au jeu.*

LAMPHEY : *Dial Inn* £££ · MC V
The Ridgeway, Lamphey, Pembroke. 01646 672426.
L'agneau Lamphey (*Lamphey lamb*), le bœuf maison, et la tourte à la Guinness feront des heureux. Sert également du poisson et des plats végétariens. *25 déc.*

LLANDEWI SKIRRID : *Walnut Tree Inn* £££ · MC V
Sur la B4521, près de Abergavenny, Monmouth. 01873 852797. www.thewalnuttree.com
Petit restaurant à l'ambiance décontractée, proposant une cuisine italienne préparée avec beaucoup de simplicité et de délicatesse. *dim. soir et lun. (sauf jours fériés).*

LLYSWEN : *Griffin Inn* ££ · AE DC MC V
Sur la A470, Llyswen, Powys. 01874 754241. www.griffin-inn.co.uk
Auberge du XVe siècle dans la Wye Valley, où la chasse et la pêche sont les principales activités. Cuisine en accord avec cette spécificité. Chambres.

MUMBLES : *Claude's* ££ · AE MC V
93 Newton Rd, Mumbles. 01792 366006. FAX 01792 368931. www.claudes.org.uk
Cuisine européenne moderne, préparée avec des produits locaux frais.
lun. et dim. soir, du 26 déc au 1er janv.

NANTGAREDIG : *Cothi Bridge Hotel & Restaurant* £££ · MC V
Pontagothi, Nantgaredig, sur l'A40, Carmarthen. 01267 290251.
Restaurant au bord de la rivière. Plats à la carte, excellentes spécialités au gril, très renommées dans toute la région. *Nöel, Pâques.*

NEWPORT : *Cnapan* £££ · MC V
East St, Newport, Pembroke. 01239 820575. www.online-holidays.net/cnapan
Restaurant georgien avec chambres. Spécialités galloises dans les menus de midi et du soir. *mar., de janv. à fév.*

ST DAVID'S : *Morgan's Brasserie* £££ · AE MC V
20 Nun St, St David's, Pembroke. 01437 720508. www.morgan-in-stdavids.co.uk
Cette brasserie sert une cuisine délicate. Au menu, spécialités locales telles que le gibier, l'agneau gallois et le *Black beef*. *janv.*

SWANSEA : *La Braseria* £££ · AE DC MC V
28 Wind St, Swansea. 01792 469683. www.labraseria.com
Restaurant espagnol apprécié à midi pour ses menus fixes d'un bon rapport qualité-prix. Garnitures de frites, salades et *garlic bread* (pain à l'ail). *dim.*

TENBY : *The Plantagenet* £££ · AE MC V
Plantagenet Hse, Quay Hill, Tenby. 01834 842350.
Ce restaurant médiéval sert des petits déjeuners et des en-cas. Spécialisé dans les fruits de mer. Viande bio. Les enfants sont les bienvenus.
midi du lun. au ven., soir sam. et dim. ; de janv à mi-fév. *limité.*

Légende des symboles, voir rabat de couverture

	CARTES BANCAIRES	ENFANTS BIENVENUS	MENUS À PRIX FIXE	SPÉCIALITÉS VÉGÉTARIENNES	REPAS À L'EXTÉRIEUR

Catégories de prix pour un repas avec entrée et dessert, une demi-bouteille de vin de la maison, couvert, taxe et service compris :
- £ moins de 15 £
- ££ de 15 £ à 25 £
- £££ de 25 £ à 35 £
- ££££ de 35 £ à 50 £
- £££££ plus de 50 £

ENFANTS BIENVENUS
Restaurants servant des portions réduites et disposant de chaises hautes. Certains proposent des menus enfants.

MENU À PRIX FIXE
Menu en général de trois plats proposé au déjeuner et/ou au dîner.

SPÉCIALITÉS VÉGÉTARIENNES
Choix de spécialités végétariennes à la carte pour les plats principaux et parfois les entrées.

CARTES BANCAIRES
Cartes acceptées : AE = American Express ; DC = Diners Club ; MC = Master Card/Access ; V = Visa.

WELSH HOOK : *Stone Hall* £££ — AE DC MC V
Off A40, près de Wolf's Castle, Pembroke. 01348 840212. www.stonehall-mansion.co.uk
Cuisine française, relevée de touches inhabituelles, dans cet hôtel-restaurant au milieu des bois. ● midi, 25 et 26 déc.
Enfants bienvenus ●, Menus à prix fixe ●

WHITEBROOK : *Crown at Whitebrook* ££££ — AE DC MC V
Whitebrook, Monmouth. 01600 860254. www.crownatwhitebrook.co.uk
Cet ancien avant-poste du XVIIe siècle dans la Wye Valley est aujourd'hui reconverti en hôtel-restaurant. Sert une cuisine française et britannique moderne. ● dim. soir, lun. midi, Noël et Nouvel An.
Menus à prix fixe ●, Spécialités végétariennes ●

LES LOWLANDS

ANSTRUTHER : *Cellar* ££££ — AE MC V
24 East Green, Anstruther, Fife. 01333 310378.
L'une des plus anciennes bâtisses du port. Très bons produits locaux ; excellent restaurant de fruits de mer. ● dim. et lun. de nov à mar. du 24 au 28 déc.
Menus à prix fixe ●

AYR : *Fouters Bistro* £££ — AE MC V
2A Academy St, Ayr, S Ayrshire. 01292 261391. www.fouters.co.uk
Bistro animé dans un restaurant décoré de voûtes. Produits écossais et plats régionaux français. Carte végétarienne. ● dim., lun.
Enfants bienvenus ●, Menus à prix fixe ●

CUPAR : *Ostlers Close* ££££ — AE MC V
Bonnygate, Cupar, Fife. 01334 655574. www.ostlersclose.co.uk
Tout petit restaurant servant surtout du poisson. Viande et gibier cuisinés à la française. ● dim., lun., du mar. au ven. midi. limité.
Enfants bienvenus ●, Spécialités végétariennes ●

DIRLETON : *Open Arms Hotel* £££ — MC V
Dirleton, E Lothian. 01620 850241. www.openarmshotel.com
Situé dans le pré communal, avec vue sur le Dirlton Castle du XIIIe siècle, cet hôtel-restaurant jouit d'une bonne réputation.
Enfants bienvenus ●, Menus à prix fixe ●, Spécialités végétariennes ●, Repas à l'extérieur ●

EDINBURGH : *Susie's Diner* £
53 West Nicolson St, Edinburgh. 0131 667 8729.
Petit restaurant végétarien situé dans le centre-ville, près de l'université d'Edinburgh. Bonne cuisine, saveurs irréprochables. limité.
Enfants bienvenus ●, Spécialités végétariennes ●, Repas à l'extérieur ●

EDINBURGH : *Daniel's* ££ — AE MC V
88 Commercial St, Leith, Edinburgh. 0131 553 5933. www.daniels-bistro.co.uk
L'un des meilleurs parmi les nouveaux restaurants sous verrière en face du Scottish Office. Sert une cuisine alsacienne copieuse.
Enfants bienvenus ●, Menus à prix fixe ●

EDINBURGH : *Henderson's* ££ — AE MC V
94 Hanover St, Edinburgh. 0131 2252131. www.hendersonsofedinburgh.co.uk
Cuisine végétarienne très variée. Salades bien garnies et plats chauds accompagnés de gâteaux originaux et de fromages.
Enfants bienvenus ●, Menus à prix fixe ●

EDINBURGH : *Atrium et Blue Bar Café* £££ — AE MC V
10 Cambridge St, Edinburgh. 0131 228 8882. www.atriumrestaurant.co.uk
Près du Traverse Theatre, plats simples et légers dans un décor ultra-chic. Cuisine britannique, aux influences méditerranéennes. ● sam. midi (sauf café), dim.
Enfants bienvenus ●, Menus à prix fixe ●

EDINBURGH : *Indigo Yard* £££ — AE MC V
7 Charlotte La, Edinburgh. 0131 220 5603.
Ce café-bistro sans prétention, avec des tables à l'extérieur, fait office de restaurant et de bar. Très fréquenté le soir. Excellente ambiance.
Enfants bienvenus ●, Spécialités végétariennes ●, Repas à l'extérieur ●

EDINBURGH : *Valvona et Crolla* £££
19 Elm Row, Edinburgh. 0131 556 6066.
Superbe café situé derrière la boutique du célèbre traiteur. Cuisine méditerranéenne, à base de produits locaux ou italiens. ● à partir de 18 h t.l.j. (17 h l'hiver) sauf durant le Festival. durant le Festival.
Enfants bienvenus ●, Spécialités végétariennes ●

EDINBURGH : *Vintners Rooms* £££ | AE MC V
87 Giles St, Leith, Edinburgh. **(** 0131 5546767. **W** www.thevintnersrooms.demon.co.uk
Ce restaurant original et sans prétention, éclairé à la bougie, est installé dans une boutique de vin. Cuisine et service discrets et impeccables. Pour les repas légers, allez au bar à vins. ● *dim. et lun. midi, der. sem. de déc, 1ʳ sem. de janv.*

EDINBURGH : *Waterfront Wine Bar* £££ | AE MC V
1C Dock Place, Leith, Edinburgh. **(** 0131 5547427. **W** www.skippers.co.uk
Le meilleur bar-restaurant de Leith, au bord de l'eau, avec un bar douillet, une excellente carte des vins et un restaurant sous verrière servant une cuisine très tendance. ● *25 et 26 déc.*

EDINBURGH : *Martin's* **@** martinirons@fsbdial.co.uk ££££ | AE DC MC V
70 Rose St, North Lane (entre Frederick St et Castle St), Edinburgh. **(** 0131 2253106.
Ce restaurant central offre un large choix de plats écossais actuels et inventifs.
● *sam. midi, dim., lun., Noël et Nouvel An, fin mai, début oct.*

GLASGOW : *Brian Maule at Chardon d'Or* ££££ | AE MC V
170 West Regent St, Glasgow. **(** 0141 248 3801. **@** info@lechardondor.com
Installé dans un bâtiment en pierre, proche du centre-ville, ce restaurant sert une cuisine aux saveurs française, méditerranéenne et écossaise. ● *dim.*

GLASGOW : *The Buttery* ££££ | AE MC V
652 Argyle St, Glasgow. **(** 0141 2218188.
Dans un immeuble typique du début du siècle, pub à l'atmosphère élégante et attrayante. ● *sam. midi, dim et lun., 25 déc, 1ᵉʳ janv.*

GLASGOW : *Camerons, Glasgow Hilton* ££££ | AE DC MC V
1 William St, Glasgow. **(** 0141 2045511. **W** www.hilton.co.uk
Hôtel-restaurant typiquement écossais. La cuisine et le service sont irréprochables.
● *sam. midi, dim. soir, lun.*

GLASGOW : *Ubiquitous Chip* ££££ | AE DC MC V
12 Ashton Lane, Glasgow. **(** 0141 3345007. **W** www.ubiquitouschip.co.uk
La légèreté du lieu, suggérée par le nom du restaurant, se ressent davantage au bistro au premier étage. Recettes écossaises variées, soigneusement étudiées.

KIPPFORD : *The Anchor Hotel* ££ | AE MC V
Kippford, Dalbeattie, Kirkcudbrightshire. **(** 01556 620205
Au bord de l'eau, avec vue sur les bateaux, ce pub et hôtel accueillant propose une cuisine honorable. ● *25 déc.* limité.

LARGS : *Nardini's* ££ | AE DC MC V
The Esplanade, Largs, N Ayrshire. **(** 01475 674555. **W** www.nardini.co.uk
Ce café lounge en bord de mer, à la splendide décoration Art déco, sert des petits déjeuners, gâteaux, plats italiens et britanniques toute la journée.

LINLITHGOW : *Champany Inn* ££££ | AE DC MC V
Champany, près de Linlithgow, W Lothian. **(** 01506 834532. **W** www.champany.com
Excellente carte des vins. Bonne cuisine, notamment le bœuf Angus ou des plats plus élaborés. La *Chop and Ale House*, avoisinante, sert des bières et des repas légers. ● *sam. midi, dim.*

MOFFAT : *Well View* £££ | AE MC V
Ballplay Rd, Moffat, Dumfries et Galloway. **(** 01683 220184. **W** www.wellview.co.uk
Ambiance détendue dans cet hotel géré par une famille, qui sert une cuisine rmoderne. Recettes françaises et écossaises. Le soir, les enfants en bas âge (moins de cinq ans) ne sont pas admis. ● *sam. midi*

PORTPATRICK : *Knockinaam Lodge* **(** 01776 810471. £££££ | AE DC MC V
Près de l'A77, près de Portpatrick, Dumfries et Galloway **W** www.knockinaamlodge.co.uk
Dans un cadre idyllique dominant la mer, cuisine britannique moderne, avec des touches de cuisine internationale. limité.

ST ANDREWS : *Brambles* ££ | MC V
5 College St, St Andrews, Fife. **(** 01334 475380.
Café en self-service spécialisé dans la nourriture bio et les recettes végétariennes, mais il sert également de la viande et du poisson. Gâteaux cuits sur place.

ST ANDREWS : *The Peat Inn* ££££ | AE MC V
Sur la B940, près de St Andrews, Fife. **(** 01334 840206. **W** www.thepeatinn.co.uk
Excellente cuisine moderne, produits régionaux et légumes de saison font de cet hôtel-restaurant l'un des meilleurs d'Angleterre. Les déjeuners représentent un excellent rapport qualité-prix. ● *dim., lun.*

Légende des symboles, voir rabat de couverture

	CARTES BANCAIRES	ENFANTS BIENVENUS	MENUS À PRIX FIXE	SPÉCIALITÉS VÉGÉTARIENNES	REPAS À L'EXTÉRIEUR

Catégories de prix pour un repas avec entrée et dessert, une demi-bouteille de vin de la maison, couvert, taxe et service compris :
£ moins de 15 £
££ de 15 £ à 25 £
£££ de 25 £ à 35 £
££££ de 35 £ à 50 £
£££££ plus de 50 £

ENFANTS BIENVENUS
Restaurants servant des portions réduites et disposant de chaises hautes. Certains proposent des menus enfants.

MENU À PRIX FIXE
Menu en général de trois plats proposé au déjeuner et/ou au dîner.

SPÉCIALITÉS VÉGÉTARIENNES
Choix de spécialités végétariennes à la carte pour les plats principaux et parfois les entrées.

CARTES BANCAIRES
Cartes acceptées : AE = American Express ; DC = Diners Club ; MC = Master Card/Access ; V = Visa.

SWINTON : *Wheatsheaf*   £££   MC V
Main St, Swinton, Borders. ☎ 01890 860257. W www.wheatsheaf-swinton.co.uk
Dans cette auberge, cuisine inventive servie dans une salle à manger traditionnelle ou dans la salle sous verrière. Possibilité d'hébergement.
● du 24 au 26, 31 déc. et 1ᵉʳ janv. ❧ ✿

TROON : *Highgrove House*   £££   AE MC V
Old Loans Rd, Troon, S Ayrshire. ☎ 01292 312511. W www.costley-hotels.co.uk
Ancienne capitainerie isolée, avec vue sur le Firth of Clyde. Sert une cuisine honorable et propose un grand choix de plats. Chambres disponibles.

LES HIGHLANDS ET LES ÎLES

ABERDEEN : *The Silver Darling*   ££££   AE DC MC V
Pocra Quay, Footdee, North Pier, Aberdeen. ☎ 01224 576229.
Au nord du port d'Aberdeen, ce restaurant sert d'excellents plats de poisson dépendant de la pêche du jour. ● sam. midi, dim., du 24 déc. à mi-janv. ❧

ALEXANDRIA : *Georgian Room, Cameron House*   £££££   AE DC MC V
Près de l'A82, Loch Lomond, Alexandria, W Dunbar. ☎ 01389 755565.
Somptueux hôtel, où l'on peut pratiquer des loisirs de luxe, telles que la pêche ou le golf et déguster une bonne cuisine dans l'un des trois restaurants.
● lun. ❧ ✿ W www.cameronhouse.co.uk

AUCHMITHIE : *But 'n' Ben*   ££   MC V
Près de l'A92, près d'Arbroath, Angus. ☎ 01241 877223.
Dans un village de pêcheurs, deux cottages jumeaux reconvertis. Produits de la mer fraîchement pêchés pour les menus du midi et du soir. *High tea* (goûter dînatoire). ● dim. soir, mar. ❧ ✿

BALLATER : *Darroch Learg*   ££££   AE DC MC V
Braemar Rd, Ballater, Aberdeenshire. ☎ 013397 55443. W www.darrochlearg.co.uk
Restaurant de qualité dans un pavillon de chasse victorien. Recettes britanniques modernes, préparées avec une grande variété de produits.
● du 23 au 27 déc, 3 der. sem. de janv. ❧ ✿ ❧

BALLATER : *Green Inn*   ££££   AE MC V
9 Victoria Rd, Ballater, Aberdeenshire. ☎ 013397 55701. W www.green-inn.com
Hôtel-restaurant rénové, où l'on peut déguster des recettes écossaises traditionnelles. Le service est accueillant et sans prétention.
● midi, du 25 au 27 déc. ❧ ✿

CAIRNDOW : *Loch Fyne Oyster Bar* W www.loch-fyne.com   ££   MC V
Clachan Farm, Ardkinglas, Cairndow, Argyll et Bute. ☎ 01499 600236.
Restaurant accueillant, avec une vue splendide donnant sur les parcs à huîtres du loch. Plateaux de fruits de mer. ❧ ✿

COLBOST BY DUNVEGAN : *The Three Chimneys*   £££££   AE MC V
Colbost, près de Dunvegan, Isle of Skye. ☎ 01470 511258. W www.threechimneys.co.uk
Situé à quelques kilomètres de Dunvegan, sur la rive ouest du loch Dunvegan, dans une ancienne exploitation agricole, ce restaurant primé propose des produits locaux (fruits de mer et gibier), accommodés avec passion. Atmosphère détendue et paisible. Possibilité d'hébergement. ● janv. ❧ ✿ partout. ❧

DRYMEN : *The Pottery*   ££   AE DC MC V
The Square, Drymen, Stirlingshire. ☎ 01360 660458.
Ce café-restaurant accueillant sert de bons plats maison toute la journée et de délicieux thés l'après-midi. Belle terrasse. ● 1ᵉʳ janv, 25 déc. ❧ ✿ partout.

DUNKELD : *Kinnaird* W www.kinnairdestate.com   £££££   AE MC V
Kinnaird Estate, près de la B898, près de Dunkeld, Perthshire. ☎ 01796 482440.
Cuisine élaborée, d'une grande originalité dans ce luxueux hôtel. Le déjeuner est plus abordable. ● de janv. à fév. : lun., mar., mer. ❧ ✿ ❧

FORT WILLIAM : *Crannog Seafood Restaurant*   £££   MC V
Town Pier, Fort William, Highland. 📞 *01397 705589.* 🌐 *www.crannog.net*
Dégustez des fruits de mer délicieusement frais, avec une vue panoramique sur
le loch. Les portions sont copieuses, l'atmosphère chaleureuse et accueillante,
et le service efficace. 🔧 🍴 ▶

INVERNESS : *Culloden House*   £££££   AE MC V
Près de l'A96, à Culloden, Highland. 📞 *01463 790461.* 🌐 *www.cullodenhouse.co.uk*
Cuisine écossaise dans le style *country house* : sauces, gelées, sorbets, mousses,
viande, gibier et poissons. 🍴

KILBERRY : *Kilberry Inn*   ££   MC V
Kilberry par Tarbert, Argyll et Bute. 📞 *01880 770223.* 🌐 *www.kilberryinn.com*
Dans un village tranquille sur le littoral, cette petite maison d'agriculteurs de
couleur blanche (l'ancien bureau de poste) est aujourd'hui reconvertie en pub.
Sert une excellente cuisine britannique traditionnelle faite maison. Le menu est
constamment renouvelé. Chambres. ● *dim. soir, lun. (sauf jours fériés).* 🍴 *partout.*

KILLIECRANKIE : *Killiecrankie House Hotel*   £££   MC V
Près de l'A9, près de Pitlochry, Perthshire. 📞 *01796 473220.* 🌐 *www.killiecrankiehotel.co.uk*
Hôtel attrayant. Possibilité de déguster des plats au bar ou de dîner. Week-ends
gourmets. ● *certains jours de nov. à mars (tél. au préalable).* 🔧 *limité.* 🍴

KINCLAVEN : *Ballathie House*   ££££   AE DC MC V
Près de la B9099, près de Stanley, Perthshire. 📞 *01250 883268.* 🌐 *www.ballathiehousehotel.com*
Hôtel accueillant et chaleureux, situé dans une grande propriété, donnant sur la
Tay. Le restaurant sert une cuisine de première qualité (venaison et saumon). 🔧 🍴

KINCRAIG : *The Boathouse Restaurant*   ££   MC V
Loch Insh, Kincraig, Invernesshire, Highland. 📞 *01540 651272.* 🌐 *www.lochinsh.com*
Installé dans une cabane en rondins, ce restaurant, donnant sur le loch, sert
des plats toute la journée – poissons frais, *haggis* ou viande de bœuf. 🔧 🍴

KYLESKU : *Kylesku Hotel*   £££   MC V
Sur la A894, par Lairg, Highland. 📞 *01971 502231.* @ kyleskuhotel@lycos.co.uk
Les lochs et les montagnes offrent un cadre splendide à cet hôtel. Menu varié,
le poisson frais est toujours une valeur sûre. Repas au bar et restaurant. 🍴

OBAN : *Knipoch Hotel*   ££££   AE DC MC V
Sur la A816, près d'Oban, Argyll et Bute. 📞 *01852 316251.* 🌐 *www.knipochhotel.co.uk*
Dîners allant de trois à quatre plats. La carte offre une immense variété de
légumes et de flamboyants puddings. 🍴 🍷

PERTH : *Let's Eat*   £££   AE MC V
77 Kinnoull St, Perth. 📞 *01738 643377.* 🌐 *www.letseatperth.co.uk*
Spécialités locales – poisson, gibier, bœuf et agneau – sont au menu de ce
restaurant servant une cuisine moderne. ● *dim., lun., 25 et 26 déc, 1er et 2 janv.,
2 sem. mi-janv., 2 sem. mi-juil.* 🔧

PLOCKTON : *Off the Rails* 🌐 *www.off-the-rails.co.uk*   ££   MC V
Old Station, Plockton, Wester Ross, Highland. 📞 *01599 544423.*
Recettes écossaises traditionnelles, concoctées avec une touche internationale.
Poisson de la région et viande de bœuf succulente. ● *certains jour en hiver
(tél. au préalable).* 🔧 🍴 🍷 ▶

PORT APPIN : *The Airds Hotel*   £££££   MC V
Port Appin, Appin, Argyll et Bute. 📞 *01631 730236.* 🌐 *www.airds-hotel.com*
Hôtel-restaurant situé au bord de l'eau. Ravissante décoration des plats d'une
saveur exquise. 🍴 🍷

ST MARGARET'S HOPE : *The Creel Restaurant*   ££££   MC V
Front Rd, St Margaret's Hope, S. Ronaldsay, Orkney. 📞 *01856 831311.* 🌐 *www.thecreel.co.uk*
Havre gastronomique confortable. Les fruits de mer prédominent, mais vous pourrez
aussi vous laisser tenter par l'agneau aux algues. ● *de janv. à fév., 2 sem. mi-oct.* 🔧

STRUY : *The Glass Restaurant* 🌐 *www.glassrestaurant.supanet.com*   ££   DC MC V
Struy, par Beauly, près d'Inverness. 📞 *01463 761219.*
Menu varié, allant de la cuisine classique à des plats modernes, comme la
venaison Collops. Menus adaptés aux régimes alimentaires spéciaux.

ULLAPOOL : *Ceilidh Place*   £££   AE MC V
14 West Argyle St, Ullapool, Highland. 📞 *01854 612103.* 🌐 *www.theceilidhplace.co.uk*
Ambiance animée dans ce curieux bâtiment qui abrite un restaurant, des bars,
une librairie et des chambres. Menus inventifs à prix divers. 🔧 🍴 *partout.* 🍷

Légende des symboles, voir rabat de couverture

Les pubs britanniques

Une visite de la Grande-Bretagne ne saurait être complète sans découvrir ses pubs, ou *public houses* (p. 34-35). Ayant pour origine les auberges et relais de poste médiévaux, ce sont des lieux de rencontre plus que des débits de boissons et toutes les classes sociales s'y mêlent autour d'un verre ou d'une partie de dominos ou de fléchettes. Certains eurent une histoire animée ou conservent un intérieur d'une autre époque. La plupart de ceux qui figurent dans notre sélection occupent des édifices pleins de cachet ou jouissent d'un cadre particulier. Tous servent bières et spiritueux et, de plus en plus, vins au verre. Quelques-uns accueillent des musiciens ou disposent d'un jardin. Les amateurs de bière noteront qu'il existe deux types de pubs : les *free houses*, établissements indépendants offrant une sélection de plusieurs marques, et les *tied houses*, liés à une brasserie et ne distribuant que sa production. Tous permettent de se restaurer de plats simples à midi, mais il devient désormais fréquent de pouvoir aussi y manger le soir.

LONDRES

BLOOMSBURY : *Lamb*
94 Lamb's Conduit St, WC1.
Ce pub victorien a conservé ses *snob screens*, écrans de verre taillé séparant les buveurs. Petit jardin derrière.

LA CITY : *Black Friar*
174 Queen Victoria St, EC4.
Aussi excentrique à l'intérieur qu'à l'extérieur. Décor Art nouveau et service attentif.

LA CITY : *Olde Cheshire Cheese*
Wine Office Court, Fleet St EC4.
Les ombres de Dickens et Conan Doyle planent toujours dans cette auberge lambrissée du XVIIᵉ siècle où un feu flambe dans la cheminée en hiver.

HAMMERSMITH : *Dove*
19 Upper Mall, W6.
Au bord de la Tamise, l'un des plus jolis pubs de l'ouest de Londres. La terrasse permet d'observer les équipes d'aviron. Beaucoup de monde par beau temps.

HAMPSTEAD : *Spaniards Inn*
Spaniards Lane, NW3.
Ce haut lieu du quartier occupe un bâtiment du XVIIIᵉ siècle qui faisait jadis partie d'un péage. Joli jardin.

KENSINGTON : *Windsor Castle*
114 Campden Hill Rd, W8.
Une auberge georgienne raffinée au décor traditionnel avec ses cheminées et son mobilier en chêne. Le jardin clos s'emplit de jeunes gens aisés en été. Plats anglais consistants.

SOUTHWARK : *George Inn*
77 Borough High St, SE1.
Vieux de quatre siècles, cet étonnant relais de poste appartient au National Trust (p. 25). Les salles occupent plusieurs niveaux. Très belle galerie dans la cour.

LES DOWNS ET
LES CÔTES DE
LA MANCHE

ALCISTON : *Rose Cottage*
Près de l'A27 et Lewes, Sussex.
Charmant cottage couvert de verdure et décoré de bibelots anciens. Intérieur exigu.

ALFRISTON : *Star*
Alfriston, Sussex.
Cet ancien asile de pèlerins est devenu un hôtel élégant, mais garde beaucoup de caractère.

CHALE : *Wight Mouse Inn*
B3399, Chale, Isle of Wight.
Tout un bric-à-brac pend des plafonds de ce pub à la clientèle familiale.

FLETCHLING : *Griffin*
Près de l'A272, Fletchling, Sussex.
Le décor de cette auberge évoque les années 30. Cuisine inventive et jolies chambres.

RYE : *Mermaid*
Mermaid St, Rye, Sussex.
Lambris, fresques et antiquités dans un bâtiment historique.

SMARDEN : *Bell*
Près de l'A274, Smarden, Kent.
Ce bâtiment à colombage s'élève au milieu de vergers. Jeux traditionnels, cheminées et sols dallés.

WALLISWOOD : *Scarlett Arms*
Près de l'A29 et Ewhurst, Surrey.
Cottage d'ouvriers transformé en un pub reposant avec poutres apparentes et cheminées.

WINCHESTER : *Wykeham Arms*
75 Kingsgate St, Winchester, Hants.
Dans le centre-ville, un pub-hôtel chic au décor fascinant. Mets et vins excellents. Chambres confortables (p. 547).

L'EAST ANGLIA

CAMBRIDGE : *Boathouse*
14 Chesterton Rd, Cambridge.
En bord de rivière, l'un des meilleurs pubs de Cambridge domine le Jesus Green. Des avirons ornent les bars, et vous pourrez contempler en été les barques glissant sur l'eau.

HOLYWELL : *Olde Ferry Boat*
Près de l'A1123 à Needingworth, Cambs.
La Great Ouse atteint presque le seuil de ce pittoresque pub au toit de chaume servant une cuisine variée. La modernisation n'a pas fait fuir Juliette, le fantôme. Chambres confortables.

LITTLEBURY : *Queens Head Inn*
High St, Littlebury, Essex.
Ce pub de village a gardé beaucoup de son caractère Tudor d'origine. Ambiance cordiale, plats succulents et bières remarquables.

SNAPE : *Golden Key*
Priory Lane, Snape, Suffolk.
Jolis jardins, intérieur chic et mets alléchants rendent cette auberge très fréquentée pendant l'Alderburgh Festival (p. 63).

SNETTISHAM : *Rose & Crown*
Près de l'A149 et Heacham, Norfolk.
Le jardin de cet ancien relais de poste aux quatre bars accueillants offre un vaste espace de jeu aux enfants.

SOUTHWOLD : *Crown*
High Street, Southwold, Suffolk.
En bord de mer, décor nautique, lambris de chêne, bières Adnam, vins et plats excellents (p. 549).

STIFFKEY : *Red Lion*
A149, Norfolk.
Rouvert récemment, ce bâtiment
ancien en pierre et brique a été
superbement restauré.
🚶 🍴 🏠 ↗

TILLINGHAM : *Cap & Feathers*
South St, Tillingham, Essex.
Pub du XVIᵉ siècle proche des
marais salants. Viandes et poissons
fumés et saucisse faite maison.
🏠 🍴 ↗ 🎵

LA VALLÉE DE
LA TAMISE

BARLEY : *Fox & Hounds*
High St, Barley, Herts.
Bières et plats délectables dans ce
pub ayant une scène de chasse en
enseigne. Personnes handicapées
bienvenues. 🚶 🍴 🏠 ↗ 🎵

BROOM : *Cock*
23 High St, Broom, Bedfordshire.
Charmante auberge du XVIIᵉ siècle
surnommée le « pub sans bar ». Les
commandes se passent au guichet,
la bière montant directement des
tonneaux de la cave.
🚶 🍴 🏠 ↗

BURFORD : *Lamb*
Sheep St, Burford, Oxon.
Cette auberge des Cotswolds est
digne d'une carte postale. Bonne
cuisine, service et atmosphère
agréables. 🚶 🍴 🏠

FAWLEY : *Walnut Tree*
Près de la B4155 et Henley,
Buckinghamshire.
Une base splendide d'où profiter
des Chilterns. Vous pourrez même
garer votre cheval au parking.
🚶 🍴 🏠 ↗ 🎵

GREAT TEW : *Falkland Arms*
Près de la B4022 et Chipping Norton,
Oxon.
Dans un ravissant coin de
campagne, cette auberge couverte
de verdure est d'une simplicité
délicieuse avec ses pichets, ses
chopes et ses harnais d'attelage
étincelants. 🚶 🍴 🏠 ↗ 🎵

OXFORD : *Turf Tavern*
Bath Pl, St Helen's Passage, Oxford.
Petit pub dans le vieux quartier des
collèges. Bonne cuisine. 🍴 🏠

WATTON-ON-STONE :
George & Dragon
High St, Watton-on-Stone, Herts.
Chic mais accueillant, ce joli pub
rose date de 1603 et attire une
importante clientèle locale.
Journaux mis à disposition.
🚶 🍴 🏠 ↗

WEST ILSLEY : *Harrow*
Près de l'A34 et Newbury, Berkshire.
Près de l'étang du village, cette
auberge carrelée de blanc propose
une cuisine recherchée. 🚶 🍴 ↗

LE WESSEX

ABBOTSBURY : *Ilchester Arms*
Market St, Abbotsbury, Dorset.
Ce pub constitue le trait marquant
de ce village proche de Chesil
Beach. Des gravures apportent une
touche élégante à des salles
chaleureuses. Une véranda prolonge
le restaurant. 🚶 🍴 🏠 ↗

BATHFORD : *Crown*
2 Bathford Hill, Bathford, Avon.
Dans ce village perché sur une
colline, cette hôtellerie existe
depuis le XVIIIᵉ siècle.
Décor chic et cuisine ambitieuse.
🚶 🍴 🏠 ↗

CROSCOMBE : *Bull Terrier*
A371 près de Wells, Somerset.
Très apprécié pour la qualité de
ses plats et la cordialité du service,
l'un des plus vieux pubs du
Somerset occupe un ancien
prieuré proche de Wells. Essayez
sa meilleure *bitter (p. 34)*.
🚶 🍴

FORD : *White Hart*
A420 près de Chippenham, Wiltshire.
Une rivière poissonneuse ajoute
beaucoup au cachet de ce
charmant pub-hôtel du XVIᵉ siècle
très populaire en été. Belles
promenades aux environs et
piscine pour les hôtes. 🚶 🍴 🏠

NORTON ST PHILIP : *George*
A366, Somerset.
Ce célèbre pub hébergea le duc
de Monmouth avant la bataille de
Sedgemoor. Splendide édifice à
colombage avec cour entourée
d'une galerie, il sert une cuisine
soignée. 🚶 🍴 🏠

SALISBURY : *Haunch of
Venison*
1 Minster St, Salisbury, Wiltshire.
Ce pub a 650 ans et servit
de presbytère à saint Thomas.
Parmi les bibelots décorant
un intérieur authentiquement
ancien figure la main
coupée et momifiée d'un
joueur de cartes du XVIIIᵉ siècle.
🚶 🍴

STANTON WICK :
Carpenters Arms
Près de l'A368, Avon.
Une rangée de cottages de
mineurs abrite cet endroit
accueillant avec ses feux dans la
cheminée. Excellente cuisine.
🚶 🍴 🏠

LE DEVON ET
LES CORNOUAILLES

BROADHEMBURY : *Drewe Arms*
Près de l'A373, Devon.
Les plats de poisson justifiraient à
eux seuls une visite à ce pub. La
bière, le jardin et l'ambiance
chaleureuse ajoutent à son attrait.
🚶 🍴 🏠 ↗

DARTMOUTH : *Cherub*
13 High St, Dartmouth, Devon.
Dans une maison de drapier bâtie
en 1380, un pub dont la carte
accorde une large place aux
produits de la pêche locale. 🍴

KNOWSTONE : *Masons Arms*
Près de l'A361 et South Molton, Devon.
Patrons accueillants et clientèle
d'habitués dans cette auberge au
décor rustique. Four à pain dans la
grande cheminée et bons plats
simples. 🚶 🍴 🏠 ↗

LYDFORD : *Castle Inn*
Près de l'A386, Devon.
Jolie auberge Tudor peinte en
rose, près d'un château en ruine.
Le personnel est amical, la cuisine
inventive et les chambres
présentent un bon rapport qualité-
prix. 🚶 🍴 🏠 ↗

MYLOR BRIDGE : *Pandora*
Près de l'A39 et Penryn, Cornouailles.
Au bord de l'eau, un pub médiéval
à toit de chaume apprécié des
plaisanciers. Bondé en été.
Beaucoup d'atmosphère.
🚶 🍴 🏠 ↗

PORT ISAAC :
Port Gaverne Hotel
Près de la B3314 et Pendoggett,
Cornouailles.
Dans un très beau site en bord
de mer, ce pub du XVIIIᵉ siècle
au décor marin loue des chambres
confortables. Poissons de la région
et excellente carte des vins.
🚶 🍴 🏠

TREGADILLETT : *Eliot Arms*
Près de l'A30 et Launceston,
Cornouailles.
Bibelots, cartes postales, estampes
et une collection d'horloges créent
un décor surchargé. 🚶 🍴 ↗

LE CŒUR DE
L'ANGLETERRE

ALDERMINSTER : *Bell*
Près de l'A34 et Stratford-upon-Avon,
Warwickshire.
Un relais de poste proche de
Stratford. L'endroit où arroser un
repas de bonne bière. Vins de
qualité également. 🚶 🍴 🏠 ↗

Légende des symboles, voir rabat de couverture

BICKLEY MOSS :
Cholmondeley Arms
A49, Cholmondeley, Cheshire.
Près du parc du château, un pub
victorien très apprécié pour sa
cuisine. Beaucoup d'éléments
d'époque dans le décor. 🚶 🍴 ⛽

BLOCKLEY : *Crown*
High St, Blockley, Gloucestershire.
Cet élégant pub élisabéthain dans
un superbe village des Cotswolds
sert une bonne cuisine et possède
un jardin intérieur. 🍴 ⛽

BRETFORTON : *Fleece*
The Cross, Bretforton,
Hereford & Worcester.
Cette superbe maison médiévale
appartient au National Trust et
abrite un véritable musée
d'antiquités rurales telles que des
moules à fromage et mesures en
cuivre. Plats simples, choix de vins
limité, mais bières excellentes.
Beaucoup d'animation à l'occasion
des danses folkloriques.
🚶 🍴 ⛽ ✈

CAULDON : *Yew Tree*
Près de l'A523 Waterhouses, Stone-on-
Trent, Staffs.
Dans un cadre intime, ce pub
propose les jeux traditionnels et ne
sert que des bières et des plats
simples, mais une extraordinaire
collection d'instruments de
musique mécaniques lui donne
son originalité. 🚶 ✈ 🎵

TUTBURY : *Dog & Partridge*
A50 près de Burton-on-Trent, Staffs.
Imposant relais de poste
judicieusement modernisé
de manière à accueillir
les familles. Service agréable.
🚶 🍴 ⛽ 🎵 ✈

WENLOCK EDGE :
Wenlock Edge Inn
Hilltop, Much Wenlock, Shropshire.
Poêle à bois et propriétaire cordial.
La soirée du lundi est celle des
conteurs. Belles promenades aux
environs. Chambres. 🚶 🍴 ⛽

L'EST DES MIDLANDS

BIRCHOVER : *Druid Inn*
Main St, Birchover, Derbyshire.
Ce pub de village propose une
carte étendue de bons plats frais.
Pour les marcheurs, Row Tor
Rock (qui serait un lieu de culte
druidique) est à découvrir
non loin. 🚶 🍴 ⛽

FOTHERINGHAY : *Falcon*
Main St, Fotheringhay, Northants.
Pub superbe, servant une
nourriture de bonne qualité. Le bar
a conservé son caractère d'origine
et une clientèle locale.
🚶 🍴 ⛽ ✈

GLOOSTON : *Old Barn*
Andrews Lane, Glooston, Leicestershire.
Rénovée avec goût, cette auberge
du XVIᵉ siècle sert de la bière
traditionnelle et propose des
menus à la carte. Chambres
disponibles. 🚶 🍴 ⛽

MONSAL HEAD :
Monsal Head Hotel
B6465, Derbyshire.
Son décor rappelle que cet hôtel
occupe d'anciennes écuries.
Superbe vue sur la Wye Valley
depuis le salon. 🚶 🍴 ✈

NOTTINGHAM :
Olde Trip to Jerusalem
Brewhouse Yard, Nottingham.
Englobant des grottes creusées
dans le grès où se réunissaient des
croisés, c'est l'un des plus anciens
pubs du pays. 🍴 ⛽

STAMFORD : *George*
St Martins, Stamford, Lincolnshire.
Vestiges d'un asile de pèlerins
normand et splendide relais de
poste. Carte variée et vins italiens.
Jolie cour pavée et jardin.
🚶 🍴 ⛽

UPTON : *Cross Keys*
Main St, Upton, Nottinghamshire.
Un pub rustique servant de bons
plats simples, notamment de
poisson. Le restaurant occupe
l'ancien pigeonnier.
🚶 🍴 ⛽ 🎵

LE LANCASHIRE
ET LES LACS

CARTMEL FELL : *Mason's Arms*
Près de l'A5074 au panneau de
Bowland Bridge, Cumbria.
Ce pub animé propose un vaste
choix de cidres, de vins de terroir
et de bières en bouteille et au
tonneau. 🚶 🍴 ⛽ ✈

ELTERWATER : *Britannia Inn*
Près de l'A593 et Ambleside, Cumbria.
Cheminées et intérieur des plus
simples. Chambres. Une excellente
base de randonnée ou d'excursion.
🚶 🍴 ⛽ ✈

GARSTANG : *Th'Owd Tithebarn*
Church St, Garstang, Lancashire.
Une ancienne grange au décor
rustique près du canal, appréciée
des randonneurs. 🚶 🍴

LANGDALE :
Great Old Dungeon Ghyll
B5343, Langdale, Cumbria.
Un cadre spectaculaire près de la
cascade des Langdale Pikes.
Chambres simples pour
randonneurs et alpinistes.
🚶 🍴 ⛽ ✈ 🎵

LIVERPOOL : *Philharmonic*
36 Hope St, Liverpool.
Vitraux, boiseries en acajou, stucs
et cuivres composent un superbe
décor victorien. 🍴

MANCHESTER : *Lass o' Gowrie*
36 Charles St, Manchester.
Ce repaire d'étudiants possède sa
propre brasserie à la cave. Très
vivant le week-end. 🍴

SAWREY :
Tower Bank Arms
B5285, près de Sawrey, Cumbria.
Dans un joli village, ce pub à
l'intérieur préservé s'adosse à la
maison de l'écrivain Beatrix Potter
(p. 355). 🚶 🍴 ⛽ ✈

LE YORKSHIRE ET
LA RÉGION DU
HUMBER

ASKRIGG : *Kings Arms*
Près de l'A684 et Bainbridge, N Yorks.
Plats, vins et bières de qualité à
consommer dans un cadre
rustique servant de décor à une
série télévisée. 🚶 🍴 ⛽

COXWOLD : *Fauconberg Arms*
Coxwold, N Yorks.
Un pub à l'ancienne avec ses
bancs en chêne, ses fauteuils
victoriens et un large choix de
bières, de vins et de bons plats.
🚶 🍴 ⛽

FLAMBOROUGH : *Seabirds*
B1255, Flamborough, E Yorks.
Près de falaises de craie d'où
observer les oiseaux, un intérieur
intéressant et une carte faisant la
part belle au poisson. 🚶 🍴 ⛽

GOATHLAND : *Mallyan Spout*
Près de l'A169, Goathland, N Yorks.
Dans un pays de landes, auberge à
l'ambiance reposante et à la
cuisine savoureuse. Cheminées.
Chambres confortables. 🚶 🍴 ⛽

HULL : *Olde White Harte*
25 Silver St, Hull, E Yorks.
Derrière un « White Hart »
moderne, une taverne ancienne
avec cheminées et comptoir en
cuivre. 🚶 🍴 ⛽ ✈

LOW CATTON : *Gold Cup*
Près de l'A166 à Stamford Bridge,
E Yorks.
Un authentique pub de campagne
aux bars confortables et aux plats
savoureux. 🚶 ⛽ 🍴 ✈

MOULTON : *Black Bull*
Près de l'A1 et Scotch Corner, N Yorks.
Ce pub ancien et agréable sert de
bons vins et des repas et snacks
soignés. L'atmosphère est plutôt
chic. 🍴 ⛽

LA NORTHUMBRIA

BLANCHLAND : *Lord Crewe Arms*
Blanchland, Northumb.
Dans un pays de landes, un hôtel avec cheminées du XIIIᵉ siècle et fantômes. Chambres et bonne cuisine.
🚶 🍴 ♿

CRASTER : *Jolly Fisherman*
Près de la B1339 et Alnwick, Northumb.
La soupe de crabe et les fruits de mer sont les spécialités de ce pub. Marche sur les falaises. 🚶 🍴 ♿ ✒

GRETA BRIDGE : *Morritt Arms*
Près de l'A66 et Scotch Corner, Co Durham.
Dans un beau site au bord d'une rivière, un relais de poste en pierre à l'intérieur spacieux meublé de bancs en chêne. 🚶 🍴 ♿

NEW YORK :
Shiremoor House Farm
Près de l'A191, New York, Tyne & Wear.
Rénovés, d'anciens bâtiments agricoles offrent désormais un cadre confortable et élégant. Cuisine intéressante. 🚶 🍴 ♿

NEWCASTLE-UPON-TYNE :
Crown Posada
31 The Side, Newcastle-upon-Tyne.
Miroirs dorés et vitraux composent un décor élaboré dans ce pub victorien où l'on vient boire. Entrée interdite aux enfants.

SEAHOUSES : *Olde Ship*
B1340, Seahouses, Northumb.
Décor marin dans une auberge sur le port. Les Farne Islands se découvrent depuis la fenêtre.
🚶 🍴

LE NORD DU
PAYS DE GALLES

BEAUMARIS : *Olde Bulls Head*
Castle St, Beaumaris, Anglesey.
Dans un bâtiment vieux de cinq siècles, beaux sièges anciens, cruches accrochées au plafond, sabres et horloge à eau. 🚶 🍴

BODFARI : *Dinorben Arms*
Près de l'A541, Bodfari, Denbighshire.
À flanc de colline, excellents plats simples, vaste choix de whiskies et terrasses agréables. 🚶 🍴 ♿ ✒

CAPEL CURIG : *Bryn Tyrch Hotel*
A5 près de Betws-y-Coed, A & C.
Cette taverne est appréciée des randonneurs et des grimpeurs profitant du Snowdonia National Park. 🚶 🍴 ♿ ✒

GLANWYDDEN : *Queen's Head*
Près de la B5115, The Glanwydden, A & C.
Délicieux en-cas. Très fréquenté en été. 🚶 🍴 ♿

MAENTWROG : *Groupes Hotel*
A496, Maentwrog, A & C.
Vue superbe, jardin clos et mobilier provenant de chapelles désaffectées font l'intérêt de ce relais de poste. 🚶 🍴 ♿

LE SUD
ET LE CENTRE
DU PAYS DE GALLES

ABERYSTWYTH : *Halfway Inn*
A4120, Pisgah, Cardiganshire.
Dans ce pub, vue époustouflante, chambres confortables et possibilité de camper.
🚶 🍴 ♿ ✒ ♫

CRICKHOWELL : *Bear*
Brecon Rd, Crickhowell, Powys.
Cette vieille auberge soigne sa cuisine et offre un large choix de boissons. 🚶 🍴 ♿

EAST ABERTHAW : *Blue Anchor*
B4265, East Aberthaw, V of Glam.
Charmant pub à toit de chaume et salles intimes avec leurs cheminées et leurs plafonds bas. Promenades dans l'estuaire. 🚶 🍴 ♿ ⛴ ✒

HAY-ON-WYE : *Old Black Lion*
26 Lion St, Hay-on-Wye, Powys.
Une auberge du XIIIᵉ siècle avec restaurant et 10 chambres. Nombreuses activités sportives : pêche, golf, équitation… 🍴 ♿

NEVERN : *Trewern Arms*
B4582, Nevern, Pembrokeshire.
Une charmante auberge en bord de rivière. Bibelots anciens et sol en ardoise dans la salle du bar.
🚶 🍴 ♿ ✒

PENALLT : *Boat Inn*
Long Lane, Penallt, Monmouthshire.
Musique et bonnes bières. Pistes cyclables. Canoë. 🚶 🍴 ♿ ♫

LES LOWLANDS

EDINBURGH : *Bow Bar*
80 West Bow, Edinburgh.
Acajou et miroirs, bières de malt et véritables *ales*. Pas d'enfants, de jeux, de musique ou de vin.

EDINBURGH :
Cafe Royal Circle Bar
West Register St, Edinburgh.
Bar à huîtres et restaurant. Intérieur rénové dans le style victorien.

ELIE : *Ship Inn*
The Harbour, Elie, Fife.
Sur le port, ce pub plein de caractère offre une belle vue. Barbecues en été.
🚶 🍴 ♫

GLASGOW : *Horseshoe*
17–19 Drury St, Glasgow.
Ce pub victorien possède un très long bar en fer à cheval. Plats d'un bon rapport qualité-prix. Karaoké le soir.
🚶 🍴 ♫

ÎLE DE WHITHORN :
Steam Packet
Île de Whithorn, Dumfries & Galloway.
Sur un port superbe d'où partent des promenades en bateau, bières artisanales et agréable restaurant.
🚶 🍴 ♿ ✒

LES HIGHLANDS
ET LES ÎLES

APPLECROSS : *Applecross Inn*
Shore St, Applecross, Wester Ross, Highland.
Ce pub domine l'île de Skye depuis un site spectaculaire. Plats de poisson. Musique presque tous les soirs.
🚶 🍴 ♿ ✒ ♫

DUNDEE : *Fishermans Tavern*
12 Fort St, Broughty Ferry, Tayside.
Bières traditionnelles et bières de malt. Belle vue sur le pont du Tay. Chambres disponibles.
🚶 🍴 ✒ ♫

ÎLE DE SKYE :
Tigh Osda Eilean Iarmain
Près de l'A851, Isles of Ornsay & Skye.
Bar d'hôtel accueillant dans un site somptueux. Bon plats et choix de bières de malt.
🚶 🍴 ♫

LOCH LOMOND : *Oak Tree Inn*
Balmaha, Loch Lomond (est).
Taverne traditionnelle avec bar, restaurant et B&B. Cheminée et bonne cuisine servie tous les jours au bar. 🚶 🍴 ♿ ♫

PORTSOY : *The Shore Inn*
The Old Harbour, Portsoy, Banffshire.
Une taverne vieille de 300 ans nichée dans un port pittoresque. Bière traditionnelle et cheminée.
🚶 🍴 ♿ ♫

ULLAPOOL : *Ferry Boat*
Shore St, Ullapool, Highland.
Bons whiskies et déjeuners. Grandes fenêtres avec panorama sur le loch dans les deux salles du bar chauffées au charbon. Jolie vue sur le port.
🚶 🍴 ♫

RENSEIGNEMENTS PRATIQUES

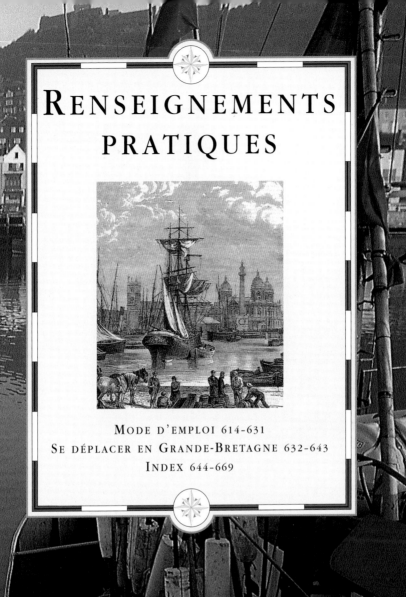

MODE D'EMPLOI 614-631

SE DÉPLACER EN GRANDE-BRETAGNE 632-643

INDEX 644-669

LA GRANDE-BRETAGNE MODE D'EMPLOI

La Grande-Bretagne a beau appartenir à l'Union européenne et se trouver désormais reliée au continent par un tunnel, elle conserve une originalité insulaire conciliant un traditionalisme farouche et un penchant historique pour l'excentricité qui la rend très dépaysante et parfois déconcertante. Bien que les structures d'accueil touristiques se soient considérablement développées ces dernières années, mieux vaut donc s'informer des us et coutumes britanniques :

Garde monté

horaires de visite, moyens de transport disponibles, sources de renseignements et solutions en cas de problème. Selon le taux de change en vigueur au moment de votre voyage, vous trouverez le pays plus ou moins cher. Les prix varient en outre selon les régions. C'est à Londres et dans le sud-ouest de l'Angleterre qu'ils sont les plus élevés. Distractions, nourriture, hébergement, transports et achats se révèlent en général moins coûteux partout ailleurs.

La plage de Weymouth, Dorset, un week-end d'été

QUAND PARTIR ?

Les influences océaniques qui le déterminent donnent à la Grande-Bretagne un climat aux écarts de températures resserrés (*p. 68*). Il fait souvent beau mais même en été, impossible de prévoir comment évoluera le temps, d'autant qu'il peut grandement varier entre deux endroits proches. Le Sud-Est est en moyenne moins pluvieux mais, où que vous alliez, mieux vaut emporter vêtements chauds et parapluie ou imperméable. Avant d'entreprendre une randonnée dans une région isolée, en particulier en montagne, n'oubliez pas de vous informer des dernières prévisions météorologiques données à la télévision, à la

radio, dans les journaux ou au téléphone (*p. 637*).

Les villes offrent un intérêt touristique toute l'année mais de nombreux établissements n'ouvrent que de Pâques à octobre et certains hôtels sont bondés à Noël et le Jour de l'An. Comme en France, juillet et août sont les mois des vacances scolaires et les jours fériés voient de nombreux citadins partir profiter de la campagne. Offrant un bon compromis entre conditions climatiques acceptables et relative absence de foule, l'automne, et davantage encore le printemps, saison la plus sèche, s'avèrent particulièrement agréables pour découvrir les îles Britanniques.

Les articles de ce guide décrivant sites et monuments indiquent en début leurs jours d'ouverture.

ASSURANCES

Le prix de certains voyages organisés ou billets de transports comprend une assurance couvrant les risques d'annulation. Elle est parfois facultative. Dans tous les cas, renseignez-vous sur les conditions de remboursement. Si les ressortissants de l'Union européenne ont droit en Grande-Bretagne à des soins gratuits (*p. 620*), mieux vaut toutefois se prémunir en

Poste de secours en montagne

contractant une assurance prévoyant la prise en charge d'éventuels honoraires de spécialistes et la couverture de frais de rapatriement. Au cas où vous voyageriez avec votre voiture, de nombreuses assurances automobiles incluent désormais de telles clauses d'assistance. Informez-vous de leurs limites ou de leurs modalités d'application avant votre départ. Les contrats des compagnies spécialisées dans les voyages offrent généralement une couverture plus étendue.

RÉSERVATIONS

En basse saison, vous ne devriez pas rencontrer de problème pour trouver un hébergement ou une place dans un moyen de transport. Pendant les périodes les plus touristiques, cependant, s'il vous tient à cœur d'assister au spectacle du West End en vogue, de séjourner dans un hôtel de luxe très recherché, de dîner dans un restaurant réputé ou d'effectuer une visite guidée spécifique, mieux vaut réserver le plus tôt possible. Pour le faire avant votre départ, renseignez-vous auprès d'une agence de voyage ou de l'office du tourisme britannique (**VisitBritain**).

Tourist Information ℹ

La plus répandue des enseignes de bureau d'information touristique

◁ **Bateaux de pêche dans le port de Scarborough, North Yorkshire**

INFORMATIONS TOURISTIQUES

Installés, entre autres, dans les aéroports, certains sites très fréquentés et la plupart des gares ferroviaires et routières, les bureaux d'information touristique tiennent à disposition des visiteurs des brochures gratuites et des plans ou des livrets plus détaillés mais payants. Sauf exception, ils pourront vous conseiller des visites guidées et réserver pour vous un hébergement. Nous donnons les adresses et les numéros de téléphone de ces bureaux pour chaque localité décrite dans ce guide.

Revue du VisitBritain

L'office du tourisme britannique propose également un choix de documentations.

LES FACILITÉS POUR HANDICAPÉS

Les édifices et espaces publics récents ou rénovés depuis peu disposent d'ascenseurs et de rampes pour les fauteuils roulants (information donnée au début de chaque rubrique de ce guide), de toilettes aménagées et, pour les malentendants, d'écouteurs. De nombreux théâtres, cinémas et banques se sont équipés de systèmes adaptés aux personnes souffrant de problèmes de vue ou d'ouïe.

En prévenant, vous obtiendrez l'assistance du personnel des chemins de fer (p. 638), des ferries et des cars. Pour les trajets en train, la Disabled Persons Railcard donne droit à des réductions.

Il existe aussi des organisateurs de voyage tels qu'**Holiday Care Service** qui offrent des prestations destinées aux handicapés. La société de location de voitures Hertz (p. 637) met à disposition sans supplément des véhicules à conduite manuelle. Il vous faudra un macaron spécial pour stationner sur les emplacements réservés. Selon vos besoins, des organisations comme **RADAR** ou **Mobility International**, et des publications comme la série Access par Pauline Hephaistos (Survey Projects) ou *Holidays in the British Isles : a Guide for Disabled People* (RADAR), vous apporteront des informations.

Mobility International
North America ☎ *(503) 343 1284.*
W www.miusa.org

Holiday Care Service
☎ *08451 249971.*
W www.holidaycare.org.uk

RADAR ☎ *020 7250 3222.*
W www.radar.org.uk

Lorna Doone Cottage et centre d'information du National Trust, Somerset

Visite du HMS *Victory* (*p. 157*)

VOYAGER
AVEC DES ENFANTS

La Grande-Bretagne n'est pas
le pays le plus accueillant
envers les jeunes enfants
mais la situation s'améliore
peu à peu. Billets familiaux
ou réductions se généralisent
dans les moyens de transport
et les lieux de spectacle.
Les périodes les plus riches
en distractions restent celles
des vacances scolaires :
Pâques, juillet-août et, bien
entendu, Noël qui offrira
l'occasion d'assister à une
représentation de pantomime.

Si certains hôtels ou B&B
préfèrent les hôtes sans
enfants, d'autres proposent
un service de baby-sitting ou
offrent des réductions ou la
gratuité pour les plus jeunes
(*p. 538-573*). Si vous optez
pour une location, évitez
les lieux trop exigus ou
au mobilier fragile, le temps
ne permettra pas toujours à
vos petits monstres de sortir.

De plus en plus de
restaurants disposent de
chaises hautes et servent des
menus pour enfants (*p. 574-
607*). Les établissements
italiens demeurent toutefois
souvent les plus accueillants
bien que même les pubs,
jadis strictement réservés aux
adultes, s'ouvrent désormais
aux familles. Les moins
de 18 ans n'ont cependant pas
le droit de consommer
de l'alcool. Disponibles chez
les marchands de journaux, la
publication annuelle *Family
Welcome* (HarperCollins)
recense les endroits où les
enfants sont les bienvenus.

LES TOILETTES
PUBLIQUES

Comme en France,
les sanisettes, ou
« *Superloos* », tendent
de plus en plus à remplacer
les toilettes traditionnelles.
Les jeunes enfants ne doivent
en aucun cas y pénétrer seuls.

LES FACILITÉS
POUR LES ÉTUDIANTS

Une carte internationale
d'étudiant (ISIC) donne
droit à certaines réductions
dans les transports publics,
l'accès aux équipements
sportifs, les musées et les
spectacles. Si vous ne l'avez
pas fait avant votre départ,
vous pouvez l'obtenir auprès
de **STA Travel** ou de la
National Union of Students.

Une carte de l'**International
Youth Hostel Federation**
permet de dormir dans les
centaines d'auberges de
jeunesse britanniques. En
période de vacances,
de nombreuses
universités, telle
l'**University
of London**,
proposent
également des
hébergements
bon marché
souvent proches
du centre-ville. Dans des
régions plus sauvages, des
camping barns offrent en
dortoir un gîte spartiate mais
d'un coût très modique. Les
Canadiens désirant travailler
peuvent se renseigner auprès
du **BUNAC**.

Great British Heritage Pass

LES HORAIRES
D'OUVERTURE

Peu de magasins profitent
de l'autorisation légale
d'ouvrir le dimanche. Du
lundi au samedi, l'horaire
traditionnel est de 9 h à 17 h
ou 17 h 30 mais il peut
grandement varier. Certains
établissements proposent
une nocturne hebdomadaire
tandis que d'autres ferment
pour le déjeuner ou une
après-midi dans la semaine
(généralement le mercredi).

À Londres, les musées
restent souvent ouverts plus
tard un soir par semaine.
Leur jour de fermeture le plus
fréquent est le lundi. Les jours
fériés, les banques et les
administrations,
et de nombreux restaurants
et magasins, n'ouvrent pas.

DROITS D'ENTRÉE

Dans leur grande majorité,
les lieux de visite, y
compris les musées, déploient
des trésors
de créativité
pour offrir
des prestations
de plus en plus
élaborées. Leurs
tarifs suivent une
hausse en rapport
et varient
beaucoup : de 50 p à plus
de 10 £ pour les attractions
les plus populaires. Groupes,
personnes âgées, enfants
et étudiants (pièce d'identité
requise) bénéficient toutefois
souvent de réductions. Un
forfait valide 15 jours, le British

Entrée payante au Hever Castle (*p. 177*), une propriété privée

Dans les Cotswolds, l'une des centaines d'églises paroissiales ouvertes gratuitement au public

Great Heritage Pass, donne accès à plus 600 monuments et musées. Il s'achète auprès du VisitBritain, au Visitor Centre de Lower Regent Street à Londres, dans certains ports d'entrée et centres d'information touristique *(p. 615)*.

À l'instar du British Museum de Londres, quelques musées sont gratuits. Les dons sont néanmoins toujours les bienvenus. Il en va de même dans de nombreuses cathédrales où une offrande est attendue des visiteurs ne venant pas assister à un office. L'entrée demeure gratuite dans les milliers de petites églises paroissiales qui constituent un des grands trésors architecturaux du pays. Malheureusement, certaines restent aujourd'hui fermées à cause du vandalisme.

Brochures du National Trust

mais la majorité des parcs, jardins et édifices historiques sont désormais entretenus par trois grandes organisations à but non lucratif : **English Heritage** (EH), le **National Trust** (NT) et le **National Trust for Scotland** (NTS). Elles protègent également de vastes zones rurales et littorales.

Nous signalons au début de chaque article les bâtiments appartenant à l'EH ou au NT ou au NTS. Ces associations demandent des droits d'entrée souvent élevés et si vous désirez effectuer de nombreuses visites vous aurez peut-être intérêt à adhérer en versant la cotisation annuelle. Elle vous donnera l'accès gratuit à tous leurs monuments (attention, beaucoup sont fermés en hiver). Ils sont pour la plupart « *listed* » et donc protégés tout comme le sont les sites français classés.

ENGLISH HERITAGE ET NATIONAL TRUST

Quelques-uns des nombreux châteaux ou manoirs britanniques ouverts au public appartiennent encore aux familles nobles qui les habitent depuis des siècles

ENGLISH HERITAGE

Le sigle d'English Heritage

PUBLICATIONS UTILES

Les bureaux régionaux des offices du tourisme éditent des listes détaillées des curiosités locales et des hébergements enregistrés.

En voiture, les atlas publiés par le RAC et AA (*p. 637*) se révèlent pratiques et clairs. Pour battre la campagne, rien ne vaut les cartes *Ordnance Survey*.

MÉDIAS

Il existe deux types de quotidiens nationaux en Grande-Bretagne : sérieux et de qualité comme *The Times*, *The Telegraph* et *The Guardian* ; se préoccupant surtout de rumeurs et de scandales tels *The Sun* et *The Daily Mirror*. Plus cher, le numéro du week-end inclut de très nombreux suppléments comprenant notamment des articles sur les arts, les restaurants et les spectacles. Parmi les magazines, *The Economist*, *The Spectator* ou *New Statesman & Society* offrent une vue plus fouillée et plus analytique de l'actualité tandis que *Private Eye* jette un regard satirique sur les personnalités publiques. Hors de Londres où ils sont disponibles dans de nombreux kiosques, on ne trouve le plus souvent de journaux étrangers que dans les villes, et dans peu de points de vente. Essayez celui de la gare principale.

Si les chaînes de télévision thématiques diffusées par câble et par satellite se multiplient, la BBC (British Broadcasting Corporation),

Quelques quotidiens nationaux britanniques

Agence postale et vente de journaux à Arisaig en Écosse

opérateur des deux chaînes publiques généralistes, garde une excellente réputation pour la qualité de ses programmes que n'interrompent pas des coupures publicitaires. Elle a deux concurrentes privées : ITV, très portée sur les feuilletons et les jeux, et Channel Four à la vocation plus culturelle et novatrice. Il existe également des programmes régionaux, notamment en gallois et en gaélique.

La BBC dirige aussi plusieurs radios aux centres d'intérêt variés, de la pop music (Radio One) aux émissions dramatiques et aux questions d'actualité (Radio Four). La plupart des nombreuses stations commerciales locales diffusent essentiellement de la musique.

Pour connaître les programmes de télévision et de radio, consultez les quotidiens ou des magazines spécialisés. L'hebdomadaire *Radio Times* est l'un des meilleurs.

FUMER

Il est désormais interdit de fumer dans de nombreux lieux publics tels que transports en commun, taxis, théâtres ou cinémas. Les pubs continuent cependant de résister à cette tendance. ASH (Action on Smoking and Health) peut vous indiquer les adresses d'établissements non-fumeur (020-7935 3519).

APPAREILS ÉLECTRIQUES

Le courant est en Grande-Bretagne de 240 volts et les prises ne permettent pas d'utiliser directement les appareils du continent (hormis les rasoirs dans certains hôtels). Mieux vaut acheter un adaptateur avant son départ. On en trouve également dans les aéroports.

HEURE LOCALE

La Grande-Bretagne vit en avance d'une heure sur le reste de l'Europe sauf pendant les quelques semaines de décalage entre ses changements d'heure (été-hiver) et ceux des autres pays. Pour obtenir l'horloge parlante, composez le 123.

DOUANES ET IMMIGRATION

Prise électrique britannique

Les ressortissants de l'Union européenne ont besoin d'une carte d'identité ou d'un passeport en cours de validité pour entrer au Royaume-Uni. Pour leurs enfants de moins de sept ans,

Horloge du Royal Observatory de Greenwich (*p. 133*)

aucun autre document n'est requis qu'un livret de famille. Si d'autres enfants que les leurs les accompagnent, ils doivent posséder une pièce d'identité et une autorisation parentale de sortie de territoire.

Les citoyens helvétiques et canadiens n'ont pas besoin de visa pour pénétrer en Grande-Bretagne mais les enfants doivent obligatoirement posséder un passeport ou être inscrits sur ceux de leurs parents. Mieux vaut renoncer à emporter un animal : une quarantaine de six mois est obligatoire.

Dans les ports et les aéroports, les voyageurs en provenance de l'U. E. suivent les couloirs marqués en bleu. Ils n'ont plus de déclaration à faire à la douane mais les services de sécurité effectuent néanmoins quelques vérifications de bagages au hasard dans le cadre de la lutte contre les trafics de drogue ou d'armes. Les couloirs verts (rien à déclarer) et rouges sont réservés aux personnes arrivant d'autres pays.

Les limites d'importation de produits détaxés sont de 2 l de vin, 1 l de spiritueux, 200 cigarettes ou 50 cigares et 145 £ d'autres biens, y compris cadeaux et bière.

Whisky des Highlands

HM Customs and Excise
Thomas Paine House, Angel Square, Torrens St, London EC1.
📞 020-7865 3000 ; 0845 010900.
Renseignements sur les conditions d'importation et d'exportation.
W www.hmce.gov.uk

TRAVAILLER EN GRANDE-BRETAGNE

Aucune restriction ne s'applique aux ressortissants de l'Union européenne. Ceux du Commonwealth de moins de 27 ans ont le droit d'occuper un emploi à temps partiel au maximum pendant deux ans. Les citoyens helvétiques ont besoin d'un permis de travail. Pour plus de renseignements, consultez la brochure *Working Holiday* vendue par l'office du tourisme ou adressez-vous au

Couloirs des douanes vert et rouge de l'aéroport d'Heathrow (p. 634)

Central Bureau for Educational Visits and Exchange. Les étudiants
nord-américains peuvent obtenir auprès de leur université une carte les autorisant à travailler jusqu'à six mois dans les îles Britanniques et, à Londres, contacter le BUNAC (*p. 617*).

Central Bureau for Educational Visits and Exchange
Seymour Mews House, Seymour Mews, London W4H9PE
📞 0171-389 4004

La mosquée de Regent's Park (*p. 105*) à Londres

LIEUX DE CULTE

Baptiste
London Baptist Ass, 235 Shaftesbury Ave, London WC2. 📞 020-7692 5592. W www.londonbaptist.org.uk

Bouddhiste
Buddhist Society, 58 Eccleston Sq, London SW1. 📞 020-7834 5858.
W www.thebuddhistsociety.org

Église d'Angleterre
Great Smith St, London SW1.
📞 020-7898 1000.
W www.cofe.anglican.org

Alliance évangélique
Whitefield Hse, 186 Kennington Park Rd, London SE11. 📞 020-7207 2100. W www.eauk.org

Rite juif
Liberal Jewish Synagogue, 28 St John's Wood Rd, London NW8.
📞 020-7286 5181. W www.ljs.org

United Synagogue (Orthodox), Adler Hse, 735 High Rd, North Finchley London, N12. 📞 020-8343 8989.
W www.unitedsynagogue.org.uk

Rite musulman
Islamic Cultural Centre, 146 Park Rd, London NW8. 📞 020-7724 3363.
W www.iccuk.org

Quakers
Friends Hse, 173-177 Euston Rd, London NW1. 📞 020-7663 1000.
W www.quaker.org.uk

Église catholique
Westminster Cathedral, Victoria St, London SW1. 📞 020-7798 9055.
W www.westminstercathedral.org.uk

AMBASSADES ET CONSULATS

Ambassade de France
58 Knightsbridge, London SW1
📞 020-7073 10000.
W www.ambafrance-uk.org

Ambassade de Belgique
103 Eaton Square, London SW1 W9AB. 📞 020-7470 3700.
W www.belgium-embassy.co.uk

Canadian High Commission
Canada Hse, Trafalgar Sq, London SW1. 📞 020-7258 6600.
W www.canada.gc.ca

Ambassade de Suisse
16-18, Montagu Place, London W1 H2BQ
📞 020-7616 6000.
W www.swissembassy.org.uk

POIDS ET MESURES

La Grande-Bretagne a officiellement adopté le système métrique en vigueur dans toute l'Europe mais le système impérial demeure ancré dans les habitudes.

De l'impérial au métrique
1 inch = 2,5 centimètres
1 foot = 30 centimètres
1 mile = 1,6 kilomètre
1 ounce = 28 grammes
1 pound = 454 grammes
1 pint = 0,6 litre
1 gallon = 4,6 litres

Du métrique à l'impérial
1 millimètre = 0,04 inch
1 centimètre = 0,4 inch
1 mètre = 3 feet 3 inches
1 kilomètre = 0,6 mile
1 gramme = 0,04 ounce
1 kg = 2,2 pounds

Santé et sécurité

Comme beaucoup de pays, la Grande-Bretagne connaît des problèmes sociaux et de délinquance. Il est peu probable que vous soyez confronté à des actes de violence. Mais, en cas de difficulté, demandez assistance à un agent de police : ils reçoivent une formation adaptée à ce type de situation. Les services médicaux du National Health Service, notamment d'urgence, sont gratuits pour les membres de l'Union européenne.

HOPITAUX ET SOINS MÉDICAUX

Les cabinets médicaux sont normalement ouverts uniquement pendant la journée mais les services d'urgence des hôpitaux fonctionnent 24 h sur 24. Pour obtenir une ambulance appelez le 999. Certaines pharmacies restent ouvertes jusqu'à minuit.

Tous les habitants de l'Union européenne ont droit, comme les Britanniques, à des soins gratuits dans le cadre du National Health Service (NHS ; 0845 4647). Il en va de même pour les citoyens des certains autres pays d'Europe ou du Commonwealth signataires avec la Grande-Bretagne d'un accord de réciprocité. Avant leur départ, les Français ont intérêt à se procurer une carte de santé européenne auprès de leur caisse d'assurance maladie.

Contracter une assurance médicale reste une saine précaution. Les soins dans les services d'urgence des hôpitaux sont gratuits pour tout le monde mais pas les autres, et les honoraires de spécialistes, ou les frais de rapatriement, peuvent s'avérer très chers.

Si vous allez chez un dentiste pendant votre séjour, la somme à payer sera faible si vous avez droit au National Health Service (et si vous réussissez à dénicher un dentiste NHS), ou beaucoup plus élevée si vous consultez un praticien indépendant. Certains hôpitaux assurent également des urgences dentaires. Vous trouverez les coordonnées des cabinets privés dans les *Yellow Pages* (p. 622).

LES MÉDICAMENTS

Les médicaments s'achètent non seulement dans les pharmacies mais aussi, même ceux délivrés sur ordonnance, à des rayons spéciaux dans les supermarchés ou chez des droguistes. Boots, l'enseigne la plus connue et la plus importante, possède des succursales dans la plupart des

Pharmacie villes. Si vous n'avez pas droit au NHS, vous les paierez intégralement. Demandez un reçu si vous avez contracté une assurance.

Au cas où vous devez commencer ou continuer un traitement pendant votre voyage, le plus simple consiste à emporter vos médicaments. Sinon, demandez à votre médecin de vous en donner le nom générique (et non de marque).

LA DÉLINQUANCE

Vous ne courez que peu de risque de voir un vol ou une agression troubler votre séjour en Grande-Bretagne mais nous vous indiquons néanmoins ci-dessous quelques précautions de base. Depuis les attentats de Londres, les alertes à la bombe sont devenues plus nombreuses, le plus souvent à cause d'un paquet oublié dans un lieu public, notamment dans le métro. Il se peut alors que la police demande à fouiller vos bagages ou procède à une évacuation.

PRÉCAUTIONS CONSEILLÉES

Assurez vos possessions avant votre départ et ne laissez jamais un bagage sans surveillance dans un lieu public. En règle générale, contentez-vous d'emporter l'argent liquide dont vous avez besoin et laissez le reste, ainsi que bijoux et objets de valeur, dans le coffre de l'hôtel. Les chèques de voyage (*p. 625*) demeurent la forme de paiement la plus sûre.

Les pickpockets agissent de préférence dans la foule, notamment dans les endroits touristiques, les magasins très fréquentés, sur les marchés et

Agent de police

Agent de la circulation

Agent de police

dans les transports publics
aux heures de pointe.

Surveillez particulièrement
vos téléphones portables,
évitez les portefeuilles dans
la poche arrière du pantalon
et, dans tous les lieux publics,
gardez votre sac à main
sur les genoux. Si vous vous
déplacez seul la nuit, mieux
vaut ne pas vous risquer
dans les endroits déserts
et mal éclairés.

La mendicité s'est
développée dans les grandes
villes. Elle reste normalement
polie. Prévenez la police
si l'on vous importune.

LES FEMMES VOYAGEANT SEULES

Pour une femme, manger
seule au restaurant ou
sortir uniquement avec des
amies n'a rien d'exceptionnel
en Grande-Bretagne et
ne pose pas de dangers
particuliers. La prudence
demeure cependant de mise.
Dans les transports publics,
choisissez si possible une
voiture occupée, et de
préférence par plusieurs
groupes de personnes. Et
prenez un taxi (*voir p. 642*)
plutôt que de traverser
seule un quartier
désert le soir.

Nombre
de dispositifs
d'autodéfense sont
illégaux et le port de
couteaux, matraques,
pistolets et bombes
lacrymogènes est
interdit dans les lieux
publics. Les systèmes
d'alarme sont en revanche
autorisés.

LA POLICE ET LES URGENCES

Si des voitures de patrouille
remplacent de plus en
plus les *bobbys* britanniques
traditionnels, ceux-ci
sont toujours présents dans
les zones rurales et dans les
centres-villes et ils continuent
de se montrer courtois
et serviables. Contrairement
aux policiers de beaucoup
d'autres pays, ils ne portent
pas d'armes. Si vous vous
perdez, n'hésitez pas à leur
demander votre chemin.

Voiture de police

Ambulance

Camion de pompiers

Vous pouvez aussi vous
adresser aux agents
de la circulation.

Les services de police,
d'ambulances et de lutte
contre l'incendie restent
en alerte 24 h sur 24. Ils
sont réservés aux véritables
urgences et se joignent par
le 999. L'appel est gratuit.
Sur le littoral, ce numéro
vous mettra également
en contact
avec le Royal
National Lifeboat
Institute,
les volontaires
du sauvetage
en mer.

Sigle du Royal National Lifeboat Institute

OBJETS PERDUS OU VOLÉS

En cas de vol ou de perte,
faites une déclaration
au poste de police le plus
proche. Si vous avez souscrit
une assurance, il vous faudra
un procès-verbal pour obtenir
un remboursement.

Les principales gares
ferroviaires ou routières
possèdent un service des
objets trouvés (*Lost Property*).
Ne laissez aucun objet de
valeur en évidence dans votre
chambre d'hôtel. La plupart
des hôtels rejettent en effet
toute responsabilité pour
les biens qui ne sont pas
déposés dans leur coffre.

CARNET D'ADRESSES

NUMÉROS D'URGENCE

Police, pompiers, ambulances
999. Appel gratuit (24 h/24).

Childline (SOS Enfants)
0800 1111. Pour les enfants
ayant besoin d'assistance.
Appel gratuit (24 h/24).
www.childline.org.uk.

Rape Crisis Centre (SOS Viol)
0115 934 8474 (Rape Crisis
Federation of England & Wales).
www.rapecrisis.co.uk

Samaritans
0845 7909090.(24 h/24. Pour
tous problèmes affectifs).
www.samaritans.org.uk

Services d'urgence médicale
Cherchez dans l'annuaire le plus
proche Accident and Emergency
unit ou contactez la police.

Urgences dentaires
020-7837 3646 (24 h/24 ;
enfants seul.) ; 020-7955 4317
(Guy's Hosp., London).

ASSISTANCE

Alcooliques Anonymes
0845 7697555. www.
alcoholics-anonymous.org.uk

Femmes enceintes
08457 304030.
www.bpas.com

Objets trouvés
Contactez le poste de police
le plus proche.

Pharmacies de garde
Contactez un poste de police
pour une liste complète.

SOS Aveugles
National Helpline for the Blind
0845 766 9999.
www.rnib.org.uk

SOS Drogues
National Helpline for Drugs
0800 776600 (24h/24).
www.talktofrank.com

SOS Handicapés
DIAL UK.
01302 310123.
www.dialuk.org.uk
Disabled Living Foundation.
020-7289 6111.

SOS Sourds
British Deaf Association
0808 8080123.

SOS Victimes
0845 3030900.
www.victimsupport.org

Le téléphone

Cabine BT moderne

Avec l'amélioration constante des systèmes de télécommunication et la progression du courrier électronique, il n'a jamais été aussi simple de rester en contact et de s'organiser tout en voyageant. Le réseau téléphonique britannique est efficace et bon marché. C'est le week-end et du lundi au vendredi de 6 h à 20 h que les communications sont les moins chères. Néanmoins, le prix des appels locaux à partir de téléphones publics est fixe et déterminé à la minute.

LES TÉLÉPHONES PAYANTS

Ils sont à carte ou à pièces et, dans ce dernier cas, acceptent les pièces de 10 p, 20 p, 50 p et de 1 £. Seuls les plus récents acceptent celles de 2 £. Le coût minimum d'un appel est de 20 p. Pour un appel court, utilisez des pièces de 10 ou 20 p. Les téléphones à carte sont souvent plus pratiques. BT (anciennement British Telecom) a cessé de délivrer ses propres cartes prépayées, mais d'autres types de cartes sont disponibles dans les kiosques à journaux et les bureaux de poste. Avec une carte de crédit, tout appel coûte au minimum 50 p et le tarif le plus élevé est appliqué.

LES ANNUAIRES

Les annuaires comme *Yellow Pages* et *Thomson Local* répertorient les numéros professionnels locaux. Vous les trouverez dans les bureaux de poste, les bibliothèques et, souvent, à votre hôtel.

LE BON NUMÉRO

Plusieurs services d'assistance téléphonique sont à votre disposition (plus chers depuis un mobile).

Urgences
☎ 999.
Police, pompiers, ambulances, sauvetage en montagne, en mer et spéléologique.

Renseignements locaux
☎ 118 500 (payant).

Renseignements internationaux
☎ 118 505 (payant).

Opérateur international
☎ 155 (gratuit).

Opérateur
☎ 100.

Appels à l'étranger
☎ 00 puis 33 pour la France, 32 pour la Belgique, 41 pour la Suisse et 1 pour le Canada.

Talking Pages
☎ 0800 600900 recense les numéros professionnels en Grande-Bretagne.

UTILISER UN TÉLÉPHONE À CARTE ET À PIÈCES

1 Décrochez le combiné et attendez la tonalité.

2 Insérez une carte de téléphone ou les pièces de 10 p, 20 p, 50 p, 1 £ ou 2 £ nécessaires. Le tarif minimum est de 20 p.

3 Composez le numéro et attendez la sonnerie.

4 L'écran indique la somme insérée. Un bip sonore rapide vous indique que votre crédit est épuisé. Ajoutez d'autres pièces ou insérez une autre carte.

5 Si vous souhaitez passer un autre appel et que votre crédit n'est pas épuisé, ne raccrochez pas mais appuyez sur le bouton « *follow-on-call* » (appel suivant).

6 Une fois votre communication terminée, raccrochez le combiné et retirez votre carte ou récupérez les pièces restantes.

1 £

50 p

20 p

10 p

ACCÈS À L'INTERNET

La plupart des villes permettent désormais l'accès public à l'Internet. Un accès gratuit est souvent possible dans les grandes bibliothèques, mais il peut être nécessaire de réserver un créneau horaire. Les cybercafés facturent généralement à la minute. Les tarifs tendent à grimper rapidement, surtout si vous devez imprimer. EasyEverything, une grande chaîne de cybercafés, est présente dans de nombreuses villes, comme Édimbourg (58 Rose Street) et Londres (7 Strand). L'accès à l'Internet est très bon marché, surtout en période creuse.

Accès à l'Internet 24 h/24 dans la chaîne européenne EasyEverything

La poste

**Enseigne de
bureau de poste**

En dehors des principaux bureaux de poste offrant une large gamme de services, il existe, notamment en zone rurale et dans les petites localités, de nombreuses agences postales installées dans des épiceries, des centres d'information ou chez des marchands de journaux. Souvent, dans les villages, c'est l'unique magasin qui abrite cette agence. Les bureaux de poste sont ouverts de 9 h à 17 h 30 en semaine et de 9 h à 12 h 30 le samedi.

Un bureau de poste des Cotswolds

de **Royal Mail**. À l'intérieur du Royaume-Uni, vous pourrez envoyer votre courrier « *first class* » ou « *second class* ». Le premier service est plus cher mais la majorité des envois atteignent leur destinataire le jour suivant (sauf le dimanche).

Royal Mail
📞 *0845 7740740.*
🌐 *www.royalmail.com*

LES SERVICES POSTAUX

Les timbres s'achètent dans toutes les boutiques et kiosques affichant « *Stamps sold here* ». Les hôtels ont souvent une boîte aux lettres à la réception. Si vous écrivez en Grande-Bretagne, n'oubliez jamais le code postal que vous pourrez obtenir auprès

1ʳᵉ classe pour les lettres par avion

Timbres de 2ᵉ et 1ʳᵉ classe

Carnets de 12 timbres

LA POSTE RESTANTE

En ville, les grands bureaux de poste offrent un service de poste restante. La lettre ou le colis doit porter votre nom, clairement lisible, la mention « Poste restante » et l'adresse du bureau de poste. Celle du plus important de Londres est William IV Street, London WC2. L'envoi sera conservé un mois. Il vous faudra une pièce d'identité pour le retirer. Pour les détenteurs d'une carte American Express, l'agence de Londres, au 30-31 Haymarket, offre un service similaire.

LES BOÎTES AUX LETTRES

Qu'elles se dressent sur un trottoir sous forme de pilier où qu'elles soient encastrées dans un mur, elles arborent toutes une voyante couleur rouge. Certaines ont deux fentes, l'une pour les courriers « *first class* » et à destination de l'étranger, l'autre pour les envois « *second class* ». Un panneau indique les heures de collecte qui ont généralement lieu plusieurs fois par jour en semaine, moins souvent le samedi et rarement le dimanche.

**Boîte
pilier**

Une boîte aux lettres de campagne cernée de vigne vierge

LES ENVOIS À L'ÉTRANGER

Le courrier aérien passe par Royal Mail et le coût dépend de la destination. En moyenne, il faut trois jours pour acheminer le courrier en Europe, et quatre à six jours pour les destinations plus lointaines. Envoyer du courrier à l'étranger autrement que par avion est certes économique mais peut prendre huit semaines pour parvenir à destination. Royal Mail propose un service aérien exprès dénommé **Swiftair**, disponible dans tous les bureaux de poste. **Parcelforce Worldwide** propose un service de livraison exprès pour la plupart des destinations et son coût est comparable à ceux des compagnies privées **Crossflight**, **DHL**, **Expressair** ou **UPS**.

Airsure (Royal Mail)
📞 *08457 740740.*
🌐 *www.royalmail.com*

Crossflight
📞 *0870 224 1122.*
🌐 *www.crossflight.co.uk*

DHL
📞 *08701 100300.* 🌐 *www.dhl.co.uk*

Expressair
📞 *020-8897 3336.*

Parcelforce Worldwide
📞 *08708 501150.*
🌐 *www.parcelforce.com*

UPS
📞 *08457 877877.* 🌐 *www.ups.com*

Banques et monnaie

Les banques proposent en général de meilleurs cours que les bureaux de change privés installés dans les principaux aéroports, gares et sites touristiques. Ceux-ci appliquent des taux très variables et, avant d'effectuer toute transaction, mieux vaut lire les petits caractères indiquant commissions et frais prélevés. Les bureaux de change présentent néanmoins un avantage : leurs horaires d'ouverture. Les chèques de voyage restent le moyen le plus sûr de transporter de l'argent.

Bureau de change, Lloyds Bank

LES BUREAUX DE CHANGE

Les petits bureaux de change privés sont souvent mieux situés que les banques et ouverts plus longtemps. Mieux vaut toutefois examiner avec attention non seulement le taux proposé mais aussi la commission prélevée.

Quelques grandes enseignes à la réputation établie tels qu'**Exchange International, Traveler, American Express** et **Chequepoint** possèdent des succursales dans toute la Grande-Bretagne.

Banques britanniques

Toutes ces banques ont des agences dans la plupart des villes du pays. Une pièce d'identité est requise pour les opérations de change.

LES BANQUES

Les banques ouvrent au minimum de 9 h 30 à 15 h 30 du lundi au vendredi mais nombre d'elles, notamment dans les grandes villes, restent ouvertes plus tard ou proposent leurs services le samedi matin. Toutes, en revanche, ferment les jours fériés (*p. 65*), et même, pour certaines, plus tôt la veille.

Hors des villages, rares sont les localités à ne pas posséder une succursale d'au moins une des cinq principales banques nationales : **Barclays, Lloyds TSB, HSBC, National Westminster et Royal Bank of Scotland**. De plus en plus d'agences disposent de distributeurs automatiques de billets qui vous permettront d'obtenir du liquide. Certains des plus modernes affichent les instructions en plusieurs langues. Les détenteurs d'une carte American Express pourront utiliser tous les distributeurs automatiques de billets, à condition d'avoir fait enregistrer leur code avant leur départ. Une commission de 2 % sera prélevée sur leurs transactions.

Une autre possibilité s'offre à vous si vous vous retrouvez à court de fonds : contacter votre banque et demander un virement dans un établissement bancaire britannique ou dans un bureau de Traveler ou d'American Express. Les visiteurs nord-américains peuvent faire virer de l'argent dans une banque ou un bureau de poste par l'intermédiaire de **Western Union**.

LES CARTES DE CRÉDIT

Les cartes bancaires et celles de magasins sont très largement acceptées en Grande-Bretagne et sont même nécessaires pour louer une voiture ou réserver une chambre d'hôtel. Il n'en est pas toujours ainsi dans les petites boutiques, les marchés, les petites pensions ou les cafés. Les cartes acceptées sont en général affichées en vitrine. Le réseau le mieux implanté est Visa, suivi de Diners Club, American Express, Access et Mastercard.

Vous pouvez tirer de l'argent (dans les limites de votre crédit) dans tout établissement bancaire ou distributeur portant le sigle correspondant à votre carte. Les frais prélevés figureront sur votre relevé de banque.

Sigle de la Barclays Bank

Sigle de la HSBC

Sigle de la National Westminster

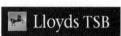

Sigle de la Lloyds TSB

Sigle de la Royal Bank of Scotland

American Express
☎ 020-7834 5555.
W www.americanexpress.co.uk

Chequepoint
☎ 020-7373 0111.
W www.chequepoint.com

Exchange International
☎ 020-7630 7200.

Traveler
☎ 07333 18901.

Western Union
☎ 0800 833 833.
W www.westernunion.com

ARGENT LIQUIDE ET CHÈQUES DE VOYAGE

L'unité monétaire britannique est la livre sterling, ou pound (£), qui correspond à 100 pence (p). Il n'existe pas de contrôle des changes limitant la quantité de devises que vous pouvez importer ou exporter. L'Écosse a ses propres coupures, légales dans tout le Royaume-Uni mais parfois refusées au pays de Galles et en Angleterre. Les chèques de voyage offrent le moyen le plus sûr d'emporter de l'argent. La

Billet de banque écossais d'une livre (1 £)

commission est en général de 1 %. Conservez à part le reçu et les adresses des agences où vous faire rembourser en cas de perte ou de vol. Lorsque vous changez de l'argent, demandez plutôt des petites coupures. Posséder quelques livres avant votre arrivée vous évitera les queues quelquefois fort longues qui se forment devant les bureaux de change des aéroports ou des ports.

Les billets de banque
Les billets anglais sont de 5 £, 10 £, 20 £ et 50 £.
Préférez les petites coupures, les commerçants n'ont pas toujours la monnaie d'un billet de 20 £.

Billet de 50 £

Billet de 20 £

Billet de 10 £

Billet de 5 £

Les pièces de monnaie
Elles valent 2 £, 1 £, 50 p, 20 p, 10 p, 5 p, 2 p et 1 p (ici grandeur nature).

2 livres (2 £)   **1 livre (1 £)**   **50 pence (50 p)**   **20 pence (20 p)**

10 pence (10 p)   **5 pence (5 p)**   **2 pence (2 p)**   **1 penny (1 p)**

Magasins et marchés

Si le quartier du West End à Londres (*p. 124-125*) reste sans conteste l'endroit le plus excitant de Grande-Bretagne pour se livrer au lèche-vitrine, les principales métropoles régionales offrent un choix presque aussi large. Qui plus est, effectuer des achats en province peut se révéler moins fatigant, moins coûteux et étonnamment varié, l'atmosphère découverte dans un atelier d'artisanat, dans une ferme vendant ses produits, sur un marché ou dans une fabrique ajoutant au plaisir de traquer la bonne affaire. Les antiquités, la parfumerie et les textiles, notamment le tweed, font partie des acquisitions particulièrement intéressantes.

Éventaire de brocanteur au Bermondsey Market (*p. 123*)

LES HORAIRES D'OUVERTURE

La plupart des boutiques ouvrent vers 9 h ou 10 h et ferment entre 17 h et 18 h en semaine, parfois plus tôt le samedi. Dans le centre-ville, peu de magasins ouvrent le dimanche sauf à l'approche de Noël. Certains restent en revanche ouverts en « *nocturne* » (« *late night shopping* ») un soir par semaine – le mercredi ou le jeudi dans le West End à Londres. Dans les villages, les commerces ferment parfois à l'heure du déjeuner ou un jour par semaine. Les jours de marché varient d'une ville à l'autre.

COMMENT PAYER ?

La plupart des magasins acceptent les cartes Visa et Access (Mastercard) et, moins souvent, les cartes American Express et Diners Club. Parmi les commerçants refusant les cartes bancaires figurent les étals des marchés et certaines petites boutiques mais aussi quelques grandes enseignes. Les chèques de voyage, surtout s'ils sont établis en livres (attention, sinon, au taux de change proposé), sont normalement pris partout sur présentation du passeport. Rares sont les établissements qui acceptent les chèques d'une banque étrangère en dehors des eurochèques.

DROITS ET SERVICES

Excepté certains articles vendus en solde (vérifiez au moment de l'achat), vous pouvez vous faire rembourser les objets défectueux si vous les rapportez dans l'état où vous les avez achetés et, si possible, dans leur emballage. Il faut fournir une preuve d'achat et vous n'avez pas à accepter un simple avoir.

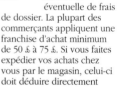

Étiquette d'une styliste londonienne

Un dédale de rues commerçantes : les Lanes, Brighton (*p. 163*)

LES SOLDES

Si les périodes traditionnelles de soldes sont de janvier à février et de juin à juillet, vous pouvez dénicher des offres spéciales toute l'année. Ce sont les boutiques de mode et les grands magasins qui offrent en général les réductions les plus importantes. Les soldes d'Harrods (*p. 99*), à Londres, ont une telle réputation qu'une queue se forme à l'entrée des heures avant l'ouverture.

EXEMPTION DE TAXE

Cet article ne concerne que les visiteurs étrangers à l'Union européenne résidant moins de trois mois en Grande-Bretagne. Ils peuvent en effet se faire rembourser la taxe à la valeur ajoutée (*VAT*) appliquée sur quasiment tous les produits. Cette taxe est généralement inclue dans le prix affiché.

Pour obtenir ce remboursement il faut présenter son passeport lors de l'achat et remplir un formulaire dont on remettra le double à la douane en quittant le pays. Les douaniers peuvent demander à voir les acquisitions. Le règlement s'effectuera par chèque ou par virement après déduction éventuelle de frais de dossier. La plupart des commerçants appliquent une franchise d'achat minimum de 50 £ à 75 £. Si vous faites expédier vos achats chez vous par le magasin, celui-ci doit déduire directement la taxe de votre paiement.

LES CENTRES COMMERCIAUX

Comme en France, ces complexes réunissant hors du centre-ville magasins, cafés, restaurants ou cinémas se multiplient en Grande-Bretagne. Ils disposent tous de vastes parcs de stationnement et sont pour la plupart desservis par les transports publics.

Devanture d'une boutique traditionnelle à Stonegate, York (*p. 390*)

LES GRANDS MAGASINS

Quelques grands magasins comme Harrods n'existent qu'à Londres mais beaucoup ont des succursales en province. John Lewis, par exemple, est ainsi installé dans 22 villes où il propose une large sélection de tissus, de vêtements et d'articles ménagers d'un bon rapport qualité-prix. Marks & Spencer, implanté dans la plupart des grandes villes, reste toutefois l'enseigne de référence pour ses produits réputés pour leur solidité. British Home Stores (BhS) et Debenhams sont deux autres distributeurs connus. La taille des succursales et la richesse de leurs stocks, varient selon les régions.

LES BOUTIQUES DE MODE

C'est Londres qui offre le plus de choix, de la haute couture la plus classique au prêt-à-porter le plus insolite. En province, et notamment dans les villes touristiques comme Oxford, Bath et York, vous trouverez aussi bien des magasins indépendants aux collections sélectionnées par leur propriétaire que des enseignes franchisées. Parmi celles-ci, Principles ou Dorothy Perkins proposent une mode élégante à prix raisonnable. Visant une clientèle plus jeune, Gap et Miss Selfridge sont moins chers.

SUPERMARCHÉS ET MAGASINS D'ALIMENTATION

Comme en France, les supermarchés proposent une large gamme de produits alimentaires à des prix intéressants. Sainsbury, Tesco, Asda, Safeway et Waitrose sont quelques-unes des grandes marques nationales en compétition. Néanmoins, les petits commerçants, épiciers, boulangers ou marchands de légumes, présenteront souvent plus d'intérêt pour les produits frais et les spécialités régionales. Sans parler de la chaleur de l'accueil.

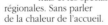

Fromages de Teesdale

SOUVENIRS, CADEAUX ET BOUTIQUES DE MUSÉES

Céramique, verrerie, bonbons, articles de toilette, tweed ou whisky, vous trouverez dans tout le pays, et notamment dans les sites les plus touristiques, des articles typiques qui vous

La Mustard Shop (*p. 189*) entretient la tradition à Norwich

permettront de rapporter, ou d'offrir, un souvenir de la Grande-Bretagne. Nombre de magasins se chargeront de l'expédition des objets les plus volumineux. Pour des cadeaux originaux, essayez les boutiques des musées, ou celles du National Trust (*p. 25*) et d'English Heritage (*p. 617*).

ANTIQUITÉS ET BROCANTE

Comme le révèle la visite de tout manoir, les Britanniques restent très attachés à leur passé et aux objets qui en témoignent. Dans presque chaque ville, on trouve au moins un antiquaire ou un magasin de brocante. Les chineurs ne négligeront pas non plus les marchés aux puces, notamment à Londres, et les ventes aux enchères. Les centres d'information touristique (*p. 614-615*) vous indiqueront où et quand ils ont lieu.

Étal de bouquiniste à Hay-on-Wye, pays de Galles (*p. 447*)

LES MARCHÉS

Les grandes cités possèdent un marché couvert dont les éventaires ouvrent presque tous les jours. Dans les villes de moindre importance, le marché a lieu une fois par semaine (les rubriques du guide en indiquent le jour). En général, il se tient sur la place principale. À ce premier marché s'ajoute souvent un marché de produits régionaux, qui propose entre autres choses des denrées issues de l'agriculture biologique.

Se distraire en Grande-Bretagne

Guignol anglais

Londres reste la capitale culturelle du Royaume-Uni (*p. 126-129*) mais de nombreux théâtres, opéras et salles de concerts de province proposent également une programmation riche, en particulier à Edinburgh, Manchester, Birmingham, Leeds et Bristol. L'été voit se multiplier des festivals tels ceux de Bath et de Aldeburgh (*p. 62-63*). Le prix des places de spectacle est souvent moins élevé hors de Londres.

LES SOURCES D'INFORMATION

À Londres, consultez le quotidien du soir *Evening Standard* ou des magazines de programme comme *Time Out*. Les journaux nationaux de qualité (*p. 618*) proposent également des rubriques culturelles, plus développées le week-end, décrivant des manifestations organisées dans tout le pays. Presse locale, bibliothèques et offices du tourisme (*p. 615*) pourront eux aussi vous renseigner. Disponibles chez tous les marchands de journaux, des publications spécialisées comme *NME* ou *Melody Maker* annoncent les concerts de rock ou de pop music.

LES THÉÂTRES

Si Shakespeare (*p. 312-315*) demeure son plus grand auteur dramatique, la tradition théâtrale de la Grande-Bretagne a des origines encore plus anciennes et reste très vivante. Partout, compagnies professionnelles ou amateur proposent des spectacles souvent de qualité jusque dans des pubs, des boîtes de nuit ou des salles des fêtes de village.

Londres est la ville du théâtre (*p. 126*). Le quartier du West End compte à lui seul plus de 50 théâtres (*p. 127*) allant de l'édifice edwardien tout en dorures et velours rouge jusqu'à des bâtiments résolument modernes comme le National Theatre sur le South Bank. À Stratford-upon-Avon, le répertoire de la Royal Shakespeare Company comprend aussi bien des créations expérimentales que les pièces du célèbre dramaturge. Le Theatre royal de Bristol (*p. 244*) est le plus ancien théâtre du Royaume-Uni encore actif. Parmi les salles proposant en province les meilleures productions, figurent également le West Yorkshire Playhouse de Leeds, le Royal Exchange (*p. 360*) de Manchester et le Traverse à Edinburgh.

En été, d'innombrables manifestations se déroulent en plein air : artistes de rue animant le centre de nombreuses villes, représentations organisées dans le cadre spectaculaire offert sur une falaise de Cornouailles par le Minnack Theatre (*p. 264*), ou pièces jouées sur le terrain de leur collège par les étudiants de Cambridge et d'Oxford. Tous les quatre ans, les rues d'York sont investies par un spectacle médiéval (York Cycle). Le festival d'Edinburgh (*p 495*) est une des plus grandes rencontres théâtrales et artistiques d'Europe.

La plupart du temps, surtout en semaine, vous pourrez prendre votre billet à l'entrée juste avant la représentation mais pour les pièces les plus populaires, notamment dans le West End, il faut parfois réserver des semaines à l'avance. Cette réservation, généralement sujette à supplément, peut s'effectuer par le biais d'agences spécialisées ou de certaines agences de voyage. La plupart des hôtels se chargeront de la démarche pour leurs clients. Méfiez-vous des billets proposés par des vendeurs à la sauvette, ce sont parfois des faux.

Artiste de rue

MUSIQUE

Londres, Manchester, Birmingham, Liverpool, Bristol et Bournemouth entretiennent leurs propres orchestres philharmoniques et de nombreuses églises et cathédrales accueillent des récitals, en particulier des chœurs.

Des concerts de rock, jazz, folk ou country ont lieu chaque jour dans d'innombrables salles, pubs ou boîtes de nuit. Au pays de Galles, les pubs résonnent encore souvent de mélodies et chants traditionnels, tandis que le nord de l'Angleterre est réputé pour ses fanfares. L'Écosse ne serait plus l'Écosse sans ses joueurs de cornemuse (*p. 466*).

Le Buxton Opera House dans les Midlands

Le complexe multisalles Warner de Leicester Square à Londres

LES CINÉMAS

Dans les grandes villes, les cinémas traditionnels s'effacent de plus en plus devant les complexes multisalles qui projettent en général seulement des films en anglais. Pour voir une œuvre française en version originale, il vous faudra plutôt surveiller la programmation des cinémas d'art ou d'essai. Les prix des billets varient grandement. Certains établissements proposent des réductions l'après-midi ou le lundi.

Les visas de censure U (pour tous) ou PG (présence des parents conseillée) s'appliquent aux films visibles par tous. Pour les autres, les chiffres 12, 15 ou 18 indiquent l'âge minimum requis pour entrer dans la salle. Ces classifications sont toujours précisées sur les affiches.

LES BOÎTES DE NUIT

Certains clubs imposent des obligations vestimentaires ou exigent une carte de membre. Les plus célèbres se trouvent à Londres (p. 129). Toutes les grandes cités et des villes moyennes comme Brighton et Bristol sont réputées pour l'animation de leur vie nocturne.

LA DANSE

Sans surprise, Londres est le grand centre britannique de la danse classique et contemporaine tandis que Birmingham, où réside le Birmingham Royal Ballet, est la ville de province offrant la programmation la plus riche dans ces domaines. Des spectacles d'avant-garde y sont aussi présentés.

Les danses folkloriques comme le Highland Fling en Écosse ou le Morris Dancing en Angleterre restent vivantes, de même que certaines traditions comme les dîners ou thés dansants et les bals des universités (en mai et sur invitation seulement). En mai également ont lieu à Helston des danses processionnelles. Les *ceilidhs* (prononcer kèli) sont des réunions dansantes au son de mélodies celtiques.

LES LIEUX GAY

La majorité des agglomérations importantes possèdent des lieux de rencontre homosexuels, le plus souvent des bars et des boîtes de nuit. Des publications comme *Pink Paper*, gratuit, ou *Gay Times*, en vente chez certains marchands journaux et dans les bars et clubs gay, en donnent les adresses. La vie homosexuelle de Londres se concentre autour de Soho (p. 82). En province, ce sont Manchester et Brighton qui ont les scènes les plus actives. La Gay Pride est le plus grand carnaval gay d'Europe.

Trois participants à la Gay Pride

LES ENFANTS

Monuments, expositions interactives, musées de jouets, spectacles... Londres offre aux enfants des choix infinis de distractions. L'hebdomadaire *Time Out* recense les activités et distractions proposées aux enfants.

Hors de Londres, les possibilités se révèlent plus restreintes. L'office du tourisme local, ou la bibliothèque, devrait pouvoir vous informer sur les activités proposées.

Le bateau des pirates, Chessington World of Adventures, Surrey

LES PARCS DE LOISIR

Les parcs de loisir sont appréciés des enfants de tout âge. Au sud de Londres, le **Chessington World of Adventures** est un immense complexe conçu autour d'un zoo et qui comprend neuf espaces à thèmes. **Alton Towers** propose des attractions foraines plus conventionnelles. Au **Thorpe Park**, une ferme voisine avec des modèles réduits de bâtiments. **Legoland** a ouvert en mars 1996.

Alton Towers
Alton, Staffordshire.
📞 0870 444 4455.
W www.altontowers.com

Chessington World of Adventures
Leatherhead Rd, Chessington, Surrey.
📞 0870 4447777.
W www.chessington.com

Legoland
Winkfield Rd, Windsor, Berkshire.
📞 08705 040404.
W www.legoland.co.uk

Thorpe Park
Staines Rd, Chertsey, Surrey.
📞 08704 444466.
W www.thorpepark.com

Séjours à thème et activités de plein air

En Grande-Bretagne, de nombreux organismes proposent un choix étendu de séjours permettant d'apprendre ou de pratiquer un sport, de s'adonner à une passion ou simplement de faire des rencontres et d'améliorer son anglais. Les chantiers bénévoles, de restauration de monuments ou d'entretien de réserves naturelles par exemple, offrent quant à eux l'oportunité de se rendre utile. Certaines de ces activités, notamment de plein air, peuvent aussi se pratiquer seul.

Promenade sur une piste cavalière
(p. 33)

VACANCES THÉMATIQUES

Les offices du tourisme britanniques (p. 615) tiennent à disposition des visiteurs des listes de séjours à thème organisés à leur intention ainsi que des brochures les décrivant. Ils éditent en outre Activity Holiday (Jarrold) vendu en librairie.

Les inscriptions se font directement auprès des organisateurs ou par l'intermédiaire d'une agence de voyage. Les stages sont organisés en général par niveaux pour permettre à chacun d'en tirer profit quel que soit son âge ou son expérience antérieure. Vous pourrez non seulement pratiquer des sports comme la navigation de plaisance, le golf, l'équitation ou le tennis, mais aussi vous initier ou vous perfectionner dans des arts tels que la peinture, la céramique, la calligraphie ou la joaillerie à moins que vous ne préfériez suivre de véritables cours sur des sujets allant de Shakespeare à l'écologie. Travailler sur un chantier de restauration ou de fouilles archéologiques s'avérera également très enrichissant.

À PIED ET À BICYCLETTE

La Grande-Bretagne présente une grande variété de paysages qu'un réseau balisé de sentiers de grande randonnée et de promenades pédestres locales (p. 32-33) vous permettra de découvrir à pied, seul ou avec un club. Pistes cyclables (p. 643) mais aussi petites routes de campagne et pistes cavalières offriront aux cyclistes de magnifiques itinéraires. Beaucoup de régions sont toutefois montagneuses.

GOLF ET TENNIS

Il existe environ 2 000 terrains de golf en Grande-Bretagne. Bien que les tarifs puissent varier de l'un à l'autre, la pratique de ce sport est en général beaucoup moins coûteuse qu'en France. De nombreux clubs accueillent les joueurs de passage, certains proposent une inscription temporaire, tous sont plus calmes en semaine.

Vous trouverez des courts de tennis dans toutes les villes et dans beaucoup d'hôtels. Ils sont souvent très pris en été.

Dans la Cardigan Bay galloise

LA NAVIGATION DE PLAISANCE

Le Royaume-Uni a construit son empire grâce à sa puissance maritime et les Britanniques continuent d'adorer la mer. La Manche, notamment autour de l'île de Wight, se prête tout particulièrement à la pratique de la voile. Canaux, lacs et rivières offrent des plaisirs plus paisibles. Le réseau des Broads (p. 186) dans le Norfolk est le plus propice à la navigation fluviale (renseignements auprès de la Broads Authority) mais de nombreuses possibilités se présentent également dans la région des lacs (p. 342-357).

AUTRES SPORTS NAUTIQUES

Il serait dommage, dans une île, de ne pouvoir jouir de la mer. Le climat ne s'y prête toutefois pas partout en Grande-Bretagne. Les

Randonneurs et grimpeurs, Yorkshire Dales National Park (p. 370-371)

véli-planchistes pourront s'en donner à cœur joie aussi bien sur les lacs que sur le littoral. Il existe des loueurs de matériel, et la possibilité de faire du ski nautique, dans la plupart des stations balnéaires. Les surfeurs se retrouvent dans le sud du pays de Galles et l'ouest de l'Angleterre dont la côte rocheuse attire également les plongeurs sous-marins.

LA PÊCHE

L es saumons et les truites des torrents de l'Ouest, du pays de Galles, de l'Écosse et du nord-est de l'Angleterre

Pêcheur solitaire sur la côte sud-est de l'Angleterre

font rêver bien des pêcheurs. La législation est toutefois extrêmement stricte, notamment concernant les périodes d'ouverture. Peut-être avez-vous intérêt avant d'emballer votre canne à contacter la **National Federation of Anglers.**

AU STADE

L a saison de football dure en Grande-Bretagne d'août à mai, celle de rugby de septembre à avril. Inutile de vanter aux passionnés de ces sports la qualité des équipes britanniques. S'il n'est pas le plus populaire, le cricket reste le sport national anglais et, d'avril à septembre, son rituel complexe déploie sur les *greens* des villages un spectacle incompréhensible mais très exotique pour un étranger. Autre spectacle typique : les courses de lévriers. Elles ont lieu entre autres au Wimbledon Stadium de Londres. Comme pour les courses de chevaux, consultez les journaux pour connaître les dates et les horaires.

En parapente au-dessus des South Downs (*p. 169*)

LES SPORTS DE MONTAGNE

H ors de la station des Cairngorms en Écosse (*p. 530-531*), les îles britanniques manquent d'intérêt pour les skieurs. Elles sont toutefois suffisamment montagneuses pour offrir aux grimpeurs de belles parois à escalader et aux amateurs de parapente des sommets d'où prendre leur envol. Toutes les grandes villes possèdent une patinoire.

CARNET D'ADRESSES

Aircraft Owners and Pilots Association
☎ 020-7834 5631.
W www.aopa.co.uk

Assoc. of Pleasure Craft Operators
☎ 01952 813572.
W www.canals.com/orgs/apco.htm

Assoc. of British Riding Schools
38-40 Queen St, Penzance, Cornwall TR18. ☎ 01736 369440. W www.abrs.org

British Activity Holiday Association
☎ 01932 252 994.
W www.baha.org.uk

British Hang-Gliding and Paragliding Association
The Old School Room, Loughborough Rd, Leicester LE4.
☎ 0870 8706490.
W www.bhpa.co.uk

British Mountaineering Council
177-179 Burton Rd, Manchester M20.
☎ 08700 104878.
W www.thebmc.co.uk

British Surfing Association
Champions Yd, Penzance, Cornwall TR18.
☎ 01637 876474.
W www.britsurf.co.uk

British Water Ski Federation
390 City Rd, London EC1V.
☎ 01932 570885. W www.britishwaterski.co.uk

British Trust for Conservation Volunteers
36 St Mary' St, Wallingford, Oxon OX10 0EU. ☎ 01491 821600.
W www.btcv.org

British Waterways
Willow Grange, Church Rd, Watford, Herts WD1.☎ 01923 201120. W www.britishwaterways.co.uk

Broads Authority
☎ 01603 610734.
W www.broads-authority.gov.uk

England & Wales Cricket Board
Lord's Cricket Ground, St John's Wood, NW8.
☎ 020-7432 1200.
W www.ecb.co.uk

English Golf Union
☎ 01526 354500. W www.englishgolfunion.org

Football Association
16 Lancaster Gate, London W2.
☎ 0845 458 1966.
W www.thefa.com

Lawn Tennis Association
☎ 020-7381 7000.
W www.lta.org.uk

National Federation of Anglers
☎ 01283 734735.
W www.nfadirect.com

Environment Agency
☎ 0870 850 6506.
W www.environment-agency.gov.uk

Outward Bound
☎ 08705 134227. W www.outwardbound-uk.org

Racecourse Assoc.
Winkfield Rd, Ascot, Berks SL5. ☎ 01344 625912.
W www.comeracing.co.uk

Royal Yachting Association
RYA Hse, Ensign Way, Hamble, Southampton, Hants SO31 4YA.
☎ 0845 345 0400.
W www.rya.org.uk

Rugby Football Union
Rugby Rd, Twickenham, Middx TW1.☎ 020-8892 2000.W www.rfu.com

Ski Club of Great Britain
57-63 Church Rd, London SW19. ☎ 020-8410 2000.
W www.skiclub.co.uk

SE DÉPLACER EN GRANDE-BRETAGNE

Vous pourrez choisir votre compagnie aérienne pour rejoindre le Royaume-Uni en avion. Elles sont nombreuses à se faire concurrence à partir de toutes les grandes villes du monde, notamment d'Europe et d'Amérique du Nord. Ferry-boats et aéroglisseurs permettent de traverser la Manche ou la mer du Nord avec sa voiture, ou en autocar. Depuis l'ouverture du tunnel sous la Manche, moins

**Avion de ligne
de la British Airways**

de trois heures de train séparent le centre de Londres de celui de Paris.

Sur place, les réseaux routier et ferroviaire britanniques, denses et bien entretenus, permettent de se déplacer aisément à travers le pays. Même comparé au train, l'autocar se révèle très économique bien que parfois un peu lent. Des lignes aériennes intérieures assurent des liaisons plus rapides mais pour un prix nettement plus élevé.

**Salle des pas perdus, Waterloo
Station, Londres**

CIRCULER
EN GRANDE-BRETAGNE

Choisir le meilleur moyen de se déplacer en Grande-Bretagne dépend beaucoup de l'endroit où vous voulez aller, du moment où vous effectuez ce voyage... et de vos moyens.

Les distances dans ce pays deux fois moins vaste que la France justifient rarement de prendre l'avion à moins de traverser vraiment tout le territoire comme, par exemple, de Londres à Edinburgh. Sur les trajets plus courts, le temps perdu à aller et revenir de l'aéroport annule celui gagné dans les airs, en particulier si l'on compare au train. Dans la plupart des cas, le rail reste en effet le moyen le plus confortable de se rendre d'une grande ville à l'autre. Les tarifs sont toutefois relativement élevés et si vous envisagez de beaucoup circuler mieux vaut prendre avant votre départ l'un des forfaits proposés par British

Rail (*p. 638*). L'autocar restera cependant moins cher, mais sera moins rapide et parfois moins confortable (*p. 640*). Quelle que soit l'heure de votre arrivée, des taxis vous permettront de rejoindre votre hôtel depuis la gare ou la gare routière.

C'est la voiture qui vous offrira le plus de liberté dans vos pérégrinations. Si vous habitez trop loin ou manquez de temps pour venir avec la vôtre, vous en trouverez en location dans tous les aéroports et dans les grandes gares (*p. 637*). Vous obtiendrez de meilleurs prix en réservant depuis l'étranger ou, sur place, en vous adressant à de petites sociétés locales. Pour rejoindre les petites îles éparpillées dans l'Atlantique,

la Manche et la mer du Nord, de nombreux ferries assurent des liaisons régulières.

N'oubliez pas que vous pouvez également louer vélos et chevaux, notamment pour découvrir les parcs nationaux, ou emprunter des transports aussi pittoresques que la barque servant de bac entre Southwold et Walberswick (*p. 190*).

**Le bac sur la Blyth entre
Southwold et Walberswick, Suffolk**

LE TUNNEL SOUS LA MANCHE

Avec l'inauguration en 1994 de la première liaison « terrestre » entre la France et la Grande-Bretagne, c'est un rêve vieux de deux siècles qui s'est réalisé. Le tunnel sous la Manche comprend trois conduits de béton et d'acier de 50 km chacun : deux pour le transport des passagers et des marchandises, un pour les canalisations et les services situés entre 25 et 45 m sous le sol marin. Les voyageurs arrivant en voiture ou en car

EURO TUNNEL

**Le sigle
d'Eurotunnel**

à Calais ou Folkestone restent dans leur véhicule qui monte sur une navette ferroviaire gérée par **Eurotunnel**. Le trajet dure 35 minutes. En train, il existe quelque 40 liaisons directes **Eurostar** entre Bruxelles, Lille, Paris, Frethum, Calais, et Londres/Ashford, assurées par les chemins de fer belges, français et britanniques. Londres est désormais à 2 h 35 de Paris par train.

Arriver en bateau, train ou car

À moins de prendre l'avion, quel que soit votre moyen de transport, train, voiture ou autocar, il vous faudra emprunter un ferry ou le tunnel sous la Manche pour rejoindre les îles Britanniques. Les compagnies maritimes, dont les tarifs restent compétitifs, assurent des liaisons régulières avec de très nombreux ports d'Europe et leurs horaires permettent de bonnes correspondances avec les services d'autocar. Le tunnel sous la Manche offre la possibilité de rejoindre Londres depuis Paris ou Bruxelles en un temps record.

L'Eurostar met Paris à moins de trois heures de Londres

Ferry arrivant à Douvres

LES LIAISONS MARITIMES AVEC L'EUROPE

Il existe des liaisons par ferries et aéroglisseurs entre treize ports britanniques et plus de 20 ports du continent sur la Manche et la mer du Nord (*p. 10-15*). Selon l'endroit d'où vous partez et votre lieu de destination, elles peuvent s'avérer plus pratiques que le tunnel sous la Manche. Ainsi, pour gagner le nord du pays, un bateau des North Sea Ferries relie tous les jours Zeebrugge à Hull.

Les tarifs varient beaucoup selon la saison et la durée du séjour. Certaines sociétés proposent des réductions pour les étudiants ou les personnes de plus de 60 ans. Les traversées les plus courtes ne sont pas toujours les moins chères.

CONDITIONS DE TRAVERSÉE

Certains trajets imposent de passer la nuit en mer. Dans ce cas, mieux vaut réserver une cabine (généralement en supplément) pour ne pas arriver épuisé. Les liaisons les plus rapides sont celles effectuées entre Douvres et Calais, Ostende et Douvres et Dieppe et Newhaven par les catamarans **Seacat** d'**Hoverspeed**. Ces appareils mettent moins d'une heure pour traverser la Manche. Ils offrent l'avantage pour les gens n'ayant pas le pied marin d'être moins sensibles au roulis.

AVERTISSEMENT

Pour se préserver de la rage, inconnue sur son territoire, la Grande-Bretagne interdit de fait l'importation d'animaux domestiques, même vaccinés. Tout animal introduit illégalement risque d'être abattu.

LES LIAISONS INTERNATIONALES EN AUTOCAR

S'il est loin d'être le plus confortable ou le plus rapide, l'autocar reste le moyen de transport en commun le moins coûteux. Le prix du trajet comprend la traversée de la Manche en ferry ou par le tunnel. Il est possible de prendre des billets pour d'autres villes que Londres.

LES LIAISONS INTERNATIONALES PAR TRAIN

Grâce au tunnel sous la Manche, il est désormais possible de rejoindre facilement la Grande-Bretagne avec **Eurotunnel** et **Eurostar**. Le train est un moyen confortable et rapide de voyager – la vitesse atteint 300 km/h sur les parties française et belge du trajet. Les prix sont proches des tarifs aériens.

CARNET D'ADRESSES

BATEAU, TRAIN ET CAR

Britanny Ferries
📞 0825 828 828 (France).
🔲 www.brittanyferries.com

Eurolines
📞 0892 89 90 91 (France).
🔲 www.eurolines.fr

Eurostar
📞 0892 353539 (France) ;
02 528 28 28 (Belgique).
🔲 www.eurostar.com

Eurotunnel/ Le Shuttle
📞 0810 63 03 04 (France) ;
70 22 32 10 (Belgique).
🔲 www.eurotunnel.com

Hoverspeed/SeaCat
📞 00 800 12 11 12 11.
🔲 www.hoverspeed.com

P&O Ferries
📞 0825 120 156 (France).
🔲 www.poferries.com

Seafrance
📞 0825 826 000 (France).
🔲 www.seafrance.com

Arriver en avion

L a Grande-Bretagne compte environ 130 aéroports mais ils ne sont qu'une poignée à pouvoir recevoir des avions long-courrier. Le plus important, Heathrow, sert de plaque tournante à de nombreuses lignes transatlantiques mais la majorité des vols réguliers entre l'Europe et Londres s'y posent également. À côté d'autres grands aéroports internationaux comme ceux de Gatwick et Stansted à Londres, ou ceux de Manchester, Glasgow, Newcastle, Birmingham et Edingurgh, des sites plus petits tels que London City, Bristol, Norwich et Cardiff accueillent eux aussi des vols européens.

Panneau signalant la liaison rapide entre Gatwick et Londres

British Airways et **British Midland** assurent de nombreuses liaisons régulières et directes entre les grandes villes du Royaume-Uni, l'Europe et le Canada tandis que les grandes compagnies nationales (notamment **Air France**, **SN Brussels Airlines**, **Swiss** et **Air Canada**) proposent un large choix de vols au départ de leurs pays respectifs.

Un 747 de British Airways à Heathrow

LES AÉROPORTS BRITANNIQUES

S i quelques aéroports britanniques dépendent des autorités locales ou d'organismes privés, les plus importants et les plus connus sont gérés en majorité par la British Airports Authority. On y trouve cafés, boutiques, hôtels, restaurants et la possibilité de changer de l'argent 24 h sur 24. Partout, la sécurité est stricte et vous devez songer à ne jamais laisser vos bagages sans surveillance.

Le nombre de vols à destination de Birmingham, Manchester et Newcastle, dans le nord de l'Angleterre, ou Glasgow et Edinburgh en Écosse, ne cesse de croître et rien ne vous oblige à passer par Londres. Si vous décidez néanmoins de commencer votre voyage par la visite de la capitale, vous poser à Gatwick ou à Heathrow, ses deux principaux aéroports, se révélera tout aussi pratique. Au retour, si vous ne savez pas de quel terminal décolle votre vol (Heathrow compte quatre terminaux par exemple), laissez-vous assez de temps pour le découvrir. Si les conditions climatiques interdisent à votre avion de se poser à l'endroit prévu, la compagnie assurera votre transport entre le lieu d'atterrissage et votre destination.

LIAISONS À PARTIR DE L'AÉROPORT

S i le taxi est le moyen le plus confortable de rejoindre un centre-ville, c'est aussi le plus cher et il risque de se révéler extrêmement lent en cas d'embouteillage -

Terminal de l'aéroport d'Heathrow

AÉROPORT	ℂ INFORMATION	DISTANCE	PRIX DU TAXI POUR LE CENTRE-VILLE	TRANSPORT EN COMMUN POUR LE CENTRE-VILLE
Heathrow	08700 000123	23 km (14 miles)	40-45 £	métro : 45 mn Rail : 15 mn
Gatwick	08700 002468	45 km (28 miles)	75 £	Rail : 30 mn Bus : 70 mn
Stansted	08700 000303	60 km (37 miles)	80 £	Rail: 45 mn Bus: 75 mn
Manchester	0161 4893000	16 km (10 miles)	15-16 £	Rail: 15 mn Bus: 30 mn
Birmingham	0870 733 5511	13 km (8 miles)	12-15 £	Bus: 30 mn
Newcastle	0870 122 1488	8 km (5 miles)	10-12 £	métro: 20 mn Bus: 20 mn
Glasgow	0870 040 0008	13 km (8 miles)	12-15 £	Bus: 20 mn
Edinburgh	0870 040 0007	13 km (8 miles)	17-18 £	Bus: 25 mn

une éventualité des plus probables aux heures de pointe (*p. 636*). Les problèmes liés à la circulation se poseront aussi avec les bus mais pour un coût nettement moindre.

Les aéroports d'Heathrow et de Newcastle sont tous deux desservis par des métros (*p. 643*) rapides, pratiques et bon marché. Pour un prix lui aussi modéré, des trains express relient les aéroports de Manchester, Stansted et Gatwick à leurs centres urbains.

Les autocars National Express (*p. 640*) permettent de rejoindre directement de nombreuses villes britanniques depuis la plupart des grands aéroports. Ils assurent également une navette entre Heathrow et Gatwick.

LES TARIFS SPÉCIAUX

Sur toutes les lignes régulières, transatlantiques ou non, les enfants de moins de deux ans paient 10 % du tarif normal (mais ne disposent pas de leur propre siège) et ceux de moins de 12 ans 50 %. Quel que soit votre âge, vous pouvez, en réservant suffisamment tôt à l'avance, profiter de tarifs Apex ou Superapex sous certaines conditions de séjour. Il s'agit toutefois de réservations fermes (vous ne pouvez plus changer vos dates). En ce qui concerne les réductions jeunes, étudiants ou personnes âgées, celles-ci varient selon les compagnies.

Bar de l'hôtel Posthouse à l'aéroport d'Heathrow

ENCORE MOINS CHER

Certaines agences spécialisées comme, parmi bien d'autres, Access Voyages, Nouvelles Frontières ou Tourbec, proposent parfois des tarifs encore plus avantageux. Ils correspondent à deux types de billets : des places « bradées » par de grandes compagnies sur des avions où vous jouirez des services qu'elles offrent à tous leurs voyageurs, et des places sur des avions charter au confort souvent plus spartiate. Dans les deux cas, il s'agit presque toujours de réservations fermes. Les meilleures affaires se présentent généralement en basse saison, de novembre à avril hors période de Noël.

Même si vous tenez à votre indépendance, renseignez-vous sur ce que proposent les tours-opérateurs. Souvent très économiques, leurs formules, qui peuvent inclure hébergement, location de voiture ou trajets en train ou en car, deviennent de plus en plus souples.

LES LIGNES AÉRIENNES INTÉRIEURES BRITANNIQUES

Les courtes distances qui séparent la majorité des villes de Grande-Bretagne ne justifient de prendre l'avion que pour des trajets particuliers, par exemple de Londres vers l'Écosse ou l'une des nombreuses îles périphériques. Les billets sont chers mais si vous effectuez votre réservation longtemps à l'avance, vous pourrez profiter d'un tarif jusqu'à trois fois inférieur à ce que vous auriez payé en vous présentant au guichet juste avant le départ. Le service de navettes (shuttle) assuré par British Airways entre Londres et des cités comme Glasgow, Edinburgh et Manchester connaît un grand succès auprès des hommes d'affaires. Il propose une rotation toutes les heures en période de pointe et toutes les deux heures le reste du temps.

CARNET D'ADRESSES

COMPAGNIES AÉRIENNES À LONDRES

Air Canada
📞 08705 247226.
Air France à Paris
📞 0820 820 820.
Air New Zealand
📞 0800 028 4149.
American Airlines
📞 08457 789789.
British Airways
📞 0845 779 9977.
British Midlands
📞 0870 607 0555.
Continental Airlines
📞 0800 776464.
Delta Airlines
📞 0800 414767.
Qantas
📞 0845 774 7767.
US Airways
📞 08456 003300.
Virgin Atlantic
📞 01293 747747.

L'aéroport de Stansted

La Grande-Bretagne en voiture

L e plus déconcertant pour les conducteurs européens
arrivant en Grande-Bretagne est bien entendu de
devoir se mettre à rouler de l'autre côté de la chaussée.
Une fois l'habitude prise cependant, circuler sur les routes
de campagne devient souvent un plaisir. À cause des
embouteillages, il n'en va pas toujours de même en ville
aux heures de pointe et à certains endroits de la côte de
la Manche les week-ends d'été. Un réseau bien entretenu
d'autoroutes gratuites et de routes à doubles voies
séparées relie les principales agglomérations du pays.

OBLIGATIONS ADMINISTRATIVES

T out conducteur doit
pouvoir présenter
son permis de conduire,
un certificat d'assurance
(carte verte), la carte grise
du véhicule et, si celle-ci n'est
pas à son nom, une preuve
de propriété ou un contrat de
location. La voiture doit porter
une plaque de nationalité.

LE CODE DE LA ROUTE

L a conduite à
gauche est la
différence la plus
spectaculaire entre
le code de la route
britannique et celui
des pays du
continent mais elle
n'est pas la seule. En
effet, il n'existe pas
de voie prioritaire
en Grande-
Bretagne. À chaque carrefour,
des bandes sur le sol ou
des panneaux de signalisation
indiquent qui doit laisser
le passage (*give way*).
Ces panneaux ne diffèrent

Arrêt interdit   **Vitesse limitée à 30 m/h (48 km/h)**

Sens interdit   **Interdiction de tourner à droite**

Passage à niveau   **Laisser le passage**

Sens unique   **Pente à forte déclivité**

Distances indiquées en miles

London	32
Cambridge	25
Newmarket	30
M 11	
Bishops Stortford	4
Dunmow (A120)	8

généralement pas de ceux
visibles en France. Et comme
en France, les indications de
direction respectent un code
de couleur : fond bleu pour
les autoroutes, vert pour
les routes principales et blanc
pour les autres. Des panneaux
marron signalent les sites
intéressants et, sur les
autoroutes, des écrans
lumineux annoncent travaux,
accidents ou poches
de brouillard. Les limites
de vitesses sont de 30 mph
(48 km/h) en ville, 60 mph
(96 km/h) sur route
et de 70 mph
(112 km/h)
sur autoroute
(*motorway*) et route
à doubles voies
séparées (*dual
carriageway*).
Un piéton engagé
sur un zebra crossing
(*p. 643*) a une
priorité absolue
(et respectée par les
automobilistes britanniques).
La prudence recommande
de lire l'*UK Highway Code
Manual* (code de la route
britannique) disponible
en librairie.

Attention, à l'inverse de ce
dont vous avez l'habitude, les
ronds-points (*roundabouts*)
se prennent dans les sens des
aiguilles d'une montre. Ce sont
les conducteurs engagés qui
ont priorité, donc ceux arrivant
de droite quand vous vous
engagerez à votre
tour. Avant votre
départ, songez à
équiper votre voiture
d'un rétroviseur
extérieur droit si elle
n'en possède pas et,
éventuellement,
à faire régler vos
codes pour éviter d'éblouir les
conducteurs venant d'en face.

CIRCULER

E n ville, évitez les heures
de pointe : de 8 h à 9 h 30
et de 17 h à 18 h 30 du lundi
au vendredi. En zone rurale,
de bonnes cartes routières
garantiront votre liberté. AA et
RAC commercialisent des atlas
pratiques et complets. Un M
suivi d'un numéro correspond
à une autoroute, un A à une
route principale, souvent à
voies séparées. Signalées par
un B, les routes secondaires,
moins fréquentées,
se révèlent généralement
agréables à emprunter.

STATIONNER

D ans toutes les grandes
villes, vous gagnerez du
temps en vous garant dans un
parking. Certaines en
proposent en
périphérie, des
bus permettant
de rejoindre le
centre. Une double
ligne jaune signale
une interdiction de
stationner absolue,
une ligne jaune simple que
vous pouvez normalement

Parc de stationnement

L'A30, une route à doubles voies séparées en Cornouailles

vous garer le soir et le week-end (mais mieux vaut vérifier qu'un panneau n'apporte pas de restrictions supplémentaires). En zone urbaine, toutes les autres places sont généralement contrôlées par un parcmètre. Un véhicule en infraction a toutes les chances de se retrouver immobilisé par un sabot... À moins que la fourrière ne s'en charge.

LES CARBURANTS

Le diesel paraîtra coûteux aux conducteurs français. Les stations-service distribuent également du super et de l'essence sans plomb. En général, comme en France, celles des supermarchés (Tesco ou Sainsbury par exemple) proposent les tarifs les plus intéressants tandis que celles installées sur les autoroutes se révèlent les plus chères.

LE SECOURS ROUTIER

L'AA (Automobile Association) et le RAC (Royal Automobile Club), les deux automobiles-clubs britanniques, assurent un service de dépannage 24 h sur 24 auquel ont droit les membres des automobiles-clubs étrangers affiliés (vérifiez auprès du vôtre avant de partir). Même sans appartenir à une de ces associations, vous pouvez obtenir leur assistance, par exemple en utilisant les téléphones de secours des autoroutes, mais le dépannage vous reviendra cher. Un autre organisme, **Green Flag**, s'appuie sur un réseau de garagistes locaux et se révèlera parfois plus rapide et moins onéreux.

De nombreuses assurances automobiles comprennent une assistance à l'étranger. Avant votre départ, pensez à vous renseigner sur les risques couverts par la vôtre et à noter le numéro d'appel d'urgence. Si vous louez un véhicule, l'agence de location devrait également vous en indiquer un.

Station-service de campagne à Goathland dans le North Yorkshire

LOUER UNE VOITURE

Autos Abroad est une des sociétés de location britanniques les plus compétitives mais de petites compagnies proposent parfois des tarifs encore plus intéressants. En en étudiant, n'oubliez pas d'ajouter la TVA et les frais d'assurance. Il faut avoir 21 ans et un permis de plus d'un an pour louer une voiture. L'agence vous demandera une pièce d'identité et une caution. Le moyen le plus simple consiste à donner un numéro de carte bancaire. Des voitures automatiques sont désormais disponibles. Si vous passez plus de trois semaines en Grande-Bretagne, un véhicule en leasing sera plus rentable.

L'AUTO-STOP

L'auto-stop reste très pratiqué dans les îles Britanniques et, à la campagne, il n'est pas rare qu'un conducteur s'arrête pour proposer de prendre des randonneurs fatigués. Évitez toutefois les bagages trop encombrants. Et sachez que, comme partout, il y a un risque à faire du stop seul, surtout pour une femme. Les autoroutes et leurs rampes d'accès sont interdites aux piétons. Pour trouver un lift, vous pouvez consulter *Loot*, magazine d'annonces vendu à Londres, Manchester et Bristol.

CARNET D'ADRESSES

DÉPANNAGES

AA
☎ 0800 887 766.

Green Flag
☎ 0800 400 600.

RAC
☎ 0800 828 282.

LOCATION DE VOITURES

Autos Abroad
☎ 0870 066 7788.
W www.autosabroad.com

Avis
☎ 0870 010 0287.
W www.avis.co.uk

Budget
☎ 0800 181 181.
W www.budget.com

Europcar
☎ 0870 607 5000.
W www.europcar.co.uk

Hertz
☎ 08708 448 844.
W www.hertz.co.uk

National Car Rentals
☎ 08705 365 365.
W www.nationalcar.co.uk

RENSEIGNEMENTS

Informations routières
☎ 09003 401 100.

Informations pour les handicapés
☎ 0800 262 050.

Prévisions météo
☎ 08706 004 242.

Urgences
☎ 999.

La Grande-Bretagne en train

Société nationale des chemins de fer britanniques, le British Rail gère un réseau divisé en secteurs régionaux mais qui rayonne depuis Londres : certaines liaisons transversales évitant la capitale exigent plusieurs changements. Il dessert plus de 2 500 gares. Le service est ponctuel et les voitures, modernes ou modernisées, sont en général silencieuses et confortables, notamment sur les grandes lignes, les plus rapides. Les TGV Eurostar empruntant le tunnel sous la Manche (*p. 632*) à destination de Paris ou Bruxelles partent de la gare de Waterloo à Londres et d'Ashford dans le Kent.

Train InterCity filant à travers la campagne

LES BILLETS

Les billets s'achètent dans les agences de voyage et aux guichets et distributeurs automatiques des gares. La plupart des cartes bancaires sont acceptées. Une place en première classe coûte environ un tiers de plus qu'en seconde et un aller-retour, en particulier dans la même journée, se révèle le plus souvent moins cher que deux allers.

Il existe quatre sortes de réductions pour les adultes. Disponibles en nombre limité sur certaines liaisons, les billets Apex se prennent une semaine à l'avance. Conditions similaires pour les billets SuperApex mais ils doivent s'acheter 14 jours avant le départ. Les *Savers* ne peuvent s'utiliser qu'en week-end et en semaine hors des heures de pointe. Enfin, les *Supersavers* ne doivent pas servir à quitter, rejoindre ou traverser Londres pendant les heures de pointe et le vendredi.

En zone rurale, les guichets ferment parfois le week-end, ce qui ne vous empêchera pas de risquer une amende (à régler sur-le-champ) si un contrôleur vous surprend à bord sans titre de transport.

LES FORFAITS

Si vous envisagez de beaucoup utiliser les chemins de fer en Grande-Bretagne, prendre avant votre départ un forfait, ou pass, auprès de l'office du tourisme britannique (*p. 615*), de **Rail Europe** ou de **CIE Tours International** se révélera plus économique. La *All Line Rail Rover* permet aux adultes de voyager (kilométrage illimité) en Angleterre, Écosse et pays de Galles pour une durée de 7 à 14 jours. Les enfants de moins de 16 ans voyagent demi-tarif, une *Family Rail Card* est également disponible. Elle peut être utilisée par quatre adultes ou quatre enfants maximum. Des réductions sont également disponibles pour les 16-25 ans ou les étudiants scolarisés dans un établissement en Grande-Bretagne, notamment avec la *Young Person's Rail Card*. Pour les plus de 60 ans, la *Senior Rail Card* permet d'obtenir jusqu'à 1/3 de réduction sur certains trajets. Il existe également des pass spéciaux pour Londres, Oxford, Canterbury et Brighton. Les enfants de 5 à 15 ans payent demi-tarif, les moins de cinq ans ne payent pas. Des tarifs familiaux sont également disponibles. Les voyageurs handicapés ont droit à de nombreuses réductions. Munissez-vous d'une pièce d'identité et d'une photographie pour acheter les pass. Si vous avez un pass, vous devrez le montrer lors de tout achat de tickets.

INFORMATIONS GÉNÉRALES

Climatisés et dotés d'un wagon-restaurant ou d'une voiture-buffet, les trains les plus confortables sont ceux des grandes lignes mais mieux vaut réserver sa place le plus tôt possible, surtout si vous comptez voyager à un moment de grand départ comme le vendredi soir. Sans atteindre les vitesses des TGV français, ils sont assez rapides pour mettre Edinburgh à quelque quatre heures de Londres.

Les voyageurs trouvent en général des chariots dans les gares britanniques mais peu de porteurs. Pour obtenir une

Une belle gare, la Liverpool Lime Street Station

assistance, les personnes handicapées doivent contacter British Rail à l'avance. Une ligne jaune au-dessus de la fenêtre d'une voiture signifie qu'il s'agit d'un compartiment de première classe. Il existe des trains *Motorail* permettant d'emporter son automobile et d'autres proposant un *Observation Saloon* où la vue offerte par des baies vitrées justifie le supplément exigé. Vérifiez la destination de la voiture où vous prenez place, certains trains se divisent en cours de route. Même les gares éloignées du centre sont presque toujours desservies par des bus.

LES TRAINS TOURISTIQUES

A lors que la concurrence de la route conduisait au milieu du siècle à la désaffection de nombreuses voies ferrées rurales, des amateurs enthousiastes se sont associés pour sauver locomotives et voitures anciennes et continuer à les faire circuler. Les trajets que vous pouvez emprunter sont le plus souvent courts et font une trentaine de kilomètres, mais ils sont particulièrement pittoresques et vous feront traverser parmi les plus beaux coins de la campagne anglaise, vous permettant ainsi de découvrir des endroits et scènes surprenants. Citons, parmi ces trains « pour le plaisir », le Ffestiniog Railway (*p. 438-439*) en North Wales ; le North York Moors Railway (*p. 380*) ; le Strathspey Steam Railway (*p. 530*) ou encore le La'l Ratty Railway en Cumbria (*p. 352*). Les offices du tourisme et les guichets du British Rail locaux vous indiqueront horaires, périodes de circulation et tarifs.

À toute vapeur dans le North Yorkshire

LES LIAISONS FERROVIAIRES

LÉGENDE

~~~~~ Grandes lignes

──── Lignes secondaires

● Gares de transit

○ Gares

□ Agglom. Londres

LONDON
Euston
King's Cross
St Pancras
Paddington
Liverpool Street
Victoria
Charing Cross
Waterloo

Inverness
Kyle of Lochalsh
Aberdeen
Fort William
Oban
Perth
Dundee
Stirling
Glasgow
Edinburgh
Stranraer
Carlisle
Newcastle
Durham
Windermere
Harrogate
Scarborough
Lancaster
York
Bradford
Preston
Leeds
Hull
Liverpool
Manchester
Holyhead
Chester
Sheffield
Bangor
Crewe
Lincoln
Shrewsbury
Nottingham
Leicester
Norwich
Wolverhampton
Peterborough
Birmingham
Coventry
Cambridge
Fishguard
Hereford
Luton
Ipswich
Cheltenham
Swindon
Stansted
Milford Haven
Swansea
Bristol
LONDON
Cardiff
Bath
Canterbury
Barnstaple
Taunton
Salisbury
Dover
Gatwick
Hastings
Southampton
Brighton
Exeter
Weymouth
Portsmouth
Plymouth
Torquay
Penzance

CARNET D'ADRESSES

EN GRANDE-BRETAGNE

First North Eastern Railways
📞 08459 505000 (réservations).

Great Western Trains
📞 08457 000125 (réservations).

Midland Mainline
📞 08457 221125 (réservations).

National Rail Enquiries Timetables
📞 08705 484950.
🌐 www.nationalrail.co.uk

Rail Europe
📞 0870 837 1371 (Londres).
🌐 www.raileurope.co.uk

Virgin Trains
📞 08457 222333 (réservations).

Renseignements pour les handicapés
📞 0845 744 3366 (réservations).

Objets trouvés
📞 020-7387 8699

À L'ÉTRANGER

CIE Tour International
📞 (800) 243 8687 (Canada).

Rail Europe
📞 (800) 848 7245 (Canada).

La Grande-Bretagne en autocar

En Grande-Bretagne, les *buses* ne sont pas confinés aux centres urbains. Le terme désigne en effet aussi les autocars qui assurent des dessertes locales entre villes et villages. Les véhicules utilisés pour les liaisons longue distance, ou les visites organisées, portent le nom de *coaches*. Généralement confortables, ils sont bien plus économiques que le train mais avec des temps de parcours plus longs... ou beaucoup plus longs, en cas de problème de circulation. Certaines lignes, notamment celles où le tarif inclut un service d'hôtesse et des rafraîchissements, sont si populaires, en particulier le week-end, que mieux vaut prendre un billet avec réservation pour être sûr d'avoir une place.

Visite en autocar du Royal Mile à Edinburgh

LE RÉSEAU NATIONAL EXPRESS

Il existe de nombreuses compagnies d'autocars régionales en Grande-Bretagne mais au niveau national, la plus importante est sans conteste **National Express** qui dessert plus de 1 200 destinations dans le pays (*p. 12-15*). Il est préférable de réserver pour les destinations les plus demandées, surtout le vendredi soir.

En prenant la Discount Coach Card, les personnes de plus de 60 ans auront droit pendant un an à une réduction de 30 %. La Britexpress Card offre à tous les visiteurs la même réduction pendant un mois. Ces cartes s'achètent avant le départ auprès d'Eurolines, correspondant sur le continent de National Express, et sur place dans la plupart des aéroports internationaux, dans les grandes agences de voyage et dans des gares routières telles que la **Victoria Coach Station**.

L'**Oxford Tube** assure des liaisons fréquentes entre Londres et Oxford. La **Scottish Citylink** propose des liaisons régulières entre Londres, le nord de l'Angleterre et l'Écosse. Il y a aussi des départs depuis les aéroports d'Heathrow, Gatwick et Stansted.

National Express
📞 08705 808080.
🌐 www.nationalexpress.com

Oxford Tube
📞 01865 772250. 🌐 www.stagecoachbus.com/oxfordshire

Scottish Citylink
📞 08705 505050.
🌐 www.citylink.co.uk

Victoria Coach Station
📞 020-7730 3466.
🌐 www.tfl.gov.uk/vcs

LES VISITES ET VOYAGES ORGANISÉS

De l'excursion touristique à la découverte d'un château jusqu'à l'exploration, en plusieurs semaines, de tout le pays, les agences spécialisées proposent un éventail de voyages en autocar à même de satisfaire toutes les tranches d'âge et tous les intérêts. Certains suivent un horaire tellement rigide qu'il prévoit jusqu'au moment où vous pourrez prendre une photo ou boire une tasse de thé, d'autres vous laissent la liberté de visiter à un rythme plus personnel et certains ne comprennent que le trajet et l'hébergement. Sur le continent, vous pouvez notamment vous renseigner sur les formules proposées par Eurolines (*p. 633*), compagnie qui possède de nombreuses succursales en province.

En Grande-Bretagne, toutes les villes importantes ou touristiques, en particulier en bord de mer, comptent des sociétés organisant au moins en haute saison des promenades ou circuits de visite. Vous en obtiendrez les coordonnées en consultant les *Yellow Pages* (*p. 622*), en demandant à votre hôtel ou en vous adressant à une agence de voyage ou à l'office de tourisme local. Ce dernier devrait en outre pouvoir vous indiquer les différentes excursions proposées, leurs horaires et points de départ et leurs coûts. Il est possible que

Un autocar de National Express

le car vienne vous prendre, puis vous ramène, à votre hôtel. Même si vous n'avez pas acheté votre place à l'avance, le seul risque que vous couriez en vous présentant au moment du départ est d'apprendre que le car est plein. L'usage veut qu'on laisse un pourboire au guide.

LES BUS RÉGIONAUX

Un grand nombre de compagnies, certaines privées d'autres sous l'autorité des collectivités locales, assurent les dessertes de proximité en autobus. Celles-ci peuvent être de fréquences et de coûts très variables. En règle générale, plus vous vous éloignez des villes, moins il y a de bus et plus ils sont chers. Certaines liaisons n'ont ainsi lieu qu'une seule fois par semaine et il existe des villages que ne dessert aucun transport public. Pour découvrir la campagne britannique, mieux vaut donc le plus souvent louer une voiture.

Si cette possibilité dépasse vos moyens, ou si une autre raison, par exemple les rencontres qu'ils favorisent, vous fait opter pour les bus, prévoyez d'avoir de la monnaie. Ils circulent pour la plupart sans receveur et le chauffeur préférera que vous lui remettiez l'appoint.

Avant d'embarquer, vérifiez les horaires et l'itinéraire à l'arrêt de bus ou auprès de l'office du tourisme. Vous risquez sinon de vous arrêter quelque part sans moyen de rentrer. Les dimanches et jours fériés, de nombreuses lignes ne fonctionnent pas et les autres n'offrent qu'un service réduit.

Le bus effectuant le transport dans une partie éloignée des Highlands

La Grande-Bretagne en bateau

Des milliers de kilomètres de voies d'eau parcourent la Grande-Bretagne qui éparpille des centaines d'îles en Manche, en mer du Nord et dans l'Atlantique. Louer une péniche pour découvrir la superbe campagne des Midlands depuis un canal ou affronter les flots sur un petit ferry local pour rejoindre une île écossaise sont des expériences qui ne s'oublient pas.

Une péniche sur les Welsh Backs, Bristol, Avon

LES CANAUX

Avec les débuts de l'industrie au XVIIIe siècle s'imposa l'obligation de transporter de lourds chargements de minerai et de matières premières. Un immense réseau de canaux fut percé à cet effet, reliant la plupart des régions de production aux ports maritimes.

L'avènement du rail ôta beaucoup de leur importance à ces voies d'eau mais il en subsiste plus de 3 000 kilomètres, pour l'essentiel dans le vieux cœur industriel des Midlands. Aux voyageurs qui en prennent le temps, ils permettent de découvrir au rythme lent d'une barge les paysages de la région, sa faune et ses vieilles auberges bâties pour étancher la soif des mariniers et prendre soin des chevaux qui halaient jadis leurs péniches.

Des agences spécialisées proposent un vaste éventail de formules, y compris pour les néophytes en navigation. Vous pouvez aussi contacter **British Waterways**.

British Waterways
☎ 01923 201120.
🌐 www.britishwaterways.co.uk

FERRIES ET CROISIÈRES FLUVIALES

La **Caledonian Mac Brayne** assure les liaisons entre l'Écosse et les Hébrides, qu'il s'agisse de navettes aussi courtes que celles entre l'île de Skye et Kyle of Lochalsch ou de traversées beaucoup plus longues comme d'Oban à Lochboisdale.

Il existe un grand nombre de tarifs et de types de billets, depuis la carte offrant temporairement une

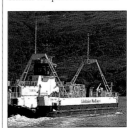

Un car-ferry reliant Oban à Lochboisdale

circulation illimitée sur certaines lignes jusqu'à des forfaits en liaison avec les chemins de fer ou les compagnies d'autocars. Les navires ne transportent pas tous les voitures.

De nombreux bateaux-promenades circulent en outre sur les lacs et rivières britanniques. Parmi les croisières qu'ils proposent, celles traversant Londres de Westminster à Tower Bridge (p. 75), sur la Tamise sont sans doute les plus spectaculaires.

Caledonian MacBrayne
☎ 01475 650100.

Circuler en ville

L es difficultés de stationnement en ville rendent les transports urbains pratiques et économiques comparés à la voiture. Ils peuvent même se révéler amusants : les enfants adorent les autobus à impériale londoniens. Seules Londres, Newcastle et Glasgow possèdent un métro ; Manchester et Blackpool sont équipées de tramways. Des taxis attendent à toutes les gares et aux stations disséminées dans le centre-ville. La marche à pied reste cependant le moyen le plus agréable de visiter de nombreuses cités, en particulier aux heures de pointe : de 8 h à 9 h 30 et de 16 h 30 à 18 h 30.

Autobus urbains sur Princes Street à Edinburgh

LES AUTOBUS

L a privatisation de certains réseaux de transports urbains a conduit à un système complexe, plusieurs compagnies se concurrençant souvent sur les lignes les plus fréquentées. Même à Londres, les autobus traditionnels cèdent peu à peu la place à des véhicules modernes plus pratiques mais beaucoup moins pittoresques. Dans la plupart des cas, vous payez votre trajet au chauffeur en entrant, si possible en faisant l'appoint. Le conducteur n'acceptera pas toujours une grosse coupure et jamais un chèque ou une carte bancaire. Gardez votre ticket jusqu'à l'arrivée sous peine de risquer une amende à régler sur-le-champ. Beaucoup de grandes villes proposent des forfaits à la

Autobus à impériale

journée ou à la semaine offrant, de jour, un accès illimité à tous les transports urbains. Ils s'achètent souvent chez les marchands de journaux. Les services de nuit, généralement de 23 h au petit matin, n'existent que dans les cités les plus importantes. À Londres, ces lignes passent toutes par Trafalgar Square et se reconnaissent au N qui précède leur numéro. Les forfaits ne sont pas valables sur ces bus. Les offices du tourisme vous renseigneront sur les horaires, les parcours et les tarifs. Certains distribuent des plans des transports publics de la ville.

Des panneaux à l'avant des véhicules indiquent leur destination. Si vous avez peur de ne pas reconnaître l'endroit où vous devez descendre, demandez au conducteur de vous prévenir. En principe, il n'y a qu'aux arrêts marqués « REQUEST » que vous avez besoin de lever le bras pour arrêter le bus afin de monter à bord, ou de sonner pour demander à en descendre. En pratique, mieux vaut le faire à tous.

Même dans les agglomérations dotées de couloirs réservés, les aléas de la circulation rendent les horaires purement indicatifs. En particulier aux heures de pointe, aller à un rendez-vous urgent peut se transformer en une interminable torture.

EN VOITURE

C onduire dans les grandes villes est de plus en plus difficile, surtout à Londres depuis la création, au printemps 2003, de la taxe pour les véhicules circulant en centre-ville. Vous devrez verser 5 £ (paiement par internet : www.cclondon.com, ou bien auprès de bornes situées dans les stations-service et les bureaux de poste) pour avoir le droit de rouler ou de vous garer dans le centre de Londres entre 7 h et 18 h 30. Dans les autres grandes villes également, de plus en plus de mesures sont prises pour décongestionner les centres. Le stationnement est partout strictement contrôlé *(p. 626)*.

Parcmètre

LES TAXIS

L es taxis agréés portent un signal sur le toit qu'ils allument lorsqu'ils sont libres. Pour obtenir leur licence, leurs chauffeurs continuent de passer un examen exigeant une parfaite connaissance de la ville et des itinéraires les plus rapides pour la traverser. Vous pouvez les appeler, les trouver aux stations de taxis ou les arrêter dans la rue en agitant vigoureusement le bras. À Londres, ils ne peuvent refuser de vous emmener à votre destination si elle se trouve dans un rayon de 9 km et dans le district de la police métropolitaine (la majeure partie du Grand Londres et l'aéroport d'Heathrow).

Dans ces taxis, un compteur vous indique l'évolution du prix de la course. Il augmente

Véhicule immobilisé par un sabot, ou clamp

toutes les minutes ou tous les 311 m (340 yards). La prise en charge est d'environ 1 £ et bagages, passagers supplémentaires et heures particulières (la nuit notamment) donnent lieu à des suppléments. Les chauffeurs s'attendent à un pourboire de 10 % à 15 % du prix de la course. Si vous avez une réclamation à émettre, relevez le numéro d'enregistrement inscrit à l'arrière du véhicule.

Concurrents des taxis agréés, les « mini-cabs » sont des voitures normales que vous pouvez prendre en téléphonant à une société ou en passant à son siège

Taxi traditionnel londonien

ouvert souvent 24 h sur 24. Si l'un d'eux s'arrête dans la rue, sachez que beaucoup opèrent illégalement et peuvent être dangereux. Vous trouverez les numéros des compagnies de mini-cabs dans les *Yellow Pages* (*p. 622*). Dans tout taxi ne possédant pas de compteur, négociez le prix de votre trajet avant le démarrage. Les offices du tourisme vous renseigneront sur les tarifs en vigueur.

LES VISITES GUIDÉES EN AUTOBUS

Parmi les visites guidées organisées dans les villes touristiques, les plus agréables par beau temps sont celles qui se font en autobus à impériale découverte. Les offices du tourisme vous les indiqueront. La plupart des compagnies offrent la possibilité de commander des visites privées.

LES TRAMWAYS

Après avoir failli disparaître, les trams, remis au goût du jour, reconquièrent les villes. Le meilleur réseau est incontestablement celui de Manchester.

LE MÉTRO LONDONIEN

Newcastle et Glasgow possèdent également chacune un métro, circulant aux mêmes heures que celui de Londres, mais leurs réseaux se limitent à quelques stations dans le centre de Newcastle et dans le centre et l'immédiate périphérie de Glasgow.

L'*Underground* londonien, ou *tube*, comprend quant à lui plus de 270 stations appartenant à 11 lignes. Chacune de ces lignes possède une couleur spécifique sur les plans, ou *Journey Planners*, affichés dans chaque station. Les trains circulent tous les jours (sauf celui de Noël) de 5 h 30 à minuit. Le prix du billet varie suivant votre destination et si vous prévoyez d'effectuer plus de deux trajets par jour, vous avez tout intérêt à acquérir une Travelcard, forfait valide sur tous les transports urbains de la capitale. Elle vous reviendra moins cher si vous l'achetez avant votre départ auprès du British Rail International (*p. 638-639*).

Panneau signalant une station de métro

Un tramway sur la célèbre promenade de Blackpool

LES VILLES À PIED

N'oubliez pas que les voitures roulent à gauche ! Des instructions écrites sur la chaussée indiquent en général le sens de la circulation (et donc l'origine du danger) aux passages protégés. Ces derniers sont de deux types : les zebra crossings marqués par des bandes blanches et une balise jaune où les piétons engagés jouissent d'une priorité absolue, et ceux commandés par un bouton où les voitures ne s'arrêteront pas avant qu'un signal lumineux le leur impose. Les municipalités créent de plus en plus de zones piétonnières dans les centres-villes.

À BICYCLETTE

Les Britanniques aiment la bicyclette et il est possible d'en louer un peu partout dans le pays. Au prix d'un supplément, vous pourrez aussi emporter la vôtre sur la plupart des trains. En ville, beaucoup de rues comportent une piste cyclable possédant sa propre signalisation mais il est défendu de rouler à vélo sur les trottoirs et dans les zones piétonnières. Cette interdiction s'applique également aux autoroutes et à leurs voies d'accès.

À vélo, sous le pont des Soupirs à Oxford

Index

Les numéros de page en gras renvoient aux principales entrées.

A

A La Ronde (Exmouth) 277
AA (Automobile Association) 637
Abbayes et prieurés
 abbayes du Nord 338-339
 Abbey Dore 304
 Anglesey Abbey **196**
 Bath Abbey 247, **248**
 Battle Abbey 169
 Beaulieu, abbaye de 156
 Bolton Priory 372
 Buckfast, abbaye de 279, 283
 Buckland Abbey **280**
 Byland Abbey **378**
 Cartmel, prieuré de 357
 Castle Acre Priory 183
 Christchurch, prieuré de 259
 Dryburgh Abbey 489
 Easby Abbey (Richmond) 339
 Fountains Abbey 335, **376-377**
 Furness Abbey (Cumbria) 356-357
 Glastonbury 241
 Hartland Abbey (Bideford) 274
 Hexham Abbey 408-409
 Inchmahome Priory 481
 Jedburgh Abbey 489
 Kelso Abbey 489
 Kirkham Priory (Malton) 339
 Kirkstall Abbey (Leeds) 339
 Lacock Abbey 235, 243
 Lanercost Priory 346
 Lindisfarne, prieuré de 404, 405
 Llanthony, prieuré de 447, 455
 Melrose Abbey 489, **498**
 Mount Grace Priory (North
  Yorkshire) 338, **380**
 Rievaulx Abbey **379**
 Selby 338
 St Mary's Abbey (York) 338-339,
  394
 St Nicholas Priory (Exeter) 277
 Sherborne Abbey Church 256
 Tintern Abbey **461**
 Torre Abbey 278
 Whalley Abbey (Lancashire) 359
 Whitby Abbey 382
 Woburn Abbey **218**
Abberley, restaurants 591
Abbotsbury 28, **256**
 hôtels 551
 pubs 609
Abbotsford House **498**
Abel, John 301
Aberaeron **449**
 restaurants 602
Aberconwy et Colwyn *voir* Galles,
 pays de (Nord)
Aberdeen **524-526**
 hôtels 571
 plan 525
 restaurants 606
Aberdour, hôtels 568
Aberdyfi **441**
 hôtels 564
 restaurants 601
Abersoch **564**
 hôtels 564
 restaurants 601
Aberystwyth **448-449**
 hôtels 566
 pubs 611

Accidents et urgences 621
Achats 626-627
 antiquités et brocante 627
 centres commerciaux 626
 droits et services 626
 grands magasins 627
 horaires d'ouverture 626
 Londres 124-125
 marchés 627
 modes de paiement 626
 remboursement de la TVA 626
 soldes 626
 souvenirs, cadeaux et boutiques de
  musées 627
 supermarchés et magasins
  d'alimentation 627
 vêtements 627
Achiltibuie, hôtels 571
Achray, loch 464, 467
Acte d'Union (1535) 50, 423
Acte d'Union (1707) 53
Adam, James 24
Adam, John 495
Adam, Robert 21, 24, 55, 134, 194
 Audley End **196-197**
 Bowood House 243
 Culzean Castle 464, **508-509**
 Georgian House (Bristol) 244
 Georgian House (Edinbourg) 490
 Harewood House **396**
 Kedleston Hall 24-25
 Kenwood House 132
 Pulteney Bridge 247
 Saltram House 278
 Syon House 134
Adam, William 488, 500, 534
Adelphi, théâtre (Londres) 127
Aéroports 619, 634-635
Âge du bronze 42-43
Âge du fer 42, 43
Agricola, Julius 44
Aidan, saint 46, 405
Air Canada 635
Air France 635
Aislabie, John 376
Aislabie, William 377
Alban, saint 45
Albert, Prince Consort 98, 99
 Albert Memorial Chapel (Windsor)
  224
 Exposition universelle 57
 Balmoral Castle 526
 Osborne House 156
Albery, théâtre (Londres) 127
Alciston, pubs 608
Alcool
 au restaurant 576
 importation détaxée 618-619
Alcooliques anonymes 621
Aldeburgh **190-191**
 Festival musical d' 63, 64, **191**
 hôtels 547
 restaurants 584
Alderminster, pubs 609
Aldrich, Henry 214
Aldwych, théâtre (Londres) 127
Alexandria, restaurants 606
Alfred le Grand 47, 162, 209, 235, 256
Alfred, le joyau d' 47, 212
Alfriston 168
 pubs 608
Alfriston, Clergy House d' 25, 168
Alice au Pays des Merveilles (Lewis
 Carroll) 213, **431**

All England Lawn Tennis Club 129
All Souls College (Oxford) 49, 214
All Souls, Langham Place (Londres) 109
Allendale Tarbaal Festival 65
Allendale, Pennines du Nord 413
Alliance évangélique 619
Alloway, hôtels 568
Alnwick Castle 332-333, **406**
Altarnun (Cornouailles) 273
Alton Towers 629
Alwinton 407
Ambassades 619
Amberley, restaurants 582
Ambleside **354-355**
 hôtels 559
 restaurants 595
American Express 624
Amigoni, Jacopo 202
Ampleforth, hôtels 562
Angles 179
Anglesey Abbey **196**
Anglesey *voir* Galles, pays de (Nord)
Anglicane (Église) 50
Anglo-Saxons 45, **46-47**
Angrove 62
Anne (reine) 41, 491
 Bath 248
 Blenheim Palace 205, 216
 Kensington Palace (Londres) 105
 statue (Barnstaple) 275
Anne de Clèves 168
Anne Hathaway's Cottage, 315
 jardins des Midlands 309
Annuaires 622
Anstruther, restaurants 604
Antiquaires 627
Antiquaires (Foire internationale des)
 62
Antonin (mur d') 44
Apollo, théâtre (Londres) 127
Applecross, pubs 611
Appledore **275**
Applethwaite, restaurants 596
Aquariums
 National Marine (Plymouth) 278
 Sea-Life Centre (Brighton) 163
 Sea-Life and Marine Sanctuary
  (Scarborough) 383
Arbor Low, Peak District 326
Architecture
 rurale 28-29
 châteaux et manoirs 24-25
 châteaux et manoirs écossais 472-
  473
 georgienne 54-55
 manoirs Tudor 290-291
 pierre des Cotswolds **292-293**
Argent 624-625
Argyll, duc d' 482, 534
Arisaig, hôtels 571
Aristocratie 26-27
Arkwright's Mill (Cromford) 327
Arkwright, Richard 55, 360
Arlington Court 275
Armada 39, 51, 278, 281
Armadale Castle 521
Armes 26-27
Armes royales 26
Armscote, hôtels 555
Armstrong, lord 406
Arthur, prince 300
 tombe de 306
Arthur, roi 47, 235, **273**
 Dozmary Pool 272-273

Glastonbury 241
Maen Huail (Ruthin) 431
Snowdon 419
Stirling Castle 482
Table ronde 158, 273
Tintagel 261, **273**
Arts ménagers (salon des) 62
Arts traditionnels, Festival
  international des (Sidmouth) 63
Arundel Castle **160**
Asenby, restaurants 598
Ashburton, hôtels 553
Ashmole, Elias 210, 212
Ashness Bridge 351
Ashton, lord 358
Aske, Robert 339
Askrigg, pubs 610
Asquith, Henry 58
Assistance téléphonique 621
Assurances 614, 620
Astor, Nancy 150
Astor, William Waldorf 177
Aswarby, hôtels 558
Athelhampton House 233, 257
Athelstan de Wessex 387
Atholl Palace Hotel 538
Atholl, ducs d' 529
Atkinson, Thomas 388
Auchindrain Museum **534**
Auchmithie, restaurants 606
Auchterarder, hôtels 568
Audley End **196-197**
Augustin, saint 46, 174
Auldearn, hôtels 571
Austen, Jane 150
  Bath 246, 248
  Maison de 150, 160
  tombeau 158
Autobus
  en ville 642
  régionaux 641
  visites organisées 643
Autocars 640-641
  liaisons internationales 633
Automobile Association 637
Autoroutes 60, 636
Auto-stop 637
Avebury **251**
  restaurants 587
Aviemore 530
Aviron 67
  Course d'aviron entre Oxford et
    Cambridge 66
Avis (location de voitures) 637
Avocats, collèges d' (Londres) 74
Avon *voir* Wessex
Avon, l' 17, 312, 314, 316
Avonwick, restaurants 589
Awe, loch **533**
Ayckbourn, Alan 20, 383
Aylesbury, hôtels 549
Ayr, restaurants 604
Aysgarth Waterfalls (chutes d'eau) 371

B

Babbacombe Model Village 278
Babbage, Charles 279
Babworth, hôtels 558
Back of Skiddaw (Cumbria) 348
Bacon, sir Francis 93, 189, 220
Bakewell, restaurants 593
Bala **436**
Bala Lake Railway 436
Balhousie Castle (Perth) 484

Ballater
  Excursion dans la vallée de la Dee
    526
  hôtels 571
  restaurants 606
Ballet 629
Balliol, Bernard 412
Balmoral Castle 465
  Excursion dans la vallée de la Dee
    526
Balquhidder, hôtels 568
Bamburgh 403, **406**
Banbury 208
Banchory, Excursion dans la vallée
  de la Dee 527
Bank holidays *voir* Jours fériés
Bankes, famille 259
Bankes, sir John 258
Banks, Thomas 114
Bankside, centrale électrique de **123**
Bannockburn, bataille de (1314) 49,
  482, 486
Banques 624
Banqueting House (Londres) **92**
  Plan du quartier pas à pas 91
Baptiste, Église 619
Barbican Concert Hall (Londres) 128
Barclays Bank 624
Bardon Mill, Pennines du Nord 413
Bargate 157
Barley, pubs 609
Barlow, évêque 450
Barnard Castle **412**
Barnstaple **275**
  restaurants 589
Barra, île de 515
Barrow-in-Furness 356
Barry, sir Charles
  Manchester Art Gallery 361
  Halifax Town Hall 398
  Parlement 74, 92
Bars et clubs gay 629
Barwick, restaurants 588
Baslow
  hôtels 558
  restaurants 593
Bassenthwaite 348
  hôtels 559
Batailles de Stirling **483**
Bateaux 223
Bath 17, 229, 236, **246-249**
  Festival international de 63
  hôtels 551
  Plan du quartier pas à pas 246-247
  restaurants 588
Bath, 6ᵉ marquis de 254
Bath, 7ᵉ marquis de 254
Bathford
  hôtels 551
  pubs 609
Battersea, bouclier de 45
Battersea Park (Londres) 77
Battle Abbey 169
Battle, hôtels 545
Bayeux, tapisserie de 159, 169
Bayswater (Londres), restaurants 578
Beachy Head 168
Beale Park 222
Beale, Gilbert 222
Beaminster, restaurants 588
Beamish Open Air Museum **410-411**
Bearley, aqueduc de 289
Beatles, les 27, 60, **363**
Beatles, Festival (Liverpool) 63

Beauchamp, chapelle 309
Beauchamp, famille 310, 311, 458
Beauchamp, tour 120
Beaulieu **156**
  hôtels 545
Beaumaris **430**
  château 418, 424-425, **430**
  hôtels 565
  Festival de 63
  pubs 611
  restaurants 601
Becket, Thomas 48-49, 174-175
Beckingham, restaurants 593
Becky Falls 283
Bed-and-Breakfasts 539
Beddgelert 429, **438**
  hôtels 565
Bède le Vénérable 405, 414
Bedford Square (Londres) 109
Bedford, ducs de 218
Bedfordshire *voir* Tamise, vallée de la
Bedingfeld, sir Edmund 183
Beefeaters 120
Belfast, HMS (Londres) 75, 111, **119**
Belford, restaurants 599
Bell, Alexander 467
Bell, Vanessa 151
Bellany, John 491
Bellini, Giovanni 212, 245
Bempton **386-387**
Ben A'an 478
Ben de Lisi 124, 125
Ben MacDhui 531
Ben Nevis 533
Ben Venue 464
Benbecula, île de 515
Benilus 244
Bennett, Arnold 299
Bere Regis 257
Berkshire *voir* Tamise, vallée de la
Bermondsey Market (Londres) 125,
  626
Berwick Street, marché (Londres) 125
Berwick-upon-Tweed **404**
  hôtels 563
Bess de Hardwick 322
Best Western 541
Bethnal Green Museum of Childhood
  (Londres) 133
Betws-y-Coed **436**
Bevan, Aneurin 423
Beverley **387**
Bibendum (Londres) 574
Bibury 292, 296
  hôtels 555
Bickley Moss, pubs 610
Bicyclette 630, **643**
Bideford **274**
Bière 34-35
Big Ben (Londres) 74, 79, 92
  Plan du quartier pas à pas 91
Bigbury-on-Sea, hôtels 553
Biggar **499**
Biggin-by-Hartington, hôtels 558
Billets
  d'avion 635
  de train 638
Billingshurst, hôtels 545
Birch Vale, restaurants 594
Birchover, pubs 610
Birmingham **306-307**
  aéroport 634
  hôtels 555
  restaurants 591

Bishop's Tachbrook
restaurants 591
Bishops Tawton, hôtels 553
Bistros 575
Black Isle **517**
Black Mountains 447, 454, 455
Black Watch 470, 484
Blackpool **359**, 643
hôtels 559
illuminations 64
restaurants 596
Blackwell, hôtels 555
Bladud 248
Blaenafon 443, **460**
Blaenau Ffestiniog **437**
Blair Castle 473, **529**
Blairgowrie, hôtels 568
Blake, Peter 93
Blake, William 93, 398, 506
Blakeney, hôtels 547
Blakeney, marais de, Excursion sur la
côte nord du Norfolk 185
Blanc, Raymond 576
Blanchland
Pennines du Nord 413
pubs 611
Blencathra (Cumbria) 349
Blenheim Palace 23, 24, 146, 205,
216-217
Blickling Hall **186**
Blockley
hôtels 555
pubs 610
Blondin, cascadeur 371
Bloomsbury (Londres) 105-109, **109**
hôtels 544
plan du quartier 105
pubs 608
restaurants 581
Bloomsbury, groupe de 109, **151**
Blyth, rivière 632
Boadicée 44, 179, **183**
Colchester 193
St Albans 220
Bodfari, pubs 611
Bodiam, château de **170**
Bodléienne, bibliothèque (Oxford)
215
Bodley, Thomas 215
Bodmin **272-273**
Bodmin Moor 272-273
Boers, guerre des 57
Boîtes de nuit 629
Boleyn, Anne
Blickling Hall 186
exécution 119
Hever Castle 177
Siège d'Anne Boleyn (Fountains
Abbey) 377
Bolton Abbey, restaurants 598
Bolton Castle 371
Bolton Priory 372
Bonnard, Pierre 526
Bonnie Prince Charlie 491, 511, **521**
bataille de Culloden 54, 469, 523
Blair Castle 529
Glenfinnan Monument 533
île de Skye 520
portrait 468
Prince's Cairn 532
souvenirs 498, 501
Traquair House 499
Western Isles 515
Booth, Richard 447

Borders *voir* Lowlands
Excursion dans les Borders **489**
Borough Market, Southwark 111,
122, 125
Borromini, Francesco 116
Borrowdale **351**
Boscastle 273
hôtels 553
Bosch, Jérôme 73
Bosworth, bataille de (1485) 49
Botallack, hôtels 553
Botallack Mine, excursion dans le
Penwith 264
Bothwell, comte de 497
Bottesford, restaurants 594
Boucher, François 106
Bouddhisme 619
Boughton Lees, restaurants 582
Bourgogne, duc de 492
Bourgeois, Louise 123
Bournemouth **259**
hôtels 551
restaurants 588
Boutiques
horaires d'ouverture 616
Bovey Tracey 283
Bow Fell 353
Bowder Stone 351
Bowes, John 412
Bowes, Josephine 412
Bowness-on-Windermere 355
hôtels 560
restaurants 596
Bowood House (Lacock) 243
Box Hill 160
Boyne, bataille de la (1690) 53
Bradford **397**
hôtels 562
restaurants 598
Bradford-on-Avon 235, **243**
hôtels 551
restaurants 588
Bradley, Thomas 399
Braemar Castle 472
Braemar Games 466
Braich-y-Pwll 439
Braithwaite, restaurants 596
Brangwyn, sir Frank 452
Brasseries 575
Braunton Burrows 275
Braunton « Great Field » 275
Brawne, Fanny 131
Bray, restaurants 586
Brearton, restaurants 598
Brechfa, restaurants 602
Brecon 455
hôtels 566
Brecon Beacons 419, **454-455**
Brecon Canal 455
Brecon Jazz 63
Brennus 244
Brentor 282
Bretforton, pubs 610
Bretton Country Park 399
Brick Lane, marché de (Londres)
125
Brighton **162-167**, 626
Festival de 62
hôtels 545
Palace Pier 154-155, 162
Pavillon royal de 147, 163, **166-167**
Plan du quartier pas à pas 162-163
restaurants 582
Brimfield, restaurants 592

Bristol 237, **244-245**
carte 245
hôtels 551
restaurants 588
British Activity Holiday Association 631
British Airways 635
London Eye 74, **83**
British Broadcasting Corporation
(BBC) 21, 618
British Hang-Gliding and Paragliding
Association 631
British Midlands 635
British Mountaineering Council 631
British Museum (Londres) 73,
108-109
British Rail 633, 638-639
British Surfing Association 631
British Tourist Authority (BTA) 540,
614-615
British Water Ski Federation 631
British Waterways 631, 641
Brittany Ferries 633
Britten, Benjamin 64, **191**
Brixham 278
hôtels 553
Brixton Academy (Londres) 128
Broad Campden, hôtels 555
Broad Haven
hôtels 566
restaurants 602
Broadhembury, pubs 609
Broads, les **186**
moulins à vent **187**
Broads Authority 631
Broadway
hôtels 556
Brocante 627
Brockenhurst, restaurants 582
Brodrick, Cuthbert 396
Brompton Oratory (Londres) **99**
Plan du quartier pas à pas 98-99
Brontë, Anne 398
tombe d' 383
Brontë, Charlotte 327, **398**
Brontë, Emily 398
Brontë, famille 398
Broom, pubs 609
Brown, Capability 22, 23
Alnwick Castle 406
Audley End 196
Blenheim Palace 217
Bowood House 243
Burghley House (Lincolnshire) 330
Chatsworth House 287, 322
Harewood House 396
Leeds Castle 176
Longleat House 254
Petworth House 160
Stowe 218
Brown, Ford Madox 49, 307
Browns 124, 125
Brownsea, île de 258-259
Bruce, sir George 487
Bruce, sir William 496
Brueghel, Pieter 84
Brunel, Isambard Kingdom 244
Buckden, hôtels 547
Buckfast Abbey 279, 283
Buckfastleigh **279**
Buckingham, ducs de 218
Buckingham Palace (Londres) 72,
88-89
Buckinghamshire *voir* Tamise, vallée
de la

Buckinghamshire, 2ᵉ comte de 186
Buckland, hôtels 556
Buckland Abbey **280**
Buckland-in-the-Moor 283
Buckland Manor 538
Buckler's Hard 156
Bude **273**
Budget (location de voitures) 637
BUNAC (British Universities North
    America Club) 617
Bunker Hill, bataille de (1775) 54
Bunyan, John 219
Burberry 124, 125
Bureaux d'information touristique 615
Bureaux de change 624
Burford **208**
    hôtels 549
    pubs 609
Burford House Gardens 301
Burges, William
    Cardiff, château de 419, 458, 459
    Castell Coch 425
    St Mary's Church (Fountains Abbey)
        377
Burgh Island **279**
Burghley House 287, 320, **330-331**
Burghley, William Cecil, 1ᵉʳ lord 330
    tombe de 331
Burlington, 3ᵉ comte de 134
Burlington Arcade (Londres)
    Plan du quartier pas à pas 86
Burlington House 24
Burne-Jones, sir Edward 131, 307,
    385
Burnett, Alexander 527
Burnett, famille 527
Burnham Market
    hôtels 547
    restaurants 584
Burns, Robert 65, 491, 494, 501
    Burns Cottage **501**
Burnsall 372
Burrell, sir William 506
Burrell Collection 465, **506-507**
Burton Agnes **386**
Burton Constable **388**
Burton on the Wolds, restaurants 594
Burton-upon-Trent, restaurants 592
Bury St Edmunds **194-195**
    hôtels 547
    restaurants 584
Bute, John Stuart, comte de 458
Bute, 3ᵉ marquis de 425, 458, 486
Bute, famille 425, 458
Butler, lady Eleanor 436
Buttermere **351**
    hôtels 560
Buttertubs 371
Buxton 322, 326
    excursion dans le Peak District 326
    hôtels 558
Buxton Opera House 628
Byland Abbey **378**
Byron, lord 27

C

Caban Coch (Elan Valley) 448
Cabinet War Rooms (Londres) 91
    Plan du quartier pas à pas 90-91
Cabot, John 50, 244
Cadbury, George 337
Cadeaux, boutiques de 627
Caedmon's Cross (Whitby) 382
Caerleon **460**

Caernarfon **430**
    château 425, 427, 430
Caernarfonshire et Merionethshire
    voir Galles, pays de (Nord)
Caerphilly Castle 424
Cafés 575
Cairndow, restaurants 606
Cairngorm Reindeer Centre 531
Cairngorms 465, 467, **530-531**
Calbeck 348
Caldey Island 452
Caledonian Canal 522, 533
Caledonian Mac Brayne 641
Caley Mill, Excursions sur la côte
    nord du Norfolk 184
Callander 481
Calne, hôtels 551
Cam, la 17, 180, 198, **202**
Camber Castle 173
Camber Sands 173
Cambridge 17, **198-203**
    Cambridge University 147, **202-203**
    canotage sur la Cam 202
    Festival folk de 63
    Fitzwilliam Museum 200
    hôtels 547
    King's College **200-201**
    Plan du quartier pas à pas 198-199
    pubs 608
    restaurants 584
Cambridge, théâtre (Londres) 127
Cambridgeshire voir East Anglia
Camden (Londres) 132
Camden Lock, marché de 124, 132
Cameron, Richard 500
Campagne 30-31
Campbell clan 470, 534
Campbell, Colen 24, 254
Campbell, Donald 356
    La Bataille de Culloden 523
Campbell, lady Grace 534
Campbell, Naomi 21
Campbell, Robert 529
Campden, sir Baptist Hicks,
    1ᵉʳ vicomte 315
Camping 540-541
Campsea Ashe, hôtels 547
Canada Tower (Londres) 61
Canaletto, Antonio 106, 159, 218, 311,
    406
Canary Wharf (Londres), hôtels 545
Canaux 55, 641
    Leeds à Liverpool, canal de 336
    Llangollen Canal 436
    Manchester Ship Canal 359
    Midlands 288-289
    Monmouthshire and Brecon Canal
        455
Canotage 75
    Les Broads 186
Canterbury **174**
    assassinat de Thomas Becket 48-49
    cathédrale de 147, 153, 155,
        174-175
    Festival de 64
    hôtels 545
Canut, roi 46
    Buckfast Abbey 283
    Bury St Edmunds 194
    Holy Trinity Church 159
    invasion de la Grande-Bretagne 47
Canynge, Guillaume l'Ancien 244
Canynge, Guillaume le Jeune 244

Capel Coch, restaurants 601
Capel Curig, pubs 611
Capel Garmon, hôtels 565
Cardiff **456-459**
    carte 457
    hôtels 566
    restaurants 602
Cardiff, château de 419, 445,
    458-459
Cardigan Bay 630
Cardiganshire voir Galles, pays de
    (Centre et Sud)
Carey, restaurants 592
Carfax Tower (Oxford) 212
Carlisle **346**
    hôtels 560
Carlisle, 7ᵉ comte de 385
Carlisle, Charles, 3ᵉ comte de 384
Carloway Broch 515
Carlyle, Thomas 130
Carmarthenshire voir Galles, pays de
    (Centre et Sud)
Carnegie, Andrew 467, 486-487
Carpenter, Samuel 384
Carr, John 24, 394, 396
Carrawburgh Fort 409
Carreg Cennen Castle 454
Carrick Roads 268
Carroll, Lewis 213, 387, 431
    Alice au pays des merveilles 213,
        387, **431**
Cartes
    Brecon Beacons 454-455
    Cairngorms 530-531
    canaux des Midlands 289
    Cœur de l'Angleterre 296-297
    Conwy 432-433
    Cotswolds 293
    Dartmoor, parc national 282-283
    Devon et Cornouailles 262-263
    Downs (les) et les côtes de la
        Manche 154-155
    East Anglia 180-181
    Écosse 464-465
    Europe 11
    Excursion dans la vallée de la Dee
        526-527
    Excursion dans les Borders 489
    Excursion de la route des îles
        532-533
    Excursion dans le Penwith 264
    Galles, centre et sud du pays de
        444-445
    Galles, nord du pays de 428-429
    Galles, pays de 418-419
    Grande-Bretagne 10-11
    Grande-Bretagne région par région
        12-13, 14-15
    Highlands et îles 512-513
    Killiecrankie, région de 528
    Ironbride Gorge 303
    Lancashire et lacs 344-345
    liaisons ferroviaires 639
    Lowlands 478-479
    Manchester, centre 360
    Midlands 286-287
    Midlands, est des 320-321
    Nord 334-335
    Nord du Norfolk 184-185
    Northumbria 402-403
    Ouest 228-229
    Peak District 326-327
    Pennines du Nord 413

Promenade Constable 192
routières 636
Rye 172-173
Sites préhistoriques du Wiltshire 250-251
Sud-est de l'Angleterre 146-147
Tamise, vallée de la 206-207
Wessex 236-237
Wild Wales 453
Yorkshire Dales 370
Yorkshire et la région du Humber 368-369
Cartes bancaires 624, 626
Cartier International Polo 67
Cartmel **357**
restaurants 596
Cartmel Fell, pubs 610
Carvoran Fort 408
Cassillis, comtes de 508
Castle Acre 183
Castle Ashby, hôtels 558
Castle Drogo 25, 283
Castle Howard (Yorkshire) 24, 335, **384-385**
Castlereagh, lord 448
Castlerigg (cercle de pierre) 43, 349
Castleton, restaurants 594
Cathédrales
Aberdeen 524
Anglican Cathedral (Liverpool) 365
Beverley Minster 387
Bristol Cathedral 245
Canterbury 147, 153, 155, **174-175**
Chester 298-299
Chichester 159
Coventry 307
Dornoch 516, 517
Dunkeld 527
Durham 335, 401, **414-415**
Edinbourg 495
Elgin 524
Ely 147, **181-182**
Exeter 276-277
Glasgow 502-503
Gloucester 317
Guildford 160
Hereford 304
Kirkwall 514
Lincoln 287, 321, 329
Llandaff 457
Metropolitan Cathedral of Christ the King (Liverpool) 365
Newcastle-upon-Tyne 411
Norwich Cathedral 19, 188
Peterborough **182**
Ripon 375
Rochester 176
Salisbury 229, **252-253**
Southwark Cathedral (Londres) 75, **122**
St Albans Cathedral 221
St Andrews 485
St Davids 418, **450-451**
St Magnus Cathedral 514
Saint-Paul (Londres) 73, 74, 111, 112, **116-117**
Truro 269
Wells 240-241
Winchester 19, 146, 153, 158
Worcester 306
York Minster 390, **392-393**, 395
Catherine d'Aragon, tombeau de 182
Catherine la Grande 186

Catholique de Rome (Église) 50, 52
Cauldon, pubs 610
Cavell, Edith, tombe d' 188
Cawdor Castle **523**
Cawfields 408
Cecil, Robert 27, 219
Cedd, Saint 197
Celtes 43, 209
au pays de Galles 422
christianisme 405
Cénotaphe (Londres)
Plan du quartier pas à pas 91
Cent Ans (guerre de) 49
Central Hall (Londres)
Plan du quartier pas à pas 90-91
Central voir Lowlands
Centre for Alternative Technology (Machynlleth) 448
Centres commerciaux 626
Cenwulf 47
Cerne Abbas 257
César, Jules 44, 249
Chagall, Marc 159
Chagford, restaurants 590
Chale, pubs 608
Chamberlain, Neville 91
Chambers, William 82
Chambre des lords 20
Champs de bataille, Stirling 483
Chanctonbury Ring 162
Chapman, John 183
Charbon, mines de 336-337, 423
Charlecote Park 290
Charles Iᵉʳ 41
Banqueting House (Londres) 92
Bodiam, château de 170
Carisbrooke Castle 156
et l'Écosse 469
exécution de 52-53
guerre civile 52
Joyaux de la Couronne 120
Oxford 205, 212
Powis Castle 446
Richmond, parc de (Londres) 134
statues de 212, 306, 484
Charles II 41
Audley End 196
guerre civile 162
Joyaux de la Couronne 120
Moseley Old Hall 291
Neidpath Castle 472
Newmarket 195
Oxford 212
Palace of Holyroodhouse 496
Restauration 52, 53
Royal Citadel (Plymouth) 278
statue 224
Worcester 306
Charles, prince de Galles 61, 430
Charles, Thomas 436
Charlie, Bonnie Prince 491, 511, **521**
bataille de Culloden 54, 469, 523
Blair Castle 529
Glenfinnan Monument 533
Île de Skye 520
Palace of Holyroodhouse 496
portrait 468
Prince's Cairn 532
souvenirs 498, 501
Traquair House 499
Western Isles 515
Charlotte, statue de la reine 109
Chartistes 423
Chartwell 151, 177

Châteaux et manoirs 24-25, 49
Aberystwyth 449
Alnwick 334, **406**
Arlington Court 275
Armadale Castle 521
Arundel Castle 160
au pays de Galles 424-425
Audley End 196-197
Balhousie Castle 484
Bamburgh 403, 406
Barnard Castle 412
Batemans 151
Beaumaris 418, 424-425, **430**
Blair Castle 473, **529**
Bleak House 151
Blenheim Palace 146, 205, **216-217**
Blicking Hall 186
Bodiam 170
Bolton Castle 371
Bowood House 243
Braemar Castle 472
Broadlands 150
Burghley House 287, 320, **330-331**
Burton Agnes 386
Burton Constable 388
Caernarfon 425, 427, **430**
Caerphilly 424
Camber 173
Cardiff 419, 445, **458-459**
Carisbrooke Castle 156
Carlisle 346
Carreg Cennen 454
Castell Coch 425
Castell Dinas Brân 436
Castell-ŷ-Bere 425
Castle Drogo 283
Castle Howard 335, **384-385**
Cawdor Castle 523
Charlecote Park 290
Charleston 151
Chartwell 151, 177
Chatsworth, château de 287, 319, **322-323**
Chiswick House 134
Clandon Park 160
Claydon House 150
Claypotts Castle 472
Cliveden House 150
Cockermouth 350
Conwy 419, 424, 425, 429, 433
Corsham Court 243
Cotehele 281
Crathes Castle 527
Culzean Castle 464, 508-509
Dalemain 346-347
Dartmouth Castle 278
Dolbadarn Castle 437
Doune Castle 484
Douvres 170, **171**
Down House 151
Drum Castle 473, 527
Drumlanrig Castle 472, 473, **500-501**
Duart Castle 532, 533
Duffus Castle 472
Dunrobin Castle 473, 516-517
Dunvegan Castle 520
Durham 415
écossais 472-473
Edinburgh Castle 479, 492-493
Eilean Donan Castle 511, 516
Fairfax House 394
Fountains Hall 376
Georgian House (Bristol) 244

Glamis Castle 477, 484-485
Glynde Place 168
Goodrich Castle 305
Goodwood House 159
Great Dixter 170
Ham House 134
Hampton Court 161
Hardwick Hall 290, 324
Harewood House 396
Harlech 424, 440
Hatfield House 205, **219**
Hay Castle 447
Helmsley 379
Hever Castle **177**, 616
Holker Hall 357
Holkham Hall 185
Hughenden Manor 221
Hutton-in-the-Forest 346
Ickworth House 194-195
Ightham Mote 177
Inverary Castle 534
Jane Austen's House 160
Kedleston Hall 324
Kelmscott Manor 208-209
Kilchurn Castle 533
Kingston Lacy 259
Kisimul Castle 515
Knebworth House **219**
Knole 176-177
Lancaster 358, 359
Lanhydrock 272, 273
Layer Marney Tower 193
Leeds Castle (Kent) 153, **176**
Leighton Hall (Lancashire) 358
Levens Hall 357
Lewes 168
Lincoln 328-329
Lindisfarne 404
Little Moreton Hall 290-291, 299
Longleat House **254**
Ludlow 301
manoirs Tudor 290-291
Marble Hill House 134
Middleham Castle 371
Minster Lovell Hall 208
Montacute House 232, 233, 256
Moseley Old Hall 291
Muncaster Castle 352
Neidpath Castle 472
Newcastle-upon-Tyne 410-411
Nottingham Castle 324
Nunnington Hall 379
Old Castle (Sherborne) 256
Orford Castle 191
Osborne House 150
Oxburgh Hall 183
Packwood House 291
Pavillon royal de Brighton 147, 163, **166-167**
Pendennis Castle 269
Penrith 346
Penshurst Place 177
Petworth House 18, **160**
Plas Newydd 436
Plas-yn-Rhiw 439
Portchester Castle 153, 157
Powis Castle 446
Quex House 171
Restormel Castle (Lostwithiel) 272
Richborough Roman Fort 171
Richmond (Yorkshire) 370
Ripley 375
Rochester 176
Saltram House (Plympton) 280

Sandringham 185
Scarborough 383
Sherborne 256
Shrewsbury 300
Sizergh Castle 356
Skipton Castle 372
Snowshill Manor 308
Somerleyton Hall 187
Speke Hall 365
St Andrew's Castle 485
Stirling Castle 482-483
Stokesay 300, 301
Stourhead **254-255**
Stratfield Saye 150
Sud-est de l'Angleterre 146-151
Syon House 134
Taunton 240
Temple Newsam House 396
Threave Castle 501
Tintagel 273
Torosay Castle 532, 533
Tretower Castle and Court 455
Ty Hyll 436
Uppark House 169
Urquhart Castle 522
Warkworth Castle **406**
Warwick Castle 287, 309, **310-311**
Wightwick Manor 291
Wilton House 235, 253
Winchester 153, 158
Windsor 223, **224-225**
Woburn Abbey **218**
Wolvesey Castle 158
Chatham 176
Chatsworth, château de 287, 319, **322-323**
Chaucer, Geoffrey 95, 122, **174**
  Contes de Canterbury 20, 49
Chaumière 29
Cheddar, gorges du **242**
Cheddar Gorge Cheese Co 242
Chedworth, villa romaine de 317
Cheere, John 255
Chelsea (Londres) **130**
  restaurants 579
Chelsea Physic Garden (Londres) 130
Cheltenham **316**
  festival de littérature 20
  hôtels 556
  restaurants 592
Cheltenham Imperial Gardens
  (jardins des Midlands) 308
Chemins de fer 638-639
  Bala Lake Railway 436
  Ffestiniog Railway 437, **438-439**
  Keighley and Worth Valley Railway 398
  liaisons internationales 633
  National Railway Museum 394
  North York Moors, chemin de fer des 380
  Snowdon Mountain Railway 437
  Strathspey Steam Railway 530
Chèques de voyage 625, 626
Cherwell 205
Cheshire *voir* Cœur de l'Angleterre
Chesil Bank 230, 256
Chessington World of Adventures
  (Surrey) 629
Chester **298-299**
  restaurants 592
Chester-le-Street, hôtels 563
Chesters Bridge 409
Chesters Fort 409

Chevaux
  Course du cheval de l'année (Londres) 64
  courses de 66, 193
  Écuries royales (Londres) 89
Cheviot Hills **407**
Chew Green, camp romain de 407
Cheyne Walk (Londres) 130
Chichester **159**
  restaurants 582
Chiens de berger, concours
  international de 64
Childline 621
Chillaton, hôtels 553
Chinatown (Londres) **82**
Chinnor, restaurants 586
Chinois, Nouvel An 65
Chippendale, Thomas 55, 255, 396, 523
Chipperfield, hôtels 549
Chipping Campden **315**
  hôtels 556
Chisenhale Dance Space (Londres) 128
Chiswick **134**
Chiswick House 134
Cholmondeley Sisters, The 73
Christchurch, prieuré de 259
Christie, Agatha 279
Churchill, Winston 60, 151
  Blenheim Palace 216
  Cabinet War Rooms (Londres) 90, 91
  Chartwell 151, 177
  Seconde Guerre mondiale 59, 386
Chutes d'eau
  Aysgarth Waterfalls 371
  Hardraw Force 371
  Swallow Falls 436
  Becky Falls 283
Chysauster 266-267
CIE Tours International 638
Cidre (Somerset) **240**
Cimetières historiques 77
Cinéma 629
  Festival du film de Londres 64
  Londres 127
Cinq Sœurs de Kintail 516
Cinque Ports 169, **170**
Cipriani, Giovanni 89
Circuits en voiture
  Circuit de la Tamise 222-223
  Excursion dans la vallée de la Dee 526-527
  Excursion dans le Peak District 326-327
  Excursion dans le Penwith 264
  Excursion dans les Wild Wales 453
  Jardins des Midlands 308-309
  la route des îles (Écosse) 532-533
  North York Moors 381
  Pennines du Nord 413
Circuler
  assurances 614
  en autobus 641
  en autocar 633, 640-641
  en avion 634-635
  en bateau 641
  en ferry-boat 633
  en métro à Londres 643
  en taxi 642-643
  en train 633, 638-639
  en tramway 643
  en ville 642-643

en voiture 636-637
Highlands et îles 512
Lowlands (Écosse) 479
Cirencester **317**
Cirencester Park 317
Cissbury Ring 162
City (la) (Londres) 111-123
hôtels 545
plan du quartier 111
pubs 608
restaurants 581-582
Civile (guerre) (1642) 52, 205, 206
Corfe Castle 258
Worcester 306
Clachan-Seil, hôtels 571
Claerwen, lac de (Elan Valley) 448
Clandon Park 160
Clanfield, hôtels 549
Clans, en Écosse **470-471**
Claude, empereur 44, 171, 193
Clava Cairns 523
Claypotts Castle 472
Clearances **517**, 520
Clerkenwell (Londres), restaurants
581
Clevedon, restaurants 588
Cleveland *voir* Northumbria
Cley, moulin à vent de 179
Excursion sur la côte nord du
Norfolk 185
Clifford, famille 393
Clifford, Henry, lord 372
Clifford, lady Anne 372
Clifford, Robert de 372
Clifton, pont suspendu de 244
Climat **68-69**, 614
Clintmains, hôtels 569
Clitheroe 359
Clive, lord
Clive Museum (Powis Castle) 446
Cliveden Reach 223
Clore Gallery (Londres) 93
Clovelly **274**
Clubs 129, 629
Clunie Foot Bridge, région de
Killiecrankie 528
Clyde, rivière 500
Clyde, vallée de la 469
Clydeside 469
Clytha
hôtels 566
restaurants 603
Coast-to-Coast Walk, excursion 33,
351
Cockermouth **350**
hôtels 560
restaurants 596
Cockington 278
Cœur de l'Angleterre 296-317
hôtels 555-558
pubs 609-610
restaurants 591-593
Coggeshall **193**
hôtels 547
Colbost, restaurants 606
Colchester **193**
restaurants 584
Colchester, William 392
Coleridge, Samuel Taylor 277, 354
Colerne, restaurants 588
Colet, John 50
College of Arms (Londres) 26, 112
Colman, Jeremiah 189
Colston Bassett, restaurants 594

Columba, saint 511
Iona 533
Colwyn Bay, restaurants 601
Combe Martin 238, 276
Comedy, théâtre (Londres) 127
Commonwealth 52
Communes (Chambre des) 92
Comtés de l'Ouest *voir* Cœur de
l'Angleterre
Concerts-promenade Henry Wood
(Londres) 63
Concorde 61, 632
Coniston, hôtels 560
Coniston, lac de 356
Coniston Water **356**
Conran, sir Terence 27
Conservateur (parti) 20, 61
Consett, restaurants 599
Conspiration des poudres 64
Constable, famille 388
Constable, John 85, 93, **192**, 200, 229,
343
Christchurch Mansion 191
Circuit Constable 192
Victoria and Albert Museum
(Londres) 100-101
Constantin, empereur 44, 430
Consulats 619
Conwy 421, **432-433**
château 424, 425, 433
Plan du quartier pas à pas 432-433
restaurants 601
Cook, capitaine James 382
Captain Cook Memorial Museum
(Whitby) 382
Cook, Thomas 624
Cookham, restaurants 586
Cooper, Samuel 523
Coquet, la 406
Corbridge **409**
Corelli, Marie 312
Corfe Castle **258**
Corinth, Louis 123
« Cornish Alps » 269
Cornouailles 261-283
À la découverte du Devon et des
Cornouailles 262-263
hôtels 553-555
pubs 609
restaurants 589-591
Cornouailles, Richard, duc de 273
Coronation Bridge, région de
Killiecrankie 528
Corpach, route des îles (Écosse) 533
Corsham **243**
Cotehele 232, **281**
Cotman, John Sell 189
Cotswolds 286, 295
constructions en pierre 292-293
Country-house hotels 538
Coupe d'or de l'Humber 67
Coupe de la FA 66
Courbet, Gustave 396
Couronnements 94
Couronne, joyaux de la 73
Courtauld, Gallery (Londres) 82
Cousins, Steven 67
Covenantaires 501
Covent Garden (Londres)
hôtels 544
Plan du quartier pas à pas 80-81
restaurants 581
Covent Garden, marché de (Londres)
124

Coventry 307
restaurants 592
Cowan Bridge, hôtels 560
Coward, Noel 58
Cowbridge, restaurants 603
Coxwold **378-379**
pubs 610
Crabbe, George 191
Crackington Haven, hôtels 553
Cragside 25
Craie, figures de **209**
Cerne Abbas 257
Cheval blanc de Sutton Bank 378
Homme de Wilmington 168
Craig Coch (Elan Valley) 448
Crakelow Cutting
Tissington Trail 325
Cranmer, Thomas 176
Mémorial des martyrs (Oxford)
210, 213
statue de 213
Cranston, Kate 504
Crarae Garden **534**
Craster, pubs 611
Cratham 176
Crathes Castle et ses jardins,
excursion dans la vallée de la Dee
527
Cregennen, lacs de 441
Criccieth, hôtels 565
Crich Tramway Village, Peak District
327
Cricket 67, 129
Crickhowell
hôtels 566
pubs 611
restaurants 603
Crime 620
Crinan, hôtels 571
Crinkle Crags 353
Criterion, théâtre (Londres) 127
Cromarty 517
Crome, John 189
Cromford, Peak District 327
Cromwell, Oliver 41
casque 311
Commonwealth 52
Ely, cathédrale d' 182
Guerre civile 179
Huntingdon 196
Neidpath Castle 472
Ripley Castle 375
université d'Oxford 205
Cromwell, Thomas 339
Crookham, hôtels 563
Croscombe, pubs 609
Crossflight 623
Cruikshank, G. 361
Le Massacre de Peterloo **361**
Crummock Water 345, 350
Cuckmere 169
restaurants 583
Cuillins 520
Culbone 239
Culloden **523**
Culloden, bataille de (1746) 54, 470,
523
Culross **487**
Culzean Castle 464, **508-509**
Cumberland 346
Cumberland Terrace (Londres) 107
Cumberland, duc de 523, 525
Cumbria *voir* Le Lancashire et les lacs

Cumbrian Way 351
Cupar
  hôtels 569
  restaurants 604
Curteheuse, Robert 410-411
Cuthbert, saint 405, 414
Cuthburga 259

D

Dale, David 500
Dalemain **346-347**
Dales Way 32
Dali 503
Dan-yr-Ogof, grottes 454
Danby, comte de 212
Danby, Francis 245
Danelaw 47
Danse 629
  Londres 128
Darby, Abraham Ier 302
Darby, Abraham III 303
Darling, Grace
  Grace Darling Museum 406
Darlington, restaurants 600
Darnley, lord 485, 496, 497, 504
Dartington, restaurants 590
Dartington Hall 279
Dartmoor, parc national 228, 263,
  282-283
Dartmouth **278**
  pubs 609
  restaurants 590
Darwin, Charles 102, 151
David Ier, roi d'Écosse 493, 496, 498
David, Gérard 490
David, saint 420, 422, 450, 451
Davies, Gwendoline et Margaret 457
Davis, sir Humphrey 336
  statue 266
Dawson, famille 372
De la Pole, Owain 446
De Morgan, William 209
De Quincey, Thomas 354
Dean, Tacita 93
Dean's Yard (Londres) 90
Dedham, l'église de, circuit Constable
  192
Dedham
  hôtels 547-548
  restaurants 584
Dee, rivière 427, 465
  Excursion dans la vallée de la Dee
  526-527
Deepdale 370
Defoe, Daniel 244, 480, 486
  Robinson Crusoe 244, 486
Deganwy, restaurants 601
Degas, Edgar 364
Déjeuner 574, 577
Délinquance 620
Demeures
  voir Châteaux et manoirs ; Palais
Denbighshire *voir* Galles, pays de
  (Nord)
Dentistes 620, 621
Dépannage 637
Dépression (années 1930) 58-59
Derain, André 386
Derbyshire *voir* Midlands, est des
Derwent Gorge (Matlock) 324
Derwentwater (Cumbria) 344, 348,
  351
Design Museum (Londres) **119**
Despenser, famille 458

Détaxes 618-619
Deux-Roses (guerre des) 49
Devil's Bridge 449
  Wild Wales 453
Devil's Dyke (la Digue du Diable)
  169
Devon 261-283
  À la découverte du Devon et des
    Cornouailles 262-263
  hôtels 553-555
  pubs 609
  restaurants 589-591
Devonshire, 4e comte de 322
Devonshire, 5e duc de 322
Devonshire, ducs de 357, 372
DHL 623
Diamond, Harry 364
Diana, princesse de Galles 61, 103,
  331
  Althorp House 331
Dibdin, Charles 441
Dickens, Charles 122, 151, **177**
  Beaumaris 430
  Bleak House (Broadstairs) 151
  Charles Dickens Museum (Londres)
    109
Dîner 575, 577
Dinton, restaurants 586
Dirleton, restaurants 604
Disraeli, Benjamin 56, 57, 221
Diss, restaurants 584
Dissolution des ordres monastiques
  339
Docklands (Londres) 61
Docklands Light Railway (DLR) 643
Doddiscombsleigh, restaurants 590
Dodgson, Charles *voir* Carroll, Lewis
Dolbadarn Castle 437
Dolgellau **440-441**
  restaurants 601
Dollar, hôtels 569
Domesday Book 28, 48, 162, 317
Dominion, théâtre (Londres) 127
Dorchester **257**
  hôtels 551
Dornoch **516-517**
Dorrington, restaurants 592
Dorset *voir* Wessex
Douanes et immigration 618-619,
  633
Douglas, clan 471, 492
Douglas, sir James 498, 501
Doune Castle **484**
Douvres 146, **171**, 176
  château 170, 171
Dovedale, Peak District 326
Dover, Robert 315
Downhill Track, Tissington Trail 325
Downing Street (Londres) 90, **91**
Downland 30
Downs (les) et les côtes de la Manche
  153-177
  À la découverte des Downs et des
    côtes de la Manche 154-155
  hôtels 545-547
  pubs 608
  restaurants 582-584
Doyden Castle 540
Doyle, sir Arthur Conan 106, 282
Dozmary Pool 272-273
Drake, sir Francis 261, 280, **281**
Droit de vote (loi 1832) 56
Droits d'entrée 616-617
Druides 250, 422

Drum Castle 473
  Excursion dans la vallée de la Dee
    527
Drumlanrig Castle 472, 473, **500-501**
Dryburgh Abbey, Excursion dans les
  Borders 489
Drymen, restaurants 606
Du Maurier, Daphné **272**
Duart Castle 532, 533
Duchêne, Achille 216
Duchess, théâtre (Londres) 127
Duddon Valley **353**
Duffus Castle 472
Duich, loch 511
Duke of York's, théâtre (Londres) 127
Dulverton, hôtels 551
Dumfries et Galloway *voir* Lowlands
Dundee **485**
  pubs 611
Dunfermline **486-487**
Dungeness 23, 170-171
Dunkeld **527**
  hôtels 571
  restaurants 606
Dunkery Beacon 239
Dunoon, hôtels 569
Dunrobin Castle (Dornoch) 473,
  516-517
Dunster 239
Dunvegan Castle 520
Dunwich **190**
  hôtels 548
Dupré, G. 468
Durdle Door 231
Durham **414-415**
  cathédrale 335, 401, 414
  hôtels 564
  restaurants 600
  voir aussi Northumbria

E

Eadfrith, évêque 405
Eardisland 301
Easby Abbey (Richmond) 339
Easington, restaurants 586
East Aberthaw, pubs 611
East Anglia
  À la découverte de l'East Anglia
    180-181
  hôtels 547-549
  pubs 608-609
  restaurants 584-585
East Barkwith, hôtels 558
East Bergholt, Promenade Constable
  192
East Boldon, restaurants 600
East End (Londres) 133
East Grinstead
  hôtels 546
  restaurants 583
East Lambrook Manor 232, 233
East Neuk **486**
East Sussex *voir* Downs et côtes de la
  Manche
East Witton, hôtels 562
Eastbourne **168**
  hôtels 545
Écoles 19
Écosse 463-535
  Acte d'Union 53
  billets de banque 625
  carte 14,15, 464-465
  châteaux et manoirs 472-473
  clans et tartans **470-471**

histoire 468-469
hôtels 568-573
nourriture et boissons 474-475
pubs 611
restaurants 604-607
tissus **501**
Écuries royales (Londres) 89
Edale, Peak District 326
Eden Camp **386**
Eden Project **270-271**
Edenbridge, restaurants 583
Edinbourg 465, **490-497**
aéroport 634
château 479, 492-493
Festival international d' 20, 63, 467,
477, **495**
hôtels 569
Leith Docks 575
plan 491, 494-497
pubs 611
restaurants 604-605
Edinbourg, duc d' 27
Edmund, saint 194
Ednam, hôtels 569
Édouard le Confesseur 47
Joyaux de la Couronne 120
tombeau 95
Wimborne Minster 259
Édouard Iᵉʳ 40, 173
Beaumaris Castle 418, 430
Caernarfon Castle 427, 430
Châteaux et manoirs gallois
424, 425
conquête du pays de Galles 49, 422
Conwy, château de 419, 429, 433
Harlech Castle 440
invasion de l'Écosse 49
Leeds Castle 176
pierre de Scone 468
Tour de Londres **120-121**
Édouard II 40, 276
bataille de Byland 378
Caernarfon Castle 425
prince de Galles 430
tombe d' (Gloucester) 317
Édouard III 40, 195
Ordre de la Jarretière 26
portraits 395
Windsor, château de 224
Édouard IV 40, 121
Édouard V 40
Édouard VI 39, 41, 51
Leeds Castle 176
Sherborne, école de 256
Édouard VII 41
Liverpool Anglican Cathedral 365
Sandringham 185
Warwick Castle 311
Édouard VIII *voir* Windsor, duc de
Edstone, aqueduc d' 289
Edwin de Northumbria, roi 392, 492
Église presbytérienne d'Écosse 466
Église baptiste 619
Église catholique 619
Église d'Angleterre 619
Églises (général)
architecture 28-29
Églises de Londres
Abbaye de Westminster 73, 90,
94-95
Brompton Oratory 99
Queen's Chapel 87
St Bartholomew-the-Great **114-115**
Saint-James 86

St Margaret Church 90
St Mary-the-Bow 112
St Nicholas Cole 112
Saint-Paul 80
St Stephen Walbrook **114**
Eglwysfach, hôtels 566
Eilean Donan 511, 516
Eisenhower, général 509
Eisteddfod 63, 421, 436
Elan Valley **448**
Wild Wales 453
Elan Village 448
Électricité 618
Elgar, sir Edward 301, 305
Elgar's Birthplace 306
Elgin **524**
hôtels 571
Elgin, lord 108
Elie, pubs 611
Eliot, George 130
tombeau de 132
Eliot, T. S. 95, 130, 151
Élisabeth Iʳᵉ 41, 191, 281
enfance 379
Epping Forest 197
et Marie Stuart 375, 469
Hatfield House 205, 219
Knole 176
portraits 50-51
Protestants 50
St Mary Redcliffe (Bristol) 244
Élisabeth II 19, 41
Buckingham Palace (Londres)
88-89
couronnement 60, 94
Madame Tussaud's 106
Palace of Holyroodhouse 496
Windsor, château de 224
Élisabeth, reine mère 485
Élisabeth d'York 158
Elland, restaurants 598
Elterwater 353
pubs 610
Ely **182-183**
cathédrale d' 147, 182-183
restaurants 585
Ely, Reginald 200
Émancipation catholique (décret d')
(1829) 55
Empingham, restaurants 594
Emsworth, restaurants 583
Enfants 616
à l'hôtel 616
au restaurant 577, 616
se distraire 629
English Heritage 617
Epping Forest **197**
Epstein, sir Jacob 93, 307, 361, 457
La Genèse 361
Érasme 50
Eriska, hôtels 571
Erpingham, sir Thomas 188
Eskdale **352**
Essex *voir* East Anglia 179-197
Ethelwulf, roi 162
Eton (collège d') 20, 223
Étudiants 214, 616
Eurochèques 624
Eurolines 633
Europcar/Godfrey Davis 637
Européenne (Communauté) 60
Eurostar 632, 633
Eurotunnel 633
Evershot, hôtels 551

Evesham, hôtels 556
Exchange International 624
Excursions
Les Borders 489
côte nord du Norfolk 184-185
Killiecrankie, région de 528
les Pennines du Nord 413
Tissington Trail 325
Vallée de la Dee 526-527
Exeter 261, **276-277**
hôtels 553
restaurants 590
Exmewe, Thomas 431
Exmoor, parc national d' 228, 237,
238-239
Exposition canine 62
Exposition florale d'automne
(Harrogate) 64
Exposition universelle (1851) 56-57, 98
Victoria and Albert Museum
(Londres) 100
Expressair 623
Eyam, Peak District 327
Eye, l' 292
Eyton, restaurants 601

F

Faed, Thomas 517
Le Dernier du clan 517
Fairfax, Anne 394
Fairfax, sir Thomas 379
Fairfax, vicomte 394
Fairford 292
Fairhaven, lord 196
Falkirk Wheel **487**
Falkland, lord 208
Falkland Palace **486**
Falklands, guerre des (1982) 60, 61
Falmouth **268-269**
Farmer's Bridge, écluses de 288
Farndale, North York Moors 381
Farne Islands **404**
Farrell, Terry 21
Farrer, Reginald 534
Faskally, Loch 528
Fast-food 576
Fat Betty (croix blanche), North York
Moors 381
Faune
côtière 230-231
oiseaux de mer des Shetland 514
Fawkes, Guy 64
Fawley, pubs 609
Fens **184**
moulins à vent 186
Fériés, jours 65
Fernhurst, restaurants 583
Ferries
depuis l'Europe 633
liaisons locales 641
Festivals 62-65
Ffestiniog Railway 437, **438-439**
Fforest Fawr 454
Fiennes, Ralph 20
Fife *voir* Lowlands
Fife, Mrs Ronald 379
Films *voir* Cinéma
Fingal, grotte de 533
Finlaggan 535
Fishbourne Palace 44-45, 153
Fishguard
hôtels 567
restaurants 603
Fitzalan, famille 160

FitzHamon, Mabel 458
FitzHamon, Robert 456, 458
Fitzherbert, Maria 166, **167**
Fitzrovia (Londres), restaurants 581
Fitzwilliam, 7ᵉ vicomte 200
Flag Fen Bronze Age Centre 182
Flambard, Ranulph, évêque de
    Durham 415
Flamborough Head **386-387**
Flamborough
    hôtels 562
    pubs 610
Flatford Mill, promenade Constable
    192
Flaxman, John 114, 195
Fleming, Alexander 467
Fletchling, pubs 608
Flore, Cairngorms **531**
Flintshire voir Galles, pays de (Nord)
Flitcroft, Henry 218, 254
Flodden, bataille de (1513) 50
Floors Castle, Excursion dans les
    Borders 489
Floral Hall (Londres)
    Plan du quartier pas à pas 81
Florale (Exposition, Chelsea) 62
Foley, J.H. 385
Fontaine, Joan 272
Football 66, 631
Forbes, Stanhope 266
Ford, pubs 609
Forres, hôtels 571
Forster, E. M. 151
Fort Amherst 176
Fort George **523**
Fort William
    hôtels 572
    restaurants 607
Forte 541
Forth, ponts du **488**
Fortnum & Mason (Londres) 124, 125
    Plan du quartier pas à pas 86
Fortune, théâtre (Londres) 127
Forum (Londres) 129
Foster, sir Norman 21, 189
Fotheringhay, pubs 610
Fountains Abbey (Yorkshire) 50, 335,
    376-377
Fountains Hall 376
Fowey **272**
    hôtels 553
Fragonard, Jean Honoré 106
Framlingham, château de **191**
Fraser, clan 471
Fressingfield, restaurants 585
Freud, Lucian 20, 93, 123
Freud, Sigmund
    Freud, musée (Londres) 131
Fridge (Londres) 128
Frink, Elizabeth 323, 365
Frobisher, Martin 51
Fulham (Londres), restaurants 579
Furness 337
Furness Abbey (Cumbria) 356, 357
Furness Peninsula 356-357
Further Afield (Londres), restaurants
    582
Furry Dancing Festival (Helston) 62

G

Gaélique 18
Gainsborough, Thomas 93, 151, 160,
    186, 267, 364, 396, 534
    Bath 246, 248

Christchurch Mansion (Ipswich) 191
Gainsborough, maison de 151, 194
Gairloch, hôtels 572
Galeries voir Musées et galeries
Galles, centre du pays de 443-461
    hôtels 566-568
    restaurants 602-604
Galles, nord du pays de 427-441
    restaurants 601-602
Galles, sud du pays de 443-461
    hôtels 566-568
    restaurants 602-604
Galles, pays de 417-461
    carte 418-419
    Châteaux et manoirs 424-425
    histoire 422-423
    hôtels 564-568
    langue 420, 423
    restaurants 601-604
    Wild Wales 453
Galles, princes de 430
Gallois 18
Ganllwyd, hôtels 565
Garde (relève de la) 89
Gargouilles **293**
Garreg Ddu (Elan Valley) 448
Garrick, théâtre (Londres) 127
Garry, rivière 528
Garstang, pubs 610
Gateshead, restaurants 600
Gatwick Airport 634, 635
Gaule 43
Gaunton Newark, restaurants 594
Gay, bars et clubs 629
Gay Hussar (Londres) 574
Geoffrey de Monmouth 273
Géologie, Lake District **340-341**
George Iᵉʳ 54, 172
George II 41, 469
George III 41, 55
    Buckingham Palace (Londres) 103
    Cheltenham 316
    statue de 223
    Weymouth 256-257
George IV (Prince Régent) 41
    à Edinbourg 471, 498
    Buckingham Palace (Londres) 88
    Coronation Bridge (région de
        Killiecrankie) 528
    couronnement 213
    National Gallery (Londres) 84
    Pavillon royal (Brighton) 147, 163,
        166-167
    Régence 55
    Regent's Park 105
    Windsor, château de 224, 225
George V 41, 224
George VI 41
George Inn, Southwark **122**
Georges (jour de la Saint-) 62
Giambologna 101
Gibberd, sir Frederick 365
Gibbons, Grinling 117, 160, 161
Gibbs, James
    King's College (Cambridge) 200
    Radcliffe Camera (Oxford) 211,
        215
    Senate House (Cambridge) 202
    Stowe 218
Gibson, John 334, 364
Gielgud, théâtre (Londres) 127
Gieves & Hawkes 124
Gill, Eric 372

Gillingham 176
    hôtels 551
Gillow, famille 358
Gillows, meubles 358
Girtin, Thomas 339, 361, 379
Gittisham, hôtels 553
Gladstone, W. E. 57
Glamis Castle 477, **484-485**
Glanwydden
    pubs 611
    restaurants 601
Glasgow **502-507**
    aéroport 634
    Burrell Collection 465, 506-507
    Festival international de jazz de 63
    hôtels 569
    plan 502
    pubs 611
    restaurants 605
Glasgow Necropolis 504
Glaslyn, la 438
Glastonbury **241**
    Festival de 63
    hôtels 551
Gledstanes, Thomas 494
Glen Shiel 511
Glencoe **529**
    massacre de 529
Glendurgan 232, 269
Glenfinnan Monument, Route des îles
    (Écosse) 533
Glenlivet, hôtels 572
Glenridding 347
Glenrothes, hôtels 569
Glewstone, hôtels 556
Glooston, pubs 610
Glorieuse Révolution (1688) 523
Glossop, hôtels 558
Gloucester **317**
Gloucester, Humphrey, duc de 215
    tombeau de 221
Gloucestershire voir Cœur de
    l'Angleterre
Glynde Place (Lewes) 168
Glyndebourne, Festival lyrique de 62
Glyndŵr, Owain 422, 448
    Conwy, château de 419
    Harlech Castle 424, 440
Goathland 637
    North York Moors 381
    pubs 610
Godiva, lady 307
Godstow, restaurants 586
Golf 67, **485**, 630
Goodrich Castle 305
Gordale Scar, région de Malham 373
Gordon, clan 471
Gore Hotel (Londres) 540
Goring, restaurants 586
Gower, évêque 450
Gower, George 51
Gower, John, tombeau de 122
Gower, péninsule de **452**
Goya, Francisco 412, 506
Graham, J. Gillespie 365
Grahame, Kenneth 222
Grampian voir Highlands et les îles
Grand incendie de Londres 53, 111,
    112
Grand-Londres (Le), plans 13, 72
Grand Prix de Formule 1 67
Grand Union Canal 288
Grande-Bretagne à l'époque romaine
    17, **44-45**

Grande-Bretagne préhistorique 42-43
  Carloway Broch 515
  Castlerigg (cercle de pierres) 43
  Clava Cairns 523
  Maes Howe 514
  Mousa Broch 514
  Ring of Brodgar 514
  Skara Brae 514
  Standing Stones of Callanish 515
  Standing Stones of Stenness 514
Grandisson, archevêque 277
Grange 351
Grange-in-Borrowdale, hôtels 560
Granges dîmières 28
Granges *voir* Architecture rurale
Grant, Duncan 151
Grantown-on-Spey, hôtels 572
Grasmere 343, **354**
  hôtels 560
  restaurants 596
Grassington, hôtels 562
Gray, John 497
Great Britain (croiseur) 244
Great Chesters Fort 408
Great Dunmow, hôtels 548
Great Gable 352
Great Malvern **305**
Great Milton, restaurants 586
Great Missenden, restaurants 586
Great Orme Tramway 431
Great Orme's Head 431
Great Tew 208
  hôtels 549
  pubs 609
Great Yarmouth **187**
Greater Manchester *voir* Lancashire et
  les lacs
Greco, le 214, 412, 506
Green, Benjamin 411
Green Park (Londres) 77
Greenwich (Londres) **133**, 618
Greenwich, marché de (Londres) 124
Greenwich Park (Londres) 77
Greg, Samuel 298
Grenville, famille 218
Greta Bridge, pubs 611
Grève générale (1926) 59
Grevel, William 315
Greville, sir Fulke 310, 311
Grey, comte
  Earl Grey's Monument 410, 411
Griffith, Anne 386
Griffith, sir Henry 386
Grimes Graves **182-183**
Grimsby **389**
Grimshaw, Atkinson 383, 396
Grimspound 283
Grimston, hôtels 548
Grisedale, forêt de 356
Groot, John de 514
Grottes
  Cheddar, gorges du 242
  Dan-yr-Ogof 454
  Fingal 533
  Kents Cavern Showcaves 278
  Llechwedd Slate Caverns 437
  Mother Shipton's Cave (Yorkshire)
    374-375
  St Fillan's Cave 486
  Stump Cross Caverns 372
  Wookey Hole 240
  Stump Cross Caverns 372
Guards (polo) 129
Guerre mondiale (Première) 58

Guerre mondiale (Seconde) 59
  Cabinet War Rooms (Londres) 91
Guesthouses 539
Guildford **160**
  hôtels 546
Guillaume de Wykeham 214
Guillaume le Conquérant 40
  Bataille d'Hastings 46-47, **169**
  Battle Abbey 169
  Clifford's Tower (York) 393
  couronnement 94
  Domesday Book 317
  Exeter Castle 276
  Lewes, château de 168
  New Forest **156**
  seigneurs des marches 422
  Selby 338
  Tour de Londres 120
  Winchester, château de 158
  Windsor, château de 224
Guillaume II 40, 156, 343
Guillaume III 41, 52, 53
  et l'Écosse 469
  Hampton Court 161
  Hyde Park (Londres) 103
  massacre de Glencoe 529
Guillaume IV 41, 103
Guillaume le Lion, roi d'Écosse 468
Guinness, Alec 20
Gulf Stream 68
Gullane
  hôtels 569-570
Guron, saint 272
Guy Fawkes Night 168
Gwaun Valley, restaurants 603

H
Haddenham, restaurants 586
Hadrien, mur d' 44, 334, 401,
  408-409, 468
Haendel, Georg Friedrich 200
Halifax 336, **398-399**
  hôtels 562
Hall, John 313
Hallebardiers 62
Hals, Franz 106, 200
Haltwhistle
  hôtels 564
  Pennines du Nord 413
Ham House (Richmond) 134
Hambledon Mill 222
Hambleton, restaurants 594
Hamilton, James 505, 529
  Le Massacre de Glencoe 529
Hammersmith (Londres), pubs 608
Hampsfield Fell (Lancashire) 358
Hampshire *voir* Downs et côtes de la
  Manche
Hampstead (Londres) 131
  hôtels 545
  pubs 608
Hampstead Heath (Londres) 77, **132**
Hampton Court 22, **161**
  Exposition florale de 63
  horloge astronomique 51
Hampton Hill, restaurants 583
Handicapés 615
  assistance téléphonique 621
  au restaurant 577
  chemins de fer 639
  hôtels 541
Hanovre, maison de 41
Hardie, Keir 469
Hardknott Fort (Eskdale) 352

Hardknott Pass (Eskdale) 352
Hardraw Force 371
Hardwick Hall 290, 324
Hardy, Thomas **257**
  Hardy's Cottage 257
  Max Gate 257
Hare, David 20
Harewood House 24, **396**
Harlech **440**
  château 424
  hôtels 565
  restaurants 601
Harold II
  Bataille d'Hastings 46-47, **169**
  Holy Trinity Church (Chichester) 159
Harpenden, hôtels 549
Harris, île de 515
  hôtels 572
Harrison, George 363
Harrods (Londres) **99**, 124, 125
Harrod, Henry Charles 99
Harrogate **374**
  hôtels 562
  restaurants 598
Hartley, Jesse 363
Harvard House (Stratford-upon-Avon)
  312
Harvard, John 202, 315
Harvey Nichols 124, 125
Harwich, restaurants 585
Hassall, John 468
Hastings 169
  restaurants 583
Hastings, bataille d' (1066) 46-47, **169**
Hatfield House 53, 205, **219**
Hathaway, Anne 313, 315
Hathersage 327
Hawkins, John 51
Hawkshead 356
Hawksmoor, Nicholas
  Blenheim Palace 24, 216
  Castle Howard 384
Haworth **398**
  restaurants 598
Hay Bluff 455
Hay-on-Wye **447**, 627
  festival de littérature 20
  pubs 611
Haydon Bridge, Pennines du Nord
  413
Haydon Bridge, restaurants 600
Haytor Rocks 283
Haywards Heath, restaurants 583
Headingley, restaurants 598
Heathrow, aéroport d' 619, 634
Heacham 179
Heaven (Londres) 129
Hebden Bridge 336, **398**
  hôtels 562
Hébrides 520
Heddon 238
Heights of Abraham 324
Heiton, hôtels 570
Helmsley **379**
  hôtels 562
Helston **268**
  hôtels 553
Helvellyn 341, 348
Henderson, clan 471
Hengist 209
Hengistbury Head 259
Henley 222
  hôtels 549
  Régates royales 66

Henri Iᵉʳ 40
Henri II 40
   Orford Castle 191
   armes 26
   assassinat de Thomas Becket 48
   Douvres Castle 171
   et Rosemonde 221
   Windsor, château de 224
Henri III 40, 422
   Abbaye de Westminster (Londres)
      95
   Clifford's Tower 393
   couronnement 317
Henri IV 40, 422
Henri V 40
   armes 26
   bataille d'Azincourt 49
   lieu de naissance 461
   Portchester Castle 157
   statue d' 461
Henri VI 40
   All Souls College (Oxford) 214
   Eton, le collège d' 223
   King's College (Cambridge) 200
   St Albans 220
   statue d' 200
Henri VII 40
   Abbaye de Westminster (Londres)
      94, 95
   et le pays de Galles 423
   Richmond, parc de 134
   rose Tudor 26
Henri VIII 40
   Abbaye de Westminster (Londres)
      95
   bataille de Flodden Field 468
   Camber Castle 173
   Dissolution des ordres monastiques
      103, 339
   Epping Forest 197
   Hampton Court 161
   King's College (Cambridge) 201
   Knole 176
   Leeds Castle 176
   London Dungeon 119
   Mary Rose 50, 157
   Pendennis Castle 269
   portraits 39
   rupture avec l'Église de Rome 50
   St James's Palace 86
   St Michael's Mount 266
   statues d' 199, 203
   Tewkesbury 316
   Tintern Abbey 461
   Trinity College (Cambridge) 203
Henriette Marie
   Queen's Chapel (Londres) 87
   Queen's House (Londres) 133
Henry, George 505
Heptonstall 398
Hepworth, Barbara 20, 93, 399
   Barbara Hepworth Museum and
      Sculpture Garden 265
Her Majesty's, théâtre (Londres) 127
Héraldique 26-27
Herbert, famille 446
Herbert, saint 348
Hereford **304**
   hôtels 556
Hereford et Worcester *voir* Cœur de
   l'Angleterre
Heron, Patrick 265
Hertford, marquis d' 106
Hertfordshire *voir* Tamise, vallée de la

Hertz 637
Hestercombe, jardins d' (Taunton)
   240
Hetton, restaurants 598
Heure locale 618
Hever Castle **177**, 616
Hexham **408-409**
   hôtels 564
   Pennines du Nord 413
   restaurants 600
Hidcote Manor Gardens, jardins des
   Midlands 309
Highgate, cimetière de (Londres) 77,
   132
Highland Clearances 469, **517**, 520
Highlands, jeux internationaux des,
   (Blair Atholl) 62
Highlands et îles 511-535
   Highland Clearances 469, 517, 520
   hôtels 570-573
   pubs 611
   restaurants 606-607
Hill Top (près de Sawrey) 355
Hill, Octavia 25
Hilton Hotel (Londres) 538
Hintlesham
   hôtels 548
   restaurants 585
Hintlesham Hall 539
Hippodrome (Londres) 129
Histoire 39-61
   Écosse 468-469
   pays de Galles 422-423
Hitchcock 272
HMV 124, 125
Hoare, Henry 254, 255
Hobart, sir Henry 186
Hobart, John 186
Hobbema, Meindert 200
Hobbs 124
Hockney, David 20, 93, 364, 397
Hogarth, William 55, 93, 115, 200, 506
Hogmanay 65
Holbein, Hans 84, 225, 501
Holburne, William 248
Holderness **389**
Holker Hall 357
Holkham Hall 24
   Excursion sur la côte nord du
      Norfolk 185
Holland House (Londres) 130
Holland Park (Londres) 76, **130-131**
Holland, Henry
   Pavillon royal (Brighton) 166, 167
   Woburn Abbey 24, 218
Holmes, Kelly 66
Holmes, Sherlock 106
Holywell Music Room (Oxford) 212
Holywell, pubs 608
Homme de Wilmington (l') 168
Honister Pass 340
Honiton 277
Hoover, William 59
Hope, Emma 124, 125
Hopetoun House **488**
Hopetoun, 1ᵉʳ comte de 488
Hôpital royal (Londres) 130
Hôpitaux 620
Hopkins, Anthony 20
Hoppner, John 219
Hopwas, hôtels 556
Horaires d'ouverture 616
   commerces 626
   restaurants 577

Horne, Janet 516
Hornsea 389
Horse Guards (Londres)
   Plan du quartier pas à pas 91
Hôtels 538-573
   avec des enfants 616
   Bed-and-Breakfasts et Guesthouses
      539
   catégories 539
   Cœur de l'Angleterre 555-558
   country-house hotels 538
   Devon et Cornouailles 553-555
   Downs et côtes de la Manche
      545-547
   East Anglia 547-549
   Galles, pays de
      nord du 564-566
      centre et sud du 566-568
   Highlands et îles 570-573
   hôtels de chaîne 538
   hôtels traditionnels et relais de
      poste 538
   Lancashire et les lacs 559-562
   Londres 542-545
   Lowlands 568-570
   Midlands, est des 558-559
   Northumbria 563-564
   suppléments surprise 539
   Tamise, vallée de la 549-551
   tarifs et réservations 540
   Wessex 551-552
   Wolsey Lodges 539
   Yorkshire et Humberside 562-563
Hôtels-restaurants 575
Houblon 148-149
Hound Tor 283
Housesteads Fort 409
Housesteads Settlement 408
Housman, A. E. 300
Hoverspeed/Seacat 633
Howard 24, **384-385**
Howard, amiral Edward 385
Howard, Catherine 120
Howard, famille 194, 384
Howard, lord 51
Howard, sir Ebenezer 58
Hudson, George 337
Hudson, Thomas 267
Hughenden Manor **221**
Hughes, Thomas 209
Huickes, Dr Robert 379
Huître, festival de l' (Colchester) 64
Hull, pubs 610l
Humber, la 389
Humberside 367-399
   À la découverte du Yorkshire et de
      la région du Humber 368-369
   hôtels 562-563
   pubs 610
   restaurants 598-599
Hume, David 467
Humphrey Head Point (Lancashire) 358
Hunstanton, falaises de, Excursion sur
   la côte nord du Norfolk 184
Hunt, Leigh 130
Hunt, William Holman 212, 361
Hunter, Dr William 505
Huntingdon **196**
   hôtels 548
   restaurants 585
Hurlingham (croquet) 129
Hurstbourne Tarrant, restaurants 583
Hutchinson, Mary 354, 378
Hutton-in-the-Forest 346

Hutton-le-Hole **380**
  North York Moors 381
Huxley, Aldous 151
Hyde Park (Londres) 72, 77, **103**
  hôtels 542

I

ICA (Londres) 128
Icènes, tribu des 44, **183**
Icklingham, restaurants 585
Icknield Way 33
Ickworth House 194-195
Ida the Flamebearer 406
Ightham Mote 177
Île de May 486
Île de Purbeck **258**
Île de Skye 464, 512, **520-521**
  hôtels 572
  pubs 611
Île de Wight **156**
Ilfracombe, hôtels 553
Ilkley, restaurants 599
Ilmington, hôtels 556
Immigration 19
Incendie de Londres (Grand) 53, 111, 112
Incendie (Windsor) (1992) 225
Inchmahome Priory 481
Ingilby, famille 375
Ingilby, sir William Amcotts 375
Ingleby Greenhow, hôtels 562
International Youth Hostel Federation 617
Inverary Castle **534**
Inverewe Gardens 516
Inverness **522**
  hôtels 572
  restaurants 607
Inversnaid, hôtels 570
Iona, île d' 46, 533
  hôtels 572
Ipswich **191**
  hôtels 548
Ireland, Robert 300
Irlande 20
Ironbridge Gorge 286, **302-303**
  carte 303
  hôtels 556
Islam 619
Islay **535**
Islington (Londres) 132

J

Jacobites 52, **523**
  Culloden 523
  Glenfinnan Monument 533
  massacre de Glencoe 529
Jacques Ier (Jacques VI d'Écosse) 41, 51, 52
  Banqueting House (Londres) 92
  couronnement 482
  Hyde Park (Londres) 103
  jardins sous 22
  Newmarket 195
  Queen's House (Londres) 133
  statues de 203, 484
  union de l'Angleterre et de l'Écosse (1707) 469
  Warwick Castle 309
Jacques II 41, 52, 53, 485, 492, 501
  Knole 176
  Monmouth, rébellion de 240
  mouvement jacobite 523
  portrait 523

Jacques IV, roi d'Écosse 468, 486, 492
Jacques V, roi d'Écosse
  couronne 492
  Falkland Palace 486
  Linlithgow Palace 487
  Palace of Holyroodhouse 496
  Parliament House 494
  Portree 521
Jacques VIII (le « Prétendant ») 523
Jamaica Inn 272
James, Henry 172
James, Richard 200
Jameson, Mary 526
Jardin de l'Angleterre 148-149
Jardins (Londres) 23, 76, 134
Jardins voir Parcs et jardins
Jarretière (Ordre de la) 26
Jazz Café (Londres) 129
Jazz, Londres 129
Jean sans Terre 40, 48
  Beaulieu, abbaye de 156
  et Liverpool 362
  King's Lynn 185
  Magna Carta 205, 221, 223
  tombe de 306
Jedburgh Abbey, Excursion dans les Borders 489
Jedburgh, hôtels 570
Jeffreys, Juge 240
Jekyll, Gertrude 23
  Hestercombe, jardins d' 240
  Lindisfarne Castle 404
Jenkins, Valentine 483
Jennings, brasserie (Cockermouth) 350
Jermyn Street (Londres)
  Plan du quartier pas à pas 87
Jevington, restaurants 583
John, Augustus 386
John o'Groats **514**
John, Tom 453
John Lewis 124, 125
John of Beverley 387
John of Gaunt 374
Johnson, Dr Samuel 430
Jones, Inigo 21
  Banqueting House (Londres) 91, **92**
  Covent Garden, Piazza (Londres) 81
  Queen's Chapel (Londres) 87
  Queen's House (Londres) 133
  Saint-Paul, église (Londres) 80
  Wilton House 235, 253
Jones, Mary 436
Jones, Peter 124, 125
Jones, sir Horace 118
Journaux 618
Joyaux de la Couronne **120**
Juifs, synagogues 619
Jew's House 328
Jura **534-535**
Jutes 45

K

Katrine, Loch 480
Keats, John 200, 349
  Keats, maison de (Londres) 131
Kedleston Hall **24-25**, 324
Keeper **486**
Keighley and Worth Valley Railway 398
Keiller, James et Janet 474
Kelmscott **208-209**
Kelsale, restaurants 585

Kemerton 23
Kendal **356**
  restaurants 596
Kenilworth, restaurants 592
Kennedy, Joseph Jr 190
Kenneth Mac Alpin, roi d'Écosse 47, 468
Kensal Green, cimetière de (Londres) 77
Kensington (Londres)
  hôtels 542
  pubs 608
  restaurants 578
Kensington, Palais de (Londres) **103**
Kensington Gardens (Londres) 21, 76-77, **103**
Kent
  Jardin de l'Angleterre 148-149
  voir Downs et côtes de la Manche
  duchesse de 380
Kent, William 24, 103
Kenwood House (Londres) 128, 132
Keswick **347**, 348
  hôtels 560
Kew Gardens 134
Keyston, restaurants 594
Kielder Water **406**
Kiftsgate Court Garden, jardins des Midlands 309
Kilberry, restaurants 607
Kilchrist Church 521
Kilchurn Castle 533
Killerton 277
Killiecrankie, Excursion depuis 528
Killiecrankie
  hôtels, **573**
  restaurants 607
Kilts 470-471
Kimmeridge 258
  hôtels 552
Kinclaven, restaurants 607
Kincraig Highland Wildlife Park 530
Kincraig, restaurants 607
King, évêque Oliver 248
King's College (Cambridge) **200-201**
King's Lynn **184-185**
King's Road (Londres) 130
Kingsbridge, restaurants 590
Kingsley, Charles 274, 373
Kingston Bagpuize, hôtels 550
Kingston Lacy 259
Kingston-upon-Hull **388-389**
Kingswear, hôtels 553
Kingussie
  hôtels **573**
Kintbury, restaurants 586
Kintyre **535**
Kipling, Rudyard 151, 274
Kippford, restaurants 605
Kirk, Dr John 394
Kirkcudbright, hôtels 570
Kirkham Priory (Malton) 339
Kirkstall Abbey (Leeds) 339
Kisimul Castle 515
Knaresborough **374-375**
  restaurants 599
Knebworth House **219**
Kneller, sir Godfrey 216
Knighton 445, **447**
Knightsbridge (Londres)
  hôtels 542
  restaurants 578-579
Knightshayes Court 233, 277
Knole **176-177**

Knowstone, pubs 609
Knox, John 466, 484, 497
  Église presbytérienne 469
  Réforme en Écosse 495
  statues de 468, 504
Kylesku, restaurants 607
Kynance Cove 268

L

L'Artiste Musclé (Londres) 577
La Pole, Owain de 446
Lacock **243**
  hôtels 552
  restaurants 588
Laguerre, Louis 217
Laine, commerce de la **195**
Lake District 334, 343-365
  À la découverte du Lancashire et
    des lacs 344-345
  cartes 340-341, 348-349
  géologie 340-341
  hôtels 559-562
  Northern Fells et les lacs 348-349
  principaux sommets 348-353
  pubs 610
  restaurants 595-597
Lake Vyrnwy, hôtels 567
Lamb and Flag (Londres)
  Plan du quartier pas à pas 80
Lambert, Daniel 331
Lamphey, restaurants 603
Lancashire 343-365
  À la découverte du Lancashire et
    des lacs 344-345
  hôtels 559-562
  pubs 610
  restaurants 595-597
Lancaster **358-359**
Lancastre, maison de 40, 49
Land's End 262
  Excursion dans le Penwith 264
Landewednack, hôtels 554
Landmark Trust 541
Lanercost Priory (Brampton) 346
Lanfranc, archevêque 174
Langar, hôtels 558
Langdale **353**
  pubs 610
Langdale Pikes 341
Langho, restaurants 596
Langley, évêque de Durham 414
Langues 18
Lanhydrock 232, 272, 273
Lanyon Quoit, Excursion dans le
  Penwith 264
Largs, restaurants 605
Lastingham
  North York Moors 381
Laszlo, Henri de 485
Latimer, Hugh 210, 213
Laurel et Hardy Museum 357
Lavenham **194**
  hôtels 548
Lawrence, sir Thomas 245
Leach, Bernard 265, 393
Leamington Spa, restaurants 592
Ledbury **305**
  hôtels 556
Leeds **396**
  hôtels 563
  restaurants 599
Leeds Castle 63, 153, **176**
Leeds, canal de (Liverpool) 336
Legoland 629

Leicester, comte de 309
Leicester, restaurants 594
Leicestershire *voir* Midlands, est des
Leighton, lord 131
Leighton Hall (Lancashire) **358**
Leighton House (Londres) 131
Leith Hill 160
Lely, sir Peter 385, 529
Lennon, John 363
Leominster **301**
Léonard de Vinci 85, 225, 501
Levens Hall (Cumbria) 357
Lever, William Hesketh 337, 365
Lewdown, restaurants 590
Lewes **168**
  hôtels 546
Lewis, île de 467, 515
  hôtels 572
Lewis, Wyndham 93
Leysters, hôtels 557
Liaisons aériennes 634-635
Liberty 124, 125
Lichtenstein, Roy 491
Liddell, Alice 431
Lifton, restaurants 590
Lighthoder, Thomas 388
Limelight (Londres) 129
Limestone Corner Milecastle 409
Lincolnshire *voir* Midlands, est des
Lincoln
  cathédrale 287, 321, 329
  hôtels 558
  Plan du quartier pas à pas 328-329
  restaurants 594-595
Lindisfarne 46, 47, **404**, 405
Lindisfarne, Évangile de 405
Lindow, l'homme de 109
Linley Sambourne House (Londres)
  131
Linlithgow, marquis de 488
Linlithgow, restaurants 605
Linlithgow Palace **487**
Linn of Tummel, région de
  Killiecrankie 528
Lippi, Fra Filippo 84, 243
Littérature 20
Little Langdale 353
Little Malvern 305
  hôtels 557
Little Moreton Hall 290-291, 299
Little Town 350
Littlebury, pubs 608
Live Aid 61
Lizard, cap **268**
Llanaber, hôtels 565
Llanarmon Dyffryn Ceiriog
  hôtels 565
  restaurants 601
Llanberis 419, **437**
  hôtels 565
  restaurants 602
Llandaff Cathedral 457
Llandeilo, hôtels 567
Llandewi Skirrid, restaurants 603
Llandovery, Wild Wales 453

Llandrillo
  hôtels 565
  restaurants 602
Llandrindod Wells **447**
Llandudno **431**
  hôtels 565
  restaurants 602
Llanfachreth, hôtels 565
Llanfihangel-Yng-Ngwynfa, hôtels 567
Llangammarch Wells, hôtels 567
Llangattock, lady 461
Llangollen 427, **436**
  International Eisteddfod 436
  restaurants 602
Llangollen Canal 436
Llanidloes, Wild Wales 453
Llanigon, hôtels 567
Llanthony, prieuré de 447, 455
Llanthony, hôtels 567
Llanwrtyd 447
Llanwrtyd Wells, hôtels 567
Llechwedd Slate Caverns 437
Llithfaen 439
Lloyd, Christopher 170
Lloyd George, David 423
  statue de 457
Lloyds Bank 624
Lloyd's Building (Londres) **118**
Llyn, péninsule de 439
Llyn y Fan Fach 454
Llyswen
  hôtels 567
  restaurants 603
Llywelyn ap Gruffydd 430
Llywelyn le Dernier 422, 430
Llywelyn le Grand 422
  Beddgelert 438
  Castell-ŷ-Bere 425
  statue de 432
Lobb, John 124
Location de voitures 637
Locations de logements 540, 541
Loch Garten Nature Reserve 531
Loch Ness **522**
Lochinver, hôtels 573
Lochmaddy 515
Lochranza, hôtels 573
Lomond, loch 464, 478, 480
  pubs 611
Lombard Street (Londres) 113
Londres 71-143
  Abbaye de Westminster 94-95
  au fil de l'eau 74-75
  Banlieue 130-134
  boutiques et marchés 124-125
  British Museum 108-109
  Buckingham Palace 88-89
  cathédrale Saint-Paul **116-117**
  climat 69
  Festival du film de 64
  hôtels 542-545
  La City et Southwark 111-123
  London Coliseum 128
  London Dungeon **119**
  marathon de 66
  métro 643
  National Gallery **84-85**
  parcs et jardins 76-77
  Plan du quartier pas à pas
    Covent Garden 80-81
    La City 112-113
    Piccadilly et Saint James 86-87
    South Kensington 98-99
    Tour de Londres 120-121

Whitehall et Westminster 90-91
Victoria and Albert Museum 100-101
West End et Westminster 79-95
Westminster Abbey 94-95
pubs 608
Regent's Park et Bloomsbury 105-109
restaurants 578-582
Sortir 126-129
South Kensington et Hyde Park 97-103
Long Crendon
hôtels 550
restaurants 586
Long Meg et ses Filles (Cumbria) 346
Long Mynd 300
Long, Richard 93
Longleat House **254**
Longridge, restaurants 597
Looe 272
Lord-Maire, procession du (Londres) 64
Lord Nelson, pub (Burnham Market), Excursion sur la côte nord du Norfolk 184
Lord's (cricket) (Londres) 129
Lords (Chambre des) 27, 92
Lorna Doone Cottage 615
Lorrain (le), Claude 229
Lorton, hôtels 560
Lorton Vale (Cumbria) 348
Lostwithiel 272
Lothians *voir* Lowlands
Louise, princesse 103
Loup de Badenoch 524
Low Catton, pubs 610
Lower Slaughter
restaurants 592
Lowestoft **187**
hôtels 548
Lowlands (Écosse) 477-509
À la découverte des Lowlands 478-479
hôtels 568-570
pubs 611
restaurants 604-606
Lowry, L. S. 359
Lucy, sir Thomas 290
Ludlow 297, **300-301**
hôtels 557
restaurants 593
Luib 521
Lullingstone, villa romaine 45
Lulworth, baie de 258
Lun. Tacute, restaurants 589
Lundy (île) 274
Lune Aqueduct (Lancaster) 358
Luss 480
Lutyens, sir Edwin 170, 365
Castle Drogo 25, 283
Hestercombe, jardins d' 240
Lindisfarne Castle 404
paysages 25
Maison de la poupée de la reine Marie 225
Lydford, pubs 609
Lydford Gorge 282
Lynmouth 238, **276**
restaurants 590
Lynton **276**
Lyric, théâtre (Londres) 127
Lytton, Constance 219
Lytton, lord 219

M

Macbean, Donald 528
MacDonald, Alex 526
MacDonald, clan 470, 529
MacDonald, Anne Maxwell 506
MacDonald, Flora 515, 520, 521
MacDougal, clan 533
MacGregor, clan 471
Machynlleth **448**
Mackay, clan 470
Mackenzie, clan 470
Mackenzie, Osgood 516
Mackintosh, Charles Rennie **504**, 505
Maclean, clan 532
Maclean, Donald 532
MacLeod, clan 470, 520
Madame Jojo's (Londres) 129
Madame Tussaud's (Londres) 106
Maentwrog, pubs 611
Maes Howe 514
Magna Carta 48, 205, 221, 223
Magnus, St, Cathedral 514
Magnus Barfud, roi 535
Magritte, René 491
Maiden Castle 43, 235, 257
Maiden Newton, restaurants 589
Malcolm, clan 471
Malcolm III, roi d'Écosse 486, 492, 493
Maldon **197**
Malham, Excursion dans la région de **373**
Mall (Londres) 87
Mallaig, Excursion de la route des îles 532
Mallyan Spout, North York Moors 381
Malmesbury House (Salisbury) 252
Malmsmead 239
Malverns **305**
Malvern Wells
hôtels 557
Manche 42
ferries 633
Manche, côtes de la 153-177
À la découverte des Downs et des côtes de la Manche 154-155
hôtels 545-547
restaurants 582-584
Manche, tunnel sous la 17, 60, 61, 171, **632**
Manchester **360-361**
aéroport 634
hôtels 561
pubs 610
restaurants 597
Manoirs
Abbotsford House 498
droits d'entrée 617
Hopetoun House 488
Traquair House 499
Mansfield, Isaac 216
Mansion House (Londres) 113
Mantegna, Andrea 161
Mappa mundi **304**
Mar, premier comte de 482
Marble Hill House (Londres) 134
Marcher Lords 422
Marchés 124-125, 627
Marconi, Guglielmo 58
Marcus Gheeraerts II 93
Marguerite Tudor 468
Margaret, sainte, reine d'Écosse 488, 492, 493
Margate **171**

Marguerite d'Anjou 202
Marie de Guise 486, 487, 496
Marie Ire (Marie Tudor) 39, 41
catholicisme 50, 51
Framlingham, château de 191
martyrs protestants 51
protestants 114
tombeau de 194
Marie Ire Stuart 468-469, 485, 491, **497**, 498
à Glasgow 504
broderies 183, 484
Edinburgh Castle 493
Élisabeth Ire et 375
emprisonnement 371
Inchmahome Priory 481
Linlithgow Palace 487
Palace of Holyroodhouse 496
Stirling 482
Traquair House 499
Marie II 41, 52, 161
Maris, Matthijs 507
Marks & Spencer 124, 125
Marlborough 251
Marlborough, 1er duc de 216
Marlow, hôtels 550
Marney, sir Henry 193
Martin, John 413
Martini, Simone 365
Marx, Karl 109
tombe de 132
Mary Rose 50, 157
Marylebone (Londres), hôtels 544
Matlock **324**
Matlock Bath 324
hôtels 559
Matron's College (Salisbury) 252
Maumbury Rings 257
Maumvn Smith, hôtels 554
Mawddach, estuaire de 441
Mawnan Smith, hôtels 554
Maxwell, famille 506
May, Isle of 486
Mayfair (Londres)
hôtels 543
restaurants 579-580
Mayflower 52, 157
McCartney, Paul 363, 535
McKellan, Ian 20
McNally, Leonard 370
McTaggart, William 505
Medway, vallée de la 176
Melbourn, restaurants 587
Mellor, hôtels 561
Melmerby, restaurants 597
Melrose Abbey **498**
Excursion dans les Borders 489
Membury, hôtels 554
Memorial Arch, région de Killiecrankie 528
Mer du Nord, pétrole 469
Mercia 46
Merionethshire *voir* Galles, pays de (Nord)
Merry Maidens, Excursion dans le Penwith 264
Mersey, la 343, 362
Merseyside *voir* Lancashire et les lacs
Météo 637
Méthodisme **267**, 423
Methuen, lady 243
Métro de Londres 56, 643
Meunier, Constantin 507
Michel-Ange 212, 225
Middle Winterslow, hôtels 552

Middleham Castle 371
Middleton-in-Teesdale **412**
Midlands 285-331
    canaux 288-289
    carte 286-287
    Jardins 308-309
Midlands (est des) 319-331
    hôtels 558-559
    pubs 610
    restaurants 593-595
Mildert, évêque William van 414
Milebrook, hôtels 567
Millais, John Everett 56, 93, 131, 212, 364
Millenium Stadium (Cardiff) 456
Miller, Hugh 517
Milton, John 219
Minack Theatre, Excursion dans le Penwith 264
Minehead 239
Ministry of Sound (Londres) 129
Minsmere, réserve de 190
Minster Lovell Hall 208
Minuit, messe de 65
Miséricordes **329**
Mithra 44
Moffat, restaurants 605
Moissons, festivals des 64
Monarchie 19, **40-41**
Monastères **338**
    Dissolution des ordres monastiques 50, 339
Mondrian, Piet 123
Monet, Claude 123, 200, 457, 526
Monmouth **460-461**
Monmouth, duc de 240
Monmouthshire *voir* Galles, pays de (Sud et Centre)
Monnaie 624-625
Monnow, la 460
Mons Meg **492**, 501
Monsal Head, pubs 610
Monstre du loch Ness **522**
Montacute House 232, 233, 235, 256
Montfort, Simon de 168, 311
Montrose, duc de 481
Monument (Londres) 111, **118**
Moore, Albert
    Coquillages 364
Moore, Henry 20, 93, 189, 364
    Henry Moore Institute (Leeds) 396
Morar, excursion de la route des îles 532
Moray Firth 523
More, sir Thomas 50, 130
Morecambe Bay **358**
Moreton, famille 291
Morgan, Dr William 423
Morris, Jane 208
Morris, Roger 534
Morris, William 208-209, 316, 385
    Jesus College (Cambridge) 202
    Peterhouse (Cambridge) 203
Mortehoe, hôtels 554
Morwellham Quay 277
Moseley Old Hall 291
Mosquées 619
Mother Shipton's Cave (Yorkshire) 374-375
Moulins à vent **187**
Moulsford-on-Thames
    hôtels 550
    restaurants 587

Moulton, pubs 610
Mount Edgcumbe Park 232, 280
Mount Grace Priory (Yorkshire) 338, **380**
Mountbatten, lord 27, 150
Mousa Broch 514
Mousehole (Cornouailles) 266
Moustafa, Ahmed 503
Moyen Âge 48-49
Moyens de transports 632-643
Muir of Dinnet Nature Reserve, Excursion dans la vallée de la Dee 526
Muir of Ord, hôtels 573
Mull, île de 513, **532-533**
    hôtels 572
Mumbles (Swansea) 452
    restaurants 603
Mumbles, hôtels 567
Muncaster Castle (Ravenglass) 352
Mungo, saint 487, 502
Mungrisdale, hôtels 561
Murillo, Esteban 506
Murray, Patrick 496
Murray, William Staite 393
Musées et galeries
    1853 Gallery (Bradford) 397
    A World in Miniature (Oban) 532
    Abbot Hall Art Gallery and Museum of Lakeland Life (Kendal) 356
    Alexander Keiller, musée (Avebury) 251
    Alice in Wonderland Centre 431
    American Museum 249
    Anne of Cleves House 168
    ARC (York) 393
    Armley Mills Museum (Leeds) 396
    Arnolfini, galerie 244
    Art Gallery (Aberdeen) 526
    Ashmolean Museum 210, 212
    Auchindrain Museum 534
    Babbacombe Model Village (Torquay) 278
    Barbara Hepworth and Sculpture
    Beamish Open Air Museum 410-411
    Beatles Story (Liverpool) 363
    Beatrix Potter Gallery (Hawkshead) 355
    Beatrix Potter's Lake District (Keswick) 347
    Bethnal Green Museum of Childhood (Londres) 133
    Big Pit Mining Museum (Blaenafon) 460
    Black House Museum d'Arnol (Western Isles) 515
    Blaenafon Ironworks 460
    Blists Hill Victorian Town (Ironbridge Gorge) 303
    Bodmin Town Museum 272,273
    Border History Museum (Hexham) 409
    Bowes Museum (Barnard Castle) 412
    Bradford Industrial Museum 397
    Brantwood 356
    Bridewell Museum 189
    Brighton Museum and Art Gallery 163
    Bristol Industrial Museum 245
    British Golf Museum (St Andrew) 485

British Empire & Commonwealth Museum (Bristol) 244
British Museum (Londres) 73, 108-109
Brontë Parsonage Museum (Haworth) 398
Buckler's Hard 156
Buildings of Bath Museum 249
Burrell Collection (Glasgow) 465, 506-507
Butcher Row House (Ledbury) 305
Buxton Museum and Art Gallery 322
Cadbury World (Bournville) 307
Captain Cook Memorial Museum (Whitby) 382
Carnegie Birthplace Museum (Dunfermline) 487
Castle Museum (Colchester) 193
Castle Museum (Norwich) 188-189
Centre for Alternative Technology (Machynlleth) 448
Ceredigion Museum (Aberystwyth) 449
Charles Dickens Museum, 109, 157
Christchurch Mansion 191
Cider Museum and King Offa Distillery (Hereford) 304
City Art Gallery (Leeds) 396
City Museum (Lancaster) 358, 359
City Museum and Art Gallery (Birmingham) 307
City Museum and Art Gallery (Bristol) 245
City Museum and Art Gallery (Hereford) 304
Clive Museum 446
Coalport China Museum (Ironbridge Gorge) 303
Cogges Manor Farm 208
Colour Museum (Bradford) 397
Commandery (Worcester) 306
Corbridge Roman Site and Museum 409
Corinium Museum (Cirencester) 317
Courses de chevaux, musée national des 195
Courtauld Gallery 82
Crich Tramway Village 327
Cromarty Courthouse (Cromarty) 517
Cromwell Museum 196
D-Day Museum (Musée du Jour J) (Portsmouth) 157
Dales Countryside Museum (Hawes) 371
Dartmouth Museum 278
Design Museum (Londres) 119
Discovery (Dundee) 485
Dock Museum (Furness Peninsula) 356, 357
Doll Museum (Warwick) 309
Dorset County Museum 257
Dove Cottage and the Wordsworth Museum (Grasmere) 354
droits d'entrée 616-617
Eden Camp 386
Elgar's Birthplace 306
Elgin Museum 524
Elizabethan House Museum 187
Enfant, musée de l' (Bethal Green Museum of Childhood) 131
Etruria Industrial Museum 299
Eureka! (Halifax) 399

Fitzwilliam Museum 200
Flambards Village Theme Park (Helston) 268
Folk Museum (Helston) 268
Fox Talbot Museum 243
Freud, musée 131
Gainsborough, maison de 151, 194
Galerie des dessins (Windsor) 225
Gasworks Museum (Biggar) 499
Gilbert Collection 82
Gladstone Court Museum (Biggar) 499
Gladstone Pottery Museum (Stoke-on-Trent) 299
Glynn Vivian Art Gallery (Swansea) 452
Goonhilly Earth Station 268
Grace Darling Museum (Bamburgh) 406
Groam House Museum (Rosemarkie) 517
Herbert Gallery and Museum (Coventry) 307
Heritage Centre (Ledbury) 305
Histoire d'Oxford 213
HMS Unicorn (Dundee) 485
Holburne Museum of Art 248
horaires d'ouverture 616
Household Cavalry Museum 223
Hunterian Art Gallery (Glasgow) 505
Imperial War Museum North 359
Ipswich, musée d' 1919
Jackfield Tile Museum (Ironbridge Gorge) 302
Jorvik, the Viking City (York) 391, 394
Judge's Lodgings (Lancaster) 358, 359
Keats, maison de 131
Kelvingrove Art Gallery and Museum (Glasgow) 505
Kendal Museum of Natural History and Archaeology 356
Kenwood House 132
Keswick Museum and Art Gallery 347
King's Own Scottish Borderers Regimental Museum (Berwick-upon-Tweed) 404
Lake Village Museum 241
Laurel and Hardy Museum (Ulverston) 357
Leighton House 131
Linley Sambourne House 131
Little Hall 194
Llechwedd Slate Caverns (Blaenau Ffestiniog) 437
Loch Ness Monster Exhibition Centre (Drumnadrochit) 522
London Dungeon 119
London's Transport Museum 81, 82
Lowestoft Museum 187
Lowry 359
Ludlow Museum 301
Manchester Art Gallery 361
Maritime Museum (Aberdeen) 526
Maritime Museum (Lancaster) 358, 359
Maritime Museum (Southampton) 157
Market Hall (Warwick) 309
McManus Galleries (Dundee) 485

Merseyside Maritime Museum (Liverpool) 363
Moot Hall 197
Moray Motor Museum (Elgin) 524
Morwellham Quay **281**
Moyse's Hall 194
Musée de l'Histoire de la science (Old Ashmolean) 210
Musée des Thermes romains **248-249**
Musée Sherlock Holmes 106
Musée de l'Université 213
Museum and Art Gallery (Cheltenham) 316
Museum and Art Gallery (Inverness) 522
Museum of Barnstaple and North Devon (Barnstaple) 275
Museum of Canterbury 174
Museum of Childhood (Beaumaris) 430
Museum of Childhood (Edinburgh) 496
Museum of Costume 248
Museum of Costume and Textiles (Nottingham) 324
Museum of the Gorge (Ironbridge Gorge) 302
Museum of Iron (Ironbridge Gorge) 302
Museum of Islay Life 535
Museum of Liverpool Life 363
Museum of London **115**
Museum of Oxford 213
Museum of Science and Industry in Manchester 361
Museum of Transport (Glasgow) 504
Museum of Welsh Life (Cardiff) 457
Museum of Worcester Porcelain 306
National Coal Mining Museum 399
National Fishing Heritage Centre (Grimsby) 389
National Gallery 73, **84-85**
National Gallery of Scotland (Edinburgh) 490
National Marine Aquarium (Plymouth) 280
National Maritime Museum (Greenwich) 133
National Motor Museum 156
National Museum and Galery of Wales (Cardiff) 457
National Museum of Photography, Film and Television (Bradford) 397
National Portrait Gallery 83
National Railway Museum (York) 394
National Waterways Museum (Gloucester) 317
Natural History Museum 98, 102
Nelson Museum 461
New Millenium Experience (New Larnark) 500
North Devon Maritime Museum (Appledore) 275
Old House (Hereford) 304
Old Operating Theatre **119**
Parliament House (Machynlleth) 448
Peak District Mining Museum 324
Pencil Museum (Keswick) 347
Penlee House Gallery and Museum

266, 267
People's Palace (Glasgow) 505
Perth Museum and Art Gallery 484
Pier Arts Centre (Orkney) 514
Pitt Rivers Museum 213
Plymouth Dome 280
Poldark Mine (Wendron) 268
Pollok House (Glasgow) 506
Portsmouth Historic Dockyard 157
Potteries Museum and Art Gallery (Stoke-on-Trent) 299
Power of Wales Museum (Llanberis) 437
Priest's House Museum 259
Prison and Police Museum (Ripon) 375
Provand's Lordship (Glasgow) 504
Queen's Gallery 89
Queen's House 133
Radnorshire Museum (Llandrindod Wells) 447
Regimental Museum (Monmouth) 460-461
Regimental Museum of Royal Northumberland Fusiliers (Alnwick) 406
Roman Legionary Museum (Caerleon) 460
Rotunda Museum (Scarborough) 383
Royal Academy 83, 86
Royal Albert Memorial Museum and Art Gallery (Exeter) 277
Royal Armouries Museum (Leeds) 396
Royal Cornwall Museum (Truro) 269
Royal Crescent, No.1 248
Royal Museum of Scotland (Edinburgh) 497
Royal Naval Museum 157
Royal Observatory, Greenwich 133, 618
Royal Pump Room Museum (Harrogate) 374
Russell-Cotes Art Gallery and Museum 259
Rydal Mount 354
Ryedale Folk Museum (Hutton-le-Hole) 380
Sainsbury Centre for Visual Arts 189
Salisbury and South Wiltshire Museum 253
Scarborough Art Gallery 383
Science Museum 98, 102
Scottish Fisheries Museum (Anstruther) 486
Scottish Gallery of Modern Art (Edinburgh) 491
Scottish National Portrait Gallery (Edinburgh) 491
Shandy Hall (Coxwold) 379
Shetland Museum (Shetland) 514
Shibden Hall Museum (Halifax) 399
Somerset County Museum 240
Somerset House 82
Somerset Rural Life Museum 241
Southwold Museum 192
St Mungo Museum of Religious Life and Art (Glasgow) 503
Stamford Museum 331
Strangers' Hall 189
Streetlife Transport Museum (Kingston-upon-Hull) 388

Swaledale Folk Museum (Reeth) 371
Swansea Museum 452
Tain Through Time (Dornoch) 517
Tales of Robin Hood (Nottingham) 324
Tate Britain (Londres) 73, 93
Tate Liverpool 362, 363
Tate Modern (Londres)123
Tate St Ives 265, 575
Techniquest (Cardiff) 456
The Whithorn Story 501
Theakston Brewery (Masham) 371
Theatre Museum 81, 82
Tom Brown's School Museum 209
Torquay Museum 278
Torridon Countryside Centre 516
Totnes Elizabethan Museum 279
Town Docks Museum Hull (Kingston-upon-Hull) 388
Townend (Troutbeck) 355
Tudor House Museum (Southampton) 157
Tullie House Museum (Carlisle) 346
Tymperleys 193
Ulverston Heritage Centre 357
Upper Wharfedale Museum (Grassington) 372
Usher Art Gallery (Lincoln) 329
Verulamium Museum 220
Victoria and Albert Museum 72, 99, 100-101
Walker Art Gallery (Liverpool) 334, 364-365
Wallace Collection **106**
Waterfront Museum 258, 259
Wells Museum 240
West Gate Museum (Canterbury) 174
Westgate Museum (Winchester) 158
Wheal Martyn China Clay Museum (St Austell) 269
Whitby Museum and Pannett Art Gallery 382
Whitworth Art Gallery (Manchester) 361
William Wilberforce House (Kingston-upon-Hull) 388, 389
Windermere Steamboat Museum 355
Whitby Museum et Planette Art Gallery 382
Wood End Museum (Scarborough) 383
Wordsworth House (Cockermouth) 350
World of Beatrix Potter (Crag Brow) 355
World Museum Liverpool 365
York Castle Museum (York) 391, 394
Yorkshire Mining Museum (Wakefield) 399
Yorkshire Museum 394
York City Art Gallery 393
Yorkshire Museum (York) 390, 394
Yorkshire Sculpture Park (Wakefield) 399
Musique 628
    Aldeburgh, Festival de musique d' 191
    Cœur de King's College 200
    musique classique, opéra et danse **128**

rock, pop, jazz, clubs **129**
    Royal College of Music (Londres) 98
    Stourhead, Festival estival de 63
Musulmans 619
Mylne, Robert 534
Mylor Bridge, pubs 609

N

Nantgaredig
    hôtels 567
    restaurants 603
Napoléon Iᵉʳ 55, 171
Napoléon III 225
Nash, John 21, 55, 107
    Buckingham Palace (Londres) 88
    Écuries royales (Londres) 89
    Pavillon royal (Brighton) 147, 166-167
    Picadilly Circus 83
    Regent's Park 105
    Royal Opera Arcade (Londres) 87
Nash, Paul 82, 93
Nash, Richard « Beau » **249**
Nasmyth, Alexander 491, 508
    Vue de Culzean Castle 508
National Coal Mining Museum (Wakefield) **399**
National Cricket Association 631
National Gallery (Londres) 73, **84-85**
National Library of Wales (Aberystwyth) 449
National Maritime Museum (Londres) 133
National Motor Museum 156
National Portrait Gallery (Londres) **83**
National Rivers Authority 631
National Trust **25**, 259, 617
    locations 540
National Trust for Scotland 541, 617
Natural History Museum (Londres) 98, **102**
    Plan du quartier pas à pas 98-99
Naval royal, collège 131
Navigation
    canaux des Midlands 288-289
Navigation (plaisance) 630
Neal Street (Londres) 80
Neal's Yard 80
Near Sawrey
    pubs 610
    restaurants 597
Needles, The 156
Neidpath Castle 472
Nelson, amiral 54, 189
    armes 27
    bataille de Trafalgar 55
    HMS Victory 157
    Nelson Museum (Monmouth) 461
Néolithique 42
Neptune's Staircase, route des îles (Écosse) 533
Nettlefold, Archibald 279
Nevern, pubs 611
Neville, famille 310
New Change (Londres) 112
New Forest **156**, 157
New Lanark **500**
New London, théâtre 127
New Milton
    hôtels 546
    restaurants 583
New Row (Londres) 80

New York (Northumbria), pubs 611
Newark, restaurants 595
Newby Hall **375**
Newcastle-upon-Tyne 403, **410-411**
    hôtels 564
    pubs 611
    restaurants 600
Newlands, hôtels 561
Newlands Valley **350**
Newlyn, Excursion dans le Penwith 264
Newlyn, école de 266, 269
Newman, cardinal 99
Newmarket **195**
Newport
    hôtels 567
    restaurants 603
Newquay, hôtels 554
Newton, sir Isaac 52
    statue de 203
NHS Direct 620
Nicholls, révérend Arthur Bell 398
Nicholson, Ben 93, 200, 265
Nightingale, Florence 56, 150
Ninian, saint 501, 503
Noël, concerts de 65
Noir, le Prince 175
Nord 333-415
    abbayes 338-339
    carte 334-335
    révolution industrielle 336-337
Norfolk voir East-Anglia
Norfolk Coast Path 33
Norfolk, comte de 191
Norfolk, ducs de 160
Normands, rois 40
    Châteaux et manoirs gallois 424
    châteaux 48
    invasion de la Grande-Bretagne 46-47
North Downs voir Downs
North Downs Way 33
North Walsham, hôtels 548
North York Moors 367, 368
    chemin de fer 380
    excursion 381
North Yorkshire voir Yorkshire et Humberside
Northampton **331**
Northamptonshire 319-331
Northop, restaurants 602
Northumberland voir Northumbria
Northumberland, ducs de 406
Northumbria **401-415**
    À la découverte de la Northumbria 402-403
    christianisme celte 405
    hôtels 563-564
    pubs 611
    restaurants 599-601
    royaume saxon 46
Northumbria, comte de 390
Norton St Philip
    hôtels 557
    pubs 609
Norwich **188-189**
    cathédrale de 19
    école de 189
    hôtels 548-549
    restaurants 585
Notting Hill (Londres) 131
    hôtels 542
    restaurants 578
Notting Hill, Carnaval de (Londres) 63

Nottingham **324**
château 324
Foire de l'oie 64
hôtels, 559
pubs 610
restaurants 595
Nottinghamshire *voir* Midlands, est des
Nourriture **36-37**
Nourriture et boissons 21
Écosse 474-475
magasins d'alimentation 627
pique-niquer 577
pubs 608-611
voir aussi Restaurants
Numéros de téléphone d'urgence 622
Nunnington Hall **379**

O

Oakamoor, hôtels 557
Oakham, hôtels 559
Oare 239
Oban **532**
restaurants 607
Objets perdus 621
Offa's Dyke 46, 422, 447
Offa's Dyke Footpath 32
Offa, roi de Mercie 46, 221, 422, 447
Office du tourisme britannique 615
Ogwen Valley 541
Oiseaux
oiseaux de mer des Shetland 514
Ouest 230-231
voir aussi Réserves naturelles
Okehampton 282
Olaf, saint, roi de Norvège 390
Old Mercant's House 187
Old Operating Theatre (Londres) 119
Old Royal Naval College 133
Old Sarum 251
Old Vic (Londres) 126
Olistski, Jules 123
Oliver, Isaac 219
Olivier, Laurence 162, 272
Opéra 128
Ordnance Survey (cartes) 32
Orford Castle 191
Orford, restaurants 585
Orkney Islands **514**
cartes 11, 15
hôtels 573
voir Highlands et les îles
Orton, Joe 132
Orwell, George 132, 534
Osmotherly, hôtels 563
Ottery St Mary 277
Ouest de la Grande-Bretagne 227-283
carte 228-229
faune 230-231
jardins 232-233
Ouse, l' (East Anglia) 182
Ouse, l' (York) 369
Oval (cricket) (Londres) 129
Overbecks 232
Owen, Richard 300
Owen, Robert 500
Owen, Wilfred, mémorial 300
Oxburgh Hall 183
Oxford 207, **210-215**, 643
hôtels 550
Plan du quartier pas à pas 210-211

pubs 609
restaurants 587
Université d'Oxford 146, **214-215**
Oxford Street (Londres), hôtels 543-544
Oxfordshire *voir* Tamise, vallée de la

P

Packwood House 291
Paddington (Londres)
hôtels 542
restaurants 578
Padstow, restaurants 590
Paignton 278
Painswick 293
hôtels 557
Paisley 501
Palace, théâtre (Londres) 126, 127
Palais
Blenheim Palace 216-217
Buckingham Palace **88-89**
Falkland Palace 486
Kensington, Palais de 103
Linlithgow Palace 487
Palace of Holyroodhouse 496
Saint James's Palace 86
voir aussi Châteaux et manoirs
Pall Mall (Londres)
Plan du quartier pas à pas 87
Palladio, Andrea 80, 87, 246
Pangbourne 222
Pannett, Robert 382
Paps of Jura 534
Pâques 62, 65
Parc Le Breose (Swansea) 452
Parcs de loisirs 629
Parcs et jardins **22-23**
Abbotsbury Sub-Tropical Gardens 256
Anglesey Abbey 196
Anne Hathaway's Cottage (Shottery) 309, **315**
Athelhampton House 233, 257
Bancroft Gardens (Stratford-upon-Avon) 312, 314
Beth Chatto Gardens 193
Battersea Park 77
Beale Park 222
Blenheim Palace 216-217
Bowood House 243
Botanic Gardens (Oxford) 212
Burford House Gardens 301
Chatsworth, château de 322-323
Chelsea Physic Garden 130
Cheltenham Imperial Gardens 308
Cirencester Park 317
Compton Acres 259
Cotehele 232, 281
Crarae Garden 534
Crathes Castle et ses jardins 527
Crescent park 107
Culzean Castle 509
Dartington Hall 277
East Lambrook Manor 233
Fell Foot Park (Windermere) 355
Glendurgan 232, 269
Great Dixter 170
Green Park 77
Greenwich, parc de 77
Hampstead Heath 77, **132**
Harewood House 396
Harlow Car Gardens (Harrogate) 374
Hatfield House 219
Hestercombe, jardins d' 240

Hever Castle 177
Hidcote Manor Gardens 309
Holland Park 76, **130-131**
Hyde Park 72, 77, **105**
Inverewe Gardens (Wester Ross) 516
Jardins botaniques (Birmingham) 307
Jardins de Kew 76, 134
Jardins des Midlands 308-309
Jardins de l'Ouest 232-233
Jardins de la Rose **221**
Jardin botanique de l'université de Cambridge 203
Kensington Gardens 21, 76, 77, **103**
Kiftsgate Court Garden 309
Knightshayes Court (Bolham) 233, 277
Knole 176-177
Lanhydrock 232, 272
Levens Hall (Cumbria) 357
Longleat House 254
Mompesson House 253
Montacute House 233, 235
Morrab Gardens 266
Mount Edgcumbe Park 232, 280
Overbecks 232
Parade Gardens 247
Parcs de Londres 76-77
Parc de Richmond 76, 134
Parc de Windsor 223
Parnham 233
Powis Castle 446
Regent's Park 77
Ripley Castle 375
Rock Park Gardens (Llandrindod Wells) 447
Rosemoor Garden (Bideford) 274
Saint James's Park 77
Seven Sisters Country Park 168
Sissinghurst Castle Garden 177
Snowshill Manor 308
Stanway House 308
Stourhead 229, 233, **254-255**
Stowe 218
Stray, The (Harrogate) 374
Studley Royal 376-377
Sudeley Castle 308
Trebah 269
Trelissick 232, 269
Trengwainton 232
Trewithen 232, 269
Tropical World (Leeds) 396
Warwick Castle 309
Williamson Park (Lancaster) 358, 359
Windsor Castle 225
Parlement (Londres) 74, 79, **92**
Conspiration des Poudres 52
Plan du quartier pas à pas 91
Rentrée du 64
Parliament Hill 132
Parnham 233
Parr, Catherine 308
Parracombe 238
Parthénon, frise du 108
Passeports 619
Patinage artistique, championnats de 67
Patrick (jour de la Saint-) 62
Paulerspury
hôtels 559
restaurants 595

Pavey Ark 353
Pavillon royal (Brighton) 147, 163, **166-167**
Paxton, sir Joseph 57, 322, 399
Pays de Galles, nord du
    hôtels 564-566
    pubs 611
    restaurants 601-602
Paysagers (jardins) 22
Peacock Theatre (Londres) 128
Peak District 319
    excursion 324-325
Pêche 631
Peddars Way 33
Peebles, hôtels 570
Pellegrini, Giovanni Antonio 384
Pelynt, hôtels 554
Pembridge 301
Pembroke, comtes de 253
Pembrokeshire voir Galles, pays de (Sud et Centre)
Pembrokeshire Coast, parc national 444
Pembrokeshire Coastal Path 32
Pen y Fan 455
Pen-y-Garreg 448
Penallt, pubs 611
Penally, hôtels 567
Penmaenpool, hôtels 565-566
Penn, William 219
Pennines
    Excursion dans les Pennines du Nord 413
    Pennine Way 32, 326, **407**
Pennington, famille 352
Penrith **346**
    hôtels 561
Penshurst Place 177
Pentland Hills **499**
Pentre Ifan 42
Penwith, Excursion dans le 264
Penzance **266-267**
    hôtels 554
    restaurants 590
Pepys, Samuel 203
Percy, lady Idoine, tombe de 387
Perranuthnoe, hôtels 554
Perth **484**
    restaurants 607
Peste noire 48, 49, 53, 195
Peter Pan, statue de 103
Peterborough **182**
    hôtels 549
Peterloo, massacre de (1819) **361**
Petit déjeuner 574, 577
Petroc, saint 272
Pétrole en mer du Nord 61
Petticoat Lane, marché de (Londres) 125
Petworth House 18, **160**
Pevsner, sir Nikolaus 375
Pharmacies 620
Philippe II d'Espagne 51, 281
Phoenix, théâtre (Londres) 127
Picasso, Pablo 106, 123, 189, 200, 212
    Madame Tussaud's 106
Piccadilly (Londres)
    Plan du quartier pas à pas 86-87
    restaurants 579-580
Piccadilly Circus (Londres) **83**
    Plan du quartier pas à pas 87
Piccadilly, théâtre (Londres) 127
Pickering, hôtels 563

Pictes 45, 468
Pied à Terre 125
Pièces de monnaie 625
Pike o'Stickle 353
Piper, John 365
Pierre le Grand 186
Pitlochry **527**
    hôtels 572
Pitmedden 23
Pizza on the Park (Londres) 129
Place, The (Londres) 128
Plaid Cymru 423
Planetarium (Londres) **106**
Plans
    Aberdeen 525
    Bath 246-247
    Brighton 162-163
    Bristol 243
    Cambridge 198-199
    Cardiff 457
    Edinbourg 491, 494-497
    Glasgow 502
    Grand Londres (Le) 13, 72
    Lincoln 328-329
    Liverpool (centre) 362
    Londres 72-73
    Londres : banlieue 130
    Londres : City (La) 111, **112-113**
    Londres : Covent Garden 80-81
    Londres : Piccadilly et St James's 86-87
    Londres : Regent's Park et Bloomsbury 105
    Londres : South Kensington et Hyde Park 97, 98-99
    Londres : West End et Westminster 79-95
    Londres : Whitehall et Westminster 90-91
    Manchester (centre) 360
    Oxford 210-211
    Rye 172-173
    Stratford-upon-Avon 312-315
    York 390-391
Plantagenêts, rois 40
Plas Newydd 436
Plas-yn-Rhiw 439
Plath, Sylvia 398
Plein air, théâtres en, Londres 127
Plockton, restaurants 607
Plumtree, restaurants 595
Plymouth **280**
    hôtels 554
Poids et mesures 619
Police 620, 621
Polo 67, 129
Polperro 272
    restaurants 591
Polruan 272
Pompiers 621
Ponsonby, Sarah 436
Pontcysyllte, aqueduc de 436
Poole **258-259**
    restaurants 589
Poolewe, hôtels 573
Pope, Alexander 317
Porlock Weir 239
Port Appin
    hôtels 573
    restaurants 607
Port Isaac 261
    pubs 609
    restaurants 591

Port Sunlight 337, 365
Porth Neigwl 439
Porth Oer 439
Porthkerry, hôtels 567
Portmeirion 418, **440-441**
    hôtels 566
    restaurants 602
Portsoy, pubs 611
Portobello Road (Londres) 131
Portobello Road, marché de (Londres) 125
Portpatrick, restaurants 605
Portreath, restaurants 591
Portree 521
    hôtels 573
Portsmouth **157**
Post-modernisme 21
Postbridge 282
Poste restante 623
Poteries 299
Potter, Beatrix **355**
    Beatrix Potter Gallery (Hawkshead) 355
    World of Beatrix Potter (Crag Bow) 355
Poudres, Conspiration des 52
Poulton-le-Fylde, restaurants 597
Poundbury Camp 257
Pourboires, à l'hôtel 539
Poussin, Nicolas 229, 255, 364, 490
Powis, 3e baron 446
Powis Castle **446**
Powys voir Galles, pays de (Sud et Centre)
Praxitèle 160
Préraphaélites 56, 93, 212, 307
Préhistoire
    Arbor Low 326
    Avebury Stone Circle 251
    Castlerigg Stone Circle (Cumbria) 349
    Flag Fen Bronze Age Centre 182
    Grimes Graves 182-183
    Grimspound 283
    Long Meg et ses Filles 346
    Maiden Castle 235, 257
    Maumbury Rings 257
    Old Sarum 251
    Parc Le Breose 452
    plaine de Salisbury 250-251
    Poundbury Camp 257
    Ring of Brodgar 514
    Rollright Stones 210
    Silbury Hill 250
    Skara Brae 514
    Standing Stones of Callanish 515
    Standing Stones of Stennes 514
    Stonehenge 229, 235, **250-251**
    Uffington Castle 209
    Wayland's Smithy 209
    West Kennet Long Barrow 250-251
Prestbury
    hôtels 557
    restaurants 593
Priestley, Joseph 243
Prieurés voir Abbayes
Prince Edward, théâtre (Londres) 127
Prince's Cairn, route des îles (Écosse) 532
Pritchard, Dafydd 438
Proctor, sir Stephen 376

Promenades
  Promenade Constable 192
Protestants, martyrs 51
Pubs 34-35, 608-611
Pugin, A.W.N. 365
Puits (fête des, Tissington) 62
Punks 61
Puritains 53, **219**
Pwllheli, restaurants 602

Q

Quakers 619
Quarry Bank (Styal) 298
Queen Elizabeth Forest Park 481
Queen Square (Londres) 109
Queen's Chapel (Londres) 87
  Plan du quartier pas à pas 87
Queen's Gallery (Londres) 89
Queen's House (Greenwich) 133
Queen's, théâtre (Londres) 127
Quiller-Couch, sir Arthur 272
Quincey, Thomas de 354
Quiraing 520, 521

R

Rackham, Arthur 222, 431
Radcliffe, Dr John 215
Radio 58, 618
Raeburn, Henry 490, 534
Rahère, moine 115
Raleigh, sir Walter 51, 256, 261
Ramsay, Allan 490, 534
Ramsgill, hôtels 563
Randonnée (chemins de) 32-33
Randonnées
  Lake District 351
  Région de Malham 373
Ransome, Arthur 356
Raphaël 212, 490
Rashleigh, famille 272
Rattle, sir Simon 307
Ravenglass 352
Reculver 171
Redgrave, Vanessa 20
Redmile, restaurants 595
Réductions
  en avion 635
  pour les étudiants 616
  sur les billets d'autocar 640
  sur les billets de train 638
Reeth, hôtels 563
Regent's Park (Londres) 77, **105-109**
  hôtels 544
  plan du quartier 105
  théâtres en plein air 127
Relais de poste 538
Religion 619
  christianisme celte 405
  méthodisme 267
Remboursement de la TVA 626
Rembrandt 106, 132, 212, 364, 505
Renaissance 50
  jardins 22
Renoir, Pierre Auguste 85, 200, 244, 245, 386, 457
Réserves animalières
  Harewood Bird Garden 396
Réserves naturelles
  Bempton 386-387
  Buckfast Butterfly Farm et Otter Sanctuary 279
  Brownsea Island 258-259
  Cygnes (Abbotsbury) 256
  Dunwich Heath 190

Harewood Bird Garden 396
Loch Garten Nature Reserve 531
Minsmere, réserve de 190
Norfolk Wildlife Trust 186
Riber Castle Wildlife Park 324
St Abb's Head 488
voir aussi Aquariums ; Zoos
Restaurants 574-607
  avec des enfants 577, 616
  boissons alcoolisées 576
  brasseries, bistros et cafés 575
  cartes 574
  Cœur de l'Angleterre 591-593
  déjeuner 574
  Devon et Cornouailles 589-591
  dîner 575
  Downs et côtes de la Manche 582-584
  East Anglia 584-585
  fast-food 576
  Galles, pays de (nord) 601-602
  Galles, pays de (sud et centre) 602-604
  heures des repas 577
  Highlands et îles 606-607
  Lancashire et les lacs 595-597
  Londres 578-582
  Lowlands 604-606
  menus 574
  Midlands (est) 593-595
  Northumbria 599-601
  payer 576
  personnes handicapées 577
  petit déjeuner 574
  plats végétariens 576
  réserver 576
  restaurants avec chambres et hôtels 575
  Tamise, vallée de la 586-587
  usages 575
  Wessex 587-589
  Yorkshire et Humberside 598-599
Restauration 52, 53
Restormel Castle (Lostwithiel) 272
Révolution glorieuse (1688) 53
Révolution industrielle 54
  Birmingham 306-307
  Ironbridge Gorge 302-303
  Nord 336-337
  Quarry Bank (Styal) 298
Reynolds, sir Joshua 93, 243, 396, 523
Reynoldston, hôtels 568
Reyntiens, Patrick 365
Rhinog, landes de 441
Ribble Valley **359**
Richard Ier 40
  armes 26
  statue de 90
Richard II 40, 209
Richard III 40
  Deux-Roses (guerre des) 49
  Middleham Castle 371
Richard de Haldingham 304
Richborough Roman Fort 171
Richmond 134
  restaurants 583
Richmond, Alan Rufus, 1er comte de 370
Richmond Castle (Yorkshire) 370
Richmond, parc de (Londres) 76, 134
Ridgeway 33
  restaurants 595
Ridley, John 413
Ridley, Nicholas 210, 213, 413

Rievaulx Abbey **379**
Rijn, Rembrandt van 507
Ring of Brodgar 514
Ringlestone, hôtels 546
Ringwood, hôtels 546
Ripley (Surrey), restaurants 583
Ripley (Yorkshire) **375**
  restaurants 599
Ripon **375**
Ritz, César 83, 86
Ritz, Hôtel (Londres) **83**
  Plan du quartier pas à pas 86
Rizzio, David 496
Roade, restaurants 595
Rob Roy **481**, 498
  Falkland Palace 486
  Trossachs 480
Robert Bruce 491
  bataille de Bannockburn 468, 482, 486, 535
  Brander, col de 533
  cœur embaumé 498, 501
  Drum Castle 527
  Melrose Abbey 489
  Rathlin 535
  tombeau de 486
Robin Hood's Bay **383**
Robin des Bois **324**, 383
Robinson, Thomas 384
Robinson, William 23
Rochester **176**
Rock (Londres) 129
Rock, hôtels 554
Rocs, vallée de 238
Rodin, Auguste 90
Rogers, Richard 21, 118
Rois et reines 40-41
Rollright Stones 208
Rolls, Charles Stewart, statue de 461
Romaine, La Grande-Bretagne à l'époque
  Bath 246-247, 248, 249
  Caerleon 460
  Chester 298-299
  Cirencester 317
  Colchester 193
  Côtes de la Manche 153
  Fishbourne Roman Palace 159
  Mur d'Hadrien 408-409
  Ribchester, fort romain de 359
  Segontium 430
  Shrewsbury 300
  St Albans 220
  Temple de Mithra (Londres) 113
Romaldkirk
  hôtels 564
  restaurants 600
Romney, George 159, 217, 356, 523
Romney Marsh 31, **170-171**
Ronnie Scott's (Londres) 129
Rosedale Abbey 367, 368
  North York Moors 381
Rosemoor Garden (Bideford) 274
Ross-on-Wye **304-305**
  restaurants 593
Rossetti, Dante Gabriel 93, 208, 212, 324, 361
Rosslyn Chapel 499
Rosthwaite 351
Rother (la) 172, 173
Rothiemurchus Estate 530
Rotonde, Manchester 57
Rowlands, Richard 430
Rowlandson, Thomas 212

Rowntree, Joseph 337
Royal Academy (Londres) **83**
   Expositions estivales 63
   Plan du quartier pas à pas 86
Royal Albert Hall (Londres) 128
   Plan du quartier pas à pas 98
Royal Ascot 66
Royal College of Music (Londres) 98
Royal Exchange (Londres)
   Plan du quartier pas à pas 113
Royal National Theatre (Londres) 126
Royal Observatory, Greenwich
   (Londres) 133, 618
Royal Opera Arcade (Londres) 87
   Plan du quartier pas à pas 87
Royal Opera House (Londres) 81, 128
Royal Shakespeare Theatre 313
Royal Tunbridge Wells, hôtels 546
Roydhouse, hôtels 563
Rubens, Pierre Paul 201, 259, 364
Runnymede 223
Rupert, prince 300
Rurale (architecture) 28-29
Ruskin, John 356
Russell Bertrand 151
Russell Square (Londres) 109
Ruthin **431**
Rydal **354**
Rydal Mount 354
Rye, la 379
Rye **172-173**
   hôtels 546
   Plan du quartier pas à pas 172-173
   pubs 608
   restaurants 583
Rysbrack, Michael 216

S

Sackville-West, Vita 174
Saddleworth, restaurants 597
Sadler's Wells (Londres) 128
Saint Albans 220, 221
Saint-Andrew, place (Londres) 105
Saint Bartholomew-the-Great
   (Londres) **114-115**
Saint Ives 228, 265
Saint James's (Londres)
   Plan du quartier pas à pas 86-87
St David's 418, 443, 450-451
   restaurants 603
St James's (Londres), hôtels 543
St James's Palace (Londres)
   Plan du quartier pas à pas 86
St James's Square (Londres)
   Plan du quartier pas à pas 87
Saint-James, église (Londres)
   Plan du quartier pas à pas 86
Saint James's Park (Londres) 77
Saint John's in the Vale 349
Saint John's, Smith Square (Londres)
   128
Saint Leger, sir Anthony 176
St Martin's Theatre (Londres)
   Plan du quartier pas à pas 80
Saint Mary's Abbey (York) 338-339
Saint Mary-the-Bow (Londres)
   Plan du quartier pas à pas 112-113
Saint-Georges, Jacques de **425**
Saint-Paul, cathédrale (Londres) 73,
   74, 111, **116-117**
   Plan du quartier pas à pas 112-113
Saint-Paul, église (Londres)
   Plan du quartier pas à pas 80
Saint-Sylvestre 65

Sainte-Margaret, église (Londres)
   Plan du quartier pas à pas 90
Salcombe, hôtels 555
Salford Quays **359**, 360
Salisbury **252-253**
   cathédrale de 229, 252-2531
   pubs 609
   restaurants 589
Salisbury, marquis de 27
Salisbury, plaine de 250-251
Salt, sir Titus 337, 397
Saltaire 337
Saltram House (Plympton) 280
Salvin, Anthony 430
Sambourne, Linley 131
Sandby, Paul 433
Sandgate, hôtels 546
Sandringham **185**
Sanquhar 500
Saracen's Head, hôtels 559
Sargent, John Singer 219
Saut du Soldat, région de
   Killiecrankie 528
Savin, Thomas 449
Saxe-Coburg, maison de 41
Saxons 28, 45, **46-47**
Scafell Pike 32, 340, 352
Scarborough **383**
   hôtels 563
Science Museum (Londres) **102**
   Plan du quartier pas à pas 98-99
Scilly, îles 267
Scone Palace 484
Scott's View, Excursion dans les
   Borders 489
Scott, capitaine Robert 467, 485
Scott, sir George Gilbert 213
   Bath, abbaye de 248
   Mémorial des martyrs (Oxford) 213
   St David's Cathedral 451
   Worcester Cathedral 306
Scott, sir Giles Gilbert 365
Scott, sir Walter 314, 349, 467, 484,
   498, 494, 511
   Abbotsford House 498
   La Dame du lac 480
   Mons Meg 492
   Scott's View 489
   tombeau de 489
   Trossachs 480
Se distraire
   bars et clubs gay 629
   boîtes de nuit 629
   cinémas 629
   danse 629
   enfants 629
   informations 628
   musique 628
   parcs de loisirs 629
   théâtres 628
Seabury, Samuel 524
Seahouses 404
   hôtels 564
   pubs 611
Seatoller, hôtels 561
Seaton Burn, restaurants 600
Seaview, hôtels 547
Séchoirs à houblon 148-149
Secours routier 637
Sécurité sociale 59
Segontium 430
Seithenyn, prince 441
Séjours à thème 630
Selby Abbey 338

Selfridges 124, 125
Selkirk, Alexander 244, 486
Selside, hôtels 561
Selworthy 239
Sept Sœurs, les 153
Serpentine (Londres) 103
Service postaux 623
Services d'urgence 621
Seven Dials (Londres)
   Plan du quartier pas à pas 80
Seven Sisters (les Sept Sœurs) 168
Sévère, Septime 45
Severn, la 302, 306, 316
Severs, Dennis
   Dennis Severs House 133
Sewingshields Milecastle 409
Shaftesbury 235, **256**
   restaurants 589
Shakespeare, Judith 314
Shakespeare, Susanna 314
Shakespeare, William 20, 50, 51, 106
   Charlecote Park 290
   Henri IV 121
   Henri V 406
   Ludlow Castle 301
   Macbeth 485, 523
   Middle Temple Hall 114
   Nash's House 313, 314
   portrait 51
   Royal Shakespeare Company 126,
      127, 313, **315**
   Shakespeare's Globe 111, 122
   Stratford-upon-Avon 287, 295,
      312-315
Shakespeare's Globe (Londres) **122**
Sharington, sir William, tombeau de
   243
Shaw, George Bernard **221**, 305
Shaw, Norman 25, 441
Sheffield, restaurants 599
Sheffield, vaisselle 490
Shefford Woodlands, hôtels 550
Sheldon, Gilbert, archevêque de
   Canterbury 213
Shell Mex House (Londres) 74
Shelley, Harriet 448
Shelley, Percy Bysshe **210**
   statue de 448
Shepard, Ernest 222
Shepton Mallet
   hôtels 552
   restaurants 589
Sheraton, hôtel 541
Sheraton, Thomas 523
Sherborne **256**
Sherlock Holmes Museum (Londres)
   106
Sherlock, Cornelius 364
Sherwood, forêt de 324
Shetland **514**
   cartes 11, 15
   voir aussi Highlands et les îles
   Up Helly Aa, festival 466, 514
Shinfield, restaurants 587
Shipton Gorge
   hôtels 552
Shrewsbury **300**
   hôtels 557
   restaurants 593
Shrewsbury, comtesse de 324
Shropshire *voir* Cœur de l'Angleterre
Shuttle, Le 633
Sidmouth 277
Signac, Paul 396

Silbury Hill 250
Silex, mines de, Grimes Graves 182-183
Simonsbath 239
Simpson, James 466-467
Simpson, Wallis 59
Sinclair, clan 471
Sinclair, William 499
Sir John Soane's Museum (Londres) **114-115**
Sisley, Alfred 396
Six Nations, tournoi des 66
Sizergh Castle 356
Skara Brae 43, 514
Skeabost 520
Skene, sir George 525
Ski, Cairngorms 531
Skiddaw (Cumbria) 341 349
Skipton Castle 372
Skirlaw, Walter 395
Skye, île de 464, 512
hôtels 572
Sloane Square (Londres) 130
Sloane, sir Hans 108, 130
Smarden
pubs 608
Smirke, Robert 108
Smith, Adam 467
Smith, Paul 124, 125
Smythson, Robert, Fountains Hall 376
SN Brussels Airlines 635
Snape
pubs 608
restaurants 585
Snettisham, pubs 608
Snowdon 419, **437**
Snowdon Mountain Railway 437
Snowdonia, parc national 428, 438
Snowshill Manor
Jardins des Midlands 308
Soane, sir John 114-115
Soho (Londres) **82**
hôtels 543-544
restaurants 580
Soldier's Leap, Killiecrankie Walk 528
Somerleyton Hall 187
Somerset House (Londres) **82**
Somerset voir Wessex
Sonning Bridge 222
Sontheil, Ursula 375
Soupirs, le pont des (Oxford) 211
South Bank Centre (Londres) 128
South Downs voir Downs
South Downs Way 33
South Kensington (Londres) 97-103
plan du quartier 97
Plan du quartier pas à pas 98-99
hôtels 543
South Uist 515
Southampton **157**
Southbank (Londres), restaurants 581-582
Southwark (Londres) **111-123**
hôtels, 544
plan du quartier 111
pubs 608
Southwark Cathedral (Londres) 75, **122**
Southwest Coastal Path 32, 238, 261
Southwold **190**, 632
pubs 608
Souvenir, journée du
Spean Bridge, hôtels 573
Speen, restaurants 587

Speke Hall (Liverpool) 365
Spence, sir Basil 307
Spencer House (Londres)
Plan du quartier pas à pas 86
Spencer, sir Stanley 223, 324
Spey Valley 530
Spitalfields, Old 125
Spitalfields (Londres), restaurants 581
Spittal, hôtels 568
Sports 21, 630-631
Cumbria **346**
l'année sportive 66-67
Londres 129
Spurn Head 389
St Abb's Head **488**
St Albans **220-221**
hôtels 550
St Andrews **485**
St Andrews
hôtels 570
restaurants 605
St Aubyn, sir John 266
St Austell **269**
St Blazey, hôtels 554
St Boswells, hôtels 570
St Brides Wentlooge, hôtels 568
St David's 418, 443, 450-451
restaurants 603
St Fillan's Cave 486
St Fillans, hôtels 570
St Hilary, hôtels 555
St Ives (Cornouailles) **265**
restaurants 591
St John's in the Vale 349
St Keyne, hôtels 555
St Margaret's Hope, restaurants 607
St Mary's Abbey (York) 338-339
St Mawes
hôtels 555
restaurants 591
St Michael's Mount **266-267**
Stadhampton, hôtels 550
Staffordshire voir Cœur de l'Angleterre
Staffordshire, céramique du **299**
Stamford **331**
hôtels 559
pubs 610
Standen 25
Standing Stones of Callanish 515
Standing Stones of Stenness 514
Stanhope, Pennines du Nord 413
Stannersburn, hôtels 564
Stanpit Marsh 259
Stansted, aéroport de **634**, 635
Stanton Wick, pubs 609
Stanway House, Jardins des Midlands 308
Stapledon, Walter de 276
Starr, Ringo 363
Stationnement 636-637,642
Stations-service 637
Stephenson, George 380, 394
Sterne, Laurence 378-379
Stevenson, Robert Louis 467, 494
Steyning 162
Stiffkey, pubs 609
Stinsford 257
Stirling, James 363
Stirling Castle **482-483**
Stoke Bruerne, restaurants 595
Stoke-by-Nayland 195
Stoke-on-Trent **299**
Stokesay Castle 301

Ston Easton, restaurants 589
Stone, Nicholas 212
Stonehenge 43, 229, 235, 237, **250-251**
Stonethwaite 351
Stoney Middleton 319
Stoppard, Tom 20
Stornoway 515
Storr 521
Storrington, restaurants 583
Story, Waldo 217
Stour, Promenade Constable 192
Stourhead 22, 229, 233, **254-255**
Stowe 22, **218**
Strachan, Douglas 173, 524
Strand (Londres)
hôtels 544
restaurants 581
Strand, théâtre (Londres) 127
Strata Florida, Wild Wales 453
Stratford-upon-Avon 287, 295, **312-315**
hôtels 557
pas à pas 312-313
restaurants 593
Strathclyde voir Lowlands ; voir aussi Highlands et les îles
Strathpeffer **517**
Strathspey Steam Railway 530
Streatley, restaurants 587
Stretton, restaurants 595
Striding Edge 341
Stringfellows (Londres) 129
Strontian, hôtels 573
Struy, restaurants 607
Stuart, clan 471
Stuart, dynastie des 41, **52-53**, 54
Stubbs, George 159, 248
Studland, baie de 258
Studley Royal 376-377
Stump Cross Caverns 372
Sturminster Newton, restaurants 589
Styal 298
Sud-est de l'Angleterre 145-225
carte 146-147
maisons de personnalités 150-151
Sudbury, restaurants 585
Sudeley Castle, Jardins des Midlands 308
Suffolk voir East Anglia
Suffolk, 1er comte de 196-197
Suffragettes 58
Summerson, John 254
Surrey voir Downs et côtes de la Manche
Surrey, Thomas Holland, duc de 380
Surtees, Bessie 411
Sussex voir Downs et côtes de la Manche
Sutherland, Graham 82, 159, 307
Sutton Bank 378
Sutton Coldfield, hôtels 557
Swaffham **183**
hôtels 549
restaurants 585
Swale, la 370
Swaledale 370, 371
Swallow Falls 436
Swan Theatre 313
Swanage 258
Swansea **452**
restaurants 603
Sway, hôtels 547
Swinbrook 208

Swinton, restaurants 606
Swiss 635
Sygun Copper Mine 438
Synagogues 619
Syon House (Brentford) 134

T

Tableau de conversion 619
Tain 517
Talbot, John Ivory 243
Talbot, William Henry Fox 243
Talsarnau, hôtels 566
Tamise 209, 222-223
    Londres au fil de l'eau 74-75
    promenades en bateau 75
    Thames Path 33
Tamise, vallée de la 205-223
    À la découverte de la vallée de la
      Tamise 206-207
    hôtels 549-551
    pubs 609
    restaurants 586-587
Tan-y-Bwlch, parc national 439
Tan-y-Grisiau 439
Tarbert 535
Tarbert, loch 535
Tarn Hows 356
Tarr Steps 239
Tartans **470-471**
Tate Britain(Londres) 73, 93
Tate Liverpool 363
Tate Modern (Londres) 93, **123**
Tate St Ives 265, 575
Taunton **240**
    hôtels 552
    restaurants 589
Tavistock, restaurants 591
Taxis 642-643
Tay, la 484
Tayside voir Lowlands; voir aussi
    Highlands et les îles
Teffont Evias, hôtels 552
Teignmouth 555
Téléphone 57, 622
    à l'hôtel 539
Télévision 21, 59, 618
Telford, Thomas **433**
    aqueduc de Pontcysyllte 436
    Caledonian Canal 522
    Neptune's Staircase 533
    Waterloo Bridge 436
Temple (Londres) 74, **114**
Temple, famille 218
Temple de Mithra (Londres)
    Plan du quartier pas à pas 113
Temple Newsam House (Leeds)
    396
Temps 68-69
Tenbury Wells 301
Tenby **452**
    restaurants 603
Tennis 66, 129, 630
Tennyson, Alfred, lord
    statue de 329
Tetbury, restaurants 593
Tettersells, Nicholas 162
Tewkesbury **316**
    hôtels 557
Textiles
    Écosse 501
    laine, commerce de la 195, 338
    tartans 470-471
Thatcher, Margaret 20, 61
Thé **275**

The Swan (Lavenham) 539
Théâtre 20, 628
    élisabéthain 50
    Londres 126-127
    Restauration 52
Theatre Museum (Londres) **82**
    Plan du quartier pas à pas 81
Theatre Royal : Drury Lane (London)
    127
Théâtre royal Haymarket (Londres)
    107, 127
Thetford 183
Thintank 307
Thirlmere 348, 349
Thoky, abbé 317
Thomas Cook 624
Thomas, Dylan 421
    statue de 452
    Swansea 452
Thomson, James 506
Thornhill, sir James 217
Thornton, John 395
Thorpe Market, restaurants 585
Thorpe Park 629
Threave Castle **501**
Thynn, John 254
Tijou, Jean 117
Tillingham, pubs 609
Timbres, affranchissement 623
Tintagel 261, **273**
Tintern Abbey **461**
Tintern, hôtels 568
Tintoret 490
Tiroran, restaurants 607
Tissington Trail 286, 320, **325**
Titanic 157
Tithe Barn 243
Titien 106, 160, 200, 219, 259, 406,
    490
Tobermory 513
Tobermory Bay 532
Togidubnus 45
Toilettes publiques 616
Tolpuddle, martyrs de 56
Torbay **278**
Torlundy, hôtels 573
Torosay Castle 532, 533
Torquay 261, 263
    restaurants 591
Torridge, vallée de la 274
Torridon Counrtyside Centre 516
Totnes **279**
    restaurants 591
Toulouse-Lautrec, Henri de 526
Tour de Londres 73, **120-121**
    Londres au fil de l'eau 75
Toward, Agnes 503
Tower Bridge (Londres) **118**
    Londres au fil de l'eau 75
Townend (Troutbeck) 355
Tradescant, John 219
Tradescant (famille) 212
Trafalgar, bataille de (1805) 55
Trains voir Voies ferrées
Traitements médicaux 620
Tramways 643
Transport Museum (Londres) **82**
    Plan du quartier pas à pas 81
Traquair House 473, **499**
Travail des enfants (loi 1833) 56
Travailler 619
Travailliste (parti) 20, 59
Trebah 269
Treburley, restaurants 591

Tregadillett, pubs 609
Trelissick 232, 269
Trengwainton 232, 264
Tretower Castle and Court 455
Trewithen 232, 269
Troon
    hôtels 570
    restaurants 606
Trooping the Colour (Londres) 63
Trossachs 464, 467, **480-481**
Truro **269**
Tudno, saint 431
Tudor, Marguerite 468
Tudors 40-41, **50-51**
Tunbridge Wells, Royal **177**
    restaurants 584
Tunnel sous la Manche 17, 60, 61, **632**
Turner, J. M. W. 85, 93, 212, 307, 356,
    364, 505
    aquarelles 361
    Chelsea 130
    legs Turner 93
    Petworth House 160
    dans le Yorkshire 371
Turpin, Dick 391
Tussaud, Madame 106
Tutbury, pubs 610
TVA 626
Twm Siôn Cati's Cave, Wild Wales 453
Tyler, Wat 114
Tyne et Wear voir Northumbria
Tyn-y-Groes, hôtels 566

U

Uffington 209
Uist, île de 515
Ullapool
    hôtels 573
    pubs 611
    restaurants 607
Ullingswick, hôtels 557
Ullswater **347**
    hôtels 561
    restaurants 597
Ulverston, hôtels 561
Ulverston Heritage Centre 356-357
Upper Coquetdale 402
Upper Hambleton, hôtels 559
Upper Swarford 206
Uppingham, hôtels 559
Upton, pubs 610
Ure, l' 371
Urgences, numéros de téléphone 622
Urquhart Castle 522
Uswayford Farm 407

V

Val du Cheval blanc **209**
Vale, H.H. 364
Van de Vaart, Jan 323
Van der Plas, Pieter 219
Van Dyck, sir Anthony 106, 159, 160,
    243, 253, 385, 393, 406
Van Eyck, Jan 84
Van Gogh, Vincent 457
Vanbrugh, sir John **384**
    Blenheim Palace 24, 216
    Castle Howard 24, 384-385
    Stowe 218
Vaudeville, théâtre (Londres) 127
Velázquez, Diego de Silva y 85, 259,
    490
Vergers 148-149
Vermeer, Johannes 88, 132

Verney, lady 150
Veryan, hôtels 555
Victoria 41
  Balmoral Castle 511, 526
  Blair Castle 529
  Buckingham Palace 88
  Joyaux de la Couronne **120**
  Kensington, Palais de 103
  Leeds, hôtel de ville 396
  Manchester Ship Canal 359
  Osborne House 150, 156
  Pavillon royal (Brighton) 166, 167
  Pitlochry 527
  règne 56-57
  statue de la reine 103
  Train royal 394
Victoria (Londres)
  hôtels 543
  restaurants 578-578
Victoria and Albert Museum (Londres)
  72, 99, **100-101**
Victoria Coach Station (Londres) 640
Victoriens
  jardins 23
Victory, HMS 157
Vikings 46-47
  Jorvik, the Viking City (York) 391,
  394
  Up Helly Aa, festival 466, 514
Villages 18
Vindolanda 408, 413
Virgin Megastore 124, 125
Visas 619
Visites guidées en autocar 640-641
Vitesse (limitation) 636
Vitraux, cathédrale d'York **395**
Vivian, John Henry 452
Voies navigables 641
Voies ferrées
  Bala Lake Railway 436
  Ffestiniog Railway 437, **438-439**
  Keighley and Worth Valley Railway
  398
  National Railway Museum (York)
  394
  North York Moors, chemin de fer
  des 380
  Snowdon Mountain Railway 437
  Strathspey Steam Railway 530
Voile 630
Voitures 636-637
  auto-stop 637
  carburants 637
  circuler en ville 642
  code de la route 636
  dépannage 637
  location 637
  signalisation routière 636
  stationnement 636-637
Vorsterman, Johannes 482
Vote à bulletin secret (1872) 57
Voyage
  assurance 614
  avion 634-635
  autocar 633, 640-641
  bus 641, 642
  Cœur de l'Angleterre 296
  Devon et Cornouailles 263
  Downs et côtes de la Manche 154
  East Anglia 181
  ferries 633
  Galles, pays de (Nord) 429
  Galles, pays de (Sud et Centre)
  444-445

Highlands et îles 512
Lancashire et les lacs 344
Lowlands, Écosse 479
Midlands (Est) 320-321
Northumbria 403
Tamise, vallée de la 206
taxis 642-643
train 638-639
tram 643
voiture 636-637
Wessex 237
Yorkshire et la région du Humber
369

W

Wade, général 528
Wade's Causeway, North York Moors
381
Walberswick 190
Walker, sir Andrew Barclay 364
Walker, William **159**
Walker Art Gallery (Liverpool) 334,
364-365
Wallace, sir Richard 106
Wallace, William 468, 483
Wallace Collection (Londres) **106**
Walland Marsh 170-171
Walliswood, pubs 608
Walpole, sir Robert 54, 90
Walton, Izaac 326
Wareham, hôtels 552
Warkworth Castle **406**
Warminster, restaurants 589
Warrior, HMS 157
Warwick **309**
Warwick, château de 287, 309, **310-
311**
  Jardins des Midlands 309
  jardins 23
Warwick, comtes de 309, 310-311
Warwick, Richard Neville, comte de
310, 311, 371
Warwickshire *voir* Cœur de
l'Angleterre
Wasdale Head 352
  hôtels 561
Wast Water 340, 352
Wastell, John 200
Waterloo, bataille de (1815) 55
Waterloo (Londres), hôtels 544
Watermillock, restaurants 597
Watersmeet 239, 276
Wath in Nidderdale, restaurants 599
Watt, James 54, 466
Watteau, Antoine 106
Watton-on-Stone, pubs 609
Waugh, Evelyn 132, 384
Wealden Hall House 28
Wear, la 401
Webb, Philip 25, 209
Webb, sir Aston 87, 89, 101
Wedgwood, Josiah 299
Wedgwood, vaisselle 490
Wellingham, hôtels 549
Wellington, duc de 55, 150, 436
  Stratfield Saye (Basingstoke) 150
Wells 228, **240-241**
Wells, John 265
Wells-next-the-Sea 185
  Excursion sur la côte nord du
  Norfolk 185
  restaurants 585
Welsh Hook, restaurants 604
Welwyn Garden City 58

Wembley Stadium (Londres) 129
Wenlock Edge 300
  pubs 610
Wensleydale 370, 371
Wernher, sir Julius 218-219
Wesley, John 214, 267
Wessex **235-259**
  À la découverte du Wessex 236-237
  histoire 43
  hôtels 551-552
  pubs 609
  restaurants 587-589
  royaume saxon 46
West Bay, restaurants 589
West Bexington, restaurants 589
West End (Londres) 79-95
  carte de situation 79
West Highlands Way 32, 480
West Ilsley, pubs 609
West Kennet Long Barrow 250-251
West Yorkshire *voir* Yorkshire et
  Humberside
Wester Ross **516**
Western Isles 511-535
Westminster (Londres) **79-95**
  carte de situation 79
  hôtels 543
  Plan du quartier pas à pas 90-91
Westminster Hall (Londres) 92
  Plan du quartier pas à pas 91
Westminster School (Londres) 90
Westminster, abbaye de (Londres) 73,
  94-95
  Plan du quartier pas à pas 90
Westminster, palais de (Londres) **92**
Westminster, pont de (Londres) 79
Westward Ho! (Devon) 274
Westwood, Vivienne 60, 124, 125, 626
Weymouth **256-257**, 614
  hôtels 552
Wharfe, la 372
Wharfedale 370, 372
Wharram Percy **386**
Wheeler, sir Mortimer 460
Whinlatter, col de (Cumbria) 348
Whipsnade, réserve de **219**
Whisky 475
  Islay 535
Whistler, James McNeill 505
Whitby 21, 367, **382**
  hôtels 563
  restaurants 599
Whitchurch Mill 222
Whitebrook
  hôtels 568
  restaurants 604
Whitehall (Londres)
  Plan du quartier pas à pas 90-91
Whitewell
  hôtels 561
  restaurants 597
Whithorn **501**
  pubs 611
Whitstable, restaurants 584
Whitworth, sir Joseph 361
Wickham, restaurants 584
Widecombe-in-the-Moor 18
Widegates, hôtels 555
Wightwick Manor 291
Wigmore Hall (Londres) 128
Wilberforce, William **388**
Wild Wales, Excursion dans les 453
Wilfrid, saint 408
Williams Domonic 411

Williams, Kit 316
Williams-Ellis, sir Clough 418, 440
Williamson, Henry 274
Willow Tea Room (Glasgow) 504
Willy Lott, le cottage de, Promenade Constable 192
Wilmcote, hôtels 557
Wilton 253
Wilton House 235, 253
Wiltshire *voir* Wessex
Wimbledon, championnats de tennis de 66
Wimborne Minster **259**
    hôtels 552
Winbourne, Colin 414
Winchcombe 293
    hôtels 558
Winchelsea 173
Winchester **158-159**
    cathédrale de 19, 146, 153, 158
    hôtels 547
    pubs 608
Windermere **355**
    hôtels 561-562
    restaurants 597
Windsor **223**
    château de 146, **224-225**
    hôtels 550
    restaurants 587
Windsor, duc de (Édouard VIII) 41, 279, 59
Windsor, maison de 41
Wint, Peter de 357
Winteringham
    hôtels 563
    restaurants 599
Withernsea 389
Witherslack, restaurants 597
Witney 208
Woburn Abbey 24, **218**
Woburn Sands, restaurants 587
Woburn, restaurants 587
Wolf's Castle, hôtels 568
Wolsey Lodges 539, 541
Wolsey, cardinal 189, 191, 539
    Christ Church College (Oxford) 214
    Hampton Court 161

Wood, John l'Ancien
    Bath 229, 249
    Corn Exchange (Bristol) 244
    Le Circus (Bath) 246
Wood, John le Jeune
    Bath 229, 246, 249
    Salles de réunion (Bath) 248
Woodbridge
    hôtels 549
    restaurants 585
Woodstock, hôtels 550
Woodville, Elizabeth 203
Wookey Hole 240
    hôtels 552
Woolf, Virginia 151
Worcester **306**
Wordsworth, Dorothy 354
Wordsworth, William **354**, 436
    Dove Cottage (Grasmere) 354
    Duddon Valley 353
    Lake District 347, 354
    Rydal Mount 354
    St John's College (Cambridge) 203
    Sutton Bank 378
    Tintern Abbey 461
    Wordsworth House (Cockermouth) 350
Worthing 160
Wren, sir Christopher 21, 111, **116**, 375
    cathédrale Saint-Paul (Londres) 74, 112, 116-117, 269
    Christ Church College (Oxford) 214
    Églises de Londres 114
    Emmanuel College (Cambridge) 202
    Guildhall (Windsor) 223
    Hampton Court 161
    Hôpital royal (Londres) 130
    Old Naval Royal College (Greenwich) 133
    Pembroke College (Cambridge) 202
    Saint-James, église (Londres) 86
    St Stephen Walbrook (Londres) 113, **114**
    Sheldonian Theatre (Oxford) 210, 213
    Swanage, mairie de 258

Wrestling, Cumberland 346
Wrexham *voir* Galles, pays de (Nord)
Wyatt, James 388
Wyatville, sir Jeffry 225
Wycliffe, John 49
Wye, vallée de 297
Wye Valley Walk 305
Wye, la 304-305, 460

Y

Yarmouth, hôtels 547
Yarrow, hôtels 570
Yattendon, hôtels 551
Ye Olde Figinting Cocks (St Albans) 220
York 335, 369, **390-395**
    boutiques 627
    cathédrale 390, **392-393**, 395
    hôtels 563
    Plan du quartier pas à pas 390-391
    restaurants 599
    Rowntree, usine de chocolat 337
    St Mary's Abbey 338-339
    York Minster 390, **392-393**, 395
York, duc d' 249
York, maison d' 40, 49, 220
Yorkshire 367-399
    À la découverte du Yorkshire et de la région du Humber 368-369
    hôtels 562-563
    pubs 610
    restaurants 598-599
Yorkshire Dales National Park 334, **370-372**
Yorkshire Sculpture Park (Wakefield) **399**
Young, James 467

Z

Zennor (Penwith) 264
Zoffany, Johann 529
Zoos
    Longleat House 254
    Paignton, zoo de 278
    réserve de Whipsnade 219
    parc zoologique (Bristol) 244
    Woburn Abbey 218

Remerciements

L'éditeur remercie les organismes, les institutions et les particuliers suivants dont la contribution a permis préparation de cet ouvrage.

AUTEUR
Michael Leapman, né à Londres en 1938, est journaliste professionnel depuis 1958. Après avoir travaillé pour la plupart des grands journaux britanniques, il s'est tourné vers la rédaction de récits et de guides de voyage pour plusieurs publications, parmi lesquelles *The Independent*, *Independent on Sunday*, *The Economist* et *Country Life*. Il a également publié 11 ouvrages dont *London's River* (1991), le *Companion Guide to New York* (1983-1995) pour lequel il a obtenu un prix et le *Guide Voir Londres* (1994).

COLLABORATEURS
Paul Cleves, James Henderson, Lucy Juckes, John Lax, Marcus Ramshaw.

ILLUSTRATIONS D'APPOINT
Christian Hook, Gilly Newman, Paul Weston.

COLLABORATION ARTISTIQUE ET ÉDITORIALE
Eliza Armstrong, Moerida Belton, Josie Barnard, Hilary Bird, Louise Boulton, Julie Bowles, Roger Bullen, Margaret Chang, Deborah Clapson, Elspeth Collier, Gary Cross, Cooling Brown Partnership, Guy Dimond, Danny Farnham, Fay Franklin, Angela-Marie Graham, Joy Fitzsimmons, Ed Freeman, Andrew Heritage, Paul Hines, Annette Jacobs, Steve Knowlden, Charlie Hawkings, Nic Kynaston, Esther Labi, Kathryn Lane,Pippa Leahy, James Mills Hicks, Rebecca Milner, Elaine Monaghan, Marianne Petrou, Chez Pitchall, Claire Pierotti, Andrea Powell, Mark Rawley, Jake Reimann, Carolyn Ryden, David Roberts, Mary Scott, Alison Stace, Hugh Thompson, Simon Tuite.

PHOTOGRAPHIE D'APPOINT
Max Alexander, Peter Anderson, Apex Photo Agency/ Simon Burt, Steve Bere, Deni Bown, June Buck, Michael Dent, Philip Dowell, Mike Dunning, Chris Dyer, Andrew Einsiedel, Philip Enticknap, Jane Ewart, DK Studio/Steve Gorton, Frank Greenaway, Stephen Hayward, John Heseltine, Ed Ironside, Dave King, Neil Mersh, Robert O'Dea, Stephen Oliver, Vincent Oliver, Roger Phillips, Kim Saver, Karl Shone, Chris Stevens, Jim Stevenson, Clive Streeter, Harry Taylor, David Ward, Mathew Ward, Stephen Wooster, Nick Wright, Colin Yeates.

RÉFÉRENCES PHOTOGRAPHIQUES ET ARTISTIQUES
Christopher Woodward du Building of Bath Museum, Franz Karl Freiherr von Linden, Gendall Designs, NRSC Air Photo Group, *Oxford Mail*, *Times* et Mark et Jane Rees.

AUTORISATIONS DE PHOTOGRAPHIER
L'éditeur remercie les entreprises, les institutions et les organismes suivants d'avoir accordé leur autorisation de photographier : Banqueting House (Crown copyright par faveur spéciale des Historic Royal Palaces) ; Cabinet War Rooms ; Paul Highnam à English Heritage ; le doyen et le chapitre de l'Exeter Cathedral ; Gatwick Airport Ltd ; Heathrow Airport Ltd ; Thomas Woods à Historic Scotland ; le prévôt et les étudiants du Kings College ; Cambridge ; London Transport Museum ; Madame Tussaud's ; Musées nationaux du pays de Galles (Museum of Welsh Life) ; Diana Lanham et Gayle Mault au National Trust ; Peter Reekie et Isla Roberts au National Trust for Scotland ; Provost Skene House ; Saint Bartholmew the Great ; Saint James's Church ; London St Paul's Cathedral ; les maîtres et les gouverneurs de la Worshipful Company of Skinners ; le prévôt et le chapitre de la Southwark Cathedral ; HM Tower of London ; le doyen et le chapitre de Westminster ; le doyen et le chapitre de Worcester Cathedral. L'éditeur remercie également tous les magasins, cafés, restaurants, hôtels églises et services publics, trop nombreux pour être cités individuellement, qui ont apporté leur assistance à la réalisation de cet ouvrage.

CRÉDITS PHOTOGRAPHIQUES
h = en haut ; hg = en haut à gauche ; hc = en haut au centre ; hd = en haut à droite ; cgh = au centre gauche en haut ; ch = au centre en haut ; cdh = au centre droit en haut ; cg = au centre à gauche ; c = au centre ; cd = au centre à droite ; cgb = au centre gauche en bas ; c = au centre en bas ; cdb = au centre droit en bas ; bg = en bas à gauche ; b = en bas ; bc = en bas au centre ; bd = en bas à droite ; (d) = détail.

Malgré tout le soin que nous avons apporté à dresser la liste des auteurs des photographies publiées dans ce guide, nous demandons à ceux qui auraient été involontairement oubliés ou omis de bien vouloir nous en excuser. Cette erreur serait corrigée à la prochaine édition de l'ouvrage.

Les œuvres d'art ont été reproduites avec l'autorisation des organismes suivants : © ADAGP, Paris and DACS, Londres 1995 : 159 h ; © Alan Bowness, Hepworth Estate 265 bg ; © DACS, Londres 1995 : 93 c ; © Patrick Heron,1995, tous droits réservés DACS : 228 cb ; © D. Hockney : 1970-1971 93 hd, 1990-1993 397 h ; © Estate of Stanley Spencer 1995 tous droits réservés DACS 223 h ; © Angela Verren-Taunt 1995 tous droits réservés Dacs : 265 bd.

L'œuvre d'Henry Moore, *Two Large Forms*, 1966, représentée en page 399 b a été reproduite avec l'autorisation de la Henry Moore Foundation.

L'éditeur remercie les photographes, entreprises et organismes suivants de leur avoir permis de reproduire leurs photographies :

ABBOT HALL ART GALLERY AND MUSEUM, Kendal: 358 b (d) ; ABERDEEN ART GALLERIES 526 h ; ABERDEEN AND GRAMPIAN TOURIST BOARD 465 ch ; ACTION PLUS : 67 h, 466 h ; David Davies 67 cd ; Peter Tarry 66 chg, 67 bg ; publié avec l'aimable autorisation de MOHAMED AL FAYED : 99 h ; AMERICAN MUSEUM, Bath : 249 hg ; ANCIENT ART AND ARCHITECTURE COLLECTION : 42 bc, 44 ch, 44 cbg, 45 ch, 45 cbg, 46 bg, 46 bd, 48 cbd, 51 ch, 220 hg, 223 bd, 425 h ; THE ARCHIVE & BUSINESS RECORDS CENTRE, University of Glasgow : 469 h ; T & R ANNAN AND SONS : 502 b (d) ; ASHMOLEAN MUSEUM, OXFORD : 47 h.

BARNABY'S PICTURE LIBRARY : 60 hd ; BEAMISH OPEN AIR MUSEUM : 410 c, 401 b, 411 ch, 411 bc, 411 b ; BRIDGEMAN ART LIBRARY, LONDRES : Agnew and Sons, Londres 311 h ; Museum of Antiquities, Newcastle upon Tyne 44 hg ; Apsley House, The Wellington Museum, Londres 26 hg ; Bibliothèque nationale, Paris *Neville Book of Hours* 310 h (d) ; Birmingham City Museums and Gallery 307 h ; Bonham's, Londres, *Portrait of Lord Nelson with Santa Cruz Beyond*, Lemeul Francis Abbot 54 bc (d) ; Bradford Art Galleries and Museums 49 bcg ; City of Bristol Museums and Art Galleries 244 c ; British Library, Londres, *Pictures and Arms of English Kings and Knights* 4 h (d), 39 h (d), *The Kings of England from Brutus to Henry* 36 hg (d), *Stowe manuscript* 40 hg (d), *Liber Legum Antiquorum Regum* 46 h (d), *Calendar Anglo-Saxon Miscellany* 46-47 h (d), 46-47 c (d), 46-47 b (d), *Decrees of Kings of Anglo-Saxon and Norman England* 47 bcg, 49 bg (d), *Portrait of Chaucer*, Thomas Occleve 49 bd (d), *Portrait of Shakespeare*, Droeshurt 51 bg (d), *Historia Anglorum* 40 bg (d), 224 hg (d), *Chronicle of Peter of Langtoft* 273 b (d), *Lives and Miracles of St Cuthbert* 405 hg (d), 405 cg (d), 405 cd (d), *Lindisfarne Gospels* 405 bd (d), *Commendatio Lamentabilis intransitu Edward IV* 422 b (d), *Histoire du Roy d'Angleterre Richard II* 424 h (d), 523 b ; Christies, Londres 431 h ; Claydon House, Bucks, *Florence Knightingale*, Sir William Blake Richmond 150 h ; Department of Environment, Londres 48 hd ; City of Edinburgh Museums and Galleries, *Chief of Scottish Clan*, Eugene Deveria 470 bg (d) ; Fitzwilliam Museum, University of Cambridge, *George IV as Prince Regent*, Richard Cosway 167 bc, 200 bg, *Flemish Book of Hours* 338 hg (d) ; Giraudon/Musée de la Tapisserie, par faveur spéciale de la ville de Bayeux 47 b,169 b ; Guildhall Library,

Corporation of London, *The Great Fire*, Marcus Willemsz Doornik 53 bg (d), *Bubbler's Melody* 54 bd (d), *Triumph of Steam and Electricity*, The Illustrated London News 57 h (d), *Great Exhibition, The transept from Dickenson's Comprehensive Pictures* 56-57, *A Balloon View of London as seen from Hampstead* 107 c (d) ; Harrogate Museum and Art Gallery, North Yorkshire 374 h ; Holburne Museum and Crafts Study Centre, Bath 53 h ; Imperial War Museum, *London Field Marshall Montgomery*, J Worsley 27 cbd (d) ; Kedleston Hall, Derbyshire 24 c, 24 bd ; King Street Galleries, Londres, *Bonnie Prince Charlie*, G. Dupré 468 hg ; Lambeth Palace Library, Londres, *St Alban's Chronicle* 49 h ; Lever Brothers Ltd, Cheshire 337 chd ; Lincolnshire County Council, Usher Gallery, Lincoln, *Portrait of Mrs Fitzherbert after Richard Cosway* 167 b ; London Library, *The Barge Tower from Ackermann's World in minature*, F Scoberl 55 h ; Manchester City Art Galleries 361 b ; David Messum Gallery, Londres 433 b ; National Army Museum, Londres, *Bunker's Hill*, R Simkin 54 ch ; National Gallery, Londres, *Mrs Siddons the Actress*, Thomas Gainsborough 54 h (d), 151 ch ; National Museet, Copenhagen 46 ch ; Phillips, the International Fine Art Auctioneers, *James I*, John the Elder Decritz 52 b (d) ; collections privées : 8-9, 26 ch (d), 34 hg, 48-49, 55 chg, 55 bg, 56 cbg, Vanity Fair 57 bd, 151 h, *Ellesmere Manuscript* 176 b (d), *Armada : map of the Spanish and British Fleets*, Robert Adam 281 h, 382 h, 408 b ; Royal Geographical Society, Londres 151 bc (d) ; Royal Holloway & Bedford New College, the *Princes Edward and Richard in the Tower*, Sir John Everett Millais 123 b ; Smith Art Gallery and Museum, Stirling 482 b ; Tate Gallery, Londres : 56 cbd, 225 h ; Thyssen-Bornemisza Collection, Lugo Casta, *King Henry VIII*, Hans Holbein le Jeune 50 b (d) ; Victoria and Albert Museum, Londres 24 h (d), 56 b, 192 h, 339 cd, 379 h, *Miniature of Mary Queen of Scots*, par un élève de François Clouet 497 bd, 523 h (d) ; Walker Art Gallery, Liverpool 364 c ; Westminster Abbey, Londres, *Henry VII Tomb effigy*, Pietro Torrigiano 26 bd (d), 40 bc (d) ; The Trustees of the Weston Park Foundation, *Portrait of Richard III*, école italienne 49 chg (d) ; Christopher Wood Gallery, Londres, *High Life Below Stairs*, Charles Hunt 25 c (d) ;reproduit avec l'autorisation de BRITISH AIRWAYS : Adrian Meredith 632 h; BFI LONDON IMAX CINEMA WATERLOO : Richard Holttum 127 c ; reproduit avec l'autorisation du BRITISH LIBRARY BOARD : *Cotton Faustina BVII folio 85* 49 cd, 111 cg ; © THE BRITISH MUSEUM : 42 cd, 43 bc, 73 hg, 83 c, 105, 108-109 excepté 109 h et 109 bg ; © THE BRONTE SOCIETY : 398 ; BT PAYPHONES. 622 hg, 622 cdh ; BURTON CONSTABLE FOUNDATION : Dr David Connell 388 h.

CADOGEN MANAGEMENT : 86 b ; CADW – Welsh Historic Monuments (Crown Copyright), 460 h ; CAMERA PRESS : Cecil Beaton 94 bg ; CARDIFF CITY COUNCIL : 458 hd, 459 h, 459 c ; FKB CARLSON : 35 bcg ; COLIN DE CHAIRE : 185 c ; TRUSTEES OF THE CHATSWORTH SETTLEMENT : 322 b, 323 b ; MUSEUM OF CHILDHOOD, Edinburgh : 496 b ; BRUCE COLEMAN LTD : 31 bd ; Stephen Bond 282 b ; Jane Burton 31 chd ; Mark N. Boulton 31 cg ; Patrick Clement 30 cbg ; Peter Evans 530 hg ; Paul van Gaalen 238 hg ; Sir Jeremy Grayson 31 bg ; Harald Lange 30 bc ; Gordon Langsbury 531 h ; George McCarthy 30 h, 31 bg, 230 b, 273 bd ; Paul Meitz 514 chbg ; Dr. Eckart Pott 30 bg, 514 h ; Hans Reinhard 30 bc, 31 hc, 282 h, 480 hg ; Dr Frieder Sauer 520 h ; N Schwiatz 31 cbg ; Kim Taylor 31 hg, 514 chd ; Konrad Wothe 514 ch ; COLLECTIONS : Liz Stares 26 hd, Yuri Lewinski 36 hg ; CORBIS : Angelo Hornak 119 hc, Bill Ross 63 hd, John Heseltine 113 bd ; JOE CORNISH : 389 b ; DOUG CORRANCE : 471 b ; JOHN CROOK : 159 b. 1805 CLUB : 27 h ; 1853 GALLERY, Bradford 397 h ; EMPICS LTD : Nigel French 666 g ; Tony Marshall 66 hg, 66c ; ENGLISH HERITAGE : 134 b, 196 c, 196 b, 197 b, 236-237 b, 251 b, 338 bd, 339 b, 380 h, 405 hd, 405 c ; Avebury Museum 42 ch ; Devizes Museum 42 bd, dessin par Frank Gardiner 409 bd ; Salisbury Museum 42 h, 42bg ; Skyscan Balloon Photography 43 h, 250 b; 380 h ; 409 bg ; ENGLISH LIFE PUBLICATIONS LTD, Derby : 330 hg, 330 hd, 331 h, 331 b ; ET ARCHIVE : 41 hc, 41 cd, 52 bc, 53 cbg, 58 cbd, 150 b ;

Bodleian Library, Oxford 48 cbd ; British Library, Londres 48 hg, 48 ch ; Devizes Museum 42 cg, 43 b, 250 c ; Garrick Club 422 hg (d) ; Imperial War Museum, Londres 58 cbg (d), 59 bd ; Labour Party Archives 60 bd ; London Museum 43 chg ; Magdalene College 50 ch; National Maritime Museum, Londres 39 b ; Stoke Museum Staffordshire Polytechnic 41 bc, 52 hg ; Victoria & Albert Museum, Londres 50 h (d) ; MARY EVANS PICTURE LIBRARY : 9 dessin, 34 hd, 40 bd, 41 hg, 41 cg, 41 hg, 41 bd, 44 bg, 44 bd, 46 bc, 47 chg, 51 h, 51 bc, 51 bd, 53 cbd, 54 bg, 55 bd, 56 hg, 58 ch, 59 ch, 59 cbg, 59 cbd, 81 bc, 106 h, 107 h, 145 dessin, 150 bc, 151 b, 175 c, 177 c, 183 b, 194 c, 210 bg, 216 hg, 219 c, 219 bg, 219 bd, 222 bg, 227 dessin, 267 h, 285 dessin, 324 b, 335 h, 337 chg, 406 h, 433 hg, 468 b, 485 b, 498 bg, 500 b, 501 h, 521 b, 613 dessin.

CHRIS FAIRCLOUGH : 283 b, 340 b, 640 b ; FALKIRK WHEEL : 487 b ; PAUL FELIX : 222 c ; FFOTOGRAFF © Charles Aithie : 421 h ; FISHBOURNE ROMAN VILLA : 45 h ; LOUIS FLOOD : 470 bd ; FOREIGN AND BRITISH BIBLE SOCIETY : Cambridge University Library 423 c ; FOTOMAS INDEX : 107 chd.

GLASGOW MUSEUMS : Burrell Collection 506-507 sauf 506 hg ; Art Gallery & Museum, Kelvingrove 505 h, 517 b, 529 b (d) ; Saint Mungo Museum of Religious Life and Art 503 hg ; Museum of Transport 504 cd ; JOHN GLOVER : 62 cd, 148 bc, 193 b ; THE GORE HOTEL, Londres : 540 c.

SONIA HALLIDAY AND LAURA LUSHINGTON ARCHIVE : 395 h ; ROBERT HARDING PICTURE LIBRARY : 170 h, 534 h ; Jan Baldwin 275 b ; M H Black 276 h ; Teresa Black 621 bc ; Nigel Blythe 632 ch ; L Bond 325 b ; Michael Botham 32 bd ; C Bowman 629 c ; Lesley Burridge 292 hd ; Martyn F Chillman 293 bc ; Philip Craven 105 h, 188 b, 313 b ; Nigel Francis 207 b, 635 b ; Robert Francis 66-67 ; Paul Freestone 214 b ; Brian Harrison 515 b ; Van der Hars 524 h ; Michael Jenner 45 b, 515 c ; Norma Joseph 65 b ; Christopher Nicholson 241 h ; B O'Connor 33 ch ; Jenny Pate 149 bc ; Rainbird Collection 47 cbd ; Roy Rainsford 33 b, 156 h, 284 b, 324 cd, 356 h, 372 h, 461 b ; Walter Rawling 21 h ; Hugh Routledge 2-3 ; Peter Scholey 287 h ; Michael Short 291 bd ; James Strachen 370 b ; Julia K Thorne 472 bg ; Adina Tovy 61 hg, 472 bd ; Andy Williams 167 h, 222 bd, 334 c, 418 h, 510 ; Adam Woolfitt 20 h, 20 c, 44 hd, 45 cbd, 248 b, 260, 275 ch, 293 bg, 425 bg, 454 hg, 530 hd ; HAREWOOD HOUSE : 396 c ; PAUL HARRIS : 32 h, 62 cg, 289 bg (d), 326 b, 355 b, 612-613, 630 c, 630 b ; HARROGATE INTERNATIONAL CENTRE : 375 b ; HEATHROW AIRPORT LTD : 619 b ; Crown copyright reproduit avec l'autorisation du Controller of HMSO : 73 bd, 120 bg, 120 bd, 121 hg ; CATHEDRAL CHURCH OF THE BLESSED VIRGIN MARY AND ST ETHELBERT IN HEREFORD : 304 b ; HERTFORDSHIRE COUNTY COUNCIL : Bob Norris 58-59 ; JOHN HESELTINE : 74 h, 104, 109 h, 110, 238 hd, 238 c, 455 hg ; HISTORIC ROYAL PALACES (Crown Copyright) : 161 ; HISTORIC SCOTLAND (Crown Copyright) : 483 c, 493 bg, 492 hd, 492 c ; PETER HOLLINGS : 336 hg ; NEIL HOLMES : 246 b (d), 248 c, 274 h, 359 b, 415 hg, 415 hd, 437 b, 643 h ; ANGELO HORNAK LIBRARY : 392 hhg, 392 bg, 392 bd, 395 bd ; reproduit avec l'autorisation du CLERK OF RECORDS, HOUSE OF LORDS : 469 c ; DAVID MARTIN HUGHES : 144-145, 152 ; HULTON-DEUTSCH COLLECTION : 22 hd, 27 cg, 27 cd, 53 chg, 54 c, 56 c, 57 bc, 58 hg, 58 hd, 58 b, 59 h, 60 ch, 60 bg, 150 ch, 157 c, 221 b, 288 h, 336 c, 337 cbd, 338 bg, 363 b, 383 b, 384 bd, 423 h, 481 b, 508 hg, 522 b ; HUNTERIAN ART GALLERY : 505 b ; HUTCHISON LIBRARY : Catherine Blacky 34 bc ; Bernard Gerad 467 h ; HUTTON IN THE FOREST : Lady Inglewood 346 h.

THE IMAGE BANK, London : Derek Berwin 538 h ; David Gould 345 b ; Romilly Lockyer 74 bg ; Colin Molyneux 455 bg ; Stockphotos/Steve Allen 360 c, Trevor Wood 274 b ; Simon Wilkinson 168 b ; Terry Williams 114hc ; IMAGES COLOUR LIBRARY : 30 chg, 43 c, 209 b, 222 h, 237 h, 238 bg, 239 b, 324 h, 326 cg, 327 h, 341 c, 638 h, 638 b ; Horizon/Robert Estall 424 c ; Landscape Only 33 bc, 236, 353, 425 bd ; IRONBRIDGE MUSEUM : 303 b.

JARROLD PUBLISHERS : 200 bd, 217 h (d), 292 bg ; MICHAEL JENNER : 292 hg, 328 b, 514 b ; JORVIK VIKING CENTRE, York : 391 h. ROYAL BOTANIC GARDENS, Kew : 76 ch.

FRANK LANE PICTURE AGENCY : 386 b (d) ; W Broadhurst 242 b ; Michael Callan 230 cbd ; ANDREW LAWSON : 22 ch, 23 c, 232 bd, 233 hg, 233 hd, 233 bd ; LEEDS CASTLE ENTERPRISES : 153 b ; LEIGHTON HOUSE, Royal Borough of Kensington : 130 hd ; publié avec l'aimable autorisation du DEAN AND CHAPTER OF LINCOLN 328 h, 329 bc, 329 bg ; LINCOLNSHIRE COUNTY COUNCIL : USHER GALLERY, Lincoln : c 1820 par William Ilbery 329 bg ; LLANGOLEN INTERNATIONAL MUSICAL EISTEDDFOD 436 c ; LONDON AMBULANCE SERVICE : 621 ch ; LONDON FILM FESTIVAL : 62 h ; LONDON TRANSPORT MUSEUM : 82 h ; LONGLEAT HOUSE : 254 h ; THE LOWRY COLLECTION, Salford : *Coming from the Mill*, 1930, L. S. Lowry 359 hd.

MADAME TUSSAUDS :106 b ; MAGNA : 341 b ; MALDOM MILLENIUM TRUST : 197 h ; MANSELL COLLECTION, Londres : 27 cbg, 40 hd, 52 ch, 55 bc, 249 hd, 311 bg, 337 cbg, 388 b ; NICK MEERS : 18 h, 226-227 ; METROPOLITAN POLICE SERVICE : 621 h ; ARCHIE MILES : 228 ch ; SIMON MILES : 340 hd ; MINACK THEATRE : Murray King 264 b ; MIRROR SYNDICATION INTERNATIONAL : 76 b, 89 b, 114 ; BTA/Juilian Nieman 34 ch ; MUSEUM OF LONDON : 44 cbd, 113 h.

NATIONAL EXPRESS LIMITED : 640 bg ; NATIONAL FISHING HERITAGE CENTRE, Grimsby : 389 h; NATIONAL GALLERY, Londres : 73 hd, 84-85 ; NATIONAL GALLERY OF SCOTLAND : *The Reverend Walker Skating on Duddington Loch*, sir Henry Raeburn 490 c (d) ; NATIONAL LIBRARY OF WALES : 422 hd, 425 c (d), 453 b ; NATIONAL LIBRARY OF FILM AND TELEVISION, Bradford : 397 c ; Board of Trustees of the NATIONAL MUSEUMS AND GALLERIES ON MERSEYSIDE : Liverpool Museum 365 h ; Maritime Museum 363 h ; Walker Art Gallery 334 b, 364 hg, 364 hd, 364 b, 365 c ; NATIONAL MUSEUMS OF SCOTLAND : 491 h, 497 bg ; NATIONAL MUSEUM OF WALES : 422 c ; par faveur de la NATIONAL PORTRAIT GALLERY, Londres : *First Earl of Essex*, Hans Peter Holbein 339 h (d), Angus McBean 83 b ; NATIONAL SOUND ARCHIVE, Londres – la marque déposée His Master's Voice est reproduite avec l'aimable autorisation d'EMI Records Limited : 99 c ; NATIONAL TRAMWAY MUSEUM, Crich : 327 c ; NATIONAL TRUST PHOTOGRAPHIC LIBRARY (*Bess of Hardwick (Elizabeth, Countess of Shrewsbury)*, Anon 322 hg (d) ; Mathew Antrobus 290 bd, 376 cg, 377 bg ; Oliver Benn 25 bd, 266 c, 281 bg, 376 b ; John Bethell 267 c, 267 bg, 267 bd, 291 h ; Nick Carter 243 b ; Joe Cornish 442 ; Prudence Cumming 255 c ; Martin Dohrn 50 cbd ; Andreas Von Einsidedel 25 bg, 290 bc, 291 ch ; Roy Fox 259 h ; Geoffry Frosh 277 h ; Jerry Harpur 232 h, 232 bg ; Derek Harris 232 cbg, 255 h ; Nick Meers 254 b, 255 b, 308 b, 615 b ; Rob Motheson 280 h ; Cressida Pemberton Piggot 540 h ; Ian Shaw 22 bc, 446 h ; Richard Surman 291 bd, 348 b ; Rupert Truman 291 bd, 365 b ; Andy Tryner 290 bg ; Charlie Waite 377 h ; Jeremy Whitaker 291 bc, 379 h, 446 b ; Mike Williams 290 ch, 377 c ; George Wright 23192 cbd, 280 c ; NATIONAL TRUST FOR SCOTLAND : 464 h, 486 b, 487 c, 494 b, 508 hd, 509 hg, 509 hd, 509 bd ; Glyn Satterley 503 hd ; Lindsey Robertson 509 bg ; NATIONAL WATERWAYS MUSEUM à Gloucester : 289 bc, 289 bd ; NHPA : Martin Garwood 381 ch ; NATURE PHOTOGRAPHERS : Andrew Cleave 230 chg ; E A James 31 chg, 348 h ; Hugh Miles 407 h ; Owen Newman 31 ch ; William Paton 514 cbd ; Paul Sterry 30 cbd, 30 bd, 31 bc, 31 cbd, 220 c, 243 h, 373 h, 514 chg ; Roger Tidman 185 b ; NETWORK PHOTOGRAPHERS : Laurie Sparham 466 b ; NEW SHAKESPEARE THEATRE CO : 127 h ; NORFOLK MUSEUMS SERVICE : Norwich Castle Museum 189 b ; OXFORD SCIENTIFIC FILMS : Okapia 270 bg.

PA NEWS PHOTO LIBRARY : John Stilwell 61 cd ; PALACE THEATRE ARCHIVE : 126 c ; PHOTOS HORTICULTURAL : 22 b, 23 h, 149 hcg, 1497 hcd, 149 bc, 149 cbd, 232 ch, 233 c ; PICTURES : 632 h ; POPPERFOTO : 27 bd, 59 bg, 60 cbg, 60 cbd, 61 bg, 88 bg, 148 hd, 191 h, 272 cg, 430 b ; AFP/Eric Feferber 61 bd ; SG Forester 67 bd ; PORT MERION LTD : 440 hg ; THE POST OFFICE : 623 hg, 641 bg ; PRESS ASSOCIATION : Martin Keene 62 b ; PUBLIC RECORD OFFICE (Crown Copyright) : 48 b.
ROB REICHENFELD : 162 h, 163 c, 163 b, 288 b, 626 b, 631 h ; REX FEATURES LTD : 27 ch, 41 hd, 60 hg, 61 bc,

224 c, 225 bd ; Barry Beattie 247 cg ; Peter Brooke 27 bc, 624 bd ; Nils Jorgensen 26 c, 629 h, 636 c ; Eileen Kleinman 629 bd ; Hazel Murray 61 hd ; Tess, Renn-Burrill Productions 257 b ; Brian Rasic 63 h ;Nick Rogers 61 hc ; Tim Rooke 64 cd, 66 hd ; Sipa/Chesnot 27 bg ; Today 21 c ; Richard Young 60 hg ; THE RITZ, Londres : 83 h ; ROYAL ACADEMY OF ARTS, Londres : 86 ch ; ROYAL COLLECTION © 1995 Her Majesty Queen Elizabeth II : *The Family of Henry VIII*, Anon 38 (d), 87 c, 88 hd, 88 bg, 89 h, 224 hd, 225 hg (d), 225 hd, 225 bg, *George IV, in full Highland dress*, sir David Wilkie 471 h ; David Cripps 89 c ; John Freeman 88 bd ; ROYAL COLLEGE OF MUSIC, Londres : 98 c ; ROYAL PAVILION, ART GALLERY AND MUSEUMS, Brighton : 166 c, 166 bg, 166 bd, 167 cg, 167 cd ; ROYAL SHAKESPEARE THEATRE COMPANY : Donald Cooper 315 c (d).

ST. ALBAN'S MUSEUMS : Verulamium Museum 220 b ; SARTAJ BALTI HOUSE : Clare Carnegie 397 b ; SCOTTISH NATIONAL GALLERY OF MODERN ART : Roy Lichtenstein *In the Car* 493 c ; SCOTTISH NATIONAL PORTRAIT GALLERY : prêt de la collection du comte de Roseberry, *Execution of Charles I*, artiste inconnu 52-53 ; S4C (Channel 4 Wales) : 423 b ; SIDMOUTH FOLK FESTIVAL : Derek Brooks 277 b ; SKYSCAN BALLOON PHOTOGRAPHY : 250 h ; SOUTHBANK PRESS OFFICE : 128 h ; SPORTING PICTURES : 66 chd, 66 bc, 66 bd, 67 cg, 346 b ; STILL MOVING PICTURES : Doug Corrance 534 b ; Wade Cooper 469 b ; Derek Laird 468 c ; Robert Lees 65 h ; STB 530 bd, 531 c, Paisley Museum 501 b, Paul Tomkins 515 hd ; SJ Whitehorn 481 h ; DAVID TARN 375 hg ; TONY STONE IMAGES : 34-35, 536-537 ; Richard Elliott 64 b ; Rob Talbot 341 ch ; David Woodfall 426.

© TATE BRITAIN, London 2002 : 73 bg, 93 sauf c et hg, 93 c avec l'aimable autorisation de la Henry Moore Foundation ; *Standing by the Rags*, 1988 © Julian Freud 125 hd ; *Death* from *Death Hope Life Fear* (d) 1984 © Gilbert and George 125 cg ; *Soft Drain Pipe – Blue (Cool) Version* 1967 © Claes Oldenburg 125 cd ; 125 bd, 265 c, 265 bg, 265 bd; ROB TALBOT : 341 bc ; TUILLE HOUSE MUSEUM, Carlisle : 346 c ; URBIS : 360c ; par faveur du conseil des conservateurs du VICTORIA AND ALBERT MUSEUM, Londres : 72 b, 100-101 sauf 100 h.

CHARLIE WAITE : 535 h ; © WALES TOURIST BOARD : 419 c, 420 b, 424-425, 454 bd, 455 hd, 455 bd ; Roger Vitos 454 hg, 454 bg ; THE WALLACE COLLECTION, Londres : 106 bc ; DAVID WARD : 511 b, 529 h ; FREDERICK WARNE & CO : 355 h (d) ; par faveur des conservateurs du THE WEDGWOOD MUSEUM, Barlaston, Staffordshire, Angleterre : 299 b ; DEAN AND CHAPTER OF WESTMINSTER : 95 bg ; Tony Middleton 94 bc ; JEREMY WHITAKER : 216 hd, 216 c, 217 b ; WHITBREAD PLC : 34 bg ; WHITWORTH ART GALLERY, University of Manchester : par faveur de la Granada Television Arts Foundation 361 c ; CHRISTOPHER WILSON : 390 bg ; WILTON HOUSE TRUST : 253 b ; WINCHESTER CATHEDRAL : 159 h ; WOBURN ABBEY – avec l'aimable autorisation de la marquise de Tavistock et des conservateurs du Bedford Estate : 50-51, 218 h ; TIMOTHY WOODCOCK PHOTOLIBRARY : 5 b ; Photo © WOODMANSTERNE, Watford, Royaume-Uni : Jeremy Marks 116 h, 117 h.

YORK CASTLE MUSEUM : 391 bc ; YORK CITY ART GALLERY : 393 bg ; DEAN & CHAPTER YORK MINSTER : 395 chg, 395 ch, 395 cg ; Peter Gibson 395 chd, 395 cd, 395 cg ; Jim Korshaw 392 hd ; reproduit par faveur du YORKSHIRE MUSEUM : 394 c ; YORKSHIRE SCULPTURE PARK : Jerry Hardman Jones 399 b.ZEFA : 64 h, 128 b, 251 h, 257 h, 472 c, 627 h, 634 c, 636 bg ; Bob Croxform 63 cd ; Weir 185 h.

Couverture : photographies particulières sauf ROBERT HARDING PICTURE LIBRARY/Rosehaven Ltd : 1er de couverture en haut.
1er couverture intérieure : photographies particulières sauf ROBERT HARDING PICTURE LIBRARY/Andy Williams hg, Adam Woolfitt bg ; NATIONAL TRUST PHOTOGRAPHIC LIBRARY/Joe Cornish cgc ; TONY STONE IMAGES/David Woodfall cg, TIMOTHY WOODCOCK PHOTOLIBRARY bdg.
2e couverture intérieure : photographies particulières sauf JOHN HESELTINE hg, bd.

GUIDES ◉ VOIR

PAYS

AFRIQUE DU SUD • ALLEMAGNE • AUSTRALIE
CANADA • CUBA • ÉCOSSE • ÉGYPTE • ESPAGNE
FRANCE • GRANDE-BRETAGNE • GRÈCE • IRLANDE
ITALIE • JAPON • MAROC • MEXIQUE • NORVÈGE
NOUVELLE-ZÉLANDE • PORTUGAL • SINGAPOUR
SUISSE • THAÏLANDE • TURQUIE

RÉGIONS

AQUITAINE • BALÉARES • BALI ET LOMBOK
BARCELONE ET LA CATALOGNE • BRETAGNE • CALIFORNIE
CHÂTEAUX DE LA LOIRE ET VALLÉE DE LA LOIRE
FLORENCE ET LA TOSCANE • FLORIDE • GUADELOUPE
HAWAII • ÎLES GRECQUES • JÉRUSALEM ET LA TERRE SAINTE
MARTINIQUE • NAPLES ET LA CÔTE AMALFITAINE
NOUVELLE-ANGLETERRE • PROVENCE ET CÔTE D'AZUR
SARDAIGNE • SÉVILLE ET L'ANDALOUSIE
SICILE • VENISE ET LA VÉNÉTIE

VILLES

AMSTERDAM • BERLIN
BRUXELLES, BRUGES, GAND ET ANVERS • BUDAPEST
DELHI, AGRA ET JAIPUR • ISTANBUL • LONDRES • MADRID
MOSCOU • NEW YORK • NOUVELLE-ORLÉANS • PARIS
PRAGUE • ROME • SAINT-PÉTERSBOURG • STOCKHOLM
VIENNE • WASHINGTON

Le centre de Londres

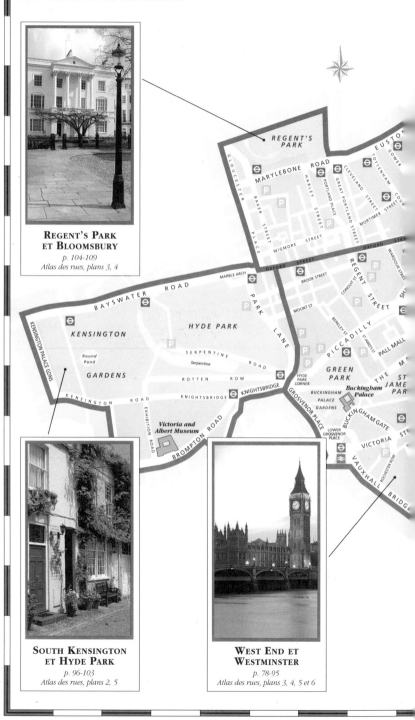

**REGENT'S PARK
ET BLOOMSBURY**
p. 104-109
Atlas des rues, plans 3, 4

REGENT'S
PARK

MARYLEBONE ROAD

GLOUCESTER PLACE

BAKER STREET

HARLEY STREET

PORTLAND PLACE

GREAT PORTLAND STREET

CLEVELAND STREET

MORTIMER STREET

TOTTENHAM COUR

GOWER

EUSTO

WIGMORE STREET

OXFORD STREET

WARDOUR STREE

REGENT STREET

BAYSWATER ROAD

MARBLE ARCH

BROOK STREET

CONDUIT ST

MOUNT ST

BERKLEY ST

ST JAMES ST

PICCADILLY

PALL MALL

KENSINGTON PALACE GDNS

KENSINGTON

HYDE PARK

PARK LANE

GREEN
PARK

THE M

ST
JAME
PAR

Round
Pond

Serpentine

SERPENTINE ROAD

Serpentine

ROTTEN ROW

GARDENS

KENSINGTON ROAD

HYDE
PARK
CORNER

BUCKINGHAM
PALACE
GARDENS

**Buckingham
Palace**

BUCKINGHAM GATE

KNIGHTSBRIDGE

KNIGHTSBRIDGE

GROSVENOR PLACE

LOWER
GROSVENOR
PLACE

VICTORIA
ST

EXHIBITION ROAD

BROMPTON ROAD

*Victoria and
Albert Museum*

VAUXHALL

ROCHESTER ROW

BRIDGE

**SOUTH KENSINGTON
ET HYDE PARK**
p. 96-103
Atlas des rues, plans 2, 5

**WEST END ET
WESTMINSTER**
p. 78-95
Atlas des rues, plans 3, 4, 5 et 6